16	3	2	13
5	10	11	8
9	6	7	12
4	15	14	1

Coleção LESTE

Fiódor Dostoiévski

OS IRMÃOS KARAMÁZOV

Romance em quatro partes com epílogo

Tradução, posfácio e notas
Paulo Bezerra

editora 34

EDITORA 34

Editora 34 Ltda.
Rua Hungria, 592 Jardim Europa CEP 01455-000
São Paulo - SP Brasil Tel/Fax (11) 3811-6777 www.editora34.com.br

Edição conforme o Acordo Ortográfico da Língua Portuguesa.

Título original:
Brátya Karamázovi

Imagens da capa e 4ª capa:
Desenhos de Ulysses Bôscolo

Capa, projeto gráfico e editoração eletrônica:
Bracher & Malta Produção Gráfica

Digitalização e tratamento das imagens:
Cynthia Cruttenden

Preparação:
Cide Piquet

Revisão:
Sérgio Molina
Fabrício Corsaletti

1ª Edição - 2013, 2ª Edição - 2019 (4ª Reimpressão - 2025)

CIP - Brasil. Catalogação-na-Fonte
(Sindicato Nacional dos Editores de Livros, RJ, Brasil)

Dostoiévski, Fiódor, 1821-1881
D724i Os irmãos Karamázov / Fiódor Dostoiévski;
tradução, posfácio e notas de Paulo Bezerra. —
São Paulo: Editora 34, 2019 (2ª Edição).
888 p. (Coleção LESTE)

Tradução de: Brátya Karamázovi

ISBN 978-85-7326-538-5

1. Ficção russa. I. Bezerra, Paulo. II. Título.
III. Série.

CDD - 891.73

OS IRMÃOS KARAMÁZOV

Romance em quatro partes com epílogo

Do autor 13

PRIMEIRA PARTE

Livro I: História de uma família
i. Fiódor Pávlovitch Karamázov 17
ii. Descartado o primeiro filho 20
iii. Segundo casamento e novos filhos 23
iv. O terceiro filho, Aliócha 29
v. Os *startzí* 37

Livro II: Uma reunião inoportuna
i. A chegada ao mosteiro 47
ii. O velho palhaço 52
iii. Mulheres de fé 62
iv. Uma senhora de pouca fé 69
v. Assim seja, assim seja! 76
vi. Para que vive um homem como esse?! 86
vii. Um seminarista-carreirista 95
viii. O escândalo 104

Livro III: Os lascivos
i. Os criados 114
ii. Lizavieta Smierdiáschaia 119
iii. Confissão de um coração ardente, em versos 123
iv. Confissão de um coração ardente, em anedotas 133
v. Confissão de um coração ardente, "de pernas para o ar" 140
vi. Smierdiakóv 148
vii. A controvérsia 153
viii. Tomando conhaque 159
ix. Os lascivos 167
x. As duas mulheres juntas 172
xi. Mais uma reputação destruída 183

SEGUNDA PARTE

Livro IV: Mortificações
i. O padre Fierapont 193
ii. Com o pai 203

iii. Os colegiais 208
iv. Em casa das Khokhlakova 212
v. Mortificação no salão 219
vi. Mortificação na isbá 229
vii. Ao ar puro também 238

Livro V: Pró e contra
i. Os esponsais 249
ii. Smierdiakóv e seu violão 259
iii. Os irmãos se conhecem 266
iv. A revolta 275
v. O Grande Inquisidor 287
vi. Ainda muito obscuro 308
vii. "É até curioso conversar com um homem inteligente" 319

Livro VI: Um monge russo
i. O *stárietz* Zossima e seus visitantes 327
ii. A vida do hieromonge *stárietz* Zossima, morto na graça de Deus, redigida a partir de suas próprias palavras por Alieksiêi Fiódorovitch Karamázov. Dados biográficos 331
iii. Trechos das palestras e sermões do *stárietz* Zossima 359

Terceira parte

Livro VII: Aliócha
i. Cheiro deletério 375
ii. O momento propício 387
iii. A cebolinha 393
iv. Caná da Galileia 410

Livro VIII: Mítia
i. Kuzmá Samsónov 415
ii. Liágavi 425
iii. Lavras de ouro 432
iv. No escuro 443
v. Uma decisão repentina 449
vi. Estou a caminho! 464
vii. O primeiro e indiscutível 472
viii. Delírio 490

Livro IX: Investigação preliminar
i. Início da carreira do funcionário Pierkhótin 504
ii. Alvoroço 510
iii. Tormento de uma alma em provações. Primeira provação 517
iv. Segunda provação 526
v. Terceira provação 533
vi. O promotor surpreende Mítia 544
vii. O grande segredo de Mítia. Os apupos 551
viii. Depoimento das testemunhas. Um bebê 563
ix. Mítia é levado preso 572

QUARTA PARTE

Livro X: Os meninos
i. Kólia Krassótkin 579
ii. A meninada 584
iii. O colegial 589
iv. Jutchka 597
v. À cabeceira de Iliúcha 604
vi. Desenvolvimento precoce 621
vii. Iliúcha 628

Livro XI: O irmão Ivan Fiódorovitch
i. Em casa de Grúchenka 633
ii. O pezinho doente 642
iii. Um demoniozinho 652
iv. O hino e o segredo 658
v. Não foste tu, não foste tu! 671
vi. O primeiro encontro com Smierdiakóv 677
vii. A segunda visita a Smierdiakóv 687
viii. A terceira e última conversa com Smierdiakóv 696
ix. O diabo. O pesadelo de Ivan Fiódorovitch 711
x. “Foi ele quem disse!” 730

Livro XII: Um erro judiciário
i. O dia fatal 736
ii. Testemunhas perigosas 742
iii. A perícia médica e uma libra de nozes 751

iv. A sorte sorri para Mítia 757
v. A catástrofe repentina 766
vi. O discurso do promotor. Tópicos 775
vii. Um apanhado histórico 785
viii. O tratado sobre Smierdiakóv 790
ix. A psicologia a todo vapor. A troica a galope.
Final do discurso do promotor 799
x. O discurso da defesa.
Uma faca de dois gumes 810
xi. Não houve dinheiro. Não houve roubo 814
xii. E tampouco houve assassinato 820
xiii. Adúltero do pensamento 828
xiv. Os mujiques se mantiveram firmes 835

Epílogo

i. Projetos para salvar Mítia 845
ii. Por um minuto a mentira se fez verdade 850
iii. Os funerais de Iliúchetchka.
O discurso junto à pedra 857

Lista das principais personagens 868

Posfácio do tradutor 871

OS IRMÃOS KARAMÁZOV

Romance em quatro partes com epílogo

As notas do tradutor fecham com (N. do T.). As notas dos organizadores da edição russa estão assinaladas como (N. da E.).

Traduzido do original russo *Pólnoie sobránie sotchiniénii v tridtsatí tomákh — Khudójestvennie proizvediénia* (Obras completas em 30 tomos — Obras de ficção) de Dostoiévski, tomos XIV e XV, Ed. Naúka, Leningrado, 1976.

para Anna Grigórievna Dostoiévskaia

"Em verdade, em verdade vos digo: Se o grão de trigo, caindo na terra, não morrer, fica ele só; mas se morrer, produz muito fruto."

João, 12, 24[1]

[1] Todas as citações bíblicas empregadas nesta tradução se baseiam no texto de *A Bíblia Sagrada*, traduzido para o português por João Ferreira de Almeida (1628-1691) e publicado pela Sociedade Bíblica do Brasil, edição revista e atualizada, 1993. (N. do T.)

DO AUTOR

Ao iniciar a biografia de meu herói Alieksiêi Fiódorovitch Karamázov, acho-me tomado de certa perplexidade. Ei-la: embora chame Alieksiêi Fiódorovitch de meu herói, eu mesmo, porém, sei todavia que ele nada tem de grande e por isso prevejo perguntas inevitáveis como essas: em que seu Alieksiêi Fiódorovitch é digno de nota, por que o escolheu como seu herói? O que lhe deu esse destaque? A quem chega sua fama e por quê? Por que eu, leitor, devo perder tempo estudando episódios de sua vida?

A última pergunta é a mais fatídica, pois só posso responder: "Talvez o senhor mesmo note isso a partir da leitura do romance". Mas e se lerem o romance e não notarem, não concordarem com a notoriedade de meu Alieksiêi Fiódorovitch? Digo isso porque o prevejo com pesar. Para mim ele é digno de nota, mas duvido terminantemente que consiga demonstrá-lo ao leitor. O caso é que talvez até se trate de um ativista, mas um ativista indeciso, indefinido. Pensando bem, seria estranho exigir clareza das pessoas numa época como a nossa. Uma coisa, é de crer, fica bastante evidente: trata-se de um homem estranho, de um excêntrico até. No entanto, a estranheza e a excentricidade mais prejudicam que permitem chamar a atenção, sobretudo quando todo mundo procura unir particularidades e encontrar ao menos algum sentido comum na balbúrdia geral. Quanto ao excêntrico, o mais das vezes é uma particularidade, um caso isolado. Não é?

Mas se os senhores não concordarem com essa última tese e responderem: "Não é assim" ou "não é sempre assim", é possível que eu até crie ânimo em relação à importância de meu herói Alieksiêi Fiódorovitch. Porque não só o excêntrico "nem sempre" é uma particularidade e um caso isolado, como, ao contrário, vez por outra acontece de ser justo ele, talvez, que traz em si a medula do todo, enquanto os demais viventes de sua época — todos, movidos por algum vento estranho, dele estão temporariamente afastados sabe-se lá por que razão.

De resto, eu não me meteria nessas explicações confusas e desinteressantes, e começaria pura e simplesmente sem mais preâmbulos: se gostarem, acabarão mesmo lendo; o mal, porém, é que biografia eu tenho uma, mas romances, dois. O romance principal é o segundo[2] — a atividade de meu herói já em nossa época, precisamente em nosso momento atual. O primeiro romance aconteceu já faz treze anos e quase nem chega a ser romance, mas tão somente um instante da primeira juventude do meu herói. Prescindir desse primeiro romance é impossível, porque muita coisa ficaria incompreensível no segundo romance. Mas dessa maneira minha dificuldade inicial se agrava ainda mais: se eu mesmo, isto é, o próprio biógrafo, acho que um só romance já é, talvez, um excesso para um herói tão modesto e indefinido, então como é que vou aparecer com dois e como explicar tamanha presunção de minha parte?

Atrapalhado com a solução de semelhantes questões, decido-me por deixá-las sem qualquer solução. É claro que o leitor perspicaz já percebeu, há muito tempo, que desde o início eu vinha dando esse rumo à coisa, e apenas se afligia comigo, perguntando-se por que eu gastava à toa palavras estéreis e o precioso tempo. Já tenho uma resposta pontual: gastava palavras estéreis e o precioso tempo, em primeiro lugar, por cortesia e, em segundo, por astúcia: vamos, seja como for eu preveni de antemão. Aliás, até me agrada que meu romance tenha se dividido por si mesmo em dois relatos, mantendo "a unidade essencial do todo": ao tomar conhecimento do primeiro relato, o próprio leitor se decidirá: valerá a pena passar à segunda? É claro que ninguém está tolhido por nada; pode largar o livro na segunda página do primeiro relato para não voltar a abri-lo. Acontece, porém, que há leitores delicados, que forçosamente desejarão ler até o fim para não se enganar em sua apreciação imparcial; assim são, por exemplo, todos os críticos russos. Pois é perante esses que fico com o coração mais leve, apesar de tudo; a despeito de todo seu esmero e sua honestidade, dou-lhes, todavia, o mais legítimo pretexto para largar o relato no primeiro episódio do romance.

Bem, eis todo o prólogo. Concordo plenamente que isso é excessivo, mas como já está escrito, que fique.

E agora mãos à obra.

[2] Estava nos planos de Dostoiévski dar continuidade a *Os irmãos Karamázov*, escrevendo um novo romance que teria Aliócha como personagem central. Daí a expressão "segundo" romance. (N. do T.)

PRIMEIRA PARTE

Livro I
HISTÓRIA DE UMA FAMÍLIA

I. FIÓDOR PÁVLOVITCH KARAMÁZOV

Alieksiêi Fiódorovitch Karamázov era o terceiro filho do fazendeiro de nosso distrito Fiódor Pávlovitch Karamázov, muito famoso em sua época (aliás, ainda hoje é lembrado entre nós) por seu fim trágico e obscuro, ocorrido há exatos treze anos, e sobre o qual relatarei no devido momento. Agora, porém, direi a respeito desse "fazendeiro" (como o chamavam entre nós, embora durante toda sua vida ele quase não morasse em sua fazenda) apenas que era um tipo estranho, desses encontrados, todavia, com bastante frequência, justamente um tipo de homem não só reles e devasso, mas ao mesmo tempo bronco — contudo, daqueles broncos que, não obstante, sabem arranjar magistralmente seus negociozinhos com propriedades e, parece, só e unicamente estes. Fiódor Pávlovitch, por exemplo, começou quase do nada, era um fazendeiro insignificante, vivia a correr atrás de almoços em mesas alheias, empenhava-se a fundo na condição de comensal, mas ao morrer deixou uma quantia que beirava os cem mil rublos em dinheiro sonante. E, ao mesmo tempo, passou toda a vida, apesar de tudo, sendo um dos mais broncos extravagantes de todo o nosso distrito. Torno a repetir: aí não se trata de tolice; em sua maioria esses extravagantes são bastante inteligentes e ladinos: trata-se precisamente de bronquice, e ainda por cima de uma bronquice algo peculiar, nacional.

Casara-se duas vezes e tinha três filhos; Dmitri Fiódorovitch, da primeira mulher, e os dois restantes, Ivan e Alieksiêi, da segunda. A primeira mulher de Fiódor Pávlovitch era do ramo bastante rico e nobre dos Miússov, também fazendeiros de nosso distrito. De como foi acontecer que uma moça com dote, além de bonita e ainda por cima daquelas inteligências vivas, muito frequentes em nosso país na geração atual mas também encontradas no passado, pôde casar-se com tão insignificante "fuinha", como todos o chamavam, não vou dar maiores explicações. É que, ainda na penúltima geração "romântica", conheci uma moça que, depois de vários anos de um amor enigmático por um homem, com quem, aliás, sempre pôde casar-se da maneira mais tranquila, acabou, não obstante, por inventar ela mesma obstáculos insuperáveis, e numa noite de tempestade lançou-se de uma margem alta, semelhante a um penhasco, em um rio bastante fundo e veloz e ali morreu devido terminantemente aos próprios caprichos, com o único fito de se parecer com a Ofélia de Shakespeare,[3] tanto que, se esse penhasco, que ela havia observado e tornado seu predileto fazia tanto tempo, não fosse lá tão pitoresco e em seu lugar houvesse apenas uma prosaica margem plana, é possível que nem tivesse havido nenhum suicídio. Trata-se de um fato real e é de pensar que em nossa vida russa, nas duas ou três últimas gerações, não houve poucos fatos iguais ou congêneres. De modo semelhante, a atitude de Adelaída Ivánovna Miússova foi, sem dúvida, um eco de sopros alheios e também a excitação de uma ideia prisioneira.[4] Talvez tenha querido proclamar a independência feminina, ir contra as condições sociais, contra o despotismo de seu clã e de sua família, mas a prestimosa fantasia a convenceu, por apenas um instante, suponhamos, de que Fiódor Pávlovitch, a despeito de sua condição de comensal, era, não obstante, um dos homens mais ousados e galhofeiros daquela época em transição para tudo o que havia de melhor, quando na verdade ele não era senão um palhaço perverso e nada mais. O picante do caso foi ter sido resolvido com um rapto, e isso deixou Adelaída Ivánovna muito lisonjeada. Já Fiódor Pávlovitch, até por sua condição social, estava então muito preparado para todos os lances dessa natureza, pois desejava ardentemente arranjar sua carreira fosse lá como fosse; encostar-se numa boa família e receber um dote era muito sedutor. Quanto ao amor recíproco, parece que não havia absolutamente — nem da parte da noiva, nem da parte dele, até mesmo apesar da beleza de Adelaída Ivánovna. De sorte que esse caso foi, talvez, o único do gênero na vida de Fiódor Pávlovitch, homem voluptuosíssimo em toda a sua existência, disposto a grudar num abrir e fechar de olhos em qualquer saia, bastando apenas que ela o atraísse. E entretanto essa mulher foi a única a não provocar nele nenhuma impressão especial sob o aspecto da paixão.

Logo após o rapto, Adelaída Ivánovna percebeu num abrir e fechar de olhos que sentia pelo marido apenas desprezo e nada mais. Assim, as consequências do casamento se evidenciaram com excepcional rapidez. Apesar de

[3] A referência a Ofélia, personagem de *Hamlet*, está aqui associada à ideia da emancipação da mulher. (N. da E.)

[4] Citação de um poema de M. Yu. Liérmontov, de 1839: "Não creias, não creias, jovem sonhador,/ Teme como chaga a inspiração.../ Ela é delírio penoso de tua alma enferma/ Ou de ideia prisioneira uma excitação". (N. da E.)

a família ter se conformado com o fato até com bastante presteza e liberado o dote para a fugitiva, o casal começou a vida mais desregrada e com brigas eternas. Contava-se que a jovem esposa revelara aí muito mais dignidade e elevação do que Fiódor Pávlovitch, que, como hoje se sabe, surrupiou-lhe na ocasião e de um só golpe todo o dinheiro mal ela o recebeu, os vinte e cinco mil inteirinhos, de sorte que desde então aqueles milharezinhos como que evaporaram. A aldeota e a casa bastante boa da cidade, que também couberam a ela como parte do dote, ele tentou por muito tempo e todos os meios transferir para o seu nome mediante a execução de algum ato apropriado, e certamente o teria conseguido unicamente graças, por assim dizer, ao desprezo e ao asco que a cada instante despertava na esposa com suas desavergonhadas extorsões e súplicas, unicamente graças ao cansaço espiritual experimentado por ela, que cederia só para que ele a deixasse em paz. Mas por sorte a família de Adelaída Ivánovna entrou em ação e coibiu o larápio. Sabe-se ao certo que o casal brigava com frequência, mas pelo que se conta quem batia não era Fiódor Pávlovitch e sim Adelaída Ivánovna, senhora fogosa, ousada, morena, impaciente, dotada de notável força física. Por fim ela largou a casa e fugiu com um seminarista preceptor morto de fome, deixando com Fiódor Pávlovitch o filho Mítia,[5] de três anos. Da noite para o dia Fiódor Pávlovitch montou em casa um verdadeiro harém e a mais orgiástica das bebedeiras, enquanto nos intervalos percorria quase toda a província e entre lágrimas queixava-se a todos e a cada um de Adelaída Ivánovna, que o abandonara, e além do mais entrava em detalhes tais de sua vida conjugal que para um esposo seria o cúmulo da vergonha comunicá-los. O grave é que lhe parecia prazeroso e até lisonjeiro representar perante todos seu ridículo papel de marido ofendido e desenhar, inclusive com exageros, os pormenores de sua ofensa. "É de pensar, Fiódor Pávlovitch, que o senhor até recebeu um título, de tão satisfeito que anda, apesar de toda a sua amargura" — diziam-lhe os galhofeiros. Muitos até acrescentavam que ele se comprazia em aparecer com a renovada feição de palhaço e o fazia de propósito com o fim de provocar mais riso, fingindo não se dar conta de sua situação cômica. Pensando bem, quem sabe isso não fosse até ingenuidade dele? Por fim ele conseguiu descobrir as pistas de sua fugitiva. A coitada estava em Petersburgo, para onde se mudara com seu seminarista e onde se lançara sem reservas à mais completa emancipação. Imediatamente Fiódor Pávlovitch desdobrou-se e começou a preparar viagem a Petersburgo, sem, é claro, saber para quê. De fato, é possível que então tivesse mesmo viajado; contudo, depois de to-

[5] Diminutivo de Dmitri. (N. do T.)

mar tal decisão, julgou-se incontinenti com um direito especial de entregar--se, antes da partida, à mais desbragada bebedeira para levantar o ânimo. Pois foi nesse momento que a família da esposa recebeu a notícia de sua morte em Petersburgo. Ela morreu assim meio de repente em um sótão, segundo uns, de tifo, segundo outros, parece que de fome. Fiódor Pávlovitch soube da morte da esposa bêbado; dizem que saiu correndo pela rua e começou a gritar, levantando os braços para o céu tomado de alegria: "Agora me deixas livre!"; mas, conforme outros contam, soluçava como uma criancinha, e tanto que, segundo dizem, dava até pena olhar para ele, a despeito de todo o asco que tinham dele. É muito possível que tenha havido tanto uma coisa como a outra, ou seja, que estivesse alegre com sua libertação e chorasse pela libertadora — tudo ao mesmo tempo. Na maioria dos casos, as pessoas, inclusive os facínoras, são muito mais ingênuas e simples do que costumamos achar. Aliás, nós também.

II. Descartado o primeiro filho

Pode-se, é claro, imaginar que educador e pai poderia dar semelhante homem. Justo como pai aconteceu-lhe o que teria de acontecer, isto é, ele abandonou de vez e inteiramente seu filho com Adelaída Ivánovna, não por raiva dele ou quaisquer sentimentos de marido ofendido, mas apenas porque o esqueceu por completo. Enquanto ele importunava todo mundo com suas lágrimas e queixas e transformava sua casa num antro de devassidão, Grigori, o fiel criado dessa casa, tomou Mítia, menino de três anos, sob seus cuidados, e não tivesse ele se preocupado com a criança naquela ocasião é possível que não houvesse ninguém para lhe trocar uma camisa. Além do mais, aconteceu que nos primeiros tempos os familiares maternos da criança também como que a esqueceram. Seu avô, isto é, o próprio senhor Miússov, pai de Adelaída Ivánovna, já não se encontrava entre os vivos; sua viúva, a avó de Mítia, que se mudara para Moscou, andava doente demais e suas irmãs se haviam casado, de sorte que Mítia teve de passar quase um ano inteiro morando com o criado Grigori na *isbá* do quintal. Aliás, ainda que o pai se lembrasse dele (de fato, não dava mesmo para ignorar sua existência), ele o mandaria de volta para a *isbá*, pois o menino, apesar de tudo, seria um estorvo para sua baderna. Aconteceu, porém, que de Paris regressou Piotr Alieksándrovitch Miússov, primo da falecida Adelaída Ivánovna, que depois moraria muitos anos consecutivos no estrangeiro, mas que na ocasião era um homem ainda muito jovem, porém especial entre os Miússov — culto, metropolitano, radicado no exterior e que, ademais, em toda a sua vida fora um europeu e em seus últimos anos um liberal das décadas de quarenta e cinquenta. Ao longo de sua carreira manteve relações com muitas pessoas das mais liberais de sua época e, tanto na Rússia quanto no estrangeiro, conheceu pessoalmente Proudhon e Bakúnin, e já no final de suas viagens gostava particularmente de rememorar e narrar episódios dos três dias da revolução de fevereiro de 1848 em Paris, insinuando que por pouco não participara pessoalmente das barricadas. Essa era uma das lembranças mais gratas de sua mocidade. Tinha fortuna própria de aproximadamente mil almas,[6] segundo estimativas daquela época. Sua magnífica fazenda ficava logo na saída de nossa cidadezinha e confinava com as terras do nosso famoso mosteiro, contra quem Piotr Alieksándrovitch, ainda em sua primeira juventude, mal recebera a herança, começara, sem pestanejar, um infindável processo pelo direito a certo tipo de pesca no rio ou corte de madeira na mata, não sei ao certo, e achou que era até sua obrigação de cidadão e homem culto iniciar um processo contra os "clericais".[7] Depois de ouvir tudo sobre Adelaída Ivánovna, de quem certamente se lembrava e a qual outrora até havia observado, e inteirar-se da existência de Mítia, envolveu-se com essa questão a despeito de toda a sua indignação juvenil e de seu desprezo por Fiódor Pávlovitch. Foi aí que travou conhecimento com Fiódor Pávlovitch pela primeira vez. Declarou-lhe sem rodeios que gostaria de assumir a educação do menino. Mais tarde, contou durante muito tempo, para frisar uma peculiaridade, que, quando começou a falar de Mítia com Fiódor Pávlovitch, este ficou por muito tempo com a expressão de quem não estava compreendendo absolutamente de que menino se tratava e até se admirou de ter um filho pequeno em algum canto da casa. Se no relato de Piotr Alieksándrovitch podia haver exagero, assim mesmo também devia haver alguma coisa com ares de verdade. A realidade, porém, é que em toda sua vida Fiódor Pávlovitch sempre gostou de faz de conta, de representar subitamente diante de nós algum papel inesperado e, o principal, às vezes sem qualquer necessidade e até em detrimento de si mesmo, como, por exemplo, no presente caso. Aliás, esse traço é peculiar a um número extraordinário de pessoas, e até àquelas muito inteligentes, não só a Fiódor Pávlovitch. Piotr Alieksándrovitch conduziu o caso com fervor, e foi inclusive nomeado tutor do menino (junto com Fiódor Pávlovitch), porque, a despeito de tudo, a mãe dele deixara uma peque-

[6] Assim eram designados os camponeses servos. (N. do T.)

[7] Referência irônica aos representantes da Igreja Ortodoxa, que não usavam esse qualificativo não russo. (N. do T.)

na propriedade rural — casa e fazenda. Mítia se mudou de fato para a casa desse primo de segundo grau, mas este não tinha família própria, e como tão logo fez os acertos e recebeu os rendimentos provenientes de suas fazendas precipitou-se de volta a Paris com a intenção de ali permanecer por muito tempo, acabou confiando o menino a uma de suas tias de segundo grau, uma senhora de Moscou. Aconteceu que, uma vez habituado a Paris, ele também esqueceu o menino, sobretudo quando veio aquela tal revolução de fevereiro que tanto mexeu com sua imaginação e a qual já não conseguiu esquecer pelo resto da vida. A tal senhora de Moscou morreu, e Mítia passou a morar com uma de suas filhas casadas. Parece que depois ele ainda mudou de ninho pela quarta vez. Sobre isso não vou me alongar agora, tanto mais porque ainda terei de falar muito desse primogênito de Fiódor Pávlovitch; neste momento, porém, limitar-me-ei a informações estritamente necessárias a seu respeito, sem as quais não me seria possível sequer iniciar o romance.

Em primeiro lugar, esse Dmitri Fiódorovitch foi o único dos três filhos de Fiódor Pávlovitch que cresceu convencido de que, a despeito de tudo, possuía certa fortuna e, quando atingisse a maioridade, seria independente. Sua adolescência e sua mocidade transcorreram em desordem: não concluiu o colégio, depois ingressou numa escola militar, mais tarde apareceu no Cáucaso, foi promovido no serviço, brigou em duelos, foi degradado, tornou a ser promovido, farreou e esbanjou um dinheiro considerável. Passou a recebê-lo de Fiódor Pávlovitch não antes de atingir a maioridade, e até então se meteu em dívidas. Viu e conheceu Fiódor Pávlovitch, seu pai, pela primeira vez já depois da maioridade, quando apareceu deliberadamente em nossas paragens com o objetivo de lhe pedir esclarecimentos sobre seus bens. Parece que não gostou do genitor; passou pouco tempo em sua casa e partiu às pressas, conseguindo apenas receber certa quantia e fazer com ele um acordo para futuro recebimento de rendas da fazenda, da qual (fato notável) acabou não arrancando dessa vez informações de Fiódor Pávlovitch, nem sobre a rentabilidade, nem sobre o valor. Na ocasião, Fiódor Pávlovitch fez ver logo de saída (e isso cabe observar) que Mítia fazia de sua fortuna uma ideia exagerada e incorreta. Fiódor Pávlovitch ficou muito satisfeito com isso, tendo em vista seus cálculos especiais. Apenas concluiu que o rapaz era leviano, violento, dado a arrebatamentos, impaciente, farrista, e era só lhe arranjar algum empréstimo provisório que no mesmo instante se acalmava, ainda que por pouco tempo, é claro. Pois foi isso que Fiódor Pávlovitch começou a explorar, ou seja, limitou-se a pequenas migalhas, a remessas provisórias, e no fim das contas aconteceu que quatro anos depois, quando Mítia, tendo perdido a paciência, apareceu pela segunda vez em nossa cidadezinha com o intuito de resolver definitivamente a questão com o pai, para seu maior espanto, viu-se de repente que já não tinha rigorosamente nada, que era até difícil fazer as contas, que já havia recebido de Fiódor Pávlovitch todo o valor correspondente aos seus bens e que talvez estivesse mesmo lhe devendo; que, segundo esses e aqueles acordos que ele mesmo quisera fazer nesse e naquele momento, ele não tinha sequer o direito de reclamar nada mais, etc., etc. O rapaz ficou estupefato, suspeitou de trapaça, de embuste, quase se descontrolou e como que perdeu o juízo. Pois foi essa circunstância que acabou redundando na catástrofe cuja exposição é o objeto do meu primeiro romance, ou melhor, o seu aspecto externo. Contudo, antes de começar esse romance, preciso ainda falar dos dois outros filhos de Fiódor Pávlovitch, irmãos de Mítia, e explicar de onde vieram.

III. Segundo casamento e novos filhos

Depois de livrar-se de Mítia, então com quatro anos, Fiódor Pávlovitch logo se casou pela segunda vez. Esse segundo casamento durou uns oito anos. Arranjou essa segunda esposa, Sófia Ivánovna, bem jovenzinha também, em outra província, aonde fora tratar de um negócio de pouca monta acompanhado de um *jidezinho*[8] qualquer. Embora caísse na farra, e na bebida, e, é claro, na baderna, não obstante nunca deixava de aplicar seu capital e sempre se dava bem em seus negocinhos, ainda que, evidentemente, quase sempre misturados com baixezas. Sófia Ivánovna era uma "orfãzinha", sem família desde a infância, filha de um obscuro diácono, que crescera na casa rica de sua benfeitora, educadora e carrasca, uma velha nobre viúva do general Vórokhov. Desconheço os pormenores, mas ouvi dizer apenas que a pupila, dócil, complacente e calada, certa vez fora tirada de um laço que havia pendurado em um prego na despensa — tão duro lhe era suportar os caprichos e as eternas censuras dessa velha, que não parecia cruel mas que, movida pela ociosidade, era simplesmente a mais insuportável tirana. Fiódor Pávlovitch propôs casamento, tomaram informações sobre ele e o tocaram porta afora, e foi aí que mais uma vez, como no primeiro casamento, ele propôs fuga à orfãzinha. É muito, muito possível que ela nem mesmo tivesse se casado com ele por nada nesse mundo se houvesse se inteirado a tempo de mais detalhes a seu respeito. O caso, porém, se deu em outra província; ademais, o que uma mocinha de dezesseis anos podia compreender senão que era me-

[8] De *jid*, denominação depreciativa de judeu. (N. do T.)

lhor atirar-se no rio do que continuar com a benfeitora? Foi assim que a coitadinha trocou a benfeitora pelo benfeitor. Desta feita Fiódor Pávlovitch não recebeu um vintém de dote, porque a generala zangou-se, não deu nada, e ainda por cima amaldiçoou os dois; mas desta vez ele não contava mesmo com dote, e deixou-se seduzir só pela beleza extraordinária da mocinha inocente e, o mais importante, por seu ar casto, que impressionou a ele, voluptuoso e até então um depravado adepto apenas da beleza rude das mulheres. "Esses olhinhos inocentes me deram uma navalhada na alma naquela ocasião" — dizia ele mais tarde, soltando a seu modo risadinhas sórdidas. Aliás, em um devasso até isso podia ser mero pendor lascivo. Não tendo recebido nenhuma recompensa, Fiódor Pávlovitch não fez cerimônias com a esposa e, valendo-se de que ela, por assim dizer, era "culpada" perante ele, de que quase a havia "tirado da forca" e aproveitando-se, além disso, de sua fenomenal humildade e submissão, chegava a pisotear até o mais costumeiro decoro conjugal. Em sua casa, ali mesmo na presença da mulher, juntavam-se mulheres de vida fácil e armavam-se bacanais. Informo, como traço característico, que Grigori, criado sentencioso, sorumbático, tolo e teimoso, que odiava a antiga patroa Adelaída Ivánovna, desta feita tomou o partido da nova patroa, defendendo-a e, por sua causa, trocando desaforos com Fiódor Pávlovitch de forma quase inadmissível para um criado, e certa vez chegou até a acabar à força com um bacanal e expulsar todas as indecentes que ali se encontravam. Posteriormente, a jovem mulher, infeliz e assustada desde a infância, foi acometida de uma espécie de doença nervosa de mulher, encontrada com maior frequência entre a gente simples, as camponesas, por isso chamadas de *klikuchas*.[9] Essa doença, com seus terríveis ataques de histeria, de quando em quando levava a doente até a perder a razão. Ainda assim, ela deu dois filhos a Fiódor Pávlovitch, Ivan e Alieksiêi, o primeiro, no primeiro ano de casamento e o segundo, três anos depois. Quando ela morreu, o menino Alieksiêi caminhava para os quatro anos e, embora isso seja estranho, sei, entretanto, que ele guardou a lembrança da mãe pelo resto da vida — como se estivesse sonhando, é claro. Após a morte dela, aconteceu com os dois meninos quase exatamente o mesmo que acontecera com Mítia, o primeiro: foram totalmente esquecidos e abandonados pelo pai e acabaram na companhia do mesmo Grigori e em sua mesma *isbá*. Foi nessa *isbá* que os encontrou a velha e tirana generala, benfeitora e educadora de sua mãe. A velha ainda estava entre os vivos e, durante todos os oito anos de-

[9] Mulheres doentes dos nervos, acometidas com frequência de ataques histéricos acompanhados de gritos estridentes. (N. do T.)

corridos, não conseguira esquecer por um só instante a ofensa que lhe fora infligida. Durante todos aqueles oito anos tivera as notícias mais precisas da vidinha de sua "Sófia" e, ao ouvir falar de como esta andava doente e das desordens que a rodeavam, umas duas ou três vezes pronunciou em voz alta para suas comensais: "Bem feito para ela; isso foi Deus que lhe mandou pela ingratidão".

Depois de exatos três meses da morte de Sófia Ivánovna, a generala apareceu de súbito pessoalmente em nossa cidade e foi direto à casa de Fiódor Pávlovitch, passou ao todo coisa de meia hora na cidade, mas fez muito. Era noitinha. Fiódor Pávlovitch, que ela não vira durante todos aqueles oito anos, recebeu-a de porre. Conta-se que ela, mal pôs a vista nele, sem quaisquer explicações deu-lhe três grandes e sonoras bofetadas e três vezes o puxou pelo topete, de cima para baixo; depois, sem acrescentar palavra, foi direto à *isbá* à procura dos dois meninos. Notando à primeira vista que eles não estavam limpos e tinham a roupa imunda, deu incontinenti mais uma bofetada no próprio Grigori, comunicou-lhe que ia levar suas crianças para sua casa, em seguida os conduziu como estavam, enrolou-os numa manta, pôs os dois na carruagem e os levou para sua cidade. Grigori suportou essa bofetada como um escravo dedicado, não disse uma só grosseria, e quando acompanhou a velha senhora até a carruagem, após uma reverência profunda, disse-lhe com gravidade: "Deus pagará pelos órfãos". "Mesmo assim és um bobalhão" — gritou lhe a generala, partindo. Considerando toda a questão, Fiódor Pávlovitch achou que era um bom negócio, e depois não recuou em nenhum ponto de seu consentimento formal para que as crianças fossem educadas na casa da generala. Quanto às bofetadas recebidas, ele mesmo saiu espalhando o fato por toda a cidade.

Aconteceu que logo em seguida a generala também morreu, deixando, porém, mil rublos em herança para cada um dos pequerruchos, "para sua educação, e para que todo esse dinheiro seja gasto necessariamente com eles, e que dure até a maioridade dos dois, porque mesmo esse auxílio é mais que suficiente para crianças como estas, e se alguém quiser, que dê do próprio bolso", etc., etc. Eu mesmo não li o testamento, mas ouvi dizer que houve mesmo esse tipo de coisa esquisita e lavrada de um jeito demasiado original. Contudo, o principal herdeiro da velha veio a ser um homem honesto, o decano da nobreza da província Iefim Pietróvitch Poliónov.[10] Após trocar correspondência com Fiódor Pávlovitch e compreender num piscar de olhos que

[10] Na Rússia tsarista, o decano da nobreza era eleito pela assembleia da província ou da nobreza para tratar dos assuntos específicos da casta. (N. do T.)

não conseguiria arrancar dinheiro dele para a educação dos próprios filhos (embora ele nunca negasse abertamente, mas sempre se limitasse a adiar, às vezes debulhando-se em sentimentalismo), ele cuidou pessoalmente dos órfãos e gostou particularmente do caçula Alieksiêi, de sorte que durante muito tempo este foi até criado com sua família. Peço que o leitor observe isso desde o início. E se os jovens deviam a alguém por sua educação e instrução para toda a vida, então era precisamente a Iefim Pietróvitch, homem nobilíssimo e humaníssimo, desses que raramente se encontram. Ele manteve intactos os mil rublos deixados pela generala a cada um dos pequerruchos, de modo que, quando eles atingiram a maioridade, o dinheiro havia crescido com os juros, cada mil chegando a dois; educou-os às suas próprias custas e, é claro, gastou com cada um bem mais do que aqueles mil. Por ora deixo mais uma vez de fazer um relato minucioso da infância e da adolescência dos dois e aponto apenas suas circunstâncias mais importantes. Aliás, sobre Ivan, o mais velho, informo apenas que foi um adolescente um tanto macambúzio e ensimesmado, nem de longe tímido, mas já desde os dez anos como que compenetrado de que ambos, apesar de tudo, eram criados no seio de uma família estranha e às custas da caridade alheia, e que o pai deles era um tipo sobre quem dava até vergonha falar, etc., etc. Esse menino revelou logo muito cedo, quase que desde tenra infância (ao menos era o que diziam), aptidões extraordinárias e brilhantes para os estudos. Não sei ao certo, mas aconteceu que ele deixou a família de Iefim Pietróvitch quando beirava os treze anos, transferindo-se para um colégio moscovita e para um internato aos cuidados de um pedagogo experiente e então famoso, amigo de infância de Iefim Pietróvitch. Mais tarde, o próprio Ivan contava que tudo se devera "ao ímpeto para boas ações" de Iefim Pietróvitch, que estava dominado pela ideia de que um menino de aptidões geniais devia ser educado por um educador também genial. Aliás, nem Iefim Pietróvitch, nem o educador genial estavam mais vivos quando o jovem, tendo terminado o colegial, ingressou na universidade. Como Iefim Pietróvitch não tomara as devidas providências e o recebimento do dinheiro — deixado pela generala tirana para as crianças e já transformado em dois mil pelos juros — demorasse por causa de formalidades e protelações absolutamente inevitáveis entre nós, o jovem viu-se em apuros em seus dois primeiros anos de universidade, pois foi forçado a alimentar-se e manter-se por conta própria e estudar ao mesmo tempo. Cabe observar que na ocasião ele não quis nem tentar escrever ao pai, talvez por orgulho, por desprezo, mas é também possível que levado por um raciocínio frio e judicioso, que lhe sugeria que do paizinho não receberia nenhum apoio minimamente relevante. De qualquer maneira, o jovem não ficou nem um pouco desnorteado e acabou arranjando trabalho, primeiro dando aulas a vinte copeques e depois correndo de redação em redação de jornal e conseguindo artiguinhos de dez linhas sobre episódios de rua, que assinava como "Uma testemunha". Conta-se que esses artiguinhos eram sempre escritos de forma tão curiosa e picante que rapidamente ganharam o público, e só com isso o jovem já mostrou toda sua superioridade prática e intelectual sobre aquela numerosa parcela da nossa juventude estudantil de ambos os sexos, eternamente necessitada e infeliz, que da manhã à noite costuma lotar as salas de espera dos vários jornais e revistas das capitais, sem nada melhor para inventar senão repetir eternamente o mesmo pedido de tradução do francês ou algo para copiar. Depois de travar conhecimento com os redatores, Ivan Fiódorovitch esteve sempre em contato com eles, e em seus últimos anos de universidade passou a publicar com muito talento análises de livros sobre vários temas especiais, de modo que chegou até a ficar conhecido nos círculos literários. Aliás, só bem ultimamente conseguiu atrair por acaso e de uma hora para outra a atenção particular de um círculo muito mais amplo de leitores, de sorte que num instante foi notado e lembrado por uma parcela numerosa deles. Foi um caso muito curioso. Já de saída da universidade e preparando-se para viajar ao estrangeiro às custas de seus dois mil rublos, Ivan Fiódorovitch publicou de repente num dos grandes jornais um artigo estranho, atraindo a atenção até de não especialistas e, o principal, sobre um assunto que, pelo visto, absolutamente não conhecia, porque o curso que concluíra era de ciências naturais. O artigo versava sobre os tribunais eclesiásticos, questão levantada em toda parte naquele momento. Analisando algumas opiniões já emitidas sobre essa questão, ele expôs também seu ponto de vista pessoal. O principal estava no tom do artigo e na extraordinária surpresa da conclusão. Entrementes, muitos representantes da Igreja acharam terminantemente que o autor era um dos seus. E com eles não só os *grajdánstvenniki*,[11] mas até os próprios ateus passaram por sua vez a aplaudir. No fim das contas, algumas pessoas perspicazes concluíram que o artigo inteiro era tão somente uma ousada farsa e uma zombaria. Menciono esse caso sobretudo porque o artigo penetrou oportunamente em nosso famoso mosteiro dos arredores da cidade, onde havia interesse pela recentíssima questão

[11] Em face da reforma do tribunal eclesiástico e da polêmica por ela desencadeada no início de 1870 (até a revista *Grajdanin*, dirigida por Dostoiévski, participou dessa polêmica), dois campos se destacaram nos debates: os *grajdánstvenniki* (civilistas) defendiam o fortalecimento dos princípios do Estado no futuro tribunal eclesiástico, contrariando os eclesiásticos (*tzierkóvniki*), que queriam sua total subordinação ao clero. (N. do T.)

dos tribunais eclesiásticos — penetrou e causou estupefação. Revelado o nome do autor, ficaram interessados ainda por saber que era oriundo de nossa cidade e filho "desse mesmo Fiódor Pávlovitch". E eis que justo nesse momento o próprio autor apareceu de repente em nossa cidade.

Por que Ivan Fiódorovitch aparecia então em nossa cidade, eu — lembro-me —, mesmo na ocasião, ainda me fazia essa pergunta até com certa inquietude. Essa vinda tão fatal, que desencadeou tantas consequências, durante muito tempo depois sempre foi para mim um caso obscuro. A julgar de um modo geral, era estranho que um jovem tão sábio, tão orgulhoso e cauteloso na aparência, aparecesse de uma hora para outra numa casa tão indecente, na presença daquele pai que a vida inteira o havia ignorado, não o conhecia nem se lembrava dele, e que, embora fosse evidente que por nada deste mundo e em nenhuma circunstância daria dinheiro caso o filho viesse a pedir, ainda assim passara a vida inteira com medo de que um dia os filhos, Ivan e Alieksiêi, aparecessem e pedissem dinheiro. E eis que o jovem se instala na casa daquele pai, mora com ele um mês, outro, e ambos vivem no melhor dos entendimentos. Esta última circunstância chegou até a surpreender não só a mim, mas a muitas outras pessoas também. Piotr Alieksándrovitch Miússov, parente distante de Fiódor Pávlovitch por parte da primeira mulher, ao qual já me referi antes, tornou a aparecer entre nós na ocasião, em sua fazenda nos arredores da cidade, vindo de Paris, onde já se instalara em definitivo. Lembro-me de que, entre todos, foi justamente ele quem teve a maior surpresa ao conhecer o jovem, que o deixou sumamente interessado e com o qual vez por outra entrava em duelo de erudição, não sem sentir uma dor no fundo da alma. "É orgulhoso — dizia-nos na ocasião, referindo-se a ele —, sempre conseguirá batalhar o seu copeque, agora mesmo está com dinheiro para viajar ao exterior — o que estará querendo aqui? Está claro para todo mundo que não veio procurar o pai por causa de dinheiro, porque o pai não o dará em nenhuma circunstância. Não gosta de beber nem de libertinagem, e entretanto o pai não consegue passar sem ele, a tal ponto os dois se dão bem!" Era verdade: o rapaz chegava a exercer uma visível influência sobre o velho: vez por outra este quase insinuava que ia lhe dar ouvidos, embora às vezes fosse caprichoso demais e até raivoso; começou mesmo a comportar-se com mais decência em certas ocasiões...

Só posteriormente se esclareceu que Ivan Fiódorovitch viera em parte a pedido e para tratar de negócios de seu irmão mais velho, Dmitri Fiódorovitch, de quem ouvira falar pela primeira vez na vida e o qual também conhecera quase nessa mesma época, durante a própria viagem, mas com quem, não obstante, ainda antes de sua vinda de Moscou começara a corresponder-

-se por motivo de um caso importante, relacionado mais com Dmitri Fiódorovitch. Que negócio era esse, o leitor ficará sabendo de forma minuciosa em momento oportuno. Entretanto, mesmo naquela ocasião, quando eu já estava a par até dessa circunstância especial, Ivan Fiódorovitch continuava a me parecer enigmático e sua vinda à nossa cidade, inexplicável, apesar de tudo.

Acrescento ainda que Ivan Fiódorovitch parecia então ser o mediador e conciliador entre o pai e seu irmão mais velho, Dmitri Fiódorovitch, que dera início a uma grande disputa e inclusive a uma demanda formal contra o pai.

Essa familiazinha, repito, estava então toda reunida pela primeira vez na vida, e alguns de seus membros se viam pela primeira vez. Só Alieksiêi Ivánovitch, o caçula, já morava em nossa cidade havia coisa de um ano, e portanto apareceu entre nós antes de todos os outros irmãos. Pois é sobre esse Alieksiêi que tenho mais dificuldade de falar neste meu relato preambular antes de colocá-lo na cena do romance. Contudo, tenho de escrever uma introdução também sobre ele, ao menos para esclarecer de antemão um ponto muito estranho, ou seja: sou forçado a apresentar aos leitores meu futuro herói em hábito de noviço desde a primeira cena de seu romance. Sim, já fazia um ano que ele estava em nosso mosteiro, e parecia disposto a enclausurar-se nele pelo resto da vida.

IV. O terceiro filho, Aliócha

Tinha ele na ocasião apenas vinte anos (o irmão Ivan caminhava para os vinte e quatro, Dmitri, o mais velho, para os vinte e oito). Aviso, antes de tudo, que esse rapaz, Aliócha, não era absolutamente um fanático e, a meu ver, nem chegava a ter nada de místico. Antecipo minha opinião completa: era simplesmente imbuído de um precoce amor ao ser humano, e se se lançou no caminho do mosteiro, foi apenas porque, na ocasião, só ele lhe calou fundo e lhe ofereceu, por assim dizer, o ideal para a saída de sua alma, que tentava arrancar-se das trevas da maldade mundana para a luz do amor. E esse caminho só lhe calou fundo porque aí ele encontrou naquele momento um ser que achava extraordinário — o nosso famoso Zossima, *stárietz*[12] do mosteiro, a quem se afeiçoou com todo o ardente primeiro amor de seu insaciável coração. Pensando bem, não questiono que mesmo então ele já era

[12] Monge ancião, mentor espiritual e guia dos religiosos ou de outros monges. A instituição dos *startzí* era muito respeitada pelo povo russo. (N. do T.)

muito estranho, e isso inclusive vinha do berço. Aliás, já mencionei que ele, tendo perdido a mãe mal completara três anos, guardou-a na memória pelo resto da vida, seu rosto, seus carinhos, "como se ela estivesse viva à minha frente". Lembranças como essas podem ser conservadas (e todo mundo sabe disso) desde a mais tenra idade, até desde os dois anos, mas durante toda a vida só se manifestam como uma espécie de pontos de luz saídos das trevas, de um cantinho de um imenso quadro que se apagou e desapareceu por inteiro, excetuando-se apenas esse cantinho. Era exatamente o que lhe acontecia: ele se lembrava de uma tarde de verão, tranquila, uma janela aberta, raios oblíquos do sol poente (era desses raios oblíquos que mais se lembrava), um ícone num canto do quarto, diante deste uma lamparina acesa, e diante da imagem sua mãe ajoelhada, aos prantos como em crise de histeria, entre gritos e ganidos, agarrando-o com ambos os braços, abraçando-o com força a ponto de lhe causar dor e orando por ele a Nossa Senhora, estendendo-o dos seus abraços para o ícone com ambas as mãos como se o colocasse sob a proteção da Virgem... e de repente a ama entra correndo e o arranca dos braços da mãe assustada. Que quadro! Aliócha guardou na memória desse instante também o rosto da mãe: dizia que era um rosto alucinado, porém belo, até onde a lembrança lhe permitia julgar. Mas raramente gostava de confiar essa lembrança a alguém. Na infância e na juventude era pouco expansivo e até de poucas palavras, mas não por desconfiança nem por timidez ou soturna insociabilidade, e sim até bem ao contrário, por outro motivo qualquer, por alguma preocupação como que interior, especificamente pessoal, que não dizia respeito a outros, mas era tão importante para ele que o fazia como que esquecer o resto. Mas amava os homens: parecia ter vivido a vida inteira acreditando plenamente neles, e entretanto nunca ninguém o considerara nem simplório, nem ingênuo. Nele havia qualquer coisa que dizia e infundia (aliás, foi assim pelo resto da vida) que ele não queria ser juiz dos homens, que não queria assumir sua condenação e por nada os condenaria. Parecia até que admitia tudo, sem qualquer condenação, embora tomado amiúde de uma tristeza muito amarga. Nesse sentido, chegou mesmo a tal ponto que ninguém poderia surpreendê-lo nem assustá-lo, e isso acontecera até em sua mais tenra juventude. Chegando com dezenove anos à casa do pai, um antro de sórdida depravação na plena acepção da palavra, ele, casto e pudico, apenas se afastava em silêncio quando era insuportável contemplar, mas sem o mínimo sinal de desprezo ou condenação de quem quer que fosse. Já o pai, outrora parasita e por isso sensível e suscetível a ofensas, depois de recebê-lo a princípio com ar desconfiado e sorumbático ("fica um tempão calado, dizia, e pensando muito consigo mesmo"), não obstante logo passou a abraçá-lo e beijá-lo com enorme frequência, e isso apenas coisa de duas semanas após sua chegada, embora com lágrimas de bêbado nos olhos, tocado por sensibilidade de bêbado; mas via-se que o amara sincera e profundamente, e de um modo que alguém como ele nunca conseguira, é claro, amar ninguém...

Sim, todos gostavam desse rapaz onde quer que ele aparecesse, e isso desde sua tenra infância. Em casa de seu benfeitor e educador Iefim Pietróvitch Poliónov, todos os membros da família se haviam afeiçoado de tal forma a ele que o consideravam quase um filho. Entretanto, ele chegara a essa casa ainda naquela infância tão tenra em que não há como esperar da criança astúcia de calculista, esperteza ou arte de bajular e agradar, habilidade para se fazer gostar. De sorte que o dom de infundir um amor especial por si nos outros estava nele, por assim dizer, em sua própria índole, em forma natural e espontânea. O mesmo acontecera na escola e, não obstante, parecia ser precisamente daquele tipo de criança que desperta a desconfiança dos colegas, às vezes zombaria e, é de crer, até ódio. Por exemplo, ficava meditativo e meio desligado. Desde criança gostava de afastar-se para um canto e ficar lendo livros, e ainda assim os colegas se afeiçoaram tanto a ele que se poderia chamá-lo de o predileto de toda a escola durante todo tempo que passou ali. Raramente fazia travessuras, era até raro estar alegre, mas todos que olhavam para ele logo percebiam que isso não se devia a nenhuma casmurrice, que, ao contrário, ele era uma pessoa equilibrada e serena. Nunca procurava se destacar entre seus coetâneos. Talvez por isso mesmo nunca temesse ninguém, e por outro lado os meninos logo compreenderam que ele não se vangloriava absolutamente de seu destemor, mas era como se não compreendesse que era corajoso, destemido. Nunca guardava ressentimento. Em alguns casos, uma hora depois de ter recebido uma ofensa respondia ao ofensor e iniciava ele mesmo uma conversa de forma tão crédula e serena como se nada houvesse acontecido entre os dois. E não é que aí aparentasse esquecimento casual ou desculpa premeditada da ofensa; ele simplesmente não a considerava ofensa, e isso cativava e conquistava de vez as crianças. Havia apenas um traço em seu caráter que suscitava nos colegas de todas as turmas do colégio, desde as iniciantes até as superiores, uma vontade constante de galhofar dele, não por maldade, mas porque se divertiam com isso. Esse traço era o acanhamento desmedido, o pundonor. Não conseguia ouvir certas palavras e certas conversas sobre mulheres. Essas "certas" palavras e conversas, infelizmente, era impossível desenraizar das escolas. Meninos puros de coração e alma, ainda quase crianças, muito amiúde gostam de falar entre si, nas turmas, e inclusive em voz alta, de coisas, quadros e imagens sobre as quais nem sempre se fala sequer com soldados; além disso, neste tipo de assunto os próprios soldados ignoram e não compreendem muito do que já conhecem os filhos ainda crianças da nossa intelectualidade e da alta sociedade. Entre eles, é de crer, ainda não existe perversão moral; cinismo verdadeiro, pervertido, interior, também não, mas existe perversão exterior, e é esta que não raro eles consideram algo até delicado, fino, galhardo e digno de imitação. Vendo que, quando começavam a falar "naquilo", "Aliócha Karamázov" tapava rapidamente os ouvidos com os dedos, às vezes eles se aglomeravam junto dele e, arrancando-lhe à força as mãos dos ouvidos, gritavam-lhe indecências ao pé de ambos os ouvidos, enquanto ele se debatia, jogava-se no chão, deitava-se, cobria-se, e tudo isso sem dizer uma palavra, sem altercar, suportando calado a ofensa. Entretanto, acabaram por deixá-lo em paz, já não o chamavam de "mocinha" e ainda demonstravam compaixão por ele. A propósito, ele estava sempre entre os melhores da turma em matéria de aprendizagem, mas nunca o destacaram como o primeiro.

Depois que Iefim Pietróvitch morreu, Aliócha ainda permaneceu dois anos no colégio da província. Quase imediatamente após a morte de Iefim Pietróvitch, sua inconsolável viúva viajou para a Itália por um longo período com toda a família, formada apenas por pessoas do sexo feminino, e Aliócha foi para a casa de duas senhoras, parentas distantes de Iefim Pietróvitch, que nunca vira antes e em condições que ele mesmo não sabia quais seriam. Era também seu traço, até muito peculiar, o de nunca se preocupar em saber a expensas de quem vivia. Nisto era o oposto total de seu irmão mais velho, Ivan Fiódorovitch, que passara os dois primeiros anos de universidade na penúria, sustentando-se com seu trabalho, depois de sentir amargamente desde a infância que vivia a expensas de seu benfeitor. É de crer, porém, que não se podia julgar com muita severidade esse estranho traço do caráter de Alieksiêi, porque qualquer um que mal começasse a travar o mínimo conhecimento com ele e se deparasse com uma pergunta a esse respeito já teria como certo que Alieksiêi era daquele tipo de jovens que se pareciam com os *iuródivi*[13] e que, se de repente calhasse de lhe cair nas mãos até mesmo uma verdadeira fortuna, não teria dificuldade de cedê-la ao primeiro pedido, fosse para uma boa causa ou, talvez, até a um espertalhão que lha pedisse. Aliás, em linhas gerais era como se ele não tivesse nenhuma noção do valor do dinheiro, não no sentido literal, é claro. Quando lhe davam dinheiro para pequenas des-

[13] Plural de *iuródiv*, termo que comporta os seguintes sentidos: 1) tipo atoleimado, esquisitão, pessoa juridicamente irresponsável; 2) entre os religiosos do norte da Rússia, pedinte, louco com dons proféticos. (N. do T.)

pesas, que ele mesmo nunca pedia, ou ficava semanas a fio sem saber o que fazer com ele, ou o esbanjava, e o dinheiro sumia num piscar de olhos. Piotr Alieksándrovitch Miússov, homem muito melindroso quando se tratava de dinheiro e da honestidade burguesa, certa vez pronunciou o seguinte aforismo após observar Aliócha: "Está aí, talvez, o único homem no mundo que a gente pode deixar sozinho e sem dinheiro numa cidade desconhecida de um milhão de habitantes, que ele de maneira nenhuma sucumbirá ou morrerá de fome e frio, porque num abrir e fechar de olhos lhe darão de comer, num abrir e fechar de olhos lhe darão guarida e, se não lha derem, ele mesmo arranjará guarida num abrir e fechar de olhos, e isso não lhe custará qualquer esforço ou qualquer humilhação, e ele não será nenhum fardo a quem lhe der guarida mas, ao contrário, talvez achem isso um prazer".

Não concluiu o colégio; restava-lhe ainda um ano inteiro quando de repente comunicou às suas senhoras que estava indo procurar o pai com o intuito de tratar de um assunto que lhe dera na telha. As senhoras lamentaram muito e não queriam deixá-lo partir. A viagem não era nada cara, e as senhoras não lhe permitiram vender o relógio com que a família de seu benfeitor o presenteara antes de viajar ao exterior, e ainda o abasteceram de fartos recursos financeiros e até de roupa nova e roupa-branca. Ele, não obstante, devolveu-lhes metade do dinheiro, comunicando que queria viajar impreterivelmente de terceira classe. Depois de chegar à nossa cidadezinha, às primeiras indagações do pai: "O que vieste mesmo fazer aqui antes de concluir teu curso?", não deu nenhuma resposta direta e esteve, como se diz, mergulhado numa meditação incomum. Logo depois se descobriu que andava procurando o túmulo da mãe. Naqueles dias, teria inclusive confessado que essa fora a única finalidade de sua vinda. Contudo, é pouco provável que todo o motivo de sua vinda se resumisse a isso. O mais provável é que, naquela ocasião, nem ele mesmo soubesse ou tivesse qualquer condição de explicar o que precisamente lhe brotara da alma como que de súbito e o arrastara de forma avassaladora para um caminho algo novo, ignorado, mas já inevitável. Fiódor Pávlovitch não lhe podia indicar onde enterrara sua segunda mulher, porque nunca visitara seu túmulo desde que haviam coberto o caixão, e pela distância dos anos já esquecera completamente onde a sepultara naqueles idos...

A propósito de Fiódor Pávlovitch. Antes daqueles idos, ele havia morado durante muito tempo em outra cidade. Uns três ou quatro anos após a morte da segunda mulher, viajara para o sul da Rússia e finalmente aparecera em Odessa, onde acabou morando vários anos consecutivos. Primeiro travara conhecimento, segundo suas próprias palavras, com "muitos *jides*, *jidezinhos*, *jidocas*, *jidachos*",[14] e acabara sendo recebido não só por *jides*, mas "até por judeus". Cabe supor que foi nesse período de sua vida que ele desenvolveu sua habilidade especial de garimpar e amealhar dinheiro. Só voltara definitivamente à nossa cidadezinha uns três anos antes da chegada de Aliócha. Seus antigos conhecidos o acharam terrivelmente envelhecido, embora ele ainda não fosse lá tão velho. Não se comportava com mais dignidade, e sim de um jeito mais insolente. Surgiu-lhe, por exemplo, a descarada necessidade de ressuscitar o antigo palhaço — fazer os outros de palhaços. Gostava de aprontar com o sexo feminino, não propriamente daquele seu jeito antigo, mas agindo de um modo até mais asqueroso. Logo começou a abrir muitos botequins novos pelo distrito. Dava para perceber que possuía, talvez, uns cem mil rublos ou quiçá apenas um pouco menos. Muita gente da cidade e dos distritos foi logo contraindo dívidas com ele, sob as garantias mais seguras, é claro. Bem ultimamente havia ficado meio obeso, de certo modo começara a perder a lisura, o autodiscernimento, até caía em certa leviandade, começava em uma coisa e terminava em outra, ficava um tanto dispersivo e embebedava-se cada vez mais e mais amiúde, e se não fosse aquele mesmo criado Grigori, que àquela altura também já estava um bocado velho e às vezes cuidava dele quase como um preceptor, é possível que Fiódor Pávlovitch não tivesse se livrado de umas consideráveis dores de cabeça. A chegada de Aliócha como que produziu sobre ele certo efeito até no aspecto moral, foi como se nesse velho precoce tivesse despertado algo amortecido em sua alma havia muito tempo: "Sabes — dizia frequentemente a Aliócha, procurando familiarizar-se com ele — que te pareces com ela, com a *klikucha*?". Era assim que ele chamava sua falecida mulher, mãe de Aliócha. Finalmente o criado Grigori mostrara a Aliócha o túmulo da "*klikucha*". Levou-o ao cemitério de nossa cidade e lá, num canto distante, mostrou-lhe uma placa de ferro fundido, barata porém limpa, sobre a qual estava escrito o nome, a estirpe, a idade e o ano de sua morte, e embaixo aparecia uma espécie de quadrinha daqueles poemas antigos geralmente usados nos túmulos de pessoas das camadas médias. Para surpresa de Aliócha, essa placa fora obra de Grigori. Ele mesmo mandara colocá-la sobre o pequeno túmulo da pobre "*klikucha*", e às suas próprias custas, depois que Fiódor Pávlovitch, que ele importunara um sem-número de vezes com menções a esse túmulo, partira

[14] Traduzindo os diminutivos da denominação depreciativa de judeu aqui empregados, teríamos, pela ordem, "judeu", "judeuzinho", "judeuzoca", "juderracho". Entre o *jide* e o judeu, referidos por Fiódor Pávlovitch, há uma gradação de certo "respeito" à posição econômica e social mais elevada do último. (N. do T.)

finalmente para Odessa, encolhendo os ombros não só para o túmulo como também para todas as suas lembranças. Aliócha não manifestara nenhuma emoção especial junto ao túmulo da mãe; limitara-se a ouvir o relato solene e judicioso de Grigori sobre a colocação da placa, ficara algum tempo postado de cabeça baixa e se fora sem dizer palavra. Desde então — talvez durante todo aquele ano — não voltara ao cemitério. Mas esse pequeno episódio também surtira sobre Fiódor Pávlovitch o seu efeito, e muito singular. Súbito ele pegou mil rublos e os levou ao nosso mosteiro para mandar rezar missa pela alma da esposa, mas não da segunda, não da mãe de Aliócha, da "*klikucha*", e sim da primeira, de Adelaída Ivánovna, a que lhe batia. Na noite do mesmo dia embebedou-se e insultou os monges diante de Aliócha. Ele mesmo não era nem de longe pessoa religiosa; talvez nunca tivesse acendido uma vela de cinco copeques diante de um ícone. Esse tipo de gente experimenta estranhos arroubos de sentimentos repentinos e pensamentos repentinos.

Eu já disse que ele estava muito obeso. Àquela altura, sua fisionomia era algo que testemunhava acentuadamente as peculiaridades e a essência de toda a vida por ele vivida. Além de bolsas longas e carnudas debaixo daqueles olhos miúdos, eternamente descarados, desconfiados e zombeteiros, além de uma infinidade de rugas fundas em seu rosto pequeno mas balofo, do queixo pontiagudo pendia ainda uma grande papada, carnuda e alongada como uma bolsinha para moedas, o que lhe dava um aspecto asqucrosamente lascivo. Acrescente-se a isso a boca larga e lasciva, com lábios carnudos, por trás dos quais apareciam pequenos cacos de dentes negros, quase podres. Ele sempre borrifava saliva quando começava a falar. Aliás, ele mesmo gostava de galhofar de seu rosto, embora parecesse satisfeito com ele. Apontava particularmente para o nariz, não muito grande mas muito fino, com forte saliência aquilina: "Um verdadeiro nariz romano — dizia —, e com o pomo de adão forma a autêntica fisionomia de um patrício romano antigo dos tempos da decadência". Parece que se orgulhava disso.

E eis que pouco tempo depois de encontrar o túmulo da mãe, Aliócha lhe comunicou subitamente que queria ingressar no mosteiro e que os monges estavam dispostos a admiti-lo como noviço. Explicou na ocasião que era uma extraordinária vontade sua e lhe pedia solenemente a permissão como pai. O velho já sabia que o *stárietz* Zossima, que vivia em retiro espiritual permanente no eremitério do nosso mosteiro, causara uma impressão extraordinária em seu "quieto menino".

— Esse *stárietz* é entre eles, é claro, o monge mais honesto — proferiu, depois de ouvir Aliócha em silêncio, mas quase sem demonstrar nenhuma surpresa com o pedido. — Hum, então é para lá que queres ir, meu menino quieto! — Estava meio tocado, e de repente sorriu com seu sorriso largo, meio embriagado, mas não desprovido de astúcia e malícia de bêbado. — Hum, pois eu bem que pressenti que acabarias fazendo mesmo alguma coisa desse tipo; podes imaginar isso? Era para lá mesmo que ia todo teu empenho. Pois bem, tens teus dois mil rublos, eis o teu dote, mas eu, meu anjo, nunca te deixarei, e agora mesmo pagarei por ti o que for preciso, se lá me pedirem. Mas se não pedirem, a troco de que iríamos insistir, não é mesmo? Ora, tu gastas dinheiro como um canário, dois grãozinhos por semana... Hum. Sabes, há um mosteiro nos arredores da cidade que tem uma vila, e todo mundo sabe que lá só moram "mulheres do mosteiro", é assim que são chamadas, há umas trinta mulheres, acho eu... Estive lá e, sabes, é interessante, no seu gênero, é claro, no sentido da diversidade. A única coisa ruim é que há um russismo horrível, ainda não há nenhuma francesinha, mas podia haver, os recursos são consideráveis. Se elas souberem, virão para cá. Bem, aqui não há nada, aqui não há mulheres de mosteiros, já monges há uns duzentos. Estou sendo franco. Vivem jejuando. Confesso... Hum. Quer dizer que vais ser monge? Pois tenho pena de ti, Aliócha, de verdade, acredites ou não, passei a te amar... Pensando bem, eis uma ocasião oportuna: rezarás por nós, pecadores; por aqui, andamos pecando demais. Sempre pensei nisso: quem irá rezar por mim um dia? Existe no mundo essa pessoa? Meu querido menino, sou terrivelmente tolo a esse respeito, será que não acreditas? Terrivelmente. Vê: por mais tolo que seja, estou sempre pensando, sempre pensando, de raro em raro, não sempre, mas é isso. Porque é impossível, penso eu, que os diabos se esqueçam de me arrastar com seus ganchos quando eu morrer.[15] E aí penso: ganchos? Mas de onde vieram? De que são feitos? De ferro? Onde são forjados? Será que têm alguma fábrica por lá? Ora, lá no mosteiro os monges certamente supõem que no inferno, por exemplo, existe teto. Já eu só aceito acreditar no inferno que não tenha teto; assim ele ficaria com uma aparência mais delicada, mais culta, ou seja, do jeito dos luteranos. Mas será que, no fundo, não daria no mesmo: com teto ou sem teto? Porque é nisso que consiste a maldita questão! Bem, se não há teto, quer dizer que também não há ganchos. E se não há ganchos, então adeus tudo, quer dizer, de novo fica inverossímil: quem vai me arrastar com ganchos, porque, se não me arrastarem, como é que ficarão as coisas, onde é que estará a ver-

[15] A ideia de que, depois da morte da alma, os diabos arrastam com ganchos os pecadores para o inferno está representada nas imagens do Juízo Final. (N. da E.)

dade no mundo? Esses ganchos, *il faudrait les inventer*[16] propositadamente para mim, só para mim, porque se tu soubesses, Aliócha, que tipo desavergonhado eu sou!...

— Sim, mas lá não há ganchos — proferiu Aliócha em tom baixo e sério, fitando o pai.

— Pois é, pois é, são apenas sombras de ganchos. Sei, sei. Foi assim que um francês descreveu o inferno: "*J'ai vu l'ombre d'un cocher, qui avec l'ombre d'une brosse frottait l'ombre d'une carrosse*".[17] Como sabes, meu caro, que lá não há ganchos? Depois de conviveres com os monges, tua cantiga será outra. Mas, pensando bem, vai, encontra lá a verdade e volta para contá-la: seja lá como for, ficará mais fácil ir para o outro mundo se a gente souber ao certo o que existe por lá. E ademais será mais decente para ti viver entre monges do que aqui, com um velhote beberrão e ainda com mocinhas... mesmo que, como anjo, nada te atinja. Bem, vai ver que lá também nada te atingirá, e é por ter essa última esperança que te permito o ingresso. Afinal, o diabo não te devorou a inteligência. Vais conversar e apagar essa chama, curar-te e voltar para casa. E estarei te esperando: pois sinto que és a única pessoa na face da terra que não me condenou, meu menino querido, eu sinto isso, não posso mesmo deixar de senti-lo!...

E até choramingou longamente. Era sentimental. Mau e sentimental.

V. Os *STARTZI*[18]

Talvez algum leitor pense que meu jovem fosse de natureza doentia, dada a arroubos, precariamente desenvolvida, um pálido sonhador, uma pessoa estiolada e macilenta. Ao contrário, naquele tempo Aliócha era um esbelto jovem de dezenove anos, corado, de olhar claro, que vendia saúde. Era até muito bonito, airoso, de estatura acima da mediana, cabelos castanhos escuros, rosto regular, embora de um oval meio alongado, olhos cinza-escuro brilhantes e acentuadamente rasgados, muito pensativo e de aparência mui-

[16] "Seria preciso inventá-los", em francês no original. Perífrase irônica da famosa afirmação de Voltaire (1694-1778): "*Si dieu n'existait pas, il faudrait l'inventer*", isto é, "Se Deus não existisse, seria preciso inventá-lo". (N. da E.)

[17] "Eu vi a sombra de um cocheiro, que com a sombra de uma escova esfregava a sombra de uma carruagem". Versos, um tanto modificados, da paródia do canto VI da *Eneida*, escrita pelos irmãos Claude, Charles e Nicolas Perrault por volta de 1648. (N. da E.)

[18] Plural de *stárietz*. (N. do T.)

to tranquila. Talvez digam que as faces vermelhas não impedem nem o fanatismo, nem o misticismo; a mim, porém, me parece que Aliócha era até mais realista que qualquer outra pessoa. Oh, é claro, no mosteiro ele acreditava piamente em milagres, mas a meu ver os milagres nunca desconcertam o realista. Não são os milagres que inclinam o realista para a fé. O verdadeiro realista, caso não creia, sempre encontrará em si força e capacidade para não acreditar no milagre, e se o milagre se apresenta diante dele como um fato irrefutável, é mais fácil ele descrer de seus sentidos que admitir o fato. E se o admite, admite-o como fato natural, que apenas lhe fora até então desconhecido. No realista a fé não nasce do milagre, mas é o milagre que nasce da fé. Se o realista acredita uma vez, é justamente por seu realismo que ele deve forçosamente admitir o milagre. O apóstolo Tomé declarou que não acreditaria sem antes ver, e quando viu disse: "Senhor meu e Deus meu!". Terá sido o milagre que o fez acreditar? É mais provável que não, mas ele acreditou unicamente porque desejou acreditar, e talvez já acreditasse plenamente, lá no mais recôndito de seu ser, mesmo quando disse: "Se não o vir... de modo algum acreditarei".[19]

Talvez digam que Aliócha era obtuso, atrasado, que não concluíra seu curso, etc. Que não concluíra seu curso era verdade, mas dizer que era obtuso ou tolo seria uma grande injustiça. Vou simplesmente repetir o que já disse: ele só enveredou por esse caminho porque foi o único que o fascinou naquele momento e ao mesmo tempo lhe ofereceu todo o ideal para a saída de sua alma, que tentava arrancar-se das trevas para a luz. Acrescente-se que ele já era, em parte, um jovem do nosso tempo, ou seja, honesto por natureza, que reclamava a verdade, que a procurava e acreditava nela e, uma vez tendo acreditado, exigia participar imediatamente dela com toda a força de sua alma, reivindicava um feito urgente, movido pelo premente desejo de doar tudo de si, até mesmo a própria vida, para realizar esse feito. Embora esses jovens infelizmente não compreendam que o sacrifício da vida é, talvez, o mais fácil de todos os sacrifícios numa infinidade de casos similares, e que sacrificar, por exemplo, de cinco a seis anos de sua vida, inflamada de

[19] Trata-se do episódio descrito no Evangelho de João, 20, 19-29, em que Jesus aparece aos discípulos na ausência de Tomé, que descrê da vinda do mestre. "Disseram-lhe então os outros discípulos: vimos o Senhor. Mas ele respondeu: Se eu não vir nas suas mãos o sinal dos cravos, e ali não puser o meu dedo, e não puser a minha mão no seu lado, de modo algum acreditarei". Passados oito dias, Jesus reaparece aos discípulos na presença de Tomé, e lhe diz: "Põe aqui o teu dedo e vê as minhas mãos; chega também a tua mão e põe-na no meu lado; não sejas incrédulo, mas crente. Respondeu-lhe Tomé: Senhor meu e Deus meu". (N. do T.)

juventude, a uma doutrina difícil e severa, a uma ciência, ainda que seja apenas para decuplicar suas forças com o fito de servir à mesma verdade e à realização do mesmo feito que abraçaram como prioridade e se propuseram realizar — tal sacrifício muito amiúde se revela quase inteiramente acima das forças de muitos deles. Aliócha apenas escolheu um caminho oposto ao de todos os outros, mas com a mesma sede de um feito imediato. Mal ele, depois de meditar seriamente, deixou-se fascinar pela convicção de que a imortalidade e Deus existem, ato contínuo disse naturalmente para si mesmo: "Quero viver para a imortalidade, e não aceito meio compromisso". De maneira exatamente igual, se tivesse resolvido que não existem a imortalidade nem Deus, teria ido juntar-se aos ateus e aos socialistas (porque o socialismo não é apenas uma questão dos operários ou do chamado quarto Estado, mas é predominantemente a questão do ateísmo, da encarnação atual do ateísmo, a questão da Torre de Babel construída precisamente sem Deus, não para alcançar o céu a partir da terra mas para fazer o céu descer à terra).[20] A Aliócha pareceu estranho e até mesmo impossível viver como antes. Está escrito: "Se queres ser perfeito, vai, vende teus bens, dá aos pobres... e segue-me".[21] Aliócha disse de si para si: "Não posso dar dois rublos em vez de 'tudo', e em vez de 'segue-me' ir apenas à missa". Das lembranças de sua tenra infância talvez tenha se conservado alguma coisa referente ao nosso mosteiro dos arredores da cidade, aonde sua mãe o podia ter levado à missa. É possível que também tenham surtido efeito os raios oblíquos do poente diante da imagem para a qual sua mãe-*klikucha* o estendia. Talvez ele tivesse vindo à nossa cidade com o único fim de verificar se ali estaria tudo ou apenas os dois rublos — e no mosteiro encontrou aquele *stárietz*...

Esse *stárietz*, como já expliquei, era o *stárietz* Zossima; contudo, aqui caberia dizer algumas palavras sobre o que costumam ser esses *startzí* nos nossos mosteiros, mas lamento não me sentir bastante competente e firme nessa matéria. Tentarei, não obstante, apresentá-la em poucas palavras e numa exposição superficial. Em primeiro lugar, pessoas especializadas e competentes afirmam que os *startzí* e o *startziado*[22] apareceram em nosso país, em

[20] O motivo da Torre de Babel aparece frequentemente nas obras de Dostoiévski da década de 1870 como motivo do orgulho dos homens, que resolveram conquistar os céus dispensando a vontade de Deus. Cabe lembrar que Karl Marx, ao analisar os acontecimentos que culminaram na Comuna de Paris, escreveu que os operários parisienses tomaram o céu de assalto. (N. do T.)

[21] Mateus, 19, 21. (N. do T.)

[22] Instituição dos *startzí*. (N. do T.)

nossos mosteiros russos, só bem recentemente, não faz nem cem anos, ao passo que em todo o Oriente ortodoxo, particularmente no Sinai e no monte Atos, já existem há muito mais de um milênio. Afirma-se que o *startziado* existiu ou deve forçosamente ter existido também aqui em nosso país em tempos antiquíssimos, mas em virtude das catástrofes sofridas pela Rússia, do jugo tártaro, das revoltas, da interrupção das antigas relações com o Oriente depois da conquista de Constantinopla, essa instituição caiu no esquecimento e os *startzí* deixaram de existir. Foi ressuscitada na Rússia em fins do século passado por um dos maiores ascetas (era assim que o chamavam), Paissi Vielitchkovski, e seus discípulos, mas até hoje, quase cem anos depois, existe em um número ainda bem reduzido de mosteiros e chegou inclusive a sofrer perseguições esporádicas, como se fosse uma novidade inaudita em nosso país. Aqui ela prosperou particularmente no famoso deserto de Koziélskaia Optina. Quando e por quem foi ela implantada em nosso mosteiro não posso dizer, mas ali já se considerava que ela formava uma terceira geração de *startzí*, e destes Zossima era o último, só que ele também já estava quase morrendo de fraqueza e doenças e sequer se sabia por quem substituí-lo. A questão era importante para o nosso mosteiro, pois até então não houvera nada de especial que o tornasse famoso: ali não havia nem relíquias de santos, nem imagens milagrosas, e nem mesmo lendas gloriosas ligadas à nossa história, não se lhe atribuíam feitos históricos nem serviços prestados à pátria. Ele prosperara e ganhara fama em toda a Rússia precisamente graças aos *startzí*, e, para vê-los e ouvi-los, multidões de peregrinos se deslocavam milhares de verstas de todos os confins da Rússia. Então, o que é um *stárietz*? O *stárietz* é alguém que pega a vossa alma e a vossa vontade e as absorve em sua alma e em sua vontade. Ao escolher um *stárietz*, abdicais de vossa vontade e a pondes em plena obediência a ele, num ato de plena renúncia de vós mesmos. Quem a isto se condena assume voluntariamente essa provação, essa terrível escola da vida na esperança de, após longa provação, vencer a si mesmo, dominar-se a ponto de poder finalmente atingir pela obediência de toda a vida a liberdade já completa, isto é, a liberdade de si mesmo, evitar a sorte daqueles que viveram uma vida inteira mas não se encontraram em si mesmos. Essa invenção, isto é, o *startziado*, não é coisa teórica, e sim tirada de uma prática do Oriente já milenar em nossos dias. As obrigações para com o *stárietz* não são aquela "obediência" corriqueira que sempre houve em nossos mosteiros russos. Ali se aceita a confissão permanente de todos os subordinados ao *stárietz*, bem como um vínculo indestrutível entre subordinante e subordinado. Conta-se, por exemplo, que certa vez, nos primórdios do Cristianismo, na Síria, um noviço descumpriu uma penitência noviciária que seu *stárietz* lhe impusera, abandonou-o e fugiu para o Egito. Ali, depois de longos e grandes feitos, finalmente se fez merecedor de suplícios e morte de mártir pela fé. Quando, porém, a igreja dava sepultura a seu corpo, já lhe prestando as honras de santo, assim que o diácono proferiu: "Que saiam os catecúmenos!",[23] o caixão com o corpo do mártir desprendeu-se subitamente do lugar e foi precipitado para fora do templo, e assim por três vezes. Enfim, soube-se apenas que esse santo supliciado descumprira a penitência noviciária e abandonara seu *stárietz*, e por isso, sem a permissão do *stárietz*, não podia ser perdoado, mesmo a despeito de seus grandes feitos. Mas só depois que, instado, o *stárietz* o absolveu é que foi possível seu sepultamento. É claro que isso não passa de uma antiga lenda, mas eis um fato recente: um de nossos monges contemporâneos estava em retiro no monte Atos, e súbito o *stárietz* lhe deu ordem para deixar Atos, que ele passara a amar do fundo de sua alma como um lugar sagrado, como um refúgio tranquilo, ir primeiro a Jerusalém em adoração aos lugares sagrados, e depois voltar para a Rússia, para o norte, para a Sibéria: "Teu lugar é lá, e não aqui". Perplexo e morto de desgosto, o monge apareceu em Constantinopla para ter com o patriarca ecumênico e lhe implorou que o dispensasse da penitência, mas o patriarca lhe respondeu que não só não podia dispensá-lo, como em toda a Terra não havia nem podia haver uma autoridade que pudesse dispensá-lo da penitência imposta pelo *stárietz*, a não ser o próprio *stárietz* que a impusera. Assim, o *startziado* é dotado de um poder em certos casos ilimitado e inconcebível. Eis por que inicialmente o *startziado* foi alvo de perseguição em muitos mosteiros de nosso país. Por outro lado, os *startzí* ganharam imediatamente a estima do povo. Por exemplo, muita gente do povo e muitos membros da mais alta nobreza afluíam ao nosso mosteiro para prosternar-se aos pés dos seus *startzí*, confessando-lhes suas dúvidas, seus pecados, seus sofrimentos, e pedindo conselhos e orientação. Ao verem isso, os inimigos dos *startzí* gritavam, entre outras acusações, que ali se aviltava de forma despótica e leviana o segredo da confissão, embora a contínua abertura da alma de um noviço ou de um homem mundano em confissão ao *stárietz* não se dê absolutamente como um segredo. Disso resultou, não obstante, que o *startziado* se manteve e pouco a pouco vai se estabelecendo nos mosteiros russos. Também

[23] Segundo Vladímir Dall, em *Tolkóviy slovar jovago vielikorússkogo yaziká* (Dicionário da língua russa viva), o termo *oglachênnii* (catecúmeno) era aplicado aos idólatras no templo durante as cerimônias de sua conversão ao Cristianismo. Quando o sacerdote proferia essa exortação durante a liturgia, os não cristãos eram obrigados a deixar o recinto da igreja. (N. do T.)

pode ser verdade que essa arma experimentada e já milenar de transformação moral do homem, que o conduz da escravidão para a liberdade e o aperfeiçoamento moral, possa converter-se em faca de dois gumes, de sorte que em lugar da resignação e do autocontrole definitivo talvez venha a redundar algumas vezes no contrário, no mais satânico orgulho, ou seja, em grilhões, e não em liberdade.

O *stárietz* Zossima tinha uns sessenta e cinco anos, era de família de grandes senhores de terra, e outrora, em sua tenra mocidade, fora militar e servira como oficial subalterno no Cáucaso. Sem dúvida, encantara Aliócha com alguma peculiaridade de sua alma. Aliócha morava na própria cela do *stárietz*, que se afeiçoara muito a ele e o admitira em sua cela. Cabe observar que, morando no mosteiro, Aliócha ainda não estava preso a nada, podia ir aonde quisesse mesmo que fosse por dias inteiros, e se usava batina era por livre vontade, para não ser diferente de ninguém no mosteiro. Mas ele mesmo gostava disso, é claro. É possível que a imaginação juvenil de Aliócha tenha experimentado intensamente a influência da força e da fama que cercavam constantemente o seu *stárietz*. A respeito do *stárietz* Zossima, muita gente dizia que ele, depois de receber durante tantos anos todos os que o procuravam para abrir-lhe o coração, ansiosos por seu conselho e sua palavra regeneradora, havia incorporado à alma tantas revelações, aflições e consciências que acabara adquirindo uma perspicácia já tão refinada que, à primeira mirada no rosto de um estranho que o procurasse, podia adivinhar o que o trazia ali, de que necessitava e inclusive o tipo de tormento que lhe torturava a consciência e, às vezes, antes que este pronunciasse uma palavra, deixava-o surpreso, perturbado e quase assustado com o conhecimento que revelava de seu segredo. Mas, além disso, Aliócha quase sempre observava que muitos, quase todos os que iam à cela do *stárietz* pela primeira vez para uma conversa a sós, entravam apavorados e perturbados e de lá saíam quase sempre iluminados e radiantes, e o rosto mais sombrio ganhava uma expressão feliz. Aliócha ainda ficava sobremaneira impressionado com o fato de que o *stárietz* não era nada severo; ao contrário, era sempre quase alegre ao tratar com as pessoas. Diziam os monges que ele se apegava justamente a quem mais pecava, e quem mais pecava recebia dele uma afeição maior que os outros. Até bem no fim da vida do *stárietz*, havia entre os monges aqueles que o odiavam e o invejavam, mas estes já iam rareando, e calavam, embora houvesse entre eles gente muito notável e importante no mosteiro, como, por exemplo, um dos monges mais antigos, grande silenciário e jejuador excepcional. E mesmo assim a imensa maioria estava, sem dúvida, do lado do *stárietz* Zossima, e muitos deles até o amavam de todo coração, com ardor e sinceridade; alguns tinham por ele um apego quase fanático. Estes diziam francamente, se bem que não de viva voz, que ele era um santo, que isso já estava fora de dúvida e, prevendo para breve sua morte, esperavam dele até milagres imediatos e uma grande glória para o mosteiro no futuro mais próximo. Na força milagrosa do *stárietz*, até Aliócha acreditava, assim como acreditava sem reservas na história do caixão que saíra voando da igreja. Via como muitos dos que apareciam com seus filhos doentes ou parentes adultos e imploravam para que o *stárietz* pusesse as mãos sobre eles e rezasse, logo retornavam, uns já no dia seguinte, e prostravam-se a seus pés banhados em lágrimas, agradecendo pela cura de seus doentes. Se havia cura de fato ou apenas melhora natural no curso da doença estava fora de questão para Aliócha, porque ele já acreditava plenamente na força espiritual de seu mestre, cuja glória ele via como se fosse seu próprio triunfo. Seu coração tremia particularmente e ele ficava todo radiante quando o *stárietz* saía para a multidão de peregrinos, gente simples que acorria de toda a Rússia e o aguardava ao portão do eremitério só para ver o *stárietz* e lhe pedir a bênção. Eles caíam de joelhos à sua frente, choravam, beijavam-lhe os pés, beijavam o chão que ele pisava, berravam, as mulheres lhe estendiam os filhos, conduziam para ele as *klikuchas*. O *stárietz* conversava com todos, lia para eles uma oração breve, abençoava-os e os dispensava. Ultimamente, os ataques da doença o deixavam às vezes tão fraco que ele mal tinha forças para deixar a cela, e de quando em quando os peregrinos passavam vários dias no mosteiro à espera de sua saída. Para Aliócha, não havia nenhuma dúvida da razão por que eles o amavam tanto, por que caíam de joelhos diante dele e choravam comovidos mal lhe viam o rosto. Oh, ele compreendia perfeitamente que para a alma humilde do homem do povo russo, exaurida pelo trabalho e pelo infortúnio e, principalmente, pela eterna injustiça e pelo eterno pecado, tanto seu como do mundo, não havia necessidade e consolo mais fortes que encontrar um santuário ou um santo e cair prosternado diante ele: "Se aqui há o pecado, a inverdade e a tentação, ainda assim existe em algum lugar, em algum ponto da Terra um ser santo e superior; por isso ele tem a verdade, por isso ele conhece a verdade; logo, ela não morre na Terra e, consequentemente, algum dia virá a nós e reinará por toda a Terra, como foi prometido". Sabia Aliócha que era assim mesmo que o povo sentia e até pensava, ele compreendia isso, e quanto ao fato de que o *stárietz* era precisamente esse mesmo santo, esse guardião da palavra divina aos olhos do povo — disso ele não tinha a mínima dúvida e nesse ponto estava com aqueles mujiques chorosos e suas mulheres doentes, que estendiam seus filhos ao *stárietz*. Já a convicção de que o *stárietz*, ao morrer, deixaria uma glória extraordinária ao mosteiro, reinava na alma de Aliócha talvez até com mais intensidade do que na alma de qualquer outra pessoa no mosteiro. Em todo o decorrer dos últimos tempos, um enlevo interior profundo e ardente vinha se inflamando com intensidade cada vez maior em seu coração. Não o perturbava minimamente que esse *stárietz* fosse, todavia, um ser único para ele; "Seja como for, ele é um santo, tem no coração o mistério da renovação para todos, a força que finalmente estabelecerá a verdade na Terra, e todos serão santos, e amarão uns aos outros, e não haverá nem ricos, nem pobres, nem exaltados, nem humilhados, mas serão todos como filhos de Deus e chegará o verdadeiro reino de Cristo". Eis com que sonhava o coração de Aliócha.

Parece que Aliócha ficara sumamente impressionado com a chegada dos dois irmãos que ele até então não conhecia. Com o irmão Dmitri Fiódorovitch ele fez amizade mais rápida e íntima, embora este tivesse chegado depois do outro irmão (seu irmão uterino), Ivan Fiódorovitch. Tinha enorme interesse em conhecer o irmão Ivan, mas este já estava ali havia dois meses, e nada de fazerem amizade, embora os dois se vissem com bastante frequência: o próprio Aliócha era calado e parecia esperar por alguma coisa, como se se envergonhasse de alguma coisa, e o irmão Ivan, ainda que de início Aliócha se visse sob seu olhar comprido e curioso, parece que logo deixou até de pensar nele. Aliócha notou isto com certa perturbação. Atribuiu a indiferença do irmão à diferença de idade e particularmente de instrução entre os dois. Mas Aliócha ainda pensava em outra coisa: tão pouca curiosidade e interesse do irmão em relação a ele talvez ainda viessem de algo que ele desconhecia inteiramente em Ivan. Por alguma razão, sempre lhe parecia que Ivan estava ocupado com alguma coisa, com algo interior e importante, que visava a algum fim, talvez muito difícil, de sorte que não tinha tempo para ele, e esse era o único motivo que o fazia olhar distraído para Aliócha. Fazia ainda esta reflexão: não haveria aí algum desprezo por ele, pelo tolinho do noviço, por parte do sábio ateu? Estava inteiramente a par de que o irmão era ateu. Com esse desprezo, se é que existia mesmo, não podia ofender-se, mas ainda assim esperava com alguma ansiedade, incompreensível para si mesmo e inquietante, o momento em que o irmão sentisse vontade de chegar-se mais intimamente a ele. O irmão Dmitri Fiódorovitch se referia ao irmão Ivan com o mais profundo respeito, falava dele com uma afetuosidade especial. Foi através dele que Aliócha ficou a par de todas as minúcias da importante questão que ultimamente havia unido os dois irmãos mais velhos por uma ligação extraordinária e estreita. As referências entusiásticas de Dmitri ao irmão Ivan eram ainda mais peculiares aos olhos de Aliócha porque o irmão Dmitri, comparado a Ivan, era um homem quase totalmente ignorante, e os dois, lado a lado, formavam, ao que parecia, tal contraste de personalidades e caracteres que talvez não fosse possível sequer imaginar duas pessoas mais diferentes.

Pois foi justo nesse momento que se deu a entrevista, ou melhor, a reunião da família, de todos os membros dessa desastrada família na cela do *stárietz*, reunião que exerceu influência excepcional sobre Aliócha. Em verdade, o pretexto para essa reunião era falso. Na ocasião, as discrepâncias de Dmitri Fiódorovitch com seu pai Fiódor Pávlovitch no tocante à herança e às estimativas dos bens de Dmitri pareciam ter chegado ao limite do impossível. As relações se agravaram e se tornaram insuportáveis. Fiódor Pávlovitch, parece, foi o primeiro a sugerir, e parece que também por brincadeira, a ideia de que todos se reunissem na cela de Zossima e, mesmo sem recorrer à mediação direta do *stárietz*, chegassem, contudo, a um entendimento mais decente, pois o título e a pessoa do *stárietz* poderiam ter qualquer coisa de persuasivo e conciliador. Dmitri Fiódorovitch, que nunca visitara Zossima e sequer o vira, pensou, é claro, que estivessem querendo como que assustá-lo com o *stárietz*; mas como ele mesmo no íntimo se censurava por muitos desatinos particularmente ríspidos cometidos nos últimos tempos nas discussões com o pai, acabou aceitando o desafio. É oportuno observar que não morava com o pai, como Ivan Fiódorovitch, mas em seu canto no outro extremo da cidade. E aconteceu que Piotr Alieksándrovitch Miússov, que na ocasião morava em nossa cidade, aferrou-se particularmente a essa ideia de Fiódor Pávlovitch. Liberal dos anos 40 e 50, livre-pensador e ateu, talvez por tédio, talvez visando a um passatempo leviano, teve nesse episódio uma participação extraordinária. Súbito lhe deu vontade de ver o mosteiro e o "santo". Como ainda prosseguissem suas antigas querelas com o mosteiro e também persistisse o litígio em torno dos limites terrestres de suas propriedades, bem como de certos direitos ao desmatamento e à pesca no riacho, etc., ele se apressou em aproveitar-se disso pretextando que desejaria pessoalmente chegar a um acordo com o padre igúmeno:[24] quem sabe não dariam um final amistoso às querelas? Um visitante com propósitos tão bons, é claro, deveria ser recebido no mosteiro com mais atenção e cortesia que um simples curioso. Em consequência de todas essas considerações, seria possível estabelecer no interior do mosteiro alguma influência sobre o *stárietz* doente, que nos últimos tempos quase nunca deixava a cela e por causa da doença se recusava a receber até as visitas comuns. Por fim o *stárietz* deu seu de acordo,

[24] O igúmeno equivale mais ou menos ao abade, com a diferença de ser exclusivo de mosteiros masculinos. (N. do T.)

e marcou-se o dia da visita. "Quem me fez partidor entre eles?"[25] — declarou a Aliócha limitando-se a um sorriso.

Aliócha ficou muito perturbado ao tomar conhecimento da entrevista. Se algum daqueles litigantes e demandistas podia ter propósitos sérios para essa reunião, não havia dúvida de que só podia ser o irmão Dmitri; todos os outros compareceriam com fins levianos e talvez até ofensivos para o *stárietz* — eis como Aliócha interpretava a questão. O irmão Ivan e Miússov compareceriam por curiosidade, possivelmente a mais grosseira, e o pai talvez até com o fito de armar alguma palhaçada ou cena teatral. Oh, ainda que calasse, Aliócha já conhecia o pai de forma suficiente e profunda. Repito; esse rapazinho não tinha nada de simplório, como todos o consideravam. Aguardou com angústia o dia marcado. Sem dúvida, lá com seus botões ansiava de coração por algum fim para todas aquelas desavenças familiares. Entretanto, sua maior preocupação era o *stárietz*: tremia por ele, por sua glória, temia ofensas a ele, sobretudo as caçoadas sutis e corteses de Miússov e as reticências do grande sábio Ivan, que era como tudo isso se apresentava a ele. Quis até correr o risco de prevenir o *stárietz*, dizer-lhe alguma coisa sobre aquelas pessoas que deveriam aparecer, mas refletiu e ficou calado. Só na véspera do dia marcado transmitiu ao irmão Dmitri, através de um conhecido, que o amava muito e esperava dele o cumprimento do prometido. Dmitri ficou matutando, porque não conseguia se lembrar de nada que lhe tivesse prometido, e limitou-se a responder por escrito que faria todos os esforços para se conter "diante de baixezas" e que, embora respeitasse profundamente o *stárietz* e o irmão Ivan, estava, todavia, convencido de que ali havia para ele alguma armadilha ou uma comédia indigna. "Entretanto, prefiro engolir a língua a faltar com o respeito ao santo homem que tanto estimas" — concluiu Dmitri seu bilhete. O qual não deixou Aliócha muito animado.

[25] Palavras quase idênticas às de Jesus: "Homem, quem me constituiu juiz ou partidor entre vós?". Lucas, 12, 14. (N. da E.)

Livro II
UMA REUNIÃO INOPORTUNA

I. A CHEGADA AO MOSTEIRO

Fazia um dia lindo, morno e claro. Estávamos em fins de agosto. A entrevista com o *stárietz* fora marcada para logo depois da segunda missa, por volta das onze e meia. Todavia, nossos visitantes dispensaram a missa e chegaram no exato momento em que ela terminava. Vieram em duas carruagens; na primeira, uma caleche elegante puxada por uma parelha de cavalos caros, chegou Piotr Alieksándrovitch Miússov com seu parente distante Piotr Fomitch Kalgánov, rapaz muito jovem, de uns vinte anos. Esse rapaz se preparava para ingressar na universidade; porém Miússov, em cuja casa ele morava provisoriamente não se sabe por quê, procurava induzi-lo a ir para o estrangeiro, Zurique ou Iena, para que ali ingressasse numa universidade e concluísse os estudos. O rapaz ainda não se decidira. Era meditativo e meio distraído. Tinha um rosto agradável, compleição forte, altura bastante elevada. Vez por outra tinha no olhar uma estranha fixidez; como todas as pessoas muito distraídas, às vezes fixava demoradamente o olhar numa pessoa, sem, entretanto, enxergá-la. Era calado e um tanto desajeitado, mas sucedia que de repente ficava muito loquaz — se bem que isso nunca acontecia senão quando estava a sós com alguém —, impetuoso, de riso solto, rindo às vezes sabe Deus de quê. Contudo, sua animação se extinguia tão rápida e subitamente como rápida e subitamente começava. Sempre se vestia bem e até com requinte; já desfrutava inclusive de certa independência financeira, e ainda esperava bem mais. Era amigo de Aliócha.

Numa caleche muito velha, rangente mas espaçosa, puxada por uma parelha de velhos cavalos rosilhos, que seguia com bastante atraso a carruagem de Miússov, chegaram Fiódor Pávlovitch e o filho Ivan. Ainda na véspera Dmitri Fiódorovitch fora informado do dia e da hora, mas estava atrasado. Os visitantes deixaram as carruagens no pátio da hospedaria e atravessaram a pé o portão do mosteiro. Além de Fiódor Pávlovitch, os outros três, parece, nunca tinham visto nenhum mosteiro e fazia, talvez, uns trinta anos que Miússov nem sequer punha os pés numa igreja. Ele olhava ao redor com alguma curiosidade, não desprovida de uma assumida sem-cerimônia. Contudo, à exceção das edificações da igreja e suas dependências, aliás, muito comuns, sua inteligência observadora nada reparou no interior do mosteiro. O último grupo de pessoas deixava o mosteiro, tirando os chapéus e se benzendo. No meio da plebe também havia peregrinos da mais alta sociedade, umas duas ou três damas, um general muito velho; todos estavam instalados na hospedaria. Os mendigos logo rodearam os nossos visitantes, mas ninguém lhes deu nada. Só Pietrucha[26] Kalgánov tirou do porta-níqueis uma moeda de dez copeques e, apressado e desconcertado sabe Deus por quê, meteu-a rapidamente na mão de uma mulher, proferindo às pressas: "Repartir meio a meio". Nenhum de seus companheiros reparou nesse seu gesto, de sorte que ele não tinha razão para desconcerto; ao percebê-lo, porém, ficou ainda mais desconcertado.

Era, porém, esquisito; alguém deveria recebê-los adequadamente, talvez até com alguma consideração: havia pouco um deles doara mil rublos, e o outro era o senhor de terras mais rico e o homem, por assim dizer, mais instruído, de quem todos ali em parte dependiam para pescar no rio, conforme o rumo que o processo viesse a tomar. E eis que, não obstante, nenhuma personalidade oficial os recebeu. Miússov olhava distraído para os túmulos próximos à igreja e quis observar que aqueles túmulos deviam ter custado meio caro a quem pagava pelo direito de sepultura nesse lugar "sagrado", mas calou: a sua simples ironia liberal foi se transformando quase em cólera.

— Que diabo! A quem vamos nos dirigir aqui, no meio dessa trapalhada? Sim senhor!... Precisamos resolver isso, porque o tempo está passando — proferiu de repente como que de si para si.

Súbito achegou-se um senhor idoso calvo, de olhinhos doces e metido num folgado casaco de verão. Depois de levantar o chapéu, com um cicio melífluo apresentou-se a todos como o fazendeiro Maksímov de Tula. Num piscar de olhos inteirou-se da preocupação dos nossos viandantes.

— O *stárietz* Zossima mora no eremitério, isolado no eremitério, a uns quatrocentos metros do mosteiro, depois do bosquezinho, do bosquezinho...

— Até eu sei que é depois do bosquezinho — respondeu-lhe Fiódor Pávlovitch —, só que não nos lembramos direito do caminho, faz tempo que não vimos aqui.

— Então é atravessar aquele portão e seguir direto pelo bosquezinho, pelo bosquezinho... Vamos. Não querem que... eu mesmo... eu mesmo... É por aqui, por aqui...

[26] Diminutivo de Piotr. (N. do T.)

Atravessaram o portão e seguiram pelo bosque. O fazendeiro Maksímov, homem de uns sessenta anos, não caminhava propriamente, mas, melhor dizendo, quase corria ao lado deles, observando a todos com uma curiosidade febril quase insuportável. Estava com os olhos meio esbugalhados.

— Veja, vamos tratar de questões pessoais com esse *stárietz* — observou Miússov em tom severo —, nós, por assim dizer, conseguimos uma audiência "com essa pessoa" e, embora lhe sejamos gratos pela companhia, todavia não o convidamos a entrar conosco.

— Eu já estive, estive, já estive... *Un chevalier parfait!*[27] — e o fazendeiro estalou os dedos no ar.

— Quem é esse *chevalier*? — indagou Miússov.

— O *stárietz*, o magnífico *stárietz*, o *stárietz*... Honra e glória do mosteiro. Zossima. É um *stárietz*...

Contudo, sua fala desordenada foi interrompida por um mongezinho baixo, muito pálido, macilento e metido num *kobluk*,[28] que alcançava os caminhantes. Fiódor Pávlovitch e Miússov pararam. Com uma cortesia extraordinária e curvando-se numa reverência quase até a cintura, o monge pronunciou:

— O padre igúmeno pede encarecidamente que todos os senhores fiquem para almoçar com ele depois de o visitarem no eremitério. Ele almoça à uma hora, no máximo. E o senhor também — disse ele a Maksímov.

— Isso eu cumprirei sem falta! — bradou Fiódor Pávlovitch, sumamente satisfeito com o convite —, sem falta. E sabe, todos demos a palavra de nos comportarmos aqui com dignidade... E o senhor, Piotr Alieksándrovitch, participa?

— Sim, e por que não? E por que vim para cá senão com o intuito de ver todos os costumes daqui? Minha única dificuldade é precisamente estar neste momento em sua companhia, Fiódor Pávlovitch...

— Sim, mas Dmitri Fiódorovitch ainda não deu sinal de vida.

— Aliás, seria até ótimo que não desse; por acaso me agrada toda essa lambança, e ainda por cima a sua companhia? Bem, vamos comparecer ao almoço, agradeça ao padre igúmeno — disse ao monge.

— Não, minha obrigação é conduzi-los à presença do *stárietz* — respondeu o monge.

— Quanto a mim, já que é para ir ao padre igúmeno, então vou direto ao padre igúmeno — chilrou o fazendeiro Maksímov.

[27] "Um perfeito cavalheiro!", em francês. (N. da E.)

[28] Cobertura de cabeça com véu, usada pelos monges ortodoxos. (N. do T.)

— O padre igúmeno está ocupado neste momento, mas seja como o senhor quiser... — pronunciou indeciso o monge.

— Esse velhote é o cúmulo do importuno — observou Miússov em voz alta, quando o fazendeiro Maksímov correu de volta ao mosteiro.

— Ele se parece com Von Sohn[29] — proferiu Fiódor Pávlovitch.

— É só o que o senhor sabe... Por que ele se parece com Von Sohn? O senhor viu pessoalmente Von Sohn?

— Vi uma foto dele. Embora não seja pelos traços do rosto, por alguma coisa inexplicável ele se parece. É a cópia mais genuína de Von Sohn. Isto eu sempre reconheço só pela fisionomia.

— Certamente; nisso o senhor é perito. Só que tem uma coisa, Fiódor Pávlovitch; o senhor mesmo acabou de lembrar que demos a palavra de que nos comportaremos com decência, lembre-se disso. Estou lhe dizendo, contenha-se. Se começar a bancar o palhaço, saiba que não tenho a intenção de ser aqui posto no mesmo saco com o senhor... Veja que espécie de homem — dirigiu-se ao monge —, tenho medo de visitar pessoas decentes na companhia dele.

Nos lábios pálidos e exangues do monge apareceu um sorrisinho sutil e silencioso, não sem uma espécie de malícia, mas ele nada respondeu, e era claro demais que calava movido pela própria dignidade. Miússov franziu ainda mais o cenho.

"O diabo que os carregue a todos; exibem uma aparência mal forjada ao longo dos séculos, mas que no fundo é charlatanismo e tolice!" — passou-lhe pela cabeça.

— Eis o eremitério, chegamos! — gritou Fiódor Pávlovitch. — O murado e o portão estão fechados.

E pôs-se a fazer, em gestos longos, o sinal da cruz diante dos santos pintados acima e aos lados do portão.

— Ninguém leva regra própria a mosteiro alheio — observou ele. — Aqui no eremitério, vinte e cinco santos vivem para a salvação, entreolham-se e se alimentam de repolho. Nenhuma mulher cruza esses portões; eis o que é particularmente digno de nota. E é verdade. Mas como é que ouvi dizer que o *stárietz* recebe senhoras? — perguntou de repente ao monge.

[29] Vítima de um famoso crime julgado pelo tribunal distrital de São Petersburgo em 28 e 29 de março de 1870. Von Sohn foi atraído para um covil no centro de Petersburgo. Enquanto era barbaramente torturado, assassinado e roubado, uma das participantes batia com as mãos e os pés num piano para abafar os gritos da vítima. Dostoiévski se refere mais de uma vez a Von Sohn em sua obra. (N. da E.)

— Agora mesmo há mulheres do povo aqui, vejam ali, junto ao anexo, estão aguardando. Já para as senhoras da alta sociedade foram construídos dois pequenos cômodos aqui mesmo no anexo, mas fora do murado, vejam aquelas janelas ali; o *stárietz*, quando está bem de saúde, sai pela passagem interna para visitá-las, ou seja, sempre para além do murado. Neste exato momento, uma fidalga fazendeira de Khárkov, a senhora Khokhlakova, está à espera dele com sua filha que sofre de uma fraqueza.

— Quer dizer que assim mesmo há um acesso do eremitério aos cômodos das senhoras. Não vá pensar, santo padre, que eu esteja insinuando alguma coisa, só falei por falar. Sabe, no monte Atos, não sei se está a par, não só são proibidas as visitas de mulheres, como não se permite absolutamente a presença de mulheres e nem mesmo de criaturas do sexo feminino, como galinhas, peruas, bezerras...

— Fiódor Pávlovitch, vou voltar e largá-lo aqui sozinho, e sem minha presença o senhor será posto para fora pelo braço, estou lhe prevenindo.

— Em que eu o atrapalho, Pior Alieksandróvitch? Veja isto — gritou de repente, dando uns passos além do murado do eremitério —, veja em que vale de rosas eles moram!

De fato, embora no momento nem houvesse rosas, havia uma infinidade de raras e lindas flores de outono em toda parte onde pudessem ser plantadas. Via-se que eram mimadas por mão experiente. Os canteiros estavam dispostos dentro do murado da igreja e entre os túmulos. A casinha de madeira, térrea, com uma galeria à entrada e na qual ficava a cela do *stárietz*, também era rodeada de flores.

— Isso já acontecia antes, no tempo do *stárietz* Varsonofi? Dizem que de elegância ele não gostava, que levantava de um salto e até batia nas senhoras com o bastão — observou Fiódor Pávlovitch, subindo ao pequeno alpendre.[30]

— Às vezes o *stárietz* Varsonofi tinha realmente um quê de *iuródiv*, mas se conta muita tolice a seu respeito. Nunca deu bastonada em ninguém — respondeu o monge. — Agora aguardem um minuto, senhores, que vou comunicar sua presença.

— Fiódor Pávlovitch, estou lhe avisando pela última vez, e escute. Com-

[30] Trata-se do vocábulo russo *kriltzó*, de difícil tradução. Em mansões ou palacetes, é uma espécie de pórtico, às vezes com colunas e ornamentos, mas em casas simples, sobretudo no meio rural, é uma espécie de alpendre fechado, lateral, com uma pequena escada por onde se entra na casa. Nos romances de Dostoiévski, tem sempre esse aspecto de alpendre fechado. (N. do T.)

porte-se direito, senão o senhor vai ver — Miússov ainda teve tempo de murmurar.

— Desconheço completamente o motivo de tamanha inquietação — observou Fiódor Pávlovitch em tom de galhofa —, ou estará com medo de uns pecadilhos? Porque, segundo dizem, pelo olhar das pessoas, ele sabe por que o procuram. E como o senhor, um homem de Paris e tão avançado, tem a opinião dele em tão alto apreço! Até me deixa admirado, veja só!

Mas não deu tempo para Miússov responder a esse sarcasmo; pediram que entrassem.

"Bem, já sei como sou, estou irritado, vou começar a discutir... ficar excitado, e acabar rebaixando a mim mesmo e às minhas ideias" — passou-lhe pela cabeça.

II. O VELHO PALHAÇO

Entraram no recinto quase junto com o *stárietz*, que saiu de seu pequeno dormitório mal eles apareceram. Na cela, ainda antes deles, aguardavam o *stárietz* dois hieromonges[31] do eremitério — um, o padre bibliotecário, o outro, o padre Paissi, homem doente que, mesmo não sendo velho, era, contudo, muito sábio, como se dizia a seu respeito. Além disso, aguardava em pé num canto (depois permaneceria o tempo todo em pé) um jovenzinho que aparentava uns vinte e dois anos, metido numa sobrecasaca civil, seminarista e futuro teólogo, protegido, sabe-se lá por quê, do seminário e da confraria. Era bastante alto, de rosto fresco, pômulos salientes, olhos castanhos apertados, inteligentes e atentos. O rosto exprimia respeito, mas digno, sem servilismo visível. Nem sequer fez aos visitantes a reverência devida como alguém que não era igual a eles, mas, ao contrário, subordinado e dependente.

O *stárietz* Zossima apareceu acompanhado de um noviço e de Aliócha. Os hieromonges se levantaram e o saudaram com a mais profunda reverência, tocando o chão com os dedos e, depois de receberem a bênção, beijaram-lhe a mão. Depois de lhes dar a bênção, o *stárietz* respondeu a cada um com uma reverência igualmente profunda, tocando o chão com os dedos, e pediu a cada um a bênção para si também. Toda a cerimônia transcorreu de modo

[31] Do grego ἱερουόναχος. Há dois tipos de monge na Igreja Ortodoxa russa: o monge simples, ou *monákh*, que mora fora do mosteiro, e o monge interno, ou hieromonge, que vive exclusivamente no mosteiro, mas recebe fiéis para conselhos espirituais, bem como outros visitantes para conversas, palestras, etc. (N. do T.)

muito sério, bem diferente desses rituais diários, mas quase com algum sentimento. Miússov, porém, achou que tudo tinha o deliberado intuito de impressionar. Estava à frente de todos os acompanhantes que com ele entraram. Caberia — e ele até considerara isso ainda no entardecer da véspera —, a despeito de quaisquer ideias, unicamente por simples cordialidade (já que eram esses os costumes dali), aproximar-se e pedir a bênção do *stárietz*, ao menos pedir a bênção, se não ia lhe beijar a mão. Contudo, assistindo agora a todas aquelas reverências e beijos dos hieromonges, em um segundo mudou de decisão: num gesto altivo e sério, fez uma reverência bastante profunda, ao jeito mundano, e afastou-se para uma cadeira. O mesmo fez Fiódor Pávlovitch, desta vez macaqueando totalmente Miússov. Ivan Fiódorovitch fez uma reverência muito altiva e cortês, mas também se manteve em posição de sentido, ao passo que Kalgánov atrapalhou-se de tal forma que nem reverência fez. O *stárietz* baixou a mão, que ia levantando para a bênção e, fazendo-lhes mais uma reverência, pediu que todos se sentassem. O sangue inundou as faces de Aliócha; estava envergonhado. Seus maus pressentimentos haviam se confirmado.

O *stárietz* sentou-se num divãzinho de mogno forrado de couro, de feitio muito antigo, e fez as visitas, exceto os dois hieromonges, tomarem assento junto à parede defronte, todos os quatros em cadeiras de mogno forradas de um couro preto muito gasto. Os hieromonges sacerdotes se sentaram dos lados, um junto à porta e outro à janela. O seminarista, Aliócha e o noviço permaneceram em pé. Toda a cela era muito pequena e de uma aparência meio sem vida. Os trastes e móveis eram grosseiros, pobres, apenas o indispensável. Dois jarros de flores na janela, num canto muitos ícones — um da Virgem, enorme, provavelmente pintado ainda bem antes do cisma.[32] À sua frente uma lamparina derramava sua luz frouxa. Perto dela havia dois outros ícones em seus resplandecentes adornos de metal, ao lado de querubins pequenos e artificiais, ovinhos de porcelana, uma cruz católica de marfim abraçada pela Mater Dolorosa e mais algumas gravuras estrangeiras de grandes pintores italianos de séculos passados. Ao lado dessas gravuras preciosas e cheias de graça resplandeciam vários exemplares das mais vulgares litografias russas de santos, mártires, prelados, etc., dessas que se vendem a copeques em tudo quanto é feira. Havia alguns retratos em litografia de prelados russos contemporâneos e antigos, mas já espalhados

[32] Corrente surgida em meados do século XVII na Igreja russa como protesto contra as inovações do patriarca Nikon (1605-1681), que consistiam na modificação dos livros e de alguns costumes e rituais eclesiásticos. (N. da E.)

por outras paredes. Miússov correu a vista por toda aquela "rotina" e cravou no *stárietz* seu olhar percuciente. Nutria consideração por esse olhar, tinha essa fraqueza, não obstante perdoável nele, tendo em vista que já estava com cinquenta anos — idade em que um homem mundano, inteligente e abastado sempre se torna mais respeitoso consigo mesmo, às vezes até involuntariamente.

À primeira vista não gostou do *stárietz*. De fato, em seu rosto havia algo que desagradaria a muitos, não só a Miússov. Era um homem alto, encurvado, de pernas muito fracas, de apenas sessenta e cinco anos, mas que a doença fazia parecer bem mais velho, uns dez anos pelo menos. Todo o rosto, aliás muito ressecado, tinha-o sulcado por rugas miúdas, muito abundantes nas proximidades dos olhos, olhos miúdos, do tipo claro, rápidos e brilhantes como dois pontos reluzentes. Conservara os cabelinhos grisalhos apenas nas têmporas, tinha uma barbicha minúscula e rala em forma de cavanhaque, e os lábios, sempre sorridentes, finos como dois barbantes. O nariz não é que fosse grande, mas era pontudo como um bico de pássaro.

"Por todos os indícios é uma alminha rancorosa e um pouquinho arrogante" — passou de relance pela cabeça de Miússov. Ele estava muito aborrecido consigo mesmo.

As batidas do relógio ajudaram a começar a conversa. Um relógio de parede pequeno e barato bateu doze horas em rápidas badaladas.

— Está em cima da hora — bradou Fiódor Pávlovitch —, e ainda nada de meu filho Dmitri Fiódorovitch. Peço desculpas por ele, santo *stárietz*! (Aliócha tremeu todo por causa desse "santo *stárietz*".) Eu mesmo sempre sou pontual, pontualíssimo, lembrando-me de que a pontualidade é a cortesia dos reis...

— Mas acontece que pelo menos rei o senhor não é — resmungou Miússov no ato, sem se conter.

— Sim, é verdade, não sou rei. E imagine, Piotr Alieksándrovitch, que eu mesmo o sabia, juro! E veja só, eu sempre cometo algum despropósito. Reverendo! — exclamou com uma ênfase algo repentina. — O senhor está vendo à sua frente um palhaço, um verdadeiro palhaço! É assim que me apresento. É um velho hábito, lamentavelmente. E se às vezes desafino na hora errada, existe nisso uma intenção, a intenção de fazer rir e ser agradável. É preciso ser agradável, não é verdade? Chego a uma cidadezinha, há uns sete anos, tinha lá uns negocinhos, e estava para fazer uma associaçãozinha com uns comerciantes do lugar. Vamos procurar o comissário de polícia, porque precisávamos lhe pedir alguma coisa e convidá-lo para almoçar conosco. Aparece o comissário, um homem alto, gordo, louro e carrancudo — o tipo de sujeito mais perigoso em casos como aquele: sofrem do fígado, do fígado. Dirijo-me a ele de forma direta, e, vejam, com o desembaraço de homem da sociedade. "Senhor *isprávnik*, digo eu, seja, por assim dizer, nosso Naprávnik!" — "Que Naprávnik, diz ele, é esse?"[33] Desde o primeiro meio segundo, já vejo que a coisa não deu certo; e ele ali sério, obstinado: "Quis, digo eu, fazer uma brincadeira, para alegria geral, uma vez que o senhor Naprávnik é o nosso famoso regente de orquestra russo, e para a harmonia de nossa empresa precisamos justamente de algo como um regente de orquestra...". Fui razoável na explicação e na comparação, não é verdade? "Desculpe, diz ele, sou um *isprávnik* e não permito trocadilhos com minha patente." Deu meia-volta e foi saindo. Fui atrás dele, gritando: "Sim, sim, o senhor é um *isprávnik*, e não Naprávnik!" — "Não, diz ele, já que foi dito, então quer dizer que sou Naprávnik". E imaginem, nosso negócio acabou não dando em nada! Todavia sou assim, sempre assim. Não tem jeito, com minha gentileza acabo prejudicando a mim mesmo! Uma vez, já faz muitos anos, disse a uma pessoa até influente: "Sua esposa é uma mulher melindrosa" — quer dizer, no que se refere à honra, por assim dizer, às qualidades morais, e de repente ele me vem com essa: "E o senhor, já fez cócegas nela?".[34] Não me contive e, num ai, pensei cá com meus botões: vou ser amável: "Sim, respondo, fiz" — e aí ele também fez cócegas em mim... Só que já faz muito tempo que isso aconteceu, de sorte que não me dá vergonha contar; assim vivo eternamente me prejudicando...

— O senhor continua fazendo isso até hoje — resmungou Miússov com nojo.

Calado, o *stárietz* observava os dois.

— Pois é! E imagine, Piotr Alieksándrovitch, que até disso eu já sabia e — para seu governo — até pressenti que o estava fazendo mal comecei a falar, e fique sabendo que inclusive pressenti que o senhor seria o primeiro a notá-lo. Nesses instantes, Reverendo, quando vejo que uma brincadeira minha não dá certo, minhas duas faces começam a grudar nas gengivas inferiores, quase como se fosse uma espécie de convulsão; isso já me acontecia

[33] *Isprávnik* é comissário de polícia, em russo. Nesse diálogo, Fiódor Pávlovitch faz um trocadilho com *isprávnik* e Naprávnik, em alusão a E. F. Naprávnik (1839-1916), compositor russo e, a partir de 1869, primeiro regente de orquestra do Teatro Mariinski de Petersburgo. (N. do T.)

[34] Fiódor Pávlovitch provoca um quiproquó com o adjetivo *schekotlívaya* (coceguenta, melindrosa) e o verbo *schekotat*, isto é, melindrar, excitar, ou fazer cócegas. Mulher *schekotlívaya* tanto pode ser melindrosa como coceguenta. Daí a pergunta: "E o senhor, já fez cócegas nela?". Por isso ele diz uma coisa, e o marido da mulher entende outra. (N. do T.)

na mocidade, quando eu parasitava em casa dos nobres e com o parasitismo safava o de comer. Sou um palhaço inveterado, de nascença, o mesmo que um *iuródiv*, seu Reverendo; não nego que em mim talvez até habite um espírito mau, se bem que de pequeno calibre; ele deveria ter escolhido outra morada mais importante, só não a sua, Piotr Alieksándrovitch, pois o senhor também é uma morada bem ruinzinha. Mas em compensação eu creio, creio em Deus. Só nos últimos tempos andei com dúvidas, mas agora estou aqui e espero as grandes palavras. Eu, seu Reverendo, sou como o filósofo Diderot. O santíssimo padre na certa sabe como o filósofo Diderot se apresentou ao metropolita Platon,[35] no tempo de Catarina. Foi entrando e dizendo na bucha: "Deus não existe". Nisso, o grande santo pôs o dedo em riste e respondeu: "Diz o insensato no teu coração: não há Deus!".[36] Ali mesmo o outro lhe caiu aos pés:[37] "Creio", grita ele, "e aceito o batismo". E assim foi batizado ali mesmo. A princesa Dashkova[38] foi a madrinha e Potiómkin,[39] o padrinho.

— Fiódor Pávlovitch, isso é insuportável! O senhor mesmo não sabe que está mentindo e que essa piada tola é uma inverdade, então por que essa palhaçada? — pronunciou Miússov com voz trêmula e já sem nenhum autocontrole.

— A vida inteira pressenti que era uma inverdade! — exclamou Fiódor Pávlovitch com entusiasmo. — Por isso, senhores, vou lhes dizer toda a verdade: grande *stárietz*! perdoe-me a última, essa sobre o batismo de Diderot, eu mesmo acabei de inventar, nesse minutinho em que contava, porque antes nunca me tinha sequer passado pela cabeça. Inventei para tornar a coisa mais picante. Faço palhaçada, Piotr Alieksándrovitch, para ser mais amável.

[35] Liévshin Piotr Iegórovitch (1737-1812), metropolita de Moscou e famoso pregador e escritor religioso, professor de catecismo do filho de Catarina II, príncipe herdeiro e depois imperador Pável I. A história do encontro de Diderot e Platon, parodiada na passagem acima por Fiódor Pávlovitch, é relatada, com algumas diferenças, por I. N. Snieguíriov em *A vida de Platon, metropolita de Moscou*, de 1856. (N. da E.)

[36] Salmos, 14, 1. (N. do T.)

[37] Paródia das passagens das hagiografias dos mártires, nas quais, graças aos milagres dos santos, os pagãos se convertiam com uma facilidade incomum ao Cristianismo, exclamando "Creio", e aceitavam o batismo. (N. da E.)

[38] Iekaterina Románovna Dashkova (1743-1810), auxiliar imediata de Catarina II, em cujo governo foi presidente da Academia Russa, correspondeu-se com figuras eminentes, como Voltaire e Diderot. (N. do T.)

[39] Grigorii Alieksándrovitch Potiómkin (1739-1791), militar e homem de Estado russo, favorito de Catarina II. (N. da E.)

Aliás, às vezes nem eu mesmo sei para quê. E quanto a Diderot, a essa história do "diz o insensato", ouvi umas vinte vezes dos próprios fazendeiros daqui quando ainda era jovem e morava com eles; a propósito, Piotr Alieksándrovitch, também a ouvi de sua tiazinha Mavra Fomínichna. Até hoje todos eles estão certos de que o ateu Diderot foi ao metropolita Platon discutir sobre Deus...

Miússov levantou-se, não só por ter perdido a paciência, mas como se também o controle. Estava furioso e consciente de que ele mesmo saíra ridicularizado. De fato, estava acontecendo na cela algo totalmente inconcebível. Naquela mesma cela, talvez uns quarenta ou cinquenta anos antes, ainda no tempo dos antigos *startzí*, reuniam-se visitantes, mas sempre com a mais profunda veneração, nunca de outro modo. Quase todos os admitidos, ao entrarem na cela, compreendiam que com isso já lhes concediam uma grande graça. Muitos deles caíam de joelhos e assim permaneciam durante todo o tempo da visita. Muitas pessoas da "alta sociedade" e até das mais eruditas e, digo mais, inclusive alguns livres-pensadores que ali apareciam por curiosidade ou por algum outro motivo, quando entravam todos juntos na cela ou conseguiam uma entrevista a sós, colocavam como sua primeiríssima obrigação, todos sem exceção, o mais profundo respeito e delicadeza durante todo o tempo da visita, ainda mais porque ali não se admitia dinheiro e havia tão somente amor e benevolência, por um lado e, por outro, arrependimento e sede de resolver alguma questão difícil da alma ou algum momento difícil na vida do próprio coração. E de repente a palhaçada feita por Fiódor Pávlovitch, desrespeitando o recinto em que se encontrava, deixou os presentes, ao menos alguns deles, surpresos e estupefatos. Os hieromonges, aliás, cujas fisionomias permaneceram imperturbáveis, aguardavam com séria atenção o que o *stárietz* poderia dizer, mas parecia que já se dispunham a levantar-se, como Miússov. Aliócha estava a ponto de chorar, de cabeça baixa. O que lhe parecia mais estranho era que seu irmão Ivan Fiódorovitch, o único em quem depositava esperança e o único que exercia tal influência sobre o pai que podia contê-lo, estava agora ali sentado em sua cadeira totalmente imóvel, de olhos no chão e pelo visto aguardando com uma curiosidade até ávida como tudo aquilo iria terminar, como se ali ele mesmo fosse pessoa totalmente estranha. Para Rakítin (o seminarista), que Aliócha também conhecia bem e lhe era quase íntimo, nem conseguia olhar: conhecia-lhe os pensamentos (embora só Aliócha os conhecesse em todo o mosteiro).

— Perdoe-me... — começou Miússov dirigindo-se ao *stárietz* — por eu, talvez, também poder lhe parecer um participante dessa brincadeira indigna. Meu erro foi ter acreditado que até um tipo como Fiódor Pávlovitch desejasse compreender suas obrigações ao visitar uma pessoa tão respeitável... Não atinei que teria de pedir desculpas justamente por entrar com ele...

Piotr Alieksándrovitch não concluiu e, totalmente desconcertado, já fazia menção de deixar o recinto.

— Não se preocupe, peço-lhe — o *stárietz* soergueu-se de repente de seu lugar sobre as pernas extremamente fracas e, tomando Piotr Alieksándrovitch por ambas as mãos, fê-lo sentar-se de volta em sua poltrona. — Fique tranquilo, peço-lhe. Peço-lhe particularmente que seja meu hóspede — e deu meia-volta depois de fazer uma reverência, tornando a sentar-se em seu sofazinho.

— Grande *stárietz*, diga se o ofendo ou não como minha vivacidade — bradou subitamente Fiódor Pávlovitch, agarrando com ambas as mãos os braços da poltrona e como que se preparando para se levantar de um salto conforme a resposta.

— Peço encarecidamente também ao senhor que não se preocupe nem fique constrangido — proferiu-lhe o *stárietz* em tom grave... — Não fique constrangido, sinta-se completamente em casa. E o principal: não se envergonhe tanto de si mesmo, porque é só disso que tudo decorre.

— Inteiramente em casa? Ou seja, em meu estado natural? Oh, isso é muito, é demais, no entanto aceito, e comovido! Sabe, bendito padre, o senhor não me incite a ficar em meu estado natural, não corra esse risco... eu mesmo não vou chegar ao estado natural. Sou eu que estou prevenindo, para protegê-lo. E quanto ao resto, tudo ainda está sujeito às trevas da ignorância, ainda que alguns desejem carregar nas tintas para me pintar. Isso lhe diz respeito, Piotr Alieksándrovitch, e quanto ao senhor, santíssima criatura, só posso dizer: extravaso meu encantamento! — Soergueu-se e, levantando os braços, pronunciou: — Bendito seja o ventre que te carregou, e os peitos que te alimentaram[40] — especialmente os peitos! Com sua observação de ainda agorinha: "Não se envergonhe tanto de si mesmo, porque é só disso que tudo decorre", o senhor como que me penetrou o íntimo e o leu de cabo a rabo. Quando vou a algum lugar, sempre fico com a impressão de que é isso mesmo, que sou o mais torpe de todos e que todos me acham um palhaço, e então, vamos lá, eu realmente banco o palhaço, porque os senhores todos, sem exceção, são mais tolos e mais torpes que eu. É por isso que sou palhaço, sou palhaço levado pela vergonha, grande *stárietz*, pela vergonha. Só levado pela

[40] "Bem-aventurada aquela que te concebeu e os seios que te amamentaram!". Lucas, 11, 27. (N. da E.)

cisma e pela desordem. Porque, se eu estivesse certo de que, ao entrar num recinto, todos me tomariam pela pessoa mais amável e mais inteligente — meu Deus! que pessoa boa eu seria nesse momento! Mestre! — pôs-se subitamente de joelhos —, o que devo fazer para herdar a vida eterna?[41] — Até num momento como esse era difícil decidir: ele estava de brincadeira ou tomado mesmo de tamanha comoção?

O *stárietz* ergueu a vista para ele e pronunciou com um sorriso:

— Há muito tempo o senhor sabe o que precisa fazer, tem inteligência suficiente: não se entregue à bebedeira nem à incontinência verbal, não se entregue à voluptuosidade, e sobretudo à adoração pelo dinheiro; sim, feche suas casas de bebida, se não pode fechar todas, ao menos duas ou três. E o principal, o essencial — não minta.

— Quer dizer, isso é sobre Diderot, não é?

— Não, não é propriamente sobre Diderot. O principal é não mentir para si mesmo. Quem mente para si mesmo e dá ouvidos à própria mentira chega a um ponto em que não distingue nenhuma verdade nem em si, nem nos outros e, portanto, passa a desrespeitar a si mesmo e aos demais. Sem respeitar ninguém, deixa de amar e, sem ter amor, para se ocupar e se distrair entrega-se a paixões e a prazeres grosseiros e acaba na total bestialidade em seus vícios, e tudo isso movido pela contínua mentira para os outros e para si mesmo. Aquele que mente para si mesmo é o primeiro que pode se sentir ofendido. Porque às vezes é muito agradável ofender-se, não é mesmo? É que ele sabe que ninguém o ofendeu, e que foi ele mesmo que inventou a ofensa e mentiu para enfeitar, ele mesmo exagerou com o fito de criar um quadro, aferrou-se à palavra e de um argueiro fez um cavaleiro —, ele mesmo sabe disso e ainda assim é o primeiro a ofender-se, e ofender-se a ponto de achar isso agradável, de experimentar uma sensação de grande prazer, e assim chega também a uma animosidade verdadeira... Ora, levante-se ou sente-se, eu lhe peço encarecidamente, porque todos esses gestos também são simulados...

— Criatura bem-aventurada! Dê-me a mão para beijar — Fiódor Pávlovitch achegou-se de um salto e deu um beijo rápido e estalado na mão magrinha do *stárietz*. — É isso mesmo, é mesmo agradável sentir-se ofendido. O senhor o disse tão bem como eu nunca ouvira antes. É isso mesmo, isso mesmo, em toda a minha vida me senti ofendido de um jeito que beirava o prazer, ofendia-me por uma questão de estética, porque às vezes não é só agradável mas até bonito ser ofendido; eis o que o senhor esqueceu,

[41] "Mestre, que farei para herdar a vida eterna?". Lucas, 10, 25. (N. do T.)

grande padre: bonito! Vou pôr isso num caderno de notas! Menti, menti, menti terminantemente a vida inteira, todo santo dia e a cada hora. Na verdade, sou a mentira e o pai da mentira![42] Pensando bem, parece que o pai da mentira não sou, estou sempre me atrapalhando com os textos, mas sou ao menos o filho, e isso já basta. Só que... anjo meu... sobre Diderot às vezes se pode dizer isso! Diderot não é nocivo; já uma palavrinha ou outra, é. Grande *stárietz*, a propósito, eu ia esquecendo; é que desde o ano retrasado eu tinha resolvido vir até aqui e me pôr a assuntar e perguntar insistentemente: peço que não permita a Piotr Alieksándrovitch interromper. Eis minha pergunta: será verdade, grande padre, o que se conta nas *Tcheti-Minei*[43] sobre um certo santo milagreiro que não sei onde foi martirizado por causa da fé e que, quando enfim o decapitaram, ele se levantou, apanhou sua cabeça e, "beijando-a amavelmente", caminhou por longo tempo com ela nas mãos, sempre "a beijá-la amavelmente". Isso será verdade, meus íntegros padres?

— Não, não é verdade — disse o *stárietz*.

— Não há nada semelhante em todas as *Tcheti-Minei*. Que santo é esse de quem o senhor está falando, é assim que está escrito? — perguntou o monge-sacerdote, o padre bibliotecário.

— Eu mesmo não sei de quem se trata. Não sei, e não faço a mínima ideia. Fui enganado, contaram-me. Ouvi dizer, e sabem quem me contou? Aquele ali, Piotr Alieksándrovitch Miússov, o que agorinha mesmo se zangou por causa de Diderot, pois foi ele quem me contou.

— Nunca lhe contei isso, e nunca mantenho nenhuma conversa com o senhor.

— É verdade, não foi a mim que o senhor contou; mas o senhor contou numa reunião em que eu estava presente, no ano retrasado. Eu mencionei isso porque com essa história engraçada o senhor abalou minha fé, Piotr Alieksándrovitch. O senhor não sabia disso, não fazia ideia, mas eu voltei para casa com a fé abalada e desde então só tive dúvidas. É, Piotr Alieksándrovitch, o senhor foi a causa de minha grande queda! Já não se trata de Diderot!

[42] Vejam-se as palavras de Cristo sobre o demônio em João, 8, 44: "Quando ele profere a mentira, fala do que lhe é próprio, porque é mentiroso e pai da mentira". (N. do T.)

[43] Coletânea de relatos sobre a vida dos santos, dispostos segundo o dia de cada mês, com ensinamentos para o ano todo. Fiódor Pávlovitch tem em vista o santo católico Denis de Paris, de quem os enciclopedistas, particularmente Voltaire e Diderot, zombavam constantemente, pois dizia a lenda que, depois de decapitado, o santo teria pegado e beijado a própria cabeça. (N. da E.)

Fiódor Pávlovitch estava pateticamente exaltado, embora já fosse totalmente claro para todos ali que mais uma vez ele representava. Ainda assim, Miússov estava muito melindrado.

— Que absurdo, tudo isso é um absurdo — balbuciava ele. — É possível que eu realmente tenha dito isso em alguma ocasião... só que não ao senhor. A mim mesmo já me haviam dito. Ouvi isso de um francês, em Paris, segundo quem as *Tcheti-Minei* são lidas durante a missa aqui na Rússia... Ele é um grande erudito, que estudou especialmente as estatísticas da Rússia... morou por muito tempo na Rússia... Eu mesmo não li nenhuma *Tcheti-Minei*... e nem vou ler. O que é que não se fala num almoço?... Na ocasião estávamos almoçando...

— É, na ocasião os senhores almoçavam, mas acontece que eu tinha perdido a fé! — provocou Fiódor Pávlovitch.

— Pouco se me dá a sua fé! — ia gritando Miússov, mas súbito se conteve, pronunciando com desdém: — O senhor literalmente emporcalha tudo o que toca.

O *stárietz* se levantou de supetão:

— Desculpem, senhores; vou deixá-los por apenas alguns minutos — pronunciou, dirigindo-se a todos os presentes —, é que já me aguardavam antes de sua chegada. Quanto ao senhor, mesmo assim, não minta — disse para Fiódor Pávlovitch com uma expressão de alegria no rosto.

Ele saiu da cela. Aliócha e o noviço se precipitaram para ajudá-lo a descer a escada. Aliócha ofegava, estava contente por sair dali, mas contente ainda porque o *stárietz* não se ofendera e estava alegre. O *stárietz* tomava a direção do anexo na intenção de abençoar quem o aguardava. Mas ainda assim Fiódor Pávlovitch o reteve à saída da cela.

— Bem-aventurada criatura! — exclamou com sentimento —, permita-me mais uma vez lhe beijar a mão! Não, com o senhor ainda dá para conversar, ainda dá para viver! O senhor pensa que eu sempre minto assim e banco o palhaço? Pois fique sabendo que estive o tempo todo representando de propósito para tentá-lo. Fiquei o tempo todo a sondá-lo com um fim: daria para viver com o senhor? Haveria, junto à sua altivez, lugar para minha humildade? Dou-lhe o diploma da lisonja: com o senhor dá para viver! Agora me calo, vou ficar o tempo todo de boca calada. Sentado na poltrona e de boca calada. Agora é sua vez de falar, Piotr Alieksándrovitch, agora resta o senhor como a pessoa mais importante... por dez minutos.

III. Mulheres de fé

Embaixo, junto ao anexo de madeira ligado à parede externa do pátio, desta feita havia uma aglomeração só de mulheres, umas vinte ao todo. Tinham sido avisadas de que o *stárietz* finalmente apareceria, e elas se aglomeraram à espera. Também apareceram no anexo as fazendeiras Khokhlakova, que igualmente aguardavam o *stárietz*, mas ficaram no recinto destinado às visitantes nobres. Eram duas: a mãe e a filha. A senhora Khokhlakova, dama rica e sempre vestida com gosto, ainda era bastante jovem e muito graciosa, um pouco pálida, tinha olhos muito vivos e quase inteiramente negros. Não passava dos trinta e três anos, e já fazia uns cinco que enviuvara. A filha de catorze anos sofria de paralisia das pernas. A pobre mocinha não conseguia andar fazia já coisa de meio ano, e era carregada numa grande e confortável cadeira de rodas. Tinha um rostinho encantador, meio magrinho por causa da doença, mas alegre. Um quê de travesso irradiava de seus olhos graúdos de cílios longos. Desde a primavera que a mãe se preparava para levá-la ao estrangeiro, mas os afazeres da fazenda a retiveram durante o verão. Já estavam em nossa cidade havia cerca de uma semana, mais a negócio do que por devoção, porém já tinham visitado o *stárietz* uma vez, três dias antes. Agora reapareciam de repente por ali, mesmo sabendo que ele quase já não tinha condições de receber mais ninguém, e imploravam com persistência por uma nova "felicidade de ver o grande salvador".

A mãe aguardava o *stárietz* sentada numa cadeira ao lado da cadeira de rodas da filha; a dois passos dela, um monge velho, de um mosteiro do norte distante e pouco conhecido, aguardava em pé. Também desejava pedir a bênção do *stárietz*. Mas este, ao aparecer no anexo, primeiro foi direto ao povo. A aglomeração se comprimia junto aos três degraus do pequeno alpendre que ligava o anexozinho ao chão. O *stárietz* parou no degrau superior, pôs a estola e começou a abençoar as mulheres que se apinhavam em sua direção. Arrastaram até ele uma *klikucha* segura pelos dois braços. Mal avistou o *stárietz*, ela começou a gritar e gaguejar, ganindo de um jeito meio absurdo, e a tremer toda como se estivesse com eclampsia. Pondo-lhe a estola na cabeça, o *stárietz* rezou uma breve oração, e ela se calou no ato e se acalmou. Não sei como é hoje, mas quando eu era menino tive a oportunidade de ouvir e ver frequentemente essas *klikuchas* pelas aldeias e mosteiros. Levavam-nas à missa, elas ganiam ou latiam feito cães, o que ecoava em toda a igreja, mas quando traziam o Santíssimo e lhes permitiam achegar-se a ele, a "possessão" cessava e as doentes sempre se acalmavam por algum tempo. Menino, eu sempre ficava muito admirado e estupefato com aquilo. Mas naquela mesma época, em resposta às minhas indagações, ouvi de alguns senhores de terra — e particularmente de meus professores da cidade — que aquilo tudo era simulação para não trabalhar, que sempre se podia erradicá-lo com a devida severidade, e ainda respaldavam essas afirmações com anedotas várias. Mais tarde, porém, ouvi de médicos especialistas que naquilo não havia simulação nenhuma, que era uma terrível doença que afetava as mulheres e, parece, predominantemente aqui na Rússia, um testemunho do pesado destino da nossa mulher do campo, uma doença que provinha do trabalho extenuante executado logo após os partos difíceis, malfeitos e sem qualquer socorro médico; além disso, ela provinha da mágoa inconsolável, das surras e outros maus-tratos que, a despeito do modelo geral, algumas naturezas femininas não conseguem suportar. Já a cura estranha e instantânea da mulher, assim que a aproximavam da eucaristia, cura que me explicavam como simulação, além de truque quase forjado pelos próprios "clericais", provavelmente também se dava do modo mais natural, e as mulheres que a conduziam para a eucaristia acreditavam piamente como verdade estabelecida — inclusive a própria doente, o que é essencial — que o espírito mau, tendo se apossado dela, nunca poderia suportar vê-la curvar-se perante a eucaristia quando a conduziam para recebê-la. É por essa razão que sempre se processava (e devia mesmo se processar) forçosamente naquela doente dos nervos e, é claro, também do cérebro, uma espécie de comoção de todo o organismo no momento da adoração do Santíssimo, comoção essa suscitada pela expectativa do milagre infalível da cura e pela própria fé absoluta em que ele aconteceria. E acontecia, ainda que fosse por apenas um minuto. Assim como acabava de acontecer também agora, mal o *stárietz* cobrira a doente com a estola.

Muitas das mulheres que se acotovelavam à volta dele estavam banhadas em lágrimas de enternecimento e êxtase, suscitadas pelo efeito do momento; outras se precipitavam para beijar ao menos as fímbrias do burel, outras lamentavam alguma coisa. Ele abençoou a todas e começou a conversar com algumas. Já conhecia a *klikucha*, trazida de perto, de uma aldeia a apenas seis verstas do mosteiro, pois já antes a haviam trazido à sua presença.

— Vejam essa que veio de longe! — apontou para uma mulher ainda nada velha, embora muito magra e macilenta, de rosto não propriamente bronzeado, mas como que todo enegrecido. Estava ajoelhada e fitava o *stárietz* com um olhar imóvel. Havia um quê de delirante em seu olhar.

— De longe, *bátiuchka*,[44] de longe, trinta verstas daqui. De longe, pa-

[44] Palavra antiga da língua russa, muito empregada em diversas situações, sobretudo

dre, de longe — pronunciou a mulher arrastando as palavras, balançando suavemente a cabeça para os lados e apoiando a face na palma da mão. Ela falava como se lamentasse. Existe no povo uma mágoa silenciosa e muito tolerante, que se recolhe em si mesma e cala. Mas há também uma mágoa dorida: esta irrompe às vezes em lágrimas e daí deságua em lamentos. Isso acontece particularmente com as mulheres. No entanto, ela não é mais leve que a mágoa silenciosa. Aí os lamentos só mitigam porque agastam e mortificam ainda mais o coração. Essa mágoa dispensa até o consolo, seu alimento é sentir que não pode ser mitigada. Os lamentos são apenas uma necessidade de sempre avivar a ferida.

— És do meio pequeno-burguês, não? — continuou o *stárietz*, olhando com curiosidade para ela.

— Somos da cidade, padre, da cidade, camponeses, mas da cidade, moramos na cidade. Vim para te ver, padre. Ouvi falar a teu respeito, *bátiuchka*, ouvi falar. Enterrei um filhinho pequeno, saí para orar a Deus. Estive em três mosteiros, e então me disseram: "Vai lá, Nastássiuchka",[45] e vim para cá, ou seja, para te ver, meu caro, para te ver. Cheguei, ontem passei a noite sentada na igreja, e hoje vim te ver.

— Por que estás chorando?

— Com pena de meu filhinho, *bátiuchka*, tinha três anos,[46] só faltavam três meses pra ele completar três aninhos. Estou sofrendo por meu filhinho, padre, sofrendo por meu filhinho. Era o último dos quatro que eu e Nikítuchka[47] tivemos, mas lá em casa as crianças não duram, não duram, meu amado, não duram. Os três primeiros eu enterrei, não lamentei muito por eles, mas enterrei esse último e não consigo me esquecer dele. Parece que ele está aqui na minha frente, sem arredar pé. Secou minha alma. Olho pras suas roupinhas — pra blusinha ou pras botinhas — e caio no pranto. Remexo no que sobrou dele, em tudo que era coisa dele, e fico a olhar em pranto. Digo a Nikítuchka, meu marido: deixe eu sair em peregrinação, meu senhor. Ele

com matiz de respeito: 1) como pai, no tratamento ou referência a ele; 2) como padre, tratamento dispensado a ele ou referência; 3) como tratamento familiar e carinhoso dispensado ao interlocutor, com sentido de "meu caro". (N. do T.)

[45] Diminutivo de Nastácia. (N. do T.)

[46] Segundo Anna Grigórievna Dostoiévskaia, essa passagem é um reflexo das impressões deixadas em Dostoiévski pela morte do filho Alieksiêi três meses antes de completar três anos de idade. O menino morreu em 1878, ano do início da escrita de *Os irmãos Karamázov*. (N. da E.)

[47] Diminutivo de Nikita. (N. do T.)

é cocheiro, não somos pobres, padre, não somos pobres, fazemos carreto por conta própria, tudo é nosso, tanto o cavalo como a carruagem. E pra que precisamos de bens agora? Sem mim, ele, meu Nikítuchka, deu pra beber, é verdade, mas antes ele já fazia isso: assim que eu dava as costas ele caía na fraqueza. Mas agora nem nele eu penso. Já estou entrando no terceiro mês fora de casa. Esqueci, esqueci tudo, e não quero me lembrar de nada; que adiantaria eu ficar com ele agora? Terminei com ele, terminei com todos, terminei. Hoje eu nem ligaria pra minha casa nem pra meus bens, não ligaria pra coisa nenhuma!

— Escuta, mãe — pronunciou o *stárietz* —, certa vez um grande santo antigo viu no templo uma mãe chorando como tu, e também por seu filhinho, o único, que o Senhor também chamara. "Ou não sabes — disse-lhe o santo — o quanto essas criancinhas são atrevidas perante o trono de Deus? Inclusive não há ninguém mais atrevido do que elas no reino do céu: tu, Senhor, nos deste a vida, dizem elas, e mal a vislumbramos, tu a recolheste. E elas pedem e interrogam com tanta impertinência que o Senhor as promove imediatamente a anjos. Por isso — pronunciou o santo — alegra-te, mulher, e não chores, pois agora teu filhinho também faz parte da plêiade de anjos d'Ele". Foi isso que o santo disse à mulher chorosa nos tempos antigos. Ele era um grande santo, e não podia lhe dizer uma inverdade. Portanto, mãe, fica também sabendo que na certa teu filhinho se encontra agora perante o trono do Senhor e, é claro, está alegre, e brinca e pede a Deus por ti. Por isso chora tu também, mas também te regozija.

A mulher o ouvia com a face apoiada na mão e de cabeça baixa. Deu um suspiro profundo.

— Foi assim mesmo que Nikítuchka me quis consolar; numa palavra, disse como tu: "Tu és uma insensata, diz ele; por que choras? Na certa nosso filhinho está agora na casa do Senhor Deus e cantando com os anjos". Ele me diz isso, mas vejo que também chora como eu. "Eu sei, digo; onde ele haveria de estar senão com o Senhor Deus? Aqui conosco, sentado ali onde ficava antes é que não está, Nikítuchka!" Se eu pudesse olhar pra ele ao menos uma vezinha, ao menos uma vezinha tornar a olhar pra ele, nem me aproximaria, não diria uma palavra, ficaria escondida num canto só pra vê-lo um minutinho que fosse, ouvi-lo, espiá-lo brincando no quintal, chegando-se, como fazia, com aquele gritinho: "Mãezinha, onde estás?". Apenas ouvi-lo ao menos uma vezinha passando pelo quarto com seus pezinhos, uma vezinha só com seus pezinhos fazendo toque-toque, como era tão frequente, tão frequente, eu me lembro, às vezes corria pra mim, gritando e sorrindo; eu só queria ouvir seus passinhos, ouvi-los, reconhecê-los. Só que ele não existe mais, *bátiuchka*, não existe, e nunca mais vou ouvi-lo! Tenho aqui o cintinho dele, mas ele mesmo não existe mais, e nunca mais vou poder vê-lo, nem ouvi-lo!...

Tirou do seio o cintinho com galões de seu filhinho e, mal olhou para ele, estremeceu em soluços, cobrindo os olhos com os dedos entre os quais as lágrimas jorraram imediatamente.

— Isso — disse o *stárietz* — é a antiga Raquel "chorando por seus filhos, e inconsolável por causa deles, porque já não existem",[48] e esse é o fim reservado a vocês, mães, na Terra. Não te consoles e não precisas consolar-te, não te consoles e chora, mas cada vez que chorares lembra-te sempre de que teu filhinho é o único dos anjos de Deus que de lá te olha e te vê, e regozija-se com tuas lágrimas, e as mostra ao Senhor Deus. Esse teu grande pranto de mãe ainda há de durar muito, mas no fim das contas se converterá numa alegria serena, e tuas lágrimas amargas serão apenas lágrimas de suave enternecimento e da purificação do coração que redime dos pecados. Quanto ao teu filhinho, rezarei por sua alma. Como se chamava?

— Alieksiêi, *bátiuchka*.

— Um nome encantador. Homenagem a Alieksiêi, homem de Deus?[49]

— De Deus, *bátiuchka*, de Deus. Alieksiêi, homem de Deus!

— É um santo! Vou rezar por ele, mãe, vou rezar e me lembrar de tua tristeza durante a reza e também pela saúde de teu marido. Só que se o deixares agora cometerás um pecado. Volta para teu marido e cuida dele. De lá de onde está, teu menino há de ver que largaste seu pai e chorará por ambos; então por que perturbas sua bem-aventurança? Ora, ele está vivo, vivo porque sua alma vive para todo o sempre; ele não está em casa, mas está invisível ao lado dos dois. Como poderá vir para casa se dizes que te tomaste de ódio por ela? E quem ele há de procurar se não vai encontrar os dois, o pai e a mãe? Hoje tu sonhas com ele e te atormentas, mas depois ele te mandará sonhos doces. Volta para o teu marido, mãe, volta hoje mesmo.

— Volto, querido, volto atendendo à tua palavra. Desarmaste meu coração. Nikítuchka, meu Nikítuchka, estás me esperando, me esperando, meu pombinho! — ela ensaiava umas lamentações, no entanto o *stárietz* já se dirigia a uma velhinha que não trajava roupa de peregrino, mas da cidade. Via-se por seu olhar que tinha algum assunto a tratar e algo a comunicar. Apre-

[48] Jeremias, 31, 15. (N. do T.)

[49] Alieksiêi, homem de Deus: personagem de uma hagiografia medieval muito popular na Rússia, que Dostoiévski tomou como protótipo para a construção da personagem Alieksiêi (Aliócha) Karamázov. (N. do T.)

sentou-se como viúva de um suboficial, disse que era dali de perto, de nossa cidade. Que Vássienka,[50] seu filhinho, servia no comissariado e viajara para Irkutsk, na Sibéria. De lá escrevera duas vezes, mas já fazia um ano que não escrevia. Andara atrás de notícias dele, mas, para falar a verdade, não sabia onde procurá-las.

— Há poucos dias Stiepanida Ilínichna Biedriáguina, uma comerciante rica, ficou repisando comigo: "Prókhorovna, pega o nome de teu filhinho, inscreve-o no livro,[51] leva-o à igreja e reza pela alma dele. A alma dele, diz ela, há de sentir saudade e ele te escreverá. E isso — disse Stiepanida Ilínichna — é a pura verdade, foi experimentado muitas vezes". Só que tenho dúvidas... Luz nossa, isso é ou não é verdade, é certo fazer isso?

— Nem penses nisso. A pergunta já é uma vergonha. Ademais, como é possível que alguém, e ainda mais a mãe, reze pelo repouso da alma viva do filho?[52] É um grande pecado, semelhante à bruxaria, e só podes ser perdoada por causa de tua ignorância. É melhor que rezes pela saúde dele à Rainha dos Céus, nossa defensora imediata e auxiliadora nossa, e ainda para que te perdoe por teu pensamento errado. E ouve o que te digo mais, Prókhorovna: ou ele, teu filhinho, logo estará voltando para ti ou te escreverá na certa. Fica tu sabendo. Vai, e doravante sossega. Teu filho está vivo, é o que te digo.

— És o nosso amado, que Deus te recompense, benfeitor nosso, que rezas por todos nós e por nossos pecados...

O *stárietz* já divisara entre os presentes dois olhos ardentes de uma camponesa exausta, tísica, embora de aparência ainda jovem, que o procuravam. Fitava-o em silêncio, os olhos suplicavam algo, mas ela parecia temerosa de aproximar-se.

— Que desejas, minha filha?

— Alivia minha alma, meu pai — ela pronunciou baixinho e sem pressa, ajoelhou-se e prosternou-se aos pés dele. — Pequei, pai querido, e temo por meu pecado.

O *stárietz* sentou-se no degrau inferior, a mulher achegou-se, ajoelhada.

[50] Diminutivo de Vassili. (N. do T.)

[51] Os russos levavam à igreja um *pominánie*, livro que mantinham em casa com nomes de pessoas, e lá rezavam pela saúde ou pelo repouso eterno de suas almas. (N. do T.)

[52] No *Dicionário da língua russa* da Academia de Ciências da U.R.S.S. (Instituto de Língua Russa, vol. III, pp. 385-6), encontramos duas citações de dois diferentes escritores que confirmam o costume citado por Prókhorovna: *Nos bosques* (*V lessákh*), de P. I. Miélnikoh-Pecherskii (1818-1883), e *Memórias* (*Vospominaniya*), de Rikov. (N. do T.)

— Estou viúva, caminhando para o terceiro ano — começou a mulher entre meios sussurros, como que tremendo. — Tive um casamento difícil, ele era velho, me dava surras de doer. Estava doente de cama; e eu pensava, olhando para ele: se ficar bom, se levantar de novo, como vai ser? E foi aí que me entrou na cabeça aquela ideia...

— Espera — disse o *stárietz*, e chegou seu ouvido aos lábios dela. A mulher continuou em voz baixa, de forma que não dava para captar quase nada. E logo concluiu.

— Entrando no terceiro ano?

— No terceiro ano. No começo eu não pensava nisso, mas agora começo a ter achaques, a tristeza me pegou.

— Vens de longe?

— De quinhentas verstas daqui.

— Disseste isso na confissão?

— Disse, duas vezes.

— Permitiram que tu comungasses?

— Permitiram. Estou com medo; com medo de morrer.

— Não tenhas medo de nada, e nunca tenhas medo, nem caias em melancolia. Desde que o arrependimento não míngue em tua alma, Deus perdoará tudo. E ademais não há nem pode haver em toda a Terra tamanho pecado que o Senhor não perdoe àquele que em verdade se arrepende. Além disso, um homem não pode, absolutamente, cometer um pecado tão grande que esgote o infinito amor de Deus. Ou será que pode haver um pecado capaz de superar o amor divino? Preocupa-te apenas com o arrependimento, sempre, e quanto ao medo, afugenta-o de todo. Crê que Deus te ama de uma forma que nem imaginas, e te ama mesmo com teu pecado e em teu pecado. Há maior júbilo no céu por um pecador que se arrepende, do que por dez justos[53] — isto foi dito há muito tempo. Vai, e não tenhas medo. Não fiques amargurada com as pessoas, nem te zangues com as ofensas. Perdoa tudo do falecido em teu coração, suas ofensas, reconcilia-te de fato com ele. Se te arrependes, é porque também amas. E se amas, então já és de Deus... Com amor tudo se resgata, tudo se salva. Se até eu, um pecador como tu, fiquei comovido contigo e tive piedade de ti, que dirá Deus! O amor é um tesouro tão precioso que com ele podes comprar o mundo inteiro, e ainda redimes não só teus pecados, mas também os dos outros. Vai, e não tenhas medo.

[53] "Digo-vos que assim haverá mais júbilo no céu por um pecador que se arrepende, do que por noventa e nove justos que não necessitam de arrependimento". Lucas, 15, 7. (N. da E.)

Ele a abençoou três vezes, tirou um santinho do pescoço e o pôs no dela. Ela se prosternou em silêncio. Ele se levantou e olhou com alegria para uma camponesa saudável, que tinha nos braços uma criança de peito.

— Venho de Vichegórie, meu amado.

— Mas são seis verstas daqui, deves ter ficado exausta com a criança. Que desejas?

— Vim para te ver. Eu já estive contigo, ou esqueceste? Não tens boa memória se já me esqueceste. Lá onde moro disseram que estavas doente, e pensei cá comigo: então eu mesma vou visitá-lo. Agora te vejo: que doente que nada! Vais ter mais vinte anos de vida, palavra, com Deus a teu lado! Além disso, como irias adoecer com tanta gente rezando por ti?

— Grato por tudo, minha filha.

— A propósito, tenho um pequeno pedido: aqui há sessenta copeques; peço que os dê àquela que for mais pobre do que eu. Vim para cá, pensando: é melhor dá-los por intermédio dele, que sabe a quem repassá-los.

— Grato, minha cara, grato, és uma pessoa boa. Gosto de ti. Cumprirei sem falta teu pedido. É uma menininha que tens nos braços?

— Uma menininha, luz nossa; Lizavieta[54] se chama.

— O Senhor vos abençoe a ambas, a ti e à bebê Lizavieta. Alegraste meu coração, mãe. Adeus, minhas filhas, adeus, minhas caras, queridas.

Abençoou a todas e lhes fez uma reverência profunda.

IV. Uma senhora de pouca fé

Ao assistir a toda a cena da conversa com a gente simples e a bênção do *stárietz*, a fazendeira de fora derramava lágrimas serenas e as enxugava com um lencinho. Era uma senhora da sociedade, sensível e dotada de inclinações sinceramente boas em muitos aspectos. Quando o *stárietz* finalmente se achegou, ela o recebeu com entusiasmo:

— Fiquei tão, mas tão impressionada assistindo a toda essa cena comovente... — a emoção não a deixou concluir. — Oh, eu compreendo que o povo o ama, eu mesma amo o povo, desejo amá-lo, e aliás como não amar o povo, o nosso maravilhoso povo russo, simples em sua grandeza!

— Como está a saúde de sua filha? A senhora deseja uma nova conversa comigo?

[54] Diminutivo de Ielizavieta. (N. do T.)

— Oh, pedi insistentemente, implorei, estava disposta a passar até três dias ajoelhada diante de suas janelas até que o senhor me permitisse entrar. Estamos aqui, grande salvador, para externar todo o nosso entusiástico agradecimento. Porque o senhor curou minha Liza, curou-a inteiramente, e como? Rezando por ela e pondo-lhe as mãos na cabeça quinta-feira passada. Corremos para cá com o fim de beijar essas mãos, extravasar nossos sentimentos e nossa gratidão!

— Como assim, curei? Ela ainda continua deitada na poltrona de rodas.[55]

— Mas a febre noturna sumiu completamente já faz dois dias, desde quinta-feira mesmo — precipitou-se nervosamente a senhora. — E mais: as pernas estão mais fortes. Hoje de manhã se levantou saudável, dormiu a noite inteira, olhe o corado no rosto, os olhinhos brilhando. Antes andava sempre chorando, agora sorri, está alegre, cheia de júbilo. Hoje quis porque quis que a puséssemos em pé, e ficou um minuto inteirinho em pé sozinha, sem qualquer apoio. Ela aposta comigo que daqui a duas semanas vai dançar quadrilha. Chamei o doutor Herzenstube, médico daqui; ele deu de ombros e disse: estou admirado, perplexo. E o senhor ainda queria que não o incomodássemos, que deixássemos de voar para cá e de agradecer? Lise, agradece, vai, agradece!

Súbito o rostinho encantador e sorridente de Lise esboçou um ar sério, ela se soergueu na poltrona até onde pôde e, olhando para o *stárietz*, cruzou diante dele os braços, mas não se conteve desatou a rir...

— É dele, dele que estou rindo! — e apontou para Aliócha, contrariada como uma criança porque não se conteve e desatou a rir. Quem olhasse para Aliócha, postado um passo atrás do *stárietz*, notaria em seu rosto um rápido rubor que num instante lhe cobriu as faces. Seus olhos cintilaram e ele os baixou.

— Ela tem um recado para o senhor, Alieksiêi Fiódorovitch... Como vai sua saúde? — continuou a mãe, dirigindo-se subitamente a Aliócha e estendendo-lhe a mão magnificamente enluvada. O *stárietz* voltou-se e olhou atentamente para Aliócha. Este se chegou a Lise e, sorrindo de um modo meio estranho e desajeitado, estendeu-lhe a mão. Lise assumiu ares de importância.

— Catierina Ivánovna lhe enviou por meu intermédio isto aqui — e lhe entregou um bilhete. — Ela lhe pede encarecidamente que passe em sua casa, e sem demora, sem demora, e que não a engane, mas apareça sem falta.

[55] Trata-se de uma grande poltrona (*kriéslo*) adaptada às condições de Ielizavieta. (N. do T.)

— Ela me pede que eu passe por lá? Que eu vá... Para quê? — murmurou Aliócha tomado de profunda surpresa. Súbito estampou-se em seu rosto uma grande preocupação.

— Oh, tudo diz respeito a Dmitri Fiódorovitch e... a todos esses últimos acontecimentos — explicou de passagem a mamã. — Neste momento Catierina Ivánovna está firme numa decisão... mas para isto precisa vê-lo impreterivelmente... Para quê? É claro que não sei, mas ela pede que o senhor apareça o mais cedo possível. E o senhor fará isto, certamente o fará, até porque é o que manda o sentimento cristão.

— Eu só a vi uma vez — continuou Aliócha com a mesma perplexidade.

— Oh, ela é uma criatura tão elevada, tão inatingível!... Só por seus sofrimentos... Imagine o que terá suportado, o que anda suportando agora, imagine o que a espera... tudo isso é um horror, um horror!

— Está bem, vou visitá-la — resolveu Aliócha, correndo os olhos pelo bilhete breve e enigmático, no qual, afora o pedido encarecido de aparecer por lá, não havia nenhuma explicação.

— Ah, como isso é gentil e magnânimo de sua parte — bradou de chofre Lise, enchendo-se de entusiasmo. — E eu que disse à mamãe: ele não irá por nada deste mundo, está cuidando de sua salvação. Ah, ah, você é maravilhoso! Veja, eu sempre o achei maravilhoso, e acho agradável lhe dizer isso agora!

— Lise! — pronunciou a mãe com gravidade, e incontinenti sorriu. Você também nos esqueceu, Alieksiêi Fiódorovitch, recusa-se terminantemente a nos visitar: e no entanto Lise me disse duas vezes que só em sua companhia se sente bem.

Aliócha ergueu os olhos, até então baixos, tornou a enrubescer num átimo, e subitamente voltou a sorrir sem atinar por quê. Aliás, o *stárietz* já não o observava. Iniciara uma conversa com um monge de fora, que, como já dissemos, ao lado da poltrona de Lise, aguardava que ele aparecesse. Era, pela aparência, um monge dos mais simples, isto é, de baixa condição, tinha uma visão de mundo limitada e inquebrantável, mas era um homem de fé e a seu modo obstinado. Disse que era de Obdorsk, um lugar do Extremo Norte, de um mosteiro pobre de São Silvestre que possuía apenas nove monges. O *stárietz* o abençoou e o convidou a visitar sua cela quando ele quisesse.

— Como o senhor ousa fazer tais coisas? — perguntou de súbito o monge, apontando Lise com ar grave e solene. Aludia à "cura" da moça.

— Evidentemente, ainda é cedo para falar disso. O alívio ainda não é cura completa e poderia ter acontecido por outras causas. Mas se alguma coisa houve não se deveu à força de mais ninguém senão à vontade de Deus.

Tudo vem de Deus. Visite-me, padre — acrescentou ao monge —, pois nem sempre estou em condição: ando doente, e sei que meus dias estão contados.

— Oh, não, não, Deus não vai tirá-lo de nós, o senhor ainda vai viver muito, muito — bradou a mamã. — Ora, de que o senhor está doente? Parece tão saudável, alegre, feliz.

— Hoje estou excepcionalmente melhor, mas já sei que isso é apenas por um instante. Agora compreendo corretamente minha doença. Se me acha tão alegre, a senhora nunca e de nenhuma outra maneira poderia me alegrar tanto quanto fazendo semelhante observação. Porque as pessoas foram criadas para serem felizes, e quem é plenamente feliz merece de fato dizer a si mesmo: "Cumpri os ensinamentos de Deus nesta terra". Todos os justos, todos os santos, todos os santos mártires foram felizes.

— Oh, como o senhor fala, que palavras ousadas e superiores — bradou a mamã. — O senhor fala, e é como se a fala nos atravessasse. No entanto, a felicidade, a felicidade — onde está? Quem pode dizer de si para si que é feliz? Oh, já que o senhor foi tão bondoso que hoje nos permitiu mais uma visita, escute tudo o que da outra vez não cheguei a concluir, não me atrevi a dizer, tudo o que me vem fazendo sofrer tanto e há tanto tempo, há tanto tempo! Estou sofrendo, desculpe-me, estou sofrendo... — E tomada de um ímpeto ardente, juntou as mãos diante dele.

— De que especialmente?

— Sofro de... descrença...

— De descrença em Deus?

— Oh, não, não, não me atrevo nem a pensar nisso, mas a vida futura — é um grande enigma! E ninguém, ninguém tem resposta para ele! Ouça-me, o senhor faz curas, é um conhecedor da alma humana; eu, é claro, não ouso pretender que o senhor acredite inteiramente em mim, mas lhe asseguro com as palavras mais elevadas que, neste momento, não estou sendo leviana ao dizer que essa ideia sobre a futura vida além-túmulo me inquieta a ponto de me deixar sofrendo, assustada e apavorada... Não sei a quem apelar, a vida inteira não me atrevi... E eis que agora me atrevo a apelar ao senhor... Oh, Deus, por quem o senhor há de me tomar neste momento! — Ela ergueu as mãos, batendo-as emocionada.

— Não se preocupe com minha opinião — respondeu o *stárietz*. — Acredito plenamente na sinceridade de sua angústia.

— Oh, como lhe sou grata! Veja, fecho os olhos e fico pensando: se todo mundo crê, a que se deve isso? E então me asseguram que tudo isso se deveu inicialmente do pavor perante as temíveis manifestações da natureza, e que nada disso existe. Bem, penso eu, durante toda minha vida tive essa crença:

morro, e de repente não existe nada, só "bardanas nascerão sobre o túmulo", como li em um escritor.[56] Isso é apavorante! Como, como recuperar a fé? Aliás, eu só cri quando era uma criancinha, de forma mecânica, sem pensar em nada... Como, como provar isso, vim para cá com o intuito de cair de joelhos perante o senhor e lhe pedir isso. Porque se eu perder também esta oportunidade, ninguém mais há de me responder pelo resto de minha vida. Como provar, como me convencer? Oh, que infelicidade a minha! Estou aqui em pé e vejo ao redor que ninguém se importa, quase ninguém se importa, hoje ninguém se preocupa com isso, e só eu não consigo suportá-lo. Isso é de matar, de matar!

— Sem dúvida, é de matar. Neste caso não se pode provar nada, mas a pessoa se convencer é possível.

— Como? De que jeito?

— Pela experiência do amor ativo. Procure amar seus próximos de forma ativa e incansável. À medida que progredir no amor irá convencer-se da existência de Deus e da imortalidade de sua alma. Se atingir o pleno desprendimento no amor ao próximo, chegará, sem dúvida, à crença firme e nenhuma dúvida sequer terá condição de penetrar em sua alma. Isto está provado, isto é certo.

— Um amor ativo? Eis o problema de novo, e que problema, que problema! Veja, amo tanto a humanidade que, não sei se acredita, às vezes sonho em largar tudo o que tenho, deixar Lise e me tornar irmã de caridade. Fecho os olhos, penso e sonho, e nesses momentos sinto em mim uma força invencível. Nenhuma ferida, nenhuma chaga supurada pode me assustar. Eu as lavaria e lhes faria curativos com minhas próprias mãos, eu seria a enfermeira desses sofredores, estou disposta a beijar essas chagas...

— E já é muito e bom que sua mente sonhe com isso e não com outra coisa. De uma hora para outra a senhora acabará por acaso praticando de fato alguma boa ação.

— Sim, mas será que eu aguentaria muito tempo levando uma vida assim? — continuou a senhora ardorosamente e quase como que tomada de arrebatamento. — Eis a questão fundamental! É a minha questão mais torturante entre as demais. Abro os olhos e pergunto a mim mesma: aguentarias muito tempo nesse caminho? E se um doente, cujas chagas lavasses, não te retribuísse imediatamente com a gratidão, mas, ao contrário, começasse a te torturar com caprichos, sem apreciar nem ligar para teu esforço huma-

[56] Referência a Turguêniev e seu romance *Pais e filhos*, cuja personagem central, Bazárov, faz uma afirmação semelhante. (N. do T.)

nitário, passasse a gritar contigo, a fazer exigências grosseiras, até a queixar-se com algum superior (o que é muito frequente nos que sofrem muito), o que farias? Teu amor continuaria ou não? Pois veja — eu mesma já concluí estremecida: se existe algo capaz de esfriar imediatamente meu amor "ativo" pela humanidade, esse algo é unicamente a ingratidão. Numa palavra, trabalho por dinheiro, exijo pagamento imediato, ou seja, que me elogiem e que amor com amor se pague. De outro modo não sou capaz de amar ninguém!

Ela estava num acesso da mais sincera autoflagelação e, após concluir, lançou ao *stárietz* um olhar decidido e provocante.

— É tal qual me dizia um médico, aliás, faz muito tempo — observou o *stárietz*. — Era um homem já entrado em anos e, sem nenhuma dúvida, inteligente. Falava com a mesma franqueza que a senhora, embora em tom de brincadeira, mas de uma brincadeira dorida; eu, dizia ele, amo a humanidade, mas me admiro de mim mesmo; quanto mais amo a humanidade em geral, menos amo os homens em particular, ou seja, em separado, como pessoas isoladas. Em meus sonhos, dizia ele, não raro chegava a intentos apaixonados de servir à humanidade e é até possível que me deixasse crucificar em benefício dos homens se de repente isso se fizesse de algum modo necessário, mas, não obstante, não consigo passar dois dias com ninguém num quarto, o que sei por experiência. Mal a pessoa se aproxima de mim, e eis que sua personalidade já esmaga meu amor-próprio e tolhe minha liberdade. Em vinte e quatro horas posso odiar até o melhor dos homens: este por demorar muito a almoçar, aquele por estar resfriado e não parar de assoar o nariz. Eu, dizia, viro inimigo das pessoas mal elas roçam em mim. Em compensação, sempre acontecia que quanto mais eu odiava os homens em particular, mais ardente se tornava meu amor pela humanidade em geral.

— Então, o que fazer? Neste caso, o que fazer? É preciso cair em desespero?

— Não, porque já basta sua aflição. Faça o que puder, e isso lhe será creditado. A senhora já fez muito, pois conseguiu compreender a si mesma de forma profunda e sincera! Se agora falou comigo com tanta sinceridade com o único fim de ganhar elogios por sua franqueza, como espera de mim neste momento, então é claro que não vai chegar a nada nos feitos de amor ativo; assim, tudo permanecerá apenas em seus sonhos, e toda a vida passará num relance como um fantasma. Aí, compreende-se, esquecerá também a vida futura, e no fim das contas acabará tranquila consigo mesma.

— O senhor me deixou esmagada! Só agora, neste momento em que o senhor falava, compreendi que eu realmente só esperava seus elogios à minha sinceridade quando lhe dizia que não suportaria a ingratidão. O senhor me mostrou a mim mesma, o senhor me decifrou o pensamento e até o explicou!

— Está falando a verdade? Bem, agora, depois dessa confissão, acredito que a senhora é sincera e tem um bom coração. Se não chegar à felicidade, lembre-se sempre, porém, de que está no bom caminho e procure não sair dele. E o principal: fuja da mentira, de toda e qualquer mentira, particularmente de mentir para si mesma. Vigie sua mentira, examine-a a toda hora, a cada minuto. Fuja também à repulsa, tanto aos outros quanto a si mesma: aquilo que a senhora, em seu próprio íntimo, acha ruim, já se purifica pelo simples fato de o haver notado dentro de si mesma. Fuja igualmente do medo, embora o medo seja apenas a consequência de todo erro. Nunca tema sua própria falta de coragem na tentativa de conquistar o amor, nem mesmo tema muito os próprios maus atos que aí tenha cometido. Lamento não poder lhe dizer nada de mais confortante, pois que o amor ativo, comparado ao contemplativo, é algo cruel e apavorante. O amor contemplativo anseia por uma proeza imediata, que possa ser rapidamente realizada e que todos vejam. E nisso chega efetivamente a ponto de sacrificar a vida, contanto que a coisa não demore muito e se realize bem depressa, como que no palco, para que todos a vejam e elogiem. Já o amor ativo é trabalho e autodomínio e, para quem o pratica, é talvez toda uma ciência. Contudo, predigo que no instante mesmo em que a senhora constatar horrorizada que, apesar de todos os seus esforços, não só não se aproximou da meta mas até como que se afastou dela — nesse mesmo instante, predigo-lhe, a senhora atingirá de repente a meta e perceberá claramente pairando sobre si a força miraculosa do Senhor, que sempre a amou e sempre a guiou misteriosamente. Desculpe por não poder ficar mais tempo com a senhora, pois me aguardam. Até logo.

A senhora chorava.

— Lise, abençoe Lise, abençoe! — e ficou toda saltitante.

— Nem vale a pena amá-la. Vi como esteve o tempo todo fazendo travessuras — pronunciou o *stárietz* em tom brincalhão. — Por que você esteve o tempo todo rindo de Alieksiêi?

E de fato, Lise estivera o tempo todo fazendo arte. Notara havia tempo, desde a vez anterior, que Aliócha ficava encabulado em sua presença e procurava não a olhar, e isso passou a diverti-la muitíssimo. Ela aguardava atentamente e captava o olhar dele: não suportando aquele olhar tenazmente fixado em si, o próprio Aliócha, movido por uma força invencível, olhava sem querer e de supetão para ela, e no mesmo instante ela lhe sorria na cara com um sorriso triunfal. Aliócha se atrapalhava e ficava ainda mais acabrunhado. Acabou por lhe voltar inteiramente as costas e esconder-se atrás do *stárietz*. Após alguns minutos, impelido pela mesma força invencível, tornou a voltar-se com o intuito de ver se ela estava ou não olhando em sua direção, e notou que Lise, quase inteiramente inclinada para fora de sua poltrona, observava-o de lado e aguardava com todas as forças que ele voltasse a vista para ela; apanhando-lhe o olhar, ela deu tamanha gargalhada que nem o *stárietz* se conteve:

— Por que você, sua travessa, insiste em deixá-lo acanhado?

Súbito Lise corou de modo inteiramente inesperado, seus olhinhos chamejaram, o rosto ficou terrivelmente sério e ela desatou a falar depressa, nervosamente, em tom de queixa ardente e indignada:

— E ele, por que esqueceu tudo? Carregou-me nos braços quando eu era pequena, nós dois brincávamos juntos. Ele ia à minha casa me ensinar a ler, o senhor sabia? Dois anos atrás, ao se despedir de mim, disse que nunca iria esquecer que éramos amigos eternos, eternos, eternos! E agora eis que de repente tem medo de mim, pensa que vou comê-lo? Por que não quer se aproximar, por que não conversa? Por que não quer nos visitar? A menos que o senhor não o deixe sair: ora, sabemos que ele vai a toda parte. Não me fica bem convidá-lo, ele devia ser o primeiro a atinar, se é que não esqueceu. Não, agora ele cuida de salvar a alma! Por que o senhor o fez vestir essa batina comprida... Se ele correr, cai...

E súbito, sem se conter, cobriu o rosto com as mãos e desatou a rir de maneira horrível, incontida, com aquele seu riso longo, nervoso, convulso e abafado. O *stárietz* a escutou sorrindo e a abençoou com ternura; quando ela começou a beijar a mão dele, apertou-a de súbito contra os olhos e pôs-se a chorar:

— Não se zangue comigo, sou uma tola, não valho nada... e Aliócha talvez esteja certo, muito certo de não querer visitar uma pessoa tão ridícula.

— Vou mandá-lo visitá-la impreterivelmente — decidiu o *stárietz*.

V. Assim seja, assim seja!

A ausência do *stárietz* na cela demorou cerca de vinte e cinco minutos. Já passava das doze e meia, e nada de aparecer Dmitri Fiódorovitch, motivo da presença de todos ali. Mas era como se quase o tivessem esquecido, e quando o *stárietz* tornou a entrar na cela encontrou seus convidados na mais animada conversa sobre assuntos vários. Participavam da conversa, em primeiro lugar, Ivan Fiódorovitch e os dois hieromonges. Miússov também interferia, e pelo visto de modo muito acalorado, mas outra vez não teve sorte; estava aparentemente em segundo plano e inclusive pouco lhe respondiam, de sorte que essa nova circunstância só fazia aumentar sua irritação, que se acumulava cada vez mais. Acontece que já antes ele trocara algumas farpas com Ivan Fiódorovitch a respeito do saber e não engolia de sangue-frio certo desdém que o outro lhe dispensava. "Ao menos até hoje estive à altura de tudo o que existe de avançado na Europa, mas essa nova geração nos ignora categoricamente" — pensava de si para si. Fiódor Pávlovitch, que dera ele mesmo a palavra de sentar-se numa cadeira e ficar de bico calado, permanecera realmente calado por algum tempo, mas observava seu vizinho Piotr Alieksándrovitch com um sorrisinho zombeteiro e pelo visto estava alegre com seu agastamento. Fazia tempo que se preparava para lhe dar o troco e agora não queria perder a chance. Finalmente não se conteve, inclinou-se sobre o ombro do vizinho e murmurou em tom provocante:

— Ora veja, por que o senhor não se retirou há pouco, depois daquele "beijando-a amavelmente", e aceitou permanecer em tão indecente companhia? Foi porque se sentiu humilhado e ofendido e permaneceu para se desforrar, exibindo inteligência. Agora não vai arredar pé enquanto não a exibir.

— O senhor de novo? Agora mesmo vou me retirar, ao contrário do que diz.

— Depois, depois de todo mundo é que vai sair! — Fiódor Pávlovitch tornou a alfinetar. Quase nesse mesmo instante o *stárietz* entrou.

A discussão cessou por um instante, mas o *stárietz*, voltando a sentar-se no antigo lugar, correu o olhar por todos os presentes como que os convidando cordialmente a prosseguir. Aliócha, que lhe estudara quase todo tipo de expressão do rosto, via com clareza que ele estava exausto e se excedia. Nos últimos tempos da doença chegava vez por outra a desmaiar de tão esgotado. Uma palidez quase idêntica à que aparecia antes dos desmaios espalhava-se agora por seu rosto, os lábios estavam brancos. Mas pelo visto não queria dissolver a reunião; de mais a mais, parecia ter lá seu objetivo — quem sabe qual? Aliócha o observava atentamente.

— Estamos discutindo o curiosíssimo artigo dele — pronunciou o hieromonge Ióssif, o bibliotecário, dirigindo-se ao *stárietz* e apontando para Ivan Fiódorovitch. — Dele podemos deduzir muitas novidades, e parece que sua ideia se assenta em dois extremos. No tocante ao tribunal socioeclesiástico[57] e à amplitude de seus direitos, ele publicou um artigo num jornal respondendo a um clérigo,[58] que escreveu um livro inteiro sobre esse tema...

[57] Veja-se, a respeito, nota à p. 27. (N. do T.)

[58] O protótipo desse clérigo é M. I. Gortchakóv, professor da Universidade de Peters-

— Infelizmente não li seu artigo, mas ouvi falar a respeito... — respondeu o *stárietz*, pondo em Ivan Fiódorovitch um olhar fixo e penetrante.

— Ele sustenta um ponto de vista curiosíssimo — prosseguiu o padre bibliotecário. — Na questão do tribunal socioeclesiástico, parece rejeitar totalmente a separação entre Igreja e Estado.

— Isso é curioso; mas em que sentido? — perguntou o *stárietz* a Ivan Fiódorovitch.

Este finalmente lhe respondeu, mas sem aquela arrogância cortês que Aliócha tanto temia ainda na véspera, e sim com modéstia e moderação, com visível prevenção e, ao que parece, sem sombra de segundas intenções.

— Eu parto da tese de que essa mistura de elementos, isto é, de essências da Igreja e do Estado, tomados separadamente, será eterna, apesar de ser ela impossível e nunca se poder levá-la a uma situação não só normal como minimamente conciliatória, porque a mentira está na própria base da questão. O compromisso entre o Estado e a Igreja em questões como, por exemplo, a do tribunal, é, a meu ver, impossível em sua essência absoluta e genuína. O clérigo, a quem faço objeções, afirma que a Igreja ocupa um lugar preciso e definido no Estado. Eu lhe replico que, ao contrário, é a própria Igreja que deve abarcar todo o Estado e não ocupar nele apenas um canto qualquer e que, se por algum motivo isso é impossível neste momento, na essência das coisas deve, sem dúvida, ser colocado como objetivo direto e fundamental de todo o posterior desenvolvimento da sociedade cristã.

— Absolutamente justo! — disse com voz convicta e nervosa o padre Paissi, hieromonge erudito e taciturno.

— É o mais puro ultramontanismo! — exclamou Miússov, cruzando as pernas com impaciência.

— Ora, nem montanhas nós temos! — observou o padre Ióssif e, dirigindo-se ao *stárietz*, prosseguiu: — Ele responde, entre outras coisas, às seguintes teses "básicas e essenciais" do clérigo, seu opositor, observe o senhor. Primeira: que "nenhuma união social pode ou deve apropriar-se do poder de dispor dos direitos políticos e civis de seus membros".[59] Segundo: que o "po-

burgo e autor do livro *Enfoque científico do tribunal eclesiástico-criminal*, publicado em Petersburgo em 1875. O autor tenta conciliar os partidários da maior presença do Estado com os eclesiásticos. Afirma, à p. 233, que "a Igreja deve ser vista como uma sociedade e uma instituição, que ocupam uma posição determinada no Estado". Dostoiévski tinha um exemplar do livro em sua biblioteca. (N. da E.)

[59] Escreve Gortchakóv: "Nenhuma união social, admitida no Estado para a conquista de seus objetivos específicos, tem o direito, pode ou deve apropriar-se do poder de dispor dos direitos civis e políticos de seus membros". (N. da E.)

der penal ou cível-penal não deve pertencer à Igreja e é incompatível com sua natureza, quer como instituição divina, quer como agremiação humana com fins religiosos" e, por último, terceiro: que a "Igreja não é um reino deste mundo".

— O mais indigno dos jogos de palavras para um clérigo! — não se conteve e tornou a interromper o padre Paissi. — Li esse livro ao qual o senhor faz objeções — voltou-se para Ivan Fiódorovitch — e fiquei surpreso com as palavras do clérigo de que "a Igreja não é um reino deste mundo".[60] Se não é deste mundo, quer dizer então que não pode sequer existir sobre a Terra. No santo Evangelho, as palavras "não é deste mundo" estão empregadas em outro sentido. É impossível jogar com essas palavras. Nosso Senhor Jesus Cristo veio precisamente para estabelecer a Igreja na Terra. O Reino dos Céus, é claro, não é deste mundo mas está no céu, e nele não se entra senão através da Igreja, que foi fundada e estabelecida na Terra. É por isso que, nesse sentido, os trocadilhos mundanos são inviáveis e indignos. Já a Igreja é, em verdade, um reino, foi determinada a reinar, e no fim das contas deverá aparecer como reino em toda a face da Terra, incontestavelmente — isto nos foi prometido...

Calou-se de repente, como que se contendo. Ivan Fiódorovitch, que o ouvira com respeito e atenção, com uma tranquilidade extraordinária e a mesma boa vontade e simplicidade prosseguiu, dirigindo-se ao *stárietz*:

— Toda a ideia de meu artigo consiste em que, em tempos antigos, nos três primeiros séculos de Cristianismo, o Cristianismo na Terra era única e exclusivamente a Igreja. Quando o Estado pagão de Roma quis tornar-se cristão, aconteceu, necessariamente, que, ao tornar-se cristão, ele apenas abarcou a Igreja mas continuou a ser o mesmo Estado pagão em um número extraordinário de funções. No fundo era o que, sem dúvida, devia mesmo acontecer. Mas em Roma, enquanto Estado, permaneceram excessivos vestígios da civilização e da sabedoria pagãs, como, por exemplo, até os próprios fins e fundamentos do Estado. Já a Igreja de Cristo, ao ingressar no Estado, sem dúvida não podia arredar em nada de seus princípios, nem daquela pedra sobre a qual havia sido fundada, e conseguiu perseguir apenas aqueles seus fins, uma vez colocados e indicados com firmeza pelo próprio Senhor: converter o mundo inteiro, logo, todo o antigo Estado pagão, em Igreja. Assim (isto é, com vistas ao futuro), não é a Igreja que deve pro-

[60] Resposta de Jesus a Pilatos: "O meu reino não é deste mundo" (João, 18, 36). Os tradutores de Dostoiévski têm utilizado a expressão "o reino da Igreja não é deste mundo", quando ele de fato escreve "a Igreja não é um reino deste mundo". (N. do T.)

curar para si um lugar determinado no Estado, como "toda união social" ou "união de homens com fins religiosos"[61] (como se refere à Igreja o autor a quem replico), mas, ao contrário, todo Estado da Terra deveria transformar-se posteriormente e de forma plena em Igreja e vir a ser tão somente Igreja, e já depois de haver rejeitado todos e quaisquer fins que fossem diferentes dos eclesiásticos. Tudo isso em nada rebaixaria o Estado, não lhe tiraria a honra nem a glória como grande Estado, nem a glória de seus mandatários, e apenas o deslocaria de seu caminho falso, ainda pagão e equivocado, para o caminho correto e verdadeiro, o único que leva aos fins eternos. Eis por que o autor do livro *Fundamentos do tribunal socioeclesiástico* estaria fazendo um julgamento correto se, ao investigar e propor tais fundamentos, ele os visse apenas como um compromisso provisório, ainda necessário em nossa época pecadora e inacabada. No entanto, tão logo o autor desses "fundamentos" ousa declarar que os fundamentos que agora propõe, e parte dos quais o padre Ióssif acabou de resumir, são fundamentos inabaláveis, espontâneos e eternos, ele já se coloca francamente contra a Igreja e sua santa, eterna e inabalável predestinação. Eis todo o meu artigo, num resumo completo.

— Quer dizer, em duas palavras — retomou o padre Paissi, destacando cada palavra —, que, segundo certas teorias, demasiado elucidadas neste nosso século dezenove, a Igreja deve transformar-se em Estado, como se passasse de um tipo inferior de Estado a um superior, para em seguida desaparecer nele, dando lugar à ciência, ao espírito da época e à civilização. Se ela não aceita tal coisa e resiste, não se lhe reserva nada mais que uma espécie de canto no Estado, e ainda assim sob vigilância — e isso por toda a parte nos países europeus. Segundo nossa interpretação russa e firme esperança,[62] porém, não é a Igreja que deve transformar-se em Estado, como se passasse de um tipo inferior a outro superior, mas, ao contrário, é o Estado que deve fazer por merecer tornar-se enfim unicamente uma Igreja e nada mais. Assim será, assim será!

— Bem, confesso que agora o senhor me deu um pouco de ânimo — disse Miússov, com um risinho, tornando a cruzar as pernas. — Até onde pu-

[61] Escreve Gortchakóv: "Do ponto de vista do direito em sua essência, a Igreja, como sociedade, tem exatamente a mesma importância que qualquer outra organização social, constituída dentro do Estado com determinados fins independentes". (N. da E.)

[62] Segundo o filósofo Vladímir Soloviov, Dostoiévski estava envolvido com essa ideia quando escrevia *Os irmãos Karamázov*. (N. da E.)

de compreender, trata-se da realização de um ideal infinitamente distante,[63] para o segundo advento. Interpretem como quiserem. É um lindo sonho utópico sobre o desaparecimento das guerras, dos diplomatas, dos bancos etc. É até algo parecido com o socialismo. E eu que pensei que tudo fosse sério e que a Igreja, por exemplo, viesse agora a julgar crimes e sentenciar chibatadas e trabalhos forçados e, talvez, até a pena de morte.

— Sim, se hoje houvesse apenas o tribunal socioeclesiástico, hoje a Igreja não mandaria ninguém para trabalhos forçados nem aplicaria a pena de morte. Então, o crime e a visão que se tem dele deveriam, sem dúvida, mudar, é claro que aos poucos, não de súbito nem agora, mas, não obstante, com bastante brevidade... — pronunciou Ivan Fiódorovitch calmamente e sem pestanejar.

— Está falando sério?

— Se tudo se tornasse Igreja, ela excomungaria o criminoso e o rebelde, mas não cortaria cabeças — prosseguiu Ivan Fiódorovitch. — Eu lhe pergunto: para onde iria o excomungado? Porque teria de afastar-se não só dos homens, como agora, mas até de Cristo. Com seu crime, ele se teria rebelado não apenas contra os homens, mas contra a própria Igreja de Cristo. Hoje isso também acontece, em sentido estrito, é claro, no entanto não é coisa declarada, e a consciência do criminoso moderno age muitíssimo amiúde contra suas próprias convicções: "Roubei, mas não estou indo contra a Igreja, não sou inimigo de Cristo" — diz a si mesmo a torto e a direito o criminoso de hoje, mas se um dia a Igreja substituísse o Estado, então lhe seria difícil dizer isso para si mesmo, a menos que negasse toda a Igreja em toda a face da Terra. "Todos estão enganados, todos se desviaram, tudo é uma falsa Igreja, só eu, ladrão e assassino, sou a verdadeira Igreja de Cristo." Ora, dizer isto a si mesmo seria muito difícil, demandaria condições muito amplas e circunstâncias raras. Agora tome, por exemplo, o ponto de vista da própria Igreja sobre o crime: por acaso ele não deve mudar, contrapondo-se à visão atual, quase pagã, de amputação mecânica do membro contaminado, como hoje se faz para proteger a sociedade, e transformar-se de verdade e não falsamente na ideia de renascimento do homem, de sua ressurreição e salvação...

— Como assim? O que isto quer dizer? Mais uma vez, fico sem compreender — interrompeu Miússov —, de novo essa fantasia. Isso é uma coisa amorfa, nem dá para entender. Desconfio de que o senhor esteja simplesmente se divertindo, Ivan Fiódorovitch.

[63] Ver Mateus, 24, 7. (N. do T.)

— Pois em verdade essa mesma coisa continua acontecendo — falou de súbito o *stárietz*, e todos se voltaram ao mesmo tempo para ele —, porque se hoje não existisse a Igreja de Cristo, para o criminoso não haveria nenhum impedimento para o crime e nem mesmo castigo posterior, isto é, o castigo verdadeiro, e não o mecânico que acabou de ser mencionado aqui — que não faz senão exasperar o coração na maioria dos casos —, o castigo verdadeiro, o único real, o único que atemoriza e apazigua, que consiste em se ter consciência da própria consciência.

— Como é que pode, permite-me saber? — perguntou Miússov com vivíssima curiosidade.

— É assim — começou o *stárietz*. — Todas essas deportações para trabalhos forçados, antes acompanhados de espancamentos, nunca corrigem e, principalmente, quase não atemorizam nenhum criminoso, e o número de crimes não só não diminui como ainda aumenta com o passar do tempo. O senhor há de concordar comigo neste ponto. E assim resulta que a sociedade não ganha nenhuma proteção, pois, embora o membro pernicioso seja amputado mecanicamente e deportado para longe, fora do alcance da vista, em seu lugar aparece imediatamente outro criminoso ou talvez dois. Se algo protege a sociedade, inclusive em nossos dias, e até corrige e transforma o próprio criminoso em outro homem, mais uma vez esse algo é unicamente a lei de Cristo, manifesta na conscientização da própria consciência. Só reconhecendo sua culpa como filho da sociedade de Cristo, quer dizer, da Igreja, ele reconhece também sua culpa perante a própria sociedade, isto é, perante a Igreja. Mas se o tribunal pertencesse à sociedade como Igreja, a sociedade saberia a quem tirar da excomunhão e trazer de volta a seu convívio. Hoje a Igreja, sem dispor de nenhum tribunal ativo, mas apenas da possibilidade da condenação moral, esquiva-se de aplicar castigo ativo ao criminoso. Não o excomunga, mas se limita a não lhe faltar com o conselho paterno. Ademais, até procura manter com ele todo o convívio eclesiástico cristão: admite-o no ofício divino, na eucaristia, lhe dá esmola e o trata mais como prisioneiro que como culpado. E que seria do criminoso, meu Deus!, se a sociedade cristã, isto é, a Igreja, o renegasse como o renega e o isola a lei civil? Que seria dele se a Igreja o punisse com a excomunhão imediatamente e sempre após a punição imposta pela lei do Estado? Sim, não poderia haver um desespero maior, pelo menos para o criminoso russo, pois os criminosos russos ainda têm fé. Aliás, quem sabe? Poderia acontecer uma coisa terrível — talvez houvesse a perda da fé no coração desesperado do réu, e então, que seria dele? Mas a Igreja, como uma mãe terna e amorosa, esquiva-se ela mesma do castigo ativo, uma vez que já sem seu castigo ativo o culpado recebe um castigo excessivamente doloroso do tribunal do Estado, e é preciso que haja pelo menos quem se compadeça dele. E ela se esquiva principalmente porque seu tribunal é o único que contém a verdade e, como consequência, não pode, por uma questão de essência e ética, firmar sequer um compromisso provisório com nenhum outro tribunal. Aí já não é possível o acordo. Dizem que o criminoso estrangeiro raramente se arrepende, porque até mesmo as doutrinas modernas respaldam suas ideias de que seu crime não é um crime, mas tão somente um ato de rebeldia contra a força que oprime com a injustiça. A sociedade o alija pela força que sobre ele triunfa de forma plenamente mecânica e acompanha esse alijamento com o ódio (pelo menos é isso que eles mesmos, na Europa, relatam a seu próprio respeito) — com o ódio e a mais completa indiferença por seu futuro como irmão que ela relega ao esquecimento. Assim, tudo acontece sem a mínima compaixão por parte da Igreja, porquanto em muitos casos lá nem existem propriamente igrejas, tendo restado apenas funcionários eclesiásticos e magníficos prédios de igrejas, ao passo que as próprias Igrejas de lá vêm procurando, há tempo, passar do tipo inferior ao superior, como Estado, para nele desaparecerem por completo. Assim parece acontecer pelo menos nos países luteranos. Em Roma mesmo, já faz mil anos que o Estado foi proclamado em lugar da Igreja. É por isso que o próprio criminoso já não se considera membro da Igreja e, alijado, vive no desespero. Se, porém, retorna à sociedade, não raro o faz com tamanho ódio que a própria sociedade como que já o alija. Como isso vai terminar, os senhores mesmos podem julgar. Em muitos casos, pareceria que entre nós também ocorre o mesmo; mas acontece que, além dos tribunais estabelecidos, nós ainda temos a Igreja, que nunca perde o contato com o criminoso como seu filho amado e, apesar de tudo, ainda querido; e além disso existe e se conserva, embora só na imaginação, o tribunal da Igreja que, mesmo hoje não sendo ativo, não obstante vive para o futuro ainda que em sonho, e o próprio criminoso sem dúvida o reconhece pelo instinto de sua alma. Também é justo o que aqui acabou de ser dito, que se o tribunal da Igreja passasse de fato a vigorar, e em toda sua plenitude, ou seja, se toda a sociedade se convertesse apenas em Igreja, não só o tribunal da Igreja influenciaria a recuperação do criminoso — de uma maneira como nunca influencia hoje — como é possível que o número dos próprios crimes realmente sofresse uma redução extraordinária. Sim, a Igreja, não há dúvida, compreenderia o futuro criminoso e o futuro crime de modo em muitos casos totalmente diverso do que se vê hoje, e seria capaz de reintegrar o alijado, prevenir o criminoso em gestação e regenerar o decaído. É verdade — o *stárietz* deu um risinho — que hoje a própria sociedade cristã ainda não está preparada e se apoia apenas em uns sete justos;[64] mas como eles não decaem, ela permanece inabalável apesar de tudo, à espera de sua completa transformação, de sociedade como união ainda quase pagã, numa Igreja universal única e dominante. Assim seja, assim seja, mesmo que venha a ocorrer na consumação dos séculos, pois só isso está destinado a acontecer! E nada de nos perturbarmos com tempos e prazos, pois o mistério dos tempos e prazos[65] está na sabedoria de Deus, em sua previsão e em seu amor. E o que pelos cálculos humanos ainda pode estar muito distante, pela predestinação de Deus pode já estar na véspera de seu surgimento, à porta. Assim seja, assim seja.

— Assim será! Assim será! — confirmou o padre Paissi com reverência e severidade.

— É estranho, sumamente estranho! — pronunciou Miússov não propriamente com ardor, mas com um quê de indignação contida.

— O que lhe parece tão estranho? — indagou cautelosamente o padre Ióssif.

— Ora, mas o que é isso afinal? — exclamou Miússov, como se de repente lhe tivesse escapado. — Abole-se o Estado na Terra, e a Igreja se projeta ao nível de Estado! Isso não é propriamente ultramontanismo, é arquiultramontanismo! Isso nem o papa Gregório VII vislumbrou!

— Procure compreender absolutamente o contrário! — proferiu com severidade o padre Paissi. — Não é a Igreja que se transforma em Estado, entenda isso. Trata-se de Roma e seu sonho. Da terceira tentação do diabo![66] Ao contrário, é o Estado que se transforma em Igreja, que ascende à condição de Igreja e se torna Igreja em toda a Terra, o que já contraria totalmente o ultramontanismo, Roma e a interpretação que o senhor faz, e existe apenas a grande predestinação da religião ortodoxa na Terra. Esta estrela resplandecerá do lado do Oriente.

Miússov calou-se num gesto grave. Toda sua figura exprimia uma extraordinária dignidade. Um sorriso condescendente e superior estampou-se em seus lábios. Aliócha observava tudo com o coração batendo forte. Toda

[64] Segundo me informa Nikolai Pankóv, pesquisador russo da Universidade Lomonóssov, de Moscou, essa referência do *stárietz* Zossima pode ter dois sentidos: 1) não há muitos justos por aí; 2) a magia do "7" é muito presente como algo meio sagrado na cultura russa. Mas esse fenômeno também ocorre em outras culturas. (N. do T.)

[65] Ver as palavras de Cristo em Atos dos Apóstolos, 1, 7: "Não vos compete conhecer tempos ou épocas que o Pai reservou para sua exclusiva autoridade". Ver, ainda, Marcos, 13, 29. (N. da E.)

[66] Trata-se da terceira tentação de Cristo, segundo Mateus, 4, 8-10. (N. da E.)

aquela conversa o perturbara até o fundo da alma. Olhou casualmente para Rakítin; este permanecia postado e imóvel junto à porta, ouvindo e observando tudo com atenção, embora estivesse com a vista baixa. Mas, pelo rubor vivo de suas faces, Aliócha adivinhou que Rakítin, parece, não estava menos perturbado do que ele; Aliócha sabia o que o perturbava.

— Permitam-me, senhores, contar-lhes uma pequena anedota — proferiu subitamente Miússov com imponência e um garbo particular. — Alguns anos atrás, logo após o golpe de dezembro,[67] ao visitar, em Paris, um conhecido muitíssimo importante na época e ocupante de um cargo de direção, encontrei em sua casa um senhor curiosíssimo. Esse indivíduo não era propriamente um agente secreto, mas uma espécie de chefe de um verdadeiro batalhão de agentes da polícia política — cargo de bastante influência em seu gênero. Aproveitando a ocasião e levado por uma curiosidade extraordinária, entabulei conversa com ele; como ele não era recebido como conhecido, mas como funcionário subalterno que ali estava para apresentar uma espécie de relatório, ele, por sua vez, vendo como eu era recebido na repartição de seu chefe, honrou-me com certa franqueza — bem, até certo ponto, é claro, ou seja, foi antes polido que sincero, justamente como os franceses sabem ser polidos, ainda mais porque viu em mim um estrangeiro. No entanto eu o compreendi muito bem. Falava-se de socialistas-revolucionários, que, aliás, estavam sendo perseguidos. Deixando de lado o tema principal da conversa, lembrarei apenas uma observação curiosíssima, que de repente esse cavalheiro deixou escapar: "Nós — disse ele — não tememos propriamente todos os socialistas-anarquistas, ateus e revolucionários; nós os vigiamos e conhecemos os seus passos. Existem, porém, entre eles, embora poucos, alguns homens especiais: os que creem em Deus, são cristãos e ao mesmo tempo socialistas. Pois é a esses que mais tememos; são uma gente terrível! O socialista-cristão é mais temível que o socialista-ateu". Na ocasião essas palavras me deixaram estupefato, mas agora, em sua companhia, senhores, vieram-me como que de súbito à mente...

— Quer dizer, o senhor nos aplica essas palavras e nos vê como socialistas? — perguntou direto e sem rodeios o padre Paissi. Mas antes que Piotr Alieksándrovitch articulasse a resposta, a porta se abriu e entrou muito atrasado Dmitri Fiódorovitch. Era como se tivessem verdadeiramente deixado de aguardá-lo, e seu repentino aparecimento provocou até certa surpresa no primeiro momento.

[67] Alusão ao golpe de Luís Bonaparte, ocorrido em dezembro de 1851, analisado por Karl Marx em *O dezoito brumário de Luís Bonaparte*. (N. do T.)

VI. Para que vive um homem como esse?!

Dmitri Fiódorovitch, jovem de vinte e oito anos, estatura mediana, aparentava, entretanto, bem mais idade do que tinha. Era musculoso, nele se podia perceber uma considerável força física, e ainda assim havia um quê de doentio na expressão do rosto. Rosto magro, de faces cavadas, de cor tirante a um amarelo enfermiço. Dos olhos bastante graúdos, negros e saltados irradiava uma expressão que, embora aparentasse sólida obstinação, era todavia meio vaga. Até quando ele estava inquieto e falava com irritação, seu olhar parecia não obedecer ao seu estado de espírito e exprimia alguma outra coisa que, às vezes, não correspondia absolutamente ao momento. "É difícil inteirar-se do que ele pensa" — diziam vez por outra as pessoas que falavam com ele. Outras, que notavam em seus olhos algo meditativo e soturno, ficavam subitamente perplexas com seu sorriso inesperado, testemunha dos pensamentos alegres e jocosos que lhe habitavam a mente justo no momento em que tinha esse olhar soturno. Aliás, certo ar doentio em seu rosto podia ser compreensível nesse momento: todos sabiam ou tinham ouvido falar da vida "de farras" muitíssimo inquietante a que ele vinha se entregando precisamente nos últimos tempos, assim como todos sabiam também da excepcional irritação a que chegara nas brigas com o pai por causa de um dinheiro litigioso. A esse respeito algumas anedotas já circulavam pela cidade. É verdade que até por natureza ele era irascível, "de uma inteligência descontínua e irregular", como o caracterizou em uma reunião nosso juiz de paz Semeon Ivânovitch Katchálnikov. Ele entrou vestido com impecável elegância, de sobrecasaca desabotoada, luvas pretas e cartola na mão. Como militar recém-reformado, ainda usava bigodes e raspava a barba. Tinha os cabelos castanhos escuros curtos e penteados de um modo que projetava as têmporas. Seu passo era decidido, largo, ao modo do *front*. Parou por um instante à entrada e, depois de correr o olhar por todos os presentes, caminhou direto para o *stárietz*, adivinhando nele o anfitrião. Fez-lhe uma reverência profunda e pediu a bênção. Soerguendo-se, o *stárietz* o abençoou; Dmitri Fiódorovitch beijou-lhe respeitosamente a mão e pronunciou com certa emoção, quase irritado:

— Perdoe-me generosamente por tê-lo feito esperar tanto. É que, à minha insistente pergunta sobre o horário, o criado Smierdiakóv, enviado por meu pai, me respondeu duas vezes, com o tom mais decidido, que o encontro havia sido marcado para uma hora. Agora fico sabendo de repente...

— Não se preocupe — interrompeu o *stárietz* —, não foi nada, atrasou-se um pouco, não faz mal...

— Fico-lhe extraordinariamente grato e não podia esperar menos de sua bondade. — Depois dessa interrupção, Dmitri Fiódorovitch mais uma vez o reverenciou, e em seguida, voltando-se subitamente para seu *bátiuchka*, fez também a ele a mesma reverência respeitosa e profunda. Via-se que planejara de antemão essa reverência e resolvera sinceramente, quase como sua obrigação, exprimir dessa maneira seu respeito e suas boas intenções. Fiódor Pávlovitch, embora apanhado de surpresa, no mesmo instante apercebeu-se a seu modo e, em resposta à reverência de Dmitri Fiódorovitch, levantou-se de um salto da poltrona e devolveu ao filho a mesma reverência profunda. Seu rosto se fez de súbito importante e imponente, o que, não obstante, deu-lhe um ar decididamente mau. Em seguida, inclinando-se calado em uma reverência geral a todos os presentes, Dmitri Fiódorovitch foi até a janela com seus passos largos e decididos, sentou-se perto do padre Paissi na única vaga restante e, inclinando-se todo para a frente, preparou-se de imediato para ouvir a continuação da conversa que havia interrompido.

A entrada de Dmitri Fiódorovitch não demorou mais que uns dois minutos, e não impediu que a conversa recomeçasse. Mas desta vez Piotr Alieksândrovitch não achou necessário responder à pergunta insistente e quase irritante do padre Paissi.

— Permita-me declinar desse tema — pronunciou ele com certa negligência mundana. — Esse tema, além do mais, é intrincado. Veja Ivan Fiódorovitch rindo de nós: tudo indica que tem alguma coisa curiosa a dizer também sobre este caso. É só lhe perguntar.

— Nada de especial, a não ser uma pequena observação — respondeu incontinenti Ivan Fiódorovitch. — De modo geral, o liberalismo europeu e até o nosso diletantismo liberal russo amiúde e há muito tempo vêm misturando os resultados finais do socialismo com os do Cristianismo. Essa conclusão absurda, é claro, é um traço sintomático. Aliás, como se verifica, não só os liberais e os diletantes misturam socialismo e Cristianismo, mas com eles, em muitos casos, também os gendarmes, os estrangeiros, é claro. Sua anedota parisiense é bem sintomática, Piotr Alieksândrovitch.

— Mais uma vez peço permissão para deixar esse tema de lado — repetiu Piotr Alieksândrovitch —, e em vez disso, senhores, vou lhes contar outra anedota sobre o próprio Ivan Fiódorovitch, anedota interessantíssima e muito peculiar. Não mais que uns cinco dias atrás, debatendo numa reunião social aqui na cidade, em que predominavam senhoras, ele declarou em tom solene que em toda a face da Terra não existe terminantemente nada que obrigue os homens a amarem seus semelhantes, que essa lei da natureza, que reza que o homem ame a humanidade, não existe em absoluto e que, se até hoje existiu o amor na Terra, este não se deveu à lei natural mas tão só ao fato de que os homens acreditavam na própria imortalidade. Ivan Fiódorovitch acrescentou, entre parênteses, que é nisso que consiste toda a lei natural, de sorte que, destruindo-se nos homens a fé em sua imortalidade, neles se exaure de imediato não só o amor como também toda e qualquer força para que continue a vida no mundo. E mais: então não haverá mais nada amoral, tudo será permitido, até a antropofagia. Mas isso ainda é pouco: ele concluiu afirmando que, para cada indivíduo particular, por exemplo, como nós aqui, que não acredita em Deus nem na própria imortalidade, a lei moral da natureza deve ser imediatamente convertida no oposto total da lei religiosa anterior, e que o egoísmo, chegando até ao crime, não só deve ser permitido ao homem mas até mesmo reconhecido como a saída indispensável, a mais racional e quase a mais nobre para sua situação. Com base nesse paradoxo podem concluir, senhores, também sobre tudo mais que o nosso amável, excêntrico e paradoxista Ivan Fiódorovitch haverá por bem ou talvez ainda esteja propenso a proclamar.

— Com licença — bradou de súbito e inesperadamente Dmitri Fiódorovitch —, para que eu possa entender: "O crime não só deve ser permitido como também reconhecido como a saída mais necessária e mais inteligente para a situação de qualquer herege"! É isso ou não?

— É isso mesmo — disse o padre Paissi.

— Vou me lembrar disso.

Ao pronunciar isto, Dmitri Fiódorovitch calou-se tão subitamente quanto subitamente irrompera na conversa. Todos o olharam com curiosidade.

— Será que o senhor tem mesmo essa convicção acerca das consequências do esgotamento da fé dos homens na imortalidade de sua alma? — perguntou de supetão o *stárietz* a Ivan Fiódorovitch.

— Sim, eu afirmei isso. Não há virtude se não há imortalidade.

— Feliz é o senhor se assim o crê, ou já muito infeliz!

— Por que infeliz? — sorriu Ivan Fiódorovitch.

— Porque, ao que tudo indica, o senhor mesmo não crê nem na imortalidade de sua alma, nem mesmo no que escreveu a respeito da Igreja e da questão da justiça eclesiástica.

— Talvez o senhor tenha razão!... Bem, seja como for, eu não estava inteiramente brincando... — súbito confessou Ivan Fiódorovitch de um modo estranho, aliás depois de corar rapidamente.

— Não estava inteiramente brincando, isto é verdade. Essa ideia ainda não está resolvida em seu coração e o martiriza. Mas o mártir às vezes gosta de divertir-se com seu desespero, como que também levado pelo desespero.

Por ora o senhor também se diverte por desespero — quer através dos artigos jornalísticos, quer das conversas mundanas, sem acreditar em sua dialética e, com dor no coração, rindo dela consigo mesmo... No senhor esta questão não está resolvida, e nisto reside seu grande sofrimento, pois exige insistentemente uma solução...

— Mas ela não poderá estar resolvida dentro de mim? Resolvida num sentido positivo? — continuou Ivan Fiódorovitch a perguntar estranhamente, olhando sempre para o *stárietz* com um sorriso meio inexplicável.

— Se não pode resolver-se no sentido positivo, nunca se resolverá no negativo, o senhor mesmo conhece essa qualidade do seu coração; e nisso está todo o tormento dele. Mas agradeça ao Criador por lhe ter dado um coração superior, capaz de sofrer esse tormento: "Pensai nas alturas e as alturas buscai, porque nossa morada está nos céus".[68] Deus lhe permita que a decisão de seu coração ainda o alcance na Terra, e Deus abençoe os seus caminhos!

O *stárietz* levantou a mão e quis de seu lugar abençoar Ivan Fiódorovitch. Mas este se levantou de sua cadeira num átimo, foi até ele, recebeu sua bênção e, depois de lhe beijar a mão, voltou calado ao seu lugar. Tinha um ar firme e sério. Esse ato, inesperado da parte de Ivan Fiódorovitch, assim como toda a conversa anterior com o *stárietz*, de certo modo deixou todos estupefatos por seu tom enigmático e até por certa solenidade, de sorte que por um instante todos pareceram calar-se e no rosto de Aliócha estampou-se quase um susto. Mas súbito Miússov deu de ombros e no mesmo instante Fiódor Pávlovitch pulou de sua cadeira.

— Divino e santíssimo *stárietz*! — bradou ele, apontando para Ivan Fiódorovitch. — Este é meu filho, carne de minha carne, minha muito amada carne! Ele é o meu respeitabilíssimo, por assim dizer, Karl Moor, mas este outro filho aqui que acabou de entrar, Dmitri Fiódorovitch, contra o qual busco aqui sua justiça, é o irrespeitabilíssimo Franz Moor — ambos de *Os bandoleiros* de Schiller, e eu, neste caso, eu mesmo sou o *Regierender Graf* Von Moor![69] Julgue e me proteja! Precisamos não só de rezas, mas também de suas profecias.

— Fale sem se fazer de bobo e não comece a ofender os seus — respondeu o *stárietz* com voz fraca e esgotada. Via-se que ia ficando tanto mais cansado quanto mais o tempo passava, notava-se que estava perdendo as forças.

— Uma comédia indigna, que pressenti ainda quando vinha para cá! —

[68] O *stárietz* sintetiza em suas palavras passagens de duas epístolas de Paulo: a Epístola aos Colossenses e a Epístola aos Filipenses. (N. do T.)

[69] "Conde-regente Von Moor", em alemão. (N. do T.)

exclamou Dmitri Fiódorovitch com indignação e também pulando de seu lugar. — Perdão, padre reverendo — dirigiu-se ao *stárietz* —, sou um homem sem instrução e não sei sequer de que lhe chamar, mas o senhor foi enganado, e foi excessivamente bondoso permitindo-nos vir à sua presença. Meu *bátiuchka* só precisa de um escândalo: para quê — isso já faz parte do seu cálculo. Ele está sempre com um cálculo em mente. Mas acho que agora eu sei para quê...

— Todos me acusam, todos eles! — gritou por sua vez Fiódor Pávlovitch. — Até Piotr Alieksândrovitch me acusa. O senhor me acusou, Piotr Alieksândrovitch, acusou! — voltou-se de repente para Miússov, embora este nem pensasse em interrompê-lo. — Acusam-me de ter escondido nas botas o dinheiro dos meus filhos ainda crianças e de ter gastado tostão por tostão; mas, com licença, por acaso não existe tribunal? Lá você terá sua prestação de contas, Dmitri Fiódorovitch, com base em seus próprios recibos, nas cartas e acordos, quanto você tinha, quanto esbanjou e quanto ainda tem! Por que Piotr Alieksândrovitch se exime de proferir seu juízo? Dmitri Fiódorovitch não lhe é um estranho. Por isso todos me acusam, enquanto Dmitri Fiódorovitch, em resumo, ainda me deve, e não uma quantia qualquer, mas alguns milhares, e disso tenho todos os documentos! Ora, a cidade estrondeia e retumba com suas farras! E lá onde ele antes servia pagou mil e dois mil rublos pela sedução de moças honestas; isso, Dmitri Fiódorovitch, nós conhecemos nos mais secretos detalhes, e vou provar... Santíssimo padre, veja se acredita: fez apaixonar-se por ele a mais nobre das moças, de boa família, com posses, filha de seu antigo comandante, um valente coronel, condecorado com a medalha de Sant'Anna, comprometeu a moça propondo-lhe casamento, agora ela está aqui, agora é órfã, a noiva dele, mas ele visita na cara dela uma sedutora daqui. Contudo, mesmo que essa sedutora tenha vivido em, por assim dizer, matrimônio civil com um homem respeitável, ela é de caráter independente, uma fortaleza inexpugnável para todos, o mesmo que uma esposa legítima, porque é virtuosa — sim! santos padres, ela é virtuosa! Pois Dmitri Fiódorovitch quer abrir essa fortaleza com chave de ouro, para o que vive agora bancando o valentão para cima de mim; quer me arrancar dinheiro, mas enquanto isso torra milhares com essa sedutora; por isso não para de pedir dinheiro emprestado, aliás, a quem, o que os senhores acham? Digo ou não digo, Mítia?

— Cale-se! — gritou Dmitri Fiódorovitch —, espere que eu saia, mas na minha presença não se atreva a macular uma moça nobilíssima... O simples fato de o senhor se atrever a gaguejar o nome dela já é uma desonra para ela... Não admito!

Ele arfava.

— Mítia! Mítia! — bradou Fiódor Pávlovitch com nervosismo e reprimindo as lágrimas que iam brotando. — Para que serve a bênção paterna? Eu te amaldiçoo, e então, o que vai acontecer?

— O senhor é um sem-vergonha e um hipócrita![70] — rosnou enfurecido Dmitri Fiódorovitch.

— Ele está fazendo isso com o pai, com o pai! Que faria com os outros? Senhores, imaginem, mora aqui em nossa cidade um homem pobre, porém respeitável, um capitão da reserva, que caiu em desgraça, foi aposentado, mas não através de processo público, conforme a lei; preservou toda sua honra, é um homem sobrecarregado por uma família numerosa. Pois três semanas atrás nosso Dmitri Fiódorovitch o agarrou pelas barbas numa taverna, arrastou-o por essas mesmas barbas para a rua e na rua, diante de todo mundo, deu-lhe uma surra, e tudo porque ele é o encarregado secreto de um negociozinho meu.

— É tudo mentira! Por fora verdade, por dentro, mentira! — Dmitri Fiódorovitch tremia todo, tomado de ira. — Padre! Não justifico os meus atos; sim, reconheço publicamente; agi como um animal com aquele capitão e agora lamento e tenho nojo de mim por aquela ira animalesca, mas esse seu capitão, seu encarregado, procurou essa mesma senhora, a quem o senhor se refere como sedutora, e lhe propôs, em nome do senhor, que ela ficasse com as minhas letras de câmbio, que estão com o senhor, e me denunciasse à justiça para que eu fosse preso por causa dessas letras de câmbio se eu viesse a importuná-lo demais com pedidos de prestação de contas dos meus bens. Agora o senhor me censura porque eu tenho um fraco por essa senhora, ao passo que o senhor mesmo a instruiu a me envolver! Ora, ela mesma conta isso sem rodeios, ela mesma me contou, e rindo do senhor! O senhor quer mandar me prender só porque tem ciúme de mim com ela, porque o senhor mesmo passou a abordar essa mulher oferecendo-lhe o seu amor, e mais uma vez estou a par de tudo isso, e mais uma vez ela me contou tudo, e rindo — ouça, rindo do senhor. Vejam, santos homens, esta pessoa, este pai a acusar o filho depravado! Senhores testemunhas, desculpem minha ira, mas eu tinha pressentido que esse velho pérfido havia convidado todos os senhores para virem aqui assistir a um escândalo. Vim disposto a perdoar se ele me estendesse a mão, perdoar e pedir perdão! Mas como neste instante ele acabou de ofender não só a mim, mas também a uma decentíssima jovem, cujo

[70] Este episódio remonta a alguns motivos do drama de Púchkin *O cavaleiro avaro*. (N. do T.)

nome nem me atrevo a pronunciar aqui por veneração a ela, resolvi desmascarar todo esse jogo publicamente, ainda que ele seja meu pai!...

Não conseguiu mais continuar. Seus olhos brilhavam e ele respirava com dificuldade. Mas todos na cela também estavam inquietos. Todos, menos o *stárietz*, levantaram-se intranquilos de seus lugares. Os hieromonges estavam com um ar severo, mas, não obstante, esperavam a vontade do *stárietz*. Este continuava sentado já totalmente pálido, mas não de emoção e sim de fraqueza provinda da doença. Um sorriso de súplica brilhava em seus lábios; de quando em quando levantava a mão como se quisesse deter os possessos e, é claro, só um gesto seu já seria suficiente para interromper a cena; mas ele mesmo era como se ainda aguardasse algo e olhava fixamente para os lados como que desejando compreender mais alguma coisa, como se algo ainda não estivesse esclarecido para si mesmo. Por fim, Piotr Alieksândrovitch Miússov sentiu-se definitivamente humilhado e desonrado.

— Todos nós temos culpa por esse escândalo! — pronunciou ele com ardor. — Mas acontece que eu mesmo não o pressenti ao vir para cá, embora soubesse com quem estava lidando... Isso tem de acabar agora! Senhor reverendo, acredite que eu não conhecia com precisão todos os detalhes aqui revelados, não queria acreditar neles e só agora tomo conhecimento pela primeira vez... O pai tem ciúme do filho por uma mulher de conduta indecente, e ele mesmo entra em conluio com esse mesmo réptil com a finalidade de meter o filho na cadeia... E eis que fui forçado a vir para cá em semelhante companhia... Fui enganado, declaro a todos que não fui menos enganado que os outros...

— Dmitri Fiódorovitch! — berrou de repente Fiódor Pávlovitch com a voz um tanto estranha. — Se você não fosse meu filho, agora mesmo eu o desafiaria para um duelo... de pistolas, a três passos de distância... de olhos vendados! De olhos vendados! — concluiu batendo com ambos os pés no chão.

Os velhos mentirosos, que passaram a vida inteira representando, há momentos em que se incorporam tanto a esse papel que se põem a tremer de verdade e chorar de emoção, embora até nesse mesmo instante (ou só um segundo depois) possam murmurar para si mesmos: "Ora, estás mentindo, velho sem-vergonha, ora, estás sendo um ator também neste momento, apesar de toda tua 'santa' ira e de teu 'santo' minuto de ira".

Dmitri Fiódorovitch franziu o cenho num gesto terrível e fitou o pai com um desprezo inexprimível.

— Eu pensava... eu pensava — pronunciou ele baixinho e de um jeito contido — que vinha para a minha terra com o anjo de minha alma, minha noiva, para mimar a velhice dele, e encontro apenas um lascivo depravado e o mais torpe comediante!

— Ao duelo! — tornou a berrar o velhote, arfando e soltando borrifadas de saliva a cada palavra. — O senhor, Piotr Alieksândrovitch Miússov, fique sabendo, senhor, que em toda a sua família talvez não exista nem tenha existido uma mulher superior e mais honesta — ouça, mais honesta — do que essa que o senhor acabou de chamar de réptil! E você, Dmitri Fiódorovitch, por esse "réptil" trocou sua noiva, portanto você mesmo julgou que sua noiva não vale nem a sola do sapato dela; aí está o réptil!

— É uma vergonha! — deixou escapar de súbito o padre Ióssif.

— É uma vergonha e uma desonra! — gritou de súbito com sua voz adolescente, trêmulo de emoção e todo vermelho, Kalgánov, que até então estivera calado.

— Para que vive um homem como esse?! — rugiu surdamente Dmitri Fiódorovitch, já quase arrebatado de ira, erguendo de um jeito um tanto inusual os ombros e quase se curvando. — Não, digam-me se ainda se pode permitir que desonre a Terra com a sua presença — correu a vista por todos com a mão apontada para o velho. Falava de forma lenta e cadenciada.

— Estão ouvindo, estão ouvindo, senhores monges, o parricida? — precipitou-se Fiódor Pávlovitch para o padre Ióssif. Eis a resposta para o seu "é uma vergonha"! O que é uma vergonha? Esse "réptil", essa mulher de "conduta indecente" talvez seja mais santa do que todos vocês, senhores hieromonges que se preocupam em salvar a alma! Ela talvez tenha sofrido sua queda na mocidade, devorada pelo meio, mas ela "amou muito", e aquele que muito amou Cristo perdoou...

— Não foi por esse amor que Cristo perdoou... — deixou escapar impaciente o dócil padre Ióssif.

— Não, monges, foi por esse, por esse mesmo amor, por ele! Os senhores vivem aqui comendo repolho, procurando salvar a alma e achando que são uns justos! Comem gobiões, um gobião por dia, e acham que vão comprar Deus com esses peixinhos!

— É intolerável, é intolerável! — ouviu-se de todos os lados na cela.

Mas toda essa cena, que chegara à indecência, foi interrompida do modo mais inesperado. Súbito o *stárietz* se levantou quase totalmente desnorteado de temor por ele e por todos; Aliócha, não obstante, conseguiu segurá-lo pelo braço. O *stárietz* caminhou na direção de Dmitri Fiódorovitch e, chegando bem perto dele, ajoelhou-se à sua frente. Aliócha quase pensou que ele tivesse caído de fraqueza, mas não era isso. Uma vez ajoelhado, o *stárietz* fez uma reverência aos pés de Dmitri Fiódorovitch, a mais completa, nítida e consciente reverência, chegando até a tocar o chão com a testa, e Aliócha ficou tão surpreso que não conseguiu sequer apoiá-lo quando ele se levantava. Um sorriso fraco brilhava levemente em seus lábios.

— Perdoem! Perdoem todos! — pronunciou, inclinando-se para seus visitantes em todos os lados.

Dmitri Fiódorovitch ficou postado alguns instantes como que estupefato. Uma reverência a seus pés — o que era aquilo? Por fim, exclamou de repente: "Oh, Deus!" — E, tapando o rosto com as mãos, precipitou-se para fora do recinto. Atrás dele saíram em debandada todos os convidados, que, devido ao embaraço, sequer se despediram ou fizeram um aceno ao anfitrião. Só os hieromonges tornaram a chegar-se a ele para a bênção.

— O que ele quis sugerir ajoelhando-se aos pés dele, algum sinal? — arriscou Fiódor Pávlovitch, súbito acalmado e por alguma razão tentando iniciar uma conversa, sem entretanto se atrever a perguntar pessoalmente a ninguém. Nesse momento todos estavam atravessando o murado do eremitério.

— Eu não posso me responsabilizar por um manicômio e por loucos — respondeu imediata e exasperadamente Miússov —, mas em compensação me poupo de sua companhia, Fiódor Pávlovitch, e para sempre, acredite. Onde está aquele monge de ainda há pouco?

Mas "aquele monge", ou seja, o que ainda há pouco os convidara para o almoço com o igúmeno, não se fez esperar. Recebeu os convidados ali mesmo, mal eles desceram os degraus da entrada da cela do *stárietz*, como se os tivesse esperado durante todo o tempo.

— Faça-me o obséquio, meu respeitável padre, de testemunhar junto ao padre igúmeno meu profundo respeito e desculpar-me pessoalmente a mim, Miússov, ante Sua Reverendíssima pelo fato de que, devido a circunstâncias subitamente imprevistas, não posso tomar parte de sua mesa, apesar de todo o meu mais sincero desejo — proferiu Piotr Alieksándrovitch em tom agastado.

— Ora, essa circunstância imprevista sou eu! — secundou Fiódor Pávlovitch. — Ouça, padre, é comigo que ele não quer ficar, senão iria imediatamente. E irá, Piotr Alieksándrovitch, tenha a bondade de ir almoçar com o padre igúmeno e — bom apetite! Fique sabendo que eu é que estou rejeitando, não o senhor... Para casa, para casa, em casa vou comer, pois aqui me sinto incapacitado, meu amabilíssimo parente Piotr Alieksándrovitch.

— Não sou parente seu e nunca o fui, vil criatura!

— Eu disse de propósito para enfurecê-lo, porque o senhor nega esse parentesco, embora seja mesmo parente, por mais que banque o ladino, e eu posso prová-lo com base no calendário eclesiástico; quanto a ti, Ivan Fiódorovitch, fica também, se quiseres, que te mandarei os cavalos. Já o senhor, Piotr Alieksándrovitch, até a própria decência o obriga a ir ter com o padre igúmeno, e precisa se desculpar pela patuscada que nós dois fizemos...

— Será mesmo verdade que o senhor está indo embora? Não estará mentindo?

— Piotr Alieksándrovitch, como ousaria eu permanecer aqui, depois de tudo o que aconteceu? Deixei-me arrebatar, desculpem, senhores, deixei-me arrebatar! Além disso, estou perplexo! E com vergonha. Senhores, uns têm o coração como o de Alexandre da Macedônia e outros o têm como o da cadelinha Fidelca. O meu é como o da cadelinha. Fiquei intimidado! Como, depois de toda essa extravagância, ir ao almoço e devorar os molhos do mosteiro? Tenho vergonha... não posso... desculpem.

"O diabo sabe dele, e se estiver blefando?" — refletia Miússov, seguindo com um olhar perplexo o palhaço que se retirava. O outro olhou para trás e, ao notar que Piotr Alieksándrovitch o observava, mandou-lhe um beijinho.

— O senhor vai ao igúmeno? — perguntou Miússov a Ivan Fiódorovitch com voz entrecortada.

— E por que não? Além do mais, ontem fui especialmente convidado pelo igúmeno.

— Infelizmente, sinto-me quase na necessidade de comparecer a esse maldito almoço — continuou Miússov com a mesma irritação amarga, sem sequer reparar que o mongezinho os ouvia. — Ao menos precisamos nos desculpar e explicar que não fomos nós... O que acha?

— Sim, é preciso explicar que não fomos nós. Além disso meu *bátiuchka* não estará presente — observou Ivan Fiódorovitch.

— É, só faltava mesmo o seu *bátiuchka*! Maldito almoço!

E no entanto todos caminhavam para lá. O mongezinho ouvia tudo em silêncio. Apenas uma vez, quando atravessavam o pequeno bosque, ele observou que o padre igúmeno havia muito os esperava e eles estavam meia hora atrasados. Não recebeu resposta. Miússov olhou para Ivan Fiódorovitch com ódio.

"Pois é, vai ao almoço como se nada tivesse acontecido! — pensou. — Cabeça dura e consciência de Karamázov."

VII. Um seminarista-carreirista

Aliócha levou seu *stárietz* ao pequeno aposento e o fez sentar-se na cama. Era um quartinho mínimo com o mobiliário indispensável; havia uma caminha estreita, de ferro, coberta só por um feltro em vez de colchão. A um canto, perto das imagens, havia um atril, e sobre ele um crucifixo e o livro dos Evangelhos. O *stárietz* arriou sobre a cama sem forças; seus olhos brilhavam e ele respirava com dificuldade. Acomodado, fixou o olhar em Aliócha como se tivesse algo em mente.

— Vai, filho, vai, Porfiri me basta. E tu, apressa-te. Lá precisam de ti, vai ao padre igúmeno, ajuda a servir o almoço.

— Fiquei para o senhor me abençoar — proferiu Aliócha com voz súplice.

— Lá és mais necessário. Lá falta paz. Servirás a mesa e serás útil. Se os demônios se levantarem, lê uma oração. E fica sabendo, meu filho (o *stárietz* gostava de chamá-lo assim), que doravante este não é mais o teu lugar. Lembra-te disso, jovem. Tão logo Deus se digne vir a mim, deixa o mosteiro. De uma vez.

Aliócha estremeceu.

— O que tens? Por ora teu lugar não é aqui. Eu te abençoo para o grande noviciato no mundo. Ainda tens muito que peregrinar. Deves também casar-te, deves. Deverás passar por tudo antes de voltar para cá. Terás muitos afazeres. Mas de ti não duvido, e é por isto que te envio. Cristo estará a teu lado. Conserva-o, e ele te conservará. Verás um grande infortúnio, e no infortúnio serás feliz. Eis um legado para ti: procura a felicidade no infortúnio. Trabalha, trabalha sem esmorecimento. Lembra-te doravante de minha palavra, porque, embora eu ainda venha a conversar contigo, não só meus dias, mas também minhas horas estão contadas.

No rosto de Aliócha tornou a estampar-se uma forte expressão. As comissuras dos lábios estremeceram.

— Por que insistes? — sorriu baixinho o *stárietz*. — Deixemos que as pessoas se despeçam de seus mortos com lágrimas deste mundo enquanto nós aqui nos alegramos com a partida de um padre. Alegramo-nos e rezamos por ele. Deixa-me. Preciso orar. Vai e te apressa. Fica ao lado de teus irmãos. E não de um, mas de ambos.

O *stárietz* levantou a mão para benzê-lo. Era impossível fazer qualquer objeção, embora Aliócha quisesse demais permanecer. Queria ainda perguntar, e de fato quase lhe escapou a pergunta: "O que quis antecipar com aquela reverência até o chão feita ao irmão Dmitri?" — mas não se atreveu a perguntar. Sabia que, mesmo que ele não perguntasse, o próprio *stárietz* lhe explicaria se fosse possível. Mas se ele calava, queria dizer que não era a sua vontade. E no entanto aquela reverência deixara Aliócha estupefato; acreditava cegamente que naquilo havia um sentido misterioso. Misterioso e talvez até terrível. Quando ele atravessou o murado do eremitério para chegar ao mosteiro a tempo de pegar o começo do almoço do igúmeno (claro, apenas para servir à mesa), sentiu subitamente um forte aperto no coração e parou onde estava: era como se tornassem a ecoar à sua frente as palavras do *stárietz* profetizando seu fim iminente. O que o *stárietz* predizia, e ainda por cima com tamanha precisão, deveria sem dúvida acontecer, e Aliócha acreditava nisso piamente. Mas como ficar sem ele, como deixar de vê-lo, de ouvi-lo? E para onde iria? Ordenar que não chorasse e deixasse o mosteiro, meu Deus! Havia tempo que Aliócha não experimentava tamanha tristeza. Tomou às pressas o caminho do bosque, que separava o eremitério do mosteiro e, sem força sequer para suportar seus pensamentos, tamanha era a pressão que exerciam sobre ele, pôs-se a contemplar os pinheiros seculares de ambos os lados do caminho do bosque. A travessia não era longa, não mais que uns quinhentos passos; àquela hora não haveria de encontrar ninguém ali, mas, súbito, na primeira curva do caminho avistou Rakítin. Este o esperava.

— É a mim que estás esperando? — perguntou Aliócha, emparelhando com ele.

— A ti mesmo — Rakítin deu um risinho. — Corres para a casa do igúmeno. Estou sabendo; ele está de mesa posta. Desde que o arcebispo recebeu o general Pakhátov, tu te lembras, não houve mesa igual. Não vou comparecer, mas te apressa, vai servir os molhos. Aliócha, diz-me uma coisa: o que significa esse sonho?[71] Era isso que eu queria te perguntar.

— Que sonho?

— Aquela reverência a teu irmão Dmitri Fiódorovitch. E ainda por cima batendo com a testa no chão!

— Estás te referindo ao *stárietz* Zossima?

— Sim, ao *stárietz* Zossima.

— Com a testa?

— Ah, usei uma expressão desrespeitosa! Bem, vá lá que tenha sido desrespeitosa. Então, o que esse sonho significa?

— Não sei, Micha,[72] o que significa.

— Eu bem que sabia que ele não tinha te explicado. É claro que nisso não existe nada de complicado, apenas aquelas mesmas tolices inofensivas de sempre. Contudo, foi um truque proposital. Agora todos os santarrões da

[71] Na década de 1860-70 estava muito em voga essa pergunta, que é uma paráfrase de versos do conto "O noivo" (*Jenikh*), de Púchkin, nos quais se lê: "Que quer dizer esse teu sonho?/ Dize-nos o que...". (N. da E.)

[72] Diminutivo de Mikhail. (N. do T.)

cidade vão dar à língua, espalhar a história e perguntar por toda a província: "O que significaria esse sonho?". A meu ver, o velho é de fato clarividente: farejou o crime. A coisa está fedendo em tua família.

— Que crime?

Pelo visto, Rakítin queria manifestar alguma coisa.

— Esse crime vai acontecer em tua família. Vai acontecer entre teus irmãos e teu pai riquinho. Foi por isso que o *stárietz* Zossima bateu com a testa no chão para qualquer eventualidade futura. O que vai acontecer depois: "Ah, mas o santo *stárietz* previu, profetizou"; contudo, que profecia poderia haver no fato de ele ter batido com a testa no chão? Não, vai ver que foi um sinal, uma alegoria, só o diabo sabe o que foi! Vão espalhar, vão lembrar: ele previu o crime, marcou o criminoso. Os *iuródivi* fazem sempre a mesma coisa: benzem-se diante dos botequins mas atiram pedras nos templos. O teu *stárietz* faz o mesmo: expulsa os justos a cacetadas, mas reverencia o assassino caindo-lhe aos pés.

— Que crime? Que assassino? O que estás dizendo? — Aliócha parou como se estivesse plantado. Rakítin também parou.

— Quê? Será que não percebes? Aposto que tu mesmo já pensaste nisto. Aliás, é curioso. Escuta, Aliócha, sempre dizes a verdade, embora sempre estejas entre dois fogos:[73] pensaste ou não nisto? Responde.

— Pensei — respondeu baixinho Aliócha. Até Rakítin ficou confuso.

— O que estás dizendo? Tu também pensaste? — exclamou ele.

— Eu... não é que tenha pensado — murmurou Aliócha —, mas como começaste a falar sobre isso de maneira estranha, tive a impressão de que eu mesmo já havia pensado nisto.

— Estás vendo (como o exprimiste com clareza!), estás vendo? Hoje, olhando para teu paizinho e para teu irmãozinho Mítienka,[74] pensaste em crime? Quer dizer que não estou enganado, não é?

— Sim, mas espera, espera — interrompeu Aliócha inquieto —, o que te dá essa visão de tudo isso? Por que isso te interessa tanto? Eis a primeira pergunta.

— Duas perguntas distintas, porém naturais. Vou responder a uma de cada vez. Por que essa visão? Eu não teria visto nada se, hoje, eu não tivesse compreendido de repente teu irmão Dmitri Fiódorovitch tal qual ele é,

[73] Palavras com que Saltikóv-Schedrín, no polêmico artigo "As inquietações de *O Tempo*", caracterizava em 1863 a posição de Dostoiévski e da revista *O Tempo* (*Vriêmia*). (N. da E.)

[74] Diminutivo de Mítia. (N. do T.)

súbito e de uma vez, por inteiro. Foi por algum traço que o captei todo de uma vez. Essas pessoas honestíssimas porém impetuosas têm um limite que não te atrevas a ultrapassar. Senão — senão metem a faca até no pai. E teu pai é um bêbado e um devasso descomedido, nunca soube o que é medida e em assunto nenhum — basta que os dois não se contenham e, pimba, caem na vala...

— Não, Micha, não. Se for só isso, me deixas animado! Não chegarão a esse ponto.

— Mas por que estás tremendo todo? Sabes de uma coisa? Oxalá esse Mítienka seja um homem honesto (é tolo, mas honesto); porém é um lascivo. Eis sua definição e toda sua essência íntima. Foi o pai que lhe transmitiu sua lascívia torpe. Vê, Aliócha, tu só me causas surpresa: como podes ser virgem? Ora, também és um Karamázov! Porque em tua família a lascívia chega a ser uma doença infecciosa. Pois bem, esses três lascivos agora vigiam uns aos outros... Com a faca escondida no cano da bota. Os três bateram de frente, e tu talvez sejas o quarto.

— Estás enganado a respeito daquela mulher. Dmitri a... despreza — pronunciou Aliócha meio sobressaltado.

— De Grúchenka?[75] Não, meu irmão, não despreza. Quando troca sua noiva por ela, é porque não despreza. Aí... aí, meu irmão, existe algo que ainda não compreendes. O homem se apaixona por alguma beldade, pelo corpo da mulher, ou até mesmo por uma parte do corpo da mulher (um lascivo pode compreender isso), e então troca por ela os próprios filhos, vende pai e mãe, a Rússia e a pátria; sendo honesto, sai por aí roubando; sendo dócil, mete a faca em alguém; sendo fiel, trai. Púchkin, o cantor dos pés femininos, cantou os pés em seus versos; outros não cantam, e no entanto não podem olhar para os pés sem tremores. Mas não se trata só de pés... Aí, meu irmão, o desprezo não ajuda, ainda que ele despreze Grúchenka. E despreza, mas não consegue desgrudar dela.

— Eu compreendo isso — deixou escapar subitamente Aliócha.

— Será? De fato, quer dizer que compreendes mesmo, já que foste logo disparando que compreendes — proferiu Rakítin com maldade. — Disparaste isso involuntariamente, te escapou. Por isso é mais preciosa a confissão: quer dizer que o tema, a lascívia, já é de teu conhecimento, já pensaste nisso. Sim senhor, seu donzelo! Tu, Aliócha, és um sonso, um santo, concordo, mas um santo do pau oco, e o diabo sabe o que já terás pensado, o diabo sabe o que já conheces! Virgem, mas já chegou a uma profundidade como essa — faz

[75] Diminutivo de Agrafiena. (N. do T.)

tempo que estou de olho em ti. Tu mesmo és um Karamázov, um Karamázov completo — logo, espécie e seleção significam alguma coisa. Da parte do pai és um lascivo, da mãe, um *iuródiv*. Por que estás tremendo? Ou estou dizendo a verdade? Escuta essa: Grúchenka me fez esse pedido: "Traze-o aqui (ou seja, levar-te), eu tiro a batina dele". Pois foi isso que ela pediu: traze-o, traze-o! E pensei: por que ela tem tanta curiosidade por ti? Sabes, ela também é uma mulher excepcional!

— Jura que dirás que não vou — Aliócha deu um riso amarelo. — Vamos, Mikhail, termina o que começaste, depois te direi qual é a minha ideia.

— Terminar o quê? Está tudo claro. Meu irmão, tudo isso é aquela velha cantilena. Se também tens dentro de ti um lascivo, o que será de teu irmão uterino Ivan? Ora, ele também é um Karamázov. Nisto consiste toda a vossa questão-Karamázov: lascivos, cobiçosos e *iuródivi*! Teu irmão Ivan anda publicando artigozinhos sobre teologia por brincadeira e algum cálculo tolíssimo e desconhecido, sendo ele mesmo ateu, e ele mesmo — esse teu irmão Ivan — confessa essa torpeza. Além disso, está tentando tomar a noiva do irmãozinho Mítia e, ao que parece, vai atingir esse objetivo. E ainda de que jeito: com a anuência do próprio Mítienka, porque o próprio Mítienka está lhe cedendo a noiva com o único fim de se livrar dela e correr o mais depressa para Grúchenka. E tudo isso mantendo toda a nobreza e o desinteresse, repara. Essas pessoas são mesmo as mais funestas! O diabo que as entenda depois disso: reconhecem sua torpeza e elas mesmas se precipitam para essa torpeza! Ouve mais: agora Mítienka está cruzando o caminho do seu velhote. Porque este de repente ficou louco por Grúchenka, a ponto de babar só de olhar para ela. Ora, foi só por causa dela que ele acabou de armar esse escândalo na cela, pelo simples fato de que Miússov se atreveu a chamá-la de réptil devasso. Ele está mais apaixonado que um gato. Antes, ela apenas lhe prestava serviços pagos para tratar de uns negocinhos obscuros ligados a botequins, mas agora ele se apercebeu e reparou nela, ficou tomado de um frenesi e anda a importuná-la com propostas, não honestas, é claro. Pois foi nesse caminho que os dois, pai e filho, se chocaram. Mas Grúchenka não tem preferência por um nem por outro; por enquanto, vai dando corda e bulindo com ambos, ponderando qual é o mais proveitoso porque, embora o *bátiuchka* possa arranjar muito dinheiro, por outro lado não se casará com ela e talvez acabe dando uma de *jid*[76] e fechando a bolsa. Neste caso, Mítienka tem seu valor; não tem dinheiro, mas em compensação é capaz de se casar. Sim, é capaz de se casar! Largará a noiva, a incomparável beldade Catierina

[76] Termo depreciativo de judeu. (N. do T.)

Ivánovna, rica, nobre e filha de coronel, e se casará com Grúchenka, uma ex--manteúda do velho comerciante Samsónov, mujique depravado e prefeito da cidade. Tudo isso pode realmente redundar em crime. E é só isso que teu irmão Ivan espera, é por isso que está na surdina; conseguirá Catierina Ivánovna, por quem anda seco, e ainda por cima meterá a mão nos sessenta mil rublos do dote. Para um homem insignificante e um pé-rapado como ele, isso é muito sedutor para começar. E repare ainda: não só não ofenderá Mítia como ainda o deixará agradecido até a morte. Ora, eu sei ao certo que o próprio Mítienka, ainda na semana passada, gritou bêbado, ao lado de ciganas, para que todos ouvissem na taverna, que não era digno de sua noiva Catierina, mas Ivan sim era digno dela. E a própria Catierina Ivánovna, é claro, não acabará rejeitando uma pessoa tão cativante como Ivan Fiódorovitch; ora, neste momento ela já vacila entre os dois. Mas por que esse Ivan os seduziu de tal forma que vocês todos o veneram? No entanto ele ri de vocês, como quem diz: vou ficando por aqui no bem-bom, comendo do seu pirão.

— Como podes estar a par de tudo isso? Como podes falar de maneira tão afirmativa? — perguntou Aliócha de um modo brusco e de cenho franzido.

— E por que agora me perguntas e temes de antemão minha resposta? Quer dizer que tu mesmo concordas que eu disse a verdade?

— Tu não gostas de Ivan. Ivan não se deixará seduzir por dinheiro.

— Será? E a beleza de Catierina Ivánovna? Aí não se trata só de dinheiro, embora sessenta mil rublos sejam uma coisa bem sedutora.

— Ivan está acima disso. Os milhares de rublos não o seduzem. Ivan não está atrás de dinheiro, nem de tranquilidade. Talvez esteja procurando um martírio.

— Que novo sonho é esse? Ah, vocês... nobres!

— Ah, Micha, a alma dele é uma tempestade. A inteligência o prende. Há nele uma ideia grande e não resolvida. Ele é daqueles que não precisam de milhões, mas precisam resolver uma ideia.

— Isso é plágio, Aliócha.[77] Estás parafraseando teu *stárietz*. Ora veja, Ivan lhes propôs um enigma! — bradou Rakítin com uma raiva evidente. Ficou até com a expressão no rosto alterada e os lábios contraídos. — E aliás um enigma tolo, sem nada a ser decifrado. Uma sacudidela no cérebro, e o entenderás. O artigo dele é ridículo e absurdo. Ouvi ainda há pouco sua teoria tola: "não existe a imortalidade da alma, então não existe tampouco a virtude, logo, tudo é permitido". (E teu irmão Mítienka, aliás, tu te lembras

[77] Diminutivo de Aliócha. (N. do T.)

de como gritou: "Hei de me lembrar disso!".) É uma teoria sedutora para os canalhas... Acabo de cometer um insulto, foi uma tolice... Não para os canalhas, mas para os fanfarrões escolares "dotados de uma insondável profundeza de pensamentos". É um gabola, mas eis toda a sua essência: "por um lado, não se pode deixar de reconhecer, por outro, não se pode deixar de confessar!". Toda essa teoria é uma torpeza! A própria humanidade encontrará força em si mesma para viver em função da virtude, mesmo sem acreditar na imortalidade da alma! Encontrará essa força no amor à liberdade, à igualdade, à fraternidade...

Rakítin estava exaltado, quase não conseguia se controlar. Mas, súbito, como quem se lembra de algo, parou.

— Mas basta — e deu um sorriso ainda mais amarelo do que antes. — De que estás rindo? Achas que eu sou vulgar?

— Não, nem cheguei a pensar que és vulgar. És inteligente, porém... esquece, foi por tolice que ri. Compreendo que podes ficar exaltado, Micha. Por teu fervor percebi que tu mesmo não és indiferente a Catierina Ivánovna, faz tempo que eu desconfiava disso, meu irmão, e por isso não gostas de meu irmão Ivan. Tens ciúme dele?

— E do dinheirinho dela também tenho ciúme? Acrescentas ou não?

— Não, sobre dinheiro não acrescento nada, não vou te ofender.

— Acredito porque o disseste, mas o diabo que te carregue mais uma vez com teu irmão Ivan! Vocês não são capazes de entender que alguém possa não gostar dele independentemente de Catierina Ivánovna. E por que eu haveria de gostar dele, com os diabos! Ora, ele mesmo se digna de me insultar. Por que não tenho o direito de insultá-lo?

— Nunca ouvi dele a mínima referência a teu respeito, boa ou má; ele não faz qualquer referência a ti.

— No entanto, ouvi dizer que anteontem ele me agraciou com os piores insultos, eis a que ponto estava interessado neste seu humilde criado. Então, meu caro, depois disso quem tem ciúme de quem? Não sei! Ele houve por bem expressar a ideia de que, se eu não aceitar a carreira de arquimandrita nem me decidir pela tonsura, então irei sem falta para Petersburgo, começarei a trabalhar numa grossa revista, forçosamente no departamento de crítica,[78] passarei uns dez anos escrevendo e no fim das contas

[78] Aqui Dostoiévski polemiza veladamente com G. Z. Ielissêiev (1821-1891), que, como Rakítin, começou sua carreira como seminarista. Graças ao talento natural e à vasta cultura, teve uma carreira brilhante: foi professor na Academia de Teologia de Kazan, onde publicou livros sobre religião. Depois rompeu com o meio eclesiástico, foi para Petersbur-

transferirei a revista para o meu nome. Depois voltarei a editá-la com uma tendência necessariamente liberal e ateia, até com certo verniz socialista, mas me mantendo de orelha em pé, isto é, com os nossos e os vossos, e distraindo a atenção dos imbecis. O final de minha carreira, segundo interpretação de teu irmão, consistirá em que o matiz de socialismo não me impedirá de transferir para a minha conta-corrente o dinheirinho dos assinantes e colocá-lo, quando houver oportunidade, em circulação sob a orientação de algum *jidezinho* até poder construir um edifício em Petersburgo, transferir para lá a redação da revista e alugar o restante dos andares para inquilinos.[79] Ele indica até o local do edifício: junto à ponte Novi Kámienni sobre o rio Nievá, que, como dizem, está sendo projetada em Petersburgo para ligar a rua Litêinaia à Víborgskaia...

— Puxa, Micha, olha que tudo isso talvez acabe mesmo acontecendo, e literalmente! — bradou de súbito Aliócha sem se conter e rindo alegremente.

— E tu ainda me vens com sarcasmos, Alieksiêi Fiódorovitch.

— Não, não, estou brincando, desculpa. É justamente o contrário o que tenho em mente. Mas com licença: quem poderia te contar semelhantes detalhes e de quem tu poderias ter ouvido essas coisas? Não poderias estar com Catierina Ivánovna pessoalmente quando ele se referiu a ti, não é?

— Eu não estava, mas em compensação Dmitri Fiódorovitch estava, e ouvi essa história de Dmitri Fiódorovitch com meus próprios ouvidos, ou seja, como queiras, ele não disse a mim, mas eu o escutei, evidentemente a contragosto, porque estava nos aposentos de Grúchenka e fiquei sem poder sair durante todo o tempo em que Dmitri Fiódorovitch esteve no quarto ao lado.

— Ah, eu tinha esquecido, ela é tua parenta...

— Parenta? Grúchenka, minha parenta? — bradou num átimo Rakítin, corando por inteiro. — Estarás doido? Teu cérebro desandou?

— E por quê? Acaso ela não é tua parenta? Foi o que ouvi dizer...

— Onde poderias ter ouvido isso? Não, vocês, senhores Karamázov, se fazem passar por nobres antigos e importantes, e no entanto teu pai andava bancando o palhaço pelas mesas alheias e figurava de pedinte em suas cozinhas. Suponhamos que eu seja um simples filho de pope e um pulgão para

go, onde trabalhou no jornal *Iskra* (A Centelha) e depois veio a ser um dos principais autores e diretores da revista de esquerda *Sovremiênnik* (O Contemporâneo), veículo muito influente entre a juventude progressista e revolucionária. (N. da E.)

[79] Alusão aos escritores que, a exemplo de G. E. Blagosviétlov (1821-1880) e A. A. Kraiévski (1810-1889), enriqueceram tanto com a literatura que conseguiram se tornar proprietários de vários imóveis. (N. da E.)

os senhores. Eu também tenho honra, Alieksiêi Fiódorovitch. Não posso ser parente de Grúchenka, uma mulher da vida, peço que entendas isso!

Rakítin estava fortemente irritado.

— Desculpa, por Deus, nunca poderia supor... e ademais, ela é mesmo uma mulher da vida? Por acaso... é dessas? — corou de súbito Aliócha. — Repito que ouvi mesmo dizer que era tua parenta. Tu a visitas frequentemente e tu mesmo me disseste que não tens relação amorosa com ela... pois eu nunca havia pensado que a desprezavas tanto! Será que ela merece mesmo isso?

— Se eu a visito, posso ter os meus motivos para isso, e chega dessa tua conversa. E quanto ao parentesco com ela, é mais fácil que teu irmãozinho ou até teu pai o imponha a ti e não a mim. Bem, chegamos. Vai para a cozinha, é melhor! Ai! o que é isso, o que está acontecendo? Ou chegamos atrasados? Sim, porque eles não podiam almoçar tão rápido, ou será que os Karamázov tornaram a aprontar das suas por aqui? Certamente foi isso. Ali está teu *bátiuchka*, com Ivan Fiódorovitch atrás dele. Conseguiram escapar do igúmeno. Vê lá o padre Issidor gritando alguma coisa do alpendre para eles. E teu pai também está gritando e agitando os braços, na certa insultando. Bah, olha ali Miússov indo para a caleche, olha lá. E o fazendeiro Maksímovitch também correndo — é, aí houve escândalo; quer dizer que não houve almoço! Será que bateram no igúmeno? Ou quem sabe eles é que apanharam? Isso sim seria bem feito!...

Rakítin não exclamou isso à toa. De fato, tinha havido um escândalo, inaudito e inesperado. Tudo acontecera "por inspiração".

VIII. O ESCÂNDALO

Quando Miússov e Ivan Fiódorovitch já entravam no refeitório do igúmeno, Piotr Alieksándrovitch, homem sinceramente delicado e decente que era, experimentou um processo rápido e até certo ponto melindroso; sentiu vergonha por ter-se zangado. Apercebeu-se de que, no fundo, nutria tamanho desprezo pelo reles Fiódor Pávlovitch que não devia ter perdido o sangue-frio na cela do *stárietz* nem ter se desnorteado tanto, como havia acontecido. "Pelo menos os monges não têm culpa por nada do que aconteceu — resolveu de repente à entrada da casa do igúmeno —, e se aqui existe gente decente (esse padre igúmeno Nikolai também parece ter origem nobre), por que não ser amável, gentil e cortês com eles?... Não vou discutir, vou fazer coro com eles, ser cativante e... e... enfim, provarei a todos que não sou companhia para aquele Esopo, aquele palhaço, aquele Pierrô, e que dei um passo em falso, como todos eles."

Decidiu ceder-lhes naquele mesmo dia, em definitivo, para sempre, todos aqueles abates litigiosos de madeira, toda aquela pesca (nem ele mesmo sabia onde isso era feito), ainda mais porque tudo aquilo valia muito pouco, e suspender todas as suas demandas contra o mosteiro.

Todas essas boas intenções foram reforçadas ainda mais quando eles entraram no refeitório do padre igúmeno. Aliás, não havia propriamente um refeitório, porque ele tinha de fato apenas dois cômodos em todo o estabelecimento, é verdade que bem mais amplos e confortáveis que o do *stárietz*. Mas a mobília dos cômodos também não se distinguia por um conforto especial: eram móveis de couro, de mogno, do velho feitio dos anos vinte; nem o assoalho estava pintado. Em compensação, tudo brilhava de limpo, havia nas janelas muitas flores caras; no entanto, o luxo principal que ali se notava no momento era, naturalmente, a mesa luxuosamente servida, embora, não obstante, isso apenas em termos relativos: toalha limpa, louça brilhante, três tipos de pão magnificamente assados, duas garrafas de vinho, duas garrafas do excelente mel do mosteiro e um grande vaso de vidro cheio do *kvas*[80] do mosteiro, famoso nas redondezas. De vodca não havia nada. Rakítin contou depois que, dessa feita, o almoço constava de cinco pratos: sopa de esturjão com uns pasteizinhos de peixe; depois, um peixe macio, excelente, cozido de um jeito especial; almôndegas de esturjão vermelho, sorvete, compota e, por fim, um creme à moda de *blanc manger*.[81] Tudo isso farejou Rakítin, que não se conteve e andou xeretando de propósito na cozinha do igúmeno, com a qual também tinha seus contatos. Tinha contatos em toda parte e em toda parte conseguia informações. Era de coração bastante intranquilo e invejoso. Tinha plena consciência de que era dotado de faculdades especiais, mas as exagerava nervosamente em sua presunção. Sabia ao certo que seria uma espécie de ativista, mas Aliócha, que nutria uma grande amizade por ele, torturava-se com o fato de que seu amigo Rakítin era desonesto e que ele mesmo não tinha a menor noção disso; ao contrário, sabendo que não roubaria dinheiro de cima de alguma mesa, considerava-se definitivamente um homem de honestidade suprema. Neste caso, nem Aliócha, nem ninguém mais podia fazer nada.

Rakítin, como pessoa sem importância, não poderia ter sido convidado para o almoço, mas em compensação haviam convidado os padres Ióssif

[80] Refresco fermentado de pão de centeio. (N. do T.)

[81] Geleia de creme de nata ou leite de amêndoas. (N. da E.)

e Paissi e, com eles, mais um hieromonge. Eles já esperavam no refeitório do igúmeno quando entraram Piotr Alieksándrovitch, Kalgánov e Ivan Fiódorovitch. Aguardava ainda à parte o fazendeiro Maksímov. O padre igúmeno avançou para o meio da sala para receber os convidados. Era um velhote alto, magricela, mas ainda forte, cabelos negros, com uma calva pronunciada e o rosto alongado, tristonho e imponente. Reverenciou em silêncio os convidados, mas desta feita estes se aproximaram para receber a bênção. Miússov ia até arriscando beijar-lhe a mão, mas o igúmeno deu um jeito de retirá-la a tempo e o beijo não aconteceu. Por outro lado, Ivan Fiódorovitch e Kalgánov receberam desta vez a bênção plena, ou seja, com o mais simples e popular beijo estalado na mão.

— Devemos nos desculpar imensamente, Sua Reverendíssima — começou Piotr Alieksándrovitch com um largo sorriso de amabilidade, mas mesmo assim em tom altivo e respeitoso —, nos desculpar por chegar aqui sem nosso acompanhante e seu convidado Fiódor Pávlovitch; ele foi forçado a evitar o seu repasto, e não sem motivo. Envolvido por sua infeliz desavença com o filho, na cela do reverendo Zossima ele pronunciou algumas palavras absolutamente despropositadas... ou seja, absolutamente indecorosas... o que, ao que parece (olhou para os hieromonges), já é do conhecimento de Vossa Reverendíssima. Por essa razão e consciente de sua própria culpa e sinceramente arrependido, sentiu vergonha e, sem conseguir superá-la, nos pediu, a mim e a seu filho Ivan Fiódorovitch, para externar aos senhores todo o seu sincero pesar, sua aflição e seu arrependimento... Em suma, ele espera e deseja recompensar tudo depois, mas agora pede a vossa bênção, e pede ainda que os senhores esqueçam o ocorrido...

Miússov fez silêncio. Depois de pronunciar as últimas palavras de sua tirada, ficou totalmente satisfeito consigo mesmo, e a tal ponto que em sua alma não restavam sequer vestígios da recente irritação. Mais uma vez amava plena e sinceramente a humanidade. O igúmeno, que o ouvira com imponência, inclinou levemente a cabeça e pronunciou em resposta:

— Lamento de todo o coração pelo ausente. Talvez durante nosso repasto ele se afeiçoasse a nós assim como nós a ele. Por favor, senhores, ao almoço.

Postou-se diante da imagem e começou a rezar em voz alta. Todos baixaram respeitosamente a cabeça, e o fazendeiro Maksímov chegou inclusive a avançar e ficar de mãos postas em sinal de devoção especial.

Pois foi aí que Fiódor Pávlovitch fez sua última trapalhada. Cabe observar que ele realmente quis ir embora e sentiu mesmo que, depois de seu comportamento vergonhoso na cela do *stárietz*, era de fato impossível ir ao almoço do igúmeno como se nada tivesse acontecido. Não é que sentisse lá essas vergonhas e se recriminasse; talvez fosse até bem ao contrário; mas mesmo assim sentia que não ficava bem ir ao almoço. Contudo, mal lhe trouxeram sua tilintante caleche à entrada do refeitório, ele, já subindo nela, parou de súbito. Vieram-lhe à mente suas próprias palavras ditas na cela do *stárietz*: "Quando entro em algum lugar, sempre me parece que sou o mais torpe de todos e que todos me acham um palhaço; e já que é assim, eu realmente banco o palhaço, porque os senhores todos, sem exceção, são mais tolos e mais torpes que eu". Deu-lhe vontade de se vingar de todos por suas próprias torpezas. Agora lhe vinha de repente à memória e a propósito a pergunta que antes já lhe haviam feito: "Por que o senhor odeia tanto fulano?". E ele respondera na ocasião, num acesso de sua sem-vergonhice de palhaço: "Eis por quê: ele, palavra, não fez nada contra mim, mas em compensação eu lhe aprontei a mais desavergonhada molecagem, e mal o fiz, senti ódio imediato dele". Ao lembrar-se disto agora, deu um risinho baixo e raivoso num instante de reflexão. Seus olhos brilharam e os lábios chegaram a tremer. "Já que comecei, devo terminar" — resolveu de supetão. Sua sensação ultrarrecôndita desse instante poderia ser expressa pelas seguintes palavras: "Bem, agora já não consigo me reabilitar, então vamos lá, vou tratá-los com um descaso que beire a sem-vergonhice: não me envergonho perante os senhores, e basta!". Mandou o cocheiro esperar, voltou a passos rápidos ao mosteiro e foi direto ao igúmeno. Ainda não sabia bem o que faria, mas sabia que já não tinha controle de si mesmo e — um empurrãozinho só — num abrir e fechar de olhos chegaria ao último limite de alguma torpeza, aliás, apenas torpeza e nunca um crime ou um desatino daqueles pelo qual poderia ser condenado. Na hora decisiva, sempre conseguia se conter, e então até se admirava de seu próprio comportamento. Apareceu no refeitório do igúmeno no exato momento em que terminavam as rezas e todos se dirigiam à mesa. Tendo parado à entrada, correu o olhar pelos presentes e riu com uma risota longa, descarada e perversa, olhando todos arrojadamente nos olhos.

— E eles que pensavam que eu tinha de ir embora, mas cá estou! — bradou para toda a sala.

Por um instante, todos fixaram o olhar nele, calados, e súbito todos sentiram que naquele instante aconteceria algo de repugnante, absurdo, um evidente escândalo. Piotr Alieksándrovitch passara imediatamente do estado de espírito mais benevolente ao mais furioso. Tudo o que antes adormecera e se extinguira em seu coração ressurgia e emergia de um golpe.

— Não, isso eu não posso suportar! — bradou ele. — Absolutamente não posso e... de jeito nenhum!

O sangue lhe subiu à cabeça. Ele ficou até embaraçado, e não mais encontrando palavra para se exprimir, agarrou o chapéu.

— O que é que ele não pode? — bradou Fiódor Pávlovitch. — "Não pode de jeito nenhum e por nada pode"? Sua Reverendíssima, entro ou não entro? O senhor recebe o comensal?

— Dou-lhe as boas vindas de todo o coração — respondeu o igúmeno. — Senhores! Posso me permitir — acrescentou de súbito — pedir-lhes do fundo da alma que, deixando de lado suas eventuais desavenças, juntem-se no amor e na harmonia familiar orando ao Senhor em volta do nosso humilde repasto...

— Não, não, é impossível — gritou Piotr Alieksándrovitch como que fora de si.

— Já que para Piotr Alieksándrovitch é impossível, então para mim também é impossível, e eu não fico. Vim com esse propósito. Doravante, estarei em toda parte com Piotr Alieksándrovitch: Piotr Alieksándrovitch se retira, eu também me retiro, fica, eu também fico. Com sua harmonia familiar o senhor o alfinetou sobremaneira, padre igúmeno: ele não se reconhece meu parente! Não é, Von Sohn? Eis Von Sohn também aqui. Olá, Von Sohn.

— O senhor... está falando comigo? — murmurou admirado o fazendeiro Maksímov.

— Claro que é contigo — gritou Fiódor Pávlovitch. — Com quem haveria de ser? O padre igúmeno é que não poderia ser Von Sohn!

— Ora, só que eu não sou Von Sohn, sou Maksímov.

— Não, tu és Von Sohn. Reverendo, o senhor sabe quem é Von Sohn?[82] Houve um processo criminal: ele foi morto num bordel — parece que é assim que aqui se chamam esses lugares —, foi morto e roubado e, apesar de sua respeitável idade, pregaram um caixote com ele dentro, meteram uma tampa e despacharam de Petersburgo para Moscou em um vagão bagageiro numerado. Enquanto pregavam, as dançarinas devassas cantavam e tocavam *gusli*,[83] ou seja, piano para dança. Pois este é o próprio Von Sohn. Ressuscitou dos mortos, não foi, Von Sohn?

— O que é isso? Como é que pode? — ouviram-se vozes no grupo de hieromonges.

— Vamos! — bradou Piotr Alieksándrovitch para Kalgánov.

[82] Fato real ocorrido em fins de março de 1870 em Petersburgo. Von Sohn foi atraído a um recinto no centro desta cidade, envenenado, barbaramente assassinado e roubado. Enquanto o crime era cometido, uma das comparsas sentou-se ao piano, bateu com as mãos e os pés no teclado e assim abafou os gritos e gemidos da vítima. (N. da E.)

[83] Instrumento musical russo de cordas. (N. do T.)

— Não, permitam-me! — interrompeu Fiódor Pávlovitch com voz esganiçada, dando mais um passo para dentro do recinto. — Permitam que eu também conclua. Lá, na cela do igúmeno, me desqualificaram, dizendo que eu teria me comportado de forma desrespeitosa justamente por ter gritado sobre os gobiões. Piotr Alieksándrovitch Miússov, meu parente, gosta de que tudo na fala seja *plus de noblesse que de sincérité*,[84] mas eu, ao contrário, gosto de que em minha fala haja *plus de sincérité que de noblesse*, e estou me lixando para a *noblesse*. Não é, Von Sohn? Permita-me, padre igúmeno; eu, mesmo sendo um palhaço e bancando o palhaço, ainda assim sou o cavaleiro da honra e quero me manifestar. Sim, sou cavaleiro da honra, já em Piotr Alieksándrovitch há um amor-próprio ferido e nada mais. Vim para cá, talvez, para observar e me manifestar. Aqui, meu filho Alieksiêi trata de salvar a alma; sou o pai, preocupo-me e devo me preocupar com o seu destino. Ouvi tudo e representei, e fiquei também observando na surdina, mas agora quero lhes mostrar o último ato da representação. Como é que a coisa se coloca entre nós? Entre nós o que cai, caído fica. Entre nós, uma vez caído, caído fica para sempre. Era só o que faltava! Eu quero me levantar. Santos padres, estou indignado com os senhores. A confissão é um grande segredo que eu também venero e diante do qual estou pronto a me prosternar, mas de repente, lá na cela, todos estão de joelhos e se confessando em voz alta. Por acaso é permitido confessar-se em voz alta? Os santos padres estabeleceram, desde tempos imemoriais,[85] a confissão ao pé do ouvido, e só assim a vossa confissão será um segredo. Senão, como vou explicar diante de todos que eu, por exemplo, sou isso e aquilo... bem, sou isso e aquilo, estão entendendo? Às vezes é até indecente dizer. Ora, isso é um escândalo! Não, padres, aqui com os senhores a gente pode até ser arrastada para a *khlistovschina*...[86] Na primeira oportunidade vou escrever ao Sínodo, e vou levar embora daqui meu filho Alieksiêi...

Aqui cabe um *nota bene*. Fiódor Pávlovitch ouvira cantar o galo e não sabia onde. Outrora, circularam umas bisbilhotices malévolas, que chegaram inclusive ao bispo (não só no nosso, mas também em outros mosteiros onde fora estabelecido o *startziado*), segundo as quais andavam estimando demais

[84] "Mais nobreza que sinceridade", em francês. (N. do T.)

[85] Até o século XIII havia confissões públicas entre os cristãos. A confissão individual "secreta" foi estabelecida por Inocêncio III no Concílio de Latrão, em 1215. (N. da E.)

[86] Seita religiosa dos *khlistí* (derivado de *khlist* — vara, chibata etc.) que surgiu na Rússia no século XVII e cujo dogma central era a encarnação de Deus no homem durante os rituais que visavam a purificar o corpo, expulsando dele "o diabo". (N. da E.)

os *startzí*, inclusive em detrimento da dignidade de igúmeno, e que, a propósito, os *startzí* andavam abusando do segredo da confissão, etc., etc. São acusações absurdas, que caíram por si mesmas na época em que surgiram entre nós e em toda parte. Mas o tolo do diabo, que agarrou e levou Fiódor Pávlovitch pelos próprios nervos para cada vez mais e mais longe em direção a um abismo da infâmia, soprou-lhe nos ouvidos essa antiga acusação, da qual Fiódor Pávlovitch não entendia sequer o começo. Ademais, ele não conseguia nem formulá-la com competência, ainda mais porque agora não havia ninguém ajoelhado ou se confessando em voz alta na cela do *stárietz*, de sorte que o próprio Fiódor Pávlovitch não podia ter visto nada semelhante e falava apenas com base em velhos rumores e bisbilhotices que de algum modo memorizara. Contudo, depois de dizer sua tolice, sentiu que soltara uma bobagem absurda e no mesmo instante quis provar aos ouvintes, e antes de tudo a si mesmo, que não tinha dito nenhum absurdo. E embora soubesse perfeitamente que a cada nova palavra que viesse a dizer acrescentaria cada vez mais absurdo ao absurdo já dito, mesmo assim já não conseguiu se conter e despencou como se caísse de uma montanha.

— Que infâmia! — bradou Piotr Alieksándrovitch.

— Desculpe — disse de chofre o igúmeno. — Desde tempos imemoriais foi dito: "e já me caluniaram, disseram até as coisas mais feias. Porém, depois de ouvi-las todas, pensei: este é o remédio que Jesus me envia para cura de minha alma orgulhosa". Por isso, nós lhe agradecemos resignadamente, precioso visitante!

E inclinou-se até a cintura numa reverência a Fiódor Pávlovitch.

— Xi! Isso é carolice e fraseado velho! Fraseado velho e gestos velhos! A velha mentira e o formalismo das reverências até o chão! Nós conhecemos essas reverências! "Um beijo nos lábios e uma punhalada no coração", como em *Os bandoleiros*, de Schiller. Padres, não gosto de falsidade, quero a verdade! Só que a verdade não está nos gobiões, isto eu proclamei! Padres monges, por que jejuam? Por que esperam receber por isso recompensas do céu? Ora veja, por uma recompensa como essa, até eu vou jejuar! Não, santo monge, procura ser virtuoso em vida, traze proveito à sociedade não te encerrando no mosteiro, comendo o pão já pronto e esperando a recompensa no Céu — se bem que isso já é mais difícil. Eu, padre igúmeno, também sei falar com estilo. O que andaram preparando por aqui? — foi até a mesa. — Vinho do Porto Velho Factore, mel engarrafado pelos irmãos Ielissêiev,[87] ai, seus pa-

[87] Os irmãos Ielissêiev figuravam entre os maiores comerciantes russos, especialmente no ramo do vinho. (N. da E.)

dres! Isto não parece coisa de comedores de gobiões. Caramba, quantas garrafinhas os padres estão servindo, eh-eh-eh! Mas quem trouxe tudo isso para cá? O mujique russo, o trabalhador, que traz para cá a migalha ganha com suas mãos calosas, tirando-a da família e das necessidades do Estado! Ora, santos padres, os senhores sugam o povo!

— Isto já é totalmente indigno de sua parte — proferiu o padre Ióssif. O padre Paíssi calava obstinadamente. Miússov correu para fora do recinto e Kalgánov atrás dele.

— Bem, padres, eu também vou seguir Piotr Alieksándrovitch. Não virei mais aqui, mesmo que peçam de joelhos não virei. Enviei mil rublos para os senhores, e novamente os senhores afiam os olhinhos, eh-eh-eh! Não, não vou dar mais nada. Estou me vingando de minha passada juventude, de todas as minhas humilhações! — Esse mosteirozinho significou muito em minha vida! Muitas lágrimas amargas derramei por ele! Os senhores colocaram contra mim a minha mulher *klikucha*. Os senhores me amaldiçoaram nos sete concílios,[88] e espalharam a maldição pelas redondezas! Basta, padres, hoje estamos no século liberal, no século dos navios a vapor e das estradas de ferro. Os senhores não vão mais receber de mim nem mil rublos, nem cem, nem cem copeques, nada!

Mais um *nota bene*. Na vida dele, nosso mosteiro não representou nunca nada de especial, e ele jamais derramou nenhuma lágrima amarga por causa do mosteiro. Mas se empolgou tanto com suas lágrimas alegadas que por um instante quase chegou a acreditar nelas; esteve a ponto de chorar de enternecimento; mas no mesmo instante percebeu que era hora de voltar como tinha vindo. Diante de sua mentira raivosa, o igúmeno tornou a baixar a cabeça e a pronunciar em tom imponente:

— Já foi dito: "tolera e olha com alegria aquele que te inflige desonra e não te alvoroces nem te zangues com quem te quer desonrar". E assim fazemos nós.

— Xi, isso é mera suposição! E tudo disparates. Não liguem, padres, eu vou indo. E uso meu pátrio poder para levar para sempre comigo meu filho Alieksiêi. Ivan Fiódorovitch, respeitabilíssimo filho meu, permita-me ordenar-lhe que me siga! Von Sohn, por que terás de ficar aqui? Vem agora co-

[88] Há um pequeno trocadilho com a palavra russa *sobór*, que sozinha significa catedral, mas acompanhada do adjetivo *vseliénski* significa concílio ecumênico. Como explicam os autores das notas à edição russa de *Os irmãos Karamázov*, "dentre os concílios ecumênicos, a Igreja Ortodoxa só reconhece os sete primeiros, realizados antes da divisão da Igreja em 1054. Nestes, os mínimos 'desvios' eram considerados heresias e em quase todos sempre houve alguém condenado e excomungado". (N. do T.)

migo para a cidade. Lá em casa é alegre. Uma verstazinha à toa, em vez de azeite, te servirei um leitãozinho com mingau; almoçaremos; te servirei conhaque, depois um licorzinho; tenho *mamurovka*...[89] Ei, Von Sohn, não deixe escapar a sua felicidade!

Saiu gritando e gesticulando. Foi nesse exato momento que Rakítin o viu saindo e o apontou para Aliócha.

— Alieksiêi! — gritou-lhe de longe o pai ao avistá-lo. — Hoje mesmo te mudarás definitivamente para minha casa, leva teu travesseiro e teu colchão, e que não fique nem cheiro de ti por aqui.

Aliócha parou como se estivesse plantado, observando atentamente a cena. Enquanto isso, Fiódor Pávlovitch subiu na caleche e, atrás dele e sem sequer se virar para despedir-se de Aliócha, Ivan Fiódorovitch começou a subir calado e com ar sombrio. Mas, nesse instante, deu-se mais uma cena bufa e quase inverossímil, que completava o episódio. Súbito apareceu junto ao estribo da caleche o fazendeiro Maksímov. Corria arquejando para não se atrasar. Rakítin e Aliócha viram como corria. Estava tão apressado que já pusera o pé no degrau em que ainda estava o pé esquerdo de Ivan Fiódorovitch e, agarrando-se à carroceria, pulou para dentro da carruagem.

— Eu também, eu também vou com os senhores! — bradou ele, saltitando, saltitando, rindo com um risinho miúdo e alegre, com a felicidade estampada no rosto e pronto para tudo. — Levem a mim também!

— Ora, eu não disse que esse era Von Sohn?! — gritou Fiódor Pávlovitch com ar triunfal. — Que este é o verdadeiro Von Sohn que ressuscitou dos mortos?! Sim, mas como te arrancaste de lá? O que tu *vonsohnaste* por lá e como conseguiste escapar do almoço? Ora, para isso é preciso ter cabeça-dura! Eu tenho cabeça, mas, meu irmão, me admiro da tua! Pula, pula depressa! Deixa-o entrar, Vânia,[90] vai ser divertido. Ele dará um jeito de sentar-se no chão. Consegue subir, Von Sohn? Ou o colocamos na boleia junto com o cocheiro?... Pula para a boleia, Von Sohn!...

Mas Ivan Fiódorovitch, que já estava sentado em seu lugar, deu de súbito e com toda força um empurrão no peito de Maksímov e este voou uma braça para trás. Se não caiu, foi só por acaso.

— A caminho! — gritou Ivan Fiódorovitch com raiva para o cocheiro.

— Ora, o que é isso? Por que fizeste isso com ele? — investiu Fiódor Pávlovitch, mas a caleche já havia partido.

[89] Bebida feita de *moróchka*, planta rasteira de frutos vermelhos que nasce em terrenos pantanosos. (N. da E.)

[90] Um dos diminutivos de Ivan. (N. do T.)

Ivan Fiódorovitch não respondeu.

— Tu, hein! — tornou a dizer Fiódor Pávlovitch olhando de esguelha para o filho, depois de uns dois minutos calado. — Tu mesmo tramaste toda essa vinda ao mosteiro, tu mesmo instigaste, aprovaste, por que agora estás zangado?

— Chega de repisar absurdos, pelo menos agora descanse um pouco — cortou severamente Ivan Fiódorovitch.

Fiódor Pávlovitch tornou a calar coisa de dois minutos.

— Um conhaquinho agora caía bem — observou ele em tom sentencioso. Mas Ivan Fiódorovitch não respondeu.

— A gente chega em casa, e tu também bebes.

Ivan Fiódorovitch continuava calado.

Fiódor Pávlovitch esperou mais uns dois minutos.

— Quanto a Aliócha, apesar de tudo vou tirá-lo do mosteiro, apesar de você poder achar isso muito desagradável, respeitabilíssimo Karl von Moor.

Ivan Fiódorovitch sacudiu desdenhosamente os ombros e, virando-se para um lado, ficou olhando a estrada. Depois não abriu mais a boca até chegar em casa.

Livro III
OS LASCIVOS

I. OS CRIADOS

A casa de Fiódor Pávlovitch Karamázov ficava longe, não propriamente no centro da cidade nem de todo no subúrbio. Era bem vetusta, mas de aparência agradável: tinha um andar, mezanino, paredes de cor cinzenta e telhado de ferro vermelho. Era ampla e confortável, e ainda poderia aguentar muito tempo. Havia nela diversos quartinhos de despejo, vários esconderijos e escadinhas imprevistas. Apareciam ratazanas, mas Fiódor Pávlovitch não se zangava de todo com elas: "Pelo menos à noite não fica tão chato quando a gente está só". E ele realmente tinha o hábito de liberar os criados para passar a noite no anexo e se trancava sozinho por toda a noite. O anexo ficava no pátio, era amplo e sólido; ali Fiódor Pávlovitch determinou que ficasse igualmente a cozinha, embora em sua casa também houvesse cozinha: não gostava de cheiro de cozinha, e as refeições lhe eram trazidas do pátio no inverno e no verão. Em linhas gerais, a casa fora construída para uma família grande: dava para acomodar cinco vezes mais senhores e criados. No momento em que se passa nossa narrativa, na casa moravam apenas Fiódor Pávlovitch e Ivan Fiódorovitch, e entre os habitantes do anexo havia apenas três criados: o velho Grigori, a velha Marfa, sua esposa, e o criado Smierdiakóv, homem ainda jovem. O relato acerca desses três serviçais precisa ser um pouco mais detalhado. Do velho Grigori Vassílievitch Kutúzov nós, aliás, já falamos bastante. Era um homem firme, constante, que ia direta e obstinadamente ao ponto de seu interesse se este, por algum motivo (amiúde ilógico), colocava-se diante dele como uma verdade inquestionável. Em linhas gerais, era honesto e incorruptível. Marfa Ignátievna, sua mulher, apesar de ter-se curvado incondicionalmente à vontade do marido durante a vida inteira, logo após a libertação dos camponeses, importunara-o terrivelmente para que deixassem Fiódor Pávlovitch e fossem para Moscou iniciar ali um pequeno comércio (tinham um dinheirinho); na ocasião, porém, Grigori resolveu, e de uma vez por todas, que a mulher estava com lorotas, "porque toda mulher é desonesta", e que não deviam deixar o antigo amo, independentemente de como ele fosse, "porque agora esse era o dever deles".

— Tu não entendes o que é o dever? — perguntara a Marfa Ignátievna.

— O dever eu entendo, Grigori Vassílievitch, mas que dever é esse que faz a gente continuar aqui, isso é que eu não entendo — respondera com firmeza Marfa Ignátievna.

— E mesmo que não entendas, é assim que vai ser. E doravante fica de boca calada.

E foi o que aconteceu: eles não saíram, e Fiódor Pávlovitch fixou um ordenado para ele, pequeno, e o pagava. Ademais, Grigori sabia que exercia sobre o senhor uma influência incontestável. Ele o sentia e isso era justo: bufão ladino e teimoso, Fiódor Pávlovitch, de caráter muito firme "em algumas coisas da vida", como ele mesmo se exprimia, para sua própria surpresa era até bem fracote de caráter em algumas outras "coisas da vida". E ele mesmo sabia em quais, sabia e o temia muito. Em algumas coisas da vida precisava estar alerta, e neste caso era difícil passar sem um homem fiel, e Grigori era homem fidelíssimo. Houve casos, e até muitos, em que Fiódor Pávlovitch poderia ter levado uma surra, e surra de doer, durante sua carreira, e Grigori sempre o socorreu, embora depois disso sempre lhe pregasse um sermão. No entanto, só a surra não assustaria Fiódor Pávlovitch: havia casos extremos, e até muito delicados e complexos, em que o próprio Fiódor Pávlovitch não estaria, talvez, em condições de definir a necessidade extraordinária — e às vezes ele começava a senti-la de modo súbito e incompreensível — de ter por perto alguém fiel e próximo. Eram casos quase doentios: depravadíssimo e frequentemente cruel em sua lascívia como um inseto perverso, nos momentos de embriaguez Fiódor Pávlovitch vez por outra experimentava um repentino medo espiritual e uma comoção moral que, por assim dizer, quase se refletiam até fisicamente em sua alma. "Nessas ocasiões, é como se minha alma estremecesse na garganta" — dizia às vezes. Pois era nesses momentos que ele gostava de ter a seu lado, por perto, ainda que não fosse no mesmo recinto mas no anexo, um homem dedicado, firme, em tudo diferente dele, não depravado, que, mesmo presenciando toda essa devassidão e conhecendo todos os seus segredos, ainda assim admitisse tudo isso por fidelidade, não o contrariasse e, o principal — não censurasse e não fizesse nenhuma ameaça, nem nesse momento, nem no futuro; e em caso de necessidade acabasse por defendê-lo — de quem? De alguém desconhecido, mas medonho e perigoso. Tratava-se precisamente de ter sem falta a seu lado um *outro* homem, velho e amigo, para chamá-lo, quando se sentisse frágil, com o único fim de olhar para o seu rosto, talvez trocar com ele uma palavrinha, mesmo que totalmente despropositada; e se ele não fosse irritadiço, já seria algum alívio para o coração, mas se fosse irritadiço, bem, aí já seria mais triste. Vez por outra (se bem que muito raramente) Fiódor Pávlovitch ia até no meio da noite ao anexo acordar Grigori para que este viesse passar um minuto com ele. Ele vinha, e Fiódor Pávlovitch começava a falar das mais absolutas ninharias, mas logo o liberava, às vezes até com um gracejo e uma brincadeira, e ele mesmo dava de ombros, deitava-se e logo dormia seu sono de justo. Algo desse gênero acontecera a Fiódor Pávlovitch também com a chegada de Aliócha. Aliócha lhe "traspassara o coração" pelo fato de que "vivia, tudo via e nada condenava". Além disso, trouxera consigo uma coisa sem precedentes: a absoluta ausência de desprezo por ele, pelo velho; ao contrário, estava sempre cheio de carinho e de uma amizade franca por ele, totalmente natural, que ele tão pouco merecia. Para o velho devasso e solitário tudo isso era uma surpresa total, inteiramente inesperada para ele, que até então gostara apenas de "imundície". Quando Aliócha saiu, ele reconheceu para si mesmo que compreendera algo que até então não quisera compreender.

No início de minha narrativa já mencionei como Grigori odiava Adelaída Ivánovna, primeira mulher de Fiódor Pávlovitch e mãe de seu primeiro filho, Dmitri Fiódorovitch, e como, ao contrário, defendeu sua segunda mulher, a *klikucha* Sófia Ivánovna, contra seu próprio senhor e todos aqueles a quem passara pela cabeça deixar escapar uma palavra má ou leviana sobre ela. A simpatia que nutria por essa infeliz transformou-se em algo sagrado, de tal forma que vinte anos depois ele não suportaria que quem quer que fosse lhe fizesse sequer uma alusão má e replicava no ato ao ofensor. Grigori aparentava ser um homem frio e altivo, não tagarela, dizia palavras ponderadas, não levianas. De igual maneira, à primeira vista era impossível descobrir se amava ou não sua mulher calada e submissa, entretanto ele realmente a amava, e ela, é claro, compreendia isso. Essa Marfa Ignátievna não era nada tola e talvez fosse até mais inteligente que o marido, pelo menos era mais sensata do que ele nos assuntos do dia a dia, embora se sujeitasse a ele calada e incondicionalmente desde o início da vida conjugal e o respeitasse incontestavelmente por sua superioridade espiritual. É digno de nota que, durante toda a vida, os dois só conversavam muito raramente, apenas sobre as coisas indispensáveis e corriqueiras. O altivo e majestoso Grigori arquitetava todos os seus afazeres e preocupações sempre sozinho, de forma que, desde havia muito tempo, Marfa Ignátievna compreendera de uma vez por todas que ele dispensava totalmente suas sugestões. Ela percebia que o marido apreciava seu silêncio, pelo que reconhecia que havia inteligência nela. Bater nela ele nunca bateu, a não ser uma única vez, e assim mesmo de leve. Certa vez, no primeiro ano do casamento de Adelaída Ivánovna com Fiódor Pávlovitch, as moças e mulheres da aldeia, ainda servas, foram reunidas na casa senhorial para cantar e dançar. Começaram a cantar "Nos prados",[91] e súbito Marfa Ignátievna, na ocasião mulher ainda jovem, projetou-se diante do coro e começou a dançar a "russa" de uma maneira especial, diferente da maneira da aldeia, das camponesas, mas do jeito que ela dançava na casa rica dos Miússov, em cujo teatro doméstico ensinava-se aos atores as danças trazidas de Moscou pelo mestre de dança. Grigori viu como sua mulher dançou e, em casa, em sua isbá, uma hora depois, deu-lhe uma lição, puxando-a levemente pelos cabelos. Mas nisso terminaram de uma vez por todas as surras, estas nunca mais se repetiram nenhuma vez na vida, e no entanto Marfa Ignátievna desistiu de dançar desde aquele momento.

Deus não lhes dera filhos, tiveram apenas uma criancinha e mesmo esta morrera. Grigori gostava visivelmente de crianças, e isso ele não escondia, ou seja, não se envergonhava de manifestá-lo. Recebeu Dmitri Fiódorovitch em seus braços quando o menino tinha três anos, depois da fuga de Adelaída Ivánovna, e passou quase um ano cuidando dele, ele mesmo o penteando, ele mesmo até lhe dando banho na tina. Depois cuidou também de Ivan Fiódorovitch e de Aliócha, pelo que acabou recebendo uma bofetada no rosto; mas já narrei tudo isso. Seu próprio filhinho só lhe deu alegria com a esperança que lhe proporcionou enquanto Marfa Ignátievna ainda estava grávida. Quando ele nasceu, golpeou-lhe o coração com a dor e o horror. Acontece que o menino nasceu com seis dedos em cada mão. Ao ver isto, Grigori ficou tão arrasado que não só permaneceu calado até o dia do batismo como saía deliberadamente de casa para manter seu mutismo no jardim. Era primavera, e fazia três dias que ele cavava canteiros na horta e no jardim. No terceiro dia, vieram batizar a criança; a essa altura Grigori já percebera alguma coisa. Ao entrar na isbá, onde se reuniam os convidados e, por fim, o próprio Fiódor Pávlovitch, que aparecera pessoalmente na qualidade de padrinho, ele declarou de repente que "era totalmente desnecessário batizar" a criança — declarou isso em voz alta, sem se estender nas palavras, pronunciando uma a uma a muito custo e limitando-se a fixar no padre um olhar obtuso durante o ato.

— Por que isso? — quis saber o padre alegremente surpreso.

— Porque... é um dragão...[92] — murmurou Grigori.

[91] Canção popular para dança. (N. da E.)

[92] Segundo afirma A. Afanássiev (1826-1871) em *As concepções poéticas da nature-*

— Como dragão... que dragão?

Grigori fez silêncio por algum tempo.

— Houve uma mistura da natureza... — murmurou ele, de um modo muito firme embora extremamente vago, pelo visto sem querer se estender mais.

Riram e, é claro, batizaram a pobre criança. Grigori rezou com empenho junto à pia batismal, mas não mudou de opinião sobre o recém-nascido. Aliás, não foi estorvo para nada, só que durante as duas semanas inteiras de vida do menino doente quase não olhou para ele, sequer quis notá-lo, e o mais das vezes permaneceu fora da isbá. Mas quando, duas semanas depois, o menino morreu de aftas, ele mesmo o pôs no caixãozinho, ficou a contemplá-lo com uma tristeza profunda e, quando cobriram de terra sua covinha pequena e rasa, ele se prosternou diante dela tocando a testa no chão. Desde então muitos anos se passaram, e ele nunca mencionou seu filho; Marfa Ignátievna também nunca o mencionou na presença dele, mas, quando tinha oportunidade de conversar com alguém a respeito de seu "filhinho", ela falava aos sussurros, ainda que Grigori Vassílievitch não estivesse por perto. Segundo observação de Marfa Ignátievna, desde aquele enterro ele passara a cuidar predominantemente do "divino", lia as *Tcheti-Minei*, o mais das vezes calado e sozinho, sempre pondo seus óculos prateados grandes e redondos. Raramente lia em voz alta, a não ser na quaresma. Gostava do livro de Jó, tirara de lá uma lista de palavras e sermões do nosso padre "teóforo[93] Isaac, o Sírio", que leu com afinco durante muitos anos, quase sem entender absolutamente nada, mas, em compensação, talvez por isso apreciando e gostando mais desse livro. Bem nos últimos anos, devido a um incidente ocorrido na vizinhança, passara a prestar atenção e pensar a fundo na seita dos *khlistí*, visivelmente impressionado, mas não houvera por bem aderir à nova fé. A sobrecarga de leitura do "divino" imprimiu-lhe, é claro, ainda mais gravidade à fisionomia.

É possível que ele tivesse inclinação para o misticismo. E aí, como que de propósito, veio ao mundo seu recém-nascido de seis dedos, e sua morte coincidiu justamente com outro caso muito estranho, inesperado e original,

za entre os eslavos, para a gente supersticiosa toda criança que nascia com algum defeito físico ou mental trazia na alma o espírito do mal. (N. da E.)

[93] Do grego *theophóros* (*bogonosítiel*, em russo), que significa "aquele que carrega um deus". O termo aparece mais de uma vez na obra de Dostoiévski (ver as reflexões do personagem Chátov em *Os demônios*) com o sentido de "aquele que carrega um Deus dentro de si". (N. do T.)

que lhe deixou uma "marca" na alma, como ele mesmo reconheceu posteriormente. Aconteceu que, no mesmo dia em que sepultaram o bebê de seis dedos, Marfa Ignátievna, tendo acordado no meio da noite, ouviu como que o choro do recém-nascido. Assustou-se e acordou o marido. Este escutou e observou que era mais provável que alguém estivesse gemendo, "como se fosse uma mulher". Ele se levantou, vestiu-se; era uma noite de maio bastante morna. Saindo ao alpendre, ouviu com clareza que os gemidos vinham do jardim. Mas à noite trancava-se com cadeado o portão do jardim pelo lado do pátio, e sem passar por essa entrada era impossível chegar a ele, porque todo o jardim era rodeado por um muro alto e forte. Voltando para casa, Grigori acendeu o lampião, pegou a chave da cancela do jardim e, sem dar atenção ao grito histérico de sua mulher, que continuava insistindo em que tinha escutado um choro de criança e que quem estava chorando era certamente o menino, e que este a chamava, saiu calado para o jardim. Aí, escutou com clareza que os gemidos vinham do quarto de banho deles, que ficava no jardim, perto da cancela, e que quem estava gemendo era na verdade uma mulher. Ao abrir o quarto de banho, viu um espetáculo que o deixou estupefato: a *iuródiv* da cidade, que vivia perambulando pelas ruas e toda a cidade conhecia pelo apelido de Lizavieta Smierdiáschaia,[94] escalara o gradil do quarto de banho e ali acabara de parir um bebê. O bebê estava a seu lado, e ela morrendo ao lado dele. Ela não dizia nada, pelo simples fato de que não sabia falar. Mas tudo isso precisa de um esclarecimento particular.

II. Lizavieta Smierdiáschaia

Havia aí uma circunstância peculiar que deixou Grigori profundamente impressionado e reforçou definitivamente nele uma suspeita antiga e desagradável. Essa Lizavieta Smierdiáschaia era uma moça de estatura muito baixa, de "pouco mais de dois archins",[95] como a recordavam enternecidas depois de sua morte muitas das velhas beatas de nossa cidade. Seu rosto de vinte anos, saudável, largo e corado, era totalmente idiota; tinha o olhar fixo e desagradável, embora manso. Durante toda a vida, fosse verão ou inverno, andara descalça e vestida apenas com um camisolão de fio de cânhamo. Seus cabelos quase negros, extremamente bastos, eram encrespados como

[94] Lizavieta: diminutivo de Ielizavieta; Smierdiáschaia: a que cheira mal, a fedorenta. (N. do T.)

[95] Um *archin* corresponde a pouco mais de 71 cm. (N. do T.)

pelos de carneiro, formando na cabeça uma espécie de barrete enorme. Além disso, estavam sempre sujos de terra, de lama, com folhas miúdas, cavacos e serragem grudados neles, porque ela sempre dormia no chão e na sujeira. Seu pai era o pequeno-burguês Iliá, sem domicílio e arruinado, grande beberrão que, havia muitos anos, morava como uma espécie de operário em casa de uns patrões abastados, também pequeno-burgueses de nossa cidade. A mãe de Lizavieta morrera fazia tempo. Sempre doente e enraivecido, Iliá espancava cruelmente Lizavieta quando esta voltava para casa. Mas ela raramente ia lá, porque morava em todas as partes da cidade como uma *iuródiv* de Deus. E tanto a senhoria de Iliá quanto o próprio Iliá, e até muitas das pessoas compassivas da cidade, predominantemente homens e mulheres comerciantes, tentaram mais de uma vez vestir Lizavieta com mais decência do que naquele simples camisolão, e no inverno sempre punham nela um sobretudo de pele e a calçavam com botas; mas ela, deixando-se vestir obedientemente, sempre saía para algum lugar, preferivelmente para o adro da igreja matriz, sempre tirava tudo que lhe haviam dado — xale, saia, sobretudo de pele, botas —, largava-o no lugar e saía descalça, só com o camisolão de sempre. Aconteceu, certa vez, que o novo governador de nossa província, ao percorrer de passagem a cidadezinha, sentiu-se agredido em seus melhores sentimentos ao ver Lizavieta e, embora tivesse compreendido que se tratava de uma "mentecapta", como lhe foi comunicado, ainda assim fez ver que aquela mulher jovem, que vivia perambulando apenas de camisolão, violava o decoro e por isso aquilo não devia continuar. Mas o governador se foi, e deixaram Lizavieta como antes. Por fim, seu pai morreu e, com isso, ela, como órfã, tornou-se ainda mais querida de todas as pessoas piedosas da cidade. De fato, era como se todos gostassem dela; nem os meninos a provocavam ou ofendiam, e os nossos meninos, especialmente os da escola, são uma gente acintosa. Ela entrava em casas de desconhecidos e ninguém a escorraçava, ao contrário, qualquer um a acarinhava e lhe dava um *groch*.[96] Davam-lhe um *groch*, ela o recebia, e no mesmo instante o levava e depositava em algum mealheiro de igreja ou prisão. Se lhe davam em alguma barraca uma rosca ou pãozinho, ela pegava essa rosca ou pãozinho e dava infalivelmente à primeira criancinha que encontrasse, ou então parava alguma de nossas fidalgas mais ricas e o entregava a ela; e a fidalga o recebia até com alegria. A própria Lizavieta não se alimentava senão de pão de centeio e água. Por vezes entrava em uma loja rica, sentava-se; ao lado havia mercadoria cara, havia também dinheiro, mas o dono nunca se precavia contra ela porque

[96] Antiga moeda russa, mais ou menos equivalente ao nosso vintém. (N. do T.)

sabia que em sua presença podia largar milhares em dinheiro e esquecê-los, que ela não tirava um copeque. Raramente entrava na igreja; dormia no adro ou pulava alguma cerca (entre nós ainda há muitas cercas em vez de muros, até hoje) da horta de alguém. Em casa, isto é, na casa daqueles senhorios em que morara seu falecido pai, ela aparecia mais ou menos uma vez por semana, mas no inverno ia todos os dias, apenas à noite, e pernoitava no vestíbulo ou no estábulo. As pessoas se admiravam de como suportava semelhante vida, mas ela já estava muito acostumada; embora fosse de baixa estatura, era, não obstante, de constituição extraordinariamente forte. Alguns senhores de nossa cidade afirmavam que ela fazia tudo isso apenas por orgulho, mas essa afirmação carecia um pouco de fundamento; ela era incapaz de falar uma palavra e só de quando em quando farfalhava alguma coisa com a língua e mugia — de que orgulho se poderia falar?! Pois aconteceu que certa vez (fazia bastante tempo), numa clara e morna noite de setembro, de lua cheia, já bem tarde para os nossos costumes, uma turma de farristas embriagados, formada pelos nossos senhores, uns cinco ou seis rapagões, voltava do clube pelos "fundos" das casas. Por ambos os lados do beco havia uma cerca, atrás da qual se estendiam as hortas das casas adjacentes; o beco dava para uma pontezinha sobre uma poça comprida e fedorenta que costumávamos chamar de riacho. Ao pé da cerca, entre urtigas e bardanas, nossa turma divisou Lizavieta adormecida. Os tocados senhores pararam junto dela às gargalhadas e começaram a gracejar com todo o desbocamento possível. A um senhorzinho ocorreu de repente uma pergunta absolutamente excêntrica sobre um tema intolerável: "Será que alguém, seja lá quem for, pode considerar esse bicho uma mulher, e agora, neste estado?". Todos, tomados de um asco orgulhoso, resolveram que não. Mas nessa turma estava Fiódor Pávlovitch, e ele interveio e resolveu num piscar de olhos que se podia, e até muito, considerá-la uma mulher, e que ali havia inclusive qualquer coisa de particularmente picante, etc., etc. É verdade que naquela época ele se esmerava até demais em fazer por merecer seu papel de palhaço, gostava de aparecer entre os senhores e diverti-los, fazendo-se parecer igual a eles, é claro, mas sendo de fato um grosseirão rematado diante deles. Isso aconteceu justo naquele tempo em que ele havia recebido de Petersburgo a notícia da morte de sua mulher Adelaída Ivánovna, período em que andava com uma tira de crepe no chapéu, bebendo e armando tais escândalos que só de olhar para ele até os mais devassos de nossa cidade ficavam chocados. A turma, é claro, desatou em gargalhadas diante de uma opinião tão inesperada; um deles até começou a instigar Fiódor Pávlovitch, mas os outros fizeram uma expressão de nojo ainda maior, mesmo que com uma alegria desmedida, e por fim seguiram seu caminho. Mais tarde, Fiódor Pávlovitch assegurou, em tom de juramento, que na ocasião havia ido embora com todos os outros; é possível que tenha sido assim mesmo, ninguém sabe e nunca o soube ao certo, mas uns cinco ou seis meses depois todos na cidade começaram a falar com uma indignação sincera e extraordinária que Lizavieta estava grávida, saíram perguntando e assuntando: de quem era o pecado, quem era o ofensor? E eis que de repente se espalhou por toda a cidade o estranho boato de que o ofensor era o próprio Fiódor Pávlovitch. De onde surgiu esse boato? Justo naquele momento restara daquele bando de senhores farristas em nossa cidade apenas um participante, e ainda por cima este era um conselheiro de Estado idoso e respeitado, pai de família e de duas filhas adultas, que de maneira alguma iria espalhar qualquer coisa, mesmo que isso tivesse acontecido; os outros participantes, uns cinco, a essa altura já andavam por diferentes lugares. Mas o boato apontara e continuava apontando direitinho para Fiódor Pávlovitch. É claro que ele não ligava para isso: não ia ficar respondendo a qualquer comerciantezinho ou pequeno-burguês. Naquele tempo, ele era orgulhoso e não conversava senão em seu meio de burocratas e nobres, que ele tanto divertia. Pois foi nessa época que Grigori passou a defender energicamente e com todas as suas forças o seu senhor, e não só o defendia contra todas essas maledicências como nessa defesa recorria a desaforos e altercações, e fez muitos mudarem de opinião. "Ela mesma é vil, é culpada" — dizia de modo afirmativo, e o ofensor não era senão "Karp do Parafuso" (assim se chamava um terrível detento conhecido na cidade naquela época, que havia fugido da cadeia da província e morava escondido em nossa cidade). Essa suposição pareceu verossímil, Karp foi lembrado, e lembrado justo porque, naquelas mesmas noites de outono, circulara pela cidade e assaltara três pessoas. Mas todo esse caso e todas essas histórias não só não privaram a pobre *iuródiv* da simpatia geral, como todos passaram a defendê-la e protegê-la ainda mais. A comerciante Kondrátievna, uma viúva abastada, decidiu inclusive levar Lizavieta para sua casa ainda no final de abril e não deixá-la sair antes do parto. Vigiaram-na incansavelmente, mas, apesar de toda a vigilância, na noite da véspera Lizavieta fugiu de súbito e às escondidas da casa de Kondrátievna e apareceu no jardim de Fiódor Pávlovitch. Que jeito ela deu para transpor o muro alto e grosso do jardim naquele seu estado continuou sendo uma espécie de enigma. Uns asseguravam que "alguém a ajudara a escalá-lo", outros, que "algo a fizera escalar". O mais provável é que tudo tenha acontecido de modo natural, ainda que muito complicado, e que Lizavieta, que sabia trepar em cercas para chegar às hortas alheias e ali pernoitar, escalara de algum jeito o muro de Fiódor Pávlovitch e, apesar de seu estado, pulara para o jardim mesmo sob risco de sofrer danos. Grigori correu para Marfa Ignátievna e a enviou para ajudar Lizavieta enquanto ele mesmo corria em busca de uma velha parteira que, aliás, morava perto. Ela salvou a criança, mas ao raiar do dia Lizavieta morreu. Grigori pegou a criança, levou-a para casa, fez a mulher sentar-se e a colocou sobre seus joelhos, colada ao peito: "O órfão é uma criatura de Deus — é parente de todos e mais ainda de nós dois. Foi nosso falecidozinho que nos enviou, e ele nasceu de um filho do demônio com uma criatura justa. Alimenta-o e doravante não chores mais". Foi assim que Marfa Ignátievna educou a criancinha. Batizaram-na, deram-lhe o nome de Pável, e eles mesmos, sem autorização, passaram a chamá-la pelo patronímico Fiódorovitch. Fiódor Pávlovitch não fez nenhuma objeção e até achou tudo divertido, embora continuasse rejeitando tudo aquilo por todos os meios. Na cidade, gostaram de vê-lo assumindo o enjeitado. Depois, Fiódor Pávlovitch inventou para o enjeitado um sobrenome: chamou-o de Smierdiakóv, por causa do apelido da mãe, Lizavieta Smierdiáschaia. Pois foi esse Smierdiakóv que veio a ser o segundo criado de Fiódor Pávlovitch e, no início de nossa história, morava no anexo com o velho Grigori e a velha Marfa. Usavam-no como cozinheiro. Seria preciso dizer alguma coisa especialmente a seu respeito, mas me constrange desviar por tanto tempo a atenção do meu leitor com criados tão comuns, e por isso passo à minha narração na esperança de que o assunto Smierdiakóv apareça por si mesmo de uma forma ou de outra no curso desta narrativa.

III. Confissão de um coração ardente, em versos

Tendo ouvido a ordem que o pai lhe gritara da caleche ao partir do mosteiro, Aliócha permaneceu algum tempo no mesmo lugar, presa de grande perplexidade. Não é que ele tenha ficado ali como um poste, não era do seu feitio. Ao contrário, apesar de toda a intranquilidade, teve tempo de ir imediatamente à cozinha do igúmeno inteirar-se do que o pai havia aprontado lá em cima. Todavia, pôs-se em seguida a caminho da cidade, esperando que até lá chegasse a alguma solução para o problema que o afligia. Antecipo: ele não temia nem um pouco os gritos do pai e a ordem para que ele se mudasse para casa "com travesseiros e colchão". Compreendia bem demais que a ordem de mudança proferida em voz alta e com aquela ostentação fora dada, por assim dizer, num momento de "arrebatamento", para fazer bonito — como recentemente acontecera com um pequeno-burguês da cidadezinha, que, num excesso de farra no dia de seu santo[97] e na presença de convidados, zangou-se porque se negaram a lhe servir mais vodca; de repente ele começou a quebrar a própria louça, a rasgar sua roupa e a da mulher, a quebrar os móveis e, por último, os vidros da casa, e tudo isso, aqui também, para fazer bonito; a mesma coisa, é claro, acontecera agora com seu pai. No dia seguinte, o pequeno-burguês da farra, já sóbrio, lamentou, é claro, as xícaras e os pratos quebrados. Aliócha sabia que no dia seguinte o velho certamente o deixaria voltar para o mosteiro, ou talvez naquele mesmo dia. Ademais, estava plenamente seguro de que o pai poderia ofender qualquer outro, menos ele. Aliócha estava convicto de que ninguém neste mundo jamais desejaria ofendê-lo, não só não desejaria como tampouco poderia. Para ele isto era um axioma dado de uma vez por todas, indiscutível, e nesse sentido ele seguia adiante sem jamais vacilar.

Mas nesse instante formigava-lhe na alma um outro temor, de natureza inteiramente diversa, e ainda mais angustiante porque ele mesmo não conseguiria defini-lo; era justo um temor a uma mulher, e mais precisamente a Catierina Ivánovna, que, por meio de um bilhete que havia pouco a senhora Khokhlakova lhe entregara, implorava com insistência que fosse à sua casa não se sabe para quê. Essa exigência e a necessidade de sua ida forçosa àquela casa instalaram de imediato um sentimento de angústia em seu coração, e quanto mais a manhã avançava, tanto mais doloroso ia-se tornando esse sentimento, apesar de todas as cenas e incidentes que se seguiram no mosteiro e agora em casa do igúmeno, e assim por diante. O que ele temia não era o que ignorava, o assunto que ela viria a tratar com ele, nem o que ele lhe responderia. Tampouco era a mulher que ele temia nela: as mulheres ele conhecia, claro que pouco, não obstante ter vivido ao lado delas a vida inteira, desde seu nascimento até o mosteiro. O que ele temia era essa mulher, isto é, a própria Catierina Ivánovna. Temia-a desde o momento em que a vira pela primeira vez. E só a vira uma ou duas vezes, quiçá três, e numa destas chegara até a articular algumas palavras com ela. A imagem que tinha na lembrança era a de uma moça bonita, altiva e imperiosa. No entanto, não era a beleza dela mas outra coisa que o martirizava. Pois era justamente essa inexplicabilidade de seu temor que agora intensificava o seu medo. Os objetivos da moça eram nobilíssimos, ele o sabia; ela procurava salvar seu irmão Dmitri, já culpado perante ela, e procurava fazê-lo unicamente por magnanimidade.

[97] O russo ortodoxo comemora seu aniversário em duas ocasiões: no dia de seu próprio nascimento e no dia em que a Igreja celebra o nascimento do santo que tem o seu nome. (N. do T.)

E eis que, embora não pudesse deixar de considerar justos esses sentimentos belos e magnânimos, um frio lhe corria pela espinha quanto mais ele se aproximava daquela casa.

Aliócha julgou que ali não iria encontrar o irmão Ivan Fiódorovitch, tão íntimo dela: certamente o irmão Ivan estaria agora com o pai. Mais certo ainda é que não encontraria Dmitri, e pressentia o porquê. Portanto, a conversa entre os dois seria a sós. Gostaria muito de correr para a casa de Dmitri e avistar-se com ele antes dessa conversa fatídica. Poderia trocar algumas palavras com ele sem mostrar o bilhete. Mas o irmão morava longe e certamente não estaria em casa nesse momento. Depois de permanecer coisa de um minuto no mesmo lugar, acabou tomando a decisão definitiva. Benzeu-se com um sinal da cruz comum e apressado, sorriu por algum motivo e caminhou com firmeza para a casa de sua terrível dama.

Ele conhecia a casa. Mas se tivesse de ir pela rua Bolcháia, depois atravessar a praça, etc., ficaria bastante longe. Nossa cidadezinha é bem dispersa e nela as distâncias costumam ser bastante grandes. Ademais, era esperado pelo pai, que talvez ainda não tivesse conseguido esquecer a ordem dada, fizesse birra, e por isso precisava apressar o passo para que desse tempo de ir lá e cá. Foi em decorrência de todas essas considerações que resolveu encurtar o caminho seguindo pelos fundos das casas, pois conhecia essas passagens da cidade como a palma da mão. Ir pelos fundos das casas era quase andar sem caminho, passando por quintais desertos, às vezes até pulando cercas alheias, evitando quintais alheios onde, aliás, qualquer um o conhecia e todos o cumprimentavam. Por aí, podia encurtar em duas vezes o caminho até a rua Bolcháia. Por aí, teria de passar até muito perto da casa do pai, ou seja, ao lado do jardim vizinho pertencente a uma casa pequena, vetusta e torta, de quatro janelas. Como era do conhecimento de Aliócha, essa casinha pertencia a uma pequeno-burguesa da cidade, uma velha sem pernas que morava com a filha, a qual trabalhara como uma arrumadeira distinta na capital, até recentemente vivera sempre em casas de altos burocratas e agora, havia coisa de um ano, voltara para casa devido à doença da velha e ostentava vestidos chiques. Entretanto, essa velha e sua filhinha caíram numa terrível pobreza e inclusive, por serem vizinhas, iam diariamente à cozinha de Fiódor Pávlovitch em busca de sopa e pão. Marfa Ignátievna lhes servia de bom grado. Mas a filha, mesmo indo em busca da sopa, não vendeu nenhum de seus vestidos, e um deles tinha até uma cauda longuíssima. Aliócha tomou conhecimento dessa última circunstância por total acaso, é claro, através de seu amigo Rakítin, que tinha conhecimento absoluto de tudo o que se passava na cidadezinha e, uma vez a par, é lógico que o esquecia no mesmo instante. Contudo, ao emparelhar agora com o jardim da vizinha, Aliócha lembrou-se precisamente daquela cauda, num gesto rápido levantou a cabeça que trazia baixa e pensativa e... teve de supetão o mais inesperado encontro.

Do outro lado da cerca do jardim vizinho aparecia em pé, do peito para cima e trepado em alguma coisa, seu irmão Dmitri, que por todos os meios lhe acenava com as mãos, chamava-o e procurava atraí-lo, pelo visto temendo não só gritar, mas até dizer algo em voz alta, para que não fossem ouvidos. Aliócha correu imediatamente para a cerca.

— Foi bom teres olhado, porque por pouco eu não te gritei — murmurou-lhe Dmitri Fiódorovitch com alegria e pressa. — Pula para cá! Depressa! Ah, que maravilha que vieste. Acabei de pensar em ti... — O próprio Aliócha estava alegre e só não entendia como passar por cima da cerca. Mas Mítia o agarrou pelo cotovelo com sua mão de gigante e o ajudou a pular. Ajeitando a batina, Aliócha saltou com a destreza de um menino descalço da cidade.

— Agora ao passeio, vamos! — deixou escapar Mítia com um murmúrio entusiasmado.

— Para onde? — cochichou também Aliócha, olhando para todos os lados e vendo-se em um jardim totalmente deserto, no qual não havia ninguém a não ser os dois. O jardim era pequeno, mas a casinha da proprietária estava a pelo menos quinze passos deles. — Ora, não há ninguém aqui, por que estás cochichando?

— Por que estou cochichando? Ah, com os diabos — bradou Dmitri Fiódorovitch com voz cheia —, por que estou cochichando? Bem, tu mesmo estás vendo como de repente a natureza pode bagunçar as coisas. Estou aqui em segredo e espreitando um segredo. A explicação fica para depois, mas, compreendendo que é segredo, comecei de súbito a falar também em segredo e estou cochichando como um imbecil quando não é preciso. Vamos. Para aquele lugar ali. Enquanto isso, cala-te. Estou com vontade de te dar um beijo!

Glória ao Altíssimo no mundo,
Glória ao Altíssimo em mim!...

Acabei de repetir isso, sentado aqui antes de tua chegada...

O jardim media uma *dessiátina*[98] ou um pouco mais, mas só era arborizado ao redor, ao longo das quatro cercas — de macieiras, bordos, tílias, bétulas. O meio do jardim estava deserto, no pequeno prado em que duran-

[98] Medida agrária russa equivalente a 1,09 ha. (N. do T.)

te o verão ceifavam-se alguns *pudes*[99] de feno. A proprietária alugava o jardim por alguns rublos a partir da primavera. Havia canteiros de framboeseiras, groselheiras, tudo também junto às cercas, e bem perto da casa, canteiros de verduras, aliás de plantação recente. Dmitri Fiódorovitch levou o convidado para o canto do jardim mais distante da casa. Ali, entre moitas densas de tílias e velhos arbustos de groselheiras, sabugueiros, viburnos e lilases, apareceu de repente algo semelhante às ruínas de um antiquíssimo caramanchão verde, escurecido e torto, com paredes gradeadas, mas coberto e onde ainda era possível abrigar-se da chuva. O caramanchão havia sido construído sabe Deus quando, uns cinquenta anos antes, segundo a lenda, por um tal de Alieksandr Karlóvitch von Schmidt, então dono da casinha e tenente-coronel reformado. Mas já estava tudo decomposto, o chão podre, todas as tábuas soltas e a madeira cheirando a umidade. Havia no caramanchão uma mesa de madeira verde, fincada no chão, cercada de bancos, também verdes, nos quais ainda se podia sentar. Aliócha logo percebeu o estado de êxtase do irmão, mas, ao entrar no caramanchão, viu sobre uma mesinha uma pequena garrafa de conhaque e uma taça.

— É conhaque! — gargalhou Mítia —. E tu aí com esse ar: "enchendo a cara outra vez"! Não acredites em *fantom*.[100]

> *Não creias na multidão vazia e falsa,*
> *Esquece as dúvidas tuas...*[101]

Não estou enchendo a cara, mas tão somente "guloseimando", como diz o porco do teu amigo Rakítin, que será conselheiro de Estado e sempre dirá "guloseimando".[102] Senta-te, Aliócha, eu te agarraria e te apertaria ao meu peito, assim para te esmagar, porque no mundo inteiro... na verdade... na verda-de... (observa, observa!) gosto unicamente de ti!

Pronunciou a última sílaba num quase desvario.

— Só de ti, e de mais uma criatura "vil" por quem me apaixonei, e com

[99] Um *pude* corresponde a 16,3 kg. (N. do T.)

[100] Do francês *fantôme*, "fantasma". Na citação acima: "não acredites nas aparências". (N. da E.)

[101] Versos do poema de N. A. Niekrássov, "Quando das trevas do equívoco...". (N. da E.)

[102] Mítia debocha de Rakítin, que em vez de *lakómitsia* (petiscar, gulosar) diz *lakómstvovat*, verbo inexistente que ele deriva de *lakómstvo*, isto é, petisco, guloseima, etc. (N. do T.)

quem me perdi. Mas apaixonar-se não significa amar. A pessoa pode apaixonar-se também odiando. Lembra-te! Agora, enquanto estou alegre, falo! Senta-te aqui, à mesa, e eu me sento ao lado e vou ficar olhando para ti, e sempre falando. Ficarás o tempo todo calado e eu falando, porque chegou a minha hora. Aliás, fica sabendo, decidi que preciso falar realmente baixo, porque aqui... aqui... podem aparecer os mais inesperados ouvidos. Vou explicar tudo o que foi dito: a continuação vem depois. Por que eu ansiava por ti? Por que estava sequioso por ti agora, estive todos esses dias e estava agora? (Faz cinco dias que lancei aqui minha âncora.) Por que todos esses dias? Porque é unicamente a ti que vou dizer tudo, porque é necessário, porque preciso de ti, porque amanhã vou cair das nuvens, porque amanhã a vida termina e começa. Terás experimentado, terás visto em sonho como se cai de uma montanha dentro de um buraco? Pois bem, agora estou despencando, e não é um sonho. E não tenho medo, e tu não tenhas medo. Quer dizer, tenho medo, mas para mim é doce. Quer dizer, não é doce, mas é um êxtase... Ora, com os diabos, é indiferente o que venha a acontecer, um espírito forte, um espírito fraco, um espírito de mulher — haja o que houver! Exaltemos a natureza: vê quanto sol, que céu limpo, as folhas todas verdes, ainda pleno verão, quatro da tarde, silêncio! Para onde ias?

— Ter com papai, mas primeiro queria ir à casa de Catierina Ivánovna.

— À dela e à de papai! Oh, coincidência! Ora, foi para isso que mandei te chamar, para isso eu te queria, era disto que eu estava faminto e sequioso com todos os meandros da alma e até com as costelas. Para enviar-te justamente a nosso pai em meu nome, e depois a ela, Catierina Ivánova, e assim terminar com ela e com o pai. Enviar um anjo. Eu poderia enviar qualquer um, mas precisava enviar um anjo. E eis que tu mesmo estás indo à casa dela e à de papai.

— Querias mesmo me enviar para lá? — deixou escapar Aliócha com uma expressão dorida no rosto.

— Espera, tu sabias, tu o sabias. Estou vendo que compreendeste tudo imediatamente. Mas fica calado, por ora fica calado. Não lamentes nem chores!

Dmitri Fiódorovitch levantou-se, ficou pensativo e pôs o dedo na testa:

— Ela mesma te chamou, te escreveu um bilhete ou algo assim, por isso ias à casa dela, ou será que não ias?

— Aqui está o bilhete — Aliócha o tirou do bolso. — Mítia correu rapidamente os olhos por ele.

— Tu também vieste pelos fundos! Oh, Deus, eu te agradeço porque o enviaste pelos fundos e ele me apareceu aqui como o peixe dourado apareceu àquele pescador velho e pateta da lenda. Escuta, Aliócha, escuta, meu irmão. Agora minha intenção é te dizer tudo. Porque preciso dizer a alguém. A um anjo do céu eu já disse, mas preciso dizer também a um anjo na terra. Tu és um anjo na terra. Tu irás me ouvir, irás julgar e me perdoarás... E é disso que preciso, que alguém superior me perdoe. Escuta: se duas criaturas de repente se desligam de tudo o que é terrestre e voam para o inusitado, ou pelo menos uma delas, e antes disso, voando ou morrendo, vai à outra e diz: "faz-me isto e aquilo", algo que ninguém jamais pediu, mas que se pode pedir apenas no leito de morte — será que o outro não faria... sendo amigo, sendo irmão?

— Eu farei, mas diz o quê, e diz depressa — falou Aliócha.

— Depressa... Hum, não tenhas pressa, Aliócha: tu te apressas e te preocupas. Nada de pressa nesse momento. Neste momento, o mundo está mudando de rumo. Eh, Aliócha, é uma pena que não tenhas chegado ao êxtase! Aliás, o que estou dizendo? Não pensaste nisso! Que raio de criancice estou dizendo:

Sê nobre, homem![103]

De quem é esse verso?

Aliócha resolveu esperar. Compreendeu que, agora, todos os seus afazeres talvez estivessem realmente só ali. Mítia ficara por um minuto meditativo, com os cotovelos apoiados na mesa e a cabeça baixa apoiada nas mãos. Os dois calavam.

— Liócha[104] — disse Mítia —, és o único que não deve rir! Gostaria de começar... minha confissão... com o hino à alegria de Schiller. *An die Freude*![105] Mas não sei alemão, sei apenas que é *An die Freude*! Também não penses que estou tagarelando por estar bêbado. Não estou nada bêbado. Conhaque é conhaque, mas preciso de duas garrafas para me embebedar —

E um sileno de cara rubra
Em seu trôpego jumento[106] —

[103] Versos do poema "O divino" ("Das Göttliche"), de Goethe. (N. da E.)

[104] Diminutivo de Aliócha. (N. do T.)

[105] "À alegria!", em alemão. (N. da E.)

[106] Verso final do poema "Baixo-relevo", de A. Máikov. (N. da E.)

Mas eu não bebi nem um quarto da garrafa e nem sou sileno. Não sou um sileno, mas sou um *silën*,[107] porque tomei a decisão para todo o sempre. Desculpa-me o trocadilho, hoje deves me perdoar muita coisa, não só o trocadilho. Não te preocupes, não estou delongando, estou falando de uma coisa concreta, e já vou chegar ao ponto: nada de delongas. Espera, como é aquilo...

Levantou a cabeça, meditou e de repente começou cheio de enlevo:

Nu, tímido e selvagem o troglodita[108]
De rochedo em cavernas se escondia,
Pelos campos, nômade, errava
E esses campos devastava
Caçador empunhando flecha e lança,
Pelas matas temível corria...
Ai de quem as ondas lançassem
A tão inóspitas margens.

Das Olímpicas alturas
De Prosérpina raptada,
Mãe Ceres desce à procura:
À frente se estende o mundo
Selvagem. Nenhum canto, ou oferendas
A deusa encontra por lá;
E não se vê em templo algum
O culto da divindade.

Frutos do campo e doces uvas
Não embelezam os jantares;
Só restos de corpos fumaçam
Sobre sangrentos altares
E onde quer que o triste olhar
De Ceres por ali fite —
Profundamente humilhado
Sempre o homem ele divisa!

[107] Trocadilho com as palavras *silen*, "sileno", e *silën* (silión), "forçudo". (N. do T.)

[108] Mítia começa sua confissão citando um trecho do poema de Schiller "Das Eleusische Fest", na tradução de V. A. Jukovski. (N. da E.) — A presente tradução foi realizada a partir desta versão em russo. (N. do T.)

De repente o pranto rebentou no peito de Mítia. Ele agarrou a mão de Aliócha.

— Amigo, amigo, agora estou humilhado, estou humilhado. O homem suporta muita coisa terrível na face da terra, uma enormidade de infortúnios! Não penses que sou apenas um casca-grossa com patente de oficial, que bebe conhaque e se entrega à libertinagem. Meu irmão, é só quase nisso que penso, nesse homem humilhado, se é que não estou mentindo. Não me permita Deus mentir para mim mesmo nem me louvar. Se penso nesse homem, é porque eu mesmo sou esse homem.

Para erguer-se da baixeza
Pela alma o homem deve
Fazer com a antiga mãe terra
Uma aliança eterna.

Mas vê só como é a coisa: de que jeito vou fazer com a terra uma aliança eterna? Não beijo a terra, não lhe abro o seio; terei de me tornar um mujique ou um pastor? Caminho sem saber se caí na podridão e na desonra ou na luz e na alegria. Eis aí onde está o mal, pois tudo na terra é enigma! E quando me acontecia afundar na mais profunda desonra da devassidão (e era só o que me acontecia), sempre declamava esse poema sobre Ceres e o homem. Ele me corrigia? Nunca! Porque sou um Karamázov. Porque, se despenco no abismo, então é direto, de cabeça para baixo e calcanhares para cima, e fico até satisfeito porque é justamente nessa posição humilhante que caio e considero isto uma beleza para mim. Pois é nessa mesma desonra que de repente começo o hino. Vá que eu seja maldito, vá que eu seja vil e torpe, mas que eu também possa beijar as bordas das vestes[109] que cobrem o meu Deus; vá que eu siga o diabo ao mesmo tempo, mas apesar de tudo sou teu filho, Senhor, e te amo, e experimento a alegria sem a qual o mundo não se sustenta.

A alegria eterna anima,[110]
Da criação divina a alma
Chameja o cálice da vida
Fermentando em força oculta,
Para a luz atrai a erva

[109] Imagem tomada de empréstimo ao poema de Goethe, "Grenzen der Menschheit" (Os limites da humanidade), traduzido por A. A. Fet. (N. da E.)

[110] Trecho do hino "À alegria", de Schiller, traduzido por F. I. Tiúttchev. (N. da E.)

E gera do caos os astros rutilantes.
Tudo que respira, tudo que palpita,
Encontra alegria
No meio da natureza.
Ela nos deu amigos na desgraça,
O suco às uvas, o sorriso às flores,
Lascívia aos insetos,
E colocou o anjo perante Deus.

Mas basta de poesia! Derramei lágrimas, mas tu também me deixa chorar. Oxalá isso seja uma bobagem da qual todos hão de rir, mas não tu. Eis que teus olhinhos também estão ardendo. Basta de poesia. Agora quero te falar dos "insetos", daqueles mesmos a quem Deus deu a lascívia.

Aos insetos, a lascívia!

Meu irmão, eu sou esse mesmo inseto, isso foi dito especialmente a meu respeito. E todos nós, Karamázov, somos assim; até em ti, anjo, esse inseto vive e em teu sangue gera tempestades. São tempestades, porque a lascívia é uma tempestade, é mais que uma tempestade! A beleza é uma coisa terrível e horrível! Terrível porque indefinível, e impossível de definir porque Deus só nos propôs enigmas. Aí os extremos se tocam, aí todas as contradições convivem. Eu, meu irmão, sou muito ignorante, mas tenho pensado muito nisso. Existe um número formidável de mistérios! Um número excessivo de enigmas oprime o homem na Terra. Decifra-os como és capaz e sai enxuto da chuva. A beleza! Não posso, ademais, suportar que algum homem, até de coração superior e de inteligência elevada, comece pelo ideal de Madona mas termine no ideal de Sodoma. Ainda mais terrível é aquele que, já tendo o ideal de Sodoma na alma, não nega o ideal de Madona, e seu coração arde de fato por ele, arde de fato como nos seus puros anos juvenis. Não, o homem é vasto, vasto até demais; eu o faria mais estreito. Até o diabo sabe o que é isso, veja só! O que à mente parece desonra é tudo beleza para o coração. A beleza estará em Sodoma? Podes crer que é em Sodoma que ela está para a imensa maioria dos homens — conhecias ou não esse segredo? É horrível que a beleza seja uma coisa não só terrível, mas também misteriosa. Aí lutam o diabo e Deus, e o campo de batalha é o coração dos homens. Aliás, é a dor que ensina a gemer. Bem, agora vamos aos fatos.

IV. Confissão de um coração ardente, em anedotas

— Lá eu vivia na farra. Ainda há pouco nosso pai disse que eu havia pagado alguns milhares pela sedução de moças. Trata-se de uma miragem porca, isso nunca aconteceu, e o que aconteceu precisamente dispensou dinheiro "para tal". Dinheiro para mim é um acessório, é febre da alma, é cenário. Hoje estou com uma dama, amanhã uma mocinha da vida a substitui. E eu dou alegria tanto a uma quanto à outra, espalho dinheiro aos punhados, gasto com música, algazarra, ciganas. Se for necessário, dou a estas também, porque elas aceitam dinheiro, aceitam com arroubo, é preciso confessar isso, e ficam satisfeitas, e agradecidas. As fidalguinhas gostavam de mim, não todas, mas acontecia de gostarem, acontecia; no entanto eu sempre gostei de becos, de recantos desertos e escuros, atrás da praça — lá estão as aventuras, as surpresas, lá estão as pepitas no lodo. Eu, meu irmão, estou falando por alegorias. Aqui em nossa cidadezinha nunca houve esses becos concretos, mas houve becos morais. Se, porém, tu fosses o que eu sou, compreenderias o que isso quer dizer. Eu gostava da devassidão, gostava da desonra da devassidão. Gostava da crueldade: por acaso eu não sou um percevejo, não sou um inseto perverso? Está dito — um Karamázov! Certa vez houve um piquenique de toda a cidade, fomos para lá em sete troicas; num trenó, no escuro, era inverno, comecei a apertar a mão de uma moça vizinha, filha de um funcionário, e forcei uns beijos nessa mocinha, pobre, amável, dócil, resignada. Ela deixou, deixou muita coisa no escuro. A coitada pensava que no dia seguinte eu apareceria em sua casa e pediria sua mão. (É que me apreciavam sobretudo como noivo.) Mas depois disso não troquei nenhuma palavra com ela, cinco meses se passaram e nenhuma palavra. Notava como seus olhinhos me seguiam de um canto da sala quando se dançava (e entre nós volta e meia se dançava), notava como os olhinhos brilhavam como um foguinho — o foguinho da dócil indignação. Esse jogo só fazia divertir minha lascívia de inseto, que eu alimentava dentro de mim. Cinco meses depois, ela se casou com um funcionário público e foi embora... Zangada e talvez ainda até amando. Hoje vivem felizes. Repare que não contei nada a ninguém, não a denegri, porque eu, embora seja baixo em meus desejos e goste da baixeza, todavia não sou desonesto. Estás corando, teus olhos acabam de brilhar. Para ti chega dessa sujeira. Isso tudo ainda não é nada, são apenas umas florzinhas à Paul de Kock,[111] embora o cruel inseto já tivesse crescido, já tivesse

[111] Escritor francês (1793-1871), muito popular à época. (N. do T.)

encorpado em minha alma. Aí, meu irmão, há todo um álbum de lembranças. Que Deus mande saúde para elas, minha queridinhas. Eu, quando rompia, não gostava de briga. E nunca comprometi, nunca difamei nenhuma delas. Mas basta. Será que pensaste que eu te chamei aqui só para ouvires essas baixezas? Não, vou te contar a coisa mais curiosa; mas não te surpreendas se não tenho vergonha de ti, é como se eu estivesse até contente.

— Dizes isto porque corei — observou súbito Aliócha. — Não corei por causa de tuas histórias nem de tuas coisas, mas porque sou o mesmo que tu.

— Tu? Ora, foste um pouco longe.

— Não, não fui longe — pronunciou Aliócha com ardor. (Pelo visto já estava com essa ideia fazia tempo.) — Trata-se dos mesmos degraus da escada. Estou no mais baixo e tu em cima, aí pelo décimo terceiro. Tenho cá minha visão desse assunto, mas tudo isso é a mesma coisa, absolutamente similar. Aquele que pisar o primeiro degrau chegará forçosamente ao último.

— Logo, é não pisar absolutamente?

— Quem puder, não pisar absolutamente.

— E tu, podes?

— Parece que não.

— Cala-te, Aliócha, cala-te, meu querido, estou com vontade de beijar a tua mão, assim, por enternecimento. A velhaca da Grúchenka conhece o gênero humano, e uma vez me disse que um dia vai te devorar. Eu me calo, me calo! Da torpeza, do campo emporcalhado pelas moscas, passaremos à minha tragédia, também ao campo emporcalhado por moscas, ou seja, por todo o tipo de baixeza. Embora o velhote tenha mentido sobre a sedução de inocentes, no fundo, porém, isso de fato aconteceu em minha tragédia, ainda que só uma vez, e mesmo assim sem se consumar. O velhote, que me censura com invencionices, não conhece esse fato; nunca o contei a ninguém, tu és o primeiro a quem estou contando agora, é claro que excetuando Ivan, Ivan sabe de tudo. Sabe há muito tempo antes de ti. Mas Ivan é um túmulo.

— Ivan, um túmulo?

— Sim.

Aliócha ouvia com excepcional atenção.

— Naquele batalhão de linha,[112] embora eu fosse sargento-mor, mesmo assim vivia como que sob vigilância, como uma espécie de exilado. Mas a cidadezinha me dava uma acolhida ótima. Eu esbanjava muito dinheiro, acreditavam que eu era rico, e eu também acreditava. Aliás, eu devia agradar àquela gente por outras coisas. Ainda que me cumprimentassem só com

[112] Isto é, batalhão de fronteira. (N. do T.)

um aceno de cabeça, palavra, gostavam de mim. Meu tenente-coronel, já velho, tomou-se de súbita antipatia por mim. Implicava comigo; eu tinha costas largas, e ainda por cima toda a cidade estava do meu lado, não dava para implicar muito comigo. Eu mesmo era culpado, eu mesmo não me dava propositadamente ao respeito. Era orgulhoso. Aquele velho teimoso, homem nada mau e muito hospitaleiro, casara-se duas vezes, mas as mulheres haviam morrido. Uma, a primeira, era gente simples e lhe deixara uma filha, também simples. Quando eu estava por lá, era uma moça já de uns vinte e quatro anos e morava com o pai e uma tia, irmã de sua falecida mãe. A tia era de uma simplicidade muda, e a sobrinha, a filha mais velha do tenente-coronel, de uma simplicidade esperta. Gosto de falar bem das pessoas ao lembrar delas; meu caro, nunca vi um gênio feminino mais encantador do que o daquela moça, chamava-se Agáfia, imagina tu, Agáfia Ivánovna. Ademais não era nada feia, estava dentro do gosto russo — alta, nutrida, cheia de corpo, olhos belos, rosto, admitamos, meio grosseiro. Não havia casado, e embora tivessem aparecido dois pretendentes, ela os recusara mas não perdera a alegria. Fiquei íntimo dela — mas não naquele sentido, não, ali era coisa pura, simples, amizade mesmo. Ora, tive frequentes intimidades com mulheres sem nenhum pecado, por amizade. Com ela eu conversava francamente cada coisa que, ui! — e ela se limitava a rir. Muitas mulheres gostam de franqueza, repare, e ela, além disso, era moça, o que muito me alegrava. E vê mais uma coisa: de forma alguma se poderia chamá-la de senhorinha. Morava com o pai e uma tia, e as duas viviam numa espécie de humilhação voluntarária, sem se igualarem com o resto da sociedade. Todos gostavam e precisavam dela, porque era uma costureira notável: era um talento, não cobrava pelos serviços, fazia-os por cortesia, mas quando lhe davam presentes ela não os recusava. Já o tenente-coronel era outra coisa! Era uma das pessoas mais influentes naquele lugar. Vivia à larga, recebia em casa o ano inteiro, com jantares, bailes. Quando lá cheguei e ingressei no batalhão, começaram a falar em toda a cidadezinha que brevemente chegaria por lá da capital a segunda filha do tenente-coronel, a beldade das beldades, que acabara de concluir os estudos em um instituto da capital para moças aristocratas. A tal filha era a própria Catierina Ivánovna, filha da segunda mulher do tenente-coronel. Essa segunda mulher, já falecida, era de família nobre, filha de um grande general, embora, por outro lado, segundo sei de fonte fidedigna, também não tivesse deixado nenhum dinheiro para o tenente-coronel. Quer dizer, tinha linhagem, e só, e se havia certas esperanças, estas não deram em nada de concreto. E, não obstante, quando a moça do instituto chegou (em visita e não para sempre), foi como se toda a cidadezinha se renovasse; nossas senhoras mais ilustres — duas mulheres de general, uma de coronel e todas as demais — todas se apossaram imediatamente dela, começaram a distraí-la, ela era rainha dos bailes, dos piqueniques, chegaram a forjicar uns quadros vivos em benefício de umas preceptoras. Eu calava, farreava, e justo naquele momento aprontei uma daquelas que deixou toda a cidade em polvorosa. Notei certa vez que ela me mediu de cima a baixo com o olhar, isso aconteceu em casa do comandante do batalhão, mas na ocasião não me aproximei: desprezava, pois, travar conhecimento. Cheguei-me a ela já um pouco depois, também durante a festinha, comecei a conversar, e ela mal me olhou, deu um muxoxo de desdém, e eu pensei com meus botões: espera que vou dar o troco! Naquele tempo eu me comportava como o mais terrível casca-grossa na maioria das oportunidades, e eu mesmo o percebia. E o principal é que eu sentia que "Cátienka"[113] não era nenhuma colegial ingênua, mas uma pessoa de caráter, altiva e de fato virtuosa, e ainda mais dotada de inteligência e instrução, ao passo que eu não era nem uma coisa nem outra. Pensas que eu queria propor casamento? Absolutamente; queria apenas me vingar, porque eu era aquele rapagão e ela me ignorava. Enquanto isso, ia vivendo de farras e desordens. Finalmente o tenente-coronel me aplicou uma detenção de três dias. Pois foi justo nessa ocasião que meu pai me enviou seis mil rublos depois que eu lhe mandei a renúncia formal a todos e quaisquer bens, ou seja, "como quitação", e dizendo que não exigiria mais nada. Naquela época eu não entendia nada: meu irmão, até a vinda para cá, inclusive até os últimos dias e talvez até hoje mesmo, não entendia nada dessas altercações com meu pai por dinheiro. Mas com os diabos, isso fica para depois. Naquela ocasião, depois de receber aqueles seis mil, de uma hora para outra fiquei sabendo e de antemão, por um bilhete recebido de um amigo, uma coisa curiosíssima para mim mesmo, ou seja, precisamente que nosso tenente-coronel era objeto de descontentamento, e que desconfiavam de que sua administração não estava em ordem; em suma, que os inimigos dele lhe preparavam a cama. E realmente o chefe da divisão apareceu e o cobriu de desaforos. Pouco tempo depois recebeu ordem para pedir baixa. Não vou detalhar como tudo isso aconteceu; ele tinha inimigos reais, só que na cidade houve um esfriamento súbito e exagerado em relação a ele e a toda sua família, era como se de repente todos tivessem lhe dado as costas. E foi aí que fiz a primeira das minhas: encontro Agáfia Ivánovna, com quem sempre mantivera amizade, e lhe digo: "Bem, estão faltando quatro mil e quinhentos rublos de dinheiro público nas contas de teu paizinho" — "Por que você me vem com

[113] Diminutivo de Catierina. (N. do T.)

essa, por que está dizendo isso? Há pouco tempo o general esteve aqui, tudo estava no lugar...” — “Na ocasião estava, mas agora não”. Ela ficou terrivelmente assustada: “Não me assuste, por favor, quem você ouviu dizer isso?” — “Não se preocupe, digo eu, não vou contar a ninguém, e você sabe que nesse tipo de assunto eu sou um túmulo, mas eis o que eu queria lhe falar também sobre esse assunto, por assim dizer, queria acrescentar ‘para alguma eventualidade’: quando exigirem de seu paizinho os quatro mil e quinhentos e ele não os tiver, então, em vez de deixá-lo ser levado ao tribunal e depois servir como soldado na velhice, é melhor que me enviem secretamente sua egressa do instituto, pois justo agora recebi dinheiro, e a ela até posso dar generosamente quatro mil; mantenho o segredo como sagrado”. — “Ah, diz ela, que patife é você (foi assim que ela disse)! Que patife perverso é você! Como se atreve?!”. Foi-se tomada de terrível indignação, e ainda lhe gritei às costas que o segredo seria guardado de forma sagrada e inviolável. Essas duas mulheres, ou seja, Agáfia e sua tia, digo de antemão, foram em toda essa história anjos puros, adoravam de verdade a irmã, a orgulhosa Cátia, rebaixavam-se diante dela, serviam-lhe de criadas... Só que Agáfia transmitiu a ela na ocasião aquela coisa, ou seja, nossa conversa. Depois fiquei conhecendo tudo isso como a palma da mão. Ela não escondeu e, é claro, era disso que eu precisava.

Súbito chega o novo major para assumir o batalhão, e o assume. O velho tenente-coronel adoece da noite para o dia, não consegue se mover, fica dois dias em casa, não entrega a quantia do Estado. Krávtchenko, nosso médico, assegurava que ele estava de fato doente. Só que eu sabia em detalhes, secretamente e havia tempo, o seguinte: depois que um superior conferia a quantia, esta sempre desaparecia temporariamente, e já fazia quatro anos seguidos que isso vinha acontecendo. O tenente-coronel a emprestava a um homem de sua absoluta confiança, o velho viúvo Trífonov, comerciante de nossa cidade, que usava barba e óculos dourados. Este ia a uma feira, aplicava a quantia como lhe convinha e devolvia o dinheiro imediata e integralmente ao tenente-coronel, juntando à devolução um presente que trazia da feira e, ao presente, os juros. Desta feita, porém (fiquei sabendo de tudo isso totalmente por acaso através de um adolescente, o filhinho babão de Trífonov, filho e herdeiro, o rapazola mais depravado que a terra já produziu), desta feita Trífonov voltou da feira e não devolveu nada. O tenente-coronel se precipitou para a casa dele: “Nunca recebi nada do senhor e, aliás, não poderia receber” — eis a resposta. Pois bem, aí está o nosso tenente-coronel em casa, com a cabeça envolta por uma toalha, todas as três lhe aplicam gelo às têmporas; de repente chega o ordenança com o livro e a ordem: “Entregar a quantia do Estado agora mesmo, imediatamente, dentro de duas horas". Ele assinou, mais tarde eu vi essa assinatura no livro, levantou-se, disse que ia vestir a farda, correu para o dormitório, pegou sua espingarda de caça de dois canos, carregou-a, tirou a bota de um pé, encostou a espingarda no peito e começou a procurar o gatilho com o pé. Mas Agáfia, que já estava desconfiada, lembrou-se de minhas palavras, chegou-se pé ante pé e às furtadelas observou tudo em boa hora; irrompeu, lançou-se sobre ele por trás, abraçou-o, a espingarda disparou contra o teto; não feriu ninguém; as outras acorreram, agarraram-no, tomaram-lhe a espingarda, seguraram-no pelos braços... Mais tarde fiquei sabendo de tudo isso, detalhe por detalhe. Na ocasião estava em casa, era lusco-fusco, e aprontava-me para sair; vestira-me, penteara o cabelo, pusera perfume no lenço e pegara o quepe, quando de repente a porta se abriu e — à minha frente, em minha casa, estava Catierina Ivánovna.

Existem coisas estranhas: naquela ocasião, ninguém notou de que jeito ela passou no rumo de minha casa e desapareceu da cidade. Eu alugava um apartamento de duas funcionárias, velhíssimas, que também me prestavam serviços, mulheres respeitabilíssimas, obedeciam-me em tudo e por ordem minha ficavam em silêncio como um túmulo de ferro. É claro que eu compreendi tudo imediatamente. Ela entra e se põe a me encarar, com um ar de decisão e até de acinte nos olhos negros, mas percebo hesitação nos lábios.

"Minha irmã me disse que o senhor me daria quatro mil e quinhentos rublos se eu viesse buscá-los... e vim em pessoa à sua casa. Aqui estou... dême o dinheiro!..." Não se conteve, arquejava, estava assustada, com a voz embargada, com as comissuras nos lábios e as linhas ao redor tremendo. — Aliócha, estás ouvindo ou dormindo?

— Mítia, sei que me contarás toda a verdade — pronunciou Aliócha comovido.

— É a própria que vou contar. Se é para contar toda a verdade, então veja como aconteceu, não vou me poupar. A primeira ideia que tive foi uma ideia karamazoviana. Uma vez, meu irmão, uma lacraia me picou, e isso me fez passar duas semanas acamado e com febre; mas dessa vez sinto de repente a lacraia, esse inseto perverso, me picar no coração, estás entendendo? Eu a medi com o olho. Tu a viste? É bela. É, mas não era desse jeito que ela estava bela naquele momento. Estava bela naquele instante porque era nobre, enquanto eu era um patife, porque ela estava na grandeza de sua generosidade e do sacrifício pelo pai, ao passo que eu era um percevejo. E eis que de mim, um percevejo e um patife, ela dependia toda, toda, inteirinha, de corpo e alma. Em todos os detalhes. Eu te digo francamente: essa ideia, a ideia da lacraia, apossou-se de tal forma de meu coração que ele por pouco não se esvaiu só de angústia. Pareceria que não havia mais lugar para nenhuma luta: era agir precisamente como um percevejo, como uma tarântula perversa, sem nenhum dó... Fiquei até sem fôlego. Ouve: eu, é claro, no dia seguinte iria lá pedir sua mão para que aquilo terminasse da forma mais nobre, por assim dizer, e que, portanto, ninguém pudesse ficar sabendo disso. Porque eu, mesmo sendo um homem de desejos baixos, sou honesto. E eis que de repente, em um segundo, uma voz me cochicha ao ouvido: "Sim, mas amanhã, quando apareceres por lá com a proposta de casamento, ela nem vai te receber, mas ordenar que o cocheiro te ponha para fora do pátio. Podes sair me difamando pela cidade inteira, não tenho medo de ti!". Lancei um olhar à moça, a voz não havia mentido: assim, é claro, é assim que vai acontecer. Vai me pôr no olho da rua, já posso ver agora pela cara dela. A raiva ferveu dentro de mim, deu-me vontade de fazer uma coisa muito torpe, de porco, de comerciante: olhar para ela com ar de zombaria e ali mesmo, enquanto estava à minha frente, aturdi-la com aquela entonação com que só um filho de comerciante consegue falar:

"São quatro mil rublos! Eu estava brincando, o que há com a senhorita? A senhorita foi excessivamente crédula. Duas centenazinhas pode ser que eu lhe arranje, até de bom grado e com prazer, mas quatro mil — isso, senhorita, não é dinheiro que se fique espalhando por aí com tanta leviandade. A senhorita se permitiu preocupar-se à toa."

Vê só, eu perderia tudo, claro, ela fugiria correndo, mas em compensação sairia uma coisa dos infernos, vingativa, valeria por todo o resto. Eu passaria o resto da vida uivando de arrependimento só para aprontar uma daquelas naquele momento. Podes crer, nunca me acontecera olhar com ódio para nenhuma mulher, para uma única mulher num momento como aquele — juro pela cruz: na ocasião fiquei uns três ou cinco segundos fitando-a com um ódio terrível —, com aquele mesmo ódio que está a apenas um fiozinho do amor, do amor louco! Cheguei-me à janela, encostei a testa no vidro gelado, e lembro-me de que o gelo me queimou a testa como fogo. Não me contive por muito tempo, não te preocupes, voltei-me, fui à mesa, abri a gaveta e tirei uma letra de câmbio de cinco mil rublos ao portador a cinco por cento (estava dentro do dicionário de francês). Em seguida mostrei-lha em silêncio, dobrei-a, entreguei a ela, abri-lhe eu mesmo a porta do vestíbulo e, recuando, fiz-lhe uma reverência até a cintura da forma mais respeitosa e cordial, podes crer! Ela estremeceu toda, olhou-me fixamente por um segundo, ficou terrivelmente pálida, assim como uma toalha, e súbito, também sem dizer palavra, inclinou-se toda, lentamente, sem arrebatamento e com suavidade bem a meus pés — tocando o chão com a testa, do jeito russo, não como egressa do instituto! Levantou-se de um salto e saiu correndo. Quando ela correu, eu estava ao lado da espada. Desembainhei a espada e quis ali mesmo me matar, para quê não sei. Foi uma terrível bobagem, é claro, mas deve ter sido de êxtase. Não sei se compreendes que por causa de um êxtase diferente a gente pode se matar; mas eu não me golpeei, apenas beijei a espada e a recoloquei na bainha — o que, aliás, poderia nem ter mencionado. Até parece que, neste momento, ao te narrar todas aquelas lutas, eu carreguei um pouco nas tintas para me vangloriar. Vá lá, vá lá que seja assim, e o diabo que carregue todos os espiões do coração humano! Eis todo o meu "passado incidente" com Catierina Ivánovna. Então, agora o irmão Ivan conhece essa história e tu também — e só!

Dmitri Fiódorovitch levantou-se, deu dois passos movido pela comoção, tirou o lenço, enxugou o suor da testa e tornou a sentar-se, só que não no lugar de antes mas em outro, num banco defronte junto à outra parede, de sorte que Aliócha teve de voltar-se inteiramente para ele.

V. Confissão de um coração ardente, "de pernas para o ar"

— Agora — disse Aliócha —, já conheço a primeira metade dessa história.

— A primeira metade tu entendes: é o drama e aconteceu lá. Já a segunda metade é a tragédia, e está acontecendo aqui.

— Da segunda metade, até hoje não compreendo nada — disse Aliócha.

— E eu? Por acaso eu compreendo?

— Espera, Dmitri, aqui há uma palavra que é a principal. Diz-me uma coisa: és noivo, continuas noivo até agora?

— Não fiquei noivo dela imediatamente, só três meses depois daquele episódio. Já no dia seguinte ao acontecido, eu disse a mim mesmo que o caso estava encerrado e sepultado, que não haveria continuidade. Ir lá para pedir a mão dela me parecia uma baixeza. De sua parte, ela também não deu mais nenhum sinal de si durante todas as seis semanas que permaneceu em nossa cidade. A não ser, na verdade, um incidente: no dia seguinte à visita dela, passou rapidamente por minha casa sua criada de quarto e, sem dizer palavra, entregou um pacote. Sobre o pacote o endereço: fulano de tal. Abro o pacote — o troco dos cinco mil da letra de câmbio. Ela precisava de apenas quatro mil e quinhentos, mas na venda da letra de cinco mil houve a perda de duzentos e poucos rublos. Ela me enviava ao todo, parece, duzentos e sessenta rublinhos, não me lembro bem, e apenas o dinheiro — nenhum bilhete, nenhuma palavrinha, nenhuma explicação. Procurei no pacote o sinal de algum lápis — n-nada! Bem, enquanto isso, fiz uma farra com os meus rublos restantes, de sorte que o novo major finalmente foi forçado a me fazer uma admoestação. Bem, o tenente-coronel devolveu a quantia do Estado integralmente e para a surpresa geral, porque ninguém mais supunha que ele tivesse o dinheiro todo. Devolveu e adoeceu, caiu de cama, passou umas três semanas acamado e depois teve um repentino amolecimento cerebral e em cinco dias morreu. Recebeu um sepultamento com honras militares, ainda sem ter conseguido a reforma. Catierina Ivánovna, a irmã e a tia, mal enterraram o pai, tomaram o caminho de Moscou uns dez dias depois. E eis que no próprio dia antes da partida (não me encontrei com elas nem as acompanhei) recebo um minúsculo envelope, azulzinho, em papel rendado, no qual havia apenas uma linhazinha escrita a lápis: "Eu lhe escreverei, espere. C.". Eis tudo.

Agora vou te explicar em duas palavras. Em Moscou elas resolveram as coisas com uma rapidez de raio e o imprevisto dos contos árabes. A generala, principal parenta dela, súbito perde suas duas herdeiras imediatas, suas duas sobrinhas mais próximas — na mesma semana as duas morreram de catapora. Abalada, a velha alegrou-se com Cátia como se fosse uma filha legítima, como a estrela de sua salvação; agarrou-se a ela, mudou imediatamente seu testamento em favor dela, mas isso para o futuro, porque por enquanto lhe pôs diretamente nas mãos oitenta mil rublos, como quem diz: aí está teu dote, faz dele o que quiseres. Era uma mulher histérica, depois a observei em Moscou. E eis que, naquele momento, recebo de súbito pelo correio quatro mil e quinhentos rublos; é claro que fiquei perplexo e surpreso como um mudo. Três dias depois chega a prometida carta. Está comigo neste momento, ela está sempre comigo e vou morrer com ela — queres que eu te mostre? Lê sem falta: ela se oferece como noiva, oferece a si mesma: "Amo-o loucamente, diz ela, pouco importa que você não me ame — não me importa, seja apenas meu marido. Não se assuste — não vou lhe trazer nenhum constrangimento, serei o móvel, serei o tapete por onde você andará... Quero amá-lo eternamente, quero salvá-lo de si mesmo...". Aliócha, não sou digno nem de repetir essas linhazinhas com minhas palavras torpes e meu tom torpe, meu tom torpe de sempre, do qual nunca conseguirei me livrar! Essa carta me traspassa o coração até hoje; por acaso me está sendo fácil agora, por acaso hoje me está sendo fácil? Na ocasião respondi imediatamente (não tive nenhuma condição de ir pessoalmente a Moscou). Escrevi a resposta às lágrimas; de uma coisa me envergonho eternamente: mencionei que agora ela era rica e com dote e eu não passava de um casca-grossa — mencionei o dinheiro! Eu deveria ter resistido a isso, mas me escapou da pena. Na mesma ocasião escrevi imediatamente a Ivan em Moscou e lhe expliquei tudo na carta, na medida do possível, uma carta de seis folhas, e levei Ivan à casa dela. Que olhar é esse, por que me olhas assim? Bem, Ivan se apaixonou por ela, continua apaixonado até hoje, eu sei disso. Cometi uma bobagem segundo as normas mundanas de vocês, mas é possível que essa mesma bobagem é que esteja salvando a todos nós agora! Oh! Por acaso não notas o quanto ela prefere Ivan, como o estima? Por acaso ela poderia, depois de comparar nós dois, poderia amar um tipo como eu, e ainda mais depois de tudo o que aconteceu?

— Mas eu estou certo de que ela ama um tipo assim como tu, e não um tipo como ele.

— Ela ama sua própria virtude, e não a mim. — Súbito Dmitri Fiódorovitch deixou escapar involuntariamente, mas quase com raiva. Ele riu, mas um segundo depois seus olhos brilharam, ele corou todo e deu um forte murro na mesa.

— Aliócha, eu juro — exclamou com uma raiva terrível e sincera contra si mesmo —, acredites ou não, assim como Deus é Santo e Cristo é o Senhor, juro que, embora eu tenha acabado de rir de seus sentimentos superiores, sei, no entanto, que sou por índole um milhão de vezes mais insignificante que ela, e que estes seus sentimentos mais elevados são sinceros como os de um anjo do céu! A tragédia está justamente em que tenho certeza disso. Que há de mau em que o homem declame um pouquinho? Por acaso não estou declamando? Só que eu sou sincero, sou sincero. Quanto a Ivan, compreendo o quanto ele deve hoje amaldiçoar a natureza e ainda mais com uma inteligência como a dele! A quem, a quem foi dada a preferência? Foi dada ao monstro que, já estando aqui, já sendo noivo e quando todos o observavam, não conseguiu refrear suas desordens — e isso na presença da noiva, na presença da noiva! Pois veja que um tipo como eu é o preferido, ao passo que ele é o rejeitado. Mas por quê? Porque a moça quer violentar sua vida e seu destino por gratidão! Absurdo! Neste sentido, nunca disse nada a Ivan, e ele, é claro, nunca me disse a esse respeito meia palavra sequer, nem fez a mínima alusão; mas o destino se realizará e o digno se colocará em seu lugar, enquanto o indigno se esconderá para sempre no beco — em seu beco sujo, em seu beco amado, peculiar — lá, na lama e na fedentina, acabará morrendo voluntariamente e com prazer. Embrulhei-me com minhas patranhas, minhas palavras estão todas gastas, como se eu as empregasse ao acaso, mas, como eu defini, assim deverá acontecer. Afundarei no beco, ao passo que ela se casará com Ivan.

— Espera, espera, meu irmão! — Aliócha tornou a interrompê-lo com uma intranquilidade excepcional. — Apesar de tudo, aqui há uma coisa que até agora não me explicaste: ora, és o noivo, apesar de tudo não és tu o noivo? Como queres romper o noivado se ela, a noiva, não quer?

— Sou noivo formal e abençoado, tudo aconteceu em Moscou com a minha chegada, com galas, com ícones e da melhor forma. A generala abençoou e — não sei se acreditas — até deu os parabéns a Cátia: tu, diz ela, escolheste bem, eu o percebo por inteiro. E, acredita, ela não gostou de Ivan e nem lhe deu parabéns. Em Moscou conversei muito com Cátia, descrevi-me todo para ela, com nobreza, com precisão, com sinceridade. Ela ouviu tudo:

Houve um embaraço encantador,
E palavras de ternura.

Bem, houve também palavras altivas. Na ocasião, ela me forçou a fazer a grande promessa. E lhe fiz a promessa. E então...

— O quê?

— E então te chamei e te arrastei para cá hoje, no dia de hoje — lembra-te disto! — com o fim de te enviar, e mais uma vez hoje mesmo, à casa de Catierina Ivánovna e...

— O quê?

— Dizer a ela que nunca mais voltarei à sua casa, e que te mandei lá para lhe apresentar meus cumprimentos.

— Por acaso isso é possível?

— Sim, estou te enviando em meu lugar porque para mim isso é impossível, pois como é que eu mesmo iria lhe dizer isso?

— Sim, mas para onde vais?

— Para o beco.

— Quer dizer, para Grúchenka? — exclamou amargamente Aliócha agitando os braços. — Será que Rakítin realmente disse a verdade? E eu pensava que tu apenas a tinhas visitado e encerrado o caso.

— Eu visitá-la como noivo? Por acaso isso é possível, ainda mais com uma noiva assim e aos olhos de todos? Ora, eu tenho honra, acho. Tão logo comecei a visitar Grúchenka, no mesmo instante deixei de ser noivo e um homem honrado — porque é assim que entendo a questão. Por que me olhas assim? Vê, primeiro fui lá para dar uma surra nela. Fiquei sabendo, e agora sei de fonte fidedigna, que Grúchenka recebera a visita daquele capitão-tenente, o encarregado de nosso pai, que lhe entregou uma promissória assinada por mim para que ela a cobrasse, eu deixasse de aparecer e rompesse com ela. Quiseram me intimidar. Por isso fui bater em Grúchenka. Antes eu já a vira de passagem. Ela não é do tipo que impressiona. Eu sabia a respeito do velhote comerciante, que ainda por cima está agora doente, debilitado, acamado, mas apesar de tudo vai lhe deixar uma bolada considerável. Fiquei sabendo ainda que ela gosta de ganhar dinheiro aos poucos, que junta e empresta a juros escorchantes, é uma velhaca, uma espertalhona sem dó. Fui lá para lhe dar uma sova, mas acabei ficando com ela. A tempestade ribombou, a peste assolou, fui contaminado e contaminado continuo até hoje, e sei que está tudo terminado, que nunca mais haverá nada semelhante. O ciclo dos tempos está consumado. Eis o meu problema. Pois naquele momento apareceram de propósito em meu bolso, no bolso do miserável, três mil rublos. Fui com ela daqui para Mókroie, a vinte e cinco verstas daqui, lá arranjei umas ciganas, umas ciganinhas, champanhe, embebedei de champanhe todos os mujiques de lá, todas as mulheres e moças, esbanjei milhares. Três dias depois, estava pobre como Jó. Tu achas que o pobre conseguiu alguma coisa? Longe dela dar alguma mostra. Eu te digo uma coisa: foi aquela curva. A espertalhona da Grúchenka tem um tipo de curva no corpo, e ela aparece em seu pezinho e até no mindinho do pezinho esquerdo. Vi e beijei a curva, e só — juro! Diz ela: "Queres, me caso contigo, pois és um miserável. Diz-me que não vais me bater e me permitirás fazer tudo o que eu quiser, e então talvez me case contigo" — e ria. E continua rindo até agora!

Dmitri Fiódorovitch levantou-se quase em fúria, mas de repente pareceu bêbado. Num átimo seus olhos ficaram congestionados.

— E tu queres realmente casar com ela?

— Se ela quiser, caso no ato, se não quiser, fico como estou; serei o varredor de seu pátio. Tu... tu, Aliócha... — parou súbito diante dele e, segurando-o pelos ombros, passou em seguida a sacudi-lo com força —, sabes, meu menino inocente, que tudo isso é um delírio, um delírio inconcebível, porque aí existe uma tragédia! Sabe, Alieksiêi, que posso ser um homem baixo, com paixões baixas e perdidas, mas um ladrão, um batedor de carteira, um ladrãozinho de esquina, Dmitri Fiódorovitch nunca poderá ser. Pois agora fica sabendo que sou esse gatuninho, que sou um ladrão de bolsos e bolsas! Justo naquele momento, justo antes de eu ir à casa de Grúchenka bater nela, naquela mesma manhã Catierina Ivánovna me chama e me pede em tremendo segredo que por enquanto ninguém fique sabendo (não sei por quê, pelo visto ela precisava disso), pede que eu vá à capital da província e de lá envie pelo correio três mil rublos a Moscou, para Agáfia Ivánovna; queria que eu fosse à capital para que aqui ninguém ficasse sabendo. Pois foi com esses três mil rublos no bolso que naquele momento apareci em casa de Grúchenka e com eles fomos para Mókroie. Depois fingi que tinha ido à capital, mas não entreguei a ela o recibo do correio, disse-lhe que havia enviado o dinheiro e lhe traria o recibo, mas até hoje não o trouxe, esqueci. Vê agora o que achas, vai agora à casa dela e dize: "Ele me mandou apresentar seus cumprimentos", e ela: "E o dinheiro?". Tu ainda poderias lhe dizer: "É um lascivo baixo, uma criatura torpe com sentimentos irrefreáveis. Ele não enviou seu dinheiro mas o esbanjou, porque, como um animal, não conseguiu se conter". — E ainda assim tu poderias acrescentar: "No entanto ele não é um ladrão, aqui estão os seus três mil, ele os devolve, a senhora que os envie pessoalmente para Agáfia Ivánovna, e ele próprio me mandou apresentar seus cumprimentos". Mas se de repente ela perguntar: "E onde está o dinheiro?".

— Mítia, és infeliz, sim! Mas mesmo assim não tanto quanto pensas. Não te mates de desespero, não te mates!

— E tu achas que vou meter uma bala na cabeça se não conseguir os três mil para devolver? O problema é que não vou me matar, agora não tenho forças, depois talvez, mas agora vou para a casa de Grúchenka... Que eu me dane todo!

— E quc farás em casa dela?

— Serei seu marido, farei por merecê-lo, e se aparecer um amante passo para o outro quarto. Para os amigos dela limparei as galochas sujas de lama, acenderei o samovar, correrei para fazer compras...

— Catierina Ivánovna compreenderá tudo — pronunciou solenemente Aliócha —, compreenderá toda a profundidade de toda essa desgraça e se conformará. Ela é dotada de uma inteligência superior, ela mesma verá que é impossível ser mais infeliz do que tu.

— Ela não se conformará com tudo — Mítia deu um sorriso largo. — Aí, meu irmão, existe uma coisa com que nenhuma mulher poderá se conformar. Sabes qual é a melhor coisa a fazer?

— O quê?

— Devolver-lhe os três mil.

— Mas onde consegui-los? Ouve, eu tenho dois mil, Ivan dará mil, aí teremos três; pega e devolve-os.

— E quando vão aparecer esses teus três mil? Ainda por cima és menor de idade; mas é preciso, é forçoso que vás à casa dela hoje e lhe apresentes as minhas despedidas, com dinheiro ou sem dinheiro, porque não posso mais ficar arrastando isso, a coisa chegou a esse ponto. Amanhã já será tarde, tarde. Vou te enviar a nosso pai.

— Ao pai?

— Sim, ao nosso pai antes de ires à casa dela. Então pede a ele os três mil.

— Só que ele não vai dar, Mítia.

— Pudera, eu mesmo sei que ele não vai dar. Aliócha, tu sabes o que significa desespero?

— Sei.

— Escuta: do ponto de vista jurídico, ele não me deve nada. Arranquei tudo dele, tudo, eu sei disso. Mas acontece que moralmente ele me deve, é ou não é? Porque ele começou com os vinte e oito mil rublos do dote de minha mãe e com eles chegou aos cem mil. Então, que ele me dê apenas três mil daqueles vinte e oito, apenas três, e assim estará arrancando minha alma do inferno e isso compensará muitos pecados dele! Com esses três mil, te dou minha palavra de honra, encerro tudo e ele não vai ouvir mais nada a meu respeito. Eu lhe dou, pela última vez, a chance de ser pai. Dize a ele que o próprio Deus está lhe enviando essa chance.

— Mítia, ele não vai dar esse dinheiro de jeito nenhum.

— Sei que não vai dar, sei perfeitamente. Ainda mais agora. Além disso, vê o que mais estou sabendo: agora, só por esses dias, só ontem à tarde, talvez, ele soube pela primeira vez *a sério* (nota bem: a sério) que Grúchenka talvez não esteja realmente brincando e queira casar comigo. Ele conhece seu caráter, conhece aquela gata. Pois bem, será que ainda por cima me dará o dinheiro para favorecer tudo isso, quando ele mesmo está louco por ela? Mas isso é pouco, eu ainda posso te dizer mais: sei que já faz uns cinco dias que ele tirou do cofre três mil rublos em notas de cem e arrumou tudo em um grande pacote com cinco lacres e amarrado em cruz com uma fitinha vermelha. Vê como estou a par dos detalhes! No pacote está escrito: "Para meu anjo Grúchenka, se ela quiser aparecer"; ele mesmo garatujou isso em silêncio e às escondidas, e ninguém sabe que está com esse dinheiro, a não ser o criado Smierdiakóv, em cuja honestidade ele confia como em si mesmo. Pois bem, já faz uns dois ou três dias que espera que Grúchenka venha buscar o pacote, fez isto chegar ao conhecimento dela, e ela também o fez saber que "talvez até apareça". Pois bem, se ela aparecer em casa do velhote, poderei por acaso me casar com ela? Agora entendes por que estou aqui sentado em segredo e a quem precisamente espreito?

— A ela?

— A ela. Essas putas, as senhorias daqui, alugam um cubículo para Fomá. Fomá é do nosso lugar, nosso ex-soldado. Ele presta serviço a elas, vigia à noite e de dia caça tetrazes, e assim vai vivendo. Foi aqui na casa dele que me entrincheirei; nem ele, nem as senhorias conhecem o segredo, ou seja, que estou aqui espreitando.

— Só Smierdiakóv sabe.

— Só ele. Ele me fará saber se ela aparecer na casa do velho.

— Foi ele que te falou do pacote?

— Ele. É o maior segredo. Nem Ivan sabe do dinheiro, de nada. O velho está enviando Ivan a Tchermachniá para dar umas voltas por lá: apareceu um interessado em comprar a mata de lá por oito mil rublos para derrubá-la, por isso o velho está implorando a Ivan: "Ajuda-me, diz ele, vai tu mesmo lá" por uns dois diazinhos, uns três. Ele está é querendo que Grúchenka apareça durante a ausência de Ivan.

— Quer dizer que hoje mesmo ele espera por Grúchenka?

— Não, hoje ela não vai aparecer, há indícios. Certamente não vai aparecer! — bradou subitamente Mítia. — Smierdiakóv também o supõe. Nosso pai neste momento está enchendo a cara à mesa com nosso irmão Ivan. Vai lá, Alieksiêi, e pede a ele esses três mil...

— Mítia, meu querido, o que está havendo contigo! — exclamou Aliócha, levantando-se do lugar e olhando fixo para o exaltado Dmitri Fiódorovitch. Por um instante, pensou que ele tivesse enlouquecido.

— O que é isso? Não fiquei maluco — pronunciou Dmitri Fiódorovitch, olhando-o fixo e até com ar meio triunfal. — Ora, estou te enviando ao nosso pai e sei o que estou dizendo; eu acredito em milagre.

— Em milagre?

— No milagre da Divina Providência. Deus conhece meu coração, está vendo todo o meu desespero. Está vendo todo esse quadro. Será que vai permitir que o horror se realize? Aliócha, eu acredito em milagre, vai!

— Vou. E tu, vais esperar aqui?

— Vou, e compreendo que isso vai demorar, que não vai ser possível chegar lá e pimba!, tudo resolvido. Neste momento ele está bêbado. Vou esperar três horas, e quatro, e cinco, e seis, e sete, mas fica sabendo só que hoje, ainda que seja à meia-noite, aparecerás na casa de Catierina Ivánovna *com dinheiro ou sem dinheiro*, e dirás: "Ele mandou apresentar seus cumprimentos". Quero que tu digas exatamente esse verso: "Mandou apresentar seus cumprimentos".

— Mítia! E se de repente Grúchenka aparecer hoje... não hoje, mas amanhã ou depois de amanhã?

— Grúchenka? Vou ficar de olho, irrompo lá e impeço.

— Mas se...

— Em caso de "se", eu mato. Assim não vou suportar.

— Matas quem?

— O velho. A ela não mato.

— Meu irmão, o que estás dizendo!

— Bem, não sei, não sei, pode ser que não mate, mas pode ser que mate. Temo que de repente ele se torne odioso para mim, pela cara que fizer na hora agá. Odeio a papada dele, o nariz dele, os olhos dele, aquela sua zombaria desavergonhada. Sinto um asco pessoal. Eis o que eu temo: que não consiga me conter...

— Vou indo, Mítia. Creio que Deus arranjará as coisas da melhor maneira possível para que o horror não aconteça.

— Enquanto isso, vou ficar aqui sentado, aguardando o milagre. Mas se não acontecer, então...

Aliócha, pensativo, tomou o caminho da casa do pai.

VI. Smierdiakóv

Ele realmente encontrou o pai ainda à mesa. Segundo um velho costume, a mesa estava posta no salão, embora a verdadeira sala de jantar ficasse no interior da casa. O salão era o maior cômodo da casa, mobiliado com certa pretensão antiga: móveis velhíssimos, brancos, forrados com uma vetusta seda mista vermelha. Nos espaços entre as janelas havia espelhos com molduras alambicadas de entalhe antigo, também brancas com mesclas douradas. Nas paredes, forradas de um papel branco já rasgado em muitos lugares, destacavam-se dois grandes retratos — um de um príncipe qualquer, que uns trinta anos antes fora governador-geral da região, e outro de não sei que bispo, também já falecido havia muito tempo. No canto havia alguns ícones, diante dos quais se acendia uma lamparina à noite... não tanto por veneração como para manter o cômodo iluminado. Fiódor Pávlovitch se deitava muito tarde, aí pelas três, quatro da madrugada, e até então costumava andar pelo cômodo ou ficar sentado nas poltronas, meditando. Contraíra esse hábito. Não raro dormia totalmente sozinho em casa, depois de mandar os criados para o anexo, no entanto o mais das vezes passava a noite na companhia do criado Smierdiakóv, que dormia na antessala em cima de um caixão comprido que fazia as vezes de banco. Quando Aliócha entrou, todo o almoço já havia terminado, mas estavam servindo geleia e café. Fiódor Pávlovitch gostava de doces e conhaque depois do almoço. Na ocasião, Ivan

Fiódorovitch encontrava-se também à mesa e tomava café. Postados junto à mesa estavam os criados Grigori e Smierdiakóv. Tanto os senhores quanto os criados estavam num estado de ânimo visível e extraordinariamente alegre. Fiódor Pávlovitch ria e dava sonoras gargalhadas; ainda do vestíbulo, Aliócha ouviu sua risada esganiçada, que já lhe era familiar e, pelos sons da risada, concluiu no ato que o pai ainda não estava nem de longe bêbado, mas tão somente curtindo o ócio.

— Eis quem estava faltando, eis quem estava faltando! — começou a berrar Fiódor Pávlovitch de súbito e contentíssimo com a chegada de Aliócha. — Junta-te a nós, senta-te, toma um cafezinho — é magro, é magro mas está quente, e excelente! Para um conhaquinho não te convido, és um abstinente, mas queres, queres? Não, é melhor te dar um licorzinho, excelente! — Smierdiakóv, vai ao armário, na segunda prateleira à direita, pega a chave, mais ânimo.

Aliócha fez menção de recusar o licor.

— Seja como for, vão servi-lo, se não for para ti, será para nós — Fiódor Pávlovitch estava radiante. — Mas espera, já almoçaste?

— Almocei — disse Aliócha sentando-se, mas na verdade havia comido apenas uma fatia de pão e bebido um copo de *kvas* na cozinha do igúmeno. — Já um café quente bebo com gosto.

— Meu querido! Bravo! Ele vai tomar um cafezinho. Não será o caso de requentá-lo? Ah, não, ainda está fervendo. O café é magnífico, foi feito por Smierdiakóv. Em matéria de café e *kuliebiaka*[114] Smierdiakóv é um artista, é verdade que de sopa de peixe também. Qualquer dia vem tomar uma sopa de peixe, avisa com antecedência... Espera, espera, ainda há pouco eu não te ordenei que mudasses hoje mesmo para cá trazendo colchão e travesseiros? Trouxeste o colchão? Eh-eh-eh!...

— Não, não trouxe — Aliócha deu um risinho.

— Ah, levaste um susto, acabaste de levar um susto, não? Ah, meu pombinho, eu lá posso te ofender? Ouve, Ivan, não resisto quando ele me olha nos olhos e sorri, não resisto. Todas as minhas entranhas começam a rir dele, eu o amo! Aliócha, deixa-me te dar a bênção paterna.

Aliócha se levantou, mas Fiódor Pávlovitch já havia mudado de ideia.

— Não, não, vou apenas te benzer, assim, senta-te. Vais ficar satisfeito, precisamente porque a conversa será sobre o teu tema preferido. Hás de rir. Por aqui a jumenta de Balaão deu de falar, e como fala, como fala!

A jumenta de Balaão vinha a ser o criado Smierdiakóv. Jovem, de ape-

[114] Pastelão de carne, repolho e peixe. (N. do T.)

nas uns vinte e quatro anos, era um homem terrivelmente insociável e calado. Não que fosse um selvagem ou algo o deixasse acanhado, não. Era, ao contrário, de índole arrogante e como que desprezava todo mundo. Pois bem, é impossível não dizer ao menos duas palavras sobre ele, e precisamente agora. Fora educado por Marfa Ignátievna e Grigori Vassílievitch, mas o menino crescera desprovido "de qualquer gratidão", como dizia dele Grigori, como um menino selvagem vendo o mundo de seu canto. Na infância, gostava muito de enforcar gatos e depois enterrá-los com cerimônia. Para isso vestia um lençol como uma espécie de casula, e cantava e agitava sobre o gato morto algum objeto como se fosse um turíbulo. Tudo isso às escondidas, no maior segredo. Certa vez Grigori o surpreendeu nesse exercício e o castigou dolorosamente com uma vara. Ele se recolheu ao seu canto e de lá ficou por volta de uma semana olhando os outros de esguelha. "Esse monstro não gosta de nós dois — dizia Grigori a Marfa Ignátievna —, aliás, não gosta de ninguém. Por acaso és gente? — falou súbito e direto para Smierdiakóv. — Tu não és gente, brotaste da umidade do banheiro, é isso que és..." Smierdiakóv, como se verificou posteriormente, nunca pôde lhe perdoar essas palavras. Grigori o ensinou a ler e escrever, e quando ele completou doze anos passou a lhe ensinar História Sagrada. Mas isso terminou de imediato e deu em nada. Certa vez, na segunda ou terceira aula, o menino de repente sorriu.

— O que é isso? — perguntou Grigori, olhando-o ameaçadoramente por cima dos óculos.

— Não é nada. O Senhor Deus criou a luz no primeiro dia, e o sol, a lua e as estrelas no quarto dia. De onde foi que a luz brilhou no primeiro dia?

Grigori ficou boquiaberto. O menino olhava para o mestre com ar zombeteiro. Havia até um quê de altivez em seu olhar. Grigori não se conteve. "Olha aqui de onde foi!" — gritou tomado de fúria e deu um tabefe no rosto do discípulo. O menino suportou o tabefe, não disse uma palavra em objeção, mas tornou a encafuar-se em seu canto por vários dias. E justo nesse momento, uma semana depois, a epilepsia manifestou-se nele pela primeira vez na vida e não o deixaria por todo o resto de seus dias. Ao tomar conhecimento desse fato, Fiódor Pávlovitch mudou como que de repente seu modo de tratar o menino. Antes o olhava com certa indiferença, embora nunca o destratasse e, quando o encontrava, sempre lhe dava um copeque. Às vezes, quando estava benevolente, mandava-lhe da mesa alguma coisa doce. Mas neste caso, ao tomar conhecimento da doença, passou a preocupar-se seriamente com ele, chamou o médico, passou a tratar dele, mas verificou-se que era impossível curá-lo. Os ataques aconteciam em média uma vez por mês em intervalos variados. Os ataques também variavam de intensidade — uns leves, outros muito violentos. Fiódor Pávlovitch proibiu com a máxima severidade que Grigori castigasse fisicamente o menino e passou a permitir-lhe o acesso à sua casa. Provisoriamente proibiu também que lhe ensinasse o que quer que fosse. Uma vez, porém, quando o menino estava com uns quinze anos, Fiódor Pávlovitch notou que ele andava rondando o armário de livros e que pelo vidro lia os títulos. Fiódor Pávlovitch tinha bastantes livros, uns cento e poucos, mas nunca ninguém o vira com um livro na mão. No mesmo instante ele entregou a chave do armário a Smierdiakóv: "Podes ler, serás meu bibliotecário, é melhor ler do que ficar vagando pelo pátio. Lê este aqui" — e Fiódor Pávlovitch tirou para ele *Serões numa granja perto de Dikanka.*[115]

O menino o leu, mas não ficou satisfeito, não riu uma única vez; ao contrário, terminou de cenho franzido.

— Então, não é engraçado? — perguntou Fiódor Pávlovitch.

Smierdiakóv calava.

— Responde, imbecil.

— É tudo mentira — resmungou Smierdiakóv com uma risota.

— Então vai para o inferno, alma lacaia. Espera, pega esta *História universal* de Smarágdov,[116] aqui tudo é verdade, lê.

No entanto, Smierdiakóv não leu nem dez páginas de Smarágdov, achou chato. Assim o armário de livros voltou a ser trancado. Pouco depois, Marfa e Grigori informaram Fiódor Pávlovitch de que pouco a pouco ia-se manifestando em Smierdiakóv um nojo terrível: sentado diante do prato de sopa, pegava a colher e ficava procurando e procurando algo na sopa, inclinava-se, examinava, mergulhava a colher e a levantava para a luz.

— Será barata? — chegava a perguntar Grigori.

— Talvez uma mosca — observou Marfa.

O asseado rapazinho não respondia, mas fazia a mesma coisa com o pão, a carne e todas as outras comidas: às vezes, levantava no garfo uma fatia contra a luz, examinava com precisão microscópica, demoradamente, cozinhava a decisão e finalmente se decidia a encaminhá-la à boca. "Vejam só, apareceu aqui um senhorzinho" — resmungava Grigori, olhando para ele. Ao ouvir falar nessa nova qualidade de Smierdiakóv, Fiódor Pávlovitch resolveu no ato que ele devia ser cozinheiro e o enviou para uma escola de Moscou. Ele passou alguns anos estudando e voltou muitíssimo modificado de rosto. Súbito envelhecera de forma um tanto incomum, ficara enrugado

[115] Obra fundamental do ciclo folclórico de Gógol. (N. do T.)

[116] Trata-se do manual de S. N. Smarágdov, *Breve esboço de história universal para escolas primárias*, editado em Petersburgo em 1845. (N. da E.)

de modo até totalmente desproporcional à sua idade, amarelo, parecendo um eunuco. Em termos morais, voltara quase o mesmo que era antes de partir para Moscou: continuava igualmente insociável, sem sentir a mínima necessidade de qualquer companhia. Como se soube depois, em Moscou ele vivera sempre calado; de certo modo, a própria Moscou o interessara pouquíssimo, de sorte que, se conhecera na cidade alguma coisa, não dera atenção a todo o restante. Estivera até uma vez no teatro, mas voltara calado e insatisfeito. Em compensação, chegara de Moscou à nossa cidade bem-vestido, de sobrecasaca e camisa branca limpa; escovava ele mesmo com muita minúcia sua roupa invariavelmente duas vezes ao dia, e gostava muitíssimo de engraxar suas elegantes botas de couro de bezerro com uma graxa preta inglesa especial, para que elas ficassem brilhando como um espelho. Revelou-se um cozinheiro magnífico. Fiódor Pávlovitch estipulou um salário para ele, e esse salário Smierdiakóv empregava quase integralmente em roupas, pomadas, perfumes, etc. Mas parece que desprezava o sexo feminino tanto quanto o masculino, comportava-se diante dele de forma grave, quase inacessível. Fiódor Pávlovitch passou a considerá-lo até de um ponto de vista um tanto diferente. Acontece que seus ataques de epilepsia se intensificavam, e nesses dias quem preparava a comida era Marfa Ignátievna, o que muito desagradava Fiódor Pávlovitch.

— Por que teus ataques se tornaram mais frequentes? — olhava às vezes de esguelha para o novo cozinheiro, examinando-lhe o rosto. — Devias ao menos casar-te com alguém, queres que eu te case?...

Ao ouvir essas palavras, Smierdiakóv apenas empalidecia de desgosto, mas nada respondia. Fiódor Pávlovitch se afastava, dava de ombros. O principal é que estava seguro, e de vez, da honestidade dele, e tinha certeza de que ele não pegaria nem roubaria nada. Certa vez aconteceu que Fiódor Pávlovitch, bêbado, deixou cair na lama do próprio pátio três notinhas irisadas que acabara de receber, e só deu por falta delas no dia seguinte: mal se pôs a procurá-las nos bolsos, e todas as três notinhas já apareceram subitamente em cima de sua mesa. De onde vieram? Smierdiakóv as apanhara e as trouxera ainda na véspera. "Não, meu caro, nunca vi ninguém como tu" — disse Fiódor Pávlovitch e deu dez rublos a Smierdiakóv. Cabe acrescentar que não só estava seguro de sua honestidade, mas por algum motivo até lhe tinha afeição, embora o rapaz o olhasse de esguelha como olhava para os outros, e sempre estivesse calado. Raramente acontecia de falar. Se alguém tivesse a ideia de perguntar, olhando para ele, por que aquele rapazinho se interessava e o que mais amiúde tinha em mente, então, palavra, seria impossível responder só de olhar para ele. Por outro lado, às vezes em casa, ou até no pátio ou na rua, ele parava, punha-se a meditar e ficava nessa posição até por uma dezena de minutos. Um fisionomista que o observasse diria que ali não havia nem reflexão, nem pensamento, mas alguma contemplação. O pintor Kramskói[117] tem um quadro magnífico chamado *O contemplador*. Representa um bosque no inverno e, numa trilha do bosque, um mujiquezinho embrenhado, metido num *caftan* esfarrapado e calçando *lapti*:[118] está parado sozinho na mais profunda solidão, postado e como que mergulhado em meditação, só que não está pensando e sim "contemplando" algo. Se alguém o tocasse, ele estremeceria e o olharia como se tivesse despertado, mas sem compreender nada. É verdade que voltaria a si no mesmo instante, mas se alguém lhe perguntasse em que estava pensando ali postado, ele com certeza não se lembraria de nada, mas seguramente conservaria em si a impressão sob a qual se encontrava durante sua contemplação. Essas impressões lhe são caras e é provável que ele as venha acumulando, sem se dar conta e até sem tomar consciência — e também sem saber, é claro, por que e para quê. Súbito, depois de haver acumulado impressões durante muitos anos, pode largar tudo e ir para Jerusalém em peregrinação e tentando salvar a alma, como também pode, num átimo, atear fogo à aldeia natal e pode igualmente fazer as duas coisas ao mesmo tempo. Há bastante contempladores no meio do povo. Pois Smierdiakóv era com certeza um desses contempladores, e provavelmente também acumulara suas impressões com avidez, quase sem saber para quê.

VII. A CONTROVÉRSIA

No entanto, a jumenta de Balaão deu de falar subitamente. O tema era estranho: pela manhã, ao fazer compras na venda do comerciante Lukiánov, Grigori o ouvira contar o caso de um soldado russo que, tendo caído prisioneiro de asiáticos em algum lugar distante da fronteira e sido forçado, sob ameaça de morte cruel e imediata, a renunciar ao Cristianismo e aderir ao Islã, negou-se a mudar de fé e aceitou as torturas, deixando-se esfolar, e morreu louvando e glorificando Cristo — essa façanha tinha sido publicada justamente no jornal recebido naquele dia.[119] Foi sobre isso que Grigori co-

[117] Esse quadro de Ivan N. Kramskói (1837-1887) foi exposto em Petersburgo no dia 9 de março de 1878. (N. da E.)

[118] Calçado de cascas de tília. (N. do T.)

[119] Trata-se de um fato real. O sargento russo Fomá Davídov, que servia no 2º Bata-

meçou sua conversa à mesa. Sempre que acabava de almoçar, Fiódor Pávlovitch gostava de conversar e rir durante a sobremesa, ainda que fosse com Grigori. Desta vez estava em um leve, agradável e descontraído estado de espírito. Ao tomar um conhaquinho e ouvir essa notícia, observou que esse soldado devia ser imediatamente proclamado santo e ter sua pele arrancada e levada para algum mosteiro: "Vai aparecer um monte de gente e dinheiro". Grigori franziu o cenho ao ver que Fiódor Pávlovitch não ficara minimamente enternecido e, segundo seu velho hábito, começava a blasfemar. E súbito Smierdiakóv, que estava postado junto à porta, deu um risinho. Já antes Smierdiakóv se permitia com bastante frequência postar-se à mesa, ou seja, no final do almoço. Mas desde a chegada de Ivan passara a aparecer quase sempre para o almoço.

— O que é que há contigo? — perguntou Fiódor Pávlovitch, percebendo num abrir e fechar de olhos a risota de Smierdiakóv e compreendendo, é claro, que dizia respeito a Grigori.

— Estou dizendo — falou Smierdiakóv de modo repentino e inesperadamente alto — que se a façanha desse soldado, digna de elogio, aconteceu e foi muito grande, torno a achar que não haveria pecado se, nesse incidente, ele até renegasse, por exemplo, o nome de Cristo e também seu próprio batismo, para assim salvar sua vida com o fim de praticar boas ações e através destas redimir sua pusilanimidade com o passar dos anos.

— Como não existe pecado? Estás enganado, e por isso irás direto para o inferno e lá serás assado como um carneiro — secundou Fiódor Pávlovitch.

Foi nesse exato momento que Aliócha entrou. Como vimos, Fiódor Pávlovitch ficou contentíssimo com a chegada dele.

— Estamos falando sobre o teu tema, sobre o teu tema! — ele dava risadinhas de alegria fazendo Aliócha sentar-se para escutar.

— Quanto ao carneiro, a coisa não é assim, e além do mais lá não haverá nada disso e nem deve mesmo haver, se for feita plena justiça — observou Smierdiakóv em tom grave.

lhão do Turquestão, na Ásia Central, caiu prisioneiro da tribo vizinha dos kiptchak e morreu em Marguelan no dia 21 de novembro de 1875. Em artigo que publicou em seu *Diário de um escritor* de 1877 com o título "Fomá Davídov, um herói russo supliciado", Dostoiévski escreveu que Davídov, que sofrera pela fé e revelara uma força moral inusitada, é "um emblema de toda a Rússia, de toda a nossa Rússia popular, sua imagem autêntica". E prossegue: "para julgar a força moral do povo e aquilo do que ele será capaz no futuro, deve-se levar em conta não o nível de hediondez a que ele pode rebaixar-se momentaneamente, e até na maioria dos casos, mas aquela elevação de espírito que ele poderá atingir quando chegar o momento". (N. da E.)

— Como se for feita plena justiça? — bradou Fiódor Pávlovitch ainda mais alegre e cutucando a perna de Aliócha.

— Ele é um patife, eis o que ele é! — deixou escapar subitamente Grigori. Ele encarou furiosamente Smierdiakóv.

— Quanto ao patife, alto lá, Grigori Vassílievitch — respondeu Smierdiakóv de modo tranquilo e contido —, é melhor que o senhor mesmo decida: uma vez que caí prisioneiro de verdugos da raça cristã e eles exigem que eu amaldiçoe o nome de Deus e renegue meu santo batismo, estou plenamente autorizado a fazê-lo pela própria razão, pois nisso não há nenhum pecado.

— Bem, já disseste isso, para de enfeitar e prova! — gritou Fiódor Pávlovitch.

— Ele é um borra-panelas! — murmurou Grigori com ar de desdém.

— Alto lá também quanto ao borra-panelas, Grigori Vassílievitch, e procure decidir sem me insultar. Porque é só eu dizer aos verdugos: "Não, eu não sou cristão e amaldiçoo o meu verdadeiro Deus", que imediatamente serei anatemizado pelo supremo tribunal divino e totalmente excomungado pela santa Igreja como se fosse um pagão, e isso no mesmo instante — não assim que eu acabar de pronunciar, mas assim que eu pensar em pronunciar —, de maneira que não se passará um quarto de segundo e eu já estarei excomungado. É assim ou não é, Grigori Vassílievitch?

Ele se dirigia a Grigori com visível satisfação, embora na verdade estivesse respondendo às perguntas de Fiódor Pávlovitch; compreendia isso perfeitamente, mas fingia de propósito que era Grigori quem fazia essas perguntas.

— Ivan! — bradou de supetão Fiódor Pávlovitch — inclina-te aqui ao pé do meu ouvido. Ele montou tudo isso para ti. Está querendo que o elogies. Elogia.

Ivan Fiódorovitch ouviu com total seriedade a entusiástica informação do pai.

— Espera, Smierdiakóv, cala por enquanto — tornou a gritar Fiódor Pávlovitch. — Ivan, inclina-te mais uma vez ao pé do meu ouvido.

Ivan Fiódorovitch tornou a inclinar-se com um ar dos mais sérios.

— Eu te amo assim como a Aliócha. Não penses que não te amo. Vai um conhaquinho?

— Pode servir. "Mas tu mesmo estás um bocado bêbado" — pensou Ivan Fiódorovitch, olhando fixo para o pai. Já Smierdiakóv ele observava com uma curiosidade excepcional.

— Mesmo agora já és um maldito anátema — explodiu de súbito Grigori —, e como depois disso te atreves a discutir, canalha, se...

— Sem insultos, Grigori, sem insultos! — cortou Fiódor Pávlovitch.

— Espere um pouquinho só, Grigori Vassílievitch, e continue ouvindo, porque eu ainda não disse tudo. Porque no mesmo instante em que eu for amaldiçoado por Deus, nesse mesmo instante, instante supremo, eu já terei me tornado mesmo uma espécie de pagão, serei privado do batismo e este não será substituído por nada — é ou não é assim?

— Conclui depressa, meu caro, conclui — apressava Fiódor Pávlovitch sorvendo com prazer uma taça.

— E se não sou mesmo cristão, quer dizer que não menti para os verdugos quando me perguntaram se eu era ou não era cristão, porque eu já havia sido afastado de meu Cristianismo pelo próprio Deus simplesmente por causa da intenção e inclusive antes que eu conseguisse dizer minha palavra aos verdugos. E se eu já estava degradado, então de que maneira e com base em que justiça haveriam de cobrar de mim no outro mundo, como se cobra de um cristão, por eu ter renegado Cristo, quando eu, só pela intenção, ainda antes da excomunhão, já havia sido privado de meu batismo? Portanto, se já não sou cristão, não posso tampouco renegar Cristo, porque neste caso não terei o que renegar. Quem vai cobrar do ímpio tártaro, Grigori Vassílievitch, até mesmo nos céus, por ele não ter nascido cristão, e quem há de castigá-lo por isso, considerando que não se tiram dois couros de um só boi? E, ademais, se o próprio Deus todo-poderoso vier a cobrar algo desse tártaro, quando este morrer, então suponho que venha a ser através de algum castiguinho à toa (uma vez que não é possível deixar totalmente de castigá-lo), por julgar que este não tem culpa de ter nascido ímpio de pais ímpios. Poderia o senhor Deus pegar o tártaro à força e dizer a seu respeito que ele também foi cristão? Ora, isso significaria que o Senhor todo-poderoso estaria dizendo uma pura mentira. E por acaso o Senhor todo-poderoso do Céu e da Terra poderia dizer uma mentira, ainda que fosse numa única palavra?

Grigori estava boquiaberto e fitava o orador de olhos esbugalhados. Embora não entendesse bem o que estavam dizendo, mesmo assim compreendeu de repente alguma coisa de todo aquele farelório e parou com ar de quem acabara de dar uma testada na parede. Fiódor Pávlovitch esvaziou o cálice e desatou uma risada esganiçada.

— Alióchka, Alióchka,[120] qual! Sim senhor, seu casuísta! Ele aprendeu isso em algum lugar com jesuítas, Ivan. Tu, hem, seu jesuíta fedorento, quem foi que te ensinou isso? Só que tu estás dizendo lorotas, casuísta, lorotas, lorotas, lorotas. Não chores, Grigori, agora mesmo vamos fazê-lo morder o

[120] Diminutivo de Aliócha. (N. do T.)

pó. Diz-me uma coisa, jumenta: vá que tenhas razão diante dos teus verdugos, mas acontece que, mesmo assim, em teu íntimo tu próprio renegaste tua fé e dizes pela própria boca que no mesmo instante foste amaldiçoado e, se já foste amaldiçoado, não te afagarão no inferno. O que achas disto, meu belo jesuíta?

— Não há dúvida de que em meu íntimo eu a reneguei, e ainda assim não houve aí nenhum pecado especial, e se houve um pecadinho ele foi o mais comum.

— Como o mais comum?!

— Lorotas, ma-mal-dito — chiou Grigori.

— Julgue o senhor mesmo, Grigori Vassílievitch — continuou Smierdiakóv com voz regular e cadenciada, consciente da vitória, mas como que revelando generosidade com o inimigo derrotado —, julgue o senhor mesmo, Grigori Vassílievitch: nas escrituras está escrito que, se tens fé, ainda que seja o mais ínfimo grão, e dizes a uma montanha que ela vá ao mar, ela irá sem a mínima demora, atendendo à sua primeira ordem. Então, Grigori Vassílievitch, se eu não creio e o senhor crê tanto que até me insulta sem cessar, então o senhor mesmo experimente dizer a essa montanha que ela vá, não propriamente ao mar (porque o mar fica longe daqui), mas que vá ao menos ao nosso riacho fedorento, aquele mesmo que corre do outro lado do jardim: no mesmo instante o senhor verá com seus próprios olhos que nada se moveu, e que continua integralmente na mesma ordem por mais que o senhor tenha gritado. E isto quer dizer que o senhor também não crê da devida maneira, Grigori Vassílievitch, e por isso apenas xinga os outros de todos os modos. Mais uma vez se verifica que ninguém em nossa época, nem o senhor, nem decididamente mais ninguém, começando pelas pessoas da mais alta projeção e terminando no último dos mujiques, pode mover uma montanha para o mar, à exceção apenas de um único homem em toda a terra, quando muito de dois, e ainda assim é possível que estes estejam procurando secretamente salvar a alma em algum lugar no deserto do Egito, de sorte que não os encontrarás absolutamente — e sendo assim, se todos os outros são incréus, será possível que Deus amaldiçoe todos esses outros, ou seja, a população de toda a Terra, com exceção daqueles dois do deserto, sem perdoar a nenhum deles, apesar de toda a sua tão conhecida misericórdia? É por isso que tenho a esperança de que, se duvidei, serei perdoado quando derramar lágrimas de arrependimento.

— Para! — ganiu Fiódor Pávlovitch na apoteose do êxtase. — Esses dois aí, que podem mover montanhas, tu mesmo assim supões que existem? Ivan, grava esse traço, escreve: o homem russo aqui se revelou por inteiro.

— O senhor observou de modo absolutamente verdadeiro que isso é o traço popular na fé — concordou Ivan Fiódorovitch com um sorriso de aprovação.

— Estás concordando! Quer dizer então que tu concordas! Aliócha, não é verdade? Essa não é a fé absolutamente russa?

— Não, a fé de Smierdiakóv não tem nada de russo — proferiu Aliócha com seriedade e firmeza.

— Não é da sua fé que eu estou falando, mas desse traço, dessas duas criaturas no deserto, apenas desse traçozinho: porque isso é a maneira russa, a maneira russa!

— Sim, é um traço totalmente russo — sorriu Aliócha.

— Tua palavra vale uma moeda de ouro, jumenta, e hoje mesmo eu a envio para ti, mas no restante, apesar de tudo, tu dizes lorotas, lorotas e lorotas; fica sabendo, imbecil, que nós aqui só não cremos por leviandade, porque nos falta tempo: em primeiro lugar, os afazeres nos absorvem, em segundo, Deus nos deu pouco tempo, apenas vinte e quatro horas por dia, de sorte que não temos tempo nem para dormir direito, quanto mais para arrependimento. E tu mesmo renegaste tua fé diante de teus verdugos, quando não tinhas mais nada em que pensar a não ser na fé e quando precisavas mostrar justamente a tua fé! Portanto, meu irmão, é nisso que consiste a questão, não é?

— Consistir, consiste, mas julgue o senhor mesmo, Grigori Vassílievitch, que ela mitiga ainda mais porque é nisso que consiste. Porque, se naquele momento eu cresse de verdade na própria fé como se deve crer, então teria realmente sido pecado se não aceitasse os tormentos em nome de minha fé e houvesse aderido à sórdida fé de Maomé. Mas veja que naquela ocasião a coisa não chegaria aos tormentos, porque bastava que eu dissesse naquele instante àquela montanha: move-te e esmaga o verdugo, ela se moveria e no mesmo instante o esmagaria como uma barata, e eu iria embora como se nada tivesse acontecido, cantando e glorificando a Deus. Mas se naquele mesmo instante eu experimentasse tudo isso e já gritasse de propósito para a montanha: esmaga estes verdugos, e ela não os esmagasse, então, diga-me o senhor, como eu poderia ao mesmo tempo não duvidar, e ainda mais numa hora de grande medo da morte? De mais a mais, eu já sei que não vou alcançar o Reino dos Céus na plenitude (porque a montanha não se moveria obedecendo à minha palavra, logo, na ocasião não acreditariam muito em minha fé e no outro mundo não me esperaria uma grande recompensa), então para que eu, ainda por cima sem qualquer proveito, vou deixar que me tirem a pele? Porque se minha pele já foi tirada até a metade das costas, então a montanha não se moveria obedecendo à minha palavra ou ao meu grito. É, nesse instante não só se cai em dúvida como se pode até perder o próprio juízo de medo, de sorte que até raciocinar será totalmente impossível. Portanto, como é que posso sair daí particularmente culpado se nem lá, nem aqui vejo nenhuma vantagem para mim, nem recompensa, e procuro ao menos salvar minha pele? É por isso que, confiando muito na misericórdia do Senhor, nutro a esperança de que serei totalmente perdoado...

VIII. Tomando conhaque

A discussão terminou, mas, coisa estranha, Fiódor Pávlovitch, que estivera tão alegre, acabou ficando subitamente sombrio. Ficou sombrio e sorveu mais uma taça de conhaque, e essa já era uma taça totalmente supérflua.

— Quanto a vocês, jesuítas, deem o fora daqui — gritou ele de sua cadeira. — Fora, Smierdiakóv. Hoje mesmo te mando a moeda de ouro que te prometi, mas fora. Não chores, Grigori, vai para junto de Marfa, ela te consolará, te porá na cama. Os canalhas não me deixam ficar em paz depois do almoço — cortou de repente em tom aborrecido, quando os criados se retiraram imediatamente obedecendo a sua ordem. — Smierdiakóv agora deu para se meter sempre aqui na hora do almoço; tu te tornaste uma grande curiosidade para ele: o que fizeste para animá-lo tanto? — acrescentou, virando-se para Ivan Fiódorovitch.

— Absolutamente nada — respondeu este —, resolveu me estimar; é um lacaio e um grosseirão. É carne de vanguarda, aliás, para quando chegar a hora.

— De vanguarda?

— Haverá outros melhores, mas haverá também iguais a ele. Primeiro haverá os iguais a ele, depois virão os melhores.

— E quando é que vai chegar a hora?

— A acha vai pegar fogo, mas talvez nem chegue a consumir-se. Por enquanto o povo não gosta lá muito desses borra-panelas.

— O problema, meu irmão, é que essa jumenta de Balaão pensa, pensa, e o diabo sabe em que vai dar esse pensamento.

— Está acumulando ideias — Ivan deu um risinho.

— Vê, eu sei que ele não consegue me suportar, assim como a todos nós, e igualmente a ti, embora te pareça que ele "resolveu te estimar". Já Alióchka, faz muito tempo que ele despreza Alióchka. No entanto não rouba, vê só, não bisbilhota, é calado, não lava a roupa suja de casa na rua, prepara magnificamente *kuliebiaka*, e quanto ao resto o diabo que o carregue. Mas, para dizer a verdade, vale a pena falar sobre ele?

— É claro que não vale.

— E quanto ao que ele venha a inventar lá com seus botões, o mujique russo precisa mesmo ser açoitado. Eu sempre afirmei isso. Nosso mujique é um vigarista, não vale a pena ter dó dele, e ainda é bom que até hoje o esfolem de vez em quando. A terra russa é forte por suas bétulas. Se exterminarem as florestas a terra russa estará perdida. Eu estou com os homens inteligentes. Deixamos de esfolar os mujiques por causa da nossa grande inteligência, mas eles mesmos continuam a se açoitar. E fazem bem. Medem-se com a mesma medida, e com esta mesma acabarão sendo recompensados, ou como se diz... Numa palavra, vão acabar recompensados.[121] Mas a Rússia é uma porcaria. Meu amigo, se tu soubesses como odeio a Rússia... Quer dizer, não a Rússia, mas todos esses vícios... Mas vamos que a Rússia também. *Tout cela c'est de la cochonnerie.*[122] Sabes de que eu gosto? Gosto da espirituosidade.

— O senhor acabou de tomar outro cálice. Seria bom parar.

— Espera, ainda vou tomar mais um, e mais um, e aí paro. Não, espera, tu me interrompeste. De passagem por Mókroie, faço uma pergunta a um velhote e ele me responde: "Nós aqui, do que mais gostamos é de açoitar as moças no cumprimento de uma sentença, e deixamos que todos os rapazes as açoitem. Depois, essa mesma que ele açoitou, amanhã ele a tomará como noiva, de sorte que, aqui entre nós, as próprias moças gostam disso". Que Marqueses de Sade, hein? Mas, seja lá o que aches, é espirituoso. Seria o caso de irmos lá dar uma olhada, que tal? Coraste, Alióchka? Não fiques envergonhado, meu menino. Lamento que ainda agora não tenha falado das moças de Mókroie com os monges durante o almoço. Alióchka, não fiques zangado por eu ter ofendido teu igúmeno ainda há pouco. Me dá muita raiva, meu caro. Porque se há Deus, se Ele existe, bem, é claro que neste caso sou culpado e hei de responder, mas se Ele não existe absolutamente, então para que servem os teus padres? Pois neste caso seria pouco cortar a cabeça deles, porque freiam o desenvolvimento. Acreditas, Ivan, que isto me atormenta em meus sentimentos? Não, não acreditas, pois estou vendo pelo teu olhar.

[121] "Não julgueis, e não sereis julgados; não condeneis, e não sereis condenados; perdoai, e sereis perdoados; dai, e dar-se-vos-á; boa medida, recalcada, sacudida, transbordante, generosamente vos darão; porque com a medida com que tiverdes medido vos medirão também". Lucas, 6, 37-8. Ver também Mateus, 7, 1-2, e Marcos, 4, 24. (N. da E.)

[122] "Tudo isso é uma porcaria", em francês no original. (N. da E.)

Tu acreditas no que as pessoas dizem, que eu sou apenas um palhaço. Alióchka, acreditas que sou apenas um palhaço?

— Acredito que não és apenas um palhaço.

— E eu acredito que acreditas e que estás sendo sincero. Vês as coisas com sinceridade e com sinceridade falas. Mas Ivan, não. Ivan é altivo... Mesmo assim eu acabaria com teu mosteirozinho. Pegaria toda essa mística e a eliminaria de uma vez em toda a terra russa para tornar todos os imbecis definitivamente racionais. E quanta prata e ouro iria para a Casa da Moeda!

— Sim, mas por que eliminar? — disse Ivan.

— Para que a verdade resplandecesse mais depressa, eis por quê.

— Mas se essa verdade resplandecer, o senhor será o primeiro a ser roubado e depois... eliminado.

— Bah! Pensando bem, talvez estejas certo. Ah, sou uma jumenta — arremeteu de súbito Fiódor Pávlovitch, batendo de leve na testa. — Bem, se é assim, deixemos que permaneça teu mosteirozinho, Alióchka. Já nós, pessoas inteligentes, ficaremos no nosso cantinho quente bebericando um conhaquinho. Sabes, Ivan, que o próprio Deus deve ter organizado a coisa assim forçosamente de propósito? Ivan, dize: Deus existe ou não? Espera: fala a verdade, fala a sério! Do que estás rindo de novo?

— Estou rindo porque ainda há pouco o senhor mesmo fez uma observação espirituosa sobre a fé de Smierdiakóv na existência de dois *startzí* capazes de mover montanhas.

— Ora, por acaso tem alguma semelhança com o que eu disse?

— Muita.

— Bem, sendo assim, quer dizer que eu sou um russo, e que tenho um traço russo, e que a ti também, filósofo, posso te apanhar nesse mesmo traço. Se quiseres eu te apanho. Podemos apostar que amanhã mesmo te apanho. Mas, mesmo assim, dize: Deus existe ou não? Só que fala a sério! Agora precisas me dizer a sério.

— Não, Deus não existe.

— Alióchka, Deus existe?

— Deus existe.

— Ivan, a imortalidade existe? Vamos, alguma que seja, mesmo uma pequena, a mais ínfima?

— Também não existe imortalidade.

— Nenhuma?

— Nenhuma.

— Ou seja, o zero mais absoluto ou algo? Será que existe algo, alguma coisa? Apesar de tudo, não é o nada!

— Zero absoluto.

— Alióchka, existe a imortalidade?

— Existe.

— E Deus, e a imortalidade?

— Tanto Deus como a imortalidade. É em Deus que está a imortalidade.

— Hum. O mais provável é que Ivan esteja certo. Deus! só de pensar o quanto sacrificou o homem de fé, quantos esforços de toda espécie dispendeu gratuitamente por essa fantasia, e isso durante tantos milênios! Quem é esse que zomba tanto do homem? Ivan! Pela última vez te pergunto e de modo terminante: Deus existe ou não? Estou perguntando pela última vez!

— E pela última vez não.

— Quem é que zomba dos homens?

— Vai ver que é o diabo — Ivan Fiódorovitch deu um risinho.

— E o diabo existe?

— Não, o diabo também não existe.

— É uma pena. Com os diabos, o que eu faria depois disso com aquele que primeiro inventou Deus! Enforcá-lo num álamo amargo[123] seria pouco.

— Não existiria absolutamente civilização se não tivessem inventado Deus.

— Não existiria? Sem Deus?

— Sim, e nem o conhaque existiria. Mas, apesar de tudo, vou ter de lhe tirar o conhaque.

— Espera, espera, espera, meu querido, vou beber mais uma tacinha. Ofendi Alióchka. Não estás zangado, Alieksiêi? Alieksiêitchik,[124] meu querido Alieksiêitchik!

— Não, não estou zangado. Já conheço suas ideias. Seu coração é melhor do que a cabeça.

— Meu coração é melhor do que a cabeça? Deus, e quem está dizendo isso! Ivan, tu amas Alióchka?

— Amo.

— Procura amá-lo (Fiódor Pávlovitch estava muito bêbado.) Ouve, Aliócha, há pouco fiz uma grosseria com o teu *stárietz*. É que eu estava exaltado. Mas naquele *stárietz* existe espirituosidade, o que achas, Ivan?

[123] Fiódor Pávlovitch usa uma expressão tirada de uma canção popular, onde o álamo aparece como árvore amarga e maldita: "Álamo, árvore maldita, nela Judas se enforcou, e desde então suas folhas tremem". Cf. Vladímir Dall, *Tolkóviy slovar jovago vielikorússkogo yaziká* (Dicionário da língua russa viva), t. 2, p. 696. (N. do T.)

[124] Mais uma variante do diminutivo de Alieksiêi. (N. do T.)

— Vai ver que existe.

— Existe, existe, *il y a du Piron là-dedans.*[125] É um jesuíta, um jesuíta russo, para ser mais exato. Sendo um homem decente, ferve aquela indignação recôndita por precisar fingir... e assumir o fardo da santidade.

— Sim, mas ele crê em Deus.

— Não crê patavina. E tu não sabias? Ora, ele mesmo diz isso a todo mundo, quer dizer, não a todos, mas às pessoas inteligentes que aparecem por lá. Disse sem rodeios ao governador Schultz: "*Credo*,[126] mas não sei em quê".

— Foi mesmo?

— Exatamente assim. Mas eu o respeito. Há nele qualquer coisa de Mefistófeles, ou melhor, de *O herói do nosso tempo*... De Arbiênin[127] ou seja lá qual for o nome... quer dizer, um lascivo; ele é tão lascivo que hoje eu temeria por minha filha ou minha mulher se ela fosse se confessar com ele. Sabes, quando ele começa a contar... No ano retrasado ele nos convidou para um chazinho, com licor e tudo (as fidalgas lhe enviam licor), e se pôs a descrever de tal modo os tempos antigos que rebentamos de rir... Sobretudo como curou uma mulher fraca. "Se não estivesse com dor nas pernas, diz ele, eu mostraria uma dança para os senhores." Então, o que achas? "Já me distraí[128] um bocado nessa minha vida." Ele embolsou sessenta mil rublos do comerciante Diemídov.

— Como, roubou?

— O outro os entregou a ele como a um homem de bem: "Guarda-o, meu caro, amanhã haverá uma revista em minha casa". E ele o guardou. "Tu, diz ele, o doaste à Igreja!" E eu lhe digo: és um canalha. Não, diz ele, não sou um canalha, sou um homem de largueza... Mas, pensando bem, não foi ele... Foi outro. Me confundi com outro... e não me dei conta. Bem, mais uma tacinha e chega; tira a garrafa daqui, Ivan. Eu estava mentindo, por que não me fizeste parar, Ivan... e não disseste que eu estava mentindo?

— Eu sabia que o senhor mesmo ia parar.

[125] "Aí se percebe um Piron", em francês. Referência ao poeta e dramaturgo francês Alexys Piron (1689-1773). (N. do T.)

[126] Assim está no original russo, *credo* — creio, em latim. (N. do T.)

[127] Fiódor Pávlovitch se refere a dois personagens de Liérmontov: Pietchórin, personagem central de *O herói do nosso tempo*, que tem muitos traços de Mefistófeles, e Arbiênin, personagem do drama *Baile de máscaras*. (N. do T.)

[128] Na realidade, o *stárietz* referido por Fiódor Pávlovitch usa o neologismo *naafónit*, derivado de Afon, isto é, Atos, em russo, sugerindo que os monges do mosteiro de monte Atos levavam uma vida não tão rigorosa quanto a dos outros mosteiros. (N. do T.)

— Mentes, tu o fizeste por raiva de mim, unicamente por raiva. Tu me desprezas. Vieste para minha casa e em minha casa me desprezas.

— Vou embora; o conhaque lhe subiu à cabeça.

— Eu te pedi por Cristo para ir a Tchermachniá... Por um dia, por dois, mas tu não vais.

— Vou amanhã, já que o senhor insiste tanto.

— Não irás. Queres ficar aqui me vigiando, é isso que queres, alma perversa, e é por isso que não vais, não é?

O velho não se continha. Chegara àquele ponto da embriaguez em que alguns beberrões, até então mansos, têm uma súbita vontade de se tomar de raiva e se mostrar.

— Por que me olhas assim? Que olhos são esses? Teus olhos me olham e me dizem: "És uma besta bêbada". Teus olhos são desconfiados, teus olhos são desconfiados... Vieste para cá de caso pensado. Vê, Alióchka, ele está olhando, mas os olhos não brilham. Aliócha não me despreza. Alieksiêi, não ame Ivan...

— Não se zangue com meu irmão! Pare de ofendê-lo — disse subitamente Aliócha em tom firme.

— Sendo assim, paro. Ah, estou com dor de cabeça. Tira o conhaque daqui, Ivan, estou te falando pela terceira vez. — Ficou pensativo e deu um sorriso longo e finório: — Não te zangues com este velho fuinha, Ivan. Sei que não gostas de mim, mas mesmo assim não te zangues. Não há por que gostar de mim. Tu irás a Tchermachniá e eu mesmo vou te visitar lá, levo um presentinho. Lá eu te indico uma mocinha, há muito tempo estou de olho nela. Por enquanto ainda anda descalça. Não te assustes com as descalças, não as desprezes — são umas pérolas!...

Deu um beijo estalado na própria mão.

— Para mim — tomou-se de súbita animação como se a embriaguez tivesse passado num piscar de olhos mal ele começou a falar do tema predileto —, para mim... Ah, meninos! Meus filhinhos, meus pequenos leitõezinhos, para mim... em toda a minha vida nunca houve mulher feia; eis a minha regra! Vocês podem entender isso? Ora, como é que vocês haveriam de entender: em suas veias ainda corre leite em vez de sangue, vocês ainda não saíram da casca. Pela minha regra, em toda mulher pode-se encontrar algo extremamente interessante, arre, diabo, algo que não se encontra em nenhuma outra — só é preciso saber descobri-lo, eis onde está a coisa! Isso é um talento! Para mim não havia *movesha*:[129] o simples fato de ser mulher

[129] Russificação do francês *mauvaise*, com sentido de "mulher feia". (N. do T.)

já era meio caminho andado... Ah, onde é que vocês vão entender isso! Até as *vielfifilki*,[130] até nestas às vezes se descobre tal coisa que a gente se admira de como os outros imbecis deixaram que elas envelhecessem sem até hoje se darem conta do que fizeram! É preciso antes e acima de tudo surpreender a descalça e a *movieshka* — é assim que se deve assediá-las. Tu não sabias? É preciso surpreendê-la a ponto de deixá-la encantada, cheia de arroubos, envergonhada por um fidalgo ter se apaixonado por um tipo ralé como ela. O que é verdadeiramente magnífico é que sempre há e haverá no mundo grosseirões e fidalgos, sempre haverá uma borralheira, e ela sempre terá seu senhor, e é só isso que lhe basta para ser feliz na vida! Espera... escuta, Alióchka, eu sempre surpreendi tua falecida mãe, só que em outro sentido. Outrora eu nunca lhe fazia carinho, mas de repente, conforme chegava o momento, de repente eu me desmanchava na frente dela, me arrastava de joelhos, beijava seus pezinhos e a levava sempre, sempre — eu me lembro como se fosse neste momento — a um risinho miúdo, solto, sonoro, baixo, nervoso, particular. Que só havia nela. Eu sabia que a doença dela sempre começava daquele jeito, que no dia seguinte ela daria de gritar com uma *klikucha*, e que aquele risinho miúdo não significava nenhum êxtase; puxa, que fosse um embuste, mas com êxtase. Eis o que significa saber encontrar em tudo aquele tracinho! Uma vez Bieliávski — um ricaço e bonitão que havia por aqui, começou a cortejá-la e deu de frequentar minha casa; de repente, em minha própria casa, pega e me dá uma bofetada na cara, e na presença dela. Pois ela, aquela cordeira, pensei que fosse me espancar por causa daquela bofetada, porque investiu assim contra mim: "Tu, diz ela, agora és um homem surrado, surrado, recebeste dele uma bofetada na cara! Tu, diz ela, tentaste me vender a ele... E como foi que ele se atreveu a te bater em minha presença! E não te atrevas a me procurar nunca, nunca! Corre agora mesmo e desafia-o a um duelo...". Foi então que eu a levei ao mosteiro para que a domassem, e os santos padres passaram-lhe um sermão. Pois, Aliócha, Deus sabe que nunca ofendi minha *klikuchetchka*![131] Só uma vez, uma única vez, ainda no primeiro ano de casamento: naquela época ela rezava muito, observava particularmente as festas da Virgem e na ocasião me expulsava do quarto para o gabinete. Pensei cá comigo: vamos lá, vou arrancar da cabeça dela esse misticismo! "Vê, digo, eis a tua imagem, vê, vou tirá-la de ti. Vê, tu achas que é milagrosa, mas agora mesmo, na tua presença, vou cuspir nela e não vai me acontecer nada por isso!..." Foi só ela ver

[130] Russificação do francês *vieille fille*, com sentido de "solteironas". (N. do T.)

[131] Diminutivo de *klikucha*. (N. do T.)

aquilo, pensei: Deus, vai me matar agora mesmo, mas ela apenas se levantou de um salto, ergueu os braços, em seguida cobriu de repente o rosto com as mãos, pôs-se a tremer toda e caiu no chão... deixou-se cair... Aliócha, Aliócha! O que é que tu tens!

O velho deu um salto assustado. A expressão do rosto de Aliócha foi mudando pouco a pouco desde o momento em que o pai começara a falar de sua mãe. Ele corou, os olhos brilharam, os lábios tremeram... O velhote bêbado borrifava saliva e nada notara até o instante em que de repente aconteceu algo muito terrível com Aliócha, ou seja, repetiu-se com ele exatamente a mesma coisa que o velho acabara de contar sobre a "*klikucha*". Aliócha levantou-se da mesa de chofre tal qual sua mãe, segundo o relato do pai, sacudiu as mãos, depois cobriu com elas o rosto, caiu extenuado na cadeira e pôs-se de repente a sacudir-se todo, tomado de um ataque histérico acompanhado de lágrimas repentinas, convulsivas e mudas. A extraordinária semelhança com a mãe deixou o velho particularmente pasmado.

— Ivan, Ivan! Traze água depressa. Isso é exatamente o que acontecia com ela, como acontecia naquela época com a mãe dele. Borrifa-o com água da boca, era assim que eu fazia com ela. Isto lhe acontece por causa da mãe, da mãe dele... — resmungava ele para Ivan.

— Sim, mas a mãe dele também era minha mãe, acho eu, ou não era? — estourou subitamente Ivan com um desprezo irado e incontido. O velho estremeceu diante do olhar cintilante de Ivan. Mas de repente aconteceu algo muito estranho, verdade que por um segundo: da memória do velho parecia ter realmente escapado a capacidade de atinar que a mãe de Aliócha era também a mãe de Ivan...

— Como tua mãe? — murmurou ele sem entender. — Por que me vens com essa? De que mãe estás falando?... será que ela... Arre diabos! É mesmo, ela era também tua mãe! Arre diabos! Bem, meu caro, isso foi um turvamento da memória como nunca houve, desculpa, Ivan, e eu pensando... Eh-eh-eh! — parou. Um risinho longo, de bêbado, meio absurdo, estampou-se em seu rosto. Pois foi justo nesse instante que soaram no vestíbulo um ruído terrível e um estrondo, ouviram-se gritos exaltados, a porta escancarou-se e Dmitri Fiódorovitch entrou voando no salão. O velho precipitou-se assustado para Ivan:

— Ele vai me matar, vai me matar! Não deixes que me mate, não deixes! — gritava, agarrando-se à aba da sobrecasaca de Ivan Fiódorovitch.

IX. Os lascivos

Logo atrás de Dmitri Fiódorovitch entraram correndo no salão Grigori e Smierdiakóv. Já no vestíbulo os dois haviam lutado com Dmitri, queriam barrar-lhe a entrada (seguindo instruções recebidas do próprio Fiódor Pávlovitch alguns dias antes). Aproveitando que Dmitri Fiódorovitch, depois de irromper na sala, parara por um instante para observar o ambiente, Grigori contornou a mesa correndo, trancou as duas folhas da porta de entrada do salão, que ficava defronte, abrindo ambos os braços em forma de cruz e disposto a proteger a entrada até, por assim dizer, a última gota de sangue. Ao ver isto Dmitri não gritou, mas deu uma espécie de ganido e investiu contra Grigori.

— Então ela está aí! Vocês a esconderam aí! Fora, patifes! — ia afastar Grigori, mas este lhe deu um empurrão. Transtornado de fúria, Dmitri ergueu o braço e deu um soco em Grigori com toda a força. O velho desabou como nocauteado, Dmitri pulou por cima dele e investiu porta adentro. Smierdiakóv permaneceu na sala, no canto oposto, pálido e trêmulo, estreitando Fiódor Pávlovitch.

— Ela está aqui — gritou Dmitri Fiódorovitch —, eu mesmo acabei de vê-la guinando para esta casa, só que não consegui alcançá-la. Onde está ela? Onde está ela?

Esse grito: "Ela está aqui!", causou em Fiódor Pávlovitch uma impressão enigmática. Todo seu medo desapareceu.

— Segurem-no, segurem-no! — soltou um berro e precipitou-se atrás de Dmitri Fiódorovitch. Enquanto isso, Grigori levantou-se do chão, mas ainda estava como que fora de si. Ivan Fiódorovitch e Aliócha correram atrás do pai. No terceiro cômodo ouviu-se de repente o ruído de algo caindo no chão, quebrando-se e tilintando: era um grande vaso de vidro (de tipo barato) que ficava em um pedestal de mármore e no qual Dmitri esbarrara ao passar.

— Atrás dele! — berrou o velho. — Guarda!

Ivan Fiódorovitch e Aliócha conseguiram alcançar o velho e o fizeram voltar à força para o salão.

— Por que está correndo atrás dele? Lá ele vai realmente matá-lo! — gritou Ivan Fiódorovitch enfurecido com o pai.

— Vánietcha, Liechetchka,[132] então ela está aqui, Grúchenka está aqui, ele mesmo disse que a viu correndo para cá...

[132] Diminutivos de Ivan e Aliócha, respectivamente. (N. do T.)

Arfava. Não esperava por Grúchenka naquele momento, e a repentina notícia de que ela estava ali o fez perder de vez o juízo. Tremia todo, como se estivesse louco.

— Ora, o senhor mesmo viu que ela não veio! — gritou Ivan.

— Quem sabe se não entrou pela outra entrada?

— Mas essa outra está trancada, e o senhor tem a chave...

De repente Dmitri reapareceu na sala. É claro que tinha encontrado a outra entrada trancada, e a chave estava realmente no bolso de Fiódor Pávlovitch. Todas as janelas de todos os quartos também estavam fechadas; logo, Grúchenka não podia ter entrado por nenhum lugar e por nenhum lugar poderia ter escapado.

— Segurem-no! — Fiódor Pávlovitch deu um grito esganiçado mal tornou a avistar Dmitri —, ele roubou dinheiro do meu quarto! — E, livrando-se de Ivan, tornou a lançar-se contra Dmitri. Mas este levantou as duas mãos e num átimo agarrou o velho pelas duas melenas que lhe restavam nas têmporas, deu-lhe uma sacudida e o atirou com estrondo no chão. Ainda conseguiu bater umas duas ou três vezes com o salto do sapato no rosto do velho estirado. O velho deu um gemido estridente. Ivan Fiódorovitch, mesmo sem ser tão forte quanto o irmão Dmitri, agarrou-o com as mãos e com toda a força o apartou do pai. Aliócha, valendo-se de toda a sua pouca força, também o ajudou, agarrando o irmão pela frente.

— Estás louco, tu o mataste! — gritou Ivan.

— É isso que ele merece! — exclamou Dmitri, arfando. — Não o matei, então ainda voltarei para matá-lo. Você não vai conseguir evitar.

— Dmitri! Vem aqui, agora! — gritou Aliócha em tom imperioso.

— Alieksiêi! Diz-me, só acredito em ti: ela esteve aqui agora ou não? Eu mesmo a vi passar ao lado da cerca vindo do beco e deslizar nesta direção. Gritei, e ela fugiu correndo...

— Eu te juro que ela não esteve aqui, ninguém esperava por ela!

— Mas eu a vi... Quer dizer então que ela... Vou saber agora mesmo para onde ela... Adeus, Alieksiêi! Neste momento não digas nenhuma palavra a Esopo sobre o dinheiro, mas vai agora mesmo à casa de Catierina Ivánovna e dize-lhe impreterivelmente: "Ele me mandou apresentar seus cumprimentos, mandou apresentar seus cumprimentos!". Isso mesmo, "apresentar seus cumprimentos e dizer adeus!". Descreve para ela a cena ocorrida aqui.

Enquanto isso, Ivan Fiódorovitch e Grigori haviam levantado o velho e feito com que se sentasse na poltrona. Ele tinha o rosto ensanguentado, mas se lembrava de tudo e prestava uma ávida atenção aos gritos de Dmitri.

Continuava achando que Grúchenka estava realmente em algum ponto da casa. Dmitri Fiódorovitch o olhou com ódio ao se retirar.

— Não me arrependo por teu sangue! — exclamou ele. — Toma cuidado, velho, cuida do teu sonho, porque eu também tenho o meu! Eu te amaldiçoo e te renego por completo...

Saiu correndo da sala.

— Ela está aqui, ela está mesmo aqui! Smierdiakóv, Smierdiakóv! — o velho emitia um ronco que mal se ouvia, chamando Smierdiakóv com o dedinho.

— Ela não está aqui, não está, o senhor é um velho maluco — gritou-lhe Ivan com raiva. — Ele desmaiou! Água, uma toalha! Mexe-te, Smierdiakóv!

Smierdiakóv correu para buscar água. Por fim despiram o velho, levaram-no para o quarto e o puseram na cama. Envolveram-lhe a cabeça com uma toalha molhada. Enfraquecido pelo conhaque, pelas impressões fortes e pela surra, mal o velho tocou o travesseiro, seus olhos se fecharam e ele adormeceu. Ivan Fiódorovitch e Aliócha voltaram para a sala. Smierdiakóv levou para fora os cacos do vaso quebrado, enquanto Grigori postava-se junto à mesa de cabeça baixa e ar sombrio.

— Não será o caso de pores na cabeça uma compressa de água fria e de tu também te deitares? — disse Aliócha a Grigori. — Nós ficaremos aqui tomando conta dele; meu irmão te deu um soco muito dolorido... na cabeça.

— Ele se atreveu contra mim! — pronunciou Grigori em tom sombrio e pausadamente.

— Ele também "se atreveu" contra o pai, não só contra ti! — observou Ivan Fiódorovitch, torcendo a boca.

— Eu lhe dei banho na tina... e ele se atreveu contra mim! — repetia Grigori.

— Com os diabos, se eu não o tivesse apartado, ele o teria matado. Aliás, seria difícil dar cabo de Esopo? — murmurou Ivan Fiódorovitch para Aliócha.

— Deus o proteja! — exclamou Aliócha.

— E por que esse "proteja"? — continuou Ivan ainda sussurrando e com o rosto contorcido de raiva. — Um réptil devorando outro réptil, esse é o caminho dos dois!

Aliócha estremeceu.

— Eu, é claro, não vou permitir a consumação de um assassinato, assim como não o permiti agora. Fica aqui, Aliócha, que eu vou sair e caminhar pelo parque; minha cabeça começou a doer.

Alióсha foi para o dormitório do pai e ali passou cerca de uma hora sentado à cabeceira da cama, atrás dos biombos. De repente o velho abriu os olhos e ficou longo tempo olhando calado para Alióсha, pelo visto lembrando-se e compreendendo o que acontecera. Súbito uma perturbação incomum estampou-se em seu rosto.

— Alióсha — cochichou com temor —, onde está Ivan?

— No pátio, está com dor de cabeça. Ele nos defenderá.

— Dá-me o espelhinho, aquele ali!

Alióсha lhe deu um espelhinho redondo e dobrável que estava em cima da cômoda. O velho se olhou no espelho: tinha um inchaço bastante grande no nariz e, acima da sobrancelha esquerda, uma considerável equimose rubra na testa.

— O que diz Ivan? Alióсha, meu querido, és meu único filho, tenho mais medo de Ivan do que do outro, tu és o único de quem não tenho medo...

— Não tenhas medo também de Ivan, Ivan está zangado, mas o defenderá.

— Alióсha, e o outro? Correu para a casa de Grúchenka! Meu anjo querido, dize-me a verdade: Grúchenka esteve há pouco aqui ou não?

— Ninguém a viu. Foi um engano, não esteve!

— Acontece que Mitka quer casar com ela, casar!

— Ela não vai se casar com ele.

— Não vai, não vai, não vai, não vai, não vai de jeito nenhum!... — O velho estremeceu todo de alegria, como se nesse instante não se lhe pudesse dizer nada de mais consolador. Tomado de êxtase, ele agarrou a mão de Alióсha e a apertou com força contra seu coração. Até lágrimas lhe brilharam nos olhos. — A pequena imagem da mãe de Deus, aquela sobre a qual acabei de falar, pega-a para ti, leva-a contigo. Eu te permito voltar para o mosteiro... Há pouco eu estava brincando, não te zangues. A cabeça me dói, Alióсha... Lióсha, sacia meu coração, sê um anjo, diz-me a verdade!

— O senhor sempre batendo na mesma tecla: ela esteve aqui ou não? — pronunciou amargamente Alióсha.

— Não, não, não, eu acredito em ti, mas escuta: vai à casa de Grúchenka, faze-lhe tu mesmo uma visita; pergunta-lhe depressa, o mais depressa possível, tenta adivinhar com teus próprios olhos: com quem ela quer ficar, comigo ou com ele? Hein! O quê? Podes ou não podes?

— Se eu a encontrar, perguntarei — tentou murmurar Alióсha, acanhado.

— Não, ela não te dirá — interrompeu o velho —, ela é uma sirigaita.

Vai começar a te beijar e te dirá que quer casar contigo. É uma embusteira, uma sem-vergonha, não, tu não podes ir à casa dela, não podes!

— E não fica bem, *bátiuchka*, não ficará nada bem.

— Para onde ele te mandou ainda há pouco quando gritou: "Vai", quando estava saindo?

— Me mandou procurar Catierina Ivánovna.

— Atrás de dinheiro? Pedir dinheiro?

— Não, não foi atrás de dinheiro.

— Ele não tem dinheiro, nem um centavo. Ouve, Aliócha, vou passar a noite deitado e pensando; enquanto isso, vai. Pode ser que a encontres... Só que amanhã vem me ver sem falta pela manhã; sem falta. Amanhã te direi uma palavrinha; virás?

— Virei.

— Se vieres, finge que vieste por ti mesmo me fazer uma visita. Não digas a ninguém que eu te chamei. Não digas nenhuma palavra a Ivan.

— Está bem.

— Adeus, meu anjo, há pouco tu me defendeste, nunca hei de esquecer. Amanhã te direi uma palavrinha... Ainda preciso pensar...

— E como o senhor está se sentindo agora?

— Amanhã mesmo, amanhã me levanto e saio, completamente saudável, completamente saudável, completamente saudável!...

Ao passar pelo pátio, Aliócha encontrou o irmão sentado em um banco junto ao portão: anotava alguma coisa a lápis em seu diário. Aliócha lhe disse que o velho havia acordado e estava se lembrando das coisas, e que lhe permitira pernoitar no mosteiro.

— Aliócha, eu teria um grande prazer em te ver amanhã pela manhã — pronunciou em tom amistoso Ivan, soerguendo-se, um tom completamente inesperado para Aliócha.

— Amanhã estarei na casa das Khokhlakova — respondeu Aliócha. — Talvez vá também à casa de Catierina Ivánovna amanhã, se não a encontrar agora...

— Mesmo assim, vais agora à casa de Catierina Ivánovna! Vais "apresentar seus cumprimentos, apresentar seus cumprimentos"? — sorriu subitamente Ivan. Aliócha ficou desconcertado.

— Acho que compreendi tudo naquelas exclamações que acabei de ouvir e de algo que ouvi antes. Dmitri certamente te pediu para procurá-la e dizer que ele... bem... bem, numa palavra, "manda lhe dizer adeus"?

— Meu irmão! No que vai dar esse horror entre nosso pai e Dmitri? — exclamou Aliócha.

— Não dá para adivinhar com certeza. Talvez em nada: a questão se diluirá. Aquela mulher é um animal. Seja como for, precisamos segurar o velho em casa e não deixar que Dmitri entre.

— Meu irmão, permita-me mais uma pergunta: será que qualquer pessoa tem o direito de decidir, olhando para as demais, quem entre elas merece viver e quem merece menos?

— Por que envolver essa decisão com merecimento? Essa questão se resolve muito mais amiúde no coração das pessoas, sem qualquer fundamentação no merecimento, mas por outros motivos bem mais naturais. E quanto ao direito, quem não tem direito de desejar?

— Mas não a morte do outro!

— E por que não até a morte? Por que mentir para si mesmo quando todas as pessoas vivem assim e, talvez, nem possam mesmo viver de modo diferente? Tu estás te referindo às minhas palavras de ainda agora, quando eu disse "dois répteis vão devorar um ao outro"? Permite-me que também te faça uma pergunta a esse respeito: tu achas que eu também, como Dmitri, sou capaz de derramar o sangue de Esopo, bem, de matá-lo, hein?

— Que é isso, Ivan?! Nunca cheguei nem a pensar nisso! E também não considero Dmitri...

— Obrigado ao menos por isso — sorriu Ivan. — Sabe que sempre o defenderei. Mas, neste caso, reservo-me ampla liberdade. Até amanhã. Não me condenes nem me olhes como um criminoso — acrescentou sorrindo.

Apertaram-se as mãos com força como nunca o haviam feito antes. Aliócha sentiu que o irmão fora o primeiro a dar um passo em sua direção e que o fizera com algum fim, forçosamente com alguma intenção.

X. As duas mulheres juntas

Aliócha saiu da casa do pai ainda mais abatido e deprimido do que ao entrar lá, pouco antes. Sua mente também estava como que fragmentada e dispersa, enquanto, por outro lado, ele mesmo se sentia temeroso de unir o disperso e tirar uma ideia geral de todas as angustiantes contradições vivenciadas em um só dia. Algo nele quase tocava as raias do desespero, coisa que seu coração nunca havia experimentado antes. Pairava sobre tudo, como uma montanha, uma questão central, fatídica e insolúvel: como terminaria o caso do pai e de Dmitri perante essa mulher terrível? Agora ele mesmo era testemunha. Ele mesmo presenciara e vira os dois frente a frente. Pensando bem, o infeliz, o plena e terrivelmente infeliz só podia vir a ser o irmão Dmitri: rondava-o uma evidente desgraça. Também havia outras pessoas a quem tudo isso dizia respeito, e talvez até bem mais do que antes pudera parecer a Aliócha. Ocorria algo até enigmático. O irmão Ivan dera um passo em sua direção, o que Aliócha vinha desejando havia tanto tempo, e eis que agora algo o fazia sentir que esse passo de aproximação o assustava. E aquelas mulheres? Coisa estranha: ainda há pouco se dirigia à casa de Catierina Ivánovna tomado de uma perturbação excepcional; mas agora não experimentava nenhuma; ao contrário, apressava-se para vê-la como se esperasse encontrar nela uma orientação. E, não obstante, pelo visto agora era mais difícil que antes transmitir a ela o que acabava de lhe ser confiado; a questão dos três mil rublos fora resolvida definitivamente, e o irmão Dmitri, sentindo-se desonrado e já sem qualquer esperança, é claro, não mais se deteria nem diante de nenhuma degradação. Além do mais, ele mandara transmitir a Catierina Ivánovna até a cena que acabara de ocorrer em casa do pai.

Já eram sete horas e anoitecia quando Aliócha tomou a direção da residência de Catierina Ivánovna, que ocupava uma casa muito ampla e confortável na rua Bolsháia. Aliócha sabia que ela morava com duas tias. Uma delas, aliás, só era tia da irmã Agáfia Ivánovna; era aquela criatura calada que cuidava dela em casa do pai, junto com a irmã, quando ela vinha do instituto visitá-las. A outra tia era uma fidalga moscovita, de requintes mundanos e enfatuada, ainda que de origem pobre. Ouvia-se dizer que as duas se sujeitavam em tudo a Catierina Ivánovna e moravam com ela unicamente por uma questão de etiqueta. Já Catierina Ivánovna só obedecia à sua benfeitora, a generala, que por motivo de doença ficara em Moscou e à qual ela era obrigada a enviar duas cartas por semana com as notícias detalhadas.

Quando Aliócha entrou na antessala e pediu à criada de quarto que lhe abrira a porta para ser anunciado, na sala já pareciam saber de sua chegada (é possível que o tivessem notado da janela); ele mal escutou um súbito ruído e já lhe chegavam aos ouvidos uns passos de mulher correndo, o frufrulhar de vestidos: é possível que fosse a correria de umas duas ou três mulheres em retirada. Aliócha achou estranho que com sua presença pudesse provocar tamanha agitação. Entretanto, foi imediatamente conduzido a uma sala. Era um cômodo grande, cheio de móveis elegantes e abundantes, o oposto do estilo provinciano: muitos divãs, canapés, sofazinhos, muitas mesas grandes e pequenas; havia quadros nas paredes, vasos e lâmpadas nas mesas, muitas flores, até um aquário junto a uma janela. Por causa do lusco-fusco, a sala estava meio escurecida. Aliócha observou o sofá em que, pelo visto, havia gente sentada antes de sua entrada: uma mantilha de seda largada e, sobre a mesa diante do sofá, duas xícaras de chocolate não inteiramente bebidas, biscoitos, um prato de cristal com passas azuis e outro com bombons. Estavam servindo alguém. Aliócha percebeu que chegara quando havia visitas e franziu o cenho. Mas no mesmo instante ergueu-se o reposteiro e Catierina Ivánovna entrou a passos rápidos e apressados, estendendo ambas as mãos a Aliócha com um sorriso alegre e encantado. No mesmo instante, uma criada trouxe duas velas acesas e as pôs sobre a mesa.

— Graças a Deus o senhor finalmente também apareceu! Passei o dia inteiro rezando a Deus só pelo senhor! Sente-se.

A beleza de Catierina Ivánovna deixara Aliócha impressionado já antes, quando duas ou três semanas atrás o irmão Dmitri o levara à casa dela pela primeira vez para apresentá-lo, atendendo à vontade excepcional da própria Catierina Ivánovna. Naquele encontro, aliás, a conversa entre os dois não chegara a engrenar. Supondo que Aliócha ficara muito desconcertado, Catierina Ivánovna como que o poupara e na ocasião conversara o tempo todo com Dmitri Fiódorovitch. Aliócha calara, mas observara muita coisa e muito bem. Ficara impressionado com o tom imperioso, o desembaraço altivo e a autoconfiança daquela moça presunçosa. Tudo isso era evidente. Aliócha sentia que não exagerava. Achou que aqueles olhos graúdos, negros e ardentes eram belos e combinavam particularmente bem com o rosto alongado, pálido e até levemente matizado de um amarelo esmaecido. Contudo, naqueles olhos, assim como no desenho dos lábios encantadores, havia algo por que, é claro, o irmão podia se apaixonar perdidamente mas que talvez não fosse possível amar por muito tempo. Ele externou quase francamente essa sua ideia a Dmitri quando este, depois daquela visita, passou a importuná-lo, implorando que não escondesse dele a impressão que lhe ficara de sua noiva.

— Tu serás feliz com ela, mas talvez... intranquilamente feliz.

— Aí é que está, meu irmão, essas mulheres continuam as mesmas, não se submetem ao destino. Então, achas que não poderei amá-la eternamente?

— Não, é possível que venhas a amá-la eternamente, mas é possível que não venhas a ser sempre feliz com ela...

Aliócha externou sua opinião corando e agastado por ter emitido ideias tão "tolas", deixando-se levar pelos pedidos do irmão. Porque achou sua opinião muitíssimo tola mal acabou de externá-la. Ademais, sentiu vergonha por ter externado de forma tão imperiosa sua opinião sobre uma mulher. Por isso, foi com uma surpresa ainda maior que agora, ao primeiro olhar para Catierina Ivánovna, que se precipitava em sua direção, sentiu que podia ter cometido um grande erro naquela ocasião. Desta vez o rosto dela irradiava uma bondade autêntica e simples, uma sinceridade franca e ardente. De todo aquele "orgulho e presunção" que tanto haviam impressionado Aliócha naquela ocasião, agora se notavam apenas uma energia ousada e nobre e uma fé clara e poderosa em si mesma. À primeira olhada que lhe deu, às primeiras palavras trocadas com ela, Aliócha compreendeu que todo o trágico de sua situação em relação ao homem que ela tanto amava não era nenhum segredo para ela, e que ela talvez até já soubesse de tudo, absolutamente de tudo. E, não obstante, apesar disso havia tanta luz em seu rosto, tanta fé no futuro! Súbito Aliócha se sentiu séria e intencionalmente culpado diante dela. Estava vencido e atraído de uma só vez. Além de tudo isso, pelas primeiras palavras que ouviu percebeu que ela era presa de uma forte excitação, nela talvez muito incomum — excitação parecida até com algum enlevo.

— Eu o estava aguardando tanto porque agora só posso ouvir toda a verdade do senhor — de mais ninguém!

— Estou aqui... — murmurou Aliócha, atrapalhando-se — eu... Ele me mandou aqui...

— Ah, ele o mandou aqui, eu bem que o pressenti. Agora estou sabendo de tudo, de tudo! — exclamou Catierina Ivánovna, e seus olhos cintilaram de repente. — Espere, Alieksiêi Fiódorovitch, vou lhe adiantar por que o aguardava tanto. Veja, é possível que eu saiba até bem mais do que o senhor mesmo; não é das notícias que o senhor me traz que estou precisando. Eis o que preciso do senhor: preciso saber sua impressão própria, pessoal e última sobre ele, preciso que o senhor me diga da forma mais direta, nua e crua, até grosseira (oh, grosseira até onde o senhor quiser!), qual é, neste momento, sua opinião sobre ele, e também como vê a situação dele depois do encontro que teve hoje com ele. Talvez isto seja até melhor do que se eu mesma, que ele não quer mais visitar, me explicar pessoalmente com ele. Está entendendo o que quero do senhor? Agora, quanto ao que ele o mandou fazer aqui (eu sabia mesmo que ele o mandaria!) — fale com simplicidade, diga até a última palavra!...

— Ele me mandou lhe apresentar... seus cumprimentos e dizer que nunca mais virá aqui... mas lhe apresentar seus cumprimentos.

— Apresentar seus cumprimentos? Ele disse isso, se exprimiu assim?

— Sim.

— Terá dito de passagem, sem querer, terá se enganado com a palavra, usado uma palavra errada?

— Não, ele mandou que eu transmitisse exatamente essa expressão: "apresentar seus cumprimentos". Pediu umas três vezes para que eu não me esquecesse de transmitir.

Catierina Ivánovna inflamou-se.

— Ajude-me agora, Alieksiêi Fiódorovitch, agora sou eu que preciso de sua ajuda: vou lhe dizer qual é minha ideia, e o senhor apenas me responda se estou pensando certo ou não. Ouça-me: se ele o tivesse mandado me apresentar de passagem seus cumprimentos, sem insistir na expressão, sem frisá-la, isto seria tudo... Isto seria o fim! Mas se ele insistiu especialmente nessa expressão, se o incumbiu especialmente de não esquecer de me transmitir esse cumprimento, então quer dizer que ele estava excitado, fora de si, é possível? Decidiu-se e assustou-se com a própria decisão. Não me abandonou com passo firme, mas despencou montanha abaixo. O destaque dessa palavra pode significar alguma bravata...

— Pois é, pois é! — confirmou calorosamente Aliócha. — Agora eu mesmo estou achando que é isso.

— Se é isso, então ele ainda não está liquidado! Está apenas desesperado, mas ainda posso salvá-lo. Espere: ele não lhe falou alguma coisa sobre dinheiro, sobre os três mil?

— Não só falou, como talvez seja isso que o está matando com mais intensidade. Disse que agora está desonrado e que doravante tudo será indiferente — respondeu Aliócha com ardor, sentindo de todo o coração como a esperança desaguava em seu coração e que realmente era possível haver uma saída e salvação para seu irmão. — Mas a senhora por acaso... está sabendo desse dinheiro? — acrescentou e calou de repente.

— Há muito tempo, e sabendo ao certo. Perguntei por telegrama ao pessoal de Moscou e há muito tempo estou sabendo que o dinheiro não foi recebido. Ele não enviou o dinheiro, mas eu calei. Na última semana fiquei sabendo que ele tinha dinheiro e ainda precisava de mais... Em tudo isso eu me propus um único fim: que ele saiba para quem voltar e quem é sua amiga mais fiel. Não, ele não quer acreditar que eu sou sua amiga mais fiel, não quis me conhecer, me vê apenas como mulher. Durante toda a semana fui torturada por uma terrível preocupação: como fazer para que ele não se envergonhe diante de mim por esse esbanjamento dos três mil? Ou seja, vá que sinta vergonha diante de todos e de si mesmo, mas que não sinta vergonha diante de mim. Ora, a Deus ele diz tudo sem se envergonhar. Por que até hoje não soube o quanto sou capaz de suportar por ele? Por que, por que não me conhece? Como se atreve a não me conhecer depois de tudo o que aconteceu? Quero salvá-lo para sempre. Vá que me esqueça como sua noiva! E eis que sente vergonha de mim por sua honra! Ora, para o senhor ele não temeu se abrir, não foi, Alieksiêi Fiódorovitch? Por que até hoje eu não mereci isso?

As últimas palavras ela pronunciou entre lágrimas; as lágrimas lhe saltaram dos olhos.

— Devo lhe informar — pronunciou Aliócha com voz também trêmula — o que acabou de acontecer entre ele e meu pai. — E narrou toda a cena, contou que havia sido mandado pelo irmão à casa do pai para pedir dinheiro, que ele irrompera na casa, espancara o pai e depois reiterara com ele, Aliócha, de forma especial e insistente, para que ele viesse "apresentar seus cumprimentos"... — ele foi para a casa daquela mulher... — acrescentou baixinho Aliócha.

— E o senhor acha que não vou suportar aquela mulher? Ele pensa que não vou suportá-la? Mas ele não vai se casar com ela — ela deu uma súbita risada nervosa —, será que um Karamázov pode arder eternamente de tamanha paixão? Isso é paixão, e não amor. Ele não vai se casar, porque ela também não vai se casar com ele... — Catierina Ivánovna tornou a dar um sorriso estranho.

— É possível que ele se case — pronunciou Aliócha com tristeza e olhando para o chão.

— Ele não vai se casar, estou lhe dizendo! Aquela moça é um anjo, o senhor sabe disso? O senhor sabe! — exclamou Catierina Ivánovna com um ardor incomum. — É a mais fantástica das criações fantásticas! Sei como é sedutora, mas sei também como é boa, firme, decente. Por que me olha assim, Alieksiêi Fiódorovitch? Talvez esteja surpreso com minhas palavras, talvez não acredite em mim. Agrafiena Alieksándrovna, meu anjo! — gritou de repente a alguém, olhando para o outro cômodo — vinde aqui. Este é um homem amável, este é Aliócha, sabe tudo sobre os nossos problemas, mostrai-vos a ele!

— Eu só estava esperando atrás das cortinas que me chamásseis — pronunciou uma voz feminina, terna e um tanto adocicada.

Ergueu-se o reposteiro e... a própria Grúchenka aproximou-se da mesa, risonha e alegre. Aliócha pareceu ter um sobressalto. Pregou o olhar nela, sem conseguir desviá-lo. Ali estava ela, a mulher terrível — o "animal", como meia hora antes deixara escapar o mano Ivan. E, não obstante, estava diante dele uma criatura que parecia ser a mais simples e comum — uma mulher bondosa, encantadora, admitamos que bonita, mas tão parecida com todas as outras mulheres bonitas porém "comuns"! É verdade que era muito formosa, muito mesmo — aquela beleza russa que muitos amam tanto que chegam à paixão. Bastante alta, embora um pouco mais baixa que Catierina Ivánovna (esta já era de estatura bastante elevada), era cheia de corpo, de gestos mansos, até como que macios, com um quê de denguice que chegava a uma elaboração especialmente afetada, como acontecia igualmente com a voz. Aproximou-se não como Catierina Ivánovna — de andar cheio de vigor e disposição —, mas, ao contrário, em silêncio. Seus passos no chão não se ouviam absolutamente. Sentou-se com suavidade na poltrona, com suavidade farfalhou seu elegante vestido de seda preta, cobrindo suavemente com um caro xale de lã preta o colo cheio e muito branco e os ombros largos. Tinha vinte e dois anos e seu rosto exprimia exatamente sua idade. Rosto muito alvo, de um corado com um forte matiz rosa-pálido, seu contorno parecia demasiado largo e o maxilar inferior até sobressaía levemente. O lábio superior era muito fino e o inferior um tanto realçado, duas vezes mais grosso, como se estivesse inchado. No entanto, os cabelos castanho-escuros, belíssimos e muito volumosos, as sobrancelhas bastas e escuras e os lindos olhos cinza-azulados e de cílios longos fariam parar de súbito diante desse rosto e recordá-lo por muito tempo o mais indiferente e distraído dos homens, ainda que ele estivesse no meio da multidão, do empurra-empurra ou passeando. O que mais impressionou Aliócha nesse rosto foi sua expressão infantil e ingênua. Tinha um jeito de espiar como uma criança, alegrava-se com qualquer coisa, e foi assim que se achegou à mesa, "cheia de contentamento" e parecendo esperar alguma coisa, com a mais impaciente e crédula curiosidade infantil. Seu olhar alegrava a alma — Aliócha o sentiu. Nela ainda havia algo mais, que ele não podia ou não seria capaz de atinar, mas que talvez até compreendesse inconscientemente — era, mais uma vez, a mansidão, a denguice dos movimentos, a maciez felina desses movimentos do corpo. E, não obstante, era um corpo vigoroso e volumoso. Sob o xale apareciam uns ombros largos e robustos e um busto alto e ainda inteiramente juvenil. Esse corpo prometia, talvez, as formas da Vênus de Milo, embora àquela altura já assumisse, inevitavelmente, proporções um tanto exageradas — isso se pressentia. Olhando para Grúchenka, os conhecedores da beleza feminina russa poderiam predizer, sem erro, que aí pelos trinta anos essa beleza fresca, ainda juvenil, perderia a harmonia, engordaria, o próprio rosto se tornaria balofo, ruguinhas apareceriam com excepcional rapidez perto dos olhos e na fronte, a tez ganharia uma cor abrutalhada, talvez afogueada — em suma, era uma beleza para um instante, uma beleza volátil, encontrada muito amiúde precisamente entre as mulheres russas. Aliócha, naturalmente, não pensava nisso, mas, embora estivesse fascinado, perguntava a si mesmo, com uma sensação desagradável e como que sem querer: por que ela arrasta as palavras dessa maneira e não pode falar com naturalidade? Pelo visto, ela o fazia por achar bonito arrastar as palavras e imprimir um relevo fortemente adocicado às sílabas e sons. Tratava-se, é claro, apenas de um hábito tolo e de mau tom, prova de seu baixo nível de educação e de uma noção de decoro vulgarmente assimilada na infância. Entretanto, essa pronúncia e essa entonação das palavras se afiguraram a Aliócha uma contradição quase impossível com esse rosto cheio de candura infantil e expressão de alegria, com esse brilho sereno e feliz nos olhos, como nos de uma criança! Num instante Catierina Ivánovna a fez sentar-se na poltrona em frente de Aliócha e deu-lhe vários beijos nos lábios sorridentes. Era como se estivesse apaixonada por ela.

— É a primeira vez que nós duas nos vemos, Alieksiêi Fiódorovitch — pronunciou ela com enlevo —, eu queria conhecê-la, vê-la, quis ir à casa dela, mas ela mesma veio até aqui atendendo à minha primeira vontade. Eu bem que sabia que nós duas resolveríamos tudo, tudo! Pois foi o que meu coração pressentiu... Suplicaram-me para desistir desse passo, mas pressenti a saída e não me enganei. Grúchenka me esclareceu tudo, todas as suas intenções; como um anjo de bondade, veio voando para cá e me trouxe paz e alegria...

— Não desdenhastes de mim, amável e digna senhorita — emendou Grúchenka arrastando as palavras e com o mesmo sorriso amável e alegre.

— Nem vos atrevais a me dizer essas palavras, minha encantadora feiticeira! Desdenhar de vós? Vede, vou beijar outra vez vosso lábio inferior. Ele parece inchado, pois que fique ainda mais inchado, e mais, mais... Veja como ri, Alieksiêi Fiódorivitch, o coração se alegra quando a gente olha para esse anjo... — Aliócha corava e experimentava um pequeno tremor imperceptível.

— Vós me mimais, amável senhorita; e quanto a mim, talvez não mereça absolutamente o vosso carinho.

— Não mereceis! Ela não merece isso! — tornou a exclamar Catierina Ivánovna com o mesmo ardor. — Sabe, Alieksiêi Fiódorovitch, nós duas temos uma cabecinha fantasiosa, somos voluntariosas, mas temos um coraçãozinho sumamente altivo! Somos de espírito nobre, Alieksiêi Fiódorovitch, magnânimas, o senhor sabia? Apenas fomos infelizes, precipitadas demais em fazer qualquer sacrifício por um homem talvez indigno ou leviano. Houve outro, também um oficial, nós nos apaixonamos por ele, lhe demos tudo, faz tempo que isso aconteceu, cinco anos atrás, mas ele nos esqueceu, casou-se. Agora está viúvo, escreveu comunicando que vinha para cá — e saiba que o amamos até hoje, só a ele, e o amamos a vida inteira! Ele virá, e Grúchenka novamente será feliz, pois foi infeliz durante todos esses cinco anos. Mas quem irá censurá-la, quem pode gabar-se de sua benevolência? Só aquele velho sem pernas, o comerciante — mas ele foi antes o nosso pai, nosso amigo, nosso protetor. Naquela ocasião ele nos encontrou no desespero, entre tormentos, abandonadas por quem amávamos tanto... Ela quis até se afogar, mas esse velho a salvou, a salvou!

— Vós me defendeis muito, amável senhorita, e também vos precipitais muito, em tudo — tornou a arrastar Grúchenka.

— Defendo? Seria eu a vos defender, e ainda me atreveria a defendê-la neste caso? Grúchenka, meu anjo, dai-me vossa mãozinha. Olhe para essa mãozinha rechonchudinha, pequena e linda, Alieksiêi Fiódorovitch; está vendo, ela me trouxe a felicidade e me fez ressuscitar, e veja que agora vou beijá-la, por cima e na palma da mão, assim, assim, assim! — E ela, como que tomada de êxtase, beijou três vezes aquela mãozinha realmente encantadora, talvez até rechonchuda demais. Grúchenka, ao estender a mãozinha, observava a "amável senhorita" com um risinho sonoro e encantador, e pelo visto achava agradável que lhe beijassem a mão daquela maneira. "Talvez haja excesso de enlevo nisso aí" — passou de relance pela cabeça de Aliócha. Ele corou. Durante todo esse tempo seu coração experimentou uma intranquilidade algo especial.

— Não me deixeis acanhada, amável senhorita, beijando minha mãozinha desse jeito na presença de Alieksiêi Fiódorovitch.

— Por acaso eu vos quis acanhar com isso? — pronunciou um tanto surpresa Catierina Ivánovna. — Ah, querida, como me compreendeis mal.

— Sim, mas é possível que vós mesma não estejais me compreendendo inteiramente, amável senhorita, eu talvez seja bem pior do que vos pareço. Tenho um coração ruim, sou voluntariosa. Naquele momento, cativei o coitado do Dmitri Fiódorovitch só para zombar dele.

— Mas acontece que agora o estais salvando. Destes a palavra. Vós o fareis compreender, revelareis a ele que amais o outro, há muito tempo, e que ele agora vos oferece a mão...

— Ah, não, eu não vos dei essa palavra. Fostes vós mesma que mo dissestes, mas eu não dei a palavra.

— Quer dizer então que eu não a compreendi direito — pronunciou Catierina Ivánovna com voz baixa e como que empalidecendo levemente. — Vós me prometestes...

— Ah, não, anjo de senhorita, não vos prometi nada — interrompeu Grúchenka com voz baixa e regular, com a mesma expressão alegre e inocente no rosto. — Agora estais vendo, digna senhorita, como sou má e despótica diante de vós. Eu ajo de acordo com a minha vontade. É possível que ainda agora eu vos tenha prometido algo, mas agora torno a pensar: de repente ele, Mítia, ganha de novo minha afeição. Uma vez ele já teve muita afeição de minha parte, por quase uma hora inteira. Pois bem, talvez eu o procure e lhe diga que fique comigo a partir de hoje mesmo... Vede como sou inconstante...

— Ainda há pouco dissestes... inteiramente o contrário... — mal conseguiu pronunciar Catierina Ivánovna.

— Ah, ainda há pouco! Mas acontece que sou de coração mole, tola. Ora, só de pensar o quanto ele suportou por mim! E de repente volto para casa e sinto pena dele — então como vai ser?

— Eu não esperava.

— Ai, senhorita, como sois bondosa comigo, nobre. Bem, agora talvez deixeis de gostar de mim, desta tola, devido ao meu caráter. Dai-me vossa amável mãozinha, anjo de senhorita — ela pediu com ternura e com um quê de veneração pegou a mãozinha de Catierina Ivánovna. — Vede, amável senhorita, vou pegar vossa mãozinha e beijá-la do mesmo jeito que fizestes com a minha. Vós me beijastes a mão três vezes, já eu preciso beijar a vossa trezentas vezes para que fiquemos quites. Que seja assim e depois que seja como Deus quiser; talvez eu venha a ser vossa escrava completa e vos deseje satisfazer servilmente em tudo. Que seja como Deus for servido e sem quaisquer acordos e promessas entre nós. Vossa mãozinha, vossa mãozinha é encantadora, que mãozinha! Minha senhorita amável, belíssima a não mais poder!

Ela levou suavemente essa mãozinha aos lábios, é verdade que com um estranho objetivo: "ficar quite" em beijos. Catierina Ivánovna não retirou a mão: ouvira com uma tímida esperança a última promessa de Grúchenka, embora também muito estranhamente expressa, de satisfazê-la "servilmente"; olhava tensa a outra nos olhos: via nesses olhos a mesma expressão simples, crédula, a mesma alegria clara... "Talvez ela seja por demais ingênua!" — passou de relance essa esperança pelo coração de Catierina Ivánovna. Enquanto isso, com uma espécie de encantamento por aquela "mãozinha amável", Grúchenka a ergueu lentamente em direção aos seus lábios. Mas de repente, quase chegando aos lábios, conteve a mãozinha por dois, três segundos, como se repensasse algo.

— Sabeis de uma coisa, anjo de senhorita? — arrastou de súbito com a vozinha mais terna e adocicada. — Sabei, pego e não beijo vossa mãozinha. — E desatou num risinho curto e dos mais alegres.

— Como quiserdes... o que tendes? — estremeceu de repente Catierina Ivánovna.

— Para que vos fique na lembrança que beijastes minha mãozinha mas eu não beijei a vossa. — Súbito algo brilhou em seus olhos. Ela olhava de modo muito fixo para Catierina Ivánovna.

— Descarada! — pronunciou subitamente Catierina Ivánovna, como se de estalo tivesse entendido algo, inflamou-se toda e levantou-se de um salto. Grúchenka também se levantou, sem pressa.

— Pois é, eu vou contar agora a Mítia como beijastes minha mão, mas eu mesma não beijei absolutamente a vossa. E como ele vai rir!

— Canalha, fora daqui!

— Ah, que vergonha, senhorita, não vos fica nada bem dizer isso, amável senhorita!

— Fora, réptil venal! — berrou Catierina Ivánovna. Tremiam todos os tracinhos de seu rosto totalmente desfigurado.

— Vá lá que eu seja venal. Vós mesma procuráveis cavalheiros no lusco-fusco atrás de dinheiro, levando a beleza para vender, como é do meu conhecimento.

Catierina Ivánovna deu um grito e ia investindo contra ela, mas Aliócha a segurou com toda força:

— Nenhum passo, nenhuma palavra! Não fale, não responda nada, ela vai embora, agora mesmo!

Nesse instante as duas parentas de Catierina Ivánovna entraram correndo, atraídas pelo grito, e a criada também. Todas se lançaram para ela.

— E vou mesmo — pronunciou Grúchenka, apanhando no sofá a mantilha. — Aliócha, querido, acompanha-me!

— Vá embora, vá embora depressa! — implorava Aliócha, juntando alto as mãos diante dela.

— Querido Alióchenka, acompanha-me! A caminho te direi uma palavrinha pra lá de boa! Armei toda essa cena para ti, Alióchenka. Acompanha-me, meu caro, depois irás gostar.

Aliócha lhe deu as costas torcendo a mão. Grúchenka correu para fora, rindo alto.

Catierina Ivánovna teve um ataque. Urrava, os espasmos a sufocavam. Todos se agitavam a seu redor.

— Eu a avisei — dizia-lhe a tia mais velha —, eu tentei impedi-la de dar esse passo... Você é impulsiva demais... Por acaso era possível dar um passo como esse? Você não conhece esses répteis, e sobre essa dizem que é o pior de todos... Não, você é voluntariosa demais!

— É um tigre! — berrou Catierina Ivánovna. — Por que o senhor me conteve, Alieksiêi Fiódorovitch, eu iria arrebentá-la, arrebentá-la!

Ela não estava em condições de se conter diante de Aliócha, talvez até nem quisesse se conter.

— Ela precisa ser enforcada, levada ao patíbulo, ao carrasco, em público!...

Aliócha recuou para a porta.

— Mas Deus! — exclamou de chofre Catierina Ivánovna erguendo os braços —, foi ele, foi ele! Ele conseguiu ser tão desonesto, tão desumano! Porque ele contou àquele réptil o que aconteceu naquele dia fatídico, eternamente maldito, maldito dia! "Vínheis vender a beleza, amável senhorita!" Ela está sabendo! Seu irmão é um patife, Alieksiêi Fiódorovitch!

Aliócha queria dizer alguma coisa, mas não encontrava nenhuma palavra. Sentia um aperto doloroso no coração.

— Vá embora, Alieksiêi Fiódorovitch! Para mim é uma vergonha, um horror! Amanhã... eu imploro de joelhos, venha amanhã. Não me condene, perdoe, não sei o que ainda acabarei fazendo comigo!

Aliócha saiu para a rua parecendo cambalear. Também estava com vontade de chorar como Catierina Ivánovna. Súbito a criada o alcançou.

— A senhorita se esqueceu de lhe entregar esta cartinha da senhora Khokhlakova, está aqui desde o almoço.

Aliócha apanhou maquinalmente um envelopezinho cor-de-rosa e o meteu no bolso quase sem se dar conta.

XI. Mais uma reputação destruída

Da cidade ao mosteiro havia pouco mais de uma versta. Aliócha tomou apressadamente o caminho, deserto àquela hora. Já era quase noite e seria difícil enxergar um objeto a trinta passos de distância. Na metade do caminho havia uma encruzilhada. No cruzamento, debaixo de um salgueiro solitário, lobrigava-se um vulto. Mal Aliócha pôs o pé na encruzilhada, o vulto irrompeu de onde estava e investiu contra ele com um grito de fúria:

— A bolsa ou a vida!

— És tu, Mítia! — admirou-se Aliócha que, entretanto, estremecera intensamente.

— Ah, ah, ah! Por essa não esperavas, hein? Estava pensando: onde te esperar? Junto à casa dela? De lá para cá há três caminhos, e eu podia te perder de vista. Finalmente me ocorreu esperar aqui: porque por aqui ele passará sem falta, não existe outro caminho para o mosteiro. Bem, anuncia a verdade, esmaga-me como uma barata... Ora, o que há contigo?

— Não é nada, meu irmão, foi o susto. Ah, Dmitri! Aquele sangue do nosso pai ainda há pouco... — Aliócha começou a chorar; havia muito estava com vontade de chorar, e era como se agora algo tivesse arrebentado em sua alma. — Por pouco não o mataste... Tu o amaldiçoaste... E agora... agora... me vens com essas brincadeiras... "A bolsa ou a vida"!

— Ah, que mal há nisso? Algo indecente? Não condiz com a situação?

— Nada disso... falei por falar...

— Espera. Olha para a noite: vê que noite trevosa, nuvens, esse vento!

Estava aqui escondido, debaixo do salgueiro, à tua espera, e de repente pensei (aí está Deus!): por que continuar sofrendo, o que esperar? Aqui há um salgueiro, tenho um lenço, camisa, dá para fazer uma corda, pendurá-la e chega de sobrecarregar a terra, de desonrá-la com minha vil presença! E eis que ouço teus passos — meu Deus, foi como se uma luz descesse de chofre sobre mim: sim, porque existe, portanto, uma pessoa que eu amo, aí está ela, aí está essa pessoa, meu irmãozinho querido que eu amo mais do que todos no mundo, o único que eu amo! E assim te amei tanto, te amei tanto nesse instante que pensei: vou saltar agora mesmo no pescoço dele! E aí me veio a ideia tola: "Vou alegrá-lo, pregar-lhe um susto!". Foi aí que gritei como um imbecil: "A bolsa!". Desculpa pela idiotice — foi uma tolice, mas em minha alma... também existe decência... Bem, com os diabos, mas me conta, como foi lá? O que ela disse? Esmaga-me, fere-me sem pena! Ficou furiosa?

— Não, não foi isso... nada disso aconteceu lá, Mítia. Lá... acabei de encontrar as duas juntas.

— Que duas?

— Grúchenka e Catierina Ivánovna.

Dmitri Fiódorovitch pasmou.

— Impossível! — bradou — estás delirando! Grúchenka em casa de Catierina?

Aliócha contou tudo o que lhe acontecera desde o instante em que entrara em casa de Catierina Ivánovna. Passou uns dez minutos narrando. Não se pode dizer que o fizesse com fluência e coerência, mas parece que transmitiu com clareza, pegando as palavras mais importantes, os gestos mais importantes e transmitindo seus próprios sentimentos com nitidez, amiúde em um único aspecto. O irmão Dmitri ouvia calado, olhando-o fixamente com uma terrível imobilidade, mas para Aliócha estava claro que ele já havia compreendido tudo, assimilado todo o fato. Contudo, quanto mais o relato avançava, a expressão de seu rosto ia ficando não se diria sombria, mas como que ameaçadora. Ele franziu o cenho, rangeu os dentes, seu olhar fixo se tornou ainda mais fixo, obstinado, terrível... E foi ainda mais inesperado quando subitamente, com uma rapidez incalculável, mudou de chofre e de uma vez toda a expressão do rosto, até então irada e furiosa, os lábios cerrados se abriram e Dmitri Fiódorovitch desatou na risada mais incontida, mais autêntica. Caiu literalmente na risada e durante muito tempo não conseguiu nem falar de tanto que ria.

— Quer dizer que acabou não beijando a mãozinha! Quer dizer que acabou não beijando e saiu correndo! — bradava num êxtase um tanto doentio, num êxtase descarado, poder-se-ia até dizer, se esse êxtase não fosse tão natural. — A outra gritou que ela é um tigre! Tigre ela é! Precisa ser levada à forca? Sim, sim, seria preciso, é preciso, eu mesmo sou da opinião de que é preciso, faz muito que é preciso! Vê, meu irmão, vá que precise de forca, mas primeiro ainda precisa recobrar a saúde. Eu compreendo a rainha da desfaçatez, ela está toda nesse episódio, manifestou-se toda naquela mãozinha, criatura dos infernos! É a rainha de todas as criaturas do inferno que se pode imaginar no mundo! Uma espécie de êxtase! Quer dizer que ela correu para casa? Agora mesmo eu... Ah... Vou correr à casa dela! Aliócha, não me culpes, pois eu mesmo concordo que estrangulá-la é pouco...

— E Catierina Ivánovna?! — exclamou com tristeza Aliócha.

— Esta eu também percebo, por inteiro, e a percebo como nunca! Nisso existe uma verdadeira descoberta de todos os quatro pontos cardeais, quer dizer, dos cinco![133] Que passo! É justamente a mesma Cátienka, a estudante que, movida pela ideia solidária de salvar o pai, não temeu apelar para um oficial grosseiro e ridículo, arriscando-se a ser terrivelmente ofendida! Mas é aquele orgulho nosso, é aquela necessidade de risco, é o desafio ao destino, o desafio ao infinito! Tu disseste que aquela tia tentou detê-la? Essa tia, fica sabendo, é aquela mesma déspota, é a irmã carnal daquela generala moscovita que vivia com aquele nariz cada vez mais empinado, mas o marido foi apanhado em crime de peculato, perdeu tudo, a fazenda e tudo o mais, e de repente a orgulhosa esposa baixou o tom e nunca mais se reergueu. Então ela tentou conter Cátia, mas esta não obedeceu. "Posso vencer tudo, diz ela, tudo está em meu poder: se quiser enfeitiço Grúchenka" — e ela mesma acreditou em si, ela mesma foi gabola; então, de quem é a culpa? Tu achas que ela beijou de propósito a mãozinha de Grúchenka primeiro, por um cálculo astucioso? Não, ela verdadeiramente, ela verdadeiramente se apaixonou por Grúchenka, ou seja, não por Grúchenka mas por seu sonho, por seu delírio — porque esse é o *meu* sonho, o *meu* delírio. Aliócha, meu caro, que jeito tu deste para te livrar delas, daquelas duas? Saíste correndo, arrepanhando a batina? Ah, ah, ah!

— Irmão, parece que tu não deste nenhuma atenção ao modo como ofendeste Catierina Ivávnova contando a Grúchenka sobre aquele dia, e Grúchenka acabou de jogar na cara dela: "Vós mesma procuráveis cavalheiros no lusco-fusco para vender a beleza!". Meu irmão, o que pode ser pior do que essa ofensa? — O que mais torturava Aliócha era a ideia de que o irmão

[133] Dmitri confunde os pontos cardeais com os continentes do mundo, que, no século XIX, eram cinco: Europa, Ásia, África, América e Austrália. A Antártida, embora descoberta nos anos 1820, não era ainda considerada um continente. (N. da E.)

parecia estar alegre com a humilhação de Catierina Ivánovna, embora, é claro, isso não pudesse ser verdade.

— Arre! — Dmitri Fiódorovitch franziu terrivelmente o cenho e deu uma palmada na testa. Só agora acabava de atentar para isso, embora Aliócha tivesse acabado de contar tudo de uma vez, tanto a ofensa quanto o grito de Catierina Ivánovna: "Seu irmão é um patife!" — É, realmente é possível que eu tenha contado a Grúchenka sobre aquele "dia fatídico", como diz Cátia. É, é verdade, contei, estou lembrado! Foi naquela ocasião em Mókroie, eu estava bêbado, as ciganas cantavam... Mas eu estava em prantos, naquele momento eu mesmo estava em prantos, rezando ajoelhado diante da imagem de Cátia, e Grúchenka compreendeu isso. Ela compreendeu tudo naquele momento, estou lembrado, ela mesma chorava... Já eu, arre diabos! Aliás, poderia ter sido diferente? Naquela ocasião ela chorava, mas agora... Agora tome "um punhal no coração"! Assim acontece com as mulheres.

Ficou cabisbaixo e pensativo.

— Sim, sou um patife! Sem dúvida um patife — pronunciou de repente com uma voz sombria. — Seja como for, tendo chorado ou não, seja como for sou um patife! Diz a ela que aceito a alcunha se isso lhe servir de consolo. Mas basta, adeus, de que adianta jogar conversa fora?! Não é nada divertido. Tu segues o teu caminho, eu, o meu. E não quero mais me encontrar contigo, até um eventual último minuto. Adeus, Alieksiêi! — apertou com força a mão de Aliócha e, ainda cabisbaixo e sem levantar a cabeça, como se tivesse se desprendido, rumou rápido para a cidade. Aliócha o acompanhou com o olhar, sem acreditar que ele estivesse subitamente indo embora de vez.

— Espera, Alieksiêi, mais uma confissão, só para ti! — Dmitri Fiódorovitch voltou. — Olha para mim, olha fixamente, olha aqui, aqui: uma terrível desonra está a caminho. (Ao dizer "olha aqui", Dmitri Fiódorovitch batia com o punho no peito e com uma expressão tão estranha como se a desonra estivesse e se conservasse precisamente ali em seu peito, em algum ponto, talvez em um bolso, ou costurada em algo pendurado no pescoço.) Tu já me conheces: um patife, um patife confesso! Mas fica sabendo que, o que quer que eu tenha feito antes, venha a fazer agora ou no futuro, nada, nada poderá comparar-se em torpeza com a desonra que justamente agora, precisamente neste instante eu tenho aqui no peito, aqui, uma desonra que age e se concretiza e que eu tenho pleno poder de deter, posso detê-la ou realizá-la, observa isto! Pois fica sabendo que vou realizá-la, não vou me deter. Ainda há pouco te contei tudo, mas isto eu não contei porque minha cabeça dura não me deixou! Ainda posso me deter; detendo-me, amanhã mesmo eu posso reaver uma metade inteira da honra perdida, mas não vou me deter, vou realizar o plano torpe, e fica tu sendo a testemunha antecipada de que eu fui o primeiro a prenunciá-lo! Morte e trevas. Não há o que explicar, saberás oportunamente. O beco fétido e a criatura dos infernos! Adeus. Não rezes por mim, não mereço, e aliás não faz nenhuma falta, nenhuma falta... Não preciso absolutamente! Adeus!...

E afastou-se num abrir e fechar de olhos, desta vez já para sempre. Aliócha foi para o mosteiro. "Como assim, como é que nunca mais hei de vê-lo, o que ele estava dizendo? — isso lhe parecia um horror. — Sim, amanhã mesmo vou procurá-lo e achá-lo de qualquer jeito, vou descobrir especialmente que coisa é essa que ele está dizendo!"

Contornou o mosteiro pelo bosque de pinheiros em caminho direto para o eremitério. Abriram-lhe o portão, embora nesse horário já não deixassem mais ninguém entrar. Seu coração tremia quando ele entrou na cela do *stárietz*: "Por que, por que ele saíra, por que o outro o enviara 'para o mundo'? Aqui está o silêncio, aqui o lugar sagrado, mas lá — lá está a confusão, estão as trevas nas quais a gente logo se perde e se desencaminha...".

Na cela se encontravam o noviço Porfiri e o padre Paissi, que passaram todo aquele dia vindo procurar de hora em hora informações sobre a saúde do *stárietz* Zossima, que, como Aliócha soube cheio de pavor, agravava-se cada vez mais. Desta vez não pôde haver nem a habitual palestra da noitinha com a irmandade. Era comum que à noitinha, depois da missa, a irmandade do mosteiro afluísse diariamente à cela do *stárietz* antes de dormir e todos lhe confessassem, em voz alta, seus pecados do dia, os sonhos pecaminosos, os pensamentos, as tentações, até suas desavenças, se as havia. Uns se confessavam de joelhos. O *stárietz* os absolvia, reconciliava-os, dava conselhos, impunha penitências, benzia-os e os liberava. Pois era contra essas "confissões" em irmandade que se levantavam os adversários do *startziado*, dizendo que isso era uma profanação da confissão como segredo, quase um sacrilégio, embora o que acontecia ali fosse de todo diferente. Queixavam-se até às autoridades da eparquia, argumentando que tais confissões não só não chegavam a um bom termo como induziam de fato e propositadamente ao pecado e às tentações. Alegava-se que para muitos da irmandade era um peso visitar o *stárietz* e que iam lá a contragosto, porque todos iam, para não serem tomados por orgulhosos e rebeldes de intenção. Contava-se que alguns membros da irmandade, ao se dirigirem para a confissão noturna, combinavam de antemão: "Eu vou dizer que de manhã fiquei furioso contigo, e tu confirmas" — isso para arranjar assunto, apenas para safar-se. Aliócha sabia que às vezes isso realmente acontecia. Sabia ainda que, entre os membros da irmandade, havia os que se indignavam muito também com o fato de que, segundo o costume, até as cartas dos familiares recebidas pelos que viviam no eremitério eram levadas inicialmente ao *stárietz* para que este as deslacrasse antes de seus destinatários. Supunha-se, é claro, que tudo isso devia acontecer de forma livre e sincera, partir do fundo da alma, em nome da livre resignação e da edificação salvadora, mas na realidade, como se verificou, acontecia às vezes o contrário, de modo até muito insincero, artificial e falso. Contudo, os mais velhos e mais experientes da irmandade não davam o braço a torcer, julgando que "aqueles que entraram sinceramente nestes muros a fim de salvar-se, para estes toda essa obediência e todos esses feitos viriam a ser, sem dúvida, salvadores e de grande utilidade; quem, ao contrário, se sentia incomodado e se queixava, para este tanto fazia ser monge ou não, e sua vinda para o mosteiro havia sido inútil; lugar de gente assim era no mundo. Do pecado e do diabo ninguém estava a salvo, não só no mundo, mas até mesmo em um templo, portanto, nada de favorecer o pecado".

— Está fraco, sonolento — cochichou a Aliócha o padre Paissi, benzendo-o. — Até acordá-lo está difícil. Mas não devemos acordá-lo. Acordou por uns cinco minutos, pediu que levassem à irmandade sua bênção e que a irmandade fizesse rezas noturnas por ele. Ainda tem a intenção de comungar pela manhã. Lembrou-se de ti, Alieksiêi, perguntou se tinhas ido embora, disseram-lhe que estavas na cidade. "Para isto eu o abençoei; lá é o lugar dele, e não aqui, por enquanto" — foi isso que disse a teu respeito. Lembrou-se de ti com amor, com preocupação; tu fazes ideia do que mereceste? No entanto, por que ele determinou que por enquanto tu deves cumprir um prazo no mundo? Quer dizer que prevê alguma coisa em teu destino! Compreende, Alieksiêi, que se estás voltando para o mundo é como que para cumprir uma obrigação que teu *stárietz* te confiou, e não para a leviandade do ócio nem para as diversões mundanas...

O padre Paissi saiu. De que o *stárietz* estava indo embora não havia dúvida para Aliócha, por mais que ele ainda pudesse viver mais um ou dois dias. Aliócha decidiu com firmeza e ardor que, apesar da promessa que dera de visitar o pai, as Khokhlakova, o irmão e Catierina Ivánovna, no dia seguinte não sairia absolutamente do mosteiro e permaneceria ao lado de seu *stárietz* até o fim. Seu coração ardeu de amor e ele se censurou amargamente pelo fato de, estando na cidade, ter-se esquecido por um instante de quem havia deixado no mosteiro no leito de morte e a quem respeitava acima de todos no mundo. Foi até o pequeno aposento do *stárietz*, ajoelhou-se e prosternou-se até o chão diante dele, que dormia sereno, imóvel, com a respiração precária e quase imperceptível. Tinha o rosto tranquilo.

Voltando ao outro cômodo, o mesmo em que o *stárietz* recebera as visitas pela manhã, Aliócha, quase sem se despir e tirando apenas as botas, deitou-se no sofazinho de couro, duro e estreito, no qual dormia todas as noites havia tempo, trazendo apenas o travesseiro. O colchão, acerca do qual seu pai gritara pouco antes, ele já se esquecera de estender fazia muito tempo. Tirou apenas a batina e cobriu-se com ela em vez do cobertor. Mas antes de adormecer caiu de joelhos e rezou por muito tempo. No fervor da reza não pediu a Deus que lhe explicasse sua confusão, ele ansiava apenas por um enternecimento alegre, por aquele enternecimento anterior que sempre lhe visitava a alma depois que elogiava e glorificava a Deus, no que consistia habitualmente toda a sua reza antes de dormir. Essa alegria que o visitava trazia consigo um sono leve e tranquilo. Rezando também agora, apalpou de repente e por acaso no bolso aquele pequeno envelope cor-de-rosa que lhe entregara a criada de Catierina Ivánovna quando ele se afastava de sua casa. Perturbou-se, mas terminou a reza. Em seguida, depois de alguma vacilação, abriu o envelope. Dentro havia uma cartinha dirigida a ele assinada por Lise — aquela mesma jovenzinha, filha da senhora Khokhlakova, que naquela manhã tanto rira dele na presença do *stárietz*.

"Alieksiêi Fiódorovitch — escrevia ela —, estou lhe escrevendo escondida de todos, até de *mamã*, e sei o quanto isso não fica bem. No entanto, não poderei mais viver se não lhe disser o que brotou em meu coração, e isto ninguém, a não ser nós dois, deve saber por enquanto. Mas como vou lhe dizer o que tanto quero lhe dizer? Dizem que o papel não cora, mas eu lhe asseguro que isto não é verdade e que ele cora do mesmo jeito que eu também estou corando toda neste momento. Querido Aliócha, eu o amo, amo desde menina, desde Moscou, quando nós dois éramos bem diferentes do que somos hoje, e o amo para toda a vida. Eu o escolhi com meu coração para que nós dois nos unamos e terminemos nossa vida juntos na velhice. Claro, com a condição de que você deixe o mosteiro. No tocante à nossa idade, esperaremos o tempo que a lei determinar. Até então estarei curada sem falta, andando e dançando. A esse respeito não se pode emitir nenhuma dúvida.

"Está vendo como pensei em tudo; só não posso imaginar uma coisa: o que você vai pensar sobre mim quando ler isto? Não paro de rir e traquinar. Ainda há pouco eu o deixei zangado, mas lhe asseguro que, antes de pegar da pena, rezei diante da imagem da Virgem, e neste momento também estou rezando e quase chorando.

"Meu segredo está em suas mãos; amanhã, quando você vier, não sei como haverei de fitá-lo. Ah, Alieksiêi Fiódorovitch, o que acontecerá se novamente eu não me contiver, como uma tola, e começar a rir olhando para você, como hoje de manhã? Porque você vai me tomar por uma detestável galhofeira e não acreditará em minha carta. Por isso eu lhe imploro, querido, que, se você tiver compaixão de mim, quando entrar amanhã não me olhe direto demais nos olhos porque eu, ao cruzar com seu olhar, talvez comece a rir, ainda mais porque você estará com essa roupa comprida... Agora mesmo fico toda gelada ao pensar nisso, e por essa razão, ao entrar, fique algum tempo sem olhar absolutamente para mim e olhando para *mamã* e para a janela... Pois bem, eu lhe escrevi uma carta de amor; meu Deus, o que foi que fiz! Aliócha, não me despreze, e se eu fiz alguma coisa muito tola e lhe causei desgosto, desculpe-me. Agora o segredo de minha reputação, talvez destruída para sempre, está em suas mãos.

"Hoje não passo sem chorar. Até nosso próximo encontro, até o *terrível* encontro. — *Lise.*

"PS: Mas venha sem falta, Aliócha, sem falta, sem falta! — *Lise.*"

Aliócha leu surpreso, leu mais umas duas vezes, pensou e súbito começou a rir baixinho, doce. Quase estremeceu, esse riso lhe pareceu pecaminoso. Contudo, um instante depois desatava outra vez a rir de modo igualmente baixo, igualmente feliz. Colocou lentamente a carta no envelope, benzeu-se e deitou-se. A perturbação da alma passou de repente. "Senhor, perdoa a todos com quem estive há pouco, protege esses infelizes e exaltados, aponta-lhes o caminho. Tu tens os caminhos: salva-os por esses mesmos caminhos. Tu és o amor; a todos envias também a alegria!" — murmurou Aliócha, benzendo-se e caindo em um sono sereno.

SEGUNDA PARTE

Livro IV
MORTIFICAÇÕES

I. O padre Fierapont

Aliócha foi despertado de manhã cedo, ainda antes do amanhecer. O *stárietz* acordara e se sentia muito fraco, e mesmo assim desejava passar da cama para a poltrona. Estava com a consciência perfeita; tinha o rosto sereno, quase radiante, embora muito exausto, e o olhar alegre, afável e amistoso. "Talvez eu não passe deste dia que está começando" — disse a Aliócha; em seguida, desejou confessar-se e comungar imediatamente. Seu confessor sempre fora o padre Paissi. Prestados os dois sacramentos, começou a extrema-unção. Os hieromonges estavam reunidos, a cela foi-se enchendo pouco a pouco com a chegada dos eremitas. Enquanto isso, o dia raiou. Começou a chegar gente também do mosteiro. Quando terminou o serviço religioso, o *stárietz* quis beijar e despedir-se de todos. Devido ao aperto no interior da cela, os que chegavam primeiro cediam lugar aos outros. Aliócha estava em pé ao lado do *stárietz*, agora sentado na poltrona. O *stárietz* falava e instruía o quanto podia, e sua voz, embora fraca, ainda estava bastante firme. "Quantos anos eu vos ensinei, quantos anos falei em voz alta, parece até que peguei o hábito de falar e, ao falar, ensiná-los, e isso a tal ponto que para mim era quase mais difícil calar do que falar, meus amados padres e irmãos, e isso acontece até neste momento, apesar de minha fraqueza" — brincou, contemplando enternecido os que se aglomeravam à sua volta. Mais tarde Aliócha lembrou-se de algo do que ele dissera naquela ocasião. Mas ainda que ele falasse com clareza e estivesse com a voz bastante forte, a fala, porém, saía muito desconexa. Falou de muita coisa; parecia querer dizer tudo, concluir, no instante da morte, tudo o que deixara por dizer em vida, sem visar unicamente ao ensinamento mas como se ansiasse por dividir sua alegria e seu êxtase com todos e com tudo, desafogar o coração mais uma vez na vida...

"Amai-vos uns aos outros, padres — ensinava o *stárietz* (até onde Aliócha conseguiu rememorar depois). — Amai o povo de Deus. Não somos mais santos que os leigos pelo fato de termos vindo para cá e nos enclausurado entre estas paredes mas, ao contrário, cada um que veio para cá, já pelo simples fato de ter vindo, conheceu consigo que é pior do que todos os leigos, do que tudo e todos na Terra... E quanto mais o monge viver depois entre suas paredes, mais sensivelmente deverá tomar consciência disto. Porque em caso contrário não teria nenhum motivo para estar aqui. Só quando toma consciência de que não é só pior do que todos os leigos mas é, ainda, culpado perante todos os homens por todos e por tudo, por todos os pecados dos homens, do mundo e de cada indivíduo, só então atinge o objetivo de nossa união. Porque sabeis, queridos, que cada um de nós é, indubitavelmente, culpado por todos e por tudo na Terra, não só pelo pecado de todos no mundo, como cada um é, pessoalmente, culpado por todos e cada um dos homens nesta Terra. Esta consciência é o coroamento do caminho do monasticismo e também de toda e qualquer pessoa na Terra. Porque os monges não são pessoas diferentes, mas tão só aquilo que todas as demais pessoas da Terra deveriam ser. Só neste caso nosso coração se enterneceria no amor infinito, universal, insaciável. Só então cada um de nós teria condições de ganhar o mundo todo pelo amor e lavar com nossas lágrimas os pecados do mundo... Que cada um cuide de seu coração, que cada um se confesse incansavelmente. Não temais o vosso pecado mesmo tendo consciência dele, basta apenas que haja arrependimento, mas não estabeleçais condições com Deus. Torno a dizer — não vos orgulheis. Não vos orgulheis diante dos pequenos e não vos orgulheis tampouco diante dos grandes. Não odieis tampouco aqueles que vos rejeitam, vos difamam, vos denigrem e levantam falsos testemunhos contra vós. Não odieis os ateus, mestres do mal, os materialistas, os perversos dentre estes e também os bons, pois entre eles há muitos bons, principalmente em nossos dias. Lembrai-vos deles em vossas orações, falando assim: salva, senhor, a todos por quem não há quem reze, salva também aqueles que não desejam orar a ti. E acrescentai neste ato: não oro a ti por um orgulho meu, senhor, porque eu mesmo sou mais abominável que tudo e todos... Amai o povo de Deus, não permitais que os forasteiros vos tomem o rebanho, pois se dormirdes na preguiça e no vosso orgulho repulsivo, e ainda mais na cobiça, então eles virão de todos os países e vos tomarão o rebanho. Explicai o Evangelho incansavelmente para o povo... Não pratiqueis a usura... Não ameis o ouro e a prata, não os guardeis... Tende fé e mantende o estandarte. Erguei-o bem alto..."

O *stárietz*, aliás, falava de modo mais descontínuo do que está exposto e do que Aliócha registrou mais tarde. Às vezes cessava inteiramente de falar como se reunisse forças, arfava, mas estava numa espécie de enlevo. Ouviam-no com enternecimento, embora muitos se admirassem de suas palavras e percebessem que nelas havia obscuridade... Mais tarde todas essas palavras foram lembradas. Quando Aliócha deixou a cela por um minuto, ficou pasmo com a emoção geral e a expectativa da irmandade que se aglomerava na cela e em torno dela. Entre seus integrantes essa expectativa era quase inquieta; em outros, solene. Todos aguardavam algo imediato e grandioso logo após o falecimento do *stárietz*. De certo ponto de vista, essa expectativa era quase leviana, mas até os *startzí* mais severos eram levados por ela. O rosto mais severo era o do hieromonge *stárietz* Paissi. Aliócha só se afastara da cela porque um monge lhe transmitira um misterioso chamado de Rakítin, que chegara da cidade trazendo-lhe uma estranha carta da senhora Khokhlakova. Ela lhe comunicava uma notícia curiosa que lhe chegara, aliás, de modo extraordinário. Acontece que, na véspera, entre as religiosas do povo que vieram cumprimentar o *stárietz* e lhe pedir a bênção, estava uma velha da cidade, Prókhorovna, viúva de um sargento. Ela perguntara ao *stárietz*: podia rezar por seu filho Vássienka,[1] que partira em serviço para Irkutsk, na longínqua Sibéria, e de quem não recebia nenhuma notícia fazia já um ano, em vez de orar pela alma de um morto? A isto o *stárietz* lhe deu uma resposta severa, proibindo-a e classificando esse tipo de homenagem como semelhante à feitiçaria. Não obstante, depois de perdoá-la por sua ignorância, acrescentara, "como se lesse no livro do futuro" (assim se expressava na carta a senhora Khokhlakova), também o consolo de que "o filho Vássia estava seguramente vivo e que em breve viria visitá-la em pessoa ou mandaria uma carta, e que ela fosse embora e ficasse aguardando em casa. E o que aconteceu? — acrescentava enlevada Khokhlakova. — A profecia se realizou completamente e até foi além". Mal a velha chegou em casa, entregaram-lhe uma carta da Sibéria, que já estava à sua espera. Mas isso ainda era pouco: nessa carta, que Vássia escrevera de passagem por Ekaterinburg, ele levava ao conhecimento de sua mãe que estava vindo para a Rússia, retornando com um funcionário, e que umas três semanas após a chegada da carta "ele mesmo esperava abraçar sua mãe". A senhora Khokhlakova implorava com insistência e ardor que Aliócha transmitisse imediatamente ao igúmeno e a toda a irmandade esse novo "milagre da predição" que havia se realizado: "Isso deve ser do conhecimento de todos, de todos!" — exclamava a senhora concluindo a carta. Esta fora escrita às pressas, precipitadamente, e a emoção se manifestava em cada uma de suas linhas. Mas Aliócha já não tinha nada a transmitir à irmandade, porque todos já sabiam de tudo: Rakítin, que mandara o monge chamá-lo, pedira-lhe, além disso, que comu-

[1] Diminutivo de Vassili. (N. do T.)

nicasse "da maneira mais respeitosa também à sua reverendíssima, o padre Paissi, que ele, Rakítin, tinha um assunto de tal importância que não se atrevia a adiar por um minuto a comunicação, e pedia que o enviado se desculpasse numa reverência profunda junto ao padre por seu atrevimento". Como o mongezinho comunicou ao padre Paissi o pedido de Rakítin antes de comunicar o fato a Aliócha, este, depois de voltar ao seu lugar e ler o bilhete, não teve outra alternativa senão levá-lo imediatamente ao conhecimento do padre Paissi como simples testemunho escrito. E eis que até esse homem severo e desconfiado, ao ler de cenho franzido a notícia do "milagre", não conseguiu conter de todo certo sentimento em seu íntimo. Seus olhos brilharam, os lábios súbito sorriram de um modo imponente e penetrante.

— Será que veremos isso? — como que lhe escapou subitamente.

— Ainda veremos mais, ainda veremos mais! — repetiram ao redor os monges, mas o padre Paissi, novamente de cenho franzido, pediu a todos que, ao menos por enquanto, não comunicassem isso em voz alta a ninguém, "enquanto ainda não houver melhor confirmação, porque entre os leigos há muita leviandade e, além disso, esse caso poderia acontecer naturalmente" — acrescentou com cautela, como que para ficar de consciência limpa, mas quase sem acreditar em sua ressalva, o que os ouvintes perceberam muito bem. No mesmo instante, é claro, o "milagre" tornou-se conhecido de todo o mosteiro e inclusive de muitos leigos que ali se encontravam para a liturgia. Quem, parece, estava mais impressionado com o milagre acontecido era o mongezinho do São Silvestr, do pequeno eremitério de Obdorsk, no extremo norte, que chegara na véspera ao mosteiro. No dia anterior reverenciara o *stárietz* em pé ao lado da senhora Khokhlakova e, apontando-lhe a filha "curada" dessa senhora, perguntara-lhe em tom emocionado: "Como o senhor se atreve a fazer essas coisas?".

Acontece que agora ele estava tomado de certa perplexidade e quase não sabia em que acreditar. Ainda na tarde da véspera visitara no mosteiro o padre Fierapont em sua cela especial, atrás da colmeia, e ficou perplexo com esse encontro, que produzira nele uma impressão extraordinária e aterradora. Esse padre Fierapont era aquele mesmo monge velhíssimo, grande jejuador e silenciário, a quem já nos referimos como adversário do *stárietz* Zossima e principalmente do *startziado*, que ele considerava uma novidade prejudicial e leviana. Esse adversário era perigosíssimo, ainda que, como silenciário, quase não pronunciasse uma palavra com ninguém. Era perigoso, principalmente, porque contava com a plena solidariedade de muitos membros da irmandade, e entre os leigos que ali chegavam muitos o consideravam um grande justo e asceta, apesar de verem nele um indiscutível *iuródiv*. Mas era sua condição de *iuródiv* que cativava. Esse padre Fierapont nunca visitara o *stárietz* Zossima. Embora morasse no eremitério, não o incomodavam muito com as regras eremitérias porque, mais uma vez, ele se comportava francamente como um *iuródiv*. Tinha uns setenta e cinco anos, senão mais, e morava atrás da colmeia do eremitério, em um canto de uma cela de madeira velha e quase em ruínas ali construída em tempos antiquíssimos, ainda no século passado, para o padre Ioan, também grande jejuador e silenciário, que vivera até os cento e cinco anos e sobre cujos feitos contavam-se até hoje muitas histórias curiosíssimas no mosteiro e em suas redondezas. O padre Fierapont conseguira finalmente ser instalado uns sete anos antes nessa mesma celinha isolada, ou seja, numa simples isbá mas muito parecida com uma capela, porquanto continha um número extraordinário de imagens com lamparinas doadas que lançavam eternamente uma luz frouxa diante delas, e o padre Fierapont parecia ter sido instalado ali para zelar por elas e acendê-las. Segundo se dizia (e isso era verdade), ele comia apenas duas libras de pão a cada três dias, e não mais; a cada três dias o pão lhe era entregue ali mesmo na colmeia pelo colmeeiro, mas até com ele, o colmeeiro, o padre Fierapont só raramente trocava uma palavra. Essas quatro libras de pão, somadas ao pão eucarístico[2] do domingo que o igúmeno enviava pontualmente depois da última missa, era o que constituía toda a sua alimentação semanal. Já a água de seu jarro era trocada a cada dia. Raramente ia à missa. Os adeptos que o visitavam testemunhavam como ele passava o dia inteiro rezando ajoelhado, sem despregar os joelhos do chão nem olhar para os lados. Se na ocasião entabulava conversa com eles, esta era breve, descontínua, estranha e quase sempre grosseira. Havia, não obstante, casos muito raros em que ele dava de conversar com os visitantes, porém o mais das vezes pronunciava apenas alguma palavra estranha, que sempre sugeria ao visitante um grande enigma, e em seguida não pronunciava nada como explicação, a despeito de quaisquer pedidos. Não tinha o título de sacerdote, era apenas um simples monge. Corria um boato muito estranho, se bem que entre as pessoas mais ignorantes, segundo o qual o padre Fierapont se comunicava com espíritos celestes e só com eles conversava, e era por isso que se calava diante das pessoas. O mongezinho de Obdorsk, que chegara à colmeia por indicação do colmeeiro, um monge também muito calado e taciturno, foi ao canto em que ficava a celinha do padre Fierapont. "Pode ser que fale com um forasteiro, mas pode ser que não consiga nada dele" — preveniu-o o colmeeiro. O mongezinho foi-se chegando, co-

[2] Pãozinho branco, usado nos rituais ortodoxos. (N. do T.)

mo contara depois, com o maior dos medos. Já era bastante tarde. Desta feita, o padre Fierapont estava sentado à porta da celinha num banquinho baixo. Sobre sua cabeça um olmo enorme e velho rugia. O friozinho da noite estava chegando. O mongezinho de Obdorsk prosternou-se diante do beato e pediu a bênção.

— Queres que eu também me prosterne diante de ti, monge? — pronunciou o padre Fierapont. — Levanta-te!

O mongezinho levantou-se.

— Abençoando, depois de ter sido abençoado; senta-te aqui ao lado. De onde és?

O que mais impressionou o pobre mongezinho foi o fato de que o padre Fierapont, a despeito de seu jejum sem dúvida rigoroso e de sua idade já tão avançada, ainda aparentava ser um velho forte: era alto, ereto, não arqueado, de rosto fresco, que mesmo sendo magro era saudável. Sem dúvida também conservava ainda uma força considerável. Era de compleição atlética. Apesar de tão entrado em anos, ainda não estava inteiramente grisalho, tinha cabelos ainda muito bastos, com antigos fios completamente negros na cabeça e na barba. Os olhos de tonalidade cinza, graúdos, brilhantes, mas extraordinariamente arregalados, chegavam a impressionar. Falava carregando intensamente no "ó". Vestia uma espécie de *caftan* pardacento longo, de tecido grosseiro como o usado nas prisões, com uma corda grossa fazendo as vezes de cinto. O pescoço e o peito estavam descobertos. A camisa, de um tecido muito grosso e quase enegrecida por meses a fio de uso, aparecia por baixo do *caftan*. Diziam que por baixo do *caftan* ele carregava uma corrente de ferro para mortificação do corpo; calçava uns sapatos velhos quase rotos e sem meia.

— Sou do pequeno mosteiro de Obdorsk, de São Selivestr[3] — respondeu obedientemente o mongezinho com seus olhinhos ágeis e curiosos, embora um tanto assustados, observando o asceta.

— Estive com teu Selivestr. Morei lá. Selivestr está bem de saúde?

O mongezinho ficou desnorteado.

— Sois uns ineptos! Como observam o jejum?

— Nossas refeições obedecem aos antigos regulamentos do eremitério. Durante a Quaresma não se serve nenhum alimento às segundas, quartas e sextas-feiras. Às terças e quintas a irmandade recebe pão branco, sopa com mel, amoras silvestres ou repolho salgado e farinha de aveia. Aos sábados, sopa de repolho, talharim com ervilhas, depois mingau de centeio. Uma vez

[3] No original, ora aparece Silvestr, ora Selivestr. (N. do T.)

por semana acrescentam-se à sopa algum peixe seco e mingau. Durante a Semana Santa, da segunda-feira à noite de sábado, uns seis dias, só pão e água e verduras cruas em porções moderadas; ainda se pode comer, mas não todos os dias, e isso já é determinado na primeira semana da Quaresma. Na Sexta-feira Santa não se come nada, assim como no Sábado de Aleluia até as três da tarde, quando ingerimos um pouco de pão com água e uma taça de vinho. Na Quinta-feira Santa comemos alimentos cozidos sem manteiga e tomamos vinho e às vezes alimento seco. Porque o Concílio de Laodiceia estabeleceu para a Quinta-feira Santa o seguinte: "não se deve quebrar o jejum na quinta-feira da última semana da Quaresma e assim desonrar toda a Quaresma". É assim que nós observamos. Mas o que é isto em comparação com o jejum que o senhor, grande padre, observa? — acrescentou o mongezinho após cobrar ânimo —, pois durante o ano inteiro, até na Santa Páscoa, alimenta-se de pão e água, e o pão que nós comemos em dois dias lhe basta para toda a semana. Tão grande abstinência é verdadeiramente admirável.

— E os cogumelos? — perguntou de chofre o padre Fierapont.

— Os cogumelos? — perguntou surpreso o mongezinho.

— Aí é que está. Eu recuso o pão deles porque não preciso absolutamente dele, posso ir até para a mata que lá viverei de cogumelos ou de amoras, mas eles aqui não abrem mão de seu pão, logo, têm parte com o diabo. Hoje em dia os ímpios dizem que não há por que jejuar tanto. É um juízo soberbo e sórdido.

— Oh, é verdade — suspirou o mongezinho.

— E o senhor viu diabos quando esteve com eles? — perguntou o padre Fierapont.

— Com eles quem? — quis saber o mongezinho.

— Estive com o igúmeno no Pentecostes do ano passado e desde então não mais o visitei. Vi o diabo escondido no peito de um monge por baixo da batina, apenas com os chifres aparecendo; do bolso de outro monge saía um diabinho de olhos ágeis, ele teve medo de mim; outro monge o carrega sobre o ventre, sobre seu mais impuro ventre, e um outro o leva até pendurado no pescoço, agarrado, e assim o conduz, mas sem que ninguém o veja.

— O senhor... vê? — quis saber o mongezinho.

— Estou dizendo que vejo, e que o vejo de todo. Estava saindo da casa do igúmeno, e o que vejo? — um atrás da porta escondendo-se de mim, grandalhão, de um *archin* e meio de altura, rabo grosso, pardo, comprido; ele deixa a ponta do rabo presa na fenda entre porta e o caixilho, mas eu não sou bobo, de repente bato a porta e prenso-lhe o rabo. Ele gane, começa a debater-se, mas eu pego o estandarte da cruz e faço o sinal da cruz três vezes sobre ele. Ele morre como uma aranha esmagada. Agora deve estar podre num canto, fedendo, mas eles lá não veem, não sentem. Faz um ano que não apareço por lá. Só revelei isto a ti porque és estrangeiro.

— Suas palavras são terríveis! Então, grande e bem-aventurado pai — o mongezinho ia criando mais e mais coragem —, é verdade o que vem ganhando imensa fama e se espalhando até em lugares distantes, que o senhor mantém comunicação permanente com o Espírito Santo?

— Ele pousa sobre mim. Acontece.

— Pousa como, de que jeito?

— Como um pássaro.

— O Espírito Santo em forma de pomba?

— Ora é o Espírito Santo, ora o Santispírito.[4] Santispírito é outra coisa, pode baixar como outro pássaro: uma andorinha, um pintassilgo e às vezes uma mejengra.

— Como o senhor o distingue de uma mejengra comum?

— Ele fala.

— Fala como, em que língua?

— Língua de gente.

— E o que ele lhe diz?

— Hoje mesmo ele me anunciou que um imbecil viria me visitar e fazer perguntas impróprias. Tu, monge, estás querendo saber muito.

— São terríveis suas palavras, bem-aventurado e santíssimo pai — o mongezinho balançava a cabeça. Em seus olhinhos assustados, não obstante, percebia-se desconfiança.

— Estás vendo esta árvore? — perguntou o padre Fierapont depois de um breve silêncio.

— Estou vendo, bem-aventuradíssimo pai.

— Para ti é um olmo, mas para mim é coisa diferente.

— Que coisa? — silenciou o mongezinho em vã expectativa.

— Acontece à noite. Estás vendo estes dois galhos? À noite são os braços de Cristo que se estendem para mim e as mãos que me procuram, vejo tudo com clareza e tremo. É terrível, oh, terrível!

— O que há de terrível se é o próprio Cristo?

— Vai me agarrar e me levar.

— Vivo?

[4] Trata-se de uma aglutinação de *Svyátii dukh* (Espírito Santo) para *Svyatodukh* ou Santispírito. (N. do T.)

— E no espírito e na glória de Elias — nunca ouviste falar?[5] — me abraçará e me levará...

Embora, depois dessa conversa, o mongezinho de Obdorsk voltasse com fortíssima indignação para a celinha que lhe fora indicada em uma das irmandades, ainda assim ele gostava mais do padre Fierapont do que do padre Zossima. O mongezinho de Obdorsk era, antes de tudo, a favor do jejum, e não se admirava de que um jejuador tão grande como o padre Fierapont "visse maravilhas". Suas palavras, é claro, também eram meio absurdas, mas Deus sabe o que se encerra nessas palavras, e todos os *iuródiv* de Cristo falam e agem de modo ainda pior. Estava disposto a acreditar, sinceramente e com prazer, na história do rabo prensado do diabo tanto no sentido alegórico quanto no literal. Além disso, antes de vir ao mosteiro, já alimentava grande prevenção contra o *startziado*, que até então só conhecia de ouvir falar e, como muitos outros, depois o tomou terminantemente por novidade perigosa. Depois de andar assuntando pelo mosteiro, conseguiu notar também um descontentamento latente de algumas irmandades levianas, que discordavam do *startziado*. Além disso, era por natureza um monge xereta e ágil, dotado de uma curiosidade enorme por tudo. Eis por que a grande novidade sobre o novo "milagre" do *stárietz* Zossima o deixou numa extraordinária indignação. Mais tarde, lembrou-se Aliócha de que, entre os monges que se aglomeravam em torno do *stárietz* e de sua cela, aparecia de relance à sua frente a pequena figura curiosa do visitante de Obdorsk xeretando em toda a parte, escutando tudo e enchendo todo mundo de perguntas. Mas naquela ocasião dera pouca atenção a esse monge, e só depois rememorou tudo... Aliás, não estava para isso: o *stárietz* Zossima, que mais uma vez se sentira cansado e tornara a deitar-se, súbito, ao abrir os olhos, lembrou-se dele e mandou chamá-lo imediatamente à sua presença. Aliócha acorreu sem demora. Na ocasião estavam ao lado do *stárietz* apenas o padre Paissi, o monge sacerdote Ióssif e o noviço Porfiri. Abrindo os olhos exauridos e olhando atentamente para Aliócha, o *stárietz* fez-lhe uma repentina pergunta:

— Os teus não estarão à tua espera, meu filho?

Aliócha atrapalhou-se.

— Não estarão precisando de ti? Ontem não prometeste visitar alguém hoje?

— Prometi... a meu pai... a meus irmãos... e a outros também...

— Vês? Vai sem falta. Não fiques triste. Saiba que não vou morrer sem

[5] Paráfrase do Evangelho segundo Lucas, 1, 17: "E irá adiante dele no espírito e poder de Elias". (N. do T.)

dizer na tua presença minha última palavra na Terra. A ti direi essa palavra, meu filho, e é a ti que a deixarei como legado. A ti, meu filho querido, porque me amas. Mas agora vai visitar aqueles a quem prometeste.

Aliócha obedeceu incontinenti, embora lhe fosse difícil afastar-se. Contudo, a promessa de ouvir sua última palavra na Terra e, o mais importante, legada como que a ele, Aliócha, comoveu-lhe a alma, enlevando-a. Apressou-se para terminar tudo na cidade e voltar o mais depressa. Foi então que o padre Paissi lhe dirigiu algumas palavras de despedida, que produziram nele uma impressão muito forte e inesperada. Isto aconteceu quando os dois já haviam deixado a cela do *stárietz*.

— Lembra-te, jovem, incansavelmente — começou assim direto e sem qualquer preâmbulo o padre Paissi —, que a ciência leiga, depois de firmar-se como uma grande força, esmiuçou, particularmente no último século, tudo o que nos foi legado nos livros sagrados e, depois de uma análise cruel, não restou na cabeça dos cientistas deste mundo terminantemente nada de toda a antiga santidade. Contudo, fizeram uma análise por partes, mas deixaram escapar o todo, e é até de admirar o quanto foram cegos. Entretanto, o todo se apresenta a seus olhos inabalável como antes, e nem as portas do inferno prevalecerão sobre ele.[6] Por acaso ele não viveu dezenove séculos, por acaso não vive até hoje nos movimentos das almas individuais e nos movimentos das massas populares? E não vive até hoje, como antes, inabalável nos movimentos das almas daqueles mesmos ateus que tudo destruíram?! Porque aqueles que renegaram o Cristianismo e se rebelam contra ele também foram, em sua essência, feitos da mesma imagem de Cristo, e mantiveram-se os mesmos porque até hoje nem sua sabedoria nem o calor de seus corações tiveram condições de criar outra imagem superior para o homem e sua dignidade como a imagem que Cristo nos indicou na Antiguidade. E o que era uma tentativa resultou em simples monstruosidade. Lembra-te particularmente disto, jovem, porque estás sendo enviado para o mundo pelo teu *stárietz*, que dele se retira. Talvez, lembrando-te deste grande dia, não esqueças tampouco minhas palavras, que te dou como conselho caloroso, porque és jovem e as tentações do mundo são sérias e não tens força para resistir a elas. Bem, agora vai, órfão.

Com essas palavras o padre Paissi o abençoou. Ao deixar o mosteiro e meditar sobre essas palavras ditas inesperadamente, Aliócha compreendeu de súbito que, nesse monge severo e até então taciturno, encontrava agora um

[6] Veja-se Mateus, 16, 18: "Também eu te digo que tu és Pedro, e sobre esta pedra edificarei a minha igreja, e as portas do inferno não prevalecerão contra ela". (N. do T.)

amigo novo e inesperado, um novo guia que o amava calorosamente — como se o *stárietz* Zossima, ao morrer, o houvesse confiado a ele. "É possível que isso tenha de fato acontecido entre eles" — pensou Aliócha. A inesperada e sábia reflexão que ele acabava de ouvir — ela mesma e nenhuma outra — só testemunhava a afetividade do coração do padre Paissi: este já procurava, com a maior rapidez possível, armar a mente do jovem para a luta contra as tentações e proteger a jovem alma que lhe fora confiada com uma muralha que ele mesmo não poderia imaginar mais forte.

II. Com o pai

Aliócha foi primeiro à casa do pai. Ao se aproximar, lembrou-se de que, na véspera, o pai insistira muito para que ele entrasse às escondidas do irmão Ivan. "Por quê? — pensou de repente Aliócha. — Se meu pai quer me dizer alguma coisa às escondidas, só a mim, então por que tenho de entrar às ocultas? Na certa ontem, em sua perturbação, quis me dizer alguma outra coisa, mas não teve tempo" — resolveu ele. Mesmo assim ficou muito alegre quando Marfa Ignátievna, ao lhe abrir a cancela (como se soube, Grigori adoecera e estava acamado no anexo), disse-lhe em resposta à sua pergunta que Ivan Fiódorovitch havia saído fazia já duas horas.

— E meu *bátiuchka*?

— Levantou-se e está tomando café — respondeu Marfa Ignátievna em um tom meio seco.

Aliócha entrou. O velho estava sozinho à mesa, calçado, metido num casaquinho velho e correndo os olhos sobre algumas contas para se distrair, sem prestar maiores atenções. Estava totalmente só na casa (Smierdiakóv também havia saído para comprar provisões para o almoço). Mas não eram as contas que o ocupavam. Embora houvesse se levantado cedo e estivesse animado, tinha, todavia, um aspecto cansado e fraco. A testa, na qual se espalharam durante a noite enormes equimoses rubras, estava enfaixada por um lenço vermelho. O nariz também inchara muito durante a noite e nele também se haviam formado várias equimoses que, mesmo um tanto insignificantes, davam a todo o rosto um aspecto particular de fúria e irritação. O próprio velho o sabia e, com cara de poucos amigos, olhou para Aliócha que entrava.

— O café está frio — gritou com rispidez —, não ofereço. Hoje, meu caro, estou passando só a sopa de peixe magra e não convido ninguém. O que vieste fazer?

— Saber como vai de saúde — pronunciou Aliócha.

— É. Além disso, ontem eu mesmo te ordenei que viesses. Tudo isso é um absurdo. Preocupou-se em vão. Aliás, eu bem que sabia que aparecerias por aqui imediatamente.

Ele pronunciou essas palavras com o sentimento mais hostil. Enquanto isso, levantou-se e examinou o nariz no espelho (talvez pela quadragésima vez naquela manhã) com ar preocupado. Começou a arrumar o lenço vermelho na testa para que ficasse mais bonito.

— O vermelho fica melhor, porque o branco lembra hospital — observou em tom sentencioso. — Bem, como vão as coisas por lá? Como vai o teu *stárietz*?

— Ele está muito mal, talvez morra hoje — respondeu Aliócha, mas o pai nem chegou a ouvir e imediatamente esqueceu o que perguntara.

— Ivan saiu — disse de repente. — Está fazendo todos os esforços para tomar a noiva de Mítia, é para isso que está morando aqui — acrescentou com raiva e, torcendo a boca, olhou para Aliócha.

— Será que ele mesmo lhe disse isso? — perguntou Aliócha.

— Sim, e já faz tempo que disse. Vê só: faz umas três semanas que disse. Não terá vindo para cá com o fim de me degolar às escondidas? Veio com algum motivo, não?

— O que é isso?! Por que o senhor está falando assim? — Aliócha ficou muito perturbado.

— Não está pedindo dinheiro, mas seja como for não vai receber um tostão de mim. Eu, meu querido Alieksiêi Fiódorovitch, tenho a intenção de viver o máximo que puder no mundo, saibam vocês disto, e por isso preciso de cada copeque, e quanto mais eu viver tanto mais esse copeque me será necessário — continuava ele, caminhando de um canto a outro da sala, com as mãos nos bolsos de seu sobretudo de *kolomyanka*[7] sebento e folgado, próprio para o verão. — Por enquanto ainda sou um homem, apesar de tudo, tenho apenas cinquenta e cinco anos, mas ainda quero permanecer uns vinte no rol dos homens, porque vou envelhecer, ficar um trapo e elas não vão querer vir à minha casa de boa vontade, e é por isso que vou precisar de um dinheirinho. É por isso que venho juntando cada vez mais e mais só para mim, meu amável filho Alieksiêi Fiódorovitch, que fiquem vocês sabendo, porque quero viver até o fim em minha sujeira, fiquem vocês sabendo. Na imundice é que é mais doce: todos falam mal dela, mas nela todos vivem, só que às escondidas, enquanto que eu sou transparente. Pois foi por essa mi-

[7] Lã listrada e estampada, de produção artesanal. (N. do T.)

nha simplicidade que todos os sujos investiram contra mim. Já para o teu paraíso, Alieksiêi Fiódorovitch, não quero ir, fica tu sabendo, e para um homem direito é até indecente ir para o teu paraíso, se é que ele existe mesmo. A meu ver, a pessoa dorme e não acorda mais, descobre que não existe nada; lembrem-se de mim se quiserem, e se não quiserem o diabo que os carregue. Eis minha filosofia. Ontem aqui Ivan falou bem, embora todos nós estivéssemos bêbados. Ivan é um falastrão e não tem nada de grande sabedoria... e também não tem nenhuma ilustração extraordinária, cala e fica rindo pra gente sem dizer palavra — eis o único objetivo de sua vinda.

Aliócha o ouvia em silêncio.

— Por que ele não conversa comigo? E, quando conversa, se faz de rogado; é um patife esse teu Ivan! Caso-me agora mesmo com Gruchka,[8] é só eu querer. Porque quando a gente tem dinheiro é só querer, Alieksiêi Fiódorovitch, que tudo acontece. Veja Ivan, é isso mesmo que ele teme e me vigia para que eu não me case e com esse fim empurra Mitka para que este se case com Gruchka: com isso quer me proteger de Gruchka (como se eu fosse lhe deixar dinheiro se não me casasse com Gruchka!), e por outro lado, se Mitka se casar com Gruchka ele ficará com a noiva rica dele, é esse o seu cálculo! É um patife esse teu Ivan!

— Como o senhor é irascível. Isso ainda é por causa de ontem; o senhor devia se deitar — disse Aliócha.

— Tu estás me dizendo isso — observou de supetão o velho, como se isto lhe tivesse entrado pela primeira vez na cabeça —, me dizendo e eu não me zango contigo, mas com Ivan, se ele me dissesse isso eu me zangaria. Só contigo eu tenho alguns minutinhos de bondade, porque eu sou mesmo um homem mau.

— O senhor não é um homem mau, mas deformado — sorriu Aliócha.

— Ouve, hoje eu quis meter o bandido do Mitka na cadeia, e aliás ainda não estou sabendo como vou resolver isso agora. É claro que hoje está na moda achar os pais e as mães preconceituosos, mas parece que pela lei nem em nossos dias é permitido arrastar os pais velhos pelos cabelos, bater-lhes nas fuças com o salto do sapato em sua própria casa. E ainda se gabar de voltar e matá-lo de vez — tudo isso diante de testemunhas. Eu, se quisesse, poderia dobrá-lo e metê-lo agora mesmo na cadeia pelo que fez ontem.

— Mas o senhor não está querendo apresentar queixa, está?

— Ivan me demoveu da ideia. Eu mandaria Ivan às favas, mas eu mesmo estou sabendo de uma coisa...

[8] Diminutivo de Grúchenka. (N. do T.)

E, inclinando-se para Aliócha, continuou com um murmúrio confidencial:

— Eu meto aquele patife na cadeia, ela ouve dizer que eu o meti em cana e imediatamente corre para ele. E se hoje ela ouvir dizer que ele me deixou meio morto de pancada, a mim, um velho fraco, talvez o largue e venha me fazer uma visita... Vê só de que índoles nós somos dotados — só para fazer as coisas ao contrário. Eu a conheço de cabo a rabo. Então, não tomas um conhaquinho? Pega o cafezinho frio, eu te sirvo junto um quarto de taça, isso é bom, meu caro, para sentir o gosto.

— Não, não precisa, agradeço. Já esse pãozinho vou levar comigo se o senhor me der — disse Aliócha e, pegando um pão francês branco de três copeques, colocou-o no bolso da batina. — Quanto ao conhaque, nem o senhor devia beber — aconselhou com cautela e olhando para o rosto do velho.

— Tens razão, ele irrita, e não acalma. Bem, mas só uma tacinha... Vou tirá-lo do armarinho...

Abriu com a chave o "armarinho", encheu uma pequena taça, sorveu--a, depois trancou o armário à chave e a colocou de volta no bolso.

— E basta, não vou esticar as canelas com uma taça.

— Agora o senhor ficou mais bondoso — sorriu Aliócha.

— Hum! Eu te amo mesmo sem conhaque, mas na companhia dos patifes eu também sou um patife. Vanka[9] não vai a Tchermachniá — por quê? Precisa ficar espionando: vou ou não vou dar dinheiro a Grúchenka se ela vier? São todos uns patifes! Aliás, eu não reconheço absolutamente Ivan. De onde apareceu esse tipo? É uma alma totalmente estranha à nossa. Como se eu fosse lhe deixar alguma coisa! Aliás, não vou nem deixar testamento, fiquem vocês sabendo. Quanto a Mitka, vou esmagá-lo como uma barata. De noite esmago as baratas pretas com o sapato: estalam assim que a gente pisa. Teu Mitka também vai estalar. *Teu* Mitka, porque tu gostas dele. Vê, gostas dele, mas não temo que gostes dele. Mas se Ivan gostasse dele eu temeria por mim pelo fato de ele gostar. Mas Ivan não gosta de ninguém, Ivan não é gente nossa, e essa gente como Ivan, meu caro, essa gente não é nossa, é uma poeira que se levantou... Venta e a poeira passa.[10] Ontem me ocorreu uma bobagem quando te mandei vir aqui hoje: queria, por teu intermédio, saber a respeito de Mitka; se ele queria mil, ou mais, eu ajustaria as contas com ele. Se ele, na miséria e canalha, concordasse em sumir definitivamente da-

[9] Um dos vários diminutivos de Ivan. (N. do T.)

[10] "Os ímpios não são assim; são, porém, como a palha que o vento dispersa". Salmos, 1, 4. (N. da E.)

qui, por uns cinco anos, melhor ainda por uns trinta e cinco, e sem Grúchenka e já renunciando inteiramente a ela, que tal?

— Eu... eu vou perguntar a ele — murmurou Aliócha. — Se fossem três mil, é possível que ele...

— Estás mentindo! Agora não precisas perguntar nada, fazer nada! Mudei de ideia. Essa ideia se meteu em minha cuca ontem por bobagem, não vou dar nada, nadinha de nada, preciso de meu dinheirinho para mim mesmo — deu de ombros o velho. — Independentemente disso, vou esmagá-lo como uma barata. Não lhe diga nada, senão ele pode esperar alguma coisa. E tu não tens nada a fazer aqui, vai embora. A noiva, Catierina Ivánovna, que ele escondeu cuidadosamente de mim o tempo todo, vai ou não se casar com ele? Parece que ontem foste à casa dela, não?

— Ela não quer deixá-lo por nada.

— Pois essas senhoritas delicadas gostam mesmo é desses tipos, desses farristas e canalhas! Essas senhoritas pálidas, vou te dizer, são um lixo; a todo instante... Bem! Tivesse eu a mocidade dele, o rosto daqueles tempos (porque vinte e oito anos atrás eu era mais bonito do que ele), eu sairia ganhando exatamente como ele. Que canalha é ele! E, apesar de tudo, Grúchenka ele não vai ganhar, não vai ganhar... Eu o transformo em lama!

Tornou a enfurecer-se depois destas palavras.

— Vai tu também embora, hoje nada tens a fazer aqui — cortou rispidamente.

Aliócha aproximou-se para se despedir e deu-lhe um beijo no ombro.

— Por que fizeste isso? — o velho ficou meio surpreso. — Ora, ainda nos veremos. Ou achas que não nos veremos?

— De jeito nenhum; fiz isso por fazer, sem querer.

— Também não foi nada, falei por falar... — o velho o fitava. — Ouve, ouve — gritava às costas dele —, vem um dia desses, e logo, te convido para uma sopa de peixe, vou fazer uma especial, não como a de hoje, vem sem falta! Até amanhã, ouve, vem amanhã!

E mal Aliócha saiu, ele voltou ao armário e sorveu mais meia taça.

— Não vou beber mais! — murmurou, deu um grasnido, tornou a fechar o armarinho, repôs a chave no bolso, depois foi para o quarto, deitou-se sem forças e num piscar de olhos adormeceu.

III. Os colegiais

"Graças a Deus não me perguntou por Grúchenka — pensou por sua vez Aliócha ao deixar a casa do pai e tomar a direção da casa da senhora Khokhlakóva —, senão eu teria, talvez, de contar sobre o encontro de ontem com Grúchenka." Aliócha percebeu dolorosamente que durante a noite os combatentes haviam reunido novas forças e, com a chegada do novo dia, seus corações estavam outra vez empedernidos: "Meu pai está irritado e com raiva, meteu alguma coisa na cabeça e encasquetou com isso; e Dmitri? Também ganhou mais firmeza durante a noite, é de crer que está irritado e com raiva e, é claro, tomou alguma decisão... Oh! tenho de conseguir encontrá-lo hoje sem falta, a qualquer custo...".

Mas Aliócha não conseguiu refletir por muito tempo: a caminho da casa da senhora Khokhlakóva aconteceu-lhe um súbito incidente, que, mesmo sem aparentar grande importância, ainda assim o deixou estupefato. Mal atravessou a praça e guinou para um beco com o fim de chegar à rua Mikhailóvskaia, paralela à Bolcháia e desta separada apenas por um canal (toda nossa cidade é cortada por canais), avistou embaixo, diante de uma pontezinha, um grupo de alunos de uma escola, todos crianças entre os nove e os doze anos, não mais. Elas se dispersavam a caminho de suas casas com suas bolsinhas nos ombros, outras com mochilas de couro presas aos ombros por correias, umas de casaquinhos, outras de sobretudo e algumas de botas sanfonadas de canos longos, que algumas crianças pequenas, mimadas por pais abastados, gostam de ostentar. Todo o grupo discutia animadamente alguma coisa, pelo visto conferenciava. Aliócha nunca conseguia passar indiferente ao lado de meninos, em Moscou isso também lhe acontecia, e embora gostasse mais de crianças de três anos ou de idade aproximada, também gostava muito de estudantes entre os dez e os onze anos de idade. Daí que, por mais preocupado que estivesse agora, deu-lhe uma súbita vontade de guinar para as crianças e entabular conversa com elas. Ao passar, observou seus rostinhos corados, vivos, e notou subitamente que todos os meninos tinham uma pedra na mão, uns até duas. Do outro lado do canal, a mais ou menos uns trinta passos do grupo, havia mais um menino em pé rente ao gradil, também colegial, de no máximo uns dez anos ou talvez menos, pálido, de aspecto doentio e olhinhos negros chamejantes, e igualmente com uma mochila no ombro. Ele observava com ar curioso e perscrutador o grupo de seis escolares, pelo visto colegas seus, que acabavam de sair com ele da escola, mas com quem estava em hostilidade, ao que tudo indicava. Aliócha se aproximou e, dirigindo-se a um menino louro, de cabelos encaracolados, faces coradas e metido num casaquinho preto, observou, depois de medi-lo com os olhos:

— Quando eu andava com uma sacolinha como a sua, a gente a levava no ombro esquerdo para poder tirar as coisas dela com a mão direita; mas a sua mochila está no ombro direito, não vai ser fácil tirar as coisas daí.

Aliócha começou por essa observação prática sem nenhum artifício premeditado nem rodeios, mas, por outro lado, um adulto não poderia começar de outra maneira se quisesse ganhar de saída a confiança de uma criança e particularmente de todo um grupo de crianças. Precisava mesmo começar de maneira séria e prática e de tal modo que se colocasse em pé de absoluta igualdade com elas; Aliócha compreendeu isto por instinto.[11]

— Sim, mas ele é canhoto — respondeu imediatamente outro menino, garboso e saudável, de uns onze anos. Todos os outros cinco fixaram os olhos em Aliócha.

— Ele também atira pedras com a canhota — observou um terceiro menino. Justo neste momento uma pedra voou no meio do grupo, roçou o canhoto mas errou o alvo, embora tivesse sido lançada com habilidade e energia. Fora lançada pelo menino do lado oposto do canal.

— Dá uma saraivada nele, mete uma nele, Smurov! — gritaram todos. Mas Smurov (o canhoto) nem se fez esperar e no mesmo instante deu o troco: lançou uma pedra contra o menino do outro lado do canal, mas errou: a pedra bateu no chão. O menino do canal lançou no mesmo instante outra pedra contra o grupo, mas desta vez direto em Aliócha, atingindo-o de modo bastante doloroso no ombro. O menino do canal tinha os bolsos abarrotados de pedras que armazenara. Isso dava para perceber a trinta metros pelos bolsos estufados de seu casaquinho.

— Ele a lançou contra o senhor, contra o senhor, mirou de propósito no senhor. Porque o senhor é um Karamázov, não é um Karamázov? — gritaram os meninos às gargalhadas. — Vamos acertá-lo, todos de uma vez, fogo! E seis pedras voaram de uma vez do grupo. Uma acertou o menino na cabeça, ele caiu, mas se levantou num abrir e fechar de olhos e, tomado de fúria, começou a dar o troco jogando pedras no grupo. Um bombardeio contínuo começou de ambas as partes, muitas pedras prontas apareceram nos bolsos de muitos meninos do grupo.

[11] Segundo Anna Grigórievna Dostoiévskaia, era assim que Dostoiévski agia. Quando passeava pelas ruas, ele conversava frequentemente com crianças desconhecidas, e estas também corriam para ele com suas perguntas, tamanha era a confiança que o escritor despertava nelas. (N. da E.)

— O que estão fazendo? Não se envergonham, senhores? Seis contra um, assim vão matá-lo! — gritou Aliócha.

Ele deu um salto e colocou-se contra a saraivada de pedras com a finalidade de proteger com seu corpo o menino do canal. Por um instante uns três ou quatro pararam.

— Foi ele que começou primeiro — gritou um menino de camisa vermelha com uma vozinha irritada de criança —, ele é um canalha, ainda há pouco deu uma canivetada em Krassótkin, escorreu sangue. Só que Krassótkin não quis denunciá-lo, mas ele precisa levar uma surra...

— Mas por quê? Não são vocês mesmos que o estão provocando?

— Veja, ele jogou outra pedra nas suas costas. Ele conhece o senhor — gritaram as crianças. — Agora ele está jogando pedras no senhor e não em nós. Vamos lá, gente, mais pedras nele, não erre, Smurov!

E o bombardeio recomeçou, desta vez com muita fúria. Uma pedra acertou o peito do menino do canal; ele deu um grito, começou a chorar e correu subindo um monte em direção à rua Mikhailóvskaia. Houve uma algazarra no grupo: "Ah, ah, acovardou-se, correu, esfregão!".

— O senhor, Karamázov, ainda não sabe como ele é torpe, matá-lo é pouco — repetiu o menino do casaquinho com os olhinhos chamejantes, pelo visto o mais velho.

— E quem é ele? — perguntou Aliócha. — Será um delator?

Os meninos se entreolharam como se rissem.

— E o senhor não está indo para lá, para a Mikhailóvskaia? — continuou o mesmo menino. — Então o alcance... Veja lá, ele parou de novo, está esperando e olhando para o senhor.

— Está olhando para o senhor, para o senhor! — secundaram os meninos.

— Pois pergunte a ele se ele gosta de esfregão de banheiro, esfarrapado. É assim que deve perguntar.

Ouviu-se uma gargalhada geral. Aliócha olhava para todos e todos para ele.

— Não vá, ele vai machucá-lo — bradou Smurov prevenindo-o.

— Senhores, não vou perguntar a ele sobre esfregão, porque é certamente com isso que os senhores o estão provocando de algum modo, mas vou me informar com ele por que vocês o odeiam tanto...

— Informe-se, informe-se — desataram a rir os meninos.

Aliócha atravessou a pontezinha e subiu um montículo rente ao gradil, indo direto ao menino que caíra em desgraça.

— Veja lá — gritaram às suas costas para preveni-lo —, ele não vai ter medo do senhor, de repente lhe dará uma canivetada à traição... como fez com Krassótkin.

O menino o esperava sem se mover. Ao chegar bem perto, Aliócha viu à sua frente uma criança que não tinha mais do que nove anos, daquelas crianças fracas e pequenas, rostinho oblongo pálido e magro, olhos graúdos e escuros que o olhavam com raiva. Vestia um casaquinho bastante velho, do qual brotava de uma forma horrenda. Seus braços nus sobravam das mangas. No joelho direito as pantalonas tinham um remendo grande, e no bico da bota direita, onde fica o dedão, aparecia um buraco grande e muito disfarçado com tinta de escrever. Os dois bolsos inflados de seu casaco estavam abarrotados de pedras. Aliócha parou a dois passos dele, olhando-o interrogativo. O menino, percebendo de imediato pelos olhos de Aliócha que este não queria lhe bater, também deu asas à coragem e até começou ele mesmo a falar.

— Sou um só, e eles seis... Vou surrá-los todos — disse de supetão com os olhos faiscando.

— Parece que você recebeu uma pedrada muito dolorida — observou Aliócha.

— Mas eu acertei a cabeça de Smurov! — gritou o menino.

— Eles lá me disseram que você me conhece, então por que me atira pedras? — perguntou Aliócha.

O garoto olhou para ele com ar sombrio.

— Eu não o conheço. Por acaso você me conhece? — interrogava Aliócha.

— Não chateie! — gritou subitamente o menino em tom irritado sem, entretanto, se mexer no lugar, como se continuasse esperando por alguma coisa e com os olhos voltando a chamejar.

— Está bem, eu me vou — disse Aliócha —, só que eu não o conheço e não o provoco. Eles me contaram como o provocam, mas eu não quero provocá-lo, adeus!

— Monge de calças de *grodetur*![12] — gritou o menino, seguindo Aliócha com o mesmo olhar raivoso e desafiador e colocando-se oportunamente de prontidão, calculando que agora Aliócha forçosamente investiria contra ele, mas Aliócha deu meia-volta, olhou para ele e foi embora. Mas antes que desse três passos recebeu nas costas um golpe da maior pedra que o menino tinha no bolso.

— Então você ataca pelas costas? Quer dizer que eles disseram a ver-

[12] Tecido de seda leve. (N. do T.)

dade, que você ataca à traição? — Aliócha tornou a voltar-se para ele, porém o menino lançou com fúria outra pedra contra ele, e desta vez no rosto, mas Aliócha conseguiu proteger-se a tempo e a pedra lhe acertou o cotovelo.

— Como é que não se envergonha?! O que foi que eu lhe fiz? — gritou ele.

Calado e com ar de desafio, o menino só esperava que agora Aliócha investisse forçosamente contra ele; vendo, porém, que nem agora ele investia, o menino ficou totalmente furioso, como um animalzinho: precipitou-se de onde estava e lançou-se contra Aliócha, e antes que este tivesse tempo de se mexer o menino mau já baixava a cabeça e lhe agarrava a mão esquerda com as duas mãos, mordendo-lhe dolorosamente o dedo médio. Cravou os dentes nele e não o largou durante uns dez segundos. Aliócha gritou de dor, puxando o dedo com toda a força. O menino finalmente o largou e recuou de um salto para a posição anterior. A mordida no dedo havia sido dolorida, profunda, chegando ao osso e à unha; o sangue jorrou. Aliócha tirou um lenço e, com ele, enfaixou com força a mão ferida. Levou quase um minuto enfaixando-a. O menino ficara o tempo todo aguardando em pé. Por fim Aliócha ergueu para ele seu olhar sereno.

— Está bem — disse —, está vendo como me mordeu de forma dolorida, mas basta, não é? Agora me diga, o que foi que eu lhe fiz?

O menino o olhou surpreso.

— Embora eu não o conheça absolutamente e o esteja vendo pela primeira vez — continuou Aliócha com a mesma calma —, não é possível que eu não tenha lhe feito nada, senão você não estaria me torturando à toa.

Em vez de responder, o menino começou subitamente a chorar alto e correu de Aliócha. Aliócha o seguiu devagarinho em direção à rua Mikhailóvskaia e por muito tempo observou o menino correndo para longe, sem diminuir os passos, sem olhar para trás e certamente ainda chorando alto.

Ele decidiu que tão logo arranjasse tempo sairia sem falta para procurá-lo e esclarecer esse enigma que o deixara tão perplexo. Mas agora estava sem tempo.

IV. Em casa das Khokhlakova

Logo chegou à casa da senhora Khokhlakova, uma casa de pedra, própria, de dois andares, bonita e uma das melhores de nossa cidadezinha. Embora a senhora Khokhlakova passasse a maior parte do tempo em outra província, onde era proprietária de uma fazenda, ou em Moscou, onde possuía uma casa, a casa que mantinha em nossa cidade era sua casa e fora herdada dos pais e avós. Aliás, a fazenda que tinha em nosso distrito era a maior de todas as fazendas locais, e entretanto ela vinha à nossa província muito raramente. Correu para Aliócha ainda na antessala.

— Recebeu, recebeu minha carta sobre o milagre? — começou ela a falar rápido, em tom nervoso.

— Sim, recebi.

— Divulgou-a, mostrou a todo mundo? Ele devolveu o filho à mãe!

— Ele vai morrer hoje — disse Aliócha.

— Ouvi dizer, estou sabendo, oh, como estou com vontade de conversar com você! Com você ou com outra pessoa, sobre tudo isso. Não, com você, com você! E que pena que não tenha nenhuma possibilidade de ver o *stárietz*! A cidade toda está excitada, todo mundo está na expectativa. Mas neste momento... sabe que neste momento Catierina Ivánovna está aqui em casa?

— Ah, que sorte! — exclamou Aliócha. — Assim nos veremos aqui em sua casa, ontem ela me ordenou que a visitasse hoje sem falta.

— Estou sabendo de tudo, de tudo. Ouvi tudo, detalhe por detalhe, do que aconteceu ontem na casa dela... De todos esses horrores com aquele... réptil. *C'est tragique*, e se eu estivesse no lugar dela — eu não sei o que faria se estivesse no lugar dela! Mas também esse seu irmão Dmitri Fiódorovitch, que peça — oh, Deus! Alieksiêi Fiódorovitch, estou desnorteada: imagine que neste momento seu irmão, quer dizer, não aquele, não aquele horrendo de ontem mas o outro, Ivan Fiódorovitch, está lá conversando com ela: a conversa entre eles é solene... Se você acreditasse no que está acontecendo com eles dois neste momento! É um horror o que eu vou lhe dizer, é uma mortificação essa história horrível, na qual não se pode acreditar de maneira nenhuma: os dois estão se destruindo, não se sabe com que fim, eles mesmos sabem disso e eles mesmos se deliciam com isso. Eu estava à sua espera! Sequiosa à sua espera! O grave é que não consigo suportar isso. Vou lhe contar tudo agora, mas neste momento há outra coisa e o mais importante — ah, eu até esqueci que era o mais importante. Diga-me: por que Lise tem esses ataques de histeria? Foi só ouvir dizer que você estava se aproximando que imediatamente começou seu ataque de histeria!

— Mamã, a senhora é quem está com ataque de histeria, e não eu — pipilou Lise de chofre por uma brecha da porta do quarto lateral. A brecha era mínima, a vozinha estridente, exatamente daquelas que nos dão uma tremenda vontade de rir, mas a gente faz todos os esforços para conter o riso. Aliócha notou no mesmo instante essa brechinha, e certamente Lise o espiava de sua poltrona, mas isto ele já não conseguia ver.

— Não é de estranhar, Lise, não é de estranhar... que por causa de teus caprichos eu também tenha um ataque de histeria; aliás, Alieksiêi Fiódorovitch, ela está tão doente, passou a noite inteira doente, com febre, gemendo! A muito custo esperei o amanhecer e o doutor Herzenstube. Ele diz que não consegue entender nada e que é preciso esperar. Esse Herzenstube sempre vem e diz que não consegue entender nada. Mal você se aproximou de nossa casa, ela deu um grito e caiu no ataque histérico, mandou que a trouxessem para cá, para o seu antigo quarto...

— Mamã, eu não tinha nenhum conhecimento de que ele estivesse chegando e minha vontade de passar para este quarto não teve nada a ver com ele.

— Isso já não é verdade, Lise, Yúlia correu para te avisar que Alieksiêi Fiódorovitch estava chegando, ela estava vigiando para ti.

— Minha querida mamã, de sua parte isso não tem a menor graça. E se quiser se corrigir e dizer neste momento alguma coisa inteligente, então, querida mamã, diga ao caro senhor Alieksiêi Fiódorovitch, que acaba de chegar, que só com sua vinda ele já demonstrou que não é espirituoso, pois veio nos visitar hoje depois do que aconteceu ontem e apesar de todo mundo estar rindo dele.

— Lise, tu estás te permitindo demais, e te asseguro que vou acabar apelando para medidas severas. Quem está rindo dele? estou tão contente com a chegada dele, ele me é tão necessário, absolutamente indispensável. Oh, Alieksiêi Fiódorovitch, estou extremamente infeliz!

— Ora, o que está acontecendo com a senhora, minha cara mamã?

— Ah, Lise, estes teus caprichos, essa tua inconstância, tua doença, essa terrível noite em febre, esse horrível e eterno Herzenstube, e o pior é que é eterno, eterno e eterno. E por fim, tudo, tudo... E no fim das contas mais esse milagre! Oh, como esse milagre me impressionou, como me comoveu, meu amável Alieksiêi Fiódorovitch! E agora essa tragédia que está acontecendo no salão, que não consigo suportar, não consigo, aviso-lhe de antemão que não consigo. Talvez seja uma comédia e não uma tragédia. Diga-me, o *stárietz* Zossima ainda vai viver até amanhã, vai? Oh, meu Deus! O que está acontecendo comigo, por um instante abro os olhos e vejo que tudo é absurdo, tudo é absurdo.

— Eu lhe pediria — interrompeu subitamente Aliócha — que a senhora me desse algum paninho limpo para enfaixar meu dedo. Eu o feri seriamente e agora estou sentindo uma dor pungente.

Aliócha desenrolou o lenço de seu dedo mordido. O lenço estava embebido de sangue. A senhora Khokhlakova deu um grito e semicerrou os olhos.

— Meu Deus, que ferimento, é um horror!

Mas Lise, tão logo viu pela brecha o dedo de Aliócha, escancarou a porta.

— Entre, entre aqui em meu quarto — gritou em tom firme e imperioso —, e agora sem fazer tolices! Oh, Deus, por que ficou esse tempo todo aí em pé e calado? Ele podia se esvair em sangue, mamã! Onde foi isso, onde fez isso? Em primeiro lugar água, água! É preciso lavar o ferimento, simplesmente mergulhar o dedo na água fria para passar a dor e mantê-lo, mantê-lo sempre lá... Depressa, depressa com a água, mamã, tragam num vaso de enxaguar. E depressa — concluiu ela em tom nervoso. Estava totalmente assustada; o ferimento de Aliócha deixou-a muitíssimo impressionada.

— Não seria o caso de chamar o doutor Herzenstube? — ia exclamando a senhora Khokhlakova.

— Mamã, a senhora me mata. Seu Herzenstube vai aparecer e dizer que não consegue entender nada! Água, água! Mamã, pelo amor de Deus vá a senhora mesma lá, apresse Yúlia, que encalhou por aí e nada de chegar logo! Mas depressa, mamã, senão eu vou morrer!...

— Ora, é uma bobagem! — exclamou Aliócha assustado com o susto delas.

Yúlia chegou correndo com a água. Aliócha mergulhou o dedo na água.

— Mamã, pelo amor de Deus traga gaze, a gaze e aquela água cáustica turva para cortes, sei lá como se chama! Nós temos aqui em casa, temos, temos... Mamã, a senhora mesma sabe onde está o frasco, está no seu quarto, no armarinho da direita, lá tem um frasco grande e gaze...

— Agora mesmo vou trazer tudo, Lise, só que não grites e nem te preocupes. Vê com que firmeza Alieksiêi Fiódorovitch está suportando o seu infortúnio. E onde foi que você conseguiu esse ferimento tão horrível, Alieksiêi Fiódorovitch?

A senhora Khokhlakova saiu apressadamente. Era só o que Lise esperava.

— Antes de mais nada responda à minha pergunta — ela começou rapidamente a falar para Aliócha. — Onde foi que você conseguiu se ferir assim? Depois vou conversar com você sobre coisas bem diferentes. Então?!

Aliócha sentiu instintivamente que era precioso para ela o tempo que transcorreria até o retorno da mãe, e, apressadamente, omitindo e resumindo muita coisa mas, não obstante, falando com precisão e clareza, contou-lhe sobre o enigmático encontro com os alunos da escola. Ao ouvir isso Lise levantou as mãos:

— Ora, pode, pode você se meter com uns menininhos, e ainda mais vestido nesse hábito! — bradou irada, como se tivesse até algum direito sobre ele. — Aliás, depois de tudo isso você mesmo é uma criança, a menor das crianças que pode existir! No entanto, tem de dar um jeito de descobrir sem falta para mim quem é esse menino detestável e me contar tudo, porque aí existe algum segredo. Agora o segundo ponto, mas antes uma pergunta: pode você, Aleksiêi Fiódorovitch, apesar do sofrimento causado pela dor, chamar isso de ninharias, e fazê-lo com sensatez?

— Sem dúvida, e agora já não sinto lá essas dores.

— É porque seu dedo está na água. Preciso trocá-la agora mesmo porque num instante vai esquentar. Yúlia, traz num piscar de olhos um pedaço de gelo da adega e um novo vaso com água. Bem, agora que ela saiu vamos ao que interessa: meu querido Alieksiêi Fiódorovitch, me devolva neste instante a minha carta que lhe enviei ontem — num piscar de olhos, porque mamãe pode chegar agora mesmo e eu não quero...

— A carta não está comigo.

— Não é verdade, está com você. Eu bem que sabia que você ia me dar essa resposta. Ela está com você, nesse bolso. Passei a noite inteira me arrependendo muito daquela brincadeira. Devolva-me agora a carta, devolva-me!

— Ela ficou lá.

— Mas você não pode me considerar uma menina, uma menininha depois de minha carta com aquela brincadeira tão tola! Eu lhe peço desculpas por aquela brincadeira tola, mas me traga sem falta a carta se ela realmente não está com você — e me traga hoje mesmo sem falta, sem falta!

— Hoje é totalmente impossível, pois vou ao mosteiro e não aparecerei por aqui nos próximos dois, três, talvez quatro dias, porque o *stárietz* Zossima...

— Quatro dias, que absurdo! Escute, você tem rido muito de mim?

— Não ri nem um tiquinho!

— Por que não?

— Porque acreditei absolutamente em tudo.

— Você está me ofendendo!

— Nem um pouco. Assim que li a carta pensei que tudo iria acontecer assim mesmo, porque eu, tão logo morra o *stárietz* Zossima, devo deixar imediatamente o mosteiro. Depois vou continuar o curso e prestar os exames, e quando chegar o prazo legal nós nos casaremos. Hei de amá-la. Embora antes não tivesse tempo de pensar nisso, agora refleti que não vou encontrar uma esposa melhor do que você, e o *stárietz* ordena que me case...

— Só que eu sou uma deformidade, sou carregada em minha poltrona — desatou a rir Liza e ficou com as faces coradas.

— Eu mesmo vou carregá-la na poltrona, mas estou certo de que até então você estará curada.

— Mas você é um louco — pronunciou nervosamente Liza —, de uma brincadeira como aquela deduzir de repente tamanho absurdo!... Ah, aí vem mamãe, talvez muito a propósito. Mamã, como a senhora está sempre atrasada, como pode demorar tanto! Bem, aí vem Yúlia com o gelo!

— Ah, Lise, não grites, o principal é que não grites. Esses gritos me deixam... Que fazer se tu mesma encafuaste a gaze em outro lugar... Procurei, procurei... Desconfio de que fizeste isto de propósito.

— Ora essa, eu não podia saber que ele iria aparecer com o dedo mordido, senão talvez tivesse feito isso verdadeiramente de propósito. Meu anjo de mamã, a senhora está começando a dizer coisas extremamente espirituosas.

— Vá lá que sejam espirituosas, mas que sentimentos, Lise, a respeito do dedo de Alieksiêi Fiódorovitch e de tudo isso! Oh, meu amável Alieksiêi Fiódorovitch, o que me mata não são os pormenores nem um Herzenstube qualquer, mas tudo junto, tudo em conjunto, eis o que não consigo suportar.

— Basta, mamã, basta de Herzenstube — Liza[13] ria alegre —, dê-me depressa a gaze, mamã, e a água. Isso é simplesmente água vegetomineral, Alieksiêi Fiódorovitch, agora me lembrei de como se chama, mas é uma magnífica solução medicamentosa. Mamã, imagine que, quando vinha para cá, ele brigou com uns menininhos na rua e um menininho mordeu o dedo dele; por acaso ele também não é pequenininho, uma criatura pequenininha, e, depois disso, pode ele se casar? Porque, imagine a senhora, ele quer casar, mamã. Imagine-o casado, não é de rir, não é terrível?

E Liza não parava de rir com seu risinho miúdo e nervoso, olhando maliciosamente para Aliócha.

— Ora, casar-se como, Lise, e a título de quê? isto está totalmente fora de propósito... E quanto ao menino, pode estar com raiva.

— Ah, mamã! Por acaso existem meninos raivosos?

— Por que não haveria de existir, Lise? até parece que eu disse uma tolice. Se o menino foi mordido por um cachorro com hidrofobia, tornou-se um menino hidrofóbico, e por sua vez vai pegar alguém que estiver a seu lado e morder. Como Lise enfaixou bem seu dedo, Alieksiêi Fiódorovitch, eu nunca conseguiria fazê-lo assim. Está doendo agora?

— Um pouquinho só.

— E você não está com medo de água? — perguntou Lise.

— Bem, Lise, chega, é possível que eu tenha me precipitado muito ao

[13] O narrador usa tanto Lise quanto Liza. (N. do T.)

falar sobre o menino louco, e aí tu tiraste esta conclusão. Mal Catierina Ivánovna soube que você está aqui, lançou-se para mim, está ansiosa por vê-lo, ansiosa.

— Ah, mamã! Vá a senhora para lá, mas ele não pode ir agora, está sofrendo demais.

— Não estou sofrendo nada, posso muito bem ir... — disse Aliócha.

— Como! Vai sair? Assim? Assim?

— Por quê? Ora, terminando lá tornarei a vir para cá e de novo poderemos conversar o tempo que você quiser. Eu gostaria muito de ver o mais depressa Catierina Ivánovna porque, em todo caso, quero muito voltar hoje para o mosteiro e o mais rápido possível.

— Mamã, pegue-o e leve-o daqui depressa. Alieksiêi Fiódorovitch, não se dê ao trabalho de voltar aqui depois de Catierina Ivánovna e vá direto para o seu mosteiro, é para lá que deve ir! Quanto a mim, quero dormir, não preguei olho a noite inteira.

— Ah, Lise, isso são apenas brincadeiras de tua parte, mas que tal se realmente dormisses um pouco! — exclamou a senhora Khokhlakova.

— Não sei como eu... Fico mais uns três minutos se você quiser, até cinco — murmurou Aliócha.

— Até cinco! Mamã, leve-o daqui depressa, ele é um monstro!

— Lise, enlouqueceste. Vamos, Alieksiêi Fiódorovitch, ela está caprichosa demais hoje. Temo irritá-la. Oh, que infortúnio lidar com mulher nervosa, Alieksiêi Fiódorovitch! Pensando bem, talvez ela queira mesmo dormir enquanto você está aqui. Que jeito você deu para fazê-la sentir sono? E que felicidade!

— Ah, mamã, como a senhora está sendo amável ao falar, um beijo por isso, mamãezinha.

— Um beijo para ti também, Lise. Ouça, Alieksiêi Fiódorovitch — a senhora Khokhlakova cochichou rápido, com ar de mistério e importância e saindo com Aliócha —, não quero lhe incutir nada nem levantar essa cortina, mas você mesmo vai entrar lá e ver tudo o que está acontecendo; é um horror, é a comédia mais fantástica: ela ama seu irmão Ivan Fiódorovitch e assegura para si mesma, com todas as forças, que ama seu irmão Dmitri Fiódorovitch. Isso é um horror! Vou entrar com você e, se não me escorraçarem, ficarei até o fim.

V. Mortificação no salão

No salão a conversa já chegava ao fim; Catierina Ivánovna estava muito excitada, embora seu aspecto fosse decidido. No instante em que Aliócha e a senhora Khokhlakova entraram, Ivan Fiódorovitch se levantava para sair. Tinha o rosto meio pálido e Aliócha olhou para ele com inquietação. Acontece que ali se desfazia para Aliócha uma de suas dúvidas, um enigma aflitivo que o vinha torturando havia algum tempo. Ainda um mês antes já lhe haviam incutido reiteradas vezes e sob diferentes aspectos que o irmão Ivan amava Catierina Ivánovna e, o mais importante, tinha efetivamente a intenção de "tomá-la" de Mítia. Até os últimos tempos isso parecia monstruoso a Aliócha, embora o deixasse muito preocupado. Amava ambos os irmãos e ficava apavorado com a rivalidade entre os dois. Por outro lado, na véspera o próprio Dmitri Fiódorovitch lhe revelara de chofre e com franqueza que estava até contente com a concorrência do irmão Ivan e que isso até ajudaria muito a ele, Dmitri. Ajudaria em quê? A casar-se com Grúchenka? Mas para Aliócha essa questão era desesperada e extrema. Além disso, até a véspera Aliócha acreditara piamente que a própria Catierina Ivánovna amava de paixão e obstinadamente o seu irmão Dmitri — mas só acreditara até a véspera. Ademais, algo sempre lhe dava a impressão de que ela não podia amar uma pessoa como Ivan, mas amava seu irmão Dmitri, e precisamente como ele era, apesar de toda a monstruosidade desse amor. Mas durante o próprio episódio da véspera com Grúchenka, de repente sua impressão pareceu ter sido outra. A palavra "mortificação", que a senhora Khokhlakova acabara de pronunciar, quase o fizera estremecer, porque justo na madrugada daquela noite, semiacordado, ele tinha proferido de chofre, em provável resposta ao seu sonho: "mortificação, mortificação!". Sonhara a noite inteira com a cena do dia em casa de Catierina Ivánovna. E agora a senhora Khokhlakova — ao asseverar de modo franco e obstinado que Catierina Ivánovna amava seu irmão Ivan e que ela mesma, de propósito e levada por algum jogo, por uma "mortificação", só se enganava e se torturava com seu falso amor por Dmitri, movida por algo parecido com agradecimento — deixava Aliócha atônito: "É, talvez a plena verdade esteja realmente nessas palavras!". Mas, neste caso, qual é a situação do irmão Ivan? Por algum instinto Aliócha sentia que uma índole como a de Catierina Ivánovna precisava dominar, mas ela só poderia dominar uma pessoa como Dmitri, nunca alguém como Ivan. Porque só Dmitri poderia finalmente submeter-se a ela (é de supor que até por muito tempo), "para sua própria felicidade" (o que Aliócha até desejava), mas Ivan, não, Ivan não poderia submeter-se a ela, e aliás essa submissão não lhe traria felicidade. Não se sabe por que Aliócha formulou para si esse conceito de Ivan. E eis que todas essas dúvidas e considerações lhe passaram de relance pela mente no mesmo instante em que ele entrava no salão. Ainda lhe passou de relance uma outra ideia, súbita e irresistível: "E se ela não amar ninguém, nem um, nem outro?". Observo que era como se Aliócha se envergonhasse de tais pensamentos e estivesse se recriminando por eles desde que lhe vieram à mente no último mês. "Ora, que é que eu entendo de amor e de mulheres, e como posso chegar a semelhantes sentenças?" — pensava ele, censurando-se depois de cada pensamento ou conjetura semelhante. Mas, por outro lado, era impossível deixar de pensar. Compreendia instintivamente que agora, por exemplo, essa rivalidade era uma questão demasiado importante no destino dos dois irmãos e que dela dependia uma enormidade de coisas. "Um réptil devorando outro réptil" — pronunciara o irmão na véspera, falando com irritação sobre o pai e o irmão Dmitri. Então aos olhos dele o irmão Dmitri é um réptil, e é possível que seja um réptil há muito tempo? Não terá sido depois que o irmão Ivan conhecera Catierina Ivánovna? Essas palavras, é claro, Ivan deixou escapar involuntariamente ontem, e o mais importante é que foi involuntariamente. Se é assim, então que paz poderá haver aí? Ao contrário, não haverá aí novos motivos para o ódio e a hostilidade em sua família? E, o mais importante, de quem Aliócha terá compaixão? Então terá de sentir compaixão por cada um? Ele ama os dois, então como ter compaixão por cada um entre tão terríveis contradições? Numa confusão como essa era possível ficar totalmente perdido, e o coração de Aliócha não podia suportar o desconhecido porque a índole de seu amor sempre fora ativa. Amar passivamente ele não conseguia; se começava a amar, imediatamente começava também a ajudar. E para isso era preciso propor-se um objetivo, era preciso saber com certeza o que era bom e necessário para cada um deles e, uma vez convencido de que o objetivo é justo, ajudar naturalmente a cada um deles. Mas em vez de objetivo firme havia em tudo apenas obscuridade e confusão. Agora haviam pronunciado a palavra "mortificação"! Mas o que ele poderia entender ao menos dessa mortificação? Não compreendia nem como toda essa confusão havia começado!

Ao ver Aliócha, Catierina Ivánovna disse rápida e alegremente para Ivan Fiódorovitch, que se levantara para sair:

— Um minuto! Fique mais um minuto. Quero ouvir a opinião deste homem em quem acredito com todo o meu ser. Catierina Óssipovna, fique a senhora também — acrescentou, dirigindo-se à senhora Khokhlakova. Fez Aliócha sentar-se a seu lado e Khokhlakova de frente, ao lado de Ivan Fiódorovitch.

— Aqui estão todos os meus amigos, todos os que tenho no mundo, meus amigos queridos — começou Catierina calorosamente, com uma voz em que tremiam lágrimas sinceras de sofrimento, e o coração de Aliócha mais uma vez se inclinou para ela. — Ontem, Alieksiêi Fiódorovitch, o senhor foi testemunha daquele... horror e viu como me comportei. O senhor não viu isso, Ivan Fiódorovitch, ele viu. O que ele pensou de mim ontem não sei, sei apenas que, se aquilo se repetisse hoje, agora, eu extravasaria os mesmos sentimentos de ontem — os mesmos sentimentos, as mesmas palavras e os mesmos gestos. O senhor está lembrado de meus gestos, Alieksiêi Fiódorovitch, o senhor mesmo me conteve em um deles... (Ao dizer isto ela corou e seus olhos cintilaram.) Comunico-lhe, Alieksiêi Fiódorovitch, que não consigo me conformar com coisa nenhuma. Escute, Alieksiêi Fiódorovitch, nem mesmo sei se ainda *o* amo. Ele se tornou *objeto de pena* para mim, e isso é uma má prova de amor. Se eu o amasse, se continuasse a amá-lo, talvez agora não sentisse pena dele mas, ao contrário, ódio...

A voz dela tremeu e umas lágrimas miúdas brilharam em seus cílios. Aliócha tremeu em seu íntimo: "Essa moça é verdadeira e sincera — pensou ele — e... não ama mais Dmitri!".

— É isso mesmo! Isso mesmo! — quase exclamou a senhora Khokhlakova.

— Espere, amável Catierina Óssipovna, eu não disse o principal, não falei da decisão definitiva que tomei esta noite. Sinto que minha decisão pode ser terrível... para mim, mas pressinto que já não a mudarei por nada, por nada, pelo resto de minha vida, e assim será. Meu querido, meu bondoso, meu conselheiro de sempre, e conhecedor generoso e profundo do coração humano, Ivan Fiódorovitch, único amigo que eu tenho no mundo, me apoia em tudo e elogia minha decisão... Ele a conhece.

— Sim, eu a aprovo — pronunciou Ivan Fiódorovitch com voz baixa e firme.

— Mas eu desejo também que Aliócha (ah, Alieksiêi Fiódorovitch, desculpe-me por chamá-lo simplesmente de Aliócha), desejo que Alieksiêi Fiódorovitch me diga agora, diante de ambos os meus amigos: estou certa ou não? Tenho um pressentimento instintivo de que o senhor, Aliócha, meu irmão querido (porque o senhor é meu irmão querido) — ela tornou a falar em tom solene, agarrando a mão fria dele com sua mão quente —, eu pressinto que sua decisão, que sua aprovação, apesar de todos os meus tormentos, me dará tranquilidade, porque depois de suas palavras vou serenar e me conformar; eu pressinto isso!

— Não sei o que a senhorita está me perguntando — pronunciou Aliócha com o rosto corando —, sei apenas que gosto da senhorita e neste instante lhe desejo mais felicidade do que a mim mesmo!... Só que desses assuntos eu não sei nada... — súbito algo o apressou a acrescentar.

— Nesses assuntos, Alieksiêi Fiódorovitch, nesses assuntos reside agora o principal — a honra e o dever e não sei o que mais, porém é algo até superior, talvez superior ao próprio dever. Meu coração me fala desse sentimento irresistível, e este me arrasta de modo irresistível. Aliás, tudo se resume em duas palavras e eu já me decidi: se ele até vier a casar-se com aquele... réptil — começou ela em tom solene —, a quem eu nunca, nunca poderei perdoar, *ainda assim não o abandonarei*! Oh, daí em diante nunca mais o abandonarei, nunca o abandonarei! — pronunciou como que arrebatada por uma espécie de enlevo precariamente forjado. — Quer dizer, não é que eu vá ficar me arrastando atrás dele, aparecendo a cada minuto diante dele, torturando-o — oh, não, vou embora para outra cidade, para qualquer lugar, mas durante toda a minha vida, toda a minha vida hei de vigiá-lo infatigavelmente. Quando ele se tornar infeliz com a outra, e isso vai acontecer sem falta e logo, então que me procure, pois encontrará uma amiga, uma irmã... Só irmã, é claro, e isto para sempre, mas ele acabará se convencendo de que esta irmã é realmente sua irmã, que o ama e se sacrificou por ele a vida inteira. Eu conseguirei isto, conseguirei que ele saiba finalmente quem eu sou e me diga tudo sem se envergonhar! — exclamou como se estivesse delirando. — Serei o Deus a quem ele haverá de rezar — ao menos isso ele me deve por sua traição e pelo que suportei ontem por sua causa. Que ele veja pelo resto de sua vida que por toda a minha vida serei fiel a ele e à palavra que uma vez lhe dei, apesar de ele ter sido infiel e me haver traído. Hei de... Eu me transformarei num simples meio de sua felicidade (ou, como dizer?), num instrumento, na máquina de sua felicidade, e isto para toda a vida, para toda a vida, e que ele veja isso doravante pelo resto de sua vida! Eis toda minha decisão! Ivan Fiódorovitch me aprova no mais pleno sentido da palavra.

Ela arquejava. Talvez quisesse ter externado seu pensamento de modo bem mais digno, hábil e natural, mas ele saiu excessivamente apressado e demasiadamente explícito. Houve muito de descontrole juvenil e muito do simples reflexo da irritação sofrida na véspera, da necessidade de externar seu orgulho, e isso ela mesma sentiu. Súbito seu rosto ficou meio sombrio, com uma expressão ruim no olhar. Aliócha percebeu tudo no mesmo instante e a compaixão agitou-se em seu coração. E justo nesse instante o irmão Ivan ajuntou:

— Eu apenas externei meu pensamento — disse ele. — Em qualquer outra pessoa tudo isso soaria como forçado, artificial, mas na senhora, não.

Outra seria falsa, mas a senhora é verdadeira. Não sei como explicar isso, mas vejo que a senhora está usando de toda sinceridade, e por isso tem razão...

— Mas só neste instante... E o que significa este instante? Não mais que a ofensa sofrida ontem, eis o que significa este instante... — de repente não se conteve a senhora Khokhlakova, que pelo visto não desejava imiscuir-se mas não se conteve e externou de chofre um pensamento muito verdadeiro.

— É, é — interrompeu Ivan num arroubo meio repentino e pelo visto zangado por ter sido interrompido —, é, mas em outra pessoa esse instante seria apenas a impressão de ontem e só um instante, mas com o caráter de Catierina Ivánovna esse instante se estenderá por toda a sua vida. O que para outras é mera promessa, para ela é um dever eterno, pesado, sombrio talvez, mas constante. E ela vai acalentar o sentimento desse dever cumprido! Doravante, Catierina Ivánovna, sua vida passará numa contemplação sofrida dos próprios sentimentos, da própria façanha e da própria mágoa, mas com o passar do tempo esse sofrimento se abrandará e sua vida se transformará numa contemplação já doce de seu desígnio firme e altivo, realizado em definitivo, de certo ponto de vista realmente altaneiro, arrojado em qualquer circunstância porém vencido pela senhora, e essa consciência lhe trará finalmente a mais completa satisfação e a conciliará com todo o resto...

Ele pronunciou tudo isso em tom resoluto e com certa maldade, aparentemente de propósito e talvez até sem desejar esconder sua intenção, ou seja, que estava falando de modo deliberado e zombando.

— Oh, Deus, como tudo é diferente! — tornou a exclamar a senhora Khokhlakova.

— Alieksiêi Fiódorovitch, fale o senhor! Tenho uma angustiante necessidade de saber o que o senhor vai me dizer! — exclamou Catierina Ivánovna e ficou subitamente banhada em lágrimas. Aliócha levantou-se do sofá.

— Não foi nada, não foi nada! — continuou ela chorando —, foi por causa do transtorno da noite passada, mas ao lado de dois amigos como o senhor e seu irmão eu me sinto forte... porque sei... que os senhores nunca me abandonarão...

— Infelizmente amanhã mesmo eu talvez tenha de viajar a Moscou e deixá-la por muito tempo... e, infelizmente, não dá para mudar isso... — pronunciou Ivan Fiódorovitch.

— Amanhã, a Moscou! — súbito todo o rosto de Catierina Ivánovna contraiu-se. — Mas... mas meu Deus, que felicidade! — bradou ela de repente com a voz totalmente mudada e livrando-se das lágrimas num piscar de olhos, de tal modo que delas não sobrou nem vestígio. Foi a mudança surpreendente que nela se processou nesse piscar de olhos que deixou Aliócha extraordinariamente pasmado: em vez da pobre moça ofendida que acabara de chorar, mortificada em seu sentimento, de uma hora para outra aparecia uma mulher dona absoluta de si mesma e até extremamente satisfeita com alguma coisa, como se de repente algo a tivesse alegrado.

— Oh, não é felicidade por abandoná-lo, é claro — ela como que se corrigiu imediatamente com um encantador sorriso mundano —, um amigo como o senhor não pode pensar isso; ao contrário, estou infeliz demais porque vou me privar do senhor (súbito ela se lançou com ímpeto para Ivan Fiódorovitch e, agarrando-lhe ambas as mãos, apertou-as com um sentimento ardente); eu estou feliz é porque o senhor mesmo, pessoalmente, estará em condições de expor agora em Moscou à minha tia e a Agacha[14] toda a minha situação, todo o horror pelo qual estou passando neste momento, usando de toda franqueza com Agacha e poupando minha amável titia como o senhor sabe fazer. O senhor não pode imaginar como estive infeliz ontem e hoje pela manhã, sem saber como escrever a elas essa terrível carta... porque em carta não dá para transmitir isso de maneira nenhuma... Agora me será mais fácil escrever porque o senhor estará em pessoa com elas e explicará tudo. Oh, como estou contente! Mas é só com isso que estou contente, acredite-me mais uma vez. O senhor mesmo, é claro, me é insubstituível... Agora mesmo vou correr e escrever — concluiu ela de repente e já ia até dando um passo para deixar o recinto.

— E Aliócha? E a opinião de Alieksiêi Fiódorovitch que a senhora achava tão indispensável ouvir? — bradou a senhora Khokhlakova. Em suas palavras soava uma nota mordaz e irada.

— Não me esqueci disso — parou Catierina Ivánovna —, e por que neste momento a senhora está tão hostil comigo, Catierina Óssipovna? — pronunciou com uma censura amarga e ardente. — O que eu disse eu confirmo. A opinião dele me é indispensável, e ainda mais: preciso da decisão dele! O que disser, assim será — eis como, ao contrário, anseio por suas palavras, Alieksiêi Fiódorovitch... Mas o que é que o senhor tem?

— Nunca pensei, não posso imaginar isso! — exclamou de repente Aliócha com amargura.

— O quê, o quê?

— Ele está indo para Moscou e a senhora exclamou que está contente — a senhora o exclamou de propósito! E depois foi logo tratando de explicar que não está contente com isso, mas, ao contrário, lamenta por... perder

[14] Diminutivo de Agáfia. (N. do T.)

um amigo — e isso a senhora também representou de propósito... como em uma comédia no teatro!...

— No teatro? Como? O que é isso? — exclamou Catierina Ivánovna profundamente atônita, toda vermelha e franzindo o cenho.

— Sim, por mais que a senhora lhe assegure que lamenta ficar sem o amigo que tem nele, mesmo assim insiste em lhe dizer na cara que fica feliz com sua partida... — pronunciou Aliócha já completamente arfando. Estava em pé ao lado da mesa.

— Não estou entendendo do que está falando...

— E eu mesmo não sei... De repente foi como se tivesse me dado um estalo... Sei que não faço bem dizendo isso, mas mesmo assim vou dizer tudo — continuou Aliócha com a mesma voz trêmula e entrecortada. — Meu estalo consiste em que a senhora talvez não sinta nenhum amor por meu irmão Dmitri... desde o começo... Aliás, é possível que Dmitri também não sinta nenhum amor pela senhora... desde o início... e apenas a considere... Palavra que não sei como estou me atrevendo a tudo isso agora, mas alguém precisa dizer a verdade... porque aqui ninguém está querendo dizer a verdade...

— Que verdade? — bradou Catierina Ivánovna, e um quê de histeria soou em sua voz.

— Eis aqui a verdade — balbuciou Aliócha como se despencasse de um telhado —; mande chamar Dmitri agora, eu o encontrarei, e deixemos que ele venha até aqui, pegue a senhora pelo braço, depois pegue meu irmão Ivan pelo braço e una as mãos dos dois. Pois a senhora atormenta Ivan só porque o ama... e o atormenta porque ama Dmitri mortificando-se... ama falsamente... porque encasquetou com isso...

Aliócha parou e calou-se.

— O senhor... o senhor... o senhor é um pequeno *iuródiv*, é isso que o senhor é! — cortou de repente Catierina Ivánovna com o rosto empalidecido e os lábios contraídos de raiva. Súbito Ivan Fiódorovitch deu uma risada e levantou-se, estava com o chapéu na mão.

— Estás enganado, meu bom Aliócha — pronunciou com uma expressão no rosto que Aliócha nunca vira antes, uma expressão de sinceridade juvenil e de um sentimento intenso, incontidamente franco —, Catierina Ivánovna nunca me amou! Ela sempre soube que eu a amo, embora eu nunca tenha lhe dito nenhuma palavra sobre meu amor — ela sabia, mas não me amava. Seu amigo também não fui uma única vez, um só dia: essa mulher orgulhosa não precisava de minha amizade. Mantinha-me a seu lado para perpetrar uma vingança constante. Vingava de mim e em mim se vingava de todas as ofensas que constantemente e a cada instante recebia de Dmitri durante todo esse tempo, ofensas recebidas desde o primeiro encontro dos dois... Porque o primeiro encontro entre os dois ficou em seu coração como uma ofensa. Eis como é o seu coração! Durante todo esse tempo não fiz senão ouvir sobre seu amor por ele. Agora eu me vou, mas fique sabendo, Catierina Ivánovna, que a senhora realmente só ama a ele. E o ama tanto mais quanto mais ele a ofende. Eis a sua mortificação. A senhora o ama precisamente tal qual ele é, ama-o sendo ofendida por ele. Se ele se emendasse, a senhora o largaria imediatamente e deixaria de amá-lo de vez. Mas a senhora precisa dele para contemplar constantemente sua façanha de fidelidade e censurá-lo por infidelidade. E tudo isso movida por seu orgulho. Oh, há muito de rebaixamento e humilhação aí, mas tudo isso vem do orgulho... Sou jovem demais e a amei com intensidade demais. Sei que não deveria lhe dizer isso, que de minha parte seria mais digno simplesmente afastar-me da senhora; não seria também tão ofensivo para a senhora. Mas acontece que estou indo para longe e nunca mais voltarei. Isto é para sempre... Não quero ficar ao lado de uma mortificação... Aliás, já nem sei mais falar, disse tudo... Adeus, Catierina Ivánovna, a senhora não pode zangar-se comigo porque fui cem vezes mais castigado do que a senhora: castigado já pelo simples fato de que nunca mais a verei. Adeus. Não precisa me dar a mão, a senhora me torturou de modo demasiado consciente para que neste momento eu possa perdoá-la. Depois perdoarei, mas neste momento dispenso sua mão.

Den Dank, Dame, begehr ich nicht[15] —

acrescentou ele com um sorriso torto, mostrando, aliás de modo totalmente inesperado, que também era capaz de declamar Schiller de cor, o que Aliócha não acreditaria antes. Ele deixou o recinto sem sequer se despedir da senhora Khokhlakova, a anfitriã. Aliócha juntou as mãos.

— Ivan — gritou-lhe transtornado atrás dele —, volta, Ivan! Não, não, agora nada o fará voltar! — tornou a exclamar, apercebendo-se amargamente disso. — Mas fui eu, fui eu o culpado, fui eu que comecei! Ivan falou com maldade, não fez bem. Foi injusto e maldoso... — Aliócha exclamava meio louco.

Súbito Catierina Ivánovna passou para outro cômodo.

— Você não fez nada, você realmente agiu de forma magnífica, como

[15] "Não preciso de recompensa, senhora", em alemão. Verso do poema de Friedrich Schiller, "Der Handschuh". (N. do T.)

um anjo — cochichou rápido e entusiasticamente a senhora Khokhlakova a um Aliócha amargurado. — Vou envidar todos os esforços para que Ivan Fiódorovitch não parta...

O rosto dela irradiava alegria, para grande amargura de Aliócha; mas Catierina Ivánovna voltou de repente. Trazia nas mãos duas notas irisadas.

— Quero lhe pedir um grande favor, Alieksiêi Fiódorovitch — começou com um apelo direto a Aliócha, com a voz aparentemente tranquila e regular, como se nada tivesse acabado de acontecer. — Há uma semana, é, parece que foi na semana passada, Dmitri Fiódorovitch cometeu um ato ensandecido e injusto, muito feio. Em nossa cidade existe um lugar abjeto, uma taverna. Lá ele encontrou aquele oficial reformado, aquele capitão que seu *bátiuchka* usou em certas atividades. Enfurecido com esse capitão não se sabe por quê, Dmitri Fiódorovitch o agarrou pela barba e diante de todos os presentes o arrastou humilhantemente para a rua, e na rua o puxou por mais tempo ainda, e dizem que um menino, filho desse capitão, uma criança, que estuda na escola daqui, ao presenciar aquilo ficou correndo o tempo todo ao lado, chorando alto, correndo para todos os presentes e pedindo que defendessem seu pai, mas todos riam. Desculpe, Alieksiêi Fiódorovitch, não posso recordar sem indignação esse vergonhoso ato *dele*... um desses atos a que só um Dmitri Fiódorovitch é capaz de atrever-se em sua ira... em suas paixões! Não posso narrar semelhante coisa, não estou em condição... Eu me perco nas palavras. Andei indagando sobre o ofendido e fiquei sabendo que é um homem muito pobre. Seu sobrenome é Snieguiriów. Cometeu alguma falta quando servia e foi reformado, não sei como lhe contar isso, e agora está numa terrível miséria com sua família, uma família infeliz de filhos doentes e uma mulher louca, parece. Já está morando há muito tempo aqui na cidade, faz alguma coisa, foi escrevente em algum lugar, mas de repente passaram a não lhe pagar mais nada. Tive em vista o senhor... isto é, pensei — não sei, estou meio confusa — veja, eu queria lhe pedir, Alieksiêi Fiódorovitch, meu boníssimo Alieksiêi Fiódorovitch, para ir procurá-lo, arranjar um pretexto para ter acesso a ele, isto é, a esse capitão — oh, Deus! como estou desnorteada! — e delicadamente, com cautela — justamente como só o senhor sabe fazer (Aliócha corou de chofre) — lhe entregar este auxílio, estes duzentos rublos. Na certa ele os aceitará... ou seja, convença-o a aceitá-los... Ou não, como se deve proceder? Veja, isso não é bem um pagamento para apaziguá-lo, para que ele não apresente queixa (porque parece que ele estava pensando em apresentar queixa), mas simplesmente um ato solidário, um desejo de ajudar de minha parte, de minha parte, da noiva de Dmitri Fiódorovitch, e não do próprio... Numa palavra, o senhor saberá... Eu mesma iria, mas o senhor conseguirá fazê-lo bem melhor do que eu. Ele mora na rua Oziórnaia, no prédio da senhora Kalmikova... Por Deus, Alieksiêi Fiódorovitch, faça isto para mim, mas agora... agora eu estou um pouco... cansada. Até logo...

Ela deu uma meia-volta tão rápida e repentina que Aliócha não teve tempo de dizer uma só palavra, e estava com vontade de dizê-la. Queria pedir desculpas, acusar-se — bem, dizer alguma coisa, porque seu coração transbordava. E terminantemente não queria deixar o recinto sem dizê-lo. Mas a senhora Khokhlakova o segurou pelo braço e o conduziu. Na antessala tornou a pará-lo como ainda agora.

— Ela é altiva, luta contra si mesma, mas é bondosa, encantadora, magnânima! — exclamava a meio sussurro a senhora Khokhlakova. — Oh, como gosto dela, sobretudo às vezes, e como agora estou novamente feliz com tudo, com tudo! Meu querido Alieksiêi Fiódorovitch, você não sabia disso: fique sabendo que todas nós, todas — eu, ambas as tias —, todas, todas, até Lise, já faz um mês inteiro que só rezamos e desejamos que ela rompa com seu preferido Dmitri Fiódorovitch, que não quer nem saber se ela existe nem tem um pingo de amor por ela, e que se case com Ivan Fiódorovitch, jovem instruído e magnífico, que a ama mais do que qualquer coisa no mundo. Nós aqui montamos um verdadeiro complô e só por isso é até possível que eu nem viaje...

— Mas ela mesma chorou, está de novo ofendida! — bradou Aliócha.

— Não acredite em lágrimas de mulher, Alieksiêi Fiódorovitch — nesses casos, sou sempre contra as mulheres e a favor dos homens.

— Mamã, a senhora o estraga e prejudica — ouviu-se a vozinha fina de Lise do outro lado da porta.

— Não, eu sou a causa de tudo, sou terrivelmente culpado! — repetia Aliócha inconsolável, num arroubo de vergonha angustiante por seu desatino e por isso cobrindo o rosto com as mãos.

— Ao contrário, você agiu como um anjo, como um anjo, eu estou disposta a repetir isso milhares e milhares de vezes.

— Mamã, por que ele agiu como um anjo? — tornou-se a ouvir a vozinha de Lise.

— Observando tudo isso, não sei por que tive a súbita impressão — continuava Aliócha como se não tivesse ouvido Liza — de que ela ama Ivan, foi por isso que disse aquelas bobagens... e o que vai acontecer agora?!

— De quem vocês estão falando, de quem? — exclamou Lise — mamã, a senhora certamente está querendo me matar. Eu pergunto e a senhora não responde.

Nesse mesmo instante a criada chegou correndo.

— Catierina Ivánovna está passando mal... ela chora... está com um ataque de histeria, debatendo-se.

— Ora essa — bradou Lise com uma voz já inquieta. — Mamã, quem vai ter um ataque histérico sou eu, e não ela!

— Lise, pelo amor de Deus não grites, não me mates. Ainda estás naquela idade em que não podes saber tudo que os adultos sabem; corro aí e te conto tudo o que posso te contar. Oh, meu Deus! Vou correr, correr... A histeria é um bom sinal, Alieksiêi Fiódorovitch, é magnífico que ela esteja com ataque histérico. É justamente disso que se precisa. Nesses casos eu sou sempre contra as mulheres, contra todos esses ataques histéricos e essas lágrimas femininas. Yúlia, vai lá correndo e diz que estou saindo voando. Ela mesma é culpada pelo fato de que Ivan Fiódorovitch saiu daquela maneira. Mas ele não viajará. Lise, pelo amor de Deus, não grites! Ah, sim, não és tu que estás gritando, mas eu, desculpa tua mãe, mas é que estou em êxtase, em êxtase, em êxtase! Você notou, Alieksiêi Fiódorovitch, que tipo de jovem era Ivan Fiódorovitch ao sair ainda agora daqui, depois de dizer aquilo tudo? Eu achava que ele fosse um sábio, um acadêmico, mas subitamente ele falou com muito, muito ardor, de modo franco e juvenil, ingênuo e juvenil, e como tudo isso é belo, belo, como se você... E citou aquele versinho em alemão, bem, era como se fosse você! Mas estou indo, indo. Alieksiêi Fiódorovitch, procure apressar-se para cumprir a missão e volte depressa. Lise, não estarás precisando de alguma coisa? Por Deus, não retenhas Alieksiêi Fiódorovitch nem por um minuto, ele voltará imediatamente para ti...

Enfim a senhora Khokhlakova saiu às pressas. Aliócha quis abrir a porta do quarto de Lise antes de sair.

— De jeito nenhum! — bradou Lise — agora já não quero de jeito nenhum! Fale assim, através da porta. Por que se fez de anjo? É só isso que quero saber.

— Por uma tremenda tolice, Lise! Adeus.

— Não se atreva a sair assim! — ia bradando Lise.

— Lise, eu estou com um sério desgosto! Eu volto num instante, mas agora estou com um grande desgosto, grande!

E saiu correndo do cômodo.

VI. Mortificação na isbá

Ele estava de fato com um sério desgosto, que raramente experimentara até então. Tivera um rompante e "fizera uma tolice" — e em que matéria: na dos sentimentos amorosos! "Ora, o que é que eu entendo disso, o que é que posso entender nessa questão? — repetiu centenas de vezes para si mesmo, corando — oh, a vergonha ainda não seria nada, a vergonha seria apenas o meu devido castigo; o mal é que agora serei evidentemente a causa de novas desgraças... E o *stárietz* me enviou para que eu reconciliasse e unisse. Isso lá é jeito de unir?" Súbito lembrou-se de como "unira as mãos deles" e tornou a sentir uma terrível vergonha. "Mesmo que eu tenha feito tudo aquilo com sinceridade, ainda assim vou precisar ser mais inteligente daqui para a frente" — concluiu de chofre e sequer sorriu com sua conclusão.

A missão que Catierina Ivánovna lhe havia confiado o conduzia para a rua Oziórnaia, e o irmão Dmitri morava justamente por onde ele ia passar, num beco perto da Oziórnaia. Aliócha resolveu passar na casa dele antes de ir à do capitão, embora pressentisse que não encontraria o irmão. Suspeitava de que naquele momento ele pudesse estar se escondendo dele intencionalmente, mas precisava encontrá-lo a qualquer custo. O tempo já estava passando: o pensamento no *stárietz*, que estava partindo, não o deixava por um minuto, um segundo, desde o momento em que ele saíra do mosteiro.

Na missão de Catierina Ivánovna esboçara-se uma circunstância que também o deixou sumamente interessado: quando Catierina Ivánovna mencionou o menininho, colegial, filho daquele capitão, que ficara correndo e chorando em voz alta em torno do pai, ocorreu no mesmo instante a Aliócha que o menino era certamente aquele colegial que um pouco antes lhe mordera o dedo quando ele o interrogara querendo saber como o havia ofendido. Agora Aliócha estava quase certo disso, mas ainda não sabia por quê. Assim, arrebatado por considerações secundárias, distraiu-se e resolveu não "pensar" na "desgraça" que acabara de cometer, não se torturar com arrependimento, mas cumprir a missão, e que acontecesse o que tivesse de acontecer. Essa ideia o deixou definitivamente animado. Aliás, guinando para o beco rumo à casa do irmão Dmitri e sentindo fome, tirou do bolso o pãozinho que pegara na mesa do pai e o comeu a caminho. Isso revigorou suas forças.

Dmitri não estava em casa. Os donos da casinha — um velho carpinteiro, seu filho e uma velha, mulher dele, chegaram a olhar até com suspeita para Aliócha. "Desde anteontem que não pernoita em casa, pode ser que tenha ido embora" — respondeu o velho às insistentes perguntas de Aliócha. Aliócha compreendeu que ele respondia segundo instrução recebida. À pergunta de Aliócha: "Não estaria em casa de Grúchenka ou se escondendo novamente em casa de Fomá?" (Aliócha recorreu de propósito a essas revelações), todos os anfitriões olharam até assustados para ele. "Quer dizer que gostam dele, estão lhe dando a mão — pensou Aliócha —, isso é bom."

Enfim encontrou na rua Oziórnaia a casa de Kalmikova, uma casinha vetusta, que espiava torta com apenas três janelas para a rua e um pátio sujo no meio do qual havia uma vaca solitária. Entrava-se pelo pátio no vestíbulo: à esquerda do vestíbulo morava a senhoria velha com uma filha velha e, parece, ambas surdas. À pergunta sobre o capitão, várias vezes repetida, uma delas, depois de finalmente compreender que ele estava perguntando pelos inquilinos, apontou com o dedo a porta de uma isbá limpa do outro lado do vestíbulo. A casa do capitão era realmente apenas uma simples isbá. Aliócha ia pondo a mão na maçaneta de ferro para abrir a porta quando de repente um silêncio incomum do outro lado da porta o surpreendeu. Entretanto, pelas palavras de Catierina Ivánovna, ele sabia que o capitão reformado era homem de família: "Ou estão todos dormindo, ou talvez tenham me ouvido chegar e esperam que eu abra a porta; o melhor é tornar a bater" — e bateu. Ouviu a resposta, mas não de imediato, talvez uns dez segundos depois.

— Quem é? — gritou alguém com uma voz alta e muito zangada.

Aliócha abriu a porta e atravessou o umbral. Viu-se dentro de uma isbá que, embora bastante ampla, estava excessivamente atravancada de gente e toda sorte de tralha doméstica. À esquerda havia um grande fogão russo. Uma corda se estendia do fogão à janela da esquerda, atravessando todo o cômodo, e nela aparecia uma variedade de trapos estendidos. Havia uma cama junto a cada parede, à direita e à esquerda, cada uma forrada por um cobertor de crochê. Numa delas, à esquerda, amontoavam-se quatro travesseiros de chita, cada um menor que o outro. Na outra cama, à direita, via-se apenas um travesseiro muito pequeno. Adiante, no canto anterior, havia um pequeno espaço separado por uma cortina ou lençol, também lançado sobre a corda estendida de través naquele canto. Por trás dessa cortina, de um lado, também se notava uma cama improvisada sobre um banco e uma cadeira encostada nele. Uma tosca mesa quadrada de madeira tinha sido afastada desse canto para perto da janela do meio. Todas as três janelas, cada uma com quatro vidraças verdes, pequenas e bolorentas, estavam muito embaçadas e hermeticamente fechadas, de sorte que o quarto estava bastante abafado e não lá muito claro. Havia na mesa uma frigideira com restos de ovos estrelados, uma fatia de pão mordida e, além disso, meia garrafa de uma preciosidade terrena com um restinho no fundo. Ao lado da cama da esquerda estava uma mulher sentada numa cadeira, com aparência de senhora, metida num vestido de chita. Era amarela, de rosto muito magro; as faces extremamente encovadas testemunhavam à primeira vista seu estado doentio. Contudo, o que mais impressionou Aliócha foi o olhar da pobre senhora: um olhar sumamente interrogativo e ao mesmo tempo terrivelmente arrogante.

E enquanto a própria senhora não começou a falar e Aliócha se explicava com o anfitrião, ela esteve o tempo todo deslocando seus olhos castanhos graúdos de um falante para o outro com o mesmo ar interrogativo e arrogante. Ao lado dessa senhora, à esquerda da janelinha, postava-se uma moça de rosto bastante feio, ralos cabelos ruivos e vestida num traje pobre embora muito limpo. Ela examinava Aliócha com aversão. À direita, também junto da cama, estava sentada outra criatura do sexo feminino. Era uma criatura muito triste, também moça jovem de uns vinte anos, mas corcunda e sem os pés, com as pernas atrofiadas, como Aliócha soube depois. Suas muletas estavam ao lado, em um canto entre a cama e a parede. Os olhos magnificamente belos e bondosos da pobre moça olharam para Aliócha com uma docilidade tranquila. À mesa, acabando de comer os ovos estrelados, estava um homem de uns quarenta e cinco anos, não alto, magricela, de compleição fraca, arruivado, com uma rala barbicha ruiva muito parecida com um esfregão esfarrapado (essa comparação e particularmente a palavra "esfregão" vieram não se sabe por quê à mente de Aliócha logo à primeira vista, o que ele recordou mais tarde). Pelo visto fora esse mesmo senhor que gritara do outro lado da porta aquele "quem é?", uma vez que no cômodo não havia outro homem. Mas, quando Aliócha entrou, ele pareceu arrancar-se do banco em que estava à mesa e precipitou-se para Aliócha limpando-se às pressas com um guardanapo furado.

— Um monge pedindo doações para o mosteiro; sabe a quem procurar! — pronunciou entrementes e em voz alta a moça postada no canto esquerdo. Mas o senhor, que se precipitara para Aliócha, voltou-se para ela e com uma voz nervosa e rouca respondeu:

— Não, Varvara Nikolavna, não é isso, tu não acertaste! Permita-me perguntar, por minha vez — tornou a virar-se para Aliócha: — o que o motivou a visitar... este subsolo?[16]

Aliócha olhava atentamente para ele, era a primeira vez que via aquele homem. Havia nele qualquer coisa de desajeitado, de apressado e irritante. Embora tudo indicasse que acabara de beber, não estava bêbado. Seu rosto exprimia um extremo descaramento e ao mesmo tempo — isso era estranho — uma covardia aparente. Parecia uma pessoa que passara muito tempo subordinada e sofrendo, mas que de uma hora para outra se levantaria de um salto e procuraria mostrar quem era. Ou, ainda melhor, parecia uma pessoa

[16] O termo empregado pelo capitão Snieguirióv é *niedra*, que significa o subsolo, profundezas da terra, entranhas, o que imprime uma ironia amarga às suas palavras. Subsolo de edifício é *podpólie*. (N. do T.)

com uma tremenda vontade de dar um soco em alguém, mas que sentia um terrível medo de que esse alguém lhe desse esse soco. Em sua fala e na entonação de sua voz bastante estridente fazia-se ouvir uma espécie de humor de *iuródiv*, ora perverso, ora tímido, que não se controlava e escapava. A pergunta sobre o "subsolo" ele a fizera como que todo trêmulo, arregalando os olhos e precipitando-se para tão perto de Aliócha que este chegou a dar um passo atrás. Este senhor vestia um sobretudo bastante ruim, de um tecido de algodão rústico amarelado, cerzido e cheio de manchas. As pantalonas eram de uma cor extremamente clara, de um tipo que ninguém usava havia muito tempo, de um tecido xadrez e muito fino, amarrotadas embaixo e tão curtas que ele parecia brotar de dentro dela como um menino pequeno.

— Eu... sou Alieksiêi Karamázov... — articulou Aliócha.

— Posso compreender perfeitamente — cortou no ato o senhor, fazendo-o saber que já estava a par de quem era ele. — Capitão Snieguirióv, de minha parte; contudo, desejaria saber o que precisamente o motivou...

— Bem, eu entrei só por entrar. Em essência, gostaria de lhe dizer uma palavra de minha parte... se é que o senhor permite...

— Neste caso eis a cadeira, e queira ocupar o lugar. Era assim que se dizia nas comédias antigas: "queira ocupar o lugar"...[17] — E o capitão, com um gesto rápido, agarrou uma cadeira livre (uma simples cadeira camponesa, toda de madeira e sem nenhum forro) e a colocou quase no centro do cômodo; em seguida agarrou outra cadeira igual e sentou-se diante de Aliócha, como antes, tão perto dele que seus joelhos quase se tocavam.

— Nikolai Ilitch Snieguirióv, ex-capitão da infantaria russa que, mesmo infamado por seus vícios, ainda assim é capitão. Seria antes o caso de pronunciar capitão Sibilov[18] e não Snieguirióv, porque só depois da metade de minha vida comecei a falar pondo o "s" no fim das palavras. É na humilhação que a gente adquire essa sibilação.

— É isso mesmo — Aliócha deu um risinho —, mas isso se consegue involuntariamente ou de propósito?

— Deus está vendo, involuntariamente. Eu nunca tinha falado assim, tinha passado a vida inteira sem pôr "s" no fim das palavras, mas de repen-

[17] Trata-se do galicismo *prenez place*, muito em voga no século XVIII e início do XIX. (N. da E.)

[18] Adaptação do russo *Slovoersov*, que, literalmente, significa aquele que põe a letra "s" no final das palavras. Derivado de *slovoers* (pôr o "s" no final das palavras) mais o sufixo formador de nomes próprios "ov". Essa forma traduz um respeito especial pelo interlocutor, especialmente por parte da gente mais simples. (N. do T.)

te caí e me levantei sibilando. É uma força superior que nos leva a isso. Estou vendo que o senhor se interessa por questões atuais. No entanto, como consegui despertar tamanha curiosidade, pois vivo numa situação que não me permite praticar a hospitalidade?

— Vim... tratar daquela mesma questão...

— Daquela mesma questão? — cortou com impaciência o capitão.

— A respeito daquele seu encontro com meu irmão Dmitri Fiódorovitch — interrompeu sem jeito Aliócha.

— Que encontro? Não estará falando daquele tal? Quer dizer, a respeito do esfregão, do esfregão de banheiro? — e subitamente avançou de tal modo que desta vez seus joelhos esbarraram em Aliócha. Seus lábios se contraíram de um jeito especial, reduzindo-se a um fio.

— Que esfregão? — murmurou Aliócha.

— Ele veio aqui se queixar de mim para ti, papai! — gritou do canto atrás da cortina a vozinha do menino recém-conhecido de Aliócha. — Fui eu que ainda agora mordi o dedo dele!

A cortina se abriu e Aliócha viu seu inimigo de ainda há pouco no canto, debaixo dos ícones, na caminha improvisada sobre um banco e uma cadeira. O menino estava deitado e coberto com o seu casaquinho e mais um cobertorzinho de algodão bem velho. Pelo visto estava doente e, a julgar pelos olhos chamejantes, com febre. Agora olhava para Aliócha sem medo, diferente do que ocorrera antes, como se dissesse: "Agora eu estou em casa, não vais me pegar".

— Que dedo foi esse que ele mordeu? — o capitão soergueu-se. — Foi seu dedo que ele mordeu?

— Sim, o meu. Ainda há pouco ele estava trocando pedradas na rua com outros meninos; eram seis jogando pedras nele, e ele estava sozinho. Cheguei-me a ele, mas ele me jogou uma pedra, depois outra em minha cabeça. Perguntei: o que te fiz? De repente ele investiu contra mim e me mordeu um dedo, não sei por quê.

— Vou açoitá-lo agora mesmo. Vou açoitá-lo agora mesmo — o capitão se levantou de um salto.

— Só que não estou fazendo nenhuma queixa, apenas contei... Não quero absolutamente que o senhor o açoite. E agora ele parece doente...

— E o senhor pensou que eu fosse açoitá-lo? Que eu ia pegar Iliúchetchka[19] e açoitá-lo agora mesmo, em sua presença, para sua plena satis-

[19] Diminutivo de Iliúchka, que por sua vez é diminutivo de Iliá. (N. do T.)

fação? Por que essa pressa toda? — pronunciou o capitão, voltando-se repentinamente para Alióchа com tal gesto que dava a impressão de querer lançar-se sobre ele. — Lamento por seu dedo, senhor, mas não quer que eu, antes de açoitar Iliúchetchka, arranque quatro dedos meus com esta faca aqui, agora mesmo, diante de seus olhos, para a sua justa satisfação? Acho que quatro dedos bastam para o senhor saciar sua sede de vingança, será que não vai querer o quinto?... — parou de repente como se estivesse sufocado. Cada linha de seu rosto se distendia e contraía, seu olhar lançava um extraordinário desafio. Estava como que tomado de fúria.

— Parece que agora compreendi tudo — respondeu Alióchа em tom baixo e triste e continuou sentado. — Quer dizer que seu menino é um bom menino, ama o pai e investiu contra mim por ser irmão do seu ofensor. Agora eu compreendo — repetiu ele, refletindo. — Mas meu irmão Dmitri Fiódorovitch está arrependido de seu ato, isso eu sei, e se lhe for possível vir à sua casa ou, melhor ainda, reencontrar-se com o senhor no mesmo lugar, ele lhe pedirá perdão publicamente... se o senhor o desejar.

— Quer dizer que ele me arrasta pela barbicha e depois pede desculpas... Põe, dir-se-ia, um ponto final em toda a questão e me deixa satisfeito, não é?

— Oh, não, ao contrário, ele fará tudo que o senhor quiser e como o senhor quiser!

— Quer dizer que se eu pedisse ao príncipe que se pusesse de joelhos à minha frente naquela taverna — "A Capital" — ou na praça, ele o faria?

— Sim, ele ficaria de joelhos.

— Comovente. O senhor me fez derramar lágrimas e me comoveu. Sou excessivamente sentimental. Permita-me apresentar-me plenamente: minha família, minhas duas filhas e meu filho — minha ninhada. Morro, então quem irá amá-los? E enquanto estou vivo, quem, senão eles, vai gostar de mim, deste tipo abominável, senão eles? Grande coisa essa que Deus arranjou para cada pessoa de meu tipo. Porque é preciso que pelo menos alguém goste de um homem do meu tipo...

— Ah, isso é a pura verdade! — exclamou Alióchа.

— Ora, chega finalmente de palhaçada; aparece um imbecil qualquer aqui e o senhor nos envergonha — bradou inesperadamente a moça da janela, dirigindo-se ao pai com uma careta de nojo e desprezo.

— Espere um pouco, Varvara Nikolavna,[20] permita-me manter o rumo da conversa — gritou-lhe o pai num tom imperioso, mas, não obstante,

[20] Variação do patronímico Nikoláievna. (N. do T.)

olhando para ela com ar de muita aprovação. — É essa a sua índole — tornou a voltar-se para Aliócha.

E ele em toda a natureza
Nada quis abençoar.[21]

Quer dizer, isso devia ser dito no feminino: ela não quis abençoar. Permita-me, porém, apresentá-lo também à minha esposa: esta é Arina Pietrovna, uma senhora privada do uso das pernas, de uns quarenta e três anos; as pernas se movem, mas um pouquinho. É de origem simples. Arina Pietrovna, atenue os traços de seu rosto: este é Alieksiêi Fiódorovitch Karamázov. Levante-se, Alieksiêi Fiódorovitch — segurou-o pelo braço com uma força que nem se podia esperar dele e o soergueu de repente. — O senhor está sendo apresentado a uma dama, precisa levantar-se. Mãezinha, este não é aquele Karamázov que... hum, e assim por diante, mas o irmão dele, que prima por virtudes humildes. Permita-me, Arina Pietrovna, permita-me, mãezinha, permita-me primeiro beijar-lhe a mãozinha.

E beijou a mão da esposa respeitosamente, até com ternura. A moça da janela deu as costas à cena, indignada; o rosto arrogantemente interrogativo da esposa exprimiu uma ternura súbita e incomum.

— Bom dia, sente-se, senhor Tchernomázov[22] — pronunciou ela.

— Karamázov, mãezinha (somos gente simples) — tornou a murmurar ele.

— Bem, Karamázov ou seja lá como for, mas eu sempre digo Tchernomázov — disse ela. — Sente-se, por que ele o fez levantar-se? Uma dama sem pernas, diz ele; pernas eu tenho, mas estão inchadas como um balde e eu mesma estou atrofiada. Antes eu era gorda a mais não poder, mas agora é como se tivesse engolido uma agulha...

— Nós somos gente humilde, gente simples — tornou a dizer o capitão.

— Papai, ah, papai! — pronunciou de repente a moça corcunda, que até então permanecera calada em sua cadeira, e cobriu subitamente os olhos com um lenço.

[21] Citação do poema "O demônio", de Púchkin. (N. do T.)

[22] Cara preta, em russo. O "lapso" da personagem traduz a forma interior do sobrenome Karamázov, derivado do substantivo tártaro-turco *kara*, que significa preto, negro. (N. da E.) Trata-se de uma das hipóteses do sobrenome Karamázov, porque ele também pode derivar do russo *kara*, que significa castigo, e *maz*, radical do verbo *mazat*, que significa sujar, emporcalhar, lambuzar, pintar mal, borrar, errar o alvo no tiro, dando a ideia de castigo lambuzado. (N. do T.)

— Palhaço! — rosnou a moça da janela.

— O senhor está vendo como as coisas acontecem por aqui — a mamã abriu os braços, apontando para as filhas —, é como nuvens passando: as nuvens passam e volta a nossa música. Antes, quando éramos militares, recebíamos muitas visitas assim. Eu, *bátiuchka*, não nivelo as coisas. Quem gosta de alguém que goste desse alguém. A mulher do diácono me aparece e diz: "Alieksandr Alieksándrovitch é a mais maravilhosa das almas, mas Nastássia Pietrovna, diz, é um fruto do inferno". — "Bem, respondo, isso é o mesmo que alguém adorar alguém, mas tu és melequenta, e fedorenta." — "Já tu, diz ela, precisas ser mantida na obediência." — "Ah, sua espada preta, digo eu, a quem vieste dar lição?" — "Eu, diz ela, solto um ar puro, mas tu, um ar impuro." — "Então pergunta, respondo, a todos os senhores oficiais se eu solto ar impuro ou outro qualquer?" E assim, desde aquele dia, aquilo me ficou cravado na alma; um dia desses eu estava aqui sentada, como agora, e vi entrar aquele mesmo general que aparecia por aqui na Semana Santa: "Então, digo eu, excelência, uma senhora nobre pode soltar um ar livre?" — "Sim, responde, aqui em sua casa é preciso abrir o postigo ou a porta pelo simples fato de que o ar aqui não é puro". Bem, e a conversa foi toda assim! Mas por que eles só falam do meu ar? Os mortos fedem muito mais. "Eu, digo, não estrago o seu ar, mas peço os sapatos e saio." Meus caros, meus pombinhos, não censurem a sua mãe! Nikolai Ilitch, meu caro, eu não te sirvo para nada, mas tenho Iliúchetchka que chega da escola e me ama. Ontem trouxe uma maçã. Desculpe, gente, desculpem sua mãe, minhas pombinhas, sou totalmente só, por que meu ar ficou nojento?

E de repente a coitada desatou em prantos, as lágrimas jorraram. O capitão precipitou-se para ela.

— Mãezinha, mãezinha, minha cara, chega, chega! Tu não estás sozinha. Todos aqui te amam, todos te adoram! — e ele voltou a beijar ambas as mãos dela e a afagá-la carinhosamente no rosto com a palma das mãos; pegou um guardanapo e começou imediatamente a enxugar-lhe as lágrimas do rosto. A Aliócha até pareceu que lágrimas brilharam em seus olhos e nos olhos do capitão — Então, viu? Ouviu? — voltou-se para ele meio de repente com fúria, mostrando com a mão a pobre louca.

— Estou vendo e ouvindo — murmurou Aliócha.

— Papai, papai! Será que estás com ele... Larga-o, papai! — gritou o menino, soerguendo-se em sua caminha e lançando ao pai um olhar ardente.

— É, chega finalmente de palhaçada, de mostrar suas tolas esquisitices que nunca dão em nada! — gritou já totalmente enfurecida do mesmo canto Varvara Nikoláievna, chegando até a bater com os pés.

— Desta vez você tem toda razão de ficar fora de si, Varvara Nikolavna,[23] e vou atendê-la com empenho. Ponha seu chapéu, Alieksiêi Fiódorovitch, eu vou pegar meu quepe e nós vamos sair. Preciso lhe dizer uma palavrinha séria, só que fora destas paredes. Aquela moça que está sentada ali é minha filha Nina Nikoláievna, esqueci de apresentá-la ao senhor, é um anjo de Deus em carne e osso... que desceu aos mortais... se é que pode entender isso...

— Ele está tremendo todo, como se estivesse com cãibras — continuou Varvara Nikoláievna com indignação.

— Aquela ali, que está batendo os pés e acabou de me chamar de palhaço, também é um anjo de Deus em carne e osso e me xingou com justiça. Vamos, Alieksiêi Fiódorovitch, precisamos acabar...

E, agarrando Aliócha pelo braço, ele o conduziu do cômodo direto para a rua.

VII. Ao ar puro também

— Ar puro, mas na minha casa de madeira não está mesmo fresco, em todos os sentidos, inclusive. Vamos, senhor, devagarinho. Gostaria muito de despertar o seu interesse.

— Eu mesmo tenho um assunto extraordinário a tratar com o senhor... — observou Aliócha —, só que não sei como começar.

— Como eu não saberia que o senhor tem um assunto a tratar comigo? Sem assunto o senhor nunca apareceria em minha casa. Ou veio realmente apenas para se queixar do menino? Ora, isso é incrível. A propósito, sobre o menino: lá não pude lhe explicar tudo, mas agora vou lhe descrever aquela cena. Veja, há apenas uma semana o esfregão era mais denso — estou falando de minha barbicha; porque foi minha barbicha que chamaram de esfregão, principalmente os meninos da escola. Pois bem, na ocasião seu irmãozinho Dmitri Fiódorovitch me arrastou pela barbicha da taverna para a praça e justo naquele momento os meninos tinham saído da escola e, com eles, Iliúcha. Quando ele me viu naquela situação, precipitou-se para mim: "Papai, papai!". Agarra-se a mim, abraça-me, quer me arrancar, grita para o meu ofensor: "Largue-o, largue-o, ele é meu pai, meu pai, perdoe-o" — era assim que gritava: "Perdoe-o"; com as suas mãozinhas também o agarrou

[23] No original, o patronímico de Varvara aparece ora como Nikolavna, ora como Nikoláievna. (N. do T.)

pela mão, por aquela mesma mão, e a beijou... Lembro-me do rostinho dele naquele momento, não esqueci e nem esquecerei!...

— Juro — exclamou Aliócha — que meu irmão lhe mostrará seu arrependimento da forma mais sincera, mais completa, ainda que seja de joelhos naquela mesma praça... Vou obrigá-lo a isso, ou não será mais meu irmão!

— Sim, mas isso ainda é só um projeto. Não vem diretamente dele, mas apenas do seu coração ardente. Era isso que o senhor devia ter dito. Não, neste caso permita-me também completar o que falta a respeito da elevadíssima nobreza de cavalheiro e oficial do seu irmãozinho, porque ele a revelou na ocasião. Acabou de me puxar pelo esfregão, soltou-me e disse: "Tu, diz ele, és um oficial e eu também sou um oficial, se puderes encontrar uma pessoa digna para ser teu padrinho, então podes enviá-la a mim: darei satisfação ainda que sejas um canalha!". Eis o que ele disse. Um espírito verdadeiramente cavalheiresco. Então eu me afastei com Iliúcha, mas o quadro genealógico da família ficou gravado para sempre na memória da alma de Iliúcha. Não, como vamos continuar sendo nobres? Aliás o senhor mesmo pode julgar: acabou de sair de minha casa de madeira — o que viu por lá? Três mulheres sentadas, uma débil mental sem pernas, a outra corcunda e sem pernas, uma terceira com pernas mas inteligente demais, estudante de curso superior, querendo a qualquer custo voltar para Petersburgo e lá, nas margens do rio Nievá, procurar e encontrar os direitos da mulher russa. Nem falo de Iliúcha, tem apenas nove anos, é completamente só, porque, se eu morrer, o que será de todo esse subsolo? É só isso que pergunto. Pois bem, eu pego e o desafio para um duelo, ele me mata de saída, e então o que resta? O que será feito de todos eles? Será pior ainda se ele não me matar mas apenas me aleijar: não poderei trabalhar e, seja como for, me restará a boca, e então quem há de alimentar minha boca, e quem vai alimentar as bocas de todos eles? E quanto a Iliúcha, mandá-lo todos os dias pedir esmola em vez de ir à escola? É isso o que significa para mim desafiá-lo a um duelo, um gesto tolo e nada mais.

— Ele vai lhe pedir perdão, vai prosternar-se aos seus pés — tornou a bradar Aliócha com o olhar faiscante.

— Eu quis entrar na justiça contra ele — continuou o capitão —, mas abra o nosso código e veja se eu receberia grande satisfação de meu ofensor pela ofensa pessoal que me infligiu. Mas de repente Agrafiena Alieksándrovna me chama e grita: "Não se atreva a pensar nisso! Se entrar na justiça contra ele, vou dar um jeito de que toda a sociedade fique sabendo publicamente que ele te espancou por causa de tua vigarice, e então tu mesmo serás levado a julgamento". Mas só Deus vê de onde veio essa vigarice e por ordem de quem esse zé-ninguém aqui agiu — não terá sido por ordem dela e do próprio Fiódor Pávlovitch? "Além disso, acrescenta ela, vou te expulsar para sempre e doravante não vais ganhar nada. Também vou falar com o meu comerciante (é assim que ela chama o velho: meu comerciante) e ele também te expulsará". Aí eu pensei: se o comerciante também me expulsar, então para quem vou trabalhar? Porque só eles dois me restaram, uma vez que seu *bátiuchka* Fiódor Pávlovitch não só deixou de confiar em mim, por um motivo alheio a esse caso, como ainda se valeu de meus recibos e está querendo me arrastar para os tribunais. O resultado de tudo isso foi que eu me encolhi naquele subsolo que o senhor viu. Agora me permita uma pergunta: essa mordida que Iliúchka lhe deu há pouco no dedo doeu? Em casa, na presença dele, eu não ousei entrar nesses detalhes.

— Sim, doeu muito, e ele estava muito irritado. Ele se vingou de mim, porque sou um Karamázov, por causa do senhor, agora isto está claro. Se o senhor tivesse visto como ele e os colegas da escola trocavam pedradas! Isso é muito perigoso, eles podem matá-lo, são crianças, tolas, as pedras voam e podem quebrar a cabeça dele.

— Sim, e já o acertaram, hoje, não na cabeça mas no peito, acima do coração, com uma pedrada; formou-se uma equimose, ele chegou em casa chorando, gemendo e adoeceu.

— Pois saiba que ele foi o primeiro a atacar todos os outros, ficou furioso por causa do senhor, e os meninos me contaram que ele feriu um flanco do menino Krassótkin, ainda há pouco, com um canivete...

— Também ouvi falar disso, é perigoso: Krassótkin é filho de um funcionário daqui, isso talvez ainda possa trazer dores de cabeça...

— Eu o aconselharia — continuou Aliócha com ardor — a ficar algum tempo sem mandá-lo à escola, até que a coisa se abrande e essa ira dele passe...

— É ira! — secundou o capitão —, ira mesmo. Numa criaturinha pequena, mas uma grande ira. O senhor não está a par de tudo. Permita-me esclarecer especialmente essa história. Ocorre que depois daquele acontecimento todos os meninos na escola começaram a chamá-lo de esfregão. Na escola as crianças são cruéis: separadas, parecem anjos de Deus, mas juntas, sobretudo na escola, são constantemente muito cruéis. Começaram a provocá-lo, e o espírito nobre despertou em Iliúcha. É um menino comum, um filho fraco — outro se resignaria, se envergonharia do pai, mas ele se levantou sozinho pelo pai contra todos. Pelo pai e pela verdade, pela verdade. Pois só Deus pode saber o que ele suportou naquela ocasião, beijando a mão do seu irmãozinho e gritando-lhe: "Perdoe meu paizinho, perdoe meu paizinho". Veja como são os nossos filhinhos — isto é, não os seus mas os nossos, os filhos dos miseráveis desprezados, porém nobres — aos nove anos de idade já conhecem a verdade na Terra. Já os ricos não atingem essa profundeza durante a vida inteira, mas meu Iliúchka, naquele mesmo instante em que beijou a mão dele na praça, naquele mesmo instante fez nascer toda a verdade. Essa verdade penetrou nele e o esmagou para todo o sempre — pronunciou com ardor e novamente como que em fúria o capitão, e nisso deu um soco com a mão direita na mão esquerda, como se desejasse expressar às claras como a "verdade" esmagara o seu Iliúcha. — No mesmo dia ele teve febre, passou a noite delirando. Durante o dia todo pouco conversou comigo, ficou totalmente calado e pude apenas observá-lo: olhava, olhava para mim do seu canto, e cada vez mais e mais para a janela, e fingia estudar a lição, mas eu via que o que tinha em mente não era a lição. No dia seguinte bebi e não me lembro de muita coisa, sou um pecador, bebi de tristeza. Nisso a mãezinha começou também a chorar — eu gosto muito da mãezinha — e eu, levado pela tristeza, tomei uma bicada com o último dinheiro que tinha. Senhor, não me despreze: aqui na Rússia os bêbados são as pessoas mais bondosas. Mais bondosas e mais beberronas. Eu estava lá deitado, mas não me lembro muito de Iliúcha nesse dia, pois foi justamente na manhã desse dia que os meninos deram para rir dele na escola: "Esfregão — arrastaram teu pai da taverna para a rua pelo esfregão e tu ficaste correndo ao redor pedindo perdão". Dois dias depois ele volta da escola e o que vejo: está desfigurado, pálido. O que tens? — pergunto. Silêncio. Mas lá em casa não dava para falar disso, senão a mãezinha e as moças tomariam parte — além disso, as moças já sabiam de tudo, desde o primeiro dia, inclusive. Varvara Nikolavna já estava resmungando: "Palhaço, bufão, por acaso o senhor pode dizer alguma coisa sensata?" — "Isso mesmo, Varvara Nikolavna, digo eu, por acaso aqui em casa pode haver alguma coisa sensata?" E assim me safei daquela vez. Foi então que, à tardinha, tirei o menino de casa para dar uma caminhada. E nós dois, para que o senhor saiba, até hoje saímos todas as tardinhas para dar uma caminhada, exatamente pelo mesmo lugar por onde nós dois estamos caminhando agora, do nosso portão até aquela pedra enorme ali, que está solitária no caminho ao pé do cercado e onde começa a pastagem nos arredores da cidade: um lugar deserto e belo. Caminhamos eu e Iliúcha, com a mão dele na minha como de costume; é pequenininha a mãozinha dele, os dedinhos finos, frios — ele sofre do peito. "Papai, diz ele, papai!" — "O quê?", digo-lhe. Vejo que seus olhinhos cintilam. "Papai, como ele te bateu, papai, naquele momento!" — "Que fazer, Iliúcha?" — digo eu. "Não faça as pazes com ele, papai, não faça as pazes. Os colegas da escola estão dizendo que ele lhe deu dez rublos por isso." — "Não, Iliúcha, digo eu, agora não vou aceitar dinheiro dele por nada." Então ele tremeu todo, agarrou minha mão com ambas as mãozinhas e tornou a beijá-la. "Papai, diz ele, papai, desafie aquele homem para um duelo, na escola ficam me provocando e dizendo que o senhor é um covarde e não o desafia para um duelo, mas vai receber dez rublos dele." — "Para o duelo, Iliúcha, não posso desafiá-lo" — respondo e lhe exponho brevemente tudo o que acabei de expor para o senhor. Ele ouviu. "Papai, diz ele, papai, mesmo assim não faça as pazes com ele — vou crescer, desafiá-lo, e eu mesmo vou matá-lo!" Os olhinhos cintilavam e ardiam. Mas, apesar de tudo, sou o pai e precisava lhe dizer a palavra da verdade. "É pecado — digo eu — matar, mesmo que seja em duelo." — "Papai, diz ele, papai, quando eu crescer vou derrubá-lo, vou tirar o sabre dele com o meu, partir pra cima dele, derrubá-lo, agitar o sabre em cima dele e dizer: eu podia te matar agora, mas te perdoo, é isso!" Está vendo, está vendo, senhor, que processo passou pela cabeça dele nesses últimos dois dias, ele ficou dia e noite pensando nessa vingança com sabre, deve ter delirado com isso durante a noite. Só que passou a chegar da escola muito machucado, fiquei sabendo de tudo isso anteontem e o senhor está certo; não vou mais deixá-lo ir àquela escola. Fiquei sabendo que ele está enfrentando sozinho a turma toda e ele mesmo está desafiando a todos, ficou furioso, com o coração inflamado — e então temi por ele. Depois tornamos a sair, caminhávamos. "Papai, pergunta ele, papai, os ricos são os mais fortes no mundo?" — "Sim, Iliúcha, digo eu, não existe no mundo ninguém mais forte do que um rico." — "Papai, diz ele, vou enriquecer, vou ser oficial e arrebentar com todo mundo, o tsar vai me condecorar, vou vir para cá e então ninguém vai se atrever..." Depois fez silêncio, mas quando falava os lábios tremiam como antes: "Papai, diz ele, que cidade má essa nossa, papai!" — "Sim, sim, Iliúchetchka, não é lá muito boa a nossa cidade." — "Papai, vamos nos mudar para outra cidade, uma cidade boa, diz ele, onde ninguém saiba nada sobre nós." — "Vamos nos mudar, Iliúcha, vamos nos mudar, digo eu. É só juntar dinheiro." Fiquei contente com a oportunidade de distraí-lo dos pensamentos sombrios, e nós dois começamos a sonhar como nos mudaríamos para outra cidade, compraríamos o nosso cavalinho e uma carroça. A gente põe a mãe e as irmãzinhas na carroça, dá um jeito de cobri-las, vai a pé ao lado, de vez em quando eu te ponho na carroça e vou a pé ao lado, porque precisamos poupar o nosso cavalinho, não dá para todos subirem, e assim a gente parte. Ele ficou encantado com isso, e principalmente porque teria o seu próprio cavalinho e ele mesmo iria montado. É sabido que o menino russo nasce mesmo junto com seu cavalinho. Conversamos durante muito tempo, graças a Deus eu o distraí, o consolei. Isso aconteceu anteontem à tardinha, mas na tarde de ontem já aconteceu outra coisa. Tornou a ir de manhã para aquela escola, voltou sombrio, muito sombrio. À tardinha o peguei pela mãozinha, saí com ele para caminhar, estava calado, sem falar. Também começou um ventinho, o sol se escondeu, soprou o vento do outono e além disso já estava escurecendo — estamos caminhando e tristes. "Então, menino, digo eu, como é que nós dois vamos pegar estrada?" — pensei retomar a conversa da véspera. Silêncio. Só seus dedinhos, percebi, estremeceram em minha mão. "É, penso eu, há alguma novidade ruim." Chegamos nós dois, como agora, a essa mesma pedra, sentei-me nessa pedra, e os céus estavam cheios de papagaios empinados, que zuniam e estalavam, uns trinta papagaios. Aliás estamos na temporada dos papagaios. "Vê, Iliúcha, está na hora de nós dois também empinarmos o papagaio do ano passado. Vou consertá-lo, onde o escondeste em teu quarto?" Meu menino está calado, olha para um lado, está de lado para mim, e nisso o vento assobiou sacudindo a areia... Súbito precipitou-se para mim, agarrou-se com ambas as mãozinhas em meu pescoço, apertou-me. Sabe, se as crianças são caladas e altivas e durante muito tempo represam as lágrimas, se acontece uma grande tristeza e essas lágrimas irrompem de repente, a bem dizer já não escorrem mas jorram como se fossem riachos. Pois foram borrifos mornos como esses que subitamente me banharam todo o rosto. Ele cai no pranto como se estivesse em convulsão, põe-se a tremer, aperta-me contra si, estou sentado na pedra. "Papaizinho, brada, papaizinho, meu querido papaizinho, como ele te humilhou!" Nisso eu também caio no pranto, estamos sentados e nos abraçamos sacudidos pelos soluços. "Papaizinho, diz ele, papaizinho!" — "Iliúcha, digo-lhe, Iliúchetchka!", na ocasião ninguém nos via, só Deus nos via, oxalá ponha isso em seu registro. Agradeça ao seu irmãozinho, Alieksiêi Fiódorovitch. Não, não vou açoitar meu menino para sua satisfação!

Terminou de falar repetindo as esquisitices raivosas e de *iúrodiv* de ainda agora. Aliócha sentiu, entretanto, que já contava com a confiança dele e que, estivesse outra pessoa em seu lugar, esse homem não entraria a "conversar" nem lhe comunicaria o que acabava de lhe comunicar. Isto animou Aliócha, cuja alma tremia com as lágrimas.

— Ah, como eu gostaria de fazer as pazes com o seu menino! — exclamou. — Se o senhor arranjasse isso...

— Com toda a certeza — murmurou o capitão.

— Mas agora não se trata disso, de nada disso, ouça-me — continuou Aliócha —, ouça-me. Venho ao senhor com uma missão: aquele meu irmão, aquele Dmitri, também ofendeu sua própria noiva, uma moça decentíssima e de quem o senhor certamente já ouviu falar. Estou no direito de lhe revelar essa ofensa e até no dever de fazê-lo, porque ela, ao tomar conhecimento da ofensa que o senhor sofreu e de tudo o que diz respeito à sua infeliz situação, acabou de me dar a incumbência... ainda há pouco... de lhe trazer este auxílio da parte dela... mas só e unicamente da parte dela, não de Dmitri, de maneira nenhuma, ele também a abandonou, e nem de mim como irmão dele, nem de ninguém mais, só dela, tão somente dela! Ela implora que o senhor aceite sua ajuda... vocês dois foram ofendidos pelo mesmo homem... ela só se lembrou do senhor quando sofreu da parte dele a mesma ofensa (por força da ofensa) que o senhor sofreu dele! Isto significa que a irmã vai ao irmão com uma ajuda... ela me incumbiu justamente de convencê-lo a aceitar estes duzentos rublos da parte dela como de uma irmã. Ninguém ficará sabendo disto, nenhuma bisbilhotice injusta acontecerá... aqui estão estes duzentos rublos, e juro, o senhor deve aceitá-los, senão... senão todos terão de ser inimigos uns dos outros no mundo! Ora, apesar de tudo existem irmãos nesse mundo... O senhor tem uma alma nobre... Deve compreender isto, deve!...

E Aliócha lhe estendeu duas notas irisadas de cem rublos novinhas em folha. Nesse momento ambos estavam de pé precisamente junto à grande pedra, ao pé da cerca, e não havia mais ninguém. As notas, pareceu, produziram no capitão uma impressão formidável: ele estremeceu, mas a princípio como que só pela surpresa: nada semelhante lhe ocorrera nem em sonho e não esperava absolutamente tal desfecho. Nem sequer sonhara com ajuda de quem quer que fosse, e ainda mais uma ajuda tão considerável. Recebeu as notas e por quase um minuto não conseguiu responder, algo totalmente novo estampou-se em seu rosto.

— Isto é para mim, para mim, tanto dinheiro, duzentos rublos?! Meu Deus! Já fazia quatro anos que eu não via tanto dinheiro; meu Deus! E diz que é uma irmã... isso é de verdade, de verdade?

— Eu lhe juro que tudo o que eu lhe disse é verdade! — bradou Aliócha. O capitão corou.

— Escute, meu caro, escute, se eu aceitar não estarei sendo um patife? A seus olhos, Alieksiêi Fiódorovitch, não estarei mesmo, não estarei sendo um patife? Não, Alieksiêi Fiódorovitch, ouça, ouça — agitava-se o capitão, tocando Aliócha a todo instante com ambas as mãos —, o senhor está me persuadindo a aceitar isso porque uma "irmã" me envia, mas em seu íntimo, de si para si, não irá sentir desprezo se eu aceitar, não?

— Não, nada disso! Juro por minha salvação que não! E ninguém jamais vai ficar sabendo, só nós dois: eu, o senhor e ela, e mais uma senhora grande amiga dela...

— Que senhora!? Ouça, Alieksiêi Fiódorovitch, escute, pois este é um daqueles momentos em que é necessário escutar, porque o senhor não consegue nem entender o que esses duzentos rublos podem significar agora para mim — continuou o coitado, entrando gradualmente em um êxtase desordenado, quase extravagante. Estava como que desnorteado, falava apressadamente, com excessiva rapidez, como se temesse que não o deixassem dizer tudo. — Além disso ter sido adquirido honestamente de uma "irmã" tão respeitável e santa, sabe o senhor que agora vou poder tratar da mãezinha e de Nínotchka,[24] minha filha e meu anjo corcunda? O doutor Herzenstube esteve em minha casa movido pela bondade de seu coração, passou uma hora inteira examinando as duas: "Não estou compreendendo nada, diz ele", mas, não obstante, a água mineral que existe na farmácia daqui (ele a receitou) será de indiscutível utilidade para ela, e também receitou um banho de um remédio qualquer para os pés. A água mineral custa trinta copeques e ela talvez tenha de tomar umas quarenta jarras. Pois bem, peguei a receita e a coloquei na prateleira debaixo do ícone e lá ela continua. Receitou para Nina um banho quente de uma solução qualquer, diariamente, de manhã e à noite; então onde haveríamos de inventar esse tratamento em nosso casebre, sem criados, sem ajuda, sem louça e água? Mas Nínotchka está toda tomada de reumatismo, ainda nem lhe falei disso, durante a noite lhe dói todo o lado direito, ela sofre e, acredite, esse anjo de Deus aguenta firme para não nos incomodar, não geme para não nos acordar. Comemos o que aparece, o que conseguimos — pois ela escolhe o pior pedaço, aquele que só se pode dar a um cachorro: "Não mereço, diz ela, essa fatia, estou tirando de vocês, sou um fardo para vocês". Eis o que a sua opinião angelical quer representar. Nós lhe servimos, mas ela acha isso um fardo: "Não mereço isso, não mereço, sou um aleijada indigna e inútil" — pudera ela ser inútil, quando com sua docilidade de anjo conseguiu a graça de Deus para todos nós; sem ela, sem sua palavra serena nossa casa seria um inferno, ela conseguiu abrandar até Vária.[25] E o senhor também não condene Varvara Nikolavna, ela também é um anjo, também é uma criatura ofendida. Ela chegou à nossa casa no verão, e trazia dezesseis rublos ganhos com aulas e reservados para a viagem de volta a Petersburgo em setembro, ou seja, ago-

[24] Diminutivo de Nina. (N. do T.)

[25] Diminutivo de Varvara. (N. do T.)

ra. Mas nós pegamos o dinheirinho dela e nos mantivemos com ele, e agora ela não tem com que voltar, eis a questão. Aliás, nem pode voltar porque ela trabalha para nós como uma galé, sim, porque nós a transformamos em burro de carga, ela cuida de todo mundo, faz conserto, lava, varre o chão, põe a mamãe na cama, e a mamãe é uma pessoa caprichosa, a mamãe é dada a lágrimas, a mamãe é louca!... Pois bem, agora, com esses duzentos rublos, posso contratar uma empregada, está entendendo, Alieksiêi Fiódorovitch?, posso começar a tratar de minhas queridas, vou enviar a estudante a Petersburgo, comprar carne de gado, fazer uma nova dieta. Deus, isso é mesmo um sonho!

Aliócha estava muitíssimo contente por ter trazido tanta felicidade e por aquele coitado aceitar que o fizessem feliz.

— Espere, Alieksiêi Fiódorovitch, espere — o capitão agarrou-se mais uma vez a um novo devaneio que se lhe apresentara subitamente e mais uma vez falava pelos cotovelos num matraqueado frenético —, sabe o senhor que agora eu e Iliúchka talvez consigamos mesmo realizar aquele sonho? Comprar um cavalinho e uma carroça coberta, sim, um cavalinho azeviche, ele pediu que fosse forçosamente azeviche, e fazer a viagem como foi descrita anteontem. Na província de K. tenho um conhecido advogado, amigo de infância, e uma pessoa de confiança me disse que se eu chegasse lá ele me arranjaria um emprego de escriturário em seu escritório, de sorte que, quem sabe, ele me arranje mesmo... Então eu poria a mãezinha na carroça, poria Nínotchka, colocaria Iliúchetcka para guiá-la e os acompanharia a pé, e assim levaria todos... Meu Deus, se eu ainda recebesse uma dividazinha perdida por aqui, talvez desse até para isso.

— Há de arranjar, há de arranjar! — exclamou Aliócha. — Catierina Ivánovna lhe mandará mais, quanto o senhor quiser, e sabe, eu também tenho dinheiro, pegue o quanto precisar como de um irmão, como de um amigo, depois me devolve... (o senhor vai enriquecer, vai enriquecer!). Sabe, o senhor nunca poderia estar sequer em condição de pensar coisa melhor que esta mudança para outra província! Aí está a sua salvação e principalmente a do seu menino e, sabe, tem que ser depressa, antes do inverno, do frio, o senhor nos escreveria de lá e nós nos tornaríamos irmãos... Não, isso não é um sonho!

Aliócha teve vontade de abraçá-lo de tão satisfeito que estava. Contudo, depois de fitá-lo, parou de repente: o outro, postado, tinha o pescoço esticado, os lábios espichados, o rosto empalidecido numa expressão de furor e seus lábios murmuravam algo como se ele quisesse dizer alguma coisa; não havia sons, mas seus lábios continuavam murmurando, era meio estranho.

— O que o senhor tem?! — algo fez Aliócha estremecer.

— Alieksiêi Fiódorovitch... eu... o senhor... — o capitão balbuciava e calava olhando fixa e estranhamente para ele, com a expressão de quem resolvera voar montanha abaixo e com uns lábios que pareciam sorrir ao mesmo tempo — eu... o senhor... o senhor não deseja que eu lhe mostre um truque? — murmurou de chofre o capitão, com um murmúrio firme, já sem interromper a fala.

— Que truque?

— Um truque, um truque qualquer — continuava murmurando o capitão; a boca entortou para a esquerda, o olho esquerdo entrefechou-se, ele não desviava o olhar de Aliócha, como se estivesse cravado nele.

— Mas o que é que o senhor tem, que truque é esse? — gritou Aliócha já quase inteiramente assustado.

— Veja o quê, observe! — grunhiu de repente o capitão.

Depois de lhe mostrar ambas as notas irisadas, que durante toda a conversa segurara juntas pelo canto com o polegar e o indicador da mão direita, agarrou-as subitamente com certa fúria, amassou-as e apertou-as com força no punho da mão direita.

— Viu? — ganiu para Aliócha pálido e enfurecido, levantou o punho para o alto e com todo impulso lançou na areia as duas notas amassadas. — Viu? — tornou a ganir, apontando com o dedo para elas — bem, eis a coisa.

E de repente levantou o pé direito e com uma raiva selvagem pôs-se a pisoteá-las com o salto do sapato, fazendo exclamações e arfando a cada golpe do pé.

— Eis o seu dinheiro! Eis o seu dinheiro! Eis o seu dinheiro! Eis o seu dinheiro! — De repente deu um passo para trás e aprumou-se na frente de Aliócha. Todo o seu aspecto exprimia um orgulho indizível.

— Informe a quem o enviou que o esfregão não vende sua honra! — bradou com o braço estendido para o ar. Em seguida deu uma rápida meia-volta e começou a correr; mas não tinha dado cinco passos e voltou-se inteiro para Aliócha, fazendo sinal com a mão. Mais uma vez, porém, antes que desse cinco passos, voltou-se, agora já pela última vez e sem o riso torto no rosto mas, ao contrário, todo ele sacudido pelas lágrimas. Chorando, enfurecido, sufocado pelo matraqueado, bradou:

— O que eu haveria de dizer para o meu menino se aceitasse o seu dinheiro em troca de minha desonra? — e, tendo pronunciado isto, pôs-se a correr, agora já sem se voltar. Oh, ele compreendia que até o último instante o outro não sabia que ia amarfanhar e arremessar as notas. O fugitivo não olhou nenhuma vez para trás, e Aliócha sabia mesmo que não olharia. Não quis segui-lo nem chamá-lo e sabia por quê. Quando o outro desapareceu da vista, Aliócha apanhou as duas notas. Estavam apenas muito amassadas e pisoteadas na areia, mas intactas e até estalaram como novas quando Aliócha as desenrolou e alisou. Depois de alisá-las ele as enfiou no bolso e tomou o rumo da casa de Catierina Ivánovna para lhe comunicar que sua missão fora bem-sucedida.

Livro V
PRÓ E CONTRA

I. Os esponsais

Foi novamente a senhora Khokhlakova quem primeiro recebeu Aliócha. Ela estava com pressa, algo importante havia acontecido: a crise histérica de Catierina Ivánovna terminara num desmaio, seguido de uma "fraqueza tremenda, terrível, ela está acamada, de olhos fechados e delirando. Agora está com febre, mandaram chamar Herzenstube, mandaram chamar as tias. As tias já estão aqui, mas Herzenstube ainda não. Todos aguardam no leito dela. Algo vai acontecer, e ela está desmaiada. Mas se estiver com perturbação mental?!".

Ao exclamar isso a senhora Khokhlakova estava com um ar seriamente assustado: "Isso é mesmo sério, sério!" — acrescentava a cada palavra, como se tudo o que antes acontecera com a moça não fosse sério. Aliócha a ouvia com amargura; começou também a lhe expor as suas aventuras, mas ela o interrompeu mal ele pronunciou as primeiras palavras: não estava com tempo e lhe pediu para ficar no quarto de Lise e aguardá-la ali.

— Lise, caríssimo Alieksiêi Fiódorovitch — murmurou-lhe no ouvido —, Lise acabou de me deixar estranhamente surpresa, mas me comoveu porque meu coração sempre a perdoa. Imagine só que, mal você saiu daqui, ela confessou sinceramente que teria rido de você ontem e hoje. Só que ela não riu, apenas brincou. E o confessou com tanta seriedade, quase às lágrimas, que me surpreendeu. Antes nunca confessara nada seriamente quando ria de mim, pois sempre o fazia por brincadeira. Você sabe que a todo instante ela ri de mim. Mas agora está séria, agora tudo anda sério. Ela aprecia sumamente a sua opinião, Alieksiêi Fiódorovitch, e se você puder não se zangue nem fique desgostoso com ela. Eu mesma não faço senão poupá-la porque ela é muito inteligente — você acredita? Ela estava me dizendo agora que você foi o amigo de sua infância — "o amigo mais sério de minha infância" —, imagine isto, o amigo mais sério, mas, e eu? A esse respeito ela tem sentimentos seriíssimos e até lembranças, mas o principal são suas frases e palavrinhas, essas palavrinhas são as mais imprevistas, de sorte que a gente nunca espera e de repente elas brotam. Veja, por exemplo, o que me disse recentemente sobre um pinheiro: em sua tenra infância havia um pinheiro em nosso jardim, talvez ele ainda esteja lá, de maneira que não há por que falar usando o verbo no passado. Os pinheiros não são gente, demoram a mudar, Alieksiêi Fiódorovitch. "Mamã, diz ela, eu me lembro daquele pinheiro como se ele surgisse do sonho" — ou seja, "*sosnu kak so sná*".[26] Sua expressão foi um tanto diferente e eu estou fazendo confusão; "*sosná*" é uma palavra tola, só que ela me disse algo tão original que terminantemente não me atrevo a transmitir. Ademais, esqueci tudo. Bem, até logo, estou muito perplexa e certamente vou enlouquecer. Ah, Alieksiêi Fiódorovitch, enlouqueci duas vezes na vida e fiz tratamento. Vá falar com Lise, anime-a como você sempre sabe fazer magnificamente. Lise — gritou ela chegando-se à sua porta —, eu te trouxe Alieksiêi Fiódorovitch, tão ofendido por ti, e ele não está nem um pouco zangado, posso te assegurar, mas ao contrário, está admirado de como tu pudeste pensar isso!

— *Merci, mama*; entre, Alieksiêi Fiódorovitch.

Aliócha entrou. Lise estava como que desconcertada e subitamente corou toda. Pelo visto sentia vergonha de alguma coisa e, como sempre acontece nesses casos, pôs-se a falar rápido, rápido, de um assunto completamente estranho, como se esse assunto estranho fosse o único que a interessasse nesse momento.

— Mamã acabou de me contar toda a história daqueles duzentos rublos e da missão que você tinha recebido nesse assunto, Alieksiêi Fiódorovitch... junto àquele oficial pobre... e contou toda essa história horrível de como o ofenderam e, saiba, embora mamã narre com muita impropriedade... ela pula tudo... eu ouvi e chorei. Pois bem, é claro que você entregou aquele dinheiro, e agora, o que é que vai ser feito daquele infeliz?...

— O problema é que eu não entreguei, e nisso há toda uma história — respondeu Aliócha, por sua vez parecendo mais preocupado justamente por não ter entregado o dinheiro, e no entanto Lise percebeu perfeitamente que ele também olhava para os lados e também parecia querer falar de outro assunto. Aliócha sentou-se junto à mesa e passou a narrar, mas desde suas primeiras palavras deixou completamente de lado a atrapalhação e, assim, cativou Lise. Ele falava sob o efeito de uma forte sensação e daquela recente impressão extraordinária, e conseguiu narrar tudo bem e pormenorizadamente. Já antes, ainda nos tempos de Moscou, ainda na infância de Lise, ele

[26] Trocadilho com as palavras "pinheiro" (*sosná*) e "do sonho" (*so sná*). *Sosná* aparece declinada no acusativo, como *sosnú*, na função de objeto direto. (N. do T.)

gostava de visitá-la e contar ora o que acabara de acontecer com ele, ora o que havia lido, ora narrava as lembranças de sua infância. Às vezes os dois chegavam até a sonhar juntos e compunham a dois histórias inteiras, mas em sua maioria alegres e engraçadas. Agora os dois pareciam se transferir de repente para os antigos tempos de Moscou, para dois anos antes. Lise estava extremamente comovida com a narração dele. Aliócha conseguiu desenhar com um sentimento caloroso a imagem de "Iliúchetcha" perante Lise. Quando concluiu com todos os detalhes a cena em que aquele homem infeliz pisoteara o dinheiro, Lise juntou as mãos e bradou num sentimento incontido:

— Então você não entregou o dinheiro, e acabou deixando que ele fugisse! Meu Deus, você podia ter pelo menos corrido atrás dele e o alcançado...

— Não, Lise, foi melhor eu não ter corrido — Aliócha falou, levantou-se da cadeira e passou a andar pelo quarto preocupado.

— Como melhor, e por que melhor? Agora, sem pão, eles vão morrer!

— Não vão morrer porque, seja como for, não vão evitar esses duzentos rublos. De qualquer modo ele os aceitará amanhã. Amanhã na certa ele os aceitará — disse Aliócha caminhando e refletindo. — Veja, Lise — continuou, parando de súbito diante dela —, eu mesmo cometi um erro nessa história, mas até o erro acabou sendo para melhor.

— Que erro e por que para melhor?

— É que aquele homem é medroso e fraco de caráter. É um homem muito atormentado e bom. Agora ando sempre pensando no que o teria ofendido tão de repente e o levado a pisotear o dinheiro, porque eu lhe asseguro que até o último instante ele não sabia que iria pisoteá-lo. Pois agora me parece que muita coisa o ofendeu... aliás, não podia ser diferente na situação dele... Em primeiro lugar, ele já se sentiu ofendido porque ficou contente demais com o dinheiro em minha presença e não me escondeu isso. Se ficasse contente, mas não muito, não o demonstrasse, fingisse e torcesse o nariz como os outros ao receberem dinheiro, ainda poderia suportar e aceitar, mas seu contentamento foi verdadeiro demais, e foi isso que o ofendeu. Ah, Lise, ele é uma pessoa verdadeira, e é aí que está todo o mal em casos como esse! Durante todo o tempo em que falou sua voz esteve muito fraca, debilitada, e falava rápido, rápido, sempre rindo com aquela risadinha ou chorando... palavra, ele chorou de tão encantado que estava... E falou de suas filhas... e do emprego que lhe dariam em outra cidade... E, mal acabou de me abrir a alma, sentiu uma súbita vergonha por me haver mostrado toda essa alma. Foi aí que se tomou de ódio por mim. E ele é daqueles pobres terrivelmente envergonhados. O grave, porém, é que se ofendeu porque me tomou por amigo com excessiva rapidez e prontamente se revelou a mim; primeiro investiu contra mim, procurou me intimidar, e súbito, mal viu o dinheiro, começou a me abraçar. Porque ele me abraçava, me tocava sem parar. É justamente neste aspecto que deve ter sentido toda aquela humilhação, e foi justo aí que cometi esse erro, um erro muito grave: súbito peguei e lhe disse que se o dinheiro não cobrisse os gastos com a mudança para a outra cidade, ele ainda receberia mais, e disse até que eu também poderia lhe dar de meu próprio dinheiro o quanto ele quisesse. Pois foi isto que de repente o fez pasmar: agora, por que eu também me meti a ajudá-lo? Sabe, Lise, é duro demais para um homem ofendido quando todos passam a olhar para ele como seus benfeitores... eu já tinha ouvido falar disso, o *stárietz* me falou. Não sei como expressar, mas eu mesmo presenciei isso com frequência. Ademais, eu mesmo sinto que é exatamente assim. O mais importante é que ele, embora não soubesse até o último instante que iria pisotear as notas, ainda assim o pressentia, na certa o pressentia. Porque o êxtase nele era tão forte que ele pressentia... pois embora tudo isso seja tão abominável, mesmo assim foi para melhor. Eu até acho que foi para melhor, que não poderia ter sido melhor...

— Por que, por que não poderia ter sido melhor? — bradou Lise, olhando muito admirada para Aliócha.

— Porque, Lise, se ele não tivesse pisoteado, mas aceitado aquele dinheiro, ao chegar em casa uma hora depois teria chorado de humilhação, eis o que haveria forçosamente acontecido. Teria chorado e é até possível que amanhã, mal o dia clareasse, viesse me procurar, me lançasse as notas e as pisoteasse como ainda há pouco. Mas agora ele se foi com uma altivez formidável e em triunfo, embora saiba que "se desgraçou". Quer dizer que agora já não há nada mais fácil do que forçá-lo a aceitar esses duzentos rublos o mais tardar amanhã, porque ele já demonstrou sua honradez, lançou o dinheiro ao chão, o pisoteou... Ao pisoteá-lo, não podia saber que amanhã tornarei a levá-lo. Por outro lado, ele está terrivelmente necessitado desse dinheiro. Embora neste momento ele esteja orgulhoso, mesmo assim pensará hoje mesmo de que auxílio se privou. À noite há de pensar com mais intensidade ainda, há de sonhar com isso, e amanhã pela manhã talvez esteja disposto a correr para mim e pedir perdão. E é aí que eu apareço: "Bem, direi, o senhor é um homem orgulhoso, demonstrou isso, mas agora aceite, e nos perdoe". E aí ele aceitará!

Aliócha pronunciou com certo enlevo: "E aí ele aceitará!". Lise bateu palmas.

— Ah, isso é verdade, ah, num instante eu o compreendi perfeitamente! Ah, Aliócha, como você sabe de tudo isso? Tão jovem e já sabe o que está na alma... Eu nunca conseguiria imaginar uma coisa assim...

— O principal é que agora precisamos convencê-lo de que ele está em pé de igualdade com todos nós, apesar de receber dinheiro de nossa parte — continuou Aliócha em seu enlevo —, e não só em pé de igualdade, como acima...

— "Acima" — é magnífico, Alieksiêi Fiódorovitch, mas fale, fale!

— Quer dizer, eu não me expressei assim... dizendo acima..., mas não faz mal porque...

— Ah, não faz mal, não faz mal, é claro que não faz mal... Desculpe, Aliócha querido... Sabe, até hoje eu quase não tive respeito por você... ou seja, tive, só que num nível de igualdade, mas agora vou respeitá-lo num nível superior. Querido, não se zangue com os meus "gracejos" — emendou com ardor. — Sou ridícula e pequena, mas você, você... Escute, Alieksiêi Fiódorovitch, será que não há em todo esse nosso raciocínio, ou seja, seu raciocínio... não, é melhor nosso... será que não há um desprezo por ele, por aquele infeliz... no fato de estarmos esquadrinhando sua alma de um jeito arrogante, hein? No fato de que acabamos de resolver com tanta certeza que ele vai aceitar o dinheiro, hein?

— Não, Lise, não há desprezo — respondeu Aliócha com firmeza, como se já estivesse preparado para essa pergunta —, eu mesmo já pensei nisso quando vinha para cá. Pense, que desprezo pode haver aqui quando nós mesmos somos iguaizinhos a ele, quando todos são iguaizinhos a ele? Porque nós mesmos somos iguaizinhos e não melhores. E se fôssemos melhores, ainda assim seríamos iguaizinhos estando no lugar dele... Não sei quanto a você, Lise, mas quanto a mim acho que tenho uma alma pequena em muitos aspectos. Mas a alma dele não é pequena, ao contrário é muito delicada... Não, Lise, aqui não há nenhum desprezo por ele! Sabe, Lise, meu *stárietz* disse certa vez: deve-se cuidar de todas as pessoas como se cuida de crianças, mas de algumas como se cuida dos doentes nos hospitais.

— Ah, Alieksiêi Fiódorovitch, ah, meu caro, então cuidemos das pessoas como se fossem doentes!

— Vamos, Lise, estou pronto, só que não inteiramente pronto; às vezes sou muito impaciente, outras vezes me falta visão do problema, mas o seu caso é diferente.

— Ah, não acredito! Alieksiêi Fiódorovitch, como estou feliz!

— Que bom que você diz isso, Lise.

— Alieksiêi Fiódorovotich, você é de uma bondade admirável, mas às vezes você parece pedante... no entanto a gente observa e vê que não tem nada de pedante. Vá até a porta, abra-a devagarinho e veja se mamãe não está escutando — cochichou de súbito Lise em um murmúrio meio nervoso e apressado.

Aliócha foi até lá, entreabriu a porta e comunicou que não havia ninguém escutando.

— Venha cá, Alieksiêi Fiódorovotich — continuou Lise, corando cada vez mais e mais —, dê-me sua mão, assim. Ouça, devo lhe fazer uma grande confissão: a carta que lhe escrevi ontem não foi de brincadeira, mas a sério...

E cobriu os olhos com a mão. Via-se que estava muito envergonhada por fazer essa confissão. Súbito agarrou a mão dele e a beijou três vezes com ímpeto.

— Ah, Lise, isso é magnífico — exclamou alegremente Aliócha. — Porque eu estava mesmo absolutamente convicto de que você tinha escrito a sério.

— Convicto, imagine! — ela desviou subitamente a mão dele, mas sem soltá-la, corando muitíssimo e sorrindo um sorriso miúdo, feliz —, eu beijo a mão dele e ele diz: "Isso é magnífico". — Mas ela o censurava injustamente: Aliócha também estava muito confuso.

— Eu gostaria de lhe agradar sempre, Lise, mas não sei como fazê-lo — murmurou ele meio desajeitado e também corando.

— Aliócha, meu querido, você é frio e atrevido. Vejam só. Ele me escolhe para esposa e se dá por satisfeito! Ele já estava convicto de que eu havia escrito a carta a sério; qual! Ora, isso é um atrevimento — eis o que é!

— Sim, mas por acaso é ruim que eu estivesse convicto? — Aliócha desatou subitamente a rir.

— Ah, Aliócha, ao contrário, isso é bom demais — Lise olhou para ele com ternura e cheia de felicidade. Aliócha estava em pé e continuava com sua mão na dela. Inclinou-se de chofre e beijou-a em plenos lábios.

— E o que é isso agora? O que é que você tem? — exclamou Lise. Aliócha ficou totalmente desnorteado.

— Bem, desculpe se errei... Talvez eu tenha agido com extrema tolice... Você disse que sou frio, então peguei e a beijei... Só que estou vendo que foi uma tolice...

Lise deu uma risada e cobriu o rosto com as mãos.

— E ainda com essa roupa! — deixou escapar entre risos, mas de repente parou de rir e ficou toda séria, quase severa.

— Bem, Aliócha, ainda vamos ter de esperar pelos beijos, porque nós dois ainda não sabemos fazer isso e ainda teremos muito que esperar — concluiu. — O melhor é você me dizer por que está escolhendo a mim, tão idiota, uma imbeciloide doente, sendo você tão inteligente, tão reflexivo, tão perceptivo? Ah, Aliócha, estou numa felicidade formidável, porque não o mereço absolutamente.

— Pare, Lise. Por esses dias deixo o mosteiro para sempre. Ao sair para o mundo precisarei me casar, eu sei disso. Foi assim que *ele* me ordenou. Quem eu vou encontrar melhor do que você... e quem, além de você, vai me querer? Eu já ponderei isso. Em primeiro lugar, você me conhece desde menina, em segundo, tem muitas faculdades que me faltam totalmente. Você tem uma alma mais alegre do que a minha; e, o principal, você é mais pura do que eu, eu já pensei muito, muito nisso... Ah, você não sabe, só que eu também sou um Karamázov. Pouco importa que você ria e brinque e ria de mim também; ao contrário, ria, fico muito feliz... No entanto você ri como uma menininha, mas pensa em si como uma mártir...

— Como uma mártir? Como é isso?

— Sim, Lise, veja o que você acabou de me perguntar: se não haveria em nós desprezo por aquele infeliz pelo fato de que estávamos dissecando a sua alma — essa é uma pergunta de mártir... está vendo, não encontro um jeito de exprimir isso, mas pessoas que formulam essas perguntas são elas mesmas capazes de sofrer. Sentada aí nessa poltrona, você agora devia repensar muita coisa...

— Aliócha, dê-me essa mão que você está tirando — pronunciou Lise com uma voz debilitada de felicidade e abafada. — Escute, Aliócha, o que é que você vai vestir depois que deixar o mosteiro, que tipo de roupa? Não ria, não se zangue, isso é muito importante para mim, muito.

— Na roupa ainda não pensei, Lise, mas vestirei a roupa que você quiser.

Eu quero que você use paletó de veludo cinza-escuro, colete branco e chapéu cinza de feltro macio... Diga-me uma coisa: você acreditou mesmo ainda há pouco que eu não o amasse quando reneguei a carta de ontem?

— Não, não acreditei.

— Oh, que homem insuportável, incorrigível!

— Eu sabia que você me... parece, ama, mas fingi acreditar que não me ama para que você ficasse... mais à vontade...

— Isso é pior ainda! Pior e o melhor de tudo. Aliócha, eu o amo muitíssimo. Ainda há pouco, antes de sua chegada, fiquei matutando: vou lhe pedir a carta de ontem, e se ele a tirar tranquilamente do bolso e me devolver (o que sempre se pode esperar dele), isto significará que não me ama absolutamente, que não sente nada e é apenas um menino tolo e indigno, e eu estarei destruída. Mas você deixou a carta na cela e isso me animou: não é verdade que você a deixou na cela porque pressentiu que eu iria exigi-la de volta e para não me entregá-la? Não foi? Não foi isso?

— Oh, Lise, não foi nada disso, porque a carta está agora comigo como também estava antes, aqui neste bolso, veja.

Aliócha tirou a carta, sorrindo, e de longe a mostrou para ela.

— Só que não vou devolvê-la, pode vê-la em minhas mãos.

— Como? Como você mentiu ainda há pouco, é monge e mente?

— Menti, vá lá — Aliócha também sorria —, para não lhe devolver a carta, menti. Ela me é muito cara — acrescentou de repente com forte emoção e tornou a corar —, para sempre cara e nunca hei de devolvê-la a ninguém!

Lise olhava para ele encantada.

— Aliócha — tornou a balbuciar —, olhe ali ao pé da porta, mamãe não estará escutando?

— Está bem, Lise, vou olhar; mas não seria melhor não olhar, hein? Por que suspeitar de tamanha baixeza por parte de sua mãe?

— Como baixeza? Que baixeza? O fato de ela escutar as conversas da filha é um direito dela e não uma baixeza — inflamou-se Lise. — Esteja certo, Alieksiêi Fiódorovitch, de que, quando eu mesma for mãe e tiver uma filha como eu, hei de forçosamente escutar suas conversas.

— Será possível, Lise? Isso não é bom.

— Ah, meu Deus, que baixeza há nisso? Se eu escutasse alguma conversa corriqueira de sociedade isso seria uma baixeza, mas no nosso caso trata-se da filha trancada num quarto com um jovem... Escute, Aliócha, fique sabendo que eu também vou escutar as suas conversas, tão logo a gente se case, e saiba ainda que vou abrir e ler todas as suas cartas... Fique você prevenido...

— Sim, é claro, sendo assim... — balbuciou Aliócha — só que isso não é bom.

— Ah, que desdém! Aliócha, querido, não vamos brigar logo da primeira vez. É melhor que eu lhe conte toda a verdade: é claro que é muito feio escutar atrás da porta e que eu, evidentemente, não tenho razão, mas você tem, e mesmo assim vou bisbilhotar.

— Faça isso, não vai descobrir nada de mais a meu respeito — sorriu Aliócha.

— Aliócha, será que você vai me obedecer? Isso também deve ser resolvido de antemão.

— Com grande prazer, Lise, e sem falta, mas não no essencial. Se você discordar de mim no essencial, ainda assim agirei conforme o que o dever me ditar.

— É assim que deve agir. E fique sabendo que, ao contrário do que eu disse, eu também não só estou disposta a obedecer no essencial como vou ceder em tudo, e lhe faço agora este juramento — ceder em tudo e por toda a vida — bradou Lise com fervor —, e o farei cheia de felicidade, cheia de felicidade. Além disso, eu lhe juro que jamais escutarei suas conversas, nenhuma vez, jamais, não lerei nenhuma de suas cartas, porque é você que está certo, não eu. E mesmo que eu venha a sentir uma enorme vontade de escutar suas conversas, eu sei disso, ainda assim não o farei porque você considera isto indecente. Agora você é como minha Providência... Escute, Alieksiêi Fiódorovitch, por que você tem andado tão triste todos esses dias, ontem e hoje? Sei que você anda com muitos afazeres, envolvido por infortúnios, mas percebo além disso que você anda com uma tristeza particular, talvez secreta, hein?

— Sim, Lise, há também uma tristeza secreta — pronunciou Aliócha com ar tristonho. — Vejo que me ama, já que adivinhou isto.

— Que tristeza é essa? Por quê? Pode me dizer? — suplicou timidamente Lise.

— Depois eu digo, Lise... depois... — atrapalhou-se Aliócha. — Agora talvez seja até incompreensível. Talvez nem eu mesmo seja capaz de explicá-la.

— Sei, além disso, que seus irmãos, seu pai o atormentam, não é?

— Sim, os irmãos também — pronunciou Aliócha como que refletindo.

— Não gosto de seu irmão Ivan Fiódorovitch, Aliócha — observou Lise.

Aliócha recebeu essa observação com certa surpresa, mas não lhe deu importância.

— Meus irmãos estão se destruindo — continuou ele —, meu pai também. E destruindo os outros junto. Aí reside a "força terrena dos Karamázov" — como se exprimiu por esses dias o padre Paissi —, terrena e desvairada, tosca... Não sei nem se o espírito de Deus paira lá no alto sobre essa força. Sei apenas que também sou um Karamázov... Eu sou um monge, um monge? Serei um monge, Lise? Você não teria dito agorinha mesmo que sou um monge?

— Sim, afirmei.

— Mas veja, talvez eu nem creia em Deus.

— Você não crê? O que está havendo com você? — pronunciou Lise em voz baixa e com cautela. Mas Aliócha não respondeu. Havia aí, nessas palavras por demais inesperadas, algo excessivamente misterioso e excessivamente subjetivo, que talvez não estivesse claro nem para ele mesmo mas que sem dúvida já o torturava.

— E eis que agora, além de tudo, o meu amigo, a primeira criatura para mim neste mundo, está deixando a Terra. Se você soubesse, se você soubesse, Lise, como estou ligado, como estou espiritualmente fundido com esse homem! E eis que ficarei só... Virei para sua companhia, Lise... doravante estaremos juntos...

— Sim, juntos, juntos! Doravante estaremos sempre juntos pelo resto da vida. Ouça, beije-me, eu permito.

Aliócha a beijou.

— Bem, agora vá, vá com Cristo! (E ela o benzeu.) Vá *ter com ele*, depressa, enquanto está vivo. Vejo que o retive cruelmente. Hoje vou rezar por ele e por você. Aliócha, nós seremos felizes! Seremos felizes, seremos?

— Parece que seremos, Lise.

Ao deixar Lise, Aliócha não houve por bem procurar a senhora Khokhlakova e ia saindo da casa sem se despedir dela. Contudo, mal abriu a porta e chegou à escada, não se sabe de onde apareceu diante dele a própria senhora Khokhlakova. À primeira palavra dela Aliócha adivinhou que ela o aguardava ali de propósito.

— Alieksiêi Fiódorovitch, isto é um horror, são ninharias de criança e tudo tolice. Espero que não lhe dê na telha sonhar... tolices, tolices e tolices! — investiu ela contra ele.

— Mas não diga isto a ela — disse Aliócha —, senão ficará inquieta e neste momento isto a prejudicaria.

— Ouço a palavra sensata de um jovem sensato. Devo entender que você mesmo só concordou com ela porque, compadecido do seu estado doentio, não queria zangá-la contradizendo-a?

— Oh, não, de jeito nenhum, conversei com ela de modo totalmente sério — declarou firmemente Aliócha.

— A seriedade neste caso é impossível, inconcebível; em primeiro lugar, doravante não o receberei mais em minha casa e, em segundo, vou embora e a levo comigo, fique sabendo.

— Mas por quê? — disse Aliócha —, ora, isso ainda está longe, falta coisa de um ano e meio, talvez tenhamos de esperar.

— Ah, Alieksiêi Fiódorovitch, isto evidentemente é verdade, e em um ano e meio vocês terão brigado e se separado mil vezes. Mas eu estou tão infeliz, tão infeliz! Oxalá tudo isso seja bobagem, mas me deixou transtornada. Agora pareço Fámussov na última cena, você é Tchatzki, ela, Sofia[27] e, imagine, corri de propósito aqui para a escada com o fim de encontrá-lo porque lá, na peça, o momento fatal acontece na escada. Eu ouvi tudo, a muito custo me mantive de pé. Pois bem, é aí que está a explicação dos horrores de toda esta noite e de todos aqueles ataques de histeria de ainda há pouco! Para a filha amor, para a mãe, a morte. É deitar no caixão. Agora a

[27] Personagens da comédia de A. S. Griboiêdov (1795-1829), *A desgraça de ter espírito*, cujo episódio citado por Khokhlakova também ocorre na escada. (N. do T.)

segunda questão e a mais importante: que carta é essa que ela lhe escreveu? mostre-me agora, agora!

— Não, não é preciso; diga-me como vai a saúde de Catierina Ivánovna, preciso muito saber.

— Continua acamada e delirando, não se reanimou: as tias estão aqui e se limitam a dar ais e bancar as orgulhosas comigo, mas Herzenstube veio e se mostrou tão assustado que fiquei sem saber o que fazer com ele e como salvá-lo, quis até mandar chamar um médico. Foi levado embora em minha carruagem. E agora, para completar, você me aparece de repente com essa carta. É verdade que para tudo isso ainda falta um ano e meio. Em nome de tudo o que há de grande e sagrado, em nome do seu moribundo *stárietz*, mostre-me essa carta, Alieksiêi Fiódorovitch, a mim, à mãe! Se quiser, segure-a com seus dedos que eu a lerei de suas mãos.

— Não, não vou mostrá-la, Catierina Óssipovna. Mesmo que ela o permita não vou mostrá-la. Amanhã virei aqui e, se a senhora quiser, podemos conversar sobre muita coisa, mas agora adeus!

E Aliócha desceu a escada correndo para a rua.

II. Smierdiakóv e seu violão

Aliás, ele estava sem tempo. Uma ideia lhe passara pela cabeça ainda quando se despedia de Lise. Eis a ideia: como usar do recurso mais astuto para apanhar agora o irmão Dmitri que, pelo visto, se escondia dele? Já não era cedo, passava das duas da tarde. Aliócha ansiava com todo o seu ser por ir ao mosteiro ver seu "grande" moribundo, mas a necessidade de ver o irmão Dmitri prevaleceu sobre tudo: a cada instante crescia na mente de Aliócha a convicção de que uma catástrofe terrível e inevitável estava pronta para acontecer. Em que consistia mesmo essa catástrofe e o que queria ele dizer nesse instante ao irmão talvez nem ele mesmo soubesse definir. "Que meu benfeitor morra sem mim, mas pelo menos não terei de me censurar pelo resto da vida por não ter salvado alguma coisa que talvez estivesse ao meu alcance salvar, porque passei ao largo, com pressa de chegar em casa. Agindo assim, conforme seu grande legado..."

Seu plano consistia em apanhar o irmão Dmitri de surpresa, ou seja: pular aquela mesma cerca da véspera, penetrar no jardim e sentar-se no mesmo caramanchão. "Se ele não estiver lá — pensava Aliócha —, vou-me esconder sem dizer nada a Fomá nem às donas da casa e ficar aguardando no caramanchão, ainda que seja até o anoitecer. Se ele continuar vigiando a chegada de Grúchenka, é muito possível que venha para o caramanchão..." Aliás, Aliócha não pensou demasiado nos detalhes do plano mas resolveu executá-lo, mesmo que então tivesse de evitar o mosteiro...

Tudo aconteceu sem empecilhos: pulou a cerca quase no mesmo lugar da véspera e abriu caminho sorrateiramente para o caramanchão. Não queria ser notado: tanto a dona da casa quanto Fomá (se ele estivesse ali) podiam tomar o partido do irmão e obedecer às suas ordens, logo, podiam impedir que Aliócha entrasse no jardim ou prevenir a tempo o irmão de que alguém estava à sua procura e fazia perguntas sobre ele. No caramanchão não havia ninguém. Aliócha sentou-se em seu lugar da véspera e começou a esperar. Examinou o caramanchão, que por alguma razão lhe pareceu bem mais vetusto que ontem, dando-lhe desta vez a impressão de coisa reles. Aliás, o dia estava tão claro como o anterior. A mesa verde ficara marcada por um círculo talvez formado por conhaque entornado de uma taça na véspera. Pensamentos vagos e impróprios à questão, como sempre acontece nos momentos de espera enfadonha, meterem-se em sua mente: por exemplo, por que razão ele, ao chegar ali agora, sentava-se justa e precisamente no mesmo lugar da véspera e não em outro? Por fim sentiu-se muito triste, triste por causa de uma incerteza inquietante. Mas não fazia nem quinze minutos que ele estava ali quando ouviu de repente, muito perto, os acordes de um violão. Havia gente sentada ou apenas acabava de sentar-se a uns vinte passos, não mais, em algum lugar entre os arbustos. Súbito veio de relance à cabeça de Aliócha a lembrança de que, ao deixar na véspera o irmão no caramanchão, avistara ou lobrigara à esquerda um banco verde de jardim, baixo e velho, entre os arbustos ao pé da cerca. Logo, era nele que havia gente sentada neste momento. Mas quem? De repente uma voz masculina começou a cantar uma estrofe em falsete adocicado, fazendo-se acompanhar de um violão.

Fez-me uma força invencível
Apegado à minha amada.
Deus, tem pi-e-dade
Dela e de mim!
Dela e de mim!
Dela e de mim!

A voz parou. Era o criado tenor e a esquisitice de seu canto de criado.[28]

[28] "Canto de criado": expressão utilizada por Dostoiévski em carta a N. A. Liubímov, de 10 de maio de 1879, sobre cortes que a censura queria fazer em seu texto. (N. da E.)

Outra voz, agora feminina, falou num átimo em tom carinhoso e como que tímido, mas, não obstante, com grande denguice:

— Por que fica tanto tempo sem nos visitar, Pável Fiódorovitch, por que sempre nos despreza?

— Não é por nada — respondeu a voz masculina, embora com polidez, mas antes de tudo com uma dignidade obstinada e firme. Pelo visto o homem prevalecia, mas quem se exibia era a mulher. "Esse homem parece Smierdiakóv — pensou Aliócha —, ao menos pela voz, e a mulher é certamente a filha da dona desta casinha que chegou de Moscou, a que anda metida em vestido de cauda e recebe sopa de Marfa Ignátievna..."

— Eu gosto demais de todo tipo de versos, se eles são harmoniosos — continuou a voz feminina. — Por que o senhor não continua?

A voz tornou a cantar:

A coroa do tsar —
Desde que meu amor esteja bem.
Deus, tem pi-e-dade
Dela e de mim!
Dela e de mim!
Dela e de mim!

— Da outra vez isso saiu ainda melhor — observou a voz feminina. — O senhor cantou sobre a coroa: "Desde que minha amada esteja bem". Assim sai com mais ternura, hoje o senhor certamente esqueceu.

— Esses versos são uma tolice — cortou Smierdiakóv.

— Ah, não, gosto muito de uns versinhos.

— Ora, esses versos são uma verdadeira tolice. Julgue a senhora mesma: quem nesse mundo fala por rima? Se todos nós passássemos a falar por rima, ainda que fosse por ordem dos superiores, poderíamos dizer muita coisa? O problema não está nos versos, Mária Kondrátievna.

— Como o senhor é tão inteligente em tudo, a quem saiu assim? — adulava cada vez mais a voz feminina.

— Eu ainda poderia fazer bem mais, eu ainda saberia bem mais não fosse a sina que carrego desde que nasci. Eu mataria em duelo de pistola aquele que dissesse que eu sou um patife porque nasci de Smierdiáschaia sem ter pai, e isso me jogaram na cara em Moscou graças a Grigori Vassílievitch, que fez essa informação chegar daqui a Moscou. Grigori Vassílievitch me censura dizendo que sou revoltado contra meu nascimento: "Tu, diz ele, arrebentaste o ventre dela". Vá que o ventre tenha arrebentado, mas eu permitiria que me matassem no ventre só para não vir absolutamente ao mundo. No mercado me diziam, e sua mãezinha também me contou movida por sua imensa indelicadeza, que Smierdiáschaia tinha seborreia na cabeça e media apenas uns dois *archins* e *poucos* de altura. Por que esse *poucos* quando se pode simplesmente dizer "pouco", como todo mundo faz? Resolveram falar entre lágrimas, porque, veja, essas são, por assim dizer, lágrimas de mujique, os verdadeiros sentimentos de mujique. Pode um mujique russo ter sentimentos se comparado a um homem instruído? Por sua falta de instrução ele não pode ter nenhum sentimento. Quando, desde minha infância, ouço esse *poucos*, dá vontade de me atirar contra uma parede. Odeio a Rússia inteira, Mária Kondrátievna.[29]

— Se o senhor fosse um cadete ou um hussardo jovenzinho não falaria assim, mas sacaria o sabre e defenderia toda a Rússia.

— Não só não quero ser um hussardo, Mária Kondrátievna, como, ao contrário, desejo destruir todos os soldados.

— E quando o inimigo vier, quem vai nos defender?

— Aliás, isso é absolutamente desnecessário. No ano de 1812 houve contra a Rússia a grande marcha do imperador Napoleão I da França, pai do atual,[30] e teria sido bom se naquele momento aqueles mesmos franceses houvessem nos conquistado: uma nação inteligente conquistaria uma muito tola e a incorporaria. O regime seria totalmente outro.

— Ora, até parece que eles lá são tão melhores do que os nossos! Não troco um peralta nosso por três jovens ingleses — proferiu com ternura Mária Kondrátievna, talvez acompanhando suas palavras com os olhinhos mais lânguidos.

— Cada qual com seu gosto.

— O senhor mesmo parece um estrangeiro, parece o mais nobre estrangeiro, tenho vergonha de lhe dizer isso.

— Se quer saber, tanto os de lá quanto os nossos se assemelham na devassidão. São todos uns tratantes, mas com a diferença que lá eles andam de botas envernizadas enquanto o nosso canalha aqui fede em sua miséria e não vê nada de mau nisso. O povo russo precisa ser açoitado, como disse ontem com razão Fiódor Pávlovitch, embora seja um louco, como todos os seus filhos.

[29] Para Dostoiévski, gente de pouca instrução como Smierdiakóv, mas já aculturada — ainda que apenas superficialmente, só nos hábitos, modos de vestir e preconceitos —, despreza seu antigo meio, seu povo e suas crenças, chegando até a odiá-los. (N. da E.)

[30] Napoleão I não era pai, mas tio de Napoleão III, que, por sua vez, era filho de Luís Bonaparte. (N. da E.)

— O senhor mesmo diz que tem muito respeito por Ivan Fiódorovitch.

— Mas ele disse que sou um criado fedorento. Diz que posso ser um rebelde; nisso ele está enganado. Tivesse eu uma boa quantia no bolso e há muito tempo não estaria aqui. Dmitri Fiódorovitch é pior do que qualquer criado por seu comportamento, sua inteligência e sua miséria, não sabe fazer nada, mas, contrariando tudo isso, goza do respeito de todos. Suponhamos: eu sou um simples rato de cozinha, mas se tiver sorte poderei abrir um café-restaurante na rua Pietróvka de Moscou. Porque eu cozinho de um jeito especial e ninguém em Moscou, a não ser os estrangeiros, sabe servir de um jeito especial. Dmitri Fiódorovitch é um pé-rapado, mas se desafiar para um duelo o filho do conde mais importante, este aceitará; agora, em que ele é melhor do que eu? Porque ele é bem mais tolo, nem se compara comigo. Quanto dinheiro esbanjou sem empregá-lo em nada!

— Os duelos são uma coisa muito boa, eu acho — observou Mária Kondrátievna.

— Como assim?

— Dão medo e também mostram coragem, sobretudo se jovens oficiais trocam tiros de pistolas por alguma mulher. É simplesmente uma cena. Ah! se deixassem que as moças assistissem, eu tenho uma vontade enorme de assistir.

— É bom quando é a gente que faz pontaria, mas quando a pontaria é contra o nosso focinho nossa sensação é a mais estúpida. É fugir correndo, Mária Kondrátievna.

— Não me diga que o senhor fugiria?

Mas Smierdiakóv não se dignou responder. Depois de um minuto de silêncio tornou-se a ouvir um acorde, e ele começou a cantar em falsete a última estrofe:

Por mais que eu me esforce
Cairei fora daqui,
Para go-o-zar a vida
E morar na capital!
E não hei de me afligir,
Por nada hei de me afligir.
Sequer penso em me afligir!

Aí aconteceu o inesperado: Aliócha deu um súbito espirro; lá no banco silenciaram incontinenti. Aliócha levantou-se e caminhou na direção deles. Era realmente Smierdiakóv, todo endomingado, de cabelos cheios de brilhantina e quase frisados, de sapatos de verniz. O violão estava no banco. A mulher era Mária Kondrátievna, a filha da dona da casa; estava metida num vestido azul-claro com uma cauda de uns dois *archins*; ainda era bem jovenzinha e não parecia nada feia, mas tinha o rosto muito redondo e coberto por umas sardas horríveis.

— Meu irmão Dmitri vai voltar logo? — perguntou Aliócha da forma mais calma possível.

Smierdiakóv soergueu-se lentamente do banco: soergueu-se também Mária Kondrátievna.

— Por que eu haveria de saber sobre Dmitri Fiódorovitch? Se eu fosse seu vigia seria outra coisa — respondeu Smierdiakóv com voz baixa, clara e desdenhosa.

— Eu simplesmente perguntei se você sabia — explicou Aliócha.

— Não sei nada do paradeiro dele, nem quero saber.

— Mas meu irmão me disse justamente que é você quem o põe a par de tudo o que se faz em casa e que prometeu informá-lo da chegada de Agrafiena Alieksándrovna.

Smierdiakóv ergueu os olhos para ele de forma lenta e impassível.

— Que jeito o senhor deu de chegar aqui, já que o portão está fechado a ferrolho? — perguntou, olhando fixo para Aliócha.

— Pulei a cerca, vim do beco para cá e fui direto para o caramanchão. Espero que a senhora me desculpe por isso — dirigiu-se a Mária Kondrátievna —, eu precisava urgentemente pegar meu irmão, de surpresa.

— Ora, como haveríamos de nos ofender com o senhor — arrastou Mária Kondrátievna, lisonjeada com a desculpa de Aliócha —, se Dmitri Fiódorovitch também faz frequentemente essa manobra para chegar ao caramanchão e antes que a gente se dê conta ele já está lá!

— Eu o estou procurando muito, gostaria muito de vê-lo ou de saber por seu intermédio onde ele se encontra neste momento. Acredite que se trata de uma questão muito importante para ele mesmo.

— Ele não nos diz para onde vai — balbuciou Mária Kondrátievna.

— Mesmo eu estando aqui em casa de amigos — retomou Smierdiakóv —, mesmo aqui ele me constrange de maneira desumana com um interrogatório sem fim sobre Fiódor Pávlovitch: como andam as coisas por aqui, quem entra e quem sai, e se eu não posso lhe informar mais alguma coisa. Duas vezes até me ameaçou de morte.

— Como de morte? — surpreendeu-se Aliócha.

— Vai ver que isso não é problema para ele, com aquele caráter, que o senhor mesmo pôde presenciar ontem. Se deixares Agrafiena Alieksándrovna entrar e ela pernoitar aqui, diz ele, serás o primeiro a morrer. Tenho muito medo dele, e se não temesse ainda mais a sua ameaça eu daria queixa dele ao chefe de polícia da cidade. O próprio Deus sabe que ele pode cumpri-la.

— Por esses dias ele lhe disse: "Eu te trituro num pilão" — acrescentou Mária Kondrátievna.

— Bem, se ele diz que é num pilão talvez não passe de conversa... — observou Aliócha. — Se eu conseguisse encontrá-lo agora eu poderia lhe dizer alguma coisa sobre isso.

— Eis a única coisa que posso informar — Smierdiakóv pareceu mudar repentinamente de ideia. — Venho sempre aqui como vizinho e conhecido, e como não haveria de vir? Por outro lado, Ivan Fiódorovitch me mandou hoje à casa dele na rua Oziórskaia mal o dia amanheceu, sem nenhum bilhete, com um recado para que Dmitri Fiódorovitch fosse sem falta à taverna daqui, que fica na praça, para almoçarem juntos. Fui lá, mas não encontrei Dmitri Fiódorovitch em casa, e já eram oito horas. "Estava, disseram os senhorios, mas saiu" — foi com essas mesmas palavras que seus senhorios me informaram. Parece que nessa questão eles fizeram um acordo recíproco. Agora, é possível que neste mesmo instante ele esteja com o irmão Ivan Fiódorovitch na taverna, uma vez que Ivan Fiórodovitch não veio almoçar em casa e Fiódor Pávlovitch almoçou sozinho há uma hora e agora está deitado para dormir. Entretanto, peço-lhe da maneira mais encarecida que não lhe diga nada a meu respeito nem que eu o informei, não diga nada, porque ele mata um por uma coisinha de nada.

— Meu irmão Ivan convidou Dmitri à taverna hoje? — tornou a perguntar Aliócha de modo rápido.

— Exatamente.

— À taverna A Capital, que fica na praça?

— Essa mesma.

— Isso é muito possível! — exclamou Aliócha em grande agitação. — Grato, Smierdiakóv, é uma notícia importante, vou agora mesmo para lá.

— Não me entregue — pronunciou Smierdiakóv à saída dele.

— Oh, não, vou aparecer na taverna como por acaso, fique tranquilo.

— Mas espere aí, vou abrir o portão — bradou Mária Kondrátievna.

— Não, por aqui é mais perto, vou pular a cerca outra vez.

A notícia deixou Aliócha muito impressionado. Ele correu para a taverna. Não lhe ficava bem entrar ali naquele traje, mas pediria informações à entrada e mandaria chamá-los, isso era possível. Contudo, mal se aproximou da taverna uma janela se escancarou subitamente e o próprio irmão Ivan gritou lá de cima:

— Aliócha, pode vir até aqui onde estou? Farias um imenso favor.

— Posso muito bem, só que não sei como fazê-lo nesse meu traje.

— Estou justamente num reservado, sobe a escada do alpendre que desço para te receber...

Um minuto depois Aliócha estava sentado ao lado do irmão. Ivan estava só e almoçava.

III. Os irmãos se conhecem

Contudo, Ivan não estava num reservado. Era apenas um lugar perto da janela, separado por biombos, mas mesmo assim quem estava ali sentado não podia ser visto por estranhos. O compartimento ficava na entrada, era o primeiro, e tinha um bufê junto à parede lateral. Por ali passavam a todo instante os garçons em seu corre-corre. Entre os fregueses havia apenas um velhote, militar reformado, que tomava chá em um canto. Já nos compartimentos restantes acontecia a mesma azáfama de sempre em uma taverna, ouviam-se os chamados, o abrir de garrafas de cerveja, a batida das bolas de sinuca, o zunido de um órgão. Aliócha sabia que Ivan quase nunca frequentava aquela taverna e que em geral não era adepto de tavernas; portanto, estava ali precisamente só para se encontrar com o irmão Dmitri conforme o combinado, pensou ele. E entretanto o irmão Dmitri não estava ali.

— Vou mandar trazer sopa de peixe ou alguma outra coisa para ti, pois não se vive só de chá — bradou Ivan, pelo visto sumamente satisfeito por ter atraído Aliócha. Ele mesmo já terminara de almoçar e tomava chá.

— Que venha a sopa, e depois o chá, estou com fome — pronunciou alegremente Aliócha.

— E geleia de cereja? Eles têm aqui. Tu te lembras de como gostavas de geleia de cereja quando eras pequeno?

— E tu te lembras? Então que venha a geleia, até hoje gosto.

Ivan chamou o garçom e mandou trazer sopa de peixe, chá e geleia.

— Eu me lembro de tudo, Aliócha, lembro-me de ti até os onze anos, na época eu estava na casa dos quinze. Quinze e onze, essa é uma diferença tão grande que nessa idade os irmãos nunca são companheiros. Não sei se eu chegava a gostar de ti. Quando fui para Moscou, nos primeiros anos eu sequer me lembrava de ti. Depois, quando tu mesmo foste para Moscou, parece que só nos encontramos uma única vez em algum lugar. Agora repara que já estou há quatro meses aqui e até hoje nós dois não trocamos uma única palavra. Estou de partida amanhã e agora estava aqui sentado e pensando: seria o caso de arranjar um jeito de vê-lo para me despedir dele, e de repente tu me passas ao lado.

— E tu estavas com muita vontade de me ver?

— Muita, quero travar conhecimento contigo de uma vez por todas e fazer-me conhecido por ti. E depois me despedir. Acho que a melhor coisa é a gente se conhecer na iminência da separação. Notei como tu me olhavas durante todos esses três meses, em teus olhos havia uma expectativa constante, e é isso que não suporto, foi por isso que não me cheguei a ti. Mas enfim aprendi a te respeitar: é uma pessoa firme, achei. Repara, embora neste momento eu esteja rindo, estou falando a sério. Porque és uma pessoa firme, sim? É desse tipo de pessoas firmes que eu gosto, não importa que posições ocupem e que sejam garotinhos pequenos como tu. No fim das contas, teu olhar de expectativa já não tinha mais nada de repulsivo; ao contrário, passei finalmente a gostar do teu olhar de expectativa... Parece que por alguma razão tu gostas de mim, Aliócha.

— Gosto, Ivan. O irmão Dmitri diz a teu respeito: Ivan é um túmulo. Eu digo a teu respeito: Ivan é um enigma. Até hoje tu continuas um enigma para mim, mas alguma coisa já compreendi em ti, e só a partir da manhã de hoje!

— E o que foi? — Ivan caiu na risada.

— Não vais ficar zangado? — Aliócha também caiu na risada.

— Então?

— Que tu és um rapaz exatamente igual a todos os outros rapazes de vinte e três anos, um rapaz igual, jovenzinho, um rapazinho magnífico e cheio de frescor, mas, enfim, um rapazinho bisonho! Então, não te ofendi muito?

— Ao contrário, me impressionaste com a coincidência! — bradou Ivan com alegria e ardor. — Acredita, depois do nosso encontro de ainda há pouco em casa dela, foi só sobre isso que fiquei pensando a meu respeito, sobre essa minha bisonhice dos vinte e três anos, e de repente foi como se tu tivesses adivinhado e começaste a falar justamente disso. Eu estava aqui sentado, e vê o que dizia para mim mesmo: se eu não acreditasse na vida, se perdesse a confiança na mulher querida, se perdesse a confiança na ordem das coisas, se me convencesse até de que tudo, ao contrário, é uma desordem, um caos maldito e talvez até demoníaco, mesmo que todos os horrores da frustração humana me atingissem, ainda assim eu teria vontade de viver, e já que trouxe esse cálice aos lábios não o afastaria de mim enquanto não o esvaziasse! Pensando bem, aí por volta dos trinta anos certamente largarei o cálice mesmo sem esvaziá-lo e me afastarei... não sei para onde. Mas até os trinta anos, disso estou firmemente certo, minha mocidade vencerá tudo — qualquer frustração, qualquer aversão à vida. Muitas vezes fiz a mim mesmo esta pergunta: se existirá no mundo um desespero que vença em mim essa sede frenética e talvez indecente de viver, e decidi que tal coisa parece não existir, ou, reiterando, não existe antes dos trinta anos, porque depois eu mesmo já não vou querer, assim me parece. Frequentemente uns moralistas tísicos e ranhosos, principalmente os poetas, chamam de torpe essa sede de viver. Em parte, essa vontade de viver a despeito de qualquer coisa é um traço dos Karamázov, é verdade, e ela também existe infalivelmente em ti, mas por que é torpe? Ainda existe um volume colossal de força centrípeta em nosso planeta, Aliócha. Tenho vontade de viver e vivo, ainda que contrariando a lógica. Vá que eu não acredite na ordem das coisas, mas a mim me são caras as folhinhas pegajosas que desabrocham na primavera, me é caro o céu azul, é caro esse ou aquele homem de quem, não sei se acreditas, às vezes a gente não sabe por que gosta, me é caro um ou outro feito humano no qual a gente talvez tenha até deixado de acreditar há muito tempo e mesmo assim, movido pela lembrança antiga, o respeita de coração. Bem, aí está a sopa de peixe, bom proveito. A sopa é magnífica, é benfeita. Estou querendo ir à Europa, Aliócha, e partirei daqui; mas sei que vou apenas visitar um cemitério, no entanto é o cemitério mais precioso, mais precioso, é isso! Lá jazem os mortos, cada lousa sobre eles fala de uma vida passada com ardor, de uma fé apaixonada em seus feitos, vou cair por terra, beijar aquelas lousas e chorar sobre elas — ao mesmo tempo convencido de todo coração de que há muito tempo aquilo é um cemitério e nada mais. E não vou chorar de desespero, mas pura e simplesmente porque estarei feliz por minhas lágrimas derramadas. Vou deleitar-me com meu próprio enternecimento. Gosto das folhinhas pegajosas da primavera, do céu azul, é isso! Aí não se trata de inteligência, nem de lógica, aí se ama com as entranhas, aí se gosta com o ventre, aí se ama com as primeiras forças da juventude... Estás entendendo alguma coisa em minha confusão, Aliócha, ou não? — Ivan caiu na risada.

— Entendo demais, Ivan: a gente quer gostar com as entranhas e com o ventre, tu o disseste magnificamente e estou muitíssimo feliz por te ver com tanta vontade de viver — exclamou Aliócha. — Acho que todos no mundo devem, antes de tudo, passar a amar a vida.

— Passar a amar mais a vida que o sentido dela?

— Forçosamente é assim, amar antes que venha a lógica, como tu dizes, forçosamente antes que venha a lógica, e só então compreenderei também o sentido. É isso que há muito tempo eu já entrevia. Metade da tua causa está cumprida, Ivan, e conquistada: tu gostas de viver. Agora precisas cuidar da tua segunda metade, e estarás salvo.

— Ora veja, já estás bancando o salvador, só que eu ainda não morri, talvez! Mas em que consiste essa tua segunda metade?

— Em que precisas ressuscitar teus mortos que, talvez, nunca tenham mesmo morrido. Bem, vamos ao chá. Estou contente por estarmos conversando, Ivan.

— Estou vendo que estás um tanto inspirado. Gosto muitíssimo dessas *professions de foi*[31] desses... noviços. És uma pessoa firme, Alieksiêi. É verdade que queres deixar o mosteiro?

— É verdade. Meu *stárietz* está me enviando para o mundo.

— Então ainda nos veremos no mundo, nos encontraremos antes dos trinta anos, quando eu começarei a afastar o cálice. Nosso pai não quer afastar o seu cálice antes dos setenta anos, dos oitenta, até sonha com isso, ele mesmo diz, nele isso é sério demais, ainda que ele seja um palhaço. Fixou-se em sua lascívia como quem se fixa em uma pedra... embora depois dos trinta anos, palavra, talvez não haja a que aferrar-se a não ser a isso... Mas até os setenta é uma torpeza, é melhor fazê-lo antes dos trinta: dá para conservar um "matiz de nobreza",[32] engazopando-se a si mesmo. Não viste Dmitri hoje?

— Não, não vi, mas vi Smierdiakóv. — E Aliócha contou apressadamente e em detalhes ao irmão sobre seu encontro com Smierdiakóv. Súbito Ivan passou a ouvi-lo com um ar muito preocupado, e até pediu que ele repetisse.

— Mas me pediu para não dizer ao irmão Dmitri o que ele falou a seu respeito — acrescentou Aliócha.

Ivan franziu o cenho e ficou pensativo.

— Ficaste de cenho franzido por causa de Smierdiakóv? — perguntou Aliócha.

— Sim, por causa dele. O diabo que o carregue, eu realmente queria ver Dmitri, mas agora não é preciso... — proferiu Ivan a contragosto.

— E tu vais mesmo viajar tão brevemente, irmão?

— Sim.

— E o que vai ser de Dmitri e do nosso pai? Como vai terminar essa coisa entre eles? — pronunciou Aliócha com inquietação.

— Tu sempre entoando a tua ladainha! O que é que eu tenho a ver com isso? Por acaso eu sou vigia do meu irmão Dmitri? — ia cortando Ivan com

[31] "Profissões de fé", em francês. (N. do T.)

[32] Citação imprecisa do poema "Disseram uma vez ao tsar...", de Púchkin: "Aduladores, aduladores! Procurai conservar/ Até na torpeza uma postura digna". (N. da E.)

irritação, mas súbito sorriu com certo amargor. — É a resposta de Caim a Deus pelo irmão morto,[33] hein? Será que estás pensando isto neste momento? Mas, com os diabos, não posso realmente permanecer aqui como vigia deles! Concluí o que tinha que fazer e vou embora. Não estarás pensando que tenho ciúme de Dmitri, que tentei tomar dele aquela beldade durante todos esses três meses? Ora, com os diabos, eu tinha os meus assuntos. Encerrei esses assuntos e vou embora. Encerrei ainda há pouco, foste testemunha.

— Ainda há pouco com Catierina Ivánovna?

— Sim, com ela, e me livrei de uma vez. Qual é o problema? Que tenho a ver com Dmitri? Dmitri está fora disso. Eu tinha apenas questões pessoais com Catierina Ivánovna. Tu mesmo sabes que Dmitri, ao contrário, se comportava como se estivesse em complô comigo. Acontece que não lhe pedi nada, mas ele mesmo me entregou Catierina Ivánovna solenemente e ainda deu sua bênção. Tudo isso parece piada. Não, não, Aliócha, se soubesses como me sinto leve neste momento! Vê, eu estava aqui sentado e almoçando e, não sei se acreditas, quis pedir champanhe para comemorar minha primeira hora de liberdade. Arre, quase meio ano e de repente me livrei de tudo de uma vez, tudo de uma vez. Ainda ontem, poderia eu imaginar que, se quissesse, não me custaria nada acabar com isso?

— Estás falando de teu amor, Ivan?

— Do amor, se quiseres. Sim, eu me apaixonei por uma senhorita, por uma colegial. Torturei-me com ela e ela também me torturou. Estava sob seu domínio... E de uma hora para outra tudo foi pelos ares. Ainda há pouco eu falava com inspiração, mas saí de lá e dei uma gargalhada — podes crer. Não, estou falando literalmente.

— Até neste momento falas disso com alegria — notou Aliócha, observando-lhe o rosto que de fato ficara subitamente alegre.

— Ora, eu lá sabia que não a amava absolutamente? Eh, eh! Pois se verificou que não. Mas como eu gostava dela! Como gostava dela inclusive ainda há pouco, quando discursava. Sabes, neste momento também gosto muitíssimo, mas, por outro lado, como é fácil deixá-la! Achas que estou com fanfarronice?

— Não. Só que isso talvez não tenha sido amor.

— Aliócha — riu Ivan —, não entres em reflexões sobre o amor! Não te fica bem. Ainda há pouco, ainda há pouco tu te saíste com aquela, ai! Até me esqueci de te dar um beijo... Mas ela, como me torturava! Eu estava ver-

[33] Veja-se Gênesis, 4, 8-9. (N. do T.)

dadeiramente à beira da mortificação. Oh, ela sabia que eu a amava! Ela amava a mim e não a Dmitri — insistia Ivan em tom alegre. — Dmitri é apenas uma mortificação. Tudo aquilo que eu disse a ela ainda há pouco é a pura verdade. Só que, isso é o principal, ela talvez precise de uns quinze ou vinte anos para se dar conta de que não amava absolutamente Dmitri mas só a mim, a quem torturava. É, talvez ela nem chegue jamais a se dar conta disso, mesmo apesar da lição de hoje. Isso foi até melhor: levantei-me e saí para sempre. A propósito, como está ela agora? O que aconteceu por lá depois de minha saída?

Aliócha lhe contou sobre o ataque de histeria e que até agora ela parecia estar desmaiada e delirando.

— E Khokhlakova, não estará mentindo?

— Parece que não.

— Precisamos nos informar. Se bem que nunca ninguém morreu de crise de histeria. E vá que tenha histeria, Deus enviou as crises de histeria para as mulheres num ato de amor. Não vou lá em hipótese nenhuma. Para que voltar a me meter?

— Entretanto, ainda há pouco lhe disseste que ela nunca havia te amado.

— Foi de propósito. Aliócha, vou pedir champanhe, bebamos por minha liberdade. Não, se soubesses como eu estou contente!

— Não, meu irmão, melhor é não bebermos — disse Aliócha —, além disso estou um tanto triste.

— Sim, faz tempo que andas triste, há tempos que noto isso.

— Então viajas impreterivelmente amanhã de manhã?

— De manhã? Eu não disse que era de manhã... Aliás, também pode ser de manhã. Sabes, almocei hoje aqui unicamente para não almoçar com o velho, a tal ponto ele me enoja. Há muito tempo eu o teria largado. E tu, por que te preocupas tanto com minha partida? Sabe Deus quanto tempo nós dois ainda temos antes de minha partida. Toda uma eternidade de tempo, a imortalidade!

— Se tu partes amanhã, que imortalidade é essa?

— Mas o que é que isso tem a ver com nós dois? — Ivan caiu na risada — porque, apesar disso, nós dois teremos tempo de falar das nossas coisas, das nossas; por que viemos para cá, hein? Por que me olhas admirado? Responde: para que nos encontramos aqui? Para falar de amor por Catierina Ivánovna, do velho ou de Dmitri? Do estrangeiro? Da situação fatídica da Rússia? Do imperador Napoleão? Para isso, foi para isso que viemos?

— Não, não foi para isso.

— Então sabes para quê. Outros têm outro assunto, mas nós, os bisonhos, precisamos antes de tudo resolver problemas eternos, eis a nossa preocupação. Hoje toda a Rússia jovem só fala de questões eternas. Justo agora todos os jovens se meteram de repente a tratar de questões práticas como os velhos. Tu mesmo, por que passaste três meses me olhando com expectativa? Para me interrogar: "Então, crês ou não crês absolutamente?" — porque nisso se resume o sentido desses três meses de teus olhares dirigidos a mim, Alieksiêi Fiódorovitch, não é isso?

— Talvez até tenha sido isso — sorriu Aliócha. — Agora não estás rindo de mim, não é, meu irmão?

— Eu, rindo? Não quero amargurar meu irmãozinho, que passou três meses me olhando com tamanha expectativa. Aliócha, encara-me: eu também sou um menino pequeno como tu, tal qual, com a única diferença de que não sou noviço. Ora, como é que os meninos russos agem até hoje? Quer dizer, os outros? Vê, por exemplo, esta taverna fedorenta, vê aqueles ali, eles se juntaram, sentaram-se no canto. Antes nunca se haviam conhecido, vão sair da taverna e passar mais quarenta e cinco anos sem saber nada uns dos outros; pois bem, o que vão discutir agora nesta taverna? Questões universais, não outra coisa: Deus existe, existe imortalidade? E os que não acreditam em Deus vão falar de socialismo e de anarquismo, da reconstrução de toda a sociedade humana segundo um novo princípio, e então só o diabo sabe o que sairá daí, sempre as mesmas questões, só que vistas de um outro ângulo. E hoje uma infinidade, uma infinidade dos mais originais rapazinhos russos não fazem outra coisa a não ser falar de questões eternas. Por acaso não é assim?

— Sim, a verdadeira questão russa: Deus existe ou não, existe imortalidade ou não, ou, como tu dizes, são questões colocadas de outro ângulo, é claro, as questões primordiais e prioritárias, e é assim que deve ser — pronunciou Aliócha, olhando para o irmão com o mesmo sorriso sereno e escrutador.

— Vê, Aliócha, ser um russo às vezes não é nada inteligente, mas ainda assim não se pode imaginar nada mais tolo que aquilo de que os rapazolas russos se ocupam atualmente. Mas eu gosto muitíssimo de um rapazinho russo — Alióchka.

— Como tu resumiste magnificamente tudo isso — sorriu de repente Aliócha.

— Bem, diz então por onde começar, ordena tu mesmo: por Deus? Se Deus existe ou não, é isso?

— Começa por onde quiseres, mesmo que seja por "outro ângulo". Porque ontem tu proclamaste em casa de nosso pai que Deus não existe — Aliócha lançou ao irmão um olhar escrutador.

— Ontem, à mesa do almoço com o velho, eu te provoquei de propósito com essa afirmação, e notei como teus olhos chamejaram. Mas agora não tenho nada contra falar de tudo contigo, e digo isso com muita seriedade. Quero fazer amizade contigo, Aliócha, porque não tenho amigos e quero experimentar. Bem, imagina que eu talvez até aceite Deus — Ivan sorriu —, isso é uma surpresa para ti, hein?

— Sim, é claro, contanto que não estejas brincando também agora.

— "Brincando". Ontem disseram na cela do *stárietz* que eu estava brincando. Vê, meu caro, no século XVIII houve um velho pecador que declarou que se Deus não existisse seria preciso inventá-lo: *s'il n'existait pas Dieu il faudrait l'inventer.*[34] E o homem realmente inventou Deus. E o estranho, o surpreendente não seria o fato de Deus realmente existir; o que, porém, surpreende é que essa ideia — a ideia da necessidade de Deus — possa ter subido à cabeça de um animal tão selvagem e perverso como o homem, por ser ela tão santa, tão comovente, tão sábia e tão honrosa ao homem. Quanto a mim, há tempos que decidi não pensar na questão: foi o homem que criou Deus ou Deus que criou o homem? É claro que não vou ficar examinando todos os axiomas que os rapazinhos russos de hoje formulam a esse respeito, todos derivados de hipóteses europeias; pois o que lá é hipótese no rapazinho russo se transforma imediatamente em axioma, e não só nos rapazinhos, mas talvez até em seus professores, porque até hoje os professores russos são, muito amiúde, esses mesmos rapazinhos russos. É por isso que eu omito todas as hipóteses. Qual é o nosso objetivo neste momento? O objetivo é que eu possa te explicar o mais depressa a minha essência, ou seja, que pessoa sou eu, em que acredito e em que alimento esperança, não é? Por isso eu te declaro que aceito Deus com franqueza e simplicidade. Mas eis, entretanto, o que preciso ressaltar: se Deus existe e ele realmente criou a Terra, então, como é de nosso conhecimento absoluto, ele a criou com base na geometria euclidiana, e criou a inteligência humana apenas com o conceito das três dimensões do espaço. Por outro lado, houve e há até hoje geômetras e filósofos, e inclusive dos mais notáveis, que duvidam de que todo o universo ou, em termos mais amplos, todo o ser tenha sido criado unicamente com base na geometria euclidiana; eles se permitem inclusive a fantasia de que duas paralelas, que, segundo Euclides, jamais poderão encontrar-se na ter-

[34] Referência à famosa frase de Voltaire: "Se Deus não existisse, seria preciso inventá-lo". (N. do T.)

ra, talvez venham a encontrar-se em algum lugar do infinito. Eu, meu caro, resolvi que se nem isso consigo compreender, então quem sou eu para entender o que toca a Deus? Reconheço humildemente que não tenho nenhuma capacidade de resolver tais problemas, minha inteligência é euclidiana, terrena, portanto, como iríamos resolver aquilo que não é deste mundo? Aliás, eu também te aconselho a nunca pensar nisso, amigo Aliócha, e menos ainda a respeito de Deus: Ele existe ou não? Todas essas questões são absolutamente impróprias para uma inteligência criada apenas com a noção das três dimensões. Portanto, aceito Deus, e não só de bom grado como, além disso, aceito também sua sabedoria e seus fins, que nos são totalmente desconhecidos, acredito na ordem, no sentido da vida, acredito na harmonia eterna na qual nós todos nos fundiríamos, creio no Verbo ao qual aspira o universo, que também "está em Deus" e é o próprio Deus, etc., etc. e assim sucessivamente no sentido do infinito. A esse respeito muito já se escreveu. Parece que estou no bom caminho, não? Pois bem, imagina que o resultado definitivo disso é que eu não aceito esse mundo de Deus e, mesmo sabendo que ele existe, não o admito absolutamente. Não é Deus que não aceito, entende isso, é o mundo criado por ele, o mundo de Deus que não aceito e não posso concordar em aceitar. Faço uma ressalva: estou convencido, como uma criança, de que os sofrimentos hão de cicatrizar e desaparecer, de que toda a injuriosa comédia das contradições humanas desaparecerá como uma miragem deplorável, como uma invencionice torpe de uma inteligência humana euclidiana fraca e pequena como o átomo, de que, enfim, na consumação do mundo, no momento da eterna harmonia, acontecerá e aparecerá algo tão precioso que bastará a todos os corações, para suavizar todas as indignações, para redimir todas as perversidades dos homens, todo o sangue por eles derramado, chegará para que seja possível não só perdoar como também compensará tudo o que aconteceu com os homens — oxalá, oxalá tudo isso aconteça e se revele, mas eu não o aceito nem quero aceitar! Oxalá até as paralelas se encontrem e eu mesmo o veja: verei e direi que se encontraram, mas ainda assim não aceitarei. Eis a minha essência, Aliócha, eis a minha tese. Isto eu já te expus com seriedade. Comecei de propósito esta nossa conversa de um modo que não pode haver mais tolo, mas a conduzi até chegar à minha confissão, porque é disso que precisas. Não era de Deus que tu precisavas; precisavas apenas saber como vive este irmão que amas. E eu o declarei.

Ivan concluiu sua longa tirada com um sentimento particular e inesperado.

— E por que principiaste dizendo que "não se pode começar nada de modo mais tolo"? — perguntou Aliócha, fitando-o com ar pensativo.

— Bem, em primeiro lugar, ao menos por uma questão de russismo: a condução de todas as conversas russas sobre esses temas não poderia ser mais tola. Em segundo, mais uma vez, quanto mais tola mais direta. Quanto mais tola, mais clara. A tolice é curta e ingênua, já a inteligência tergiversa e se esconde. A inteligência é canalha, mas a tolice é franca e honesta. Levei a questão até a beira do meu desespero, e quanto mais tola tenha sido sua condução mais proveitoso terá sido para mim.

— Explica-me, por que "não aceitas o mundo"? — pronunciou Aliócha.

— Ora, é claro que vou te explicar, não é segredo, e foi neste sentido que conduzi tudo. Meu irmãozinho, não é a ti que quero perverter e desviar de teus alicerces, é possível que eu tenha querido me curar com tua pessoa — Ivan deu um súbito sorriso, tal qual um menininho dócil. Nunca Aliócha vira nele um sorriso igual.

IV. A REVOLTA

— Devo te fazer uma confissão — começou Ivan —, nunca consegui entender como se pode amar o próximo. A meu ver, é justamente o próximo que não se pode amar, só os distantes é possível amar. Certa vez li em algum lugar a respeito de "Julião Hospitaleiro"[35] (um santo); certa vez um andante faminto e gelado entrou em sua casa e lhe pediu que o aquecesse; Julião se deitou com ele na cama, o abraçou e começou a lhe soprar seu hálito na boca purulenta e fétida, resultado de uma doença terrível. Estou convencido de que ele fez isso num assomo de falsidade, levado por um amor ditado pelo dever, movido pela *epitimia*[36] que ele chamara a si. Para amar uma pessoa é preciso que esta esteja escondida, porque mal ela mostra o rosto o amor acaba.

— O *stárietz* Zossima falou a esse respeito mais de uma vez — observou Aliócha —, e também disse que, frequentemente, o semblante de uma pessoa impede que muitas pessoas ainda inexperientes no amor consigam

[35] Trata-se do conto "A legenda de São Julião hospitaleiro" (1877), de Gustave Flaubert. (N. do T.)

[36] Em grego ἐπιθυμία. Segundo os organizadores das notas a edição russa de *Os irmãos Karamázov*, *epitimia* significa castigo espiritual ou punição imposta pela Igreja. Opinião idêntica encontramos no *Dicionário da língua russa* de Vladímir Dall. Já o *Dicionário enciclopédico soviético*, edição de 1983, confirma esse significado, mas o aplica ao termo grego *epitimion*. (N. do T.)

amar. Só que também existe muito amor na humanidade, e quase semelhante ao amor de Cristo, e eu mesmo sei disso, Ivan...

— Bem, por enquanto eu ainda não conheço nem consigo compreender isso, e assim como eu uma infinidade de pessoas. A questão é saber se isso se deve às más qualidades das pessoas ou porque essa é a sua natureza. A meu ver, o amor de Cristo pelos homens é, em seu gênero, um milagre impossível na Terra. É verdade que ele foi um Deus. Mas nós não somos deuses. Suponhamos, por exemplo, que eu possa sofrer profundamente, mas outro nunca poderá saber até que ponto eu sofro porque ele é outro e não eu; além disso, raramente o homem aceita reconhecer o outro como sofredor (como se isso fosse um título). Por que não aceita, o que tu achas? Porque, por exemplo, eu cheiro mal, tenho cara de tolo, porque uma vez lhe pisei o pé. Além disso, há sofrimentos e sofrimentos: meu benfeitor ainda admite em mim um sofrimento humilhante que me humilha, a fome, por exemplo, mas se for um sofrimento um pouquinho mais elevado, em nome de uma ideia, por exemplo, esse não, esse ele só admite em casos raros, porque olha para mim e de repente percebe que eu não tenho aquela cara que, segundo sua fantasia, deveria ter o homem que sofre, por exemplo, em nome dessa ideia. E então ele me priva de seus favores, e isso sem nenhuma crueldade. Os pedintes, sobretudo os pedintes nobres, nunca deveriam aparecer, deveriam, sim, pedir esmola pelos jornais. Ainda se pode amar o próximo de forma abstrata e às vezes até de longe, mas de perto quase nunca. Se tudo acontecesse como no palco, num balé, onde os pedintes, quando aparecem, estão vestidos em andrajos de seda e rendas rasgadas e pedem esmola dançando graciosamente, bem, neste caso ainda se poderia admirá-los. Admirá-los, mas, não obstante, sem amá-los. Todavia, chega desse assunto. Eu queria apenas te colocar em meu lugar. Eu queria falar do sofrimento humano em geral, porém é melhor que a gente se detenha nos sofrimentos só das crianças. Isso reduz em umas dez vezes a abrangência de minha argumentação, mas é melhor que falemos apenas das crianças. Isso não me favorece, é claro. Todavia, em primeiro lugar, podem-se amar as crianças até de perto, até as crianças sujas, inclusive as feias de rosto (entretanto, parece-me que as crianças nunca são feias de rosto). Em segundo, ainda não vou falar dos adultos porque, além disso, eles são repugnantes e não merecem amor, neles só há vingança: comeram a maçã, conheceram o bem e o mal e se tornaram "algo como deuses". Até hoje eles continuam a comê-la. Mas as criancinhas não comeram nada e por enquanto ainda não têm culpa de nada. Tu gostas das criancinhas, Aliócha? Sei que gostas e irás compreender por que agora só quero falar delas. Se elas também sofrem terrivelmente na Terra, é claro que é por seus pais, elas foram castigadas no lugar de seus pais, que comeram a maçã — mas esse é um raciocínio de outro mundo, incompreensível ao coração do homem aqui na Terra. Um inocente não pode sofrer por outro, e ainda mais um inocente como esse! Podes te admirar de mim, Aliócha, eu também gosto muitíssimo de criancinhas. E repara que pessoas cruéis, apaixonadas, lascivas, karamazovianas, às vezes gostam muito de crianças. As crianças, enquanto são crianças, até os sete anos, por exemplo, estão muito distantes das pessoas: é como se fossem seres totalmente distintos e dotados de outra natureza. Conheci um bandido numa prisão: em sua carreira aconteceu-lhe de exterminar famílias inteiras em suas casas, aonde ele penetrava durante as noites para roubar, para degolar de uma vez várias pessoas e crianças. Na prisão, porém, ele gostava delas de um modo que chegava a ser até estranho. Não fazia senão contemplar da janela as crianças que brincavam no pátio da cadeia. Habituou um garotinho a vir à sua janela, e este ficou muito amigo dele... Tu não sabes para que estou falando nisso, Aliócha? A cabeça me dói um tanto e estou triste.

— Estás falando de um jeito estranho — observou Aliócha com inquietação —, como se estivesses meio louco.

— A propósito, um búlgaro me contou recentemente em Moscou — continuou Ivan Fiódorovitch como se não tivesse ouvido o irmão — como os turcos e tcherquesses cometem atrocidades em todas as partes da Bulgária, por temerem uma rebelião geral dos eslavos[37] — ou seja, queimam, degolam, violentam mulheres e crianças, pregam as orelhas dos prisioneiros a uma cerca com pregos, os deixam assim até o dia amanhecer e de manhã os enforcam —, etc., é até impossível imaginar tudo. De fato, às vezes se fala da crueldade "bestial" do homem, mas isso é terrivelmente injusto e ofensivo para com os animais: a fera nunca pode ser tão cruel como o homem,[38] tão artisticamente, tão esteticamente cruel. O tigre simplesmente trinca, dilacera, e é só o que sabe fazer. Não lhe passaria pela cabeça pregar as orelhas das pessoas com pregos por uma noite, mesmo que pudesse fazê-lo. Esses turcos, a propósito, supliciam com lascívia até as crianças, começando por

[37] Entre 1875 e 1876, o movimento de libertação nacional da Bulgária ganhou enormes proporções e suscitou uma repressão sem precedentes dos turcos contra a população local. Dostoiévski escreveu reiteradamente sobre o tema em seu *Diário de um escritor*. (N. da E.)

[38] Veja-se o que Herzen escreve na revista *Kólokol*, nº 68-69, de 1860, a respeito das atrocidades cometidas pelos latifundiários russos: "Que animais, que feras são essas que vivem por esses fins de mundo... Aliás, por que ofender as feras? Feras assim não existem, só encontramos esse tipo de feras nos latifundiários russos". (N. da E.)

arrancá-las a punhal do ventre da mãe e terminando por lançar ao ar crianças de colo e apará-las na ponta da baioneta à vista das mães. O prazer principal é fazer isso à vista das mães. Mas vê, entretanto, um quadro que me interessou intensamente. Imagina: um bebê nos braços da mãe trêmula, rodeada de turcos que acabam de chegar. Eles tramam uma coisinha divertida: acariciam o bebê, riem para fazê-lo rir, e conseguem, o bebê desata a rir. Nesse instante o turco aponta a pistola para o rosto dele a uns vinte centímetros de distância. O menino dá risadinhas de alegria, estira as mãozinhas para agarrar a pistola e, de repente, o artista aperta o gatilho diretamente contra o rosto e lhe esmigalha a cabecinha... É arte, não é verdade? A propósito, dizem que os turcos gostam muito de doce.

— Irmão, onde estás querendo chegar? — perguntou Aliócha.

— Acho que se o diabo não existe e, portanto, o homem o criou, então o criou à sua imagem e semelhança.

— Neste caso, exatamente como Deus.

— É surpreendente a tua capacidade de torcer as palavras, como diz Polônio em *Hamlet* — Ivan deu uma risada. — Tu me pegaste na palavra, vá lá, vá lá, mas estou contente. Bom Deus esse teu se o homem o criou à sua imagem e semelhança.[39] Acabaste de perguntar por que estou falando tudo isso: como vês, sou um aficionado e colecionador de alguns fatozinhos e, acredita, eu os anoto e coleciono de jornais e histórias onde quer que apareçam, são uma espécie de anedotas, e já tenho uma boa coleção. Os turcos, é claro, entraram para a coleção, mas essa é só de estrangeiros. Eu também tenho umas coisinhas nossas e até melhores que as dos turcos. Sabes, aqui na Rússia há mais espancamentos, mais varas e chicotes, e isso é nacional:[40] entre nós pregar orelhas com prego é inconcebível, seja como for somos europeus, mas as varas, os açoites — isso já é algo nosso e não nos pode ser tirado. Atualmente é como se não se espancasse ninguém no estrangeiro, não sei se eles purificaram os costumes ou arranjaram algumas leis, pelas quais o homem já não se atreveria a açoitar o homem; por outro lado, porém, eles se autocompensaram com outra coisa, e também puramente nacional, como aqui na Rússia, e tão nacional que até seria inviável em nosso

[39] Veja-se o que escreve Herzen na mesma *Kólokol*, nº 50, de 1859, a propósito da história da latifundiária Vlássova, que durante três dias espancou uma velha, após o que esta se enforcou: "Bom esse vosso Deus, se ele instituiu o regime da servidão com torturas, assassinatos e impunidade". (N. da E.)

[40] Ucasses da imperatriz Elisavieta Pietróvna, promulgados em 1753 e 1754, aboliam a pena de morte, mas, na prática, ela continuou vigorando sob a forma de chicotadas, chibatadas e métodos afins. (N. do T.)

país, embora, pensando bem, pareça que vem sendo implantada também entre nós, particularmente depois do movimento religioso em nossa alta sociedade.[41] Eu tenho uma brochura encantadora, traduzida do francês, na qual se narra que, em Genebra, bem recentemente, há apenas uns cinco anos, executaram um malfeitor e assassino de nome Richard, um rapaz de vinte e três anos, parece, que se arrependeu e aderiu à fé cristã bem antes de ser levado ao patíbulo. Esse Richard era filho bastardo não sei de quem, e ainda criancinha de uns seis anos foi *dado de presente* pelos pais a uns pastores das montanhas suíças, e estes o criaram para usá-lo no trabalho. Cresceu entre eles como um bichinho selvagem, os pastores não lhe ensinaram nada, ao contrário, aos sete anos já foi mandado pastorear o rebanho na umidade e no frio, quase sem agasalho e quase sem comida. E, é claro, nenhum deles hesitou ou se arrependeu desse procedimento; ao contrário, achavam-se em seu pleno direito, pois Richard lhes havia sido presenteado como coisa e eles nem acharam necessário alimentá-lo. O próprio Richard testemunha que, naqueles anos, como o filho pródigo do Evangelho, sentia uma tremenda vontade de comer ao menos daquela mistura que davam aos porcos na engorda para serem vendidos, mas não lhe davam nem isso e ainda o espancavam quando ele roubava dos porcos; assim ele passou toda a infância e toda a adolescência até crescer e, já forte, sair pessoalmente para roubar. O selvagem começou a conseguir dinheiro trabalhando como diarista em Genebra, bebendo o que ganhava, vivendo como um monstro, e terminou por matar e roubar um velho. Prenderam-no, julgaram-no e o condenaram à morte. Lá não há sentimentalismo. E eis que na prisão ele é imediatamente assediado por pastores e membros de diferentes irmandades de Cristo, por senhoras filantrópicas, etc. Na cadeia o ensinam a ler e escrever, lhe explicam o Evangelho, lhe dão consciência, o persuadem, fustigam, apoquentam, pressionam, e eis que ele mesmo acaba reconhecendo solenemente seu crime. Ele apela, ele mesmo escreve ao tribunal dizendo que é um monstro e que finalmente esse foi digno de que o Senhor o iluminasse e lhe enviasse a bem-aventurança. O alvoroço toma conta de Genebra, de toda a Genebra filantrópica e piedosa. Tudo o que há de superior e bem-educado se precipita para ele na prisão; Richard é beijado, abraçado: "Tu és nosso irmão, a bem-aventurança desceu sobre ti!". Enquanto isso, o próprio Richard apenas chora de enternecimento: "Sim, a bem-aventurança desceu sobre mim! Antes, passei toda a minha infância e minha adolescência contente com a comida dos por-

[41] Esse "movimento" realmente ocorreu nos anos 70 do século XIX, e foi marcado por uma série de conferências sobre religião que atraíam grande público. (N. da E.)

cos, mas agora desceu sobre mim a bem-aventurança e eu morro na companhia do Senhor!" — "Sim, sim, Richard, morre na companhia do Senhor, derramaste sangue e deves morrer na companhia do Senhor. Vá que sejas inocente, que desconhecesses inteiramente o senhor quando invejaste a comida dos porcos e quando te espancaram porque roubaste comida deles (no que fizeste muito mal, porque roubar é proibido), mas derramaste sangue e deves morrer". E eis que chega o último dia. Enfraquecido, Richard chora e não faz senão repetir a cada instante: "Este é o melhor dos meus dias, vou para o Senhor!" — "Sim — gritam os pastores, os juízes e as senhoras filantrópicas —, este é o teu dia mais feliz porque tu vais para o Senhor!". Todos se movimentam em direção ao patíbulo, uns de carruagem, outros a pé, acompanhando a vergonhosa carruagem em que Richard é conduzido. Eis que chegam ao patíbulo: "Morre, irmão nosso — gritam para Richard —, morre com o Senhor, pois sobre ti desceu a bem-aventurança!". E o irmão Richard, coberto de beijos dos irmãos, é arrastado ao patíbulo, colocado na guilhotina e decapitado fraternalmente porque sobre ele desceu a bem-aventurança. Não, isso é peculiar. Essa brochurazinha foi traduzida para o russo por uns filantropos luteranófilos da alta sociedade e distribuída gratuitamente para ilustrar o povo russo em jornais e outras edições. Essa coisa que aconteceu com Richard é boa por ser nacional. Em nosso país é um absurdo decapitar um irmão apenas porque se tornou nosso irmão e porque sobre ele desceu a bem-aventurança, mas, repito, nós também temos esse tipo de coisa, que quase não é pior. Nós temos o nosso prazer histórico, natural e imediato com a tortura do espancamento. Niekrássov tem um poema em que um mujique açoita com um chicote os "dóceis olhos" de um cavalo. Isso é corriqueiro, é o russismo. O poeta descreve como um cavalinho fraco, que recebeu uma carga excessiva, atolou com ela e não consegue arrancá-la do atoleiro. O mujique bate nele, bate com fúria, bate, por fim, sem entender o que faz, na embriaguez de bater açoita-o de forma dolorosa um sem-número de vezes: "Mesmo que estejas sem forças, arrasta, morre, mas arrasta!". O rocim tenta arrancar, e eis que ele começa a açoitar o indefeso, e açoitar seus "dóceis olhos" chorosos. Fora de si, o cavalo dá um arranco, desatola-se e sai todo trêmulo, sem respirar, meio de lado, meio saltitando, de um jeito um tanto antinatural e vergonhoso — no poema de Niekrássov isso é um horror. Todavia se trata apenas de um cavalo, e os cavalos foram dados pelo próprio Deus para serem açoitados. Assim os tártaros nos ensinaram e nos presentearam o chicote como lembrança. Mas se pode açoitar gente também. E eis que um senhor instruído, intelectual, e sua senhora açoitam a própria filhinha, uma criancinha de sete anos, a vara — isso eu tenho anotado em detalhes.[42] O paizinho está contente porque a vara tem farpas e "fica mais pungente", diz ele, e começa a "pungir" a própria filha. Sei ao certo da existência de açoitadores que se exaltam até a volúpia a cada golpe que dão, precisamente até a volúpia, e se exaltam cada vez mais e mais, num crescendo, a cada novo golpe. Açoitam por um minuto, enfim açoitam por cinco minutos, dez, e continuam, com frequência cada vez maior, e de modo cada vez mais pungente. A criança grita, a criança finalmente não pode gritar, está asfixiada: "Papai, papai, papaizinho, papaizinho!". Por algum acaso diabólico e indecente a questão chega à justiça. Contrata-se advogado. Há muito tempo o povo russo chama advogado de "*ablakat* — consciência alugada". O advogado se esgoela na defesa de seu cliente. "Uma questão, diz, tão simples, familiar e comum, um pai que açoitou a filha, e eis que para a vergonha de nossos dias o caso chega ao tribunal!" Persuadidos, os jurados se ausentam e proferem a sentença de absolvição. O público dá bramidos de felicidade porque absolveram o carrasco. Sim senhor, se eu estivesse lá teria proposto homenagear o carrasco instituindo uma bolsa de estudos com seu nome!... São cenas fascinantes. Mas eu tenho histórias ainda melhores sobre crianças, reuni muita, muita coisa sobre as crianças russas, Aliócha. O pai e a mãe de uma menininha de cinco anos, "pessoas honradíssimas, funcionários públicos, "instruídos e educados", tomaram-se de ódio por ela. Vê, torno a afirmar positivamente que existe uma peculiaridade em muitas criaturas da espécie humana — é o amor à tortura de crianças, e só de crianças. Esses mesmos supliciadores, como europeus instruídos e humanos que são, tratam todos os outros sujeitos da espécie humana até com benevolência e docilidade, mas adoram torturar crianças, até gostam de crianças neste sentido. Neste caso, é precisamente o lado indefeso dessas criaturas que seduz os torturadores, e a credulidade angelical da criança, que não tem onde se meter nem a quem recorrer, é o que inflama o sangue abjeto do torturador. Em todo homem, é claro, esconde-se uma fera, a fera da cólera, a fera da excitabilidade lasciva com os gritos da vítima supliciada, a fera que

[42] As atrocidades cometidas contra crianças por russos e estrangeiros radicados na Rússia, narradas por Ivan, são baseadas em fatos reais, sendo um deles o processo movido contra S. L. Kronenberg, amplamente analisado por Dostoiévski em seu *Diário de um escritor*, em 1876. Outra fonte foi o processo movido em 1879 contra o casal estrangeiro Eugeni e Aleksandra Brunst. Esta foi oficialmente acusada de torturar a filhinha Emília, de cinco anos, de todas as maneiras: com fome forçada, murros, chicotadas, açoites com a fivela do cinturão, pernoites em quarto escuro sobre um caixote imundo sem nenhum forro, esfregação de fezes no rosto, etc. Dostoiévski escreveu várias vezes sobre essas atrocidades. (N. do T.)

desconhece freios, desacorrentada, a fera das doenças, da podagra e dos fígados adoecidos na devassidão. Esses pais instruídos sujeitaram a pobre menininha de cinco anos a toda sorte de suplícios. Espancaram, açoitaram, chutaram sem que eles mesmos soubessem por quê, transformaram todo seu corpo em equimoses; por fim, chegaram até ao requinte supremo: trancaram-na uma noite inteira de frio e gelo em uma latrina só porque, durante a noite, ela não pediu para fazer suas necessidades (como se uma criança de cinco anos, em seu pesado sono de anjo, já fosse capaz de pedir para fazer suas necessidades); por isso lhe lambuzaram todo o rosto com suas fezes e a obrigaram a comê-las, a mãe fez isso, a mãe a obrigou! E essa mãe conseguiu dormir, enquanto se ouviam durante a noite os gemidos da pobre criancinha trancada naquele lugar sórdido! Compreendes quando um pequeno ser, que ainda não tem condição sequer de entender o que se faz com ele, trancado naquele lugar sórdido, no escuro e no frio, bate com seus punhozinhos minúsculos no peitinho martirizado e chora suas lágrimas de sangue, complacentes e dóceis, pedindo ao "Deusinho" que o proteja ali — tu entendes esse absurdo, meu amigo e irmão, meu dócil noviço de Deus, entendes para que serve esse absurdo e para que foi criado? Sem ele, dizem, o homem nem conseguiria viver na Terra, pois não teria conhecido o bem e o mal. Para que conhecer esse bem e esse mal dos diabos a um preço tão alto? Sim, porque neste caso o mundo inteiro do conhecimento não valeria essas lágrimas de uma criancinha dirigidas ao seu "Deusinho". Não falo dos sofrimentos dos adultos, estes comeram a maçã e o diabo que os carregue, e carregue a todos, mas elas, as crianças! Estou te fazendo sofrer, Aliócha, pareces desvairado. Se quiseres, eu paro.

— Nada disso, também quero sofrer — murmurou Aliócha.

— Vê mais um quadrinho, um só, e mesmo assim a título de curiosidade; ele é muito peculiar, e o principal é que acabei de ler a respeito em um de nossos manuais de antiguidades, não sei se no *Arquivo*, no *Antiguidade*,[43] preciso conferir, esqueci-me até de onde li. Isso aconteceu nos tempos mais sombrios do regime de servidão, ainda no início do século, e viva o libertador do povo![44] Naquela época, no início do século, havia um general, relacionado a círculos muito importantes, um latifundiário riquíssimo, mas daqueles (é verdade que já pareciam raros mesmo naquela época) que, quando

[43] Trata-se das revistas *Rússkii Arkhiv* (Arquivo Russo) e *Rússkaia Atariná* (Antiguidade Russa). (N. do T.)

[44] Referência a Alexandre II, que recebeu oficialmente o nome de "libertador" após a abolição do estatuto servil em 1861. (N. da E.)

deixavam o serviço e se recolhiam à paz do lar, estavam quase, quase convictos de que haviam merecido o direito sobre a vida e a morte de seus súditos. Naquela época havia gente assim. Pois bem, vive o general em sua fazenda de duas mil almas,[45] cheio de arrogância, tratando por cima dos ombros seus vizinhos, pequenos proprietários, como seus parasitas e palhaços. Tem um canil com centenas de cães e quase uma centena de seus cuidadores todos uniformizados, todos a cavalo. E eis que um menino servo, um garotinho de apenas oito anos, ao brincar, atira uma pedra e fere a pata do galgo predileto do general. "Por que meu cão predileto está mancando?" É informado de que esse menino teria jogado uma pedra no cão, ferindo-lhe a pata. "Ah, então foste tu — o general o mede com o olhar —, peguem-no!" Pegam o menino, tomam-no da mãe, ele passa a noite inteira num calabouço; de manhã, mal o dia amanhece, o general se paramenta todo para a caça, monta em seu cavalo, rodeado de parasitas, cães e seus guardadores, monteiros, todos a cavalo. Ao redor reúnem-se a criadagem para assistir à lição e, à frente de todos, a mãe do menino culpado. Retiram o menino do calabouço. É um nublado, frio e brumoso dia de outono, excelente para a caça. O general manda despir o menino, despem o menininho e o deixam em pelo, ele treme, está enlouquecido de pavor, não se atreve a dar um pio... "Botem-no para correr!" — comanda o general. "Corre, corre!" — gritam-lhe os cuidadores de cães, o menino corre... "Peguem-no!" — gane o general e lança contra ele toda a matilha de cães velozes. Ele açula os cães à vista da mãe, e os cães estraçalham a criança!... Parece que puseram o general sob tutela. Então... o que fazer com ele? Fuzilar? Fuzilar para a satisfação de um sentimento moral? Diz, Aliócha!

— Fuzilar! — proferiu Aliócha baixinho, levantando os olhos para o irmão com um sorriso contraído.

— Bravo! — ganiu Ivan tomado de certo êxtase. — Já que tu o disseste, então... Ai, seu monge asceta! Vê só que demoniozinho tu tens no coração, Aliócha Karamázov.

— Eu disse um absurdo, porém...

— O problema é que existe esse porém... — bradou Ivan. — Saibas tu, noviço, que os absurdos são necessários demais na Terra. É sobre os absurdos que se funda o mundo, e neste talvez não acontecesse absolutamente nada sem eles. Nós sabemos o que sabemos!

— O que tu sabes?

— Eu não entendo nada — continuou Ivan como quem delira. — E tam-

[45] Assim eram chamados os servos camponeses. (N. do T.)

bém não quero entender nada agora, quero ficar com os fatos. Há muito tempo resolvi não entender. Se eu quiser entender alguma coisa, então trairei imediatamente o fato, e eu resolvi ficar com os fatos...

— Por que me testas? — exclamou Aliócha com amargura e ansiedade. — Vais finalmente me dizer?

— É claro que vou dizer, conduzi a conversa para dizê-lo. Tenho muito apreço por ti, não quero e não vou te ceder ao teu Zossima.

Ivan calou por cerca de um minuto, seu rosto ganhou uma expressão subitamente triste.

— Ouve-me: peguei só as criancinhas como tema para dar mais evidência ao assunto. Sobre as outras lágrimas humanas, de que toda a terra está embebida da crosta ao centro, não vou dizer uma palavra, restringi de propósito o meu tema. Sou um percevejo e confesso com toda a humildade que não consigo entender absolutamente para que tudo foi organizado dessa maneira. Quer dizer que a culpa é dos próprios homens: eles ganharam o paraíso, quiseram a liberdade e raptaram o fogo dos céus, sabendo eles mesmos que se tornariam infelizes, logo, nada de compaixão por eles. Oh, por minha mísera inteligência terrestre e euclidiana, sei apenas que o sofrimento existe, que não há culpados, que todas as coisas decorrem umas das outras de forma direta e simples, que tudo transcorre e se nivela — ora, isso é apenas uma asneira euclidiana, e eu mesmo sei disso, e não posso concordar com viver segundo essa asneira! Pouco se me dá se não há culpados e eu sei disso; preciso do castigo, senão vou acabar me destruindo. E não do castigo num ponto qualquer e num dia qualquer da eternidade, mas aqui e agora, na Terra, e que eu mesmo possa presenciá-lo. Eu acreditava nisso, eu mesmo quero presenciar, e se na hora em que acontecer eu já estiver morto, então que me ressuscitem, porque se tudo acontecer sem mim será por demais lamentável. Eu não sofri para estrumar com meu ser, meus crimes e minhas lágrimas a futura harmonia de não sei quem. Quero ver com meus próprios[46] olhos o gamo deitar-se ao lado do leão e o degolado levantar-se e abraçar seu assassino. Quero estar presente quando todos subitamente souberem para que tudo isso aconteceu. Sobre essa vontade fundam-se todas as religiões na Terra, e eu creio. Mas vê, entretanto, as criancinhas, o que farei então com elas? Essa é a questão que eu não posso resolver. Repito pela centésima vez — as questões são inúmeras, mas peguei apenas as criancinhas, porque assim fica irrefutavelmente claro o que preciso dizer. Ouve: se todos devem sofrer para com seu sofrimento comprar a harmonia eterna, o que as crian-

[46] Veja-se Isaías, 11, 6. (N. da E.)

ças têm a ver com isso,[47] podes fazer o favor de me dizer? É absolutamente incompreensível por que elas também teriam de sofrer e por que comprar essa harmonia com seus sofrimentos? Por que também serviram de material e estrumaram com sua própria vida a futura harmonia para não sei quem? A solidariedade entre os homens no pecado eu compreendo, compreendo a solidariedade também no castigo, mas não essa solidariedade com as criancinhas no pecado, e se a verdade está realmente em que elas são solidárias com os pais em todos os crimes dos pais, então, é claro, essa verdade não é deste mundo e eu não a compreendo. Algum brincalhão dirá, talvez, que, seja como for, a criança há de crescer e ter tempo de pecar, mas acontece que não cresceu e foi estraçalhada por cães aos oito anos de idade. Oh, Aliócha, não estou blasfemando! Compreendo, porém, qual deverá ser o abalo do universo quando tudo sob os céus e sobre a Terra desaguar numa só voz de encômio e tudo o que vive e já viveu exclamar: "Tens razão, Senhor, pois teus caminhos se revelaram!".[48] Quando a mãe se abraçar ao carrasco que estraçalhou seu filho com os cães e todos os três anunciarem entre lágrimas: "Tens razão, Senhor", então aí, é claro, será o coroamento do saber e tudo se esclarecerá. Mas é aí que entra a vírgula, é isso que não posso mesmo aceitar. E enquanto eu estiver aqui pela Terra me apressarei a tomar minhas medidas. Vê, pois, Aliócha, é possível, e realmente vai acontecer que, quando eu mesmo chegar a esse momento ou ressuscitar para vê-lo, talvez até exclame com todos, olhando para a mãe abraçada ao carrasco de seu filhinho: "Tens razão, Senhor!", só que nesse momento não vou querer exclamar isso. Enquanto houver tempo eu me apressarei a me proteger, porque recuso a harmonia eterna. Ela não vale uma lágrima minúscula nem mesmo daquela criança supliciada, que batia com seus punhozinhos no peito e rezava ao seu "Deusinho" naquela casinha fétida e banhada em suas minúsculas lágrimas não redimidas! Não vale porque suas lagrimazinhas não foram redimidas. Elas devem ser redimidas, senão a harmonia também será impossível. Mas com que, com que irás redimi-las? Por acaso isso é possível? Será que serão vingadas? Mas para que preciso vingá-las, para que preciso de inferno para os carrascos, o que o inferno pode corrigir quando aquelas crianças já foram supliciadas? E de que harmonia se pode falar se existe o inferno: quero perdoar e quero abraçar, não quero que sofram mais. E se os sofrimentos das crianças vierem a completar aquela soma de sofrimentos que é necessária

[47] Ver Pascal, *Pensamentos*, sobretudo a parte referente à religião cristã. (N. da E.)

[48] Livre combinação de diversos versículos do Apocalipse. (N. da E.)

para comprar a verdade, afirmo de antemão que toda a verdade não vale esse preço. Por fim, não quero que a mãe abrace o carrasco de seu filho estraçalhado pelos cães! Ela não se atreverá a perdoá-lo! Se quiser, que perdoe por si, que seu desmedido sofrimento materno perdoe o carrasco; mas ela não tem o direito de perdoar o sofrimento de seu filho estraçalhado, não se atreverá a perdoar o carrasco ainda que a própria criança o tenha perdoado por isso! E se é assim, se eles não se atrevem a perdoar, então onde está a harmonia? Existirá em todo o mundo um ser que possa ou tenha o direito de perdoar? Não quero a harmonia, por amor à humanidade não a quero. Quero antes ficar com os sofrimentos não vingados. O melhor mesmo é que eu fique com meu sofrimento não vingado e minha indignação não saciada, *ainda que eu não esteja com a razão*. Ademais, estabeleceram um preço muito alto para a harmonia, não estamos absolutamente em condições de pagar tanto para entrar nela. É por isso que me apresso a devolver meu bilhete de entrada. E se sou um homem honrado, sou obrigado a devolvê-lo o quanto antes. E é o que estou fazendo. Não é Deus que não aceito, Aliócha, estou apenas lhe devolvendo o bilhete da forma mais respeitosa.[49]

— Isso é revolta — proferiu Aliócha baixinho e olhando para o chão.

— Revolta? Eu não gostaria de ouvir essa palavra de tua parte — disse sinceramente Ivan. — Pode-se, talvez, viver com revolta, mas eu quero é viver. Dize-me francamente, eu te conclamo, responde: imagina que tu mesmo eriges o edifício do destino humano com o fim de, concluída a obra, fazer as pessoas felizes e finalmente lhes dar paz e tranquilidade, mas para isto é necessário e inevitável supliciar uma única e minúscula criaturinha — aquela mesma criancinha que bateu com o punhozinho no peito — e sobre suas lágrimas não vingadas fundar esse edifício; tu aceitarias ser o arquiteto em tais condições? responde e não mintas!

— Não, não aceitaria — proferiu Aliócha em voz baixa.

— E podes admitir a ideia de que as pessoas para quem o constróis concordem elas mesmas com aceitar sua felicidade erigida sobre o sangue injustificado de uma criança supliciada e, aceitando-o, permaneçam felizes para todo o sempre?

— Não, não posso admiti-lo. Meu irmão — pronunciou Aliócha com os olhos subitamente cintilantes —, tu acabaste de perguntar: existirá em todo o mundo um ser que possa e tenha o direito de perdoar? Ora, esse ser existe, e pode perdoar tudo, todos e tudo *e por tudo*, porque ele mesmo deu seu sangue inocente por todos e por tudo. Tu o esqueceste, mas é sobre ele que

[49] Alusão ao poema "Resignation", de Schiller. (N. da E.)

se constrói o edifício, e é a ele que haverão de exclamar: "Tens razão, Senhor, pois se revelaram os teus caminhos".

— Mas esse "é o único sem pecado", assim como o seu sangue! Não, não o esqueci, e enquanto falei estive admirado de tua demora em introduzi-lo, porque em todas as discussões de vocês ele costuma ser introduzido antes de qualquer coisa. Sabes, Aliócha, e não rias, numa ocasião escrevi um poema, foi no ano passado. Se ainda podes perder uns dez minutos comigo, eu falarei sobre ele.

— Escreveste um poema?

— Oh, não, não escrevi — sorriu Ivan —, nunca em minha vida eu compus sequer dois versos, mas inventei este poema e o gravei na memória. Eu o inventei com ardor. Serás meu primeiro leitor, isto é, ouvinte. De fato, por que o autor haveria de perder um ouvinte, nem que ele fosse o único? — riu Ivan. — Falo ou não?

— Sou todo ouvidos — pronunciou Aliócha.

— Meu poema se chama "O Grande Inquisidor". Uma coisa tola, mas quero que o conheças.

V. O Grande Inquisidor

— Bem, aqui também não se pode passar sem um prefácio, ou seja, um prefácio literário, arre! — riu Ivan — mas eu lá sou escritor? Vê, a ação de meu poema se passa no século XVI, e naquela época — aliás, tu deves ter tomado conhecimento disto em teus cursos —, justo naquela época as obras poéticas costumavam fazer as potências celestes descerem sobre a terra. Já nem falo de Dante. Na França, os funcionários clericais, bem como os monges dos mosteiros, davam espetáculos inteiros em que punham em cena a Madona, anjos, santos, Cristo e o próprio Deus. Naqueles idos, isso se fazia com muita simplicidade. Em *Notre Dame de Paris*, de Victor Hugo, no salão da municipalidade da Paris de Luís XVI é oferecido gratuitamente ao povo o espetáculo *Le bon jugement de la très sainte et gracieuse Vierge Marie*[50] em homenagem ao nascimento do delfim francês,[51] no qual a Vir-

[50] "O bom julgamento da santíssima Virgem Maria cheia de graça", em francês no original. (N. do T.)

[51] Como já observou Leonid Grossman, Ivan Karamázov comete aqui um equívoco. No romance de Victor Hugo, não se trata do nascimento do delfim, mas da chegada dos emissários de Flandres para tratar do casamento do delfim com a princesa Margarida de Flandres. (N. da E.)

gem Maria aparece pessoalmente e profere seu *bon jugement*. Entre nós, em Moscou, nos velhos tempos antes de Pedro, o Grande, de quando em quando também se davam espetáculos quase idênticos, especialmente os baseados no Antigo Testamento; contudo, além das representações dramáticas, naquela época corriam o mundo inteiro muitas narrativas e "poemas" em que atuavam santos, anjos e todas as potências celestes conforme a necessidade. Em nossos mosteiros também se faziam traduções, cópias e até se compunham poemas semelhantes, e isso desde os tempos do domínio tártaro. Existe, por exemplo, um poema composto em mosteiro (é claro que traduzido do grego): *A via-crúcis de Nossa Senhora*,[52] com episódios e uma ousadia à altura de Dante. Nossa Senhora visita o inferno, e é guiada "em seu calvário" pelo arcanjo Miguel. Ela vê os pecadores e os seus suplícios. A propósito, ali existe uma interessantíssima classe de pecadores num lago de fogo: os que submergem no lago de tal modo que não conseguem mais emergir, "estes Deus já esquece" — expressão dotada de uma excepcional profundidade e força. E eis que a perplexa e chorosa mãe de Deus cai diante do trono divino e pede clemência para todos aqueles que estão no inferno, por todos que ela viu lá, sem distinção. Sua conversa com Deus é de um interesse colossal. Ela implora, ela não se afasta, e quando Deus lhe aponta os pés e as mãos pregadas de seu filho e pergunta: como vou perdoar seus supliciadores? — ela ordena a todos os santos, a todos os mártires, a todos os anjos e arcanjos que se prosternem com ela e rezem pela clemência a todos sem distinção. A cena termina com ela conseguindo de Deus a cessação dos tormentos, todos os anos, entre a Grande Sexta-Feira Santa e o Dia da Santíssima Trindade, e no mesmo instante os pecadores que estão no inferno agradecem ao Senhor e bradam para Ele: "Tens razão, Senhor, por teres julgado assim". Pois bem, meu poema seria desse gênero se transcorresse naquela época. Em meu poema Ele aparece; é verdade que Ele nem chega a falar, apenas aparece e sai. Já se passaram quinze séculos desde que Ele prometeu voltar a Seu reino, quinze séculos desde que o profeta escreveu: "Voltará brevemente". "Nem o filho sabe esse dia e essa hora, só o sabe meu pai celestial",[53] como disse Ele quando ainda estava na Terra. Mas a humanidade O espera com a antiga fé e o antigo enternecimento. Oh, com mais fé ainda, pois já se passaram quinze séculos desde que cessaram as garantias dos Céus para o homem:

[52] Uma das mais populares lendas apócrifas de origem bizantina, que cedo penetrou na Rússia. Quando Dostoiévski escrevia *Os irmãos Karamázov*, circulavam pela Rússia várias edições dessa lenda. (N. da E.)

[53] Ver Marcos, 3, 32. (N. da E.)

Crê no que diz o coração,
O céu não dá garantias.[54]

Fé só no que diz o coração! É verdade que naquela época havia muitos milagres. Havia santos que faziam curas milagrosas; a própria rainha dos céus descia sobre alguns justos, segundo a hagiografia destes. Mas o diabo não dorme, e a humanidade começou a duvidar da veracidade desses milagres. Foi nessa época que surgiu no Norte, na Alemanha, uma heresia nova e terrível.[55] Uma estrela imensa, "à semelhança de uma tocha" (ou seja, de uma igreja), "caiu sobre as fontes das águas e estas se tornaram amargas".[56] Essas heresias passam a uma negação blasfematória dos milagres. E mesmo assim os fiéis restantes creem com um fervor ainda maior. Como antes, as lágrimas humanas sobem até Ele, os homens O esperam, O amam, confiam n'Ele, anseiam sofrer e morrer por Ele como antes... E depois de tantos séculos rezando com fé e fervor: "Aparece para nós, Senhor", depois de tantos séculos chamando por Ele, Ele, em Sua infinita piedade, quis descer até os suplicantes. Ele desceu, e já antes visitara outros justos, mártires e santos anacoretas ainda em terra, como está escrito em suas "hagiografias". Entre nós russos, Tiúttchev,[57] que acreditava profundamente na verdade dessas palavras, proclamou:

Com o fardo da cruz fatigado
Te percorreu o Rei dos Céus,
Terra natal, e, servo afeiçoado,
A ti inteira a bênção deu.

Eu te afirmo que foi forçosamente assim que aconteceu. E eis que Ele desejou aparecer, ainda que por um instante, ao povo — atormentado, sofredor, mergulhado em seu fétido pecado, mas amando-O como criancinhas. Em meu poema a ação se passa na Espanha, em Sevilha, no mais terrível tem-

[54] Citação da estrofe final do poema de Schiller "Sehnsucht". (N. da E.)

[55] Trata-se da Reforma, que Dostoiévski assim analisa em seu *Diário de um escritor* de janeiro de 1877: "O protestantismo de Lutero já é um fato: é uma fé protestante e apenas *negativa*. Desaparecendo o catolicismo da face da Terra, o protestantismo o seguirá na certa e imediatamente, porque, não tendo contra o que protestar, há de converter-se em franco ateísmo, e com isso se extinguirá". (N. da E.)

[56] Citação imprecisa do Apocalipse de João, 8, 10-1. (N. da E.)

[57] Referência a F. I. Tiúttchev (1803-1873), um dos maiores poetas russos do século XIX. (N. do T.)

po da Inquisição, quando, pela glória de Deus, as fogueiras ardiam diariamente no país e

> *Em magníficos autos de fé*
> *Queimavam-se os perversos hereges.*[58]

Oh, essa não era, é claro, aquela marcha triunfal em que Ele há de aparecer no final dos tempos, como prometeu, em toda a Sua glória celestial, e que será repentina "como um relâmpago que brilha do Oriente ao Ocidente".[59] Não, Ele quis ainda que por um instante visitar Seus filhos, e justamente ali onde crepitaram as fogueiras dos hereges. Por Sua infinita misericórdia Ele passa mais uma vez no meio das pessoas com aquela mesma feição humana com que caminhara por três anos entre os homens quinze séculos antes. Ele desce sobre "as largas ruas quentes" da cidade sulina, justamente onde ainda na véspera, em um "magnífico auto de fé", na presença do rei, da corte, dos cavaleiros, dos cardeais e das mais encantadoras damas da corte, diante da numerosa população de toda a Sevilha, o cardeal grande inquisidor queimou de uma vez quase uma centena de hereges[60] *ad majorem gloriam Dei.*[61] Ele aparece em silêncio, sem se fazer notar, e eis que todos — coisa estranha — O reconhecem. Esta poderia ser uma das melhores passagens do poema justamente porque O reconhecem. Movido por uma força invencível, o povo se precipita para Ele, O assedia, avoluma-se a Seu redor, segue-O. Ele passa calado entre eles com o sorriso sereno da infinita compaixão. O sol do amor arde em Seu coração, os raios da Luz, da Ilustração e da Força emanam de Seus olhos e, derramando-se sobre as pessoas, fazem seus corações vibrarem de amor recíproco. Ele estende as mãos para elas,[62]

[58] Estrofes um pouco modificadas do poema "Coriolano", de A. I. Poliejáiev (1804-1838). (N. da E.)

[59] Ver Mateus, 24, 27. (N. da E.)

[60] Preparando a resposta a uma carta de K. D. Kaviêlin (1818-1885) em 1881, Dostoiévski anota em seu diário: "Não posso considerar moral um homem que queima hereges, porque não aceito sua tese segundo a qual a moral é uma harmonia com convicções íntimas. Isso é apenas *honestidade*... e não moral. Ideal moral eu só tenho um: Cristo. Pergunto: ele queimaria hereges? Não. Portanto, a queima de hereges é um ato imoral. O inquisidor já é imoral pelo fato de acomodar em seu coração e em sua mente a ideia da necessidade de queimar seres humanos". (N. da E.)

[61] "Para maior glória de Deus", divisa da Ordem dos Jesuítas. (N. da E.)

[62] Para o crítico V. L. Komaróvitch, essa passagem do romance remonta ao poema de Heine "Frieden". (N. da E.)

as abençoa, e só de tocá-Lo, ainda que apenas em sua roupa, irradia-se a força que cura.[63] E eis que da multidão exclama um velho, cego desde menino: "Senhor, cura-me e eu Te verei", e, como se uma escama lhe caísse dos olhos, o cego O vê. O povo chora e beija o chão por onde Ele passa. As crianças jogam flores diante d'Ele, cantam e bradam-Lhe: "Hosana!". "É Ele, Ele mesmo — repetem todos —, deve ser Ele, não é outro senão Ele." Ele para no adro da catedral de Sevilha no mesmo instante em que entram aos prantos na catedral com um caixãozinho branco de defunto: nele está uma menininha de sete anos, filha única de um cidadão notável. A criança morta está coberta de flores. "Ele ressuscitará tua filhinha" — gritam da multidão para a mãe em prantos. O padre, que saíra ao encontro do féretro, olha perplexo e de cenho franzido. Mas nesse instante ouve-se o pranto da mãe da criança morta. Ela cai de joelhos aos pés d'Ele: "Se és Tu, ressuscita minha filhinha!" — exclama, estendendo as mãos para Ele. A procissão para, o caixãozinho é depositado aos pés d'Ele no adro. Ele olha compadecido e Seus lábios tornam a pronunciar em voz baixa: "*Talita cumi*" — "Levanta-te, menina". A menininha se levanta no caixão, senta-se e olha ao redor, sorrindo com seus olhinhos abertos e surpresos. Tem nas mãos um buquê de rosas brancas que a acompanhavam no caixão. No meio do povo há agitação, gritos, prantos, e eis que nesse mesmo instante passa de repente na praça, ao lado da catedral, o próprio cardeal grande inquisidor. É um velho de quase noventa anos, alto e ereto, rosto ressequido e olhos fundos, mas nos quais um brilho ainda resplandece como uma centelha. Oh, ele não está com suas magníficas vestes de cardeal em que sobressaíra na véspera diante do povo quando se queimavam os inimigos da fé romana — não, nesse instante ele está apenas em seu velho e grosseiro hábito monacal. Seguem-no a certa distância seus tenebrosos auxiliares e escravos e a guarda "sagrada". Ele para diante da multidão e fica observando de longe. Viu tudo, viu o caixão sendo colocado aos pés dele, viu a menina ressuscitar, e seu rosto ficou sombrio. Franze as sobrancelhas grisalhas e bastas, seu olhar irradia um fogo funesto. Ele aponta o dedo aos guardas e ordena que O prendam. E eis que sua força é tamanha e o povo está tão habituado, submisso e lhe obedece com tanto tremor que a multidão se afasta imediatamente diante dos guardas e estes, em meio ao silêncio sepulcral que de repente se fez, põem as mãos n'Ele e o levam. Toda a multidão, como um só homem, prosterna-se momentaneamente, tocando o chão com a cabeça perante o velho inquisidor, este abençoa o povo em si-

[63] Ver Mateus, 9, 20-2. (N. da E.)

lêncio e passa ao lado. A guarda leva o Prisioneiro para uma prisão apertada, sombria e abobadada, que fica na antiga sede do Santo Tribunal, e O tranca ali. O dia passa, cai a noite quente, escura e "sem vida" de Sevilha. O ar "recende a louro e limão".[64] Em meio a trevas profundas abre-se de repente a porta de ferro da prisão e o próprio velho, o grande inquisidor, entra lentamente com um castiçal na mão. Está só; a porta se fecha imediatamente após sua entrada. Ele se detém por muito tempo à entrada, um ou dois minutos, examina o rosto do Prisioneiro. Por fim se aproxima devagar, põe o castiçal numa mesa e Lhe diz: "És tu? Tu?". Mas, sem receber resposta, acrescenta rapidamente: "Não respondas, cala-te. Ademais, que poderias dizer? Sei perfeitamente o que irás dizer. Aliás, não tens nem direito de acrescentar nada ao que já tinhas dito. Por que vieste nos atrapalhar? Pois vieste nos atrapalhar e tu mesmo o sabes. Mas sabes o que vai acontecer amanhã? Não sei quem és e nem quero saber: és Ele ou apenas a semelhança d'Ele, mas amanhã mesmo eu te julgo e te queimo na fogueira como o mais perverso dos hereges, e aquele mesmo povo que hoje te beijou os pés, amanhã, ao meu primeiro sinal, se precipitará a trazer carvão para tua fogueira, sabias? É, é possível que o saibas" — acrescentou compenetrado em pensamentos, sem desviar um instante o olhar de seu prisioneiro.

— Ivan, não estou entendendo direito o que seja isso — sorriu Aliócha, que ouvira calado o tempo todo —, uma imensa fantasia ou algum equívoco do velho, algum quiproquó impossível?

— Aceita ao menos este último — sorriu Ivan —, se já estás tão estragado pelo realismo atual que não consegues suportar nada fantástico; queres um quiproquó, então que seja assim. Trata-se, é verdade — tornou a rir Ivan —, de um velho de noventa anos, e ele poderia ter enlouquecido há muito tempo com sua ideia. O prisioneiro poderia impressioná-lo com sua aparência. No fim das contas, isso poderia ser, é claro, um simples delírio, a visão de um velho de noventa anos diante da morte e ainda por cima exaltado com o auto de fé e a queima dos cem hereges na véspera. Contudo, para nós dois não daria no mesmo se fosse um quiproquó ou uma imensa fantasia? Aí se tratava apenas de que o velho precisava desembuchar, de que, durante os seus noventa anos, ele finalmente falava e dizia em voz alta aquilo que calara durante todos esses noventa anos.

— E o prisioneiro, também se cala? Olha para o outro e não diz uma palavra?

— Sim, é como deve acontecer mesmo, em todos os casos — tornou a

[64] Citação modificada da tragédia *O visitante de pedra*, de Púchkin. (N. da E.)

sorrir Ivan. — O próprio velho lhe observa que ele não tem nem o direito de acrescentar nada ao que já dissera antes. Talvez esteja aí o traço essencial do catolicismo romano, ao menos em minha opinião: "tu, dizem, transferiste tudo ao papa, portanto, tudo hoje é da alçada do papa, e quanto a ti, ao menos agora não me apareças absolutamente por aqui, quando mais não seja não me atrapalhes antes do tempo". Eles não só falam como escrevem nesse sentido, os jesuítas pelo menos. Isso eu mesmo li nas obras de seus teólogos. "Terás o direito de nos anunciar ao menos um dos mistérios do mundo de onde vieste?" — pergunta-lhe meu velho, e ele mesmo responde: "Não, não tens, para que não acrescentes nada ao que já foi dito antes nem prives as pessoas da liberdade que tanto defendeste quando estiveste aqui na Terra. Tudo o que tornares a anunciar atentará contra a liberdade de crença dos homens, pois aparecerá como milagre, e a liberdade de crença deles já era para ti a coisa mais cara mil e quinhentos anos atrás. Não eras tu que dizias com frequência naquele tempo: 'Quero fazê-los livres'?[65] Pois bem, acabaste de ver esses homens 'livres' — acrescenta de súbito o velho com um risinho ponderado. — Sim, essa questão nos custou caro — continua ele, fitando-O severamente —, mas finalmente concluímos esse caso em teu nome. Durante quinze séculos nós nos torturamos com essa liberdade, mas agora isso está terminado, e solidamente terminado. Não acreditas que está solidamente terminado? Olhas com docilidade para mim e não me concedes sequer a indignação? Contudo, fica sabendo que hoje, e precisamente hoje, essas pessoas estão mais convictas do que nunca de que são plenamente livres, e entretanto elas mesmas nos trouxeram sua liberdade e a colocaram obedientemente a nossos pés. Mas isto fomos nós que fizemos; era isso, era esse tipo de liberdade que querias?"

— De novo não estou entendendo — interrompeu Aliócha —, ele está ironizando, está zombando?

— Nem um pouco. Ele está atribuindo justo a si e aos seus o mérito de finalmente terem vencido a liberdade e feito isto com o fim de tornar as pessoas felizes. "Porque só agora (ou seja, ele está falando evidentemente da Inquisição) se tornou possível pensar pela primeira vez na liberdade dos homens. O homem foi feito rebelde; por acaso os rebeldes podem ser felizes? Tu foste prevenido — diz-lhe —, não te faltaram avisos e orientações, mas não deste ouvido às prevenções, rejeitaste o único caminho pelo qual era possível fazer os homens felizes, mas por sorte, ao te afastares, transferiste a causa para nós. Tu prometeste, tu o confirmaste com tua palavra, tu nos deste

[65] Ver João, 8, 31-2. (N. da E.)

o direito de ligar e desligar[66] e, é claro, não podes sequer pensar em nos privar desse direito agora. Por que vieste nos atrapalhar?"

— O que quer dizer: não te faltavam prevenções e orientações? — perguntou Aliócha.

— Aí está o essencial do que o velho precisa dizer. "O espírito terrível e inteligente, o espírito da autodestruição e do nada — continuou o velho —, o grande espírito falou contigo no deserto, e nos foi transmitido nas escrituras que ele te haveria 'tentado'.[67] É verdade? E seria possível dizer algo de mais verdadeiro do que aquilo que ele te anunciou nas três questões, e que tu repeliste, e que nos livros é chamado de 'tentações'? Entretanto, se algum dia obrou-se na Terra o verdadeiro milagre fulminante, terá sido naquele mesmo dia, no dia das três tentações. Foi precisamente no aparecimento dessas três questões que consistiu o milagre. Se fosse possível pensar, apenas a título de teste ou exemplo, que aquelas três questões levantadas pelo espírito terrível tivessem sido eliminadas das escrituras e precisassem ser restauradas, repensadas e reescritas para serem reintroduzidas nos livros, e para isto tivéssemos de reunir todos os sábios da Terra — governantes, sacerdotes, cientistas, filósofos, poetas — e lhes dar a seguinte tarefa: pensem, inventem três questões que, além de corresponderem à dimensão do acontecimento, exprimam, ainda por cima, em três palavras, em apenas três frases humanas, toda a futura história do mundo e da humanidade — achas tu que toda a sapiência da Terra, tomada em conjunto, seria capaz de elaborar ao menos algo que, por força e profundidade, se assemelhasse àquelas três questões que naquele momento te foram realmente propostas por aquele espírito poderoso e inteligente no deserto? Ora, só por essas questões, só pelo milagre de seu aparecimento podemos compreender que não estamos diante da inteligência trivial do homem mas da inteligência eterna e absoluta. Porque nessas três questões está como que totalizada e vaticinada toda a futura história humana, e estão revelados os três modos em que confluirão todas as insolúveis contradições históricas da natureza humana em toda a Terra. Naquele tempo isso ainda não podia ser tão visível porque o futuro era desconhecido, mas hoje, quinze séculos depois, vemos que naquelas três questões tudo estava tão vaticinado e predito, e se justificou a tal ponto, que nada mais lhes podemos acrescentar ou diminuir.

"Resolve tu mesmo quem estava com a razão: tu ou aquele que naquele momento te interrogou? Lembra-te da primeira pergunta: mesmo não sen-

[66] Ver Mateus, 16, 18-9. (N. da E.)

[67] Ver Mateus, 4, 1-11. (N. da E.)

do literal, seu sentido é este: 'Queres ir para o mundo e estás indo de mãos vazias, levando aos homens alguma promessa de liberdade que eles, em sua simplicidade e em sua imoderação natural, sequer podem compreender, da qual têm medo e pavor, porquanto para o homem e para a sociedade humana nunca houve nada mais insuportável do que a liberdade! Estás vendo essas pedras neste deserto escalvado e escaldante? Transforma-as em pão e atrás de ti correrá como uma manada a humanidade agradecida e obediente, ainda que tremendo eternamente com medo de que retires tua mão e cesse a distribuição dos teus pães'. Entretanto, não quiseste privar o homem da liberdade e rejeitaste a proposta, pois pensaste: que liberdade é essa se a obediência foi comprada com o pão? Tu objetaste, dizendo que nem só de pão vive o homem, mas sabes tu que em nome desse mesmo pão terreno o espírito da Terra se levantará contra ti, combaterá contra ti e te vencerá, e todos o seguirão, exclamando: 'Quem se assemelha a essa fera, ela nos deu o fogo dos céus!'.[68] Sabes tu que passarão os séculos e a humanidade proclamará através da sua sabedoria e da sua ciência que o crime não existe, logo, também não existe pecado, existem apenas os famintos? 'Alimenta-os e então cobra virtudes deles!' — eis o que escreverão na bandeira que levantarão contra ti e com a qual teu templo será destruído. No lugar do teu templo será erigido um novo edifício, será erigida uma nova e terrível torre de Babel, e ainda que esta não se conclua, como a anterior, mesmo assim poderias evitar essa torre e reduzir em mil anos os sofrimentos dos homens, pois é a nós que eles virão depois de sofrerem mil anos com sua torre! Eles nos reencontrarão debaixo da terra, nas catacumbas em que nos esconderemos (porque novamente seremos objeto de perseguição e suplício), nos encontrarão e nos clamarão: 'Alimentai-nos, pois aqueles que nos prometeram o fogo dos céus não cumpriram a promessa'. E então nós concluiremos a construção de sua torre, pois a concluirá aquele que os alimentar, e só nós os alimentaremos em teu nome e mentiremos que é em teu nome que o fazemos. Oh, nunca, nunca se alimentarão sem nós! Nenhuma ciência lhes dará o pão enquanto eles permanecerem livres, mas ao cabo de tudo eles nos trarão sua liberdade e a porão a nossos pés, dizendo: 'É preferível que nos escravizeis, mas nos deem de comer'. Finalmente compreenderão que, juntos, a liberdade e o pão da terra em quantidade suficiente para toda e qualquer pessoa são inconcebíveis, pois eles nunca, nunca saberão dividi-los entre si! Também hão de persuadir-se de que nunca poderão ser livres porque são fracos, pervertidos, insignificantes e rebeldes. Tu lhes prometeste o pão dos céus, mas torno a re-

[68] Ver Apocalipse de João, 13, 4. (N. da E.)

petir: poderá ele comparar-se com o pão da terra aos olhos da tribo humana, eternamente impura e eternamente ingrata? E se em nome do pão celestial te seguirem milhares e dezenas de milhares, o que acontecerá com os milhões e dezenas de milhares de milhões de seres que não estarão em condições de desprezar o pão da terra pelo pão do céu? Ou te são caras apenas as dezenas de milhares de grandes e fortes, enquanto os outros milhões de fracos, numerosos como a areia do mar, mas que te amam, devem apenas servir de material para os grandes e fortes? Não, os fracos também nos são caros. São pervertidos e rebeldes, mas no fim das contas se tornarão também obedientes. Ficarão maravilhados conosco e nos considerarão deuses porque, ao nos colocarmos à frente deles, aceitamos suportar a liberdade e dominá-los — tão terrível será para eles estarem livres ao cabo de tudo! Mas diremos que te obedecemos e em Teu nome exercemos o domínio. Nós os enganaremos mais uma vez, pois não deixaremos que tu venhas a nós. É nesse embuste que consistirá nosso sofrimento, porquanto deveremos mentir. Foi isso que significou aquela primeira pergunta no deserto, e eis o que rejeitaste em nome de uma liberdade que colocaste acima de tudo. Aceitando os 'pães', haverias de responder a este tédio humano universal e eterno, tanto de cada ser individual quanto de toda a humanidade em seu conjunto: 'a quem sujeitar-se?'. Não há preocupação mais constante e torturante para o homem do que, estando livre, encontrar depressa a quem sujeitar-se. Mas o homem procura sujeitar-se ao que já é irrefutável, e irrefutável a tal ponto que de uma hora para outra todos os homens aceitam uma sujeição universal a isso. Porque a preocupação dessas criaturas deploráveis não consiste apenas em encontrar aquilo a que eu ou outra pessoa deve sujeitar-se, mas em encontrar algo em que todos acreditem e a que se sujeitem, e que sejam forçosamente *todos juntos*. Pois essa necessidade da *convergência* na sujeição é que constitui o tormento principal de cada homem individualmente e de toda a humanidade desde o início dos tempos. Por se sujeitarem todos juntos eles se exterminaram uns aos outros a golpes de espada. Criavam os deuses e conclamavam uns aos outros: 'Deixai vossos deuses e vinde sujeitar-se aos nossos, senão será a morte para vós e os vossos deuses!'. E assim será até o fim do mundo, mesmo quando os deuses também desaparecerem na Terra: seja como for, hão de prosternar-se diante dos ídolos. Tu o conhecias, não podias deixar de conhecer esse segredo fundamental da natureza humana, mas rejeitaste a única bandeira absoluta que te propuseram com o fim de obrigar que todos se sujeitassem incondicionalmente a ti — a bandeira do pão da terra, e a rejeitaste em nome da liberdade e do pão dos céus. Olha só o que fizeste depois. E tudo mais uma vez em nome da liberdade! Eu te digo que o homem não tem uma preocupação mais angustiante do que encontrar a quem entregar depressa aquela dádiva da liberdade com que esse ser infeliz nasce. Mas só domina a liberdade dos homens aquele que tranquiliza a sua consciência. Com o pão conseguirias uma bandeira incontestável: darias o pão, e o homem se sujeitaria, porquanto não há nada mais indiscutível do que o pão, mas se, ao mesmo tempo e ignorando-te, alguém lhe dominasse a consciência — oh, então ele até jogaria fora teu pão e seguiria aquele que seduzisse sua consciência. Nisto tinhas razão. Porque o segredo da existência humana não consiste apenas em viver, mas na finalidade de viver. Sem uma sólida noção da finalidade de viver o homem não aceitará viver e preferirá destruir-se a permanecer na Terra ainda que cercado só de pães. É verdade, mas vê em que deu isso: em vez de assenhorear-se da liberdade dos homens, tu a aumentaste ainda mais! Ou esqueceste que para o homem a tranquilidade e até a morte são mais caras que o livre-arbítrio no conhecimento do bem e do mal? Não existe nada mais sedutor para o homem que sua liberdade de consciência, mas tampouco existe nada mais angustiante. Pois em vez de fundamentos sólidos para tranquilizar para sempre a consciência humana, tu lançaste mão de tudo o que há de mais insólito, duvidoso e indefinido, lançaste mão de tudo o que estava acima das possibilidades dos homens, e por isso agiste como que sem nenhum amor por eles — e quem fez isto: justo aquele que veio dar a própria vida por eles! Em vez de assenhorear-se da liberdade dos homens, tu a multiplicaste e sobrecarregaste com seus tormentos o reino espiritual do homem para todo o sempre. Desejaste o amor livre do homem para que ele te seguisse livremente, seduzido e cativado por ti. Em vez da firme lei antiga,[69] doravante o próprio homem deveria resolver de coração livre o que é o bem e o que é o mal, tendo diante de si apenas a tua imagem como guia — mas será que não pensaste que ele acabaria questionando e renegando até tua imagem e tua verdade se o oprimissem com um fardo tão terrível como o livre-arbítrio? Por fim exclamarão que a verdade não está em ti, pois era impossível deixá-los mais ansiosos e torturados do que o fizeste quando lhes reservaste tantas preocupações e problemas insolúveis. Assim, tu mesmo lançaste as bases da destruição de teu próprio reino, e não culpes mais ninguém por isso. Entretanto, foi isso que te propuseram? Existem três forças, as únicas três forças na terra capazes de vencer e

[69] Por "firme lei antiga" subentende-se nessa passagem o Antigo Testamento, que regulamentava de modo rigoroso, em cada detalhe, a vida dos antigos hebreus. Quanto à nova lei, a lei de Cristo, consiste predominantemente no mandamento do amor. Ver Mateus, 5, 43-4. (N. da E.)

cativar para sempre a consciência desses rebeldes fracos para sua própria felicidade: essas forças são o milagre, o mistério e a autoridade. Tu rejeitaste a primeira, a segunda e a terceira e deste pessoalmente o exemplo para tal rejeição. Quando o terrível e sábio espírito te pôs no alto do templo e te disse: 'Se queres saber se és filho de Deus atira-te abaixo, porque está escrito que os anjos o susterão e o levarão, e que ele não tropeçará nem se ferirá, e então saberás se és filho de Deus e provarás qual é tua fé em teu pai',[70] tu, porém, após ouvi-lo rejeitaste a proposta e não cedeste nem te atiraste abaixo. Oh, é claro, aí foste altivo e esplêndido como um deus, mas os homens, essa fraca tribo rebelde — logo eles serão deuses? Oh, compreendeste então que com um único passo, com o simples gesto de te lançares abaixo, estarias incontinenti tentando o Senhor e perdendo toda a fé nele, e te arrebentarias contra a terra que vieste para salvar, e o espírito inteligente que te tentava se alegraria com isso. Mas, repito, existirão muitos como tu? E será que poderias mesmo admitir, ainda que por um minuto, que os homens também estariam em condição de enfrentar semelhante tentação? Terá a natureza humana sido criada para rejeitar o milagre, e em momentos tão terríveis de sua vida, momentos das perguntas mais terríveis, essenciais e torturantes de sua alma, ficar apenas com a livre decisão do seu coração? Oh, sabias que tua façanha se conservaria nos livros sagrados, atingiria a profundeza dos tempos e os últimos limites da terra, e nutriste a esperança de que, seguindo-te, o homem também estaria com Deus, sem precisar do milagre. Não sabias, porém, que mal rejeitasse o milagre, o homem imediatamente também renegaria Deus, porquanto o homem procura não tanto Deus quanto os milagres.[71] E como o homem não tem condições de dispensar os milagres, criará para si novos milagres, já seus, e então se curvará ao milagre do curandeirismo, ao feitiço das bruxas, mesmo que cem vezes tenha sido rebelde, herege e ateu. Não desceste da cruz quando te gritaram, zombando de ti e te provocando: 'Desce da cruz e creremos que és tu'. Não desceste porque mais uma vez não quiseste escravizar o homem pelo milagre e ansiavas pela fé livre e não pela miraculosa. Ansiavas pelo amor livre e não pelo enlevo servil do escravo diante do poderio que o aterrorizara de uma vez por todas. Mas até nisto tu fizeste dos homens um juízo excessivamente elevado, pois, é claro,

[70] Ver Mateus, 4, 5-6. (N. do T.)

[71] Pascal escreve: "Os milagres são mais importantes do que julgais: serviram à fundação e servirão à continuidade da Igreja até o Anticristo, até o fim... Eu não seria um cristão se não houvesse milagres" (Pascal, *Os pensadores*, XVI, tradução de Sérgio Milliet, pp. 267 ss., São Paulo, Abril Cultural, 1973). (N. da E.)

eles são escravos ainda que tenham sido criados rebeldes. Observa e julga, pois se passaram quinze séculos, vai e olha para eles: quem elevaste à tua altura? Juro, o homem é mais fraco e foi feito mais vil do que pensavas sobre ele! Pode, pode ele realizar o mesmo que realizas tu? Por estimá-lo tanto, agiste como se tivesses deixado de compadecer-se dele, porque exigiste demais dele — e quem fez isso foi o mesmo que o amou mais do que a si mesmo! Se o estimasses menos, menos terias exigido dele, e isto estaria mais próximo do amor, pois o fardo dele seria mais leve. Ele é fraco e torpe. Que importa se hoje ele se rebela em toda a parte contra nosso poder e se orgulha de rebelar-se? É o orgulho de uma criança e de um escolar. São crianças pequenas que se rebelaram na turma e expulsaram o mestre. Mas o êxtase das crianças também chegará ao fim, ele lhes custará caro. Elas destruirão os templos e cobrirão a terra de sangue. Mas essas tolas crianças finalmente perceberão que, mesmo sendo rebeldes, são rebeldes fracos que não aguentam a própria rebeldia. Banhadas em suas tolas lágrimas, elas finalmente se conscientizarão de que aquele que as criou rebeldes quis, sem dúvida, zombar delas. Isto elas dirão no desespero, e o que disserem será uma blasfêmia que as tornará ainda mais infelizes, porquanto a natureza humana não suporta a blasfêmia e ela mesma sempre acaba vingando-a. Pois bem, a intranquilidade, a desordem e a infelicidade — eis o que hoje constitui a sina dos homens depois que tu sofreste tanto por sua liberdade! Teu grande profeta diz, em suas visões e parábolas, que viu todos os participantes da primeira ressurreição e que eles eram doze mil por geração.[72] Mas se eram tantos, não eram propriamente gente, mas deuses. Eles suportaram tua cruz, suportaram dezenas de anos de deserto faminto e escalvado, alimentando-se de gafanhotos e raízes — e tu, é claro, podes apontar com orgulho esses filhos da liberdade, do amor livre, do sacrifício livre e magnífico em teu nome. Lembra-te, porém, de que eles eram apenas alguns milhares, e ainda por cima deuses; mas, e os restantes? E que culpa têm os outros, os restantes, os fracos, por não terem podido suportar aquilo que suportaram os fortes? Que culpa tem a alma fraca de não ter condições de reunir tão terríveis dons? Será que vieste mesmo destinado apenas aos eleitos e só para os eleitos? E se é assim, então aí existe um mistério e não conseguimos entendê-lo. Mas se é um mistério, então nós também estaríamos no direito de pregar o mistério e ensinar àquelas pessoas que o importante não é a livre decisão de seus corações nem o amor, mas o mistério, ao qual eles deveriam obedecer cegamente, inclusive contrariando suas consciências. Foi o que fizemos. Corrigimos

[72] Ver Apocalipse de João, 7, 4-8. (N. da E.)

tua façanha e lhe demos por fundamento o *milagre*, o *mistério* e a *autoridade*. E os homens se alegraram porque de novo foram conduzidos como rebanho e finalmente seus corações ficaram livres de tão terrível dom, que tanto suplício lhes causara. Podes dizer se estávamos certos ensinando e agindo assim? Por acaso não amávamos a humanidade, ao reconhecer tão humildemente a sua impotência, aliviar com amor o seu fardo e deixar que sua natureza fraca cometesse ao menos um pecado, mas com nossa permissão? Por que achaste de aparecer agora para nos atrapalhar? E por que me fitas calado com esse olhar dócil e penetrante? Zanga-te, não quero teu amor porque eu mesmo não te amo. O que eu iria esconder de ti? Ou não sei com quem estou falando? Tudo o que tenho a te dizer já é de teu conhecimento, leio isso em teus olhos. Sou eu que escondo de ti nosso mistério? É possível que tu queiras ouvi-lo precisamente de meus lábios, então escuta: não estamos contigo, mas com *ele*, eis o nosso mistério! Faz muito tempo que já não estamos contigo, mas com *ele*,[73] já se vão oito séculos. Já faz exatos oito séculos que recebemos dele aquilo que rejeitaste com indignação, aquele último dom que ele te ofereceu ao te mostrar todos os reinos da Terra: recebemos dele Roma e a espada de César, e proclamamos apenas a nós mesmos como os reis da Terra, os únicos reis, embora até hoje ainda não tenhamos conseguido dar plena conclusão à nossa obra. Mas de quem é a culpa? Oh, até hoje isto não havia saído do esboço, mas já começou. Ainda resta esperar muito por sua conclusão, e a Terra ainda há de sofrer muito, mas nós o conseguiremos e seremos os Césares, e então pensaremos na felicidade universal dos homens. Entretanto, naquele momento ainda podias ter pegado a espada de César. Por que rejeitaste esse último dom? Aceitando esse terceiro conselho do poderoso espírito, tu terias concluído tudo que o homem procura na Terra, ou seja: a quem sujeitar-se, a quem entregar a consciência e como finalmente juntar todos no formigueiro comum, incontestável e solidário, porque a necessidade da união universal é o terceiro e o último tormento dos homens. A humanidade, em seu conjunto, sempre ansiou por uma organização forçosamente universal. Houve muitos grandes povos com uma grande história; no entanto, quanto mais elevados eram esses povos, mais infelizes, pois compreendiam mais intensamente que os outros a necessidade de união universal dos homens. Os grandes conquistadores, os Tamerlães e os Gengis Khan, passaram como um furacão pela Terra, procurando conquistar o universo, mas até eles traduziram, ainda que de forma inconsciente, a mesma grande

[73] Tem-se em vista a formação do Estado teocrático (que teve Roma como centro), do que resultou que o papa assumiu poder mundano. (N. da E.)

necessidade de união geral e universal experimentada pela humanidade. Se aceitasses o mundo e a púrpura de César, terias fundado o reino universal e dado a paz universal. Pois, quem iria dominar os homens senão aqueles que dominam suas consciências e detêm o seu pão em suas mãos? Nós tomamos a espada de César e, ao tomá-la, te renegamos, é claro, e *o* seguimos. Oh, ainda se passarão séculos de desmandos da livre inteligência, da ciência e da antropofagia deles, porque, tendo começado a erigir sem nós sua torre de Babel, eles terminarão na antropofagia. Mas nessa ocasião a besta rastejará até nós, lamberá nossos pés e nos borrifará com as lágrimas sangrentas que sairão de seus olhos. E montaremos na besta,[74] e ergueremos a taça, na qual estará escrito: 'Mistério!'. É aí, e só aí que chegará para os homens o reino da paz e da felicidade. Tu te orgulhas de teus eleitos, mas só tens eleitos, ao passo que nós damos tranquilidade a todos. Quantos desses eleitos, dos poderosos que poderiam se tornar eleitos, acabaram cansando de te esperar, levaram e ainda levarão as forças do seu espírito e o calor do seu coração para outro campo e terminarão por erguer sobre ti mesmo sua bandeira *livre*. Mas tu mesmo ergueste essa bandeira. Já sob nosso domínio todos serão felizes e não mais se rebelarão nem exterminarão uns aos outros em toda a parte, como sob tua liberdade. Oh, nós os persuadiremos de que eles só se tornarão livres quando nos cederem sua liberdade e se colocarem sob nossa sujeição. E então, estaremos com a razão ou mentindo? Eles mesmos se convencerão de que estamos com a razão, porque se lembrarão a que horrores da escravidão e da desordem tua liberdade os levou. A liberdade, a inteligência livre e a ciência os porão em tais labirintos e os colocarão perante tamanhos milagres e mistérios insolúveis que alguns deles, insubmissos e furiosos, exterminarão a si mesmos; outros, insubmissos porém fracos, exterminarão uns aos outros, e os restantes, fracos e infelizes, rastejarão até nossos pés e nos bradarão: 'Sim, os senhores estavam com a razão, os senhores são os únicos, só os senhores detinham o mistério d'Ele, estamos de volta para os senhores, salvem-nos de nós mesmos'. Ao receberem os pães de nossas mãos, eles, evidentemente, verão com clareza que os pães, que são seus, que eles conseguiram com as próprias mãos, nós os tomamos para distribuí-los entre eles sem qualquer milagre, verão que não transformamos pedras em pães e, em verdade,

[74] Ver Apocalipse de João, 13, 3-5; 17, 3-17. Na explicação do Grande Inquisidor, essa meretriz fantástica, que João descreve, foi substituída por ele e seus correligionários, isto é, a Igreja Católica. No *Diário de um escritor*, de março de 1876, Dostoiévski escreve: "Até hoje, ele (o catolicismo) entregou-se à devassidão apenas com os fortes da Terra e até ultimamente depositou neles suas esperanças". (N. da E.)

estarão mais alegres com o fato de receberem o pão de nossas mãos do que com o próprio pão! Hão de lembrar-se demais de que antes, sem nós, os próprios pães que eles mesmos obtiveram transformaram-se em pedras em suas mãos, e quando voltaram para nós as mesmas pedras se transformaram em pães. Apreciarão demais, demais o que significa sujeitar-se de uma vez por todas! E enquanto os homens não entenderem isto serão infelizes. Quem mais contribuiu para essa incompreensão, podes responder? Quem desmembrou o rebanho e o espalhou por caminhos desconhecidos? Mas o rebanho tornará a reunir-se e tornará a sujeitar-se, e agora de uma vez por todas. Então lhe daremos uma felicidade serena, humilde, a felicidade dos seres fracos, tais como eles foram criados. Oh, nós finalmente os persuadiremos a não se orgulharem, pois tu os encheste de orgulho e assim os ensinaste a ser orgulhosos; nós lhes demonstraremos que eles são fracos e que não passam de míseras crianças, mas que a felicidade infantil é mais doce de que qualquer outra. Eles se tornarão tímidos, e passarão a olhar para nós e a grudar-se a nós por medo, como pintinhos à galinha choca. Hão de surpreender-se e horrorizar-se conosco, e orgulhar-se de que somos tão poderosos e tão inteligentes que somos capazes de apaziguar um rebanho tão violento de milhares de milhões. Hão de tremer sem forças diante de nossa ira, suas inteligências ficarão intimidadas e seus olhos se encherão de lágrimas como os das crianças e mulheres, mas, a um sinal nosso, passarão com a mesma facilidade à distração e ao sorriso, a uma alegria radiosa e ao cantar feliz da infância. Sim, nós os faremos trabalhar, mas nas horas livres do trabalho organizaremos sua vida como um jogo de crianças, com canções infantis, coro e danças inocentes. Oh, nós lhes permitiremos também o pecado, eles são fracos e impotentes e nos amarão como crianças pelo fato de lhes permitirmos pecar. Nós lhes diremos que todo pecado será expiado se for cometido com nossa permissão; permitiremos que pequem, porque os amamos, e assumiremos o castigo por tais pecados; que seja. Nós o assumiremos e eles nos adorarão como benfeitores que assumiram seus pecados diante de Deus. E não haverá para eles nenhum segredo de nossa parte. Permitiremos ou proibiremos que vivam com suas mulheres e suas amantes, que tenham ou não tenham filhos — tudo a julgar por sua obediência —, e eles nos obedecerão felizes e contentes. Os mais angustiantes mistérios de sua consciência — tudo, tudo, eles trarão a nós, e permitiremos tudo, e eles acreditarão em nossa decisão com alegria porque ela os livrará também da grande preocupação e dos terríveis tormentos atuais de uma decisão pessoal e livre. E todos serão felizes, todos os milhões de seres, exceto as centenas de milhares que os governam. Porque só nós, nós que guardamos o mistério, só nós seremos infelizes. Haverá milhares de milhões de crianças felizes e cem mil sofredores, que tomaram a si a maldição do conhecimento do bem e do mal. Morrerão serenamente, serenamente se extinguirão em teu nome, e no além-túmulo só encontrarão a morte.[75] Mas conservaremos o segredo e para felicidade deles os atrairemos com a recompensa celestial e eterna. Porquanto ainda que houvesse mesmo alguma coisa no outro mundo, isto, é claro, não seria para criaturas como eles. Dizem e profetizam que tu voltarás e tornarás a vencer,[76] voltarás com teus eleitos, com teus poderosos e orgulhosos, mas diremos que estes só salvaram a si mesmos, enquanto nós salvamos todos. Dizem que será infamada a meretriz[77] que está montada na besta e mantém em suas mãos o *mistério*, que os fracos voltarão a rebelar-se, que destroçarão o seu manto e lhe desnudarão o corpo 'nojento'. Mas eu me levantarei na ocasião e te apontarei os milhares de milhões de crianças felizes que não conheceram o pecado. E nós, que assumimos os seus pecados para a felicidade deles, nós nos postaremos à tua frente e te diremos: 'Julga-nos se podes e te atreves'. Sabes que não te temo. Sabes que também estive no deserto, que também me alimentei de gafanhotos e raízes, que também bendisse a liberdade com a qual tu abençoaste os homens, e me dispus a engrossar o número de teus eleitos, o número dos poderosos e fortes ansiando 'completar o número'. Mas despertei e não quis servir à loucura. Voltei e me juntei à plêiade daqueles que *corrigiram tua façanha*. Abandonei os orgulhosos e voltei para os humildes, para a felicidade desses humildes. O que eu estou te dizendo acontecerá e nosso reino se erguerá. Repito que amanhã verás esse rebanho obediente, que ao primeiro sinal que eu fizer passará a arrancar carvão quente para tua fogueira, na qual vou te queimar porque voltaste para nos atrapalhar. Porque se alguém mereceu nossa fogueira mais do que todos, esse alguém és tu. Amanhã te queimarei. *Dixi*."[78]

Ivan parou. Ficara acalorado ao falar, e falou com entusiasmo; quando terminou deu um súbito sorriso.

[75] Segundo Leonid Grossman, um dos maiores estudiosos de Dostoiévski, essas palavras do Grande Inquisidor são um eco de um sonho fantástico que aparece no romance de Jean Paul, *Blumen- Frucht- und Dornenstücke oder Ehestand, Tod und Hochzeit des Armenadvokaten F. St. Siebenkäs*, de 1796-1797, no qual Cristo se dirige aos mortos que se levantaram de seus túmulos, afirmando que Deus não existe e que, sem ele, os homens estão condenados a se sentirem sós e tragicamente abandonados. (N. da E.)

[76] Ver Mateus, 24, 30; Apocalipse de João, 12, 7-11; 17, 14; 19, 19-21. (N. da E.)

[77] Ver Apocalipse de João, 17, 15-6; 19, 1-3. (N. da E.)

[78] "Assim eu disse", em latim. (N. do T.)

Aliócha, que o ouvira em silêncio e tentara muitas vezes interromper o irmão mas visivelmente se contivera, ao cabo de tudo e levado por uma emoção excepcional começou de repente a falar, como se se projetasse de seu lugar.

— Mas... isso é um absurdo! — bradou, corando. — Teu poema é um elogio a Jesus e não uma injúria... como o querias. E quem vai acreditar em teu argumento a respeito da liberdade? Será assim, será assim que devemos entendê-la? Será esse o conceito que vigora na ortodoxia?... Isso é coisa de Roma, e mesmo assim não de toda Roma, isso não é verdade — é o que há de pior no catolicismo, é coisa de inquisidores, de jesuítas!... Além disso, é absolutamente impossível haver um tipo fantástico como esse teu inquisidor. Que pecados dos homens são esses que eles assumiram? Que detentores do mistério são esses que assumiram uma maldição qualquer para salvar os homens? Onde já se viu tipos assim? Conhecemos os jesuítas, fala-se mal deles, mas serão assim como estão em teu poema? Não são nada disso, nada disso... São apenas o exército de Roma para o futuro reino universal na Terra, com o imperador — o pontífice de Roma à frente... Esse é o ideal deles, mas sem quaisquer mistérios e tristeza sublime... O mais simples desejo de poder, dos sórdidos bens terrenos, da escravização... uma espécie de futura servidão para que eles se tornem latifundiários... eis tudo o que eles têm em mente. Talvez eles nem acreditem em Deus. Teu inquisidor sofredor é mera fantasia...

— Bem, para, para — ria Ivan —, como ficaste exaltado. Uma fantasia, dizes, vá lá! É claro que é uma fantasia. Mas permite: será que tu achas mesmo que todo esse movimento católico dos últimos séculos é de fato mera vontade de poder que só visa a bens sórdidos? Não terá sido o padre Paissi quem te ensinou isso?

— Não, não, ao contrário, o padre Paissi disse uma vez algo até parecido com o teu argumento... mas é claro que não é a mesma coisa, não tem nada disso — apercebeu-se subitamente Aliócha.

— Contudo, essa é uma informação preciosa, apesar do teu "nada disso". Eu te pergunto precisamente por que teus jesuítas inquisidores teriam se unido visando unicamente a deploráveis bens materiais. Por que entre eles não poderia aparecer nenhum sofredor, atormentado pela grande tristeza, e que amasse a humanidade? Supõe que entre esses que só desejam bens materiais e sórdidos tenha aparecido ao menos um — ao menos um como meu velho inquisidor, que comeu pessoalmente raízes no deserto e desatinou tentando vencer a própria carne para se tornar livre e perfeito, mas, não obstante, depois de passar a vida inteira amando a humanidade, de repente lhe deu o estalo e ele percebeu que é bem reles o deleite moral de atingir a perfeição da vontade para certificar-se ao mesmo tempo de que para os milhões de outras criaturas de Deus sobrou apenas o escárnio, de que estas nunca terão condições de dar conta de sua liberdade, de que míseros rebeldes nunca virarão gigantes para concluir a torre, de que não foi para esses espertalhões que o grande idealista sonhou a sua harmonia. Após compreender tudo isso, ele voltou e juntou-se... aos homens inteligentes. Será que isso não podia acontecer?

— A quem se juntou, a que homens inteligentes? — exclamou Aliócha quase entusiasmado. — Nenhum deles tem semelhante inteligência nem tais mistérios e segredos... Todo o segredo deles se resume unicamente ao ateísmo. Teu inquisidor não crê em Deus, eis todo o seu segredo!

— Vá lá que seja! Até que enfim adivinhaste. E de fato é assim, de fato é só nisso que está todo o segredo, mas por acaso isso não é sofrimento, ainda que seja para uma pessoa como ele, um homem que destruiu toda a sua vida numa façanha no deserto e não se curou do amor à humanidade? No crepúsculo de seus dias ele se convence claramente de que só os conselhos do grande e terrível espírito poderiam acomodar numa ordem suportável os rebeldes fracos, "as criaturas experimentais inacabadas, criadas por escárnio". Pois bem, convencido disto ele percebe que precisa seguir a orientação do espírito inteligente, do terrível espírito da morte e da destruição, e para tanto adotar a mentira e o embuste e conduzir os homens já conscientemente para a morte e a destruição, e ademais enganá-los durante toda a caminhada, dando um jeito de que não percebam aonde estão sendo conduzidos e ao menos nesse caminho esses míseros cegos se achem felizes. E repare, o embuste é em nome daquele em cujo ideal o velho acreditara apaixonadamente durante toda a sua vida! Acaso isso não é infelicidade? E se ao menos um homem assim aparecesse à frente de todo esse exército "com sede de poder voltado apenas para os bens sórdidos", será que isso só já não bastaria para provocar uma tragédia? E mais: basta um tipo assim à frente para que apareça finalmente a verdadeira ideia guia de toda a causa romana, com todos os seus exércitos e jesuítas, a ideia suprema dessa causa. Eu te digo francamente que tenho a firme convicção de que esse tipo singular de homem nunca rareou entre os que dirigiam o movimento. Vai ver que esses seres únicos existiram também entre os pontífices romanos. Quem sabe esse maldito velho, que ama a humanidade com tanta obstinação e de modo tão pessoal, talvez exista até hoje corporificado em toda uma plêiade de muitos velhos únicos como ele, e sua existência não seja nada fortuita mas algo consensual, uma organização secreta criada há muito tempo para conservar o mistério, protegê-lo dos homens infelizes e fracos com o fim de torná-los felizes. Isso existe forçosamente, e aliás deve existir. Tenho a impressão de que até nos fundamentos da maçonaria existe algo similar a esse mistério, e por isso os católicos odeiam tanto os maçons, vendo neles concorrentes e o fracionamento da unidade das ideias, quando deve existir um só rebanho e um só pastor... Aliás, ao defender meu pensamento pareço um autor que não suportou a tua crítica. Chega desse assunto.

— Talvez tu mesmo sejas um maçom! — deixou escapar Aliócha. — Tu não crês em Deus — acrescentou ele, mas já com uma tristeza extraordinária. Além disso, pareceu-lhe que o irmão o fitava com ar de galhofa. — Como é que termina o teu poema? — perguntou de repente, olhando para o chão. — Ou ele não está concluído?

— Eu queria terminá-lo assim: quando o inquisidor calou-se, ficou algum tempo aguardando que o prisioneiro lhe respondesse. Para ele era pesado o silêncio do outro. Via como o prisioneiro o escutara o tempo todo com ar convicto e sereno, fitando-o nos olhos e, pelo visto, sem vontade de fazer nenhuma objeção. O velho queria que o outro lhe dissesse alguma coisa ainda que fosse amarga, terrível. Mas de repente ele se aproxima do velho em silêncio e calmamente lhe beija a exangue boca de noventa anos. Eis toda a resposta. O velho estremece. Algo estremece na comissura de seus lábios; ele vai à porta, abre-a e diz ao outro: "Vai e não voltes mais... Não voltes em hipótese nenhuma... nunca, nunca!". E o deixa sair para as "ruas largas e escuras da urbe". O prisioneiro vai embora.

— E o velho?

— O beijo lhe arde no coração, mas o velho se mantém na mesma ideia.

— E tu igualmente, tu? — exclamou Aliócha amargamente. Ivan deu uma risada.

— Ora, mas isso é um absurdo, Aliócha, isso é apenas um poema inepto de um estudante inepto que nunca compôs dois versos. Por que tomas isso tão a sério? Não estarás pensando que vou agora mesmo para lá, me juntar aos jesuítas, a fim de engrossar a plêiade dos homens que corrigem a façanha d'Ele? Oh, Deus, que tenho a ver com isso! Eu já te disse: quero apenas chegar aos trinta anos, e então quebro o cálice no chão!

— E as folhinhas pegajosas, e os cemitérios queridos, e o céu azul, e a mulher amada? Como hás de viver, de que irás viver? — exclamou Aliócha com amargura. — Acaso isso é possível com semelhante inferno no peito e na cabeça? Não, tu mesmo irás para te juntar a eles... e se não, tu te matarás, pois não suportarás!

— Existe uma força que suporta tudo! — proferiu Ivan com o sorriso já frio.

— Que força é essa?

— A dos Karamázov... a força karamazoviana da baixeza.

— Afundar na devassidão, esmagar a alma na depravação, é isso, é isso?

— Pode até ser isso... Só que até os trinta anos, talvez, eu o evite, mas então...

— Como evitarias? De que jeito evitarias? Isso é impossível com tuas ideias.

— Mais uma vez do jeito dos Karamázov.

— Isso porque "tudo é permitido"? Tudo é permitido, é isso, é isso?

Ivan franziu o cenho e súbito ficou meio pálido.

— Ah, estás fazendo tuas aquelas palavras ditas ontem, que deixaram Miússov tão ofendido... e que o irmão Dmitri se precipitou em discutir tão ingenuamente? — deu um risinho contrafeito. — Sim, é possível: "tudo é permitido", já que a palavra foi pronunciada. Não o renego. Aliás, a redação que Mítienka lhes deu não é má.

Aliócha o fitava calado.

— Meu irmão, ao partir eu achava que tinha no mundo ao menos a ti — proferiu subitamente Ivan com inesperada emoção —, mas agora vejo que nem em teu coração tenho lugar, meu querido eremita. Não renego a fórmula "tudo é permitido", mas tu me renegas por isto, não é, não é?

Aliócha levantou-se, chegou-se a ele e, calado, beijou-lhe suavemente os lábios.

— Plágio literário! — bradou Ivan passando de repente a certo entusiasmo — tu roubaste isto do meu poema! Mas fico grato. Levanta-te, Aliócha, vamos indo, já está na hora para ti e para mim.

Saíram, mas pararam à entrada da taverna.

— Vê só, Aliócha — pronunciou Ivan com voz firme —, se eu realmente tenho forças para gostar das folhinhas pegajosas, hei de amá-las só ao me lembrar de ti. Para mim basta que tu existas em algum lugar, e não perderei a vontade de viver. Isto te basta? Se quiseres, toma isto ao menos por uma declaração de amor. Mas agora tu vais para a direita e eu para a esquerda — e basta, ouve, basta. Ou seja, se eu não partir amanhã (parece que a partida é certa) e nós nos encontrarmos de novo, não toques mais nesse assunto comigo. Insisto no pedido. E a respeito de nosso irmão Dmitri também, te peço em particular que não toques no assunto comigo nunca mais — acrescentou com súbita irritação —, está tudo esgotado, tudo já foi dito, não é? De minha parte também te prometo uma coisa: quando aí pela casa dos trinta eu resolver "atirar o cálice contra o chão", onde quer que estejas aparecerei mais uma vez para falar de tudo contigo... Virei ainda que seja da América, fica tu sabendo. Virei de propósito. Será muito interessante te ver nesse momento: como estarás então? Como vês, uma promessa bastante solene. Mas na verdade é possível que estejamos dizendo adeus por uns sete, talvez dez anos. Bem, vai agora para o teu *Pater Seraphicus*,[79] pois ele está morrendo; se morrer sem ti, talvez fiques zangado porque te retive. Até logo, beija-me outra vez, assim, e vai...

De repente Ivan deu meia-volta e tomou seu caminho sem olhar para trás. Parecia o irmão Dmitri se afastando de Aliócha na véspera, embora ali a situação fosse bem diferente. Essa estranha observação passou como uma flecha pela mente triste de Aliócha, triste e nesse instante dorida. Ele esperou um pouco, acompanhando o irmão que se afastava. Por algum motivo reparou de repente que o irmão Ivan estava com o andar meio vacilante e que seu ombro direito, visto de trás, parecia mais baixo que o esquerdo. Nunca o observara antes. Mas logo ele também deu meia-volta e saiu quase correndo para o mosteiro. Já escurecia muito e ele estava quase com medo; crescia-lhe no íntimo algo novo, para o que ele não tinha resposta. Como na véspera, o vento soprou e os pinheiros seculares começaram seu ruído soturno ao redor quando ele penetrou no bosquezinho do eremitério. Quase corria. "'*Pater Seraphicus*' — de onde ele tirou esse nome, de onde? — passou pela cabeça de Aliócha. — Ivan, pobre Ivan, quando te verei agora... Aí está o eremitério, meu Deus! Sim, sim, é ele, é o *Pater Seraphicus*, é ele que vai me salvar... dele e para sempre!"

Mais tarde, várias vezes em sua vida ficou muito perplexo ao relembrar que, depois de despedir-se de Ivan, fora capaz de esquecer de maneira tão rápida e completa o irmão Dmitri, que naquela manhã, apenas algumas horas antes, ele decidira encontrar a qualquer custo e não ir embora sem consegui-lo, ainda que tivesse de não voltar ao mosteiro naquela noite.

VI. Ainda muito obscuro

Ivan Fiódorovitch, porém, depois de se despedir de Aliócha, rumou para casa, a casa de Fiódor Pávlovitch. Mas, coisa estranha, assaltou-o subitamente uma melancolia insuportável, e o pior é que ela aumentava cada vez mais e mais a cada passo que ele dava ao aproximar-se da casa. O estranho não estava na melancolia, mas em que não havia meio de Ivan Fiódorovitch defi-

[79] Segundo alguns estudiosos da obra de Dostoiévski, "*Pater Seraphicus*" remonta à cena final da segunda parte do *Fausto*, de Goethe. (N. da E.)

nir em que ela consistia. Antes já lhe acontecera cair frequentemente em melancolia e não era de admirar que ela o assaltasse em um momento como esse, quando, depois de romper com tudo que o havia atraído para esse lugar, ele se preparava para dar, no dia seguinte, mais uma brusca guinada e enveredar por um caminho novo, totalmente desconhecido e mais uma vez completamente só e, como antes, cheio de esperança mas sem saber em quê, esperando muito, esperando demais da vida, sem, no entanto, conseguir ele mesmo definir nada do que havia em suas expectativas ou em seus desejos. E ainda assim, embora nesse instante o desânimo com o novo e o desconhecido estivesse efetivamente em sua alma, não era nada disso que o angustiava. "Não seria aversão à casa de meu pai? — pensou consigo. — Parece que é isso, de tão enojado que estou, e embora hoje eu atravesse pela última vez esse limiar abominável, mesmo assim dá nojo..." Mas não, também não era isso. Não terá sido a despedida de Aliócha e aquela conversa com ele? "Tantos anos calando com o mundo inteiro e sem me dignar de falar, e de repente essa profusão de disparates." De fato, poderia ser um desalento de jovem, de uma inexperiência jovem e de uma vaidade jovem, o desalento por não ter conseguido exprimir-se e ainda mais com uma criatura como Aliócha, em quem seu coração acalentava indubitavelmente tantas expectativas. É claro que havia também isso, ou seja, esse desalento, e era forçoso que devesse existir, mas também não era isso, não era nada disso. "É um desalento de dar náusea, mas não estou em condições de definir o que quero. Talvez seja o caso de não pensar..."

Ivan Fiódorovitch esboçou uma tentativa de "não pensar", mas isso também não podia ajudar. O pior é que era um desalento irritante, e irritante porque tinha um aspecto fortuito, absolutamente externo; e isso ele percebia. Em algum recanto algo ou alguém se insinuava, como às vezes algo se insinua diante dos nossos olhos mas demoramos a percebê-lo porque estamos envolvidos com alguma atividade ou numa conversa acalorada, e entretanto ficamos visivelmente irritados, quase atormentados, até que finalmente nos ocorre afastar o objeto impróprio, amiúde muito vago e ridículo — uma coisa qualquer esquecida fora do lugar, um lenço que caiu no chão, um livro não colocado no armário, etc., etc. Por fim Ivan Fiódorovitch chegou à casa do pai no estado de espírito mais abominável e irascível e, súbito, a uns quinze passos do portão, uma olhada para a entrada o fez dar-se conta daquilo que tanto o torturava e inquietava.

Instalado em um banco junto à entrada o criado Smierdiakóv tomava o ar fresco da tardinha, e no primeiro olhar que lhe lançou, Ivan Fiódorovitch compreendeu que o criado Smierdiakóv estava instalado também em sua alma, e que era justamente esse homem que sua alma não conseguia suportar. De repente tudo se iluminou, ganhou clareza. Ainda há pouco, após ouvir Aliócha relatar seu encontro com Smierdiakóv, algo sombrio e detestável lhe penetrou repentinamente no coração e o fez reagir com uma raiva imediata. Depois, durante sua conversa com Aliócha, Smierdiakóv caiu provisoriamente no esquecimento, mas, não obstante, permaneceu em sua alma, e mal Ivan Fiódorovitch se despediu de Aliócha e tomou sozinho o caminho de casa, aquela sensação esquecida começou a voltar rapidamente à tona. "Será que esse reles patife pode me deixar intranquilo a esse ponto?" — pensou com uma raiva insuportável.

Acontece que Ivan Fiódorovitch realmente se enchera de antipatia por esse homem nos últimos tempos e sobretudo nos últimos dias. Chegara até a notar esse quase ódio crescente por essa criatura. É possível que o ódio tivesse chegado a tal exacerbação justamente por ter acontecido algo bem diferente no início, logo após a chegada de Ivan Fiódorovitch. Naquela ocasião, Ivan Fiódorovitch teria demonstrado alguma simpatia particular e repentina por Smierdiakóv, até o achara bastante original. O próprio Ivan habituara Smierdiakóv a conversar com ele, mas sempre se admirava de certa inépcia, ou melhor, de certa intranquilidade da inteligência dele, e não entendia o que poderia incomodar tão constante e obsessivamente "esse contemplador". Conversavam sobre questões filosóficas e até sobre o motivo por que a luz brilhou no primeiro dia quando o sol, a lua e as estrelas foram feitos apenas no quarto dia, e como se devia interpretar isso; mas Ivan Fiódorovitch logo se convenceu de que a questão nada tinha a ver com o sol, a lua e as estrelas, e de que o sol, a lua e as estrelas, ainda que fossem objeto de curiosidade, não tinham nenhuma importância para Smierdiakóv, e de que este precisava de algo totalmente diverso. Se era assim ou assado, de qualquer forma começava a manifestar-se e denunciar-se um amor-próprio infinito, e ademais um amor-próprio ofendido. Ivan Fiódorovitch não gostou nada disso. Foi daí que começou sua aversão a Smierdiakóv. Mais tarde começaram as querelas, Grúchenka apareceu, vieram as histórias com o irmão Dmitri, a azáfama — os dois conversavam também sobre isso, e ainda que Smierdiakóv sempre abordasse esse assunto com grande inquietação, mais uma vez não havia nenhum meio de descobrir o que ele queria mesmo com isso. Era até de admirar a falta de lógica e a desordem de alguns desejos seus, que vinham involuntariamente à tona e sempre eram igualmente obscuros. Smierdiakóv não parava de interrogar, fazia perguntas indiretas, evidentemente premeditadas mas sem explicar seu fim, e nos momentos mais acalorados de suas inquirições costumava calar-se de chofre ou mudar totalmente de assunto. Mas o principal, que acabou deixando Ivan Fiódorovitch definitivamente irritado e infundiu-lhe essa aversão, foi a familiaridade detestável e especial que Smierdiakóv passou a revelar intensamente em relação a ele, e que só aumentava com o passar do tempo. Não é que ele se permitisse ser descortês, ao contrário, falava sempre com um respeito extraordinário, mas, não obstante, a questão se colocou de tal maneira que, enfim, Smierdiakóv passou visivelmente a se considerar, sabe Deus por quê, como que solidário com Ivan Fiódorovitch, falava sempre em um tom que dava a impressão de que entre os dois já havia algo combinado e como que secreto, algo um dia pronunciado por ambas as partes, só do conhecimento dos dois, incompreensível até para os outros mortais que gravitavam em torno deles. Entretanto, mesmo diante dessas circunstâncias Ivan Fiódorovitch ficou muito tempo sem entender a verdadeira causa de sua crescente aversão, e finalmente, só bem nos últimos dias, conseguiu adivinhar em que consistia a questão. Tomado de uma sensação de nojo e irritação, quis atravessar o portão calado e sem olhar para Smierdiakóv, mas Smierdiakóv se levantou do banco e só por esse gesto Ivan Fiódorovitch adivinhou de estalo que o outro desejava ter uma conversa especial com ele. Ivan Fiódorovitch o fitou e parou, e o fato de ter parado de súbito e não seguido adiante, como o desejava ainda um minuto antes, até o fez tremer de raiva. Olhava com ira e repulsa para a macilenta fisionomia de eunuco de Smierdiakóv, com seu cabelo penteado para os lados e o pequeno topete engomado. O olho esquerdo levemente apertado piscava e ria, como se dissesse: "Aonde pensas que vais, não vais passar assim, vê que nós dois, homens inteligentes, temos muito que conversar". Ivan Fiódorovitch estremeceu:

"Fora, patife, eu lá sou companhia para ti, imbecil?!" — ia-lhe escapando da boca, mas para sua enorme surpresa escapou-lhe algo completamente diverso:

— Então, meu pai está dormindo ou já acordou? — pronunciou em tom baixo e resignado, inesperadamente para si mesmo, e súbito, também de modo inteiramente inesperado, sentou-se no banco. Por um instante quase se sentiu aterrorizado, disso se lembraria mais tarde. Smierdiakóv estava postado defronte, com as mãos para trás e olhando-o cheio de confiança, quase com severidade.

— Ainda está dormindo — pronunciou sem pressa. ("Ele, pensa, foi o primeiro a falar, e não eu.") — Eu me admiro do senhor — acrescentou, depois de uma pausa, baixando os olhos num gesto meio amaneirado, avançando a perna direita e brincando com o biquinho do sapato envernizado.

— Por que te admiras de mim? — disse Ivan Fiódorovitch com voz entrecortada e severa, fazendo todos os esforços para se conter, e compreendeu com nojo que experimentava uma fortíssima curiosidade e que não sairia dali por nada enquanto não a satisfizesse.

— Por que se recusa a ir a Tchermachniá, senhor? — Smierdiakóv alçou de súbito os olhinhos e sorriu de um jeito familiar. "Já o motivo por que eu sorri tu mesmo deves entender, se és um homem inteligente" — era como se dissesse seu olhinho esquerdo entrefechado.

— Por que eu iria a Tchermachniá? — admirou-se Ivan Fiódorovitch.

Smierdiakóv tornou a calar.

— Até o próprio Fiódor Pávlovitch lhe implorou isso — proferiu finalmente, sem pressa, e como se não desse importância a essa resposta: "limito-me a um motivo insignificante, só para dizer alguma coisa".

— Oh, diabos, fala com mais clareza, o que estás querendo? — bradou finalmente Ivan Fiódorovitch tomado de ira, passando da resignação à grosseria.

Smierdiakóv juntou a perna direita à esquerda, retesou-se, mas continuou olhando com a mesma tranquilidade e o mesmo sorrisinho.

— Não é nada importante... Falei por falar, para dar azo à conversa...

Voltou o silêncio. Calaram-se por quase um minuto. Ivan Fiódorovitch sabia que devia se levantar nesse instante e zangar-se, mas Smierdiakóv estava postado à sua frente como que esperando: "Eu só quero ver se vais ou não te zangar!". Ao menos foi essa a impressão de Ivan Fiódorovitch. Por fim ele fez um movimento vacilante para se levantar. Smierdiakóv captou o instante com precisão.

— Estou numa situação terrível, Ivan Fiódorovitch, não sei nem como encontrar saída — pronunciou subitamente com voz firme e pausada, e suspirou com a última palavra. Ivan Fiódorovitch tornou a sentar-se incontinenti.

— Os dois são totalmente extravagantes, os dois chegaram ao máximo da criancice — continuou Smierdiakóv. — Estou falando de seu pai e de seu irmãozinho Dmitri Fiódorovitch. Pois bem, ele, Fiódor Pávlovitch, vai se levantar agora e começar a me atazanar a cada instante: "Por que ela não veio? Por que razão não veio?" — e assim até a meia-noite, até depois da meia-noite. E se Agrafiena Alieksándrovna não vier (porque talvez não tenha nenhuma intenção de aparecer algum dia por aqui), amanhã de manhã tornará a investir contra mim: "Por que ela não veio? Por que motivo não veio, quando virá?" — como se eu tivesse alguma culpa por isso. Por outro lado, é nesse pé que está a coisa: assim que anoitecer, e até antes, seu irmãozinho vai aparecer de arma na mão aqui na vizinhança, falando para mim: "Vê lá, velhaco, rato de cozinha: se a deixares entrar e não me fizeres saber que veio eu te mato antes de matar o outro". Passará a noite, e de manhã também ele, como Fiódor Pávlovitch, começará a me atormentar: "Por que ela não veio, será que vai aparecer logo?" — e mais uma vez vou ficar como se tivesse alguma culpa perante ele pelo não comparecimento de sua senhora. E os dois vêm ficando tão mais zangados a cada dia e a cada hora que às vezes penso em me suicidar só de medo. Senhor, não confio neles.

— E por que te intrometes? Por que ficas nesse leva e traz com Dmitri Fiódorovitch? — pronunciou Ivan Fiódorovitch com irritação.

— E como eu não haveria de me intrometer? Ora, eu nunca me meteria absolutamente, se o senhor quer saber com plena precisão. Desde o início fiquei sempre calado, sem me atrever a fazer nenhuma objeção, ele mesmo me fixou aqui como seu criado Lichard.[80] Desde então só sabe dizer uma coisa: "Eu te mato, velhaco, se omitires a vinda dela!". Suponho como coisa certa, senhor, que amanhã terei um longo ataque de epilepsia.

— Que longo ataque de epilepsia é esse?

— Um longo ataque, extraordinariamente longo. De algumas horas, talvez dure um dia ou dois. Uma vez tive um desses ataques que durou três dias, na ocasião caí do sótão. Parava de me sacudir, depois recomeçava; durante três dias não consegui recobrar a consciência. Fiódor Pávlovitch mandou chamar Herzenstube, o médico daqui, ele mandou botar gelo nas têmporas e usou mais um remédio... Eu podia ter morrido.

— Ora, dizem que não se pode prever um ataque epilético, que ele acontecerá em uma hora determinada. Então como é que tu dizes que terás um amanhã? — quis saber Ivan Fiódorovitch com uma curiosidade particular e irascível.

— É exato que não se pode prever.

— E ainda por cima da outra vez caíste do sótão.

— Todos os dias eu subo ao sótão, posso cair de lá até amanhã. Se não for do sótão, posso cair na adega, também vou todos os dias à adega por necessidade.

[80] Segundo os organizadores das notas à edição russa de *Os irmãos Karamázov*, Lichard é criado do rei Guido na *Novela do príncipe Bovet* (ou Buvet), que apareceu traduzida na Rússia em meados do século XVI e ganhou ampla divulgação em forma escrita e oral. A partir de meados do século XVIII, a novela se tornou uma das obras mais populares da chamada *lubótchnaia literatura*, isto é, literatura impressa em moldes de tília (*lubok*), muito semelhante ao processo de impressão da nossa literatura de cordel. Segundo a *Krátkaia literatúrnaia entsiklopédia* (Breve enciclopédia de literatura), a *Novela do príncipe Bovet* é uma reformulação eslava oriental de um romance medieval de cavalaria homônimo, conhecido na França, Inglaterra, Itália e outros países europeus. A referência que faz Smierdiakóv vem seguramente da tradição oral. (N. do T.)

Ivan Fiódorovitch olhou longamente para ele.

— Estás tramando alguma coisa, estou vendo, e não estou te entendendo direito — disse em tom baixo, mas de um jeito ameaçador —, estarás querendo simular amanhã um ataque de três dias, hein?

Smierdiakóv, que olhava para o chão e voltara a brincar com o biquinho do sapato direito, repôs a perna direita no lugar, avançou em vez dela a perna esquerda, levantou a cabeça e pronunciou com um risinho:

— Se eu até pudesse fazer essa coisa, ou seja, simular, e como uma pessoa experiente não teria nenhuma dificuldade de fazê-lo, então também neste caso eu estaria em meu pleno direito de usar esse recurso para salvar minha vida; porque quando eu estiver acamado, mesmo que Agrafiena Alieksándrovna venha visitar o pai dele, ele não poderá cobrar a um homem doente: "Por que não me avisou?". Ele mesmo sentiria vergonha.

— Arre, diabos! — Ivan se levantou de chofre com o rosto crispado de raiva. — Por que sempre esse medo por tua vida! Todas essas ameaças do meu irmão Dmitri são apenas rompantes e nada mais. Ele não te matará; matará, mas não a ti!

— Matará como se mata uma mosca, e a mim em primeiro lugar. Mas eu temo ainda mais outra coisa: que venham me considerar seu cúmplice quando ele cometer esse absurdo contra o pai.

— Por que haveriam de te considerar cúmplice?

— Vão me considerar cúmplice porque eu revelei a ele em grande segredo aqueles sinais.

— Que sinais? A quem revelaste? O diabo que te carregue, fala mais claro!

— Devo confessar inteiramente — arrastou Smierdiakóv com uma tranquilidade pedante — que eu e Fiódor Pávlovitch temos um segredo. Como o senhor mesmo sabe (se é que sabe mesmo), já faz vários dias que, mal cai a noite ou até a tardinha, ele vai logo trancando a casa por dentro. Nos últimos dias, o senhor passou a se recolher cedo ao seu quarto lá em cima, e ontem não saiu a lugar nenhum, por isso pode não saber como Fiódor Pávlovitch anda se trancando cuidadosamente para passar a noite. Mesmo que apareça o próprio Grigori Vassílievitch, ele só abrirá a porta se ficar convencido de que a voz é a dele. Mas Grigori Vassílievitch não vai aparecer porque agora eu sirvo sozinho a Fiódor Pávlovitch no quarto dele — como ele mesmo determinou desde que começou essa fantasia com Agrafiena Alieksándrovna, e agora, por ordem dele mesmo, me afasto de noite para o anexo e lá fico acordado até à meia-noite, de guarda, para me levantar, percorrer o pátio e esperar a chegada de Agrafiena Alieksándrovna, porque já faz vários dias que ele espera por ela feito louco. Ele raciocina assim: dizem que ela tem medo dele, Dmitri Fiódorovitch (ele o chama de Mitka), e por isso vai chegar tarde da noite à minha casa, pelos fundos; tu, diz ele, fica a vigiá-la até à meia-noite e até mais tarde. E se ela vier, corre e bate à minha porta ou à minha janela pelo jardim, as duas primeiras batidas mais devagarzinho, assim: um, dois, e logo depois dá três batidas mais depressa: tuc-tuc-tuc. Então, diz ele, vou entender que ela acabou de chegar e te abro a porta sem fazer barulho. Comunicou-me outro sinal para o caso de acontecer algo de extraordinário: primeiro duas batidas rápida: tuc-tuc, em seguida, depois de uma pausa, mais uma vez, bem mais forte. Assim ele compreenderá que algo aconteceu inesperadamente e que preciso vê-lo, e ele também me abrirá a porta, aí eu entro e informo. Tudo isso para a eventualidade de que Agrafiena Alieksándrovna possa não vir pessoalmente, mas mandar alguém dar algum tipo de notícia; além disso, Dmitri Fiódorovitch também pode aparecer, e então terei de informar a Fiódor Pávlovitch que ele está por perto. Ele tem muito medo de Dmitri Fiódorovitch, de sorte que se Agrafiena Alieksándrovna até já houvesse chegado, estivessem os dois trancados no quarto, e enquanto isso Dmitri Fiódorovitch aparecesse por perto, então eu seria obrigado a informá-lo imediatamente batendo três vezes, de tal maneira que o primeiro sinal de cinco batidas significasse: "Agrafiena Alieksándrovna chegou", e o segundo sinal de três batidas, "preciso muito lhe falar"; foi assim que ele me ensinou várias vezes e explicou com exemplos. E como em todo o universo só eu e ele conhecemos esses sinais, então ele abrirá a porta já sem nenhuma dúvida e sem precisar responder (ele tem muito medo de responder em voz alta). Pois bem, agora Dmitri Fiódorovitch está a par desses mesmos sinais.

— Por que a par? Tu os revelaste? Como te atreveste a revelá-los?

— Por causa desse mesmo medo. E como eu haveria de me calar diante dele? Todo dia Dmitri Fiódorovitch me pressiona: "Estás me enganando, estás me escondendo alguma coisa? Vou te quebrar as duas pernas!". Foi aí que lhe revelei esses mesmos sinais secretos, para ele ver o extremo do meu servilismo e assim se certificar de que não o engano, mas que o informo tudo de todas as maneiras.

— Se achas que ele vai aproveitar esses sinais e querer entrar, não o deixes.

— E quando eu mesmo estiver caído, com o ataque epilético, como irei impedi-lo? E ainda que pudesse me atrever a impedi-lo, como iria fazê-lo sabendo que anda tão desesperado?

— Arre, com os diabos! Por que estás tão seguro de que vais ter o ataque? Estarás rindo de mim?

— Como eu me atreveria a rir do senhor, eu lá poderia estar para riso com um medo desses? Pressinto que vou ter o ataque, tenho esse pressentimento, e vou tê-lo só de medo.

— Com os diabos! Se estiveres acamado, então Grigori ficará vigiando. Previne Grigori de antemão, ele não vai deixá-lo entrar.

— Sem ordem do meu senhor não posso de maneira nenhuma revelar os sinais a Grigori Vassílievitch. E quanto ao fato de que Grigori Vassílievitch o ouvirá e não o deixará entrar, justo hoje ele está doente, desde ontem, por causa do que aconteceu, e Marfa Ignátievna pretende continuar tratando dele amanhã. Foi isso o que acabaram de combinar. E esse tratamento dele é muito curioso: Marfa Ignátievna conhece uma infusão, é uma infusão de uma erva e ela sempre a tem guardada — é algum segredo que ela domina. E ela trata de Grigori Vassílievitch com esse remédio umas três vezes por ano, quando ele entra em crise de lumbago e tem uma espécie de paralisia, umas três vezes por ano. Então ela pega uma toalha, embebe-a nessa infusão e esfrega as costas dele por inteiro durante meia hora, até secar, e elas ficam totalmente vermelhas e incham, e depois lhe dá o resto do frasco para beber, acompanhado de uma certa reza; não todo o resto, porque uma pequena parte que raramente sobra ela deixa para si e bebe. E os dois, posso lhe dizer, não sendo habituados a bebida alcoólica, desabam e dormem um sono forte e muito longo; depois que acorda, Grigori Vassílievitch está quase sempre saudável, ao passo que Marfa Ignátievna acorda sempre com dor de cabeça depois disso. Pois bem, se amanhã Marfa Ignátievna puser em prática sua intenção, dificilmente ele ouvirá alguma coisa e impedirá a entrada de Dmitri Fiódorovitch. Estará dormindo.

— Quanto disparate! E, como de propósito, tudo isso coincidindo com tanta simultaneidade: tu com ataque epilético, e os outros dois, desmaiados! — gritou Ivan Fiódorovitch. — Tu mesmo não estarás querendo conduzir a coisa para que tudo acabe coincidindo? — ele deixou escapar de repente e franziu ameaçadoramente o cenho.

— Como eu haveria de conduzir... e conduzir para quê, quando tudo depende unicamente de Dmitri Fiódorovitch e apenas de suas ideias... Se ele quiser cometer algo, cometerá, se não, não serei eu que vou conduzi-lo de propósito a fim de empurrá-lo para dentro da casa do pai.

— E por que ele haveria de ir à casa do pai, e ainda às escondidas, se, como tu mesmo afirmas, Agrafiena Alieksándrovna não vai aparecer em hipótese nenhuma? — continuou Ivan Fiódorovitch, pálido de fúria. — Tu mesmo afirmas isso, ademais, durante o tempo todo que passei aqui estive seguro de que o velho estava apenas fantasiando e que aquele réptil não viria visitá-lo. Por que iria Dmitri irromper no quarto do velho se ela não vai aparecer? Fala! Quero saber o que pensas a esse respeito.

— O senhor mesmo sabe por que ele virá, que importa o que eu penso a esse respeito? Virá movido só por sua fúria ou sua cisma, na eventualidade de minha doença, por exemplo, ficará em dúvida e sairá procurando impacientemente pelos quartos, como fez ontem, querendo saber se ela não terá dado um jeito de entrar às escondidas dele. Ele também está totalmente a par de que Fiódor Pávlovitch preparou um envelope grande, com três mil rublos, lacrado, com três selos, amarrado com uma fitinha, sobre o qual escreveu de próprio punho: "Ao meu anjo Grúchenka, se ela quiser aparecer", e depois, passados três dias, acrescentou: "E franguinha". Pois bem, isso é que é duvidoso.

— Absurdo! — bradou Ivan quase tomado de fúria. — Dmitri não vai se meter a roubar dinheiro e ainda matar o pai junto. Ontem ele o poderia ter matado por causa de Grúchenka, como um imbecil raivoso num ataque de fúria, mas roubar, não!

— Ele anda muito necessitado de dinheiro, numa necessidade extrema, Ivan Fiódorovitch, o senhor nem sabe o quanto ele está necessitado — esclareceu Smierdiakóv com uma tranquilidade extraordinária e uma precisão notável. — Além disso, ele acha que esses mesmos três mil rublos como que lhe pertencem e me explicou isso: "A mim, diz ele, meu pai ainda me deve exatos três mil". E para completar tudo isso, Ivan Fiódorovitch, considere também uma pura verdade: é quase certo, é preciso dizer, que é só a própria Agrafiena Alieksándrovna querer, e fará com que ele, o próprio senhor, ou seja, Fiódor Pávlovitch, se case forçosamente com ela — e olhe que é possível que ela queira. Veja, eu só digo por dizer que ela não virá, mas pode ser que ela queira até mais, ou seja, tornar-se diretamente uma fidalga. Eu mesmo estou sabendo que seu comerciante Samsónov lhe disse com toda franqueza que isso seria uma coisa nada tola, e riu ao dizê-lo. E ela não é nada boba. Não vai casar com um pé-rapado como é Dmitri Fiódorovitch. Agora pegue o senhor e julgue, Ivan Fiódorovitch, que, se isso acontecer, nem Dmitri Fiódorovitch nem o senhor Alieksiêi Fiódorovitch ficarão com nada depois da morte de seu pai, com nenhum rublo, porque Agrafiena Alieksándrovna vai se casar com ele com a finalidade de passar para o seu nome tudo, todo capital que existir. Mas morra seu pai agora, enquanto nada disso tiver acontecido, e a cada um de vocês caberá imediatamente exatos quarenta mil rublos, até a Dmitri Fiódorovitch, que o velho odeia tanto, uma vez que ele não fez testamento... Dmitri Fiódorovitch está magnificamente a par de tudo isso...

Foi como se o rosto de Ivan Fiódorovitch tivesse um estremecimento e se contraísse. Ele corou de repente.

— Então por que tu — ele interrompeu de súbito Smierdiakóv —, depois de tudo isso, me aconselhas a ir a Tchermachniá? O que estás querendo dizer com isso? Eu vou, e eis que isso acontece aqui. — Ivan Fiódorovitch respirava com dificuldade.

— Absolutamente certo — disse Smierdiakóv em tom baixo e ponderado, mas observando fixamente Ivan Fiódorovitch.

— Como absolutamente certo? — tornou a perguntar Ivan Fiódorovitch, contendo-se a custo e com os olhos cintilando ameaçadoramente.

— Falei com pena do senhor. Se eu estivesse no seu lugar, largaria tudo isso agora mesmo... em vez de ficar esperando por isso... — respondeu Smierdiakóv, olhando com a maior franqueza para os olhos cintilantes de Ivan Fiódorovitch. Ambos calaram.

— Tu pareces um grande idiota e também, evidentemente... um terrível patife! — Ivan Fiódorovitch levantou-se subitamente do banco. Em seguida quis atravessar no mesmo instante o portão, mas parou de chofre e voltou-se para Smierdiakóv. Aconteceu algo estranho: de repente, como que tomado de convulsão, Ivan Fiódorovitch mordeu um lábio, cerrou os punhos e, mais um instante, investiria, é claro, contra Smierdiakóv. Ao menos isso este percebeu no mesmo instante, estremeceu e recuou inteiro. Mas o instante terminou bem para Smierdiakóv e Ivan Fiódorovitch guinou para o portão, calado, mas como que tomado de certa indignação.

— Amanhã estou partindo para Moscou, se queres saber, amanhã cedo, eis tudo! — proferiu subitamente com raiva, voz pausada e alta; mais tarde ele mesmo se admiraria de ter precisado dizer isso a Smierdiakóv naquela ocasião.

— Isso é o melhor — secundou o outro como se esperasse justamente por isso —, só que em Moscou o senhor pode ser incomodado pelo telégrafo com algum chamado daqui, no caso de alguma eventualidade.

Ivan Fiódorovitch tornou a parar e tornou a voltar-se rapidamente para Smierdiakóv. Mas era como se algo tivesse acontecido com o outro. Toda a sua familiaridade e o seu desmazelo sumiram num abrir e fechar de olhos; todo o seu rosto exprimia uma atenção excepcional e uma expectativa, porém já tímida e servil: "Não vais dizer mais alguma coisa, nem acrescentar?" — foi o que se leu em seu olhar fixo, cravado em Ivan Fiódorovitch.

— E por acaso também não me chamariam de Tchermachniá... para alguma eventualidade? — vociferou Ivan Fiódorovitch, não se sabe por que levantando terrível e subitamente a voz.

— De Tchermachniá também... pode ser importunado... — balbuciou Smierdiakóv quase cochichando, também parecendo desconcertado, mas continuando a encarar fixamente Ivan Fiódorovitch.

— Só que Moscou fica mais longe e Tchermachniá mais perto; parece que estás lamentando pelo dinheiro gasto com a passagem, ao insistir em Tchermachniá, ou lamentando por eu ter de dar uma volta tão grande?

— Absolutamente certo... — balbuciou Smierdiakóv com voz já embargada, sorrindo de um jeito torpe e mais uma vez se preparando com ar tenso para recuar a tempo. Mas de repente, para surpresa de Smierdiakóv, Ivan Fiódorovitch deu uma risada e tomou rapidamente o rumo do portão, ainda sorrindo. Quem olhasse para seu rosto certamente concluiria que em sua risada não havia nada de divertido. Aliás, nem ele mesmo teria como explicar o que lhe aconteceu naquele instante. Movia-se e andava como se estivesse com câimbras.

VII. "É ATÉ CURIOSO CONVERSAR COM UM HOMEM INTELIGENTE"

E também falava. Ao cruzar com Fiódor Pávlovitch na sala assim que entrou, súbito gritou para ele acenando com as mãos: "Vou para o meu quarto lá em cima e não ficar com o senhor, até logo", e passou ao lado, empenhando-se inclusive em não fitar o pai. É muito possível que nesse instante o velho lhe fosse por demais odioso, mas essa manifestação de hostilidade, tão sem cerimônia, foi inesperada até para Fiódor Pávlovitch. Era visível que o velho queria mesmo lhe comunicar depressa alguma coisa, e para isto viera de propósito ao seu encontro na sala; depois de ouvir semelhante amabilidade, ele parou em silêncio e, com ar de zombaria, acompanhou com o olhar o filho que subia a escada do mezanino até sumir de vista.

— O que foi que deu nele? — perguntou a Smierdiakóv, que entrara atrás de Ivan Fiódorovitch.

— Está zangado com alguma coisa, vá alguém entendê-lo — balbuciou o outro de modo evasivo.

— Com os diabos! Que se zangue! Serve o samovar e dá o fora daqui depressa, depressa. Alguma novidade?

E aí começou precisamente com aqueles interrogatórios de que Smierdiakóv acabara de queixar-se a Ivan Fiódorovitch, ou seja, tudo a respeito da esperada visitante, mas aqui vamos omitir esses interrogatórios. Meia hora depois a casa estava fechada, e o velho amalucado caminhava sozinho pelos cômodos na agitada expectativa de que a qualquer momento se fariam ouvir as cinco batidas combinadas, e de raro em raro olhava pelas janelas escuras sem nada enxergar, a não ser a noite.

Já era muito tarde, mas Ivan Fiódorovitch não pegava no sono e refletia. Nessa noite deitou-se tarde, aí pelas duas horas. Contudo, não transmitiremos todo o fluxo de seu pensamento, e ademais não é hora de entrarmos nessa alma: essa alma terá sua vez. E mesmo que tentássemos transmitir alguma coisa seria muito complicado fazê-lo, porque ali não havia pensamentos, havia algo muito indefinido e, o mais importante, sumamente inquieto. Ele mesmo sentia que perdera todas as suas coordenadas. Atormentavam-no também vários desejos estranhos e quase inteiramente inesperados, por exemplo: já depois da meia-noite, sentiu uma súbita, premente e insuportável necessidade de descer, abrir a porta, ir ao anexo e dar uma surra em Smierdiakóv, mas se lhe perguntassem que razão o movia, ele mesmo não conseguiria, absolutamente, expor com precisão um só motivo, a não ser que aquele criado se lhe tornara odioso como o mais grave ofensor que se poderia encontrar no mundo. Por outro lado, nessa noite sua alma mais de uma vez se achara presa de uma timidez inexplicável e humilhante — ele o sentia —, que até lhe dava a sensação de perder de repente as forças físicas. Estava com dor de cabeça e tontura. Um quê de ódio lhe confrangia a alma, como se ele nutrisse a intenção de se vingar de alguém. Sentia ódio até de Aliócha ao rememorar a conversa de ainda há pouco, por instantes odiava muito até a si mesmo. Quase se esquecera até de pensar em Catierina Ivánovna, o que depois o deixou muito surpreso, ainda mais porque tinha a sólida lembrança de que ainda na manhã da véspera, na casa dela, ao vangloriar-se com tanta desenvoltura de que partiria no dia seguinte para Moscou, murmurara em seu próprio íntimo: "Ora, mas isso é um absurdo, não partirás, e não te será tão fácil afastar-se dela como estás fanfarreando agora". Rememorando essa noite muito tempo depois, Ivan Fiódorovitch lembrou-se com especial repulsa de como chegara a se levantar subitamente do sofá, a abrir a porta em silêncio, como que tomado de um terrível medo de estar sendo observado, saíra à escada e se pusera a escutar o que vinha de baixo, dos cômodos inferiores, de como Fiódor Pávlovitch se mexia e andava lá embaixo — passara muito tempo na escuta, uns cinco minutos, movido por uma estranha curiosidade, com a respiração presa e o coração a bater, mas por que fizera tudo isso, qual o objetivo da escuta, é claro que nem ele o sabia. Depois, pelo resto da vida chamou de "infame" essa sua "atitude", e no fundo de seu íntimo, nos esconderijos da alma e de si para si, considerou-a a mais torpe atitude de toda sua vida. Naqueles instantes não sentia nenhum ódio sequer pelo próprio Fiódor Pávlovitch, por alguma razão apenas uma curiosidade lhe mordia fundo: como estaria andando lá embaixo, o que, por exemplo, estaria fazendo em seu quarto; conjeturava, tentava adivinhar que ele deveria estar lá embaixo olhando pelas janelas escuras, parando de supetão no meio da sala e pondo-se a esperar, a esperar — será que alguém vai bater? Ivan Fiódorovitch foi duas vezes até a escada com esse fim. Quando tudo se fez silêncio e Fiódor Pávlovitch já estava deitado, aí pelas duas horas, Ivan Fiódorovitch também se deitou com o firme desejo de adormecer depressa, uma vez que se sentia terrivelmente exaurido. E de fato: ferrou de estalo no sono, dormiu pesado sem sonhar, mas acordou cedo, por volta das sete, já com o dia amanhecido. Ao abrir os olhos sentiu de chofre, para sua surpresa, o afluxo de uma energia incomum, levantou-se de um salto, vestiu-se rapidamente, em seguida arrastou a mala e, sem demora, começou a arrumar suas coisas apressadamente. A roupa-branca tinha chegado da lavadeira justo na véspera. Ivan Fiódorovitch até riu ao pensar que tudo dera certo, que não havia nenhum entrave à sua partida imediata. E a partida era efetivamente repentina. Embora na véspera ele tivesse mesmo dito (a Catierina Ivánovna, a Aliócha e depois a Smierdiakóv) que no dia seguinte estaria de partida, entretanto, ao deitar-se então para dormir estava perfeitamente lembrado de que naquele instante sequer pensara em partir, pelo menos não pensara absolutamente que, ao acordar de manhã, seu primeiro movimento seria o de precipitar-se para arrumar a mala. Por fim a mala e a mochila estavam prontas: já se aproximava das nove quando Marfa Ignátievna foi a seu quarto com a costumeira pergunta de todos os dias: "Onde vai tomar o chá, em seu quarto ou lá embaixo?". Ivan Fiódorovitch desceu; tinha uma aparência quase alegre, embora em suas palavras e gestos houvesse qualquer coisa de desordenado e apressado. Saudou amavelmente o pai e até perguntou em especial por sua saúde, mas, por outro lado, sem esperar que o pai concluísse a resposta, foi logo anunciando que dentro de uma hora partiria para Moscou, em definitivo, e pedia que mandasse buscar a carruagem. O velho ouviu a informação sem a mínima surpresa, esquecendo-se, do modo mais indecente, de lamentar a partida do filho; em vez disso, tomou-se de súbita e extraordinária azáfama, lembrando-se bem a propósito de um negócio particular e vital.

— Sim senhor! Vejam só essa! Não me disseste ontem... mas agora mesmo a gente acerta isso. Faz-me um obséquio imenso, meu filho querido: dá uma chegadinha até Tchermachniá. É só guinar à esquerda da estação de Volóvia, percorrer umas doze verstazinhas e estarás em Tchermachniá.

— Desculpe, não posso: daqui à estrada de ferro são oitenta verstas, o trem parte da estação para Moscou às sete da noite em ponto. Preciso correr para chegar a tempo.

— Chegarás a tempo amanhã, senão depois de amanhã, mas hoje dá uma guinada para Tchermachniá. Que te custa tranquilizar teu pai? Se eu não tivesse afazeres aqui, há muito tempo já teria voado para lá, porque tenho lá uma coisinha urgente e extraordinária, mas aqui meu tempo anda meio apertado... Vê, lá eu tenho uma mata em dois lotes de terras virgens, em Bieguiíchev e em Diátchkino. Os Máslov, o pai e o filho, fazendeiros, estão oferecendo apenas oito mil rublos pelo corte da madeira, mas faz apenas um ano que apareceu um comprador oferecendo doze mil, só que ele não é daqui, e isso é o diabo. Porque a madeira daqui não tem saída: os Máslov estão cobiçando — o pai e o filho têm cem mil rublos: se botam um preço, é aceitar, porque nenhum comerciante daqui se atreve a competir com eles. O padre Ilinski me mandou uma carta quinta-feira passada, avisando que Górstkin chegou, ele também é comerciante, eu o conheço, e a preciosidade está no fato de que ele não é daqui, mas de Pogriébov, logo, não tem medo dos Máslov porque não é daqui. Dou-lhe onze mil pela mata, diz ele, estás ouvindo? Como escreve o padre, ele vai passar apenas uma semana por aqui. Então tu viajarias para lá e farias um acordo com ele...

— Então o senhor escreve ao padre e ele faz um acordo.

— Ele não sabe, aí é que está a coisa. Esse padre não tem capacidade de examinar nada. É uma criatura de ouro, eu lhe entregaria agora mesmo vinte mil rublos para guardar e nem pediria recibo, mas é incapaz de examinar o que quer que seja, é como se nem fosse gente, até uma gralha o passa para trás. Mas é um sábio, imagina só, imagina tu. Esse Górstkin parece um mujique, usa um casaco azul pregueado na cintura, só que tem a índole de um perfeito canalha, e aí está a nossa desgraça geral: mente, e isso é o diabo. Às vezes mente tanto que a gente fica admirada, sem saber por que faz isso. No ano retrasado mentiu dizendo que sua mulher havia morrido e que já estava casado com outra, mas nada disso aconteceu, imagina tu: a mulher dele nunca morreu, continua viva e lhe dá uma surra a cada três dias. Pois também agora precisamos saber: está mentindo ou dizendo a verdade, quer comprar e vai pagar os onze mil?

— Mas aí eu também não vou fazer nada, não tenho olho para isso.

— Espera, tu também servirás, porque vou te dar todas as indicações, há muito tempo faço negócios com ele. Vê: é preciso olhar para a barba dele; tem uma barbinha ruiva, fininha, nojentinha. Se a barba treme e ele mesmo fala e se mostra zangado, quer dizer que está tudo bem, está dizendo a verdade e quer fazer negócio; mas se alisa a barba com a mão esquerda e ri, quer dizer que está querendo engazopar, que está trapaceando. Nunca o olhes nos olhos, pelos olhos nunca irás atinar, são água turva, é um velhaco

— olha para a barba. Eu te dou um bilhete e tu o mostras a ele. Ele se chama Górstkin, só que não é Górstkin e sim Liágavi, mas não digas que ele é Liágavi, porque se ofende. Se fizeres acordo com ele e notares que está em ordem, escreve imediatamente para cá. Escreve só isso: "Não está mentindo". Insiste nos onze mil, podes baixar mil, mais não baixes. Pensa: oito e onze mil — três mil de diferença. É como se eu tivesse achado esses três mil, não se arranja rapidamente um comprador, e preciso de dinheiro a qualquer custo. Tu me fazes saber que a coisa é séria e eu mesmo saio daqui voando e concluo o negócio, darei um jeito de arranjar tempo. Por que eu haverei de correr agora para lá se isso for invenção do padre? Bem, vais ou não?

— Ah, não tenho tempo, livre-me disso.

— Sim, senhor, faz esse obséquio a teu pai, não vou esquecer! Vocês não têm coração, é isso! Que te custa um dia ou dois? Para onde estás indo agora, para Veneza? Tua Veneza não vai desmoronar em dois dias. Eu mandaria Aliócha, mas Aliócha metido nesses assuntos? Eu só estou pedindo isso porque és inteligente, por acaso não noto? Não és comerciante de madeira, mas tens olho. Estou dizendo, observa a barba: se a barbicha treme significa que a coisa é séria.

— O senhor mesmo está me empurrando para essa maldita Tchermachniá, hein? — bradou Ivan com um risinho raivoso.

Fiódor Pávlovitch não notou ou não quis notar a raiva, captou apenas o risinho.

— Quer dizer que tu vais, vais? Vou rascunhar um bilhete para levares.

— Não sei se vou, a caminho eu resolvo.

— Qual a caminho!, resolve agora. Meu caro, resolve! Faz um acordo, me escreve duas linhas, entrega ao padre e num piscar de olhos ele me envia o teu ofício. Depois não te retenho, vai para a tua Veneza. O padre te leva de volta à estação de Volóvia em seus cavalos...

O velho estava simplesmente extasiado, escreveu às pressas o bilhete, mandou buscar os cavalos, serviram salgados, conhaque. Quando o velho estava alegre sempre começava a expandir-se, mas desta vez parecia conter-se. Sobre Dmitri Fiódorovitch, por exemplo, não pronunciou uma palavrinha. Não estava minimamente comovido com a separação. Até parecia sem assunto; Ivan Fiódorovitch o percebeu: "Eu o deixei farto, sim senhor!" — pensou consigo. Só quando já se despedia do filho no alpendre o velho ficou como que agitado e fez menção de beijá-lo. Mas Ivan Fiódorovitch estendeu-lhe rápido a mão para apertar, evitando visivelmente o beijo. O velho compreendeu no ato e num instante se conteve.

— Bem, vai com Deus, vai com Deus! — repetiu do alpendre. — Ainda vais aparecer alguma vez na vida? Vamos, aparece, sempre ficarei contente. Bem, vai com Cristo!

Ivan Fiódorovitch subiu no *tarantás*.[81]

— Adeus, Ivan, e sem muitos desaforos! — gritou-lhe o pai pela última vez.

Todos os de casa saíram para as despedidas: Smierdiakóv, Marfa e Grigori. Ivan Fiódorovitch deu dez rublos de presente a cada um. Quando ele já estava sentado no *tarantás*, Smierdiakóv correu para ajeitar o tapete.

— Como vês... estou indo a Tchermachniá... — deixou escapar Ivan Fiódorovitch como que de repente, tal como ocorrera na véspera, quando a expressão saíra naturalmente e ainda acompanhada de um risinho nervoso. Mais tarde se lembraria muito disto.

— Quer dizer que é verdade o que dizem, que é até curioso conversar com um homem inteligente — respondeu com firmeza Smierdiakóv, fitando Ivan com um olhar penetrante.

O *tarantás* mexeu-se e arrancou a toda. O viajante estava com a alma perturbada, mas olhava ao redor com avidez para os campos, as colinas, as árvores, uma revoada de gansos que passava alto pelo céu claro sobre sua cabeça. E de repente ele se sentiu muito bem. Experimentou entabular conversa com o cocheiro e ficou interessadíssimo com o que ouvia do mujique, mas um minuto depois apercebeu-se de que não prestara ouvido e que, para falar a verdade, nem compreendera a resposta do mujique. Calou-se, já estava bom assim: ar puro, fresco, meio frio, céu claro. As imagens de Aliócha e Catierina Ivánovna esboçaram passar de relance por sua cabeça; mas ele deu um risinho suave e suavemente afastou esses fantasmas queridos, e eles voaram para longe: "A vez deles ainda chegará" — pensou. Passaram rapidamente pela estação, trocaram de cavalos e saíram em disparada para Volóvia. "Por que é curioso conversar com um homem inteligente, o que ele quis dizer com isso?" — ficou subitamente com a respiração presa. — "E por que lhe informei que estava vindo a Tchermachniá?" Chegaram à estação de Volóvia. Ivan Fiódorovitch desceu do *tarantás* e foi cercado pelos cocheiros. Combinaram o preço até Tchermachniá, que ficava a doze verstas dali por estradas vicinais, em cavalos particulares. Mandou que atrelassem os cavalos. Fez menção de entrar na sede da estação, lançou um olhar ao redor, olhou de relance para a mulher do chefe da estação e voltou subitamente para o alpendre.

— Não precisamos ir a Tchermachniá. Será que vou me atrasar, chegando lá pelas sete horas à estrada de ferro, meus irmãos?

[81] Carro de quatro rodas. (N. do T.)

— Faremos justamente a sua vontade. Atrelar ou não os cavalos?

— Atrelar, e já. Algum de vocês irá à cidade amanhã?

— Como não? Aqui está Mitri, que vai.

— Não poderias me prestar um serviço, Mitri? Vai à casa de meu pai, Fiódor Karamázov, e lhe diz que não fui a Tchermachniá. Podes ou não fazer isto?

— Por que não? Irei; conheço Fiódor Pávlovitch há muito tempo.

— Bem, toma essa gorjeta, porque ele talvez não te dê... — Ivan Fiódorovitch deu uma risada alegre.

— E não vai dar mesmo — riu também Mitri. — Obrigado, senhor, cumprirei sem falta...

Às sete da noite Ivan Fiódorovitch tomou o trem e voou para Moscou. "Adeus todo o passado, rompo para sempre os meus laços com o mundo do passado, e que dele não me chegue nem notícia, nem eco; para um novo mundo, para novos lugares, e sem olhar para trás!" Contudo, em vez do êxtase sua alma viu-se de repente invadida por tais trevas, seu coração foi pungido por uma aflição tal como ele jamais experimentara em toda a sua vida. Passou a noite inteira refletindo; o trem voava, e só ao raiar do dia, já chegando a Moscou, ele pareceu recobrar-se de repente.

— Sou um patife — murmurou com seus botões.

Fiódor Pávlovitch, porém, ficara muito contente depois de se despedir do filho. Durante duas horas inteiras sentiu-se quase feliz e tomou conhaque; súbito, porém, aconteceu em casa um fato lamentável e sumamente desagradável para todos, que num piscar de olhos deixou Fiódor Pávlovitch em grande perturbação: Smierdiakóv foi buscar alguma coisa na adega e caiu do topo da escada. Ainda bem que nesse instante Marfa Ignátievna estava no pátio e ouviu a tempo. Não ouviu o baque, mas ouviu o grito, aquele grito particular, estranho, mas que ela conhecia havia muito tempo — o grito do epiléptico que caía acometido pelo ataque. Se o ataque o acometera no instante em que ele descia os degraus da escada, de sorte que, é claro, imediatamente o fizera despencar sem sentidos escada abaixo ou se, ao contrário, já por causa da queda e do abalo Smierdiakóv, conhecido epiléptico, sofrera o ataque, não dava para atinar, mas o acharam no fundo da adega torcendo-se em convulsões, debatendo-se e espumando. A princípio pensaram que certamente ele havia quebrado alguma coisa, um braço ou uma perna, machucando-se, mas, não obstante, "Deus o protegeu", como se exprimiu Marfa Ignátievna: nada disso aconteceu, e só foi difícil retirá-lo dali e trazê-lo para fora. Mas pediram ajuda aos vizinhos e conseguiram tirá-lo. Toda essa cerimônia foi presenciada pelo próprio Fiódor Pávlovitch, que também ajudou, visivelmente assustado e como que desnorteado. Contudo, o doente não recobrava a consciência: os ataques, ainda que cessassem por um instante, recomeçavam, e todos concluíram que iria acontecer o mesmo que acontecera no ano anterior, quando ele caíra por descuido do sótão. Lembraram-se de que naquela ocasião haviam lhe aplicado gelo nas têmporas. Ainda encontraram um pouco de gelo na adega, Marfa Ignátievna tomou as providências e ao anoitecer Fiódor Pávlovitch mandou chamar o doutor Herzenstube, que veio no mesmo instante. Depois de examinar com cuidado o doente (era o médico mais cuidadoso e atencioso em toda a província, um velhote respeitadíssimo), ele concluiu que o ataque havia sido excepcional e "podia trazer perigo", mas por enquanto ele, Herzenstube, ainda não estava entendendo tudo, e que se os procedimentos agora aplicados não surtissem efeito, na manhã do dia seguinte ele resolveria aplicar outros. Deitaram o doente no anexo, em um quarto contíguo ao de Grigori e Marfa Ignátievna. Depois Fiódor Pávlovitch passou o dia inteiro sofrendo uma contrariedade atrás da outra: o almoço foi preparado por Marfa Ignátievna e a sopa, comparada à de Smierdiakóv, saiu uma "espécie de água suja"; a galinha ficara tão ressecada que era totalmente impossível mastigá-la. Às censuras do patrão, amargas ainda que justas, Marfa Ignátievna objetou que a galinha já era mesmo muito velha e que ela nunca fizera curso de cozinheira. À noite veio uma nova preocupação: Fiódor Pávlovitch foi informado de que Grigori, que desde a antevéspera andara adoentado, agora estava quase totalmente acamado com uma crise de lumbago. Fiódor Pávlovitch terminou o seu chá o mais cedo que pôde e trancou-se sozinho em casa. Estava numa terrível e inquietante expectativa. Acontece que justo naquela tarde ele aguardava a chegada de Grúchenka como coisa quase certa; pelo menos recebera de Smierdiakóv, ainda de manhã cedo, a quase garantia de que "ela já prometera vir sem falta". O coração do insaciável velhote batia com inquietação, ele andava pelos cômodos vazios e aguçava o ouvido. Era preciso manter o ouvido atento: Dmitri Fiódorovitch podia estar vigiando-a em algum lugar, e quando ela batesse à janela (ainda na antevéspera Smierdiakóv assegurara a Fiódor Pávlovitch que lhe havia informado onde bater), então seria necessário abrir a porta o mais rápido possível e em hipótese nenhuma retê-la inutilmente no vestíbulo, nem por um segundo, para que Deus não permitisse que se assustasse com alguma coisa e fugisse. Era uma azáfama para Fiódor Pávlovitch, mas antes seu coração nunca navegara em tão doce esperança: podia-se dizer quase com certeza que desta vez ela viria sem falta!...

Livro VI
UM MONGE RUSSO

I. O *STÁRIETZ* ZOSSIMA E SEUS VISITANTES

Quando Aliócha, desassossegado e dorido, entrou na cela do *stárietz*, parou quase pasmado: em vez de encontrá-lo moribundo, talvez já inconsciente, como temia, deparou com ele sentado na poltrona, com uma expressão de ânimo e alegria no rosto, embora esgotado pela fraqueza, cercado de visitantes e numa conversa sossegada e lúcida com eles. Aliás, levantara-se da cama menos de um quarto de hora antes da chegada de Aliócha; os visitantes já se haviam reunido em sua cela e esperaram que ele acordasse, atendendo ao padre Paissi, que foi firme ao asseverar que "o mestre se levantará, sem dúvida, para conversar mais uma vez com os entes queridos de seu coração, como ele mesmo se exprimiu e prometeu ainda pela manhã". Nessa promessa, assim como em qualquer palavra que viesse do *stárietz*, o padre Paissi acreditava com tal firmeza que, se o visse já de todo inconsciente e até sem respirar, mas tivesse a promessa dele de que ainda se levantaria e se despediria dele, talvez não acreditasse nem na própria morte e ficasse esperando que o moribundo acordasse e cumprisse o prometido. Pela manhã, o *stárietz* Zossima lhe afirmara positivamente ao se recolher para uma soneca: "Não morrerei sem que antes me delicie mais uma vez palestrando convosco, queridos de meu coração, contemple seus rostos amados e de novo me desafogue convosco". Os que estavam ali reunidos para essa palestra do *stárietz*, provavelmente a última, eram seus amigos mais dedicados desde muitos anos. Eram quatro: o padre Ióssif, o padre Paissi e o hieromonge padre Mikhail, abade do eremitério, homem ainda não muito velho, nem de longe tão sábio, de título modesto porém firme de espírito, fé simples e inabalável, aparência severa mas coração impregnado de uma ternura profunda, embora, não obstante, dissimulasse visivelmente sua ternura a ponto de chegar a certo acanhamento. O quarto visitante, o irmão Anfin, já era bem velhinho, um mongezinho simples, de origem camponesa paupérrima, quase iletrado, calado e manso, o mais humilde entre os humildes, que inclusive só trocava uma palavra com alguém de raro em raro e tinha a aparência de um homem eternamente assustado com alguma coisa grande, terrível e fora do alcance de sua inteligência. O *stárietz* Zossima gostava muito desse homem de aparência atemorizada, e durante toda a sua vida o tratara com uma estima incomum, embora ele fosse a pessoa com quem talvez houvesse falado menos em toda a vida, apesar de, outrora, haverem peregrinado muitos anos juntos por toda a santa Rússia. Isso já acontecera fazia muito tempo, uns quarenta anos antes, quando o *stárietz* Zossima realizava seus primeiros feitos como monge em um mosteiro pobre e pouco conhecido de Kostroma, e logo acompanhara o padre Anfin em suas peregrinações à procura de doações para esse seu pobre mosteiro. Todos, tanto o anfitrião quanto os visitantes, estavam no segundo quarto do *stárietz*, onde ficava a sua cama, quarto que, como foi dito antes, era muito apertado, de sorte que os quatro (exceto o noviço Porfiri, que estava em pé) mal se acomodavam em torno da poltrona do *stárietz* nas cadeiras trazidas do primeiro quarto. Já começava a anoitecer, o quarto estava iluminado por uma lamparina e velas de cera diante dos ícones. Ao ver Aliócha, que se postara acanhado à entrada, o *stárietz* sorriu de alegria e lhe estendeu a mão:

— Boa tarde, quietinho, boa tarde, meu querido, eis tu também aqui. Eu sabia que virias.

Aliócha achegou-se, prosternou-se até o chão e começou a chorar. Algo irrompeu de seu coração, sua alma fremia, ele queria cair em prantos.

— Ora, espera para me prantear — sorriu o *stárietz*, pondo-lhe a mão direita na cabeça —, como vês, estou aqui sentado e conversando, talvez ainda viva vinte anos, como ontem me desejou aquela boa e amável senhora de Vichegórie que estava com a menininha Lizavieta no colo. Senhor, lembra-Te da mãe e da menina Lizavieta! (Benzeu-se.) Porfiri, levaste o donativo dela para onde eu indiquei?

Mencionava as seis moedas de dez copeques, doadas na véspera pela alegre admiradora para que fossem entregues "àquele que for mais pobre do que eu". Essas oferendas são dadas como *epitimias* que por algum motivo alguém assume de forma voluntária, e se constituem forçosamente de dinheiro obtido com o próprio trabalho. O *stárietz* enviara Porfiri na véspera à procura de uma viúva de nossa cidade que perdera a casa num incêndio havia pouco tempo, tinha filhos e depois disso passara a pedir esmola. Porfiri se apressou em informar que a missão fora cumprida e que entregara o donativo conforme lhe havia sido ordenado, "em nome de uma benfeitora desconhecida".

— Levanta-te, meu querido — continuou o *stárietz* para Aliócha —, deixa-me olhar para ti. Estiveste com os teus e viste teu irmão?

Aliócha achou estranho que ele perguntasse com tanta firmeza e precisão apenas por um de seus irmãos — mas sobre qual deles? Quer dizer então que fora para procurar esse irmão que ele o despachara tanto ontem quanto hoje.

— Vi um de meus irmãos — respondeu Aliócha.

— Estou perguntando a respeito daquele de ontem, o mais velho, a quem fiz a reverência até o chão.

— Esse eu só vi ontem, mas hoje não houve como encontrá-lo — disse Aliócha.

— Apressa-te em encontrá-lo, vai amanhã mais uma vez e te apressa, deixa tudo e te apressa, talvez ainda consigas prevenir algo horrendo. Ontem fiz uma reverência ao grande sofrimento que o espera.

Calou-se de chofre e ficou como que pensativo. Suas palavras eram estranhas. O padre Ióssif, que testemunhara na véspera aquela reverência do *stárietz* até o chão, entreolhou-se com o padre Paissi. Aliócha não se conteve.

— Padre e mestre — falou com extraordinária emoção —, suas palavras são demasiadamente vagas... que sofrimento é esse que o aguarda?

— Não sejas curioso. Ontem tive a impressão de algo terrível... como se o olhar dele exprimisse todo o seu destino. Ele tinha esse olhar... de maneira que, por um instante, meu coração ficou apavorado com o que aquele homem prepara para si. Uma ou duas vezes em minha vida vi em algumas pessoas a mesma expressão no rosto... como se ela estampasse todo o destino daquelas pessoas, e, infelizmente, o destino delas se realizou. Eu te enviei para procurá-lo, Alieksiêi, porque pensei que tua imagem de irmão o ajudaria. Mas tudo depende de Deus, e nossos destinos também. "Se o grão de trigo que cai sobre a terra não morre, fica só; mas se morre, traz muitos frutos", lembra-te destas palavras. Muitas vezes, Alieksiêi, eu te abençoei em pensamento por causa de tua imagem, fica sabendo — pronunciou o *stárietz* com um sorriso sereno. — Eis o que penso sobre ti: sairás destas paredes e viverás no mundo como um monge. Terás muitos inimigos, mas teus próprios inimigos te amarão. A vida te trará muitos infortúnios, mas é com eles que serás feliz, bendirás a vida e farás com que os outros a bendigam — e isso é o mais importante. Vês, pois, como és. Padres e mestres meus — dirigiu-se a seus visitantes sorrindo enternecido —, até hoje nunca contei, nem a ele mesmo, por que a imagem desse jovem era tão cara à minha alma. Só agora vou contar: sua imagem era para mim uma espécie de aviso e profecia. No raiar de meus dias, quando eu ainda era uma criancinha, eu tinha um irmão mais velho, que morreu jovem, diante de meus olhos, com apenas dezessete anos. Depois, ao longo de minha vida, fui-me convencendo pouco a pouco de que esse meu irmão foi em meu destino uma espécie de sinal e predestinação do alto, pois se ele não tivesse aparecido em minha vida, se não tivesse existido absolutamente, é possível, assim o penso, que eu não tivesse tomado o hábito de monge nem enveredado por esse precioso caminho. Aquela primeira aparição deu-se ainda em minha infância, e eis que no declínio de minha caminhada apareceu-me diante dos olhos uma quase repetição dele. É um milagre, padres e mestres, que sem ser muito parecido com ele de rosto, mas só levemente, Alieksiêi tenha me dado a impressão de parecer-se espiritualmente com ele, e a tal ponto que muitas vezes eu realmente o tomei por aquele jovem meu irmão, que tinha vindo para mim no final de minha caminhada, de forma misteriosa, para que eu me lembrasse e me convencesse interiormente de algo, de modo que até me admirei de mim mesmo e desse meu estranho devaneio. Estás ouvindo isto, Porfiri? — ele se dirigiu ao noviço que o atendia. — Muitas vezes li em teu rosto uma espécie de amargura por eu amar Alieksiêi mais do que a ti. Agora estás sabendo o motivo, mas eu também te amo, fica sabendo, e muitas vezes afligi-me por ver que estavas amargurado. A vós, amados visitantes, quero falar desse jovem, meu irmão, porque não houve em minha vida aparição mais preciosa, mais profética e comovente. Meu coração se enterneceu e neste instante contemplo toda a minha vida como se tornasse a vivê-la integralmente...

Aqui devo observar que essa última palestra do *stárietz* com seus visitantes no último dia de sua vida foi, em parte, conservada em forma escrita. Registrou-a de memória Alieksiêi Fiódorovitch Karamázov, algum tempo após a morte do *stárietz*. Contudo, se em suas notas ele a reproduziu na íntegra ou lhe acrescentou passagens de antigas palestras com seu mestre, isso eu já não posso precisar, e ademais suas notas imprimem em toda a fala do *stárietz* um quê de continuidade, como se ele tivesse exposto sua vida aos seus amigos em forma de narrativa, quando os relatos que se seguiram não deixam dúvida de que as coisas aconteceram de modo um tanto diferente, já que naquela noite houve uma palestra geral, e embora os visitantes pouco tenham interrompido seu anfitrião, todavia falaram também de coisas suas, interferindo na conversa e talvez até revelando e narrando algo de sua própria experiência; portanto, tal continuidade não seria possível em semelhante narrativa, porque de quando em quando o *stárietz* arfava, perdia a voz e até se deitava na cama para descansar — embora não adormecesse —, e os visitantes permaneciam em seus lugares. Uma ou duas vezes o padre Paissi interrompeu a palestra com sua leitura do Evangelho. Note-se ainda que, apesar de tudo, nenhum deles supunha que ele morreria naquela mesma noite, ainda mais porque, depois de um profundo sono diurno, nessa última noite de sua vida ele pareceu ganhar subitamente nova força, que o sustentou durante toda essa longa palestra com os amigos. Isso foi uma espécie de último enternecimento, que preservou nele uma animação extraordinária, mas apenas por um curto lapso de tempo, pois sua vida cessou de repente... Mas disto falaremos depois. Agora quero fazê-los cientes de que, sem expor todos os detalhes da palestra, preferi me limitar ao relato do *stárietz* segundo o manuscrito de Alieksiêi Fiódorovitch Karamázov. Ele sairá mais breve e não tão cansativo, embora, é claro, repito, Aliócha lhe tenha acrescentado muita coisa de palestras anteriores.

II. A VIDA DO HIEROMONGE *STÁRIETZ* ZOSSIMA, MORTO NA GRAÇA DE DEUS, REDIGIDA A PARTIR DE SUAS PRÓPRIAS PALAVRAS POR ALIEKSIÊI FIÓDOROVITCH KARAMÁZOV. DADOS BIOGRÁFICOS

a) *O jovem irmão do* stárietz *Zossima*

Amados padres e mestres, nasci numa distante província do Norte, na cidade de V., de pai nobre mas não de casta, e de condição bastante modesta. Morreu quando eu tinha apenas dois anos e não me lembro absolutamente dele. Deixou para minha mãe uma pequena casa de madeira e algum capital, não grande, mas suficiente para viver com os filhos sem passar necessidade. Minha mãe tinha apenas dois filhos: eu, Zinóvi, e meu irmão mais velho, Márkel. Era uns oito anos mais velho do que eu, cabeça quente e irascível, mas bondoso, alheio a caçoadas e até estranho de tão calado, sobretudo em casa, comigo, com minha mãe e os criados. Era bom aluno no colégio, mas não fazia amizade com os colegas, embora também não brigasse; ao menos era assim que minha mãe o recordava. Meio ano antes de sua morte, já com dezessete anos, deu para visitar a casa de um homem que vivia isolado em nossa cidade, uma espécie de exilado político deportado de Moscou para nossa cidade por ser um livre-pensador. Esse exilado era um sábio importante e filósofo renomado na universidade. Por alguma razão gostou de Márkel e passou a recebê-lo. Meu jovem irmão passava tardes inteiras em casa dele e isso durou todo o inverno, até que o exilado foi chamado de volta para o serviço público em Petersburgo, por um especial pedido seu, pois tinha protetores. Começou a Quaresma e Márkel não queria jejuar, insultava até zombava dessa prática: "Tudo isso são maluquices, dizia ele, e não existe Deus nenhum" — de sorte que minha mãe e os criados ficaram horrorizados, e eu um pouco, porque, embora eu tivesse apenas nove anos, essas palavras me deixaram muito assustado. Todos os nossos criados eram servos, quatro ao todo, todos comprados em nome de um grande senhor de terras nosso conhecido. Ainda me lembro de que minha mãe vendeu um dos quatro, a cozinheira Afímia, coxa e idosa, por sessenta rublos em papel, e em seu lugar contratou uma cozinheira livre. E eis que na sexta semana da Quaresma meu irmão piorou subitamente, se bem que sempre tivesse sofrido do peito, era de compleição fraca e predisposto à tísica; de boa estatura, mas delgado e doentio, ainda assim tinha um rosto agradável. Não sei se teria gripado, mas o médico apareceu lá em casa e logo cochichou à minha mãe que ele estava com uma tísica galopante e não sobreviveria à primavera. Minha mãe começou a chorar, a pedir cautelosamente (mais para não assustá-lo) que meu irmão jejuasse[82] e comungasse nos santos mistérios divinos, porque ainda estava em pé. Ao ouvir isso, zangou-se e destratou o templo de Deus, mas caiu em meditação: logo percebeu que estava com uma doença perigosa e por isso a mãe o mandava se confessar e comungar enquanto ele ainda tinha forças. Aliás, ele mesmo já sabia que estava doente havia muito tempo, e um ano antes, à mesa, tocara friamente nesse assunto comigo e com minha mãe: "Não sou mais deste vosso mundo, talvez não dure nem mais um ano", e foi como se tivesse profetizado. Uns três dias depois começou a Semana Santa. E meu irmão passou a jejuar desde a manhã da terça-feira. "Mãezinha, estou fazendo isto propriamente pela senhora, para deixá-la contente e tranquila" — disse-lhe. Minha mãe chorou de alegria e também de aflição: "Quer dizer que o fim dele está próximo, se lhe vem uma mudança tão repentina". Mas não foi por muito tempo à igreja, caiu de cama, de sorte que já o confessaram e lhe deram comunhão em casa. Os dias andavam serenos, claros, cheios de fragrância no ar, a Páscoa caíra tarde naquele ano. Lembro-me de que ele passava a noite inteira tossindo, dormia mal, e de manhã sempre se vestia e tentava sentar-se numa poltrona macia. É assim que me lembro dele: sentado, sereno, dócil, rindo, doente mas de aspecto alegre, radiante. Estava de espírito completamente mudado — era maravilhosa a transformação que começara a sofrer de uma hora para outra! A velha aia entrava em seu quarto: "Meu caro, permite-me acender a lamparina diante do ícone?". Antes ele não o permitia, até apagava. "Acende, querida, acende, eu era um monstro que lhe dava desgosto antes. Reza ao acender a lamparina a Deus, que rezarei por ti cheio de alegria. Então estaremos rezando a um único Deus." Essas palavras nos pareceram

[82] Jejum preparatório para a confissão e a comunhão. (N. do T.)

estranhas, minha mãe ia para o seu quarto e chorava, só que ao entrar no quarto dele enxugava as lágrimas e assumia um aspecto alegre. "Mamãe, não chore, minha cara — dizia ele, às vezes —, eu ainda terei muita vida pela frente, vou me distrair muito com vocês, porque a vida, a vida é alegre, é prazerosa!" — "Ah, querido, que alegria podes ter se passas a noite ardendo em febre e tossindo, de tal modo que o teu peito por pouco não arrebenta?" — "Mamãe — respondia ele —, não chores, a vida é um paraíso, e todos nós estamos no paraíso, mas não queremos reconhecer, se quiséssemos reconhecer amanhã mesmo o paraíso se instauraria em todo o mundo." Ficamos admirados com todas essas suas palavras, tão estranha e decidida foi a maneira com que as pronunciou; ficamos comovidos e choramos. Os conhecidos nos visitavam: "Meus queridos, dizia ele, meus caros, em que mereci que gostásseis de mim? por que gostais de mim como sou? e como antes eu não sabia disso, não apreciava?". Aos criados que entravam em seu quarto ele dizia a cada instante: "Meus queridos, meus caros, por que me servem, mereço que me sirvam? Se Deus se compadecesse e me deixasse viver, eu passaria a servir a todos, pois todos devem servir uns aos outros". Ao ouvir isso minha mãe balançava a cabeça: "Meu querido, estás falando assim por causa da doença". — "Mamã, meu bem, dizia ele, não é possível que não haja senhores e criados, mas oxalá eu venha a ser criado de meus criados, assim como eles são meus. E ainda te digo mais, mãezinha, que cada um de nós é culpado por tudo perante todos, e eu mais que todos." Mamãe chegou até a dar um riso, a chorar e rir: "Bem, e em que tu és mais culpado do que todos perante os demais? Entre eles há assassinos, bandidos, mas tu, que pecado pudeste cometer para te acusares mais a ti mesmo que aos outros?". "Mãezinha, minha querida, dizia ele (ele passou a usar essas palavras amáveis, inesperadas), minha querida, meu bem, fica sabendo que, em verdade, cada um é culpado por todos e por tudo. Não sei como te explicar isto, mas sinto que é assim, e até me dá aflição. Como nos foi possível viver, nos zangarmos, sem perceber nada?" Assim ele acordava todos os dias, cada vez mais e mais enternecido e alegre, todo fremente de amor. Às vezes aparecia o médico, o velho alemão Eisenschmidt: "Então, doutor, ainda vou viver mais um diazinho neste mundo?" — brincava por vezes com ele. "Não só um dia, mas muitos dias — respondia de quando em quando o médico —, há de viver meses e anos ainda". — "Ora, para que anos, para que meses! — chegava a exclamar. — Para que contar dias, se um dia é suficiente ao homem para que ele conheça toda a felicidade? Meus queridos, por que brigamos, por que nos vangloriamos uns perante os outros, por que guardamos rancor uns dos outros? vamos direto para o jardim e passeemos e brinquemos, amando e elogiando uns aos outros, e beijando, e bendizendo nossa vida." — "Vosso filho já não é deste mundo — disse o médico a mamãe quando ela o acompanhou até a saída —, está passando da doença à loucura." As janelas de seu quarto davam para o jardim, e nosso jardim era cheio de sombras, com árvores antigas, nas árvores germinavam os brotos da primavera, vários pássaros pousavam, grasnavam, cantavam na janela dele. E, olhando para eles e deliciando-se com eles, ele começou de repente a também lhes pedir perdão: "Pássaros de Deus, pássaros radiantes, desculpem-me vocês também, porque eu também pequei perante vocês". Naquele momento nenhum de nós conseguia entender isso, mas ele chorava de alegria: "Sim, dizia ele, eu tinha a meu redor aquela glória de Deus: pássaros, árvores, prados, céus, e só eu vivia na desonra, só eu havia desonrado tudo, e não notei absolutamente a beleza e a glória". — "Tu estás assumindo muitos pecados" — chegava a chorar minha mãe. "Mãezinha, meu bem, estou chorando de alegria e não de tristeza; eu mesmo quero ser culpado perante eles, só não posso te explicar isso pois nem sei como amá-los. Que eu seja pecador perante todos, mas em compensação também serei perdoado por todos — eis o paraíso. Por acaso não estou neste momento no paraíso?"

E ainda houve muita coisa que não dá para rememorar nem inserir. Lembro-me de que uma vez entrei sozinho em seu quarto quando não havia ninguém com ele. Era a hora vespertina, clara, o sol caminhava para o poente e iluminava todo o quarto com um raio oblíquo. Ao me ver ele me chamou, eu me aproximei, ele me segurou pelos ombros com ambas as mãos, olhou para meu rosto enternecido, com amor; não disse nada, apenas ficou me olhando cerca de um minuto: "Bem, disse ele, agora vai, brinca, vive por mim!". Então saí e fui brincar. Mais tarde, lembrei-me muitas vezes em minha vida, com lágrimas nos olhos, de como ele mandou que eu vivesse por ele. Ainda disse muitas daquelas coisas maravilhosas e belas, embora incompreensíveis para nós naquele momento. Faleceu na terceira semana depois da Páscoa, consciente, e embora já sem poder falar, não mudou até sua última hora: aspecto alegre, alegria nos olhos, o olhar nos procurando, rindo para nós, chamando-nos. Até na cidade muito se falou de seu falecimento. Tudo isso me deixou abalado naquele momento, mas não em excesso, embora eu tivesse chorado muito na hora de seu enterro. Eu era jovem, uma criança, mas tudo ficou indelével em meu coração, um sentimento encastelou-se aí. Teria de emergir e manifestar-se quando chegasse o momento. Foi o que aconteceu.

b) *As Sagradas Escrituras na vida do padre Zossima*

Eu e mamãe ficamos sozinhos. Logo os bons conhecidos lhe sugeriram: ora, restou-lhe apenas um filho, a senhora não é pobre, tem capital, então por que não segue o exemplo dos outros e envia seu filho para estudar em Petersburgo? Pois, permanecendo aqui, em sua nobreza, talvez a senhora o prive de um bom futuro. E sugeriram que minha mãe me levasse ao Corpo de Cadetes em Petersburgo para que, mais tarde, eu ingressasse na guarda do imperador. Durante muito tempo minha mãe hesitou: como iria se separar do último filho? e apesar de tudo decidiu-se, mas não sem derramar muitas lágrimas, pensando assegurar minha felicidade. Levou-me para Petersburgo e lá me fixou, e desde então nunca mais a vi; porque ao cabo de três anos ela mesma faleceu, depois de passar todo esse tempo consumindo-se de tristeza e tremendo por nós dois. Da casa de meus pais levei apenas as lembranças mais preciosas, porque para um homem não há lembranças mais preciosas que aquelas da primeira infância em casa dos pais, e é isso que acontece quase sempre, mesmo se numa família existe apenas um pouquinho de amor e união. Aliás, até da pior família se podem conservar lembranças preciosas, contanto que a alma seja capaz de procurar o precioso. Entre as lembranças de casa relaciono também aquelas vinculadas à História Sagrada, que em casa de meus pais eu tinha muita curiosidade de conhecer, apesar de ainda ser criança. Eu tinha na época um livro, a História Sagrada, ilustrado com belos quadros, intitulado *As cento e quatro histórias sagradas do Antigo e do Novo Testamento*, e nele eu aprendi a ler.[83] Até hoje eu o conservo aqui em minha estante como um monumento precioso. Mas ainda antes de aprender a ler, tinha eu oito anos, lembro-me de como certa compenetração espiritual me visitou pela primeira vez. Minha mãe me levou sozinho (não me lembra onde meu irmão estava na ocasião) para o templo de Deus, para a missa de segunda-feira da Semana Santa. O dia estava claro e eu, ao rememorar aquilo neste momento, é como se tornasse a ver o incenso brotando do turíbulo, subindo devagarzinho, enquanto lá do alto da cúpula os raios de Deus se derramam sobre nós na igreja por uma janelinha estreita e o incenso, que sobe em ondas ao seu encontro, parece dissolver-se neles. Eu contemplava aquilo com enternecimento, e pela primeira vez em minha vida recebi conscientemente na alma a primeira semente da palavra de Deus. Um adolescente foi ao centro do templo com um livro grande na mão, tão grande que me pareceu que ele o levava até com dificuldade, e o pôs no atril, abriu-o e começou a ler; e súbito compreendi algo pela primeira vez na vida,

[83] Segundo Anna Grigórievna, Dostoiévski aprendeu a ler por esse livro. (N. da E.)

compreendi o que se lê na casa de Deus. Havia na terra de Uz[84] um homem verdadeiro e devoto, e ele tinha muita riqueza, tantos camelos, tantas ovelhas e jumentos, e seus filhos se divertiam, e ele os amava muito, e orava por eles a Deus: talvez eles tivessem pecado quando se divertiam. E eis que o diabo vai a Deus com os filhos de Deus e diz ao senhor que percorrera a terra por cima e por baixo. "Observaste meu servo Jó?" — pergunta-lhe Deus. E Deus se gaba ao diabo, apontando para o seu grande servo. E o diabo ri das palavras de Deus: "Entrega-me teu servo e verás que ele começará a queixar-se e amaldiçoará o teu nome". Então Deus entregou seu servo justo e tão amado ao diabo, e o diabo feriu-lhe os filhos, e o gado, e destruiu sua riqueza, tudo de repente como um trovão divino, e Jó rasgou suas vestes, e atirou-se sobre a terra, e berrou: "Nu saí do ventre de minha mãe e nu retornarei à terra; Deus deu, Deus tirou. Bendito seja o nome do Senhor, agora e para todo o sempre!". Padres e mestres, perdoai estas minhas lágrimas de agora, porque é como se toda a minha primeira infância reaparecesse diante de mim, e neste momento respiro como então respirava com meu peito infantil de oito anos, e como naquela ocasião experimento surpresa, e confusão, e alegria. Reaparecem os camelos, que naquela ocasião ocuparam minha imaginação, e Satanás, que falou daquela maneira com Deus, e Deus, que entregou seu servo à morte, e seu servo, que exclamava: "Bendito seja Teu nome apesar de me atormentares" — e isso seguido de um canto sereno e doce no templo: "Minha oração se corrigirá", e de novo sobe o incenso do turíbulo do sacerdote e a oração volta a ser feita em posição genuflexa! Desde então — ainda ontem eu o peguei em minhas mãos — não posso ler sem lágrimas esse relato sagrado. Ah, quanto há de grande, misterioso, inimaginável aí! Depois ouvi palavras de zombeteiros e blasfemos, palavras orgulhosas: como Deus pôde entregar o mais amado de seus filhos ao diabo para divertimento, tirar-lhe os filhos, feri-lo com doença e chagas de tal modo que ele teve de limpar com um caco o pus de suas feridas, e para quê: unicamente para se vangloriar perante Satanás: "Eis, diz ele, o que um santo meu é capaz de suportar por mim!". Mas o grandioso é que o mistério está aí — a face passageira da Terra e a verdade eterna aí se tocaram. Diante da verdade terrena realiza-se a ação da verdade eterna. Aí, como nos primeiros dias da criação, o Criador diz, concluindo cada dia com um elogio: "O que eu criei é bom" — olha para Jó e torna a gabar-se de sua criação. Mas Jó, elogiando o Senhor, serve não só a Ele, serve a toda a criação d'Ele de geração em geração e para

[84] Há algumas diferenças entre o Livro de Jó aqui citado e as traduções que costumamos encontrar em português. (N. do T.)

todo o sempre, pois para tal foi predestinado. Meu Deus, que livro e que lições! Que livro são essas Sagradas Escrituras, que milagre e que força que dá ao homem! É como se fosse uma estátua do mundo e do homem e dos caracteres humanos, e tudo isso nomeado e indicado para todo o sempre. E quantos mistérios resolvidos e revelados: Deus reabilita Jó, dá-lhe de novo a riqueza, passam-se novamente muitos anos, e ei-lo já com novos filhos, outros, e os ama — oh, Senhor! "Sim, poder-se-ia pensar como ele poderia amar esses novos filhos quando não tinha mais os antigos, quando fora privado deles? Lembrando-se daqueles, por acaso poderia ser, como antes, plenamente feliz com os novos, por mais que os novos lhe fossem queridos?". Mas é possível, é possível: por força do grande mistério da vida humana, uma velha tristeza se converte paulatinamente numa serena e enternecida alegria; em vez do sangue efervescente da mocidade vem a velhice dócil e serena: bendigo o nascer do sol de cada dia, e meu coração canta para ele como antes, no entanto já gosto mais de seu ocaso, de seus longos raios oblíquos e, com eles, das lembranças dóceis e ternas, das imagens encantadoras de toda uma vida longa e abençoada — e sobre tudo isto está a verdade de Deus que comove, reconcilia e tudo perdoa! Minha vida está terminando, eu sei e sinto isto, mas a cada dia que me resta sinto que minha vida terrestre já contacta com uma vida nova, infinita, desconhecida mas imediatamente futura, cujo pressentimento faz fremir de êxtase minha alma, resplandecer a razão e chorar de alegria o coração... Amigos e mestres, mais de uma vez eu ouvi, e ainda mais nos últimos tempos, que em nosso país os padres de Deus, principalmente os padres das aldeias, vêm se queixando em toda parte e entre lágrimas de que suas côngruas andam baixas e ainda estão baixando, e asseguram francamente até por escrito — eu li isto — que não podem mais explicar as escrituras ao povo porque recebem côngruas baixas, e que se aparecerem luteranos e hereges e começarem a tomar o rebanho, então que o tomem, porque as côngruas estão baixas.[85] Senhor! penso eu, que Deus lhes dê antes de tudo as tão preciosas côngruas (porque sua queixa é justa), mas em verdade digo: se existem culpados por isso, metade da culpa é nossa! Porque vá que o padre não tenha tempo, vá que tenha razão, que esteja sempre oprimido pelo trabalho e pelos rituais, mas ainda assim ele tem tempo, tem ao menos uma hora em toda a semana para se lembrar de Deus. Ademais, não é trabalho para o ano inteiro. Reúna em sua casa uma tarde por semana a princípio apenas as criancinhas — os pais tomarão conhecimento e começarão a

[85] Os jornais da década de 1860-1870 publicavam frequentes notícias sobre as péssimas condições materiais do baixo clero e as queixas dos padres. (N. da E.)

aparecer. E não é preciso construir um palacete para esta atividade, mas simplesmente recebê-los em sua isbá; não temas, não vão estragar a tua isbá, pois vais reuni-los apenas por uma hora. Abre para eles este livro e começa a ler sem palavras complicadas nem presunção, sem ufania perante elas e sim com ternura e docilidade, tu mesmo te alegrando de que estás lendo para elas, de que elas te ouvem e te compreendem, tu mesmo amando essas palavras, só de raro em raro parando e explicando alguma palavra incompreensível para a gente simples; não te preocupes, compreenderão tudo, o coração ortodoxo compreende tudo! Lê para elas sobre Abraão e Sara, sobre Isaac e Rebeca, sobre como Jacó foi à casa de Labão e lutou em sonho com Deus, dizendo: "É terrível este lugar" — e impressionarás o devoto e a gente simples. Lê para eles, sobretudo para as criancinhas, a história de como os irmãos venderam o próprio irmão — o adolescente e amável José, decifrador de sonhos e grande profeta — como escravo, disseram ao pai que uma fera havia estraçalhado seu filho e lhe mostraram a roupa dele ensanguentada. Lê sobre como mais tarde os irmãos foram ao Egito atrás de pão, e José, a essa altura já grande cortesão, não tendo sido reconhecido por eles, atormentou-os, fez-lhes acusações, deteve o irmão Benjamin, e sem nunca deixar de amá-los: "Eu vos amo, e, amando-vos, eu vos atormento". Porque durante toda a sua vida guardara incansavelmente a lembrança de como o venderam a comerciantes à beira de um poço em algum lugar do deserto quente, de como ele torcera as mãos, chorando e implorando aos irmãos para que não o vendessem como escravo para uma terra estranha e, vendo-os depois de tantos anos, tornou a amá-los infinitamente, mas os atormentou e os fez penar, e sempre os amando. Por fim os deixa por não suportar o tormento de seu coração, lança-se ao leito e chora; depois enxuga o rosto, sai radiante e sereno e lhes anuncia: "Irmãos, sou José, vosso irmão!". Que o padre leia em seguida sobre como se alegrou o ancião Jacó ao saber que seu amado menino ainda estava vivo, e arrastou-se para o Egito, abandonando até a pátria, e morreu em terra estranha, legando para todo o sempre a grandiosa palavra que misteriosamente guardara por toda a vida em seu coração dócil e temente, a qual enunciava que de sua estirpe, de Judá, sairia a grande esperança do mundo, seu conciliador e pacificador! Padres e mestres, perdoai e não vos zangueis por eu falar como uma criancinha do que já sabeis há muito tempo e ensinais com cem vezes mais arte e beleza do que eu. Só estou falando essas coisas levado pelo êxtase, e perdoai minhas lágrimas, pois amo este livro! Que ele, o padre de Deus, também chore e veja que os corações de seus ouvintes hão de fremir em resposta a ele. Ele precisa apenas de uma semente pequena, minúscula: que ele a lance na alma da gente simples e ela não morrerá, viverá na alma dessa gente por toda a vida, ali se esconderá no meio das trevas, da fetidez de seus pecados como um ponto de luz, como um grande aviso. E não precisa, não precisa explicar e ensinar muito, ela compreenderá tudo com simplicidade. Pensais que não compreenderá? Tentai ler para ela a história comovente e enternecedora da bela Ester e da arrogante Vasti; ou a lenda maravilhosa do profeta Jonas no ventre da baleia. Também não esqueçais a parábola do Senhor sobre a conversão de Saulo (esta sem falta, sem falta!), que está sobretudo no Evangelho de Lucas (era assim que eu procedia) e, depois, nos Atos dos Apóstolos, e, por fim, nas *Tcheti-Minei*, ao menos a hagiografia de Alieksiêi, homem de Deus, e de Maria Egipcíaca, a mártir feliz e maior entre as grandes mártires, que viu Deus e a mãe de Cristo, e assim trespassará o coração da gente simples com as lendas mais simples, e isto apenas uma vez por semana, uma horinha só, a despeito do seu pequeno sustento. E o próprio padre verá que o nosso povo é benevolente e grato, e ele o recompensará cem vezes; lembrando-se do empenho do padre e de suas palavras comovidas, ele o ajudará voluntariamente no campo, o ajudará em casa e o cumulará de uma estima maior do que antes — e é assim que aumentará sua côngrua. A questão é tão simples que às vezes a gente até teme manifestá-la, porque riem da gente, mas, como é verdadeira! Quem não acredita em Deus também não acredita no povo de Deus. Quem acredita no povo de Deus percebe também sua santidade, ainda que até então não acreditasse absolutamente nela. Só o povo e a futura força de seu espírito converterá os nossos ateus que se desligaram da terra natal. E o que significa a palavra de Cristo sem o exemplo? A morte do povo sem a palavra de Deus, porque sua alma está sequiosa da palavra d'Ele e de toda e qualquer percepção do maravilhoso. Em minha mocidade, coisa antiga, já se vão aí quase quarenta anos, eu percorria toda a Rússia com o padre Anfim, recolhendo donativos para o mosteiro; certa vez, dormimos com pescadores na margem de um grande rio navegável, e sentou-se em nossa companhia um jovem bem-apessoado, camponês, que já aparentava uns dezoito anos e tinha pressa de sirgar um barco mercante para chegar no dia seguinte onde morava. Vejo-o olhando à sua frente com ar enternecido e sereno. É uma noite de julho clara, silenciosa, morna, o rio é largo, dele sobe um vapor que nos refresca, um ou outro peixinho agita levemente a água, os pássaros estão calados, tudo é silêncio, magnífico, tudo ora a Deus. E só nós dois, eu e esse jovem, estamos acordados e conversamos sobre a beleza desse mundo de Deus e de Seu grande mistério. Qualquer relva, qualquer inseto, formiga, abelha dourada, todos conhecem admiravelmente o seu próprio caminho, mesmo desprovidos de inteligência testemunham o mistério de Deus, eles mesmos o realizam, e noto que se inflamou o coração do amável jovem. Ele me revela que gosta do bosque, dos pássaros dos bosques; é passarinheiro, compreende cada pio dos pássaros, sabe atrair cada um deles; não conheço nada melhor do que estar no bosque, diz ele, tudo ali é bom. "Em verdade — respondo-lhe —, tudo é bom e magnífico porque tudo é a verdade. Olha para o cavalo — digo-lhe —, esse animal muito grande que se encontra ao lado do homem, olha para o boi que o alimenta e trabalha para ele, cabisbaixo e pensativo, olha para a fisionomia deles: que docilidade, que apego ao homem que frequentemente o espanca de forma impiedosa, que doçura, que credulidade e que beleza em sua fisionomia. É até comovente saber que ele não tem nenhum pecado, porque tudo, absolutamente tudo, exceto o homem, é sem pecado, e Cristo já os visitou antes de estar conosco". "Será mesmo — pergunta o jovem — que Cristo esteve com eles?" — "Como poderia ser diferente — respondo —, pois o Verbo é para todos, toda criatura, todo bicho, toda folhinha aspira ao Verbo, canta a glória de Deus, chora a Cristo sem o saber, realiza isto com o mistério de sua existência sem pecado. Vê — digo-lhe —, um urso terrível perambula pelo bosque, ameaçador e furioso, sem nenhum tipo de culpa." E lhe contei como, certa vez, um urso se chegou a um grande santo que procurava salvar sua alma no bosque, numa celinha minúscula, e o grande santo comoveu-se diante dele, saiu destemidamente ao seu encontro e lhe deu um pedaço de pão, dizendo: "Vai com Cristo", e a raivosa fera se foi com obediência e docilidade, sem lhe fazer mal. E o jovem se comoveu com o fato de que o urso se afastou sem fazer mal e de que Cristo estava com ele. "Ah, como isso é bom, como tudo o que é de Deus é bom e maravilhoso!" Ali, sentado, caiu em meditação serena e doce. Notei que havia compreendido. E adormeceu a meu lado um sono leve e puro. Abençoa, Senhora, os jovens! E ato contínuo eu mesmo rezei por ele e me afastei para dormir. Senhor, manda a paz e a luz aos teus homens!

c) *Lembranças da adolescência e da mocidade do* stárietz *Zossima ainda neste mundo. O duelo*

Passei muito tempo, quase oito anos, servindo no Corpo de Cadetes em Petersburgo, e a nova educação abafou muito das minhas impressões da infância, embora eu não tivesse esquecido nada. Em troca, assumi tantos hábitos e até opiniões novas que me transformei em um ser quase selvagem, cruel e absurdo. Adquiri um verniz de civilidade e maneiras mundanas juntamente com a língua francesa, mas em nosso Corpo todos, inclusive eu, consideravam os soldados que ali serviam como verdadeiras bestas. Eu talvez até mais do que os outros, porque era o mais susceptível entre todos os colegas.

Quando nos formamos oficiais, estávamos prontos a derramar nosso sangue por uma ofensa à honra de nosso regimento, mas entre nós quase ninguém conhecia a verdadeira honra, sequer sabia que ela existia e, se o soubesse, imediatamente seria o primeiro a rir dela. Quase chegávamos a nos orgulhar da bebedeira, das arruaças e da valentia. Não digo que fôssemos maus; todos aqueles jovens eram bons, apenas se comportavam mal, e eu mais do que todos os outros. O principal é que me chegara às mãos meu capital, e por isso eu começara a desfrutar do meu prazer com todas as aspirações de jovem, sem freios, tocando o barco a toda vela. Mas eis o que é de admirar: na época eu lia, e até com grande prazer; quase nunca abria a Bíblia, todavia nunca me separava dela, levava-a comigo aonde quer que fosse: em verdade eu conservava esse livro, sem que disso me desse conta, "para o dia e a hora, o mês e o ano".[86] Depois de servir assim por uns quatro anos, encontrava-me finalmente na cidade K., onde nosso regimento estava então aquartelado. A sociedade local era variada, de população numerosa e alegre, hospitaleira e rica, recebiam-me bem em toda a parte, pois desde o nascimento eu era de temperamento alegre, e além do mais tinha fama de não ser pobre, o que não é pouca coisa neste mundo. Foi então que houve uma circunstância que desencadeou tudo. Eu me afeiçoara a uma moça jovem e bela, inteligente e digna, de índole radiosa, nobre, filha de pais respeitados. Era uma gente bem importante, detentora de riqueza, influência e poder, e me recebia com carinho e cordialidade. E então me veio a impressão de que a moça estava afeiçoada por mim — meu coração ficou inflamado com essa fantasia. Depois eu mesmo me apercebi e me dei conta de que talvez não nutrisse por ela nenhum amor considerável e apenas estimasse sua inteligência e seu caráter sublime, o que não podia deixar de ser. Não obstante, o egoísmo me impediu de lhe pedir a mão naquele momento: pareceu-me duro e terrível separar-me tão jovem, e ainda por cima com dinheiro, das tentações da vida de solteiro, depravada e livre. Todavia, cheguei a insinuar. Em todo caso, adiei provisoriamente qualquer passo decisivo. E de repente viajo a serviço por dois meses a outra província. Retorno dois meses depois e recebo a notícia de que a moça já estava casada com um rico senhor de terras dos arredores da cidade, homem que, mesmo sendo alguns anos mais velho do que eu, ainda era jovem, tinha relações na capital e na melhor sociedade — o que eu não tinha —, um homem bastante amável além de instruído, ao passo que eu não tinha instrução nenhuma. Esse acontecimento inesperado me deixou tão estupefato que fiquei até com a mente turvada. O principal, como então

[86] Ver Apocalipse de João, 9, 15. (N. da E.)

fiquei sabendo, era que aquele jovem senhor de terras já estava noivo dela havia muito tempo, e eu mesmo o encontrara inúmeras vezes em casa dela mas nada notara, ofuscado que estava por meu amor-próprio. E foi justo isso o que mais me ofendeu: como era que quase todo mundo sabia e só eu não sabia de nada? Senti uma raiva súbita e insuportável. Ruborizado, comecei a recordar como muitas vezes quase lhe declarara meu amor, e já que ela não me fazia parar nem me prevenia, então concluí que ria de mim. Depois, é claro, ponderei e acabei me lembrando de que ela não ria absolutamente, mas, ao contrário, interrompia com ar brincalhão aquelas conversas e começava outras em seu lugar — só que naquele momento eu não consegui percebê-lo e um anseio de vingança ferveu dentro de mim. Recordo com surpresa que essa vingança e essa ira eram para mim extremamente duras e detestáveis, porque, sendo de índole branda, não conseguia guardar rancor por muito tempo e por isso eu me instigava como que artificialmente, e no fim das contas me tornei vil e ridículo. Aguardei o momento e uma vez, diante de um grande público, consegui de repente ofender meu "rival" por um motivo que poderia parecer o mais descabido, zombar de uma opinião dele sobre um acontecimento importante daqueles dias — isso aconteceu em 1826 —, e como me diziam as pessoas, zombei dele com espírito e habilidade. Em seguida, forcei-o a se explicar, e durante as explicações já me comportei com tamanha grosseria que ele aceitou meu desafio, apesar da enorme diferença que havia entre nós, porque eu era mais jovem do que ele, insignificante e de condição inferior. Depois tive a certeza de que ele aceitara meu desafio também como que movido por ciúme de mim: já antes tivera um pouco de ciúme de mim com sua mulher quando esta ainda era sua noiva; agora, pensou que se ela soubesse que ele suportara uma ofensa de minha parte e não se atrevera a me desafiar para um duelo, poderia vir a desprezá-lo involuntariamente e ficar com seu amor abalado. Logo arranjei um padrinho, um tenente, meu camarada de nosso regimento. Embora na época os duelos fossem cruelmente perseguidos, havia uma espécie de moda do duelo entre os militares — a tal ponto às vezes crescem e se fortalecem preconceitos selvagens. Estávamos em fins de junho e nossa luta seria no dia seguinte, nos arredores da cidade, às sete da manhã — e realmente me aconteceu algo como que fatal. Retornando na véspera para casa furioso e repugnante, zangueime com meu ordenança Afanassi e lhe dei dois socos com toda a força no rosto, de modo que o deixei ensanguentado. Havia pouco tempo que ele me servia, e antes já me acontecera de lhe bater, mas nunca com uma crueldade tão feroz. E acreditai, meus queridos, que já se vão quarenta anos desde então, mas até hoje ainda me lembro daquilo com vergonha e tristeza. Deitei-

-me, dormi por umas três horas, levantei-me, o dia já estava começando. Levantei-me de supetão, não queria mais dormir, fui à janela, abri-a — ela dava para o jardim —, vejo um solzinho nascendo, está morno, maravilhoso, os pássaros gorjeiam. O que é isso, penso, que estou sentindo na alma, como se fosse algo infame e vil? Não será porque estou indo derramar sangue? Não, penso, parece que não é por isso. Não será porque temo a morte, temo ser morto? Não, não é nada disso, não é mesmo nada disso... E súbito percebi onde estava a questão: no fato de que na véspera eu havia espancado Afanassi! Num instante tudo me pareceu repetir-se com precisão: ele está postado à minha frente, eu lhe bato com força em pleno rosto, mas ele se mantém em posição de sentido, de cabeça erguida e olhos esbugalhados, estremece a cada soco e não se atreve sequer a levantar a mão para se proteger — um homem levado àquele ponto, e esse homem batendo noutro homem! Que crime! Foi como se uma agulha bem pontiaguda me transpassasse toda a alma. Estava postado como que atônito, e o solzinho iluminando, as folhinhas alegres brilhando, os passarinhos, os passarinhos louvando a Deus... Cobri o rosto com ambas as mãos, caí na cama e comecei a soluçar. Nesse instante me lembrei do meu irmão Márkel e de suas palavras aos criados antes de morrer: "Meus queridos, por que me servem, por que gostam de mim, eu lá mereço que me sirvam?" — "Sim, será que mereço?" — entrou-me de estalo na cabeça. De fato, por que mereço que outro homem como eu, imagem e semelhança de Deus, me sirva? Foi assim que essa pergunta me penetrou na mente naquele momento pela primeira vez na vida. "Mãezinha, sangue do meu sangue, em verdade cada um é culpado por todos, só que os homens não sabem disso, pois se soubessem o paraíso começaria no mesmo instante!" "Deus, será que isso também não é verdade? — choro e penso — eu realmente sou culpado por todos, talvez o mais culpado e ainda o pior de todos os homens no mundo!" E súbito toda a verdade se me apresentou, com todas as suas luzes: o que estou indo fazer? Estou indo matar um homem bom, inteligente, nobre, que não tem nenhuma culpa perante mim, e vou privar sua mulher para sempre da felicidade, atormentá-la e matá-la. Estava deitado na cama de bruços, com a cara no travesseiro, e não percebi absolutamente como o tempo passou. De repente entra meu camarada, o tenente, atrás de mim com as pistolas: "Ah, que bom que você já se levantou, está na hora, vamos". Fiquei aturdido, totalmente desnorteado, e entretanto saímos para pegar a caleche: "Aguarde um instante aqui — digo-lhe —, vou num pé e volto noutro, esqueci minha carteira". E corri sozinho de volta à casa, e fui direto ao cubículo de Afanassi: "Afanassi, digo eu, ontem eu te bati duas vezes no rosto, perdoa-me". Ele literalmente estremeceu, foi como se tivesse levado um susto, e ficou a me olhar — mas vejo que isso é pouco, é pouco, e de repente — pimba! — caí-lhe aos pés do jeito que estava, de dragonas, e batendo com a testa no chão: "Perdoa-me!" — digo. Então ele ficou totalmente aturdido: "Excelência, *bátiuchka*, senhor, como é que o senhor... Ora, eu lá mereço..." — e ele desatou a chorar, exatamente como eu pouco antes, cobriu o rosto com as mãos, virou-se para a janela e sacudiu-se todo em lágrimas, e então corri para o meu companheiro, voei para a caleche e gritei: "Toca". "Já viu — digo-lhe — um vitorioso? Ei-lo aqui contigo!" Estou tomado de um grande entusiasmo, rio, falo durante todo o percurso, falo, já não me lembro do que falava. Ele me olha: "Bem, meu irmão, bravo, estou vendo que manténs a honra da farda". Assim chegamos ao lugar, e lá já estavam à nossa espera. Separaram-nos doze passos um do outro, coube a ele o primeiro tiro: estou eu postado à sua frente, cara a cara, sem pestanejar, contemplando-o com afeto, sabendo o que vou fazer. Ele atira, só me arranha de leve uma das faces e me toca a orelha. "Graças a Deus, grito, o senhor não matou um homem!" — E agarrei minha pistola, recuei e, com um arremesso para o alto, joguei-a no bosque: "Lá, grito eu, é o teu lugar!". Voltei-me para meu adversário: "Meu caro senhor, digo eu, perdoe este jovem tolo, por minha culpa o ofendi e agora o forcei a atirar em mim. Eu mesmo sou dez vezes pior que o senhor, e talvez até mais. Transmita isto àquela criatura que o senhor considera mais do que todas no mundo". Mal pronunciei isto, todos os três gritaram. "Com licença — diz meu adversário, até zangado —, se o senhor não queria bater-se, então por que me incomodou?" — "Ontem — respondo — eu ainda era um tolo, mas hoje criei juízo" — respondo-lhe com alegria. "Acredito no que se refere a ontem, diz ele, mas quanto a hoje é difícil tirar uma conclusão do que o senhor diz." — "Bravo — grito-lhe batendo palmas —, nisso estou de acordo com o senhor, fiz por merecer!" — "Enfim, meu caro senhor, vai ou não vai atirar?" — "Não vou, digo; já o senhor, se quiser, atire de novo, só que seria melhor não atirar." Os padrinhos também gritam, sobretudo o meu: "Então vai desonrar o regimento pedindo perdão no campo do duelo; se eu soubesse disso!" Posto-me ali perante eles, perante todos, e já não rio: "Meus senhores, digo, será mesmo tão surpreendente para os nossos dias encontrar um homem que se arrepende pessoalmente de sua tolice e confessa sua culpa publicamente?" — "Sim, mas não no campo do duelo!" — torna a gritar meu padrinho. "Pois esta é a questão — respondo —, é isso que surpreende, porque eu devia ter assumido a culpa assim que chegamos aqui, ainda antes do tiro dele, e não levá-lo a um pecado grande e mortal, mas nós mesmos tornamos a coisa tão detestável nesse mundo que agir assim era quase impossível, porque só depois que suportei o tiro dele a doze passos minhas palavras podem significar alguma coisa para ele, porque se eu tivesse feito isso antes do tiro, logo que chegamos aqui, ele teria dito simplesmente: é um covarde, ficou com medo da pistola e não há por que lhe dar ouvidos. Senhores — exclamei de repente de todo coração —, olhai ao redor para as dádivas de Deus: céu claro, ar puro, relva tenra, pássaros, a natureza bela e sem pecado, e nós, só nós os hereges e tolos não compreendemos que a vida é um paraíso, porque basta querermos compreender isso, que ele imediatamente se fará em toda a sua beleza; abracemos-nos e choremos...” Eu ainda quis continuar mas não pude, e fiquei até com a respiração presa; era tudo tão doce, tão juvenil, e havia tamanha felicidade em meu coração como nunca sentira em toda a minha vida. “Tudo isso é sensato e piedoso — diz meu adversário —, em todo caso, o senhor é um homem original.” — “Ria — também rio para ele — e depois o senhor mesmo me elogiará.” — “Sim, estou disposto a elogiá-lo agora mesmo, diz ele, permita-me estender-lhe a mão, porque parece que o senhor é realmente um homem sincero.” — “Não, digo eu, agora não é preciso, deixe para depois, quando eu me tornar melhor e merecer seu respeito, então o senhor me estenderá a mão e fará bem.” Voltamos para casa, durante todo o percurso meu padrinho dizia desaforos, mas eu o beijava. Todos os colegas logo ouviram falar do ocorrido e se reuniram para me julgar naquele mesmo dia: “manchou a farda, disseram eles, então que peça baixa”. Apareceram também defensores: “Mesmo assim, disseram, ele suportou o tiro”. — “Sim, mas ficou com medo dos outros tiros e pediu desculpas no campo do duelo”. — “Mas se tivesse temido os outros tiros — objetam os defensores —, devia ter primeiro atirado com sua pistola antes de pedir desculpa, mas ele a jogou carregada no bosque; não, aí houve alguma outra coisa, foi original”. Escuto tudo, olhando para todos com alegria. “Amabilíssimos — digo eu — amigos e companheiros, não se preocupem com o meu pedido de baixa porque eu já o fiz, já o pedi hoje pela manhã na chancelaria, e quando receber a reforma vou entrar imediatamente para um mosteiro, é por isso que estou pedindo baixa”. Mal acabei de dizer isto, todos caíram na risada, um a um: “Sim, devias ter avisado desde o início, agora está tudo explicado, não se pode julgar um monge” — eles riem, não se contêm, mas não há nenhuma galhofa nisso, riem de modo tão carinhoso, alegre, num átimo todos passam a gostar de mim, até os mais extremados acusadores, e depois, durante todo esse mês, até que minha baixa saísse, eles literalmente me carregaram nos braços: “Sim senhor, monge!” — diziam. Cada um me dizia uma palavra de carinho, começaram a me dissuadir, até a lamentar: “O que estás fazendo contigo?” — “Não, dizem, ele é valente, suportou um tiro e não conseguiu atirar com sua pistola, mas isso foi um sonho que ele teve na véspera para que ingressasse no mosteiro, eis a causa". Quase exatamente a mesma coisa aconteceu numa reunião social na cidade. Antes não me davam lá grande atenção, apenas me recebiam com hospitalidade, mas agora todos ficaram súbita e simultaneamente a par do ocorrido e passaram a me convidar às suas casas: eles riam de mim, mas gostavam de mim. Observo que, embora todos falassem em voz alta de nosso duelo, as autoridades abafaram o caso porque meu adversário era parente próximo do nosso general, e como o caso terminou sem derramamento de sangue, como uma brincadeira, e eu, por fim, pedi baixa, então o transformaram realmente numa brincadeira. Aí passei a falar em voz alta e sem medo, apesar do riso deles, porque aquilo tudo era um riso não de raiva, mas de bondade. Todas aquelas conversas aconteciam mais às noitinhas, nas rodas femininas, e quem mais gostava de me ouvir eram as mulheres, e elas obrigavam os homens a fazê-lo. "Ora, como é possível que eu seja culpado por todos — ria qualquer um na minha cara —, ora, por acaso eu posso ser culpado, por exemplo, pelo senhor?" — "Sim — respondo —, mas como é que os senhores iriam saber, quando há muito tempo o mundo inteiro já enveredou por outro caminho e quando consideramos verdade a pura mentira e exigimos dos outros essa mesma mentira? Pois bem, uma vez na vida peguei e agi com sinceridade, e então, veja, tornei-me uma espécie de *iuródiv* para todos os senhores: embora tenham passado a gostar de mim, ainda assim riem." — "Ora, como não gostar de uma pessoa como o senhor?" — ri alto a anfitriã, e havia muita gente reunida em sua casa. Súbito vejo levantar-se do meio das senhoras aquela mesma jovem criatura pela qual eu desafiara o marido para o duelo e que ainda recentemente eu considerava minha noiva, mas eu não havia notado como chegara ali àquela noite. Levantou-se, chegou-se a mim, estendeu-me a mão: "Permita-me, diz ela, externar-lhe que sou a primeira a não rir do senhor, mas, ao contrário, agradeço entre lágrimas e lhe declaro meu respeito por sua atitude naquele momento". Aproximou-se também o marido, e em seguida todos se chegaram subitamente a mim, quase me beijando. Fiquei muito alegre, no entanto quem mais notei entre eles foi um senhor, já entrado em anos, que também veio a mim e, embora eu já o conhecesse de nome, nunca o havia conhecido ou trocado uma palavra com ele.

d) *O visitante misterioso*

Estava ele de serviço em nossa cidade fazia muito tempo, ocupava posição de destaque, era homem respeitado por todos, rico, que se tornara famoso pela filantropia, doava uma quantia considerável para abrigos de idosos e uma casa de órfãos, além de distribuir muitos benefícios em segredo, sem dar publicidade, o que só se soube depois de sua morte. Tinha aproximadamente cinquenta anos, um aspecto quase severo, e era de poucas palavras; casara-se havia não mais de dez anos com uma mulher ainda jovem, de quem tinha três filhos pequenos. Eis que na tarde seguinte estou em minha casa e de repente a porta se abre e entra esse mesmo senhor.

Cabe observar que na época eu já não morava na mesma casa, uma vez que mal pedi baixa me mudei para outra que aluguei de uma senhora idosa, viúva de um funcionário, e com criadagem, pois minha mudança para essa residência só aconteceu porque no mesmo dia em que retornei do duelo encaminhei Afanassi de volta ao regimento, porque sentia vergonha de encará-lo depois daquela minha atitude para com ele — a tal ponto um homem mundano despreparado é propenso a envergonhar-se até de alguma atitude justíssima de sua parte.

"Já faz vários dias — diz-me o senhor que acaba de entrar em minha casa — que venho ouvindo o senhor em diferentes casas com grande curiosidade e desejei finalmente conhecê-lo em pessoa para ouvi-lo numa conversa mais detalhada. Meu caro senhor, pode me fazer tão grande obséquio?" — "Posso, respondo, com o maior prazer, e o considero uma honra especial" — disse-lhe isto e quase me assustei, tão surpreso eu estava com nosso primeiro encontro. Porque, embora as pessoas me ouvissem e ficassem curiosas, ninguém ainda me havia abordado daquele modo sério e severo, que lhe vinha do íntimo. E ele ainda me havia procurado em minha própria casa. Sentou-se. "Vejo no senhor uma grande força de caráter — continua ele —, porque não temeu servir à verdade numa causa em que, por sua própria verdade, arriscou-se a sofrer o desprezo geral de todos." — "Talvez o senhor esteja me elogiando com muito exagero" — disse-lhe eu. "Não, não estou exagerando — responde —, acredite que praticar um ato como aquele é bem mais difícil do que o senhor imagina. Foi só isso que me deixou propriamente pasmado, e por essa razão estou aqui. Se não lhe for desprezível minha curiosidade talvez tão indecente, descreva-me o que o senhor sentiu especialmente naquele momento do duelo em que resolveu pedir desculpa, se é que o senhor se lembra. Não tome minha pergunta por leviandade; ao contrário, ao fazer tal pergunta tenho um objetivo secreto, que provavelmente lhe explicarei depois, se Deus quiser nos aproximar ainda mais."

Durante todo o tempo em que ele esteve falando eu o encarei, e súbito experimentei uma fortíssima confiança nele e, além disso, uma curiosidade incomum de minha parte, pois senti que ele tinha algum segredo especial na alma.

"O senhor pergunta o que precisamente senti no instante em que pedi perdão ao meu adversário — respondo-lhe —, mas é melhor que antes eu lhe conte o que ainda não contei a outros" — e contei-lhe tudo o que me acontecera com Afanassi e como lhe fizera uma reverência até o chão. "Por tudo isso o senhor mesmo pode perceber — concluí para ele — que já me foi mais fácil tomar aquela atitude durante o duelo porque já havia começado a tomá-la em casa e, uma vez assumido esse caminho, tudo o que se sucedeu não o fiz só com facilidade mas até com alegria e prazer."

Ele me ouviu, olhando-me de um jeito agradável: "Tudo isso — diz ele — é extraordinariamente curioso; ainda virei outras vezes à sua casa". E desde então passou a me visitar quase todas as tardes. E teríamos nos tornado muito amigos se ele tivesse me falado também a seu respeito. Mas de si quase não dizia uma palavra e continuava a me inquirir a meu respeito. Apesar disso gostei muito dele e lhe confiei absolutamente todos os meus sentimentos, porque penso assim: para que preciso do segredo dele, se mesmo sem isso percebo que é um homem justo? Além disso é ainda um homem muito sério e de idade diferente da minha, mas me visita, a um jovem, e não me menospreza. Muita coisa útil aprendi com ele, pois era um homem de grande inteligência. "Há muito venho pensando — diz-me de repente — que a vida é um paraíso — e acrescenta de súbito: — Só nisso tenho pensado." Olha-me e sorri. "Disto estou mais convencido que o senhor, depois saberá por quê." Eu o escuto e penso cá comigo: "Na certa ele está querendo me revelar alguma coisa". — "O paraíso — diz — está oculto em cada um de nós, agora mesmo está oculto aqui dentro de mim, e se amanhã eu quiser ele começará efetivamente para mim e já pelo resto de minha vida." Observo: fala com enternecimento e me olha com ar misterioso, como se me interrogasse. "E quanto ao fato de que cada homem — continua ele — é culpado por tudo e por todos, além de seus pecados, o que o senhor julgou de forma absolutamente correta, é até admirável como de repente o senhor conseguiu abranger com tamanha amplitude todo esse pensamento. E em verdade é certo que quando os homens compreenderem essa ideia chegará para eles o Reino dos Céus não mais em sonho, e sim em realidade." — "Mas quando — exclamei incontinenti e com amargor — isto vai acontecer, e será que algum dia acontecerá? Isto não é apenas um sonho?" — "Veja só — diz ele —, o senhor não acredita, prega e pessoalmente não acredita. Saiba que esse sonho, como o senhor diz, acontecerá sem dúvida, acredite nisso, só que não agora, porque para toda ação existe uma lei. É uma questão espiritual, psicológica. Para refazer o mundo de maneira nova é preciso que os próprios homens enveredem psicologicamente por outro caminho. A fraternidade não chegará antes que o senhor se torne irmão de fato de toda e qualquer pessoa.[87] Nunca os homens, levados por nenhuma ciência e nenhuma vantagem, serão capazes de dividir pacificamente suas propriedades e seus direitos com os outros. Tudo será pouco para cada um deles e todos irão queixar-se, invejar e exterminar uns aos outros. O senhor pergunta quando isso vai acontecer. Acontecerá, mas antes deve concluir-se o período do *isolamento* humano." — "Que isolamento é esse?" — pergunto. "É aquele que hoje reina em toda parte e sobretudo em nosso século, mas ainda não se concluiu inteiramente, nem chegou a sua hora. Porquanto hoje em dia qualquer um procura dar mais destaque à sua própria personalidade, deseja experimentar em si mesmo a plenitude da vida, e, no entanto, em vez da plenitude da vida, todos os seus esforços resultam apenas no pleno suicídio, pois ele acaba caindo no pleno isolamento em vez de alcançar a plena determinação de sua essência. Pois que em nosso século todos se dividiram em unidades, cada um se isola em sua toca, cada um se afasta do outro, esconde-se, esconde o que possui e termina ele mesmo por afastar-se das pessoas e afastá-las de si mesmo. Acumula riqueza isoladamente e pensa: como hoje sou forte e como sou abastado! mas o louco nem sabe que quanto mais acumula mais mergulha em sua loucura suicida. Porque se acostumou a esperar unicamente de si e separou-se do todo como unidade, acostumou sua alma a não acreditar na ajuda dos homens, nos homens e na humanidade, e não faz senão tremer diante do fato de que desaparecerão seu dinheiro e os direitos que adquiriu. Hoje, em toda parte, a inteligência humana zomba ao negar-se a compreender que a verdadeira garantia da pessoa não está em seu esforço pessoal isolado, mas na unidade geral dos homens. Contudo, é inevitável que também chegue o momento desse isolamento terrível, e todos compreenderão de uma vez como se separaram uns dos outros de forma antinatural. Essa já será uma tendência da época, e eles ficarão surpresos por terem passado tanto tempo nas trevas, sem enxergar a luz. Então aparecerá nos céus o sinal do filho do Homem... Mas até esse dia é necessário proteger de quando em quando o estandarte a despeito de tudo, e o homem deve, ainda que individualmente, dar o exemplo e tirar a alma do isolamento para realizar a proeza de um convívio fraternal, mesmo que o faça na condição de *iuródiv*. Isto para que não morra a grande ideia..."

Pois era nessas palestras calorosas e extasiantes que nossas tardes se passavam uma após outra. Cheguei até a abandonar a vida social e passei a

[87] Dostoiévski repete incansavelmente essa convicção em toda a sua obra jornalística e literária, começando pelas *Notas de inverno sobre impressões de verão*. (N. da E.)

fazer visitas cada vez mais raras, e além disso eu começava a sair da moda. Não falo isto como censura, porque continuaram a gostar de mim e me tratar com alegria; mesmo assim, cabe reconhecer que a moda é efetivamente uma rainha considerável no mundo. Por fim, passei a ver com admiração meu visitante misterioso, porque, além de me deliciar com sua inteligência, comecei a pressentir que ele nutria certo intento e se preparava para um feito possivelmente grandioso. Talvez fosse também de seu agrado que eu não aparentasse curiosidade quanto ao seu segredo, que não o interrogasse de forma direta nem por insinuações. Contudo, acabei percebendo que ele mesmo já começava a ficar meio morto de vontade de me fazer alguma revelação. Ao menos foi o que já ficou evidente mais ou menos um mês após o início de suas visitas. "O senhor sabe — perguntou-me certa vez — que na cidade andam muito curiosos a nosso respeito e se admiram de que eu o visite com tanta frequência? Pouco se me dá, porque *brevemente tudo se explicará*." De quando em quando ele era assaltado por uma agitação excepcional, e nessas ocasiões quase sempre se levantava e ia embora. Às vezes fixava em mim um olhar demorado e meio penetrante, e eu pensava: "Vai dizer alguma coisa agora mesmo", mas parava de repente e começava a falar de algo conhecido e comum. Passara também a se queixar frequentemente de dor de cabeça. E eis que certa vez, depois de uma fala demorada e ardorosa dele, percebo, de modo até inteiramente inesperado, que empalideceu de chofre, está com o rosto totalmente contraído e com o olhar cravado em mim.

— O que o senhor tem — pergunto —, não estará se sentindo mal?

Queixava-se justamente de dor de cabeça.

— Eu... sabe de uma coisa... eu... matei uma pessoa.

Pronunciou isto sorrindo, porém branco como giz. "Por que está sorrindo?" — esse pensamento me trespassou de súbito o coração antes que eu me apercebesse de alguma coisa. E eu mesmo empalideci.

— O que é que o senhor está dizendo? — brado-lhe.

— Veja — responde-me com um riso ainda pálido — como me custou caro dizer a primeira palavra. Agora que a pronunciei, parece que peguei o caminho. E lá vou eu.

Demorei muito a acreditar nele, e só acreditei depois que ele passou três dias vindo à minha casa e me contou tudo em detalhes. Eu o achava louco, mas acabei convencido, de forma nítida e com a maior amargura e surpresa, de que dizia a verdade. Catorze anos antes ele cometera um crime imenso e terrível contra uma senhora rica, jovem e bela, viúva de um senhor de terras, que possuía uma casa em nossa cidade, na qual passava temporadas. Ele sentiu por ela um amor imenso, declarou-lhe esse amor e começou a persuadi-la a casar-se com ele. Mas ela já havia entregado o coração a outro, um militar nobre e de alta patente, que na época estava em campanha e que, não obstante, ela esperava para breve em sua casa. Ela rejeitou sua proposta de casamento e lhe pediu que deixasse de frequentar sua casa. Ele deixou de frequentá-la, mas, conhecendo a disposição da casa, entrou à noite pelo jardim e penetrou nela pelo telhado com a maior insolência, arriscando-se a ser descoberto. Mas, como acontece muito amiúde, todos os crimes cometidos com uma insolência incomum são mais frequentemente bem-sucedidos que os outros. Depois de penetrar no sótão pela claraboia, ele desceu por uma escadinha para os quartos de dormir, sabendo que, por negligência dos criados, a porta que ficava no final da escada nem sempre era fechada com cadeado. Desta vez ele contou com essa falha e a encontrou justamente assim. Depois de abrir caminho para os aposentos, foi no escuro ao dormitório dela, no qual ardia uma lamparina e, como de propósito, as duas criadas de quarto haviam saído às escondidas, sem autorização, para uma festa de aniversário na vizinhança, na mesma rua. Os outros criados e criadas dormiam no térreo, nos quartos dos criados e na cozinha. À vista da mulher adormecida, a paixão ferveu dentro dele e, em seguida, a fúria do ciúme e da vingança se apoderou de seu coração, e ele, fora de si, como um bêbado, aproximou-se e transpassou-lhe o coração com uma facada, de modo que ela nem chegou a gritar. Depois, com um cálculo diabólico e o mais criminoso, dispôs as coisas de tal modo que viessem a suspeitar do criado: não sentiu repugnância de pegar a bolsa dela, abriu a cômoda com uma chave que pegou debaixo do travesseiro e tirou dali alguns objetos, exatamente como faria um criado ignorante, ou seja, deixou papéis de valor e pegou apenas dinheiro, alguns objetos de ouro de maior volume, mas desprezou objetos pequenos porém dez vezes mais preciosos. Pegou também alguma coisa como lembrança, porém disto falaremos mais tarde. Depois de cometer esse ato horrendo, voltou pelo mesmo caminho. Nem no dia seguinte, quando foi dado o alarme, nem depois, em toda a sua vida, a ninguém ocorreu desconfiar do verdadeiro facínora! Ademais, ninguém sabia de seu amor por ela, porque ele sempre fora por natureza calado e pouco comunicativo e não tinha um amigo a quem abrir a alma. Consideravam-no simples conhecido da morta e inclusive não tão próximo, pois nas últimas duas semanas ele sequer a visitara. Suspeitaram imediatamente do servo dela, Piotr, e todas as circunstâncias coincidiram justamente para consolidar essa suspeita, porque esse criado sabia, por revelação da própria morta, que era intenção dela entregá-lo ao exército para servir como soldado no lugar de um de seus camponeses que ela deveria ceder como recruta, visto que Piotr era solteiro e além disso malcomportado. Numa casa de bebidas, onde ele estava tomado de fúria e bêbado, ouviram-no ameaçá-la de morte. Dois dias antes da morte ele havia fugido e estava morando na cidade em lugares desconhecidos. No dia seguinte ao assassinato, encontraram-no na estrada de saída da cidade, caindo de bêbado, com sua faca no bolso e ainda por cima com a palma da mão direita manchada de sangue, sabe-se lá por quê. Ele afirmou que o sangue lhe havia escorrido do nariz, mas não lhe deram crédito. As criadas se confessaram culpadas de terem ido à festa e de não haverem fechado as portas da entrada antes de regressarem. Além disso, ainda houve muitas pistas semelhantes, pelas quais acabaram prendendo o criado inocente. Prenderam-no e o julgamento começou, mas justo uma semana depois o preso adoeceu de febre e morreu inconsciente num hospital. Assim o caso terminou, atribuíram tudo à vontade de Deus e todos — juízes, autoridades e toda a sociedade — ficaram convencidos de que o crime não tinha sido cometido por outro senão pelo criado morto. Depois disso é que começou o castigo.

O visitante misterioso, agora já meu amigo, confidenciou-me que no início não chegou sequer a se atormentar com remorsos. Atormentou-se durante muito tempo, mas não com isso, e sim por lamentar que havia assassinado a mulher amada, que ela não existia mais, que, matando-a, matara o seu próprio amor, ao passo que o fogo da paixão permanecera em seu sangue. Mas naquele tempo quase não chegava a pensar no sangue inocente derramado, no assassinato de uma pessoa. A ideia de que sua vítima pudesse se tornar esposa de outro lhe parecia insuportável, por isso guardou por muito tempo em sua consciência a convicção de que não poderia ter agido de outra maneira. No início o afligia um pouco a prisão do criado, mas a rápida doença e depois a morte do preso o acalmaram, pois ele morrera, ao que tudo indicava (assim ele raciocinava na época), não por causa da prisão ou do susto, mas de um resfriado adquirido justo naqueles dias de sua fuga, quando ele, caindo de bêbado, rolara uma noite inteira na terra úmida. O dinheiro e os objetos roubados pouco o perturbaram, porque (continuava raciocinando) não roubara para tirar proveito mas para desviar as suspeitas. O roubo rendera uma ninharia, e rapidamente ele gastou toda a quantia roubada, e muito mais ainda com um asilo para velhos, fundado em nossa cidade. Fez essas doações de propósito para tranquilizar a consciência a respeito do roubo e, o que é digno de nota, durante algum tempo, e longo até, realmente se sentiu tranquilo — ele mesmo me transmitiu isto. Então se meteu numa grande atividade de prestação de serviços, esforçou-se pessoalmente por conseguir uma missão difícil e afanosa que o ocupou por uns dois anos e, sendo de índole forte, quase esqueceu aquele acontecimento; quando este lhe vinha à lembrança, procurava afugentá-lo totalmente do pensamento. Meteu-se também em filantropia, muito construiu e doou em nossa cidade, marcou presença nas capitais, foi escolhido membro de sociedades beneficentes de Moscou e Petersburgo. E mesmo assim acabou caindo numa aflitiva meditação, superior às suas forças. Entrementes gostou de uma moça bela e sensata, e logo se casou com ela, sonhando afugentar com o casamento sua solitária melancolia e, enveredando pelo novo caminho e cumprindo com zelo seu dever para com a mulher e os filhos, afastar inteiramente as antigas lembranças. Contudo, aconteceu justamente o oposto do que ele esperava. Ainda no primeiro mês de casamento uma ideia constante passou a perturbá-lo: "Pois bem, minha mulher me ama, mas e se ela viesse a saber?". Quando ela engravidou do primeiro filho e lhe comunicou o fato, ele ficou subitamente perturbado: "Estou dando a vida e eu mesmo tirei uma vida". Vieram os filhos: "Como me atreverei a amar, a ensiná-los e a educá-los, como vou lhes falar de virtude? Eu derramei sangue. Meus filhos estão crescendo belos, tenho vontade de acariciá-los. Mas não posso olhar para seus rostos inocentes, serenos; sou indigno disto". Por fim começou a ter a temível e amarga impressão de ver o sangue da mulher assassinada, a vida jovem destruída, o sangue clamando por vingança. Passou a ter pesadelos terríveis. Contudo, sendo forte de coração, suportou os tormentos por muito tempo: "Expiarei tudo isto com meu suplício secreto". Entretanto, essa esperança também foi vã: quanto mais passava o tempo, mais forte ia-se tornando o sofrimento. Na sociedade passaram a estimá-lo pela atividade beneficente, embora todos temessem sua índole severa e sombria, e no entanto quanto mais o estimavam mais insuportável isto se tornava para ele. Confessou-me que chegara a pensar em matar-se. Mas em vez disso começou a vislumbrar um outro sonho — sonho que inicialmente ele considerou impossível e louco, mas que acabou aderindo de tal forma a seu coração que ele não conseguia arrancá-lo. Ele sonhava assim: levantar-se, apresentar-se diante do povo e anunciar a todos que havia matado uma pessoa. Passou três anos com esse devaneio, que sempre se lhe apresentava de diferentes maneiras. Por fim acreditou de todo coração que, anunciando o crime, curaria sem sombra de dúvida a alma e ficaria para sempre tranquilo. Contudo, ao crer nisso, sentiu um horror no coração, porque, como fazê-lo? E súbito essa oportunidade se deu com a história do meu duelo. "Ao olhar para o senhor eu tomei a decisão". Olho para ele:

— E será possível — exclamo agitando os braços — que um episódio tão pequeno tenha sido capaz de provocar no senhor tamanha decisão?

— Minha decisão vinha germinando havia três anos — respondeu-me —, e o seu episódio lhe deu apenas um impulso. Ao olhar para o senhor eu me censurei e tive inveja do senhor — pronunciou isto até com severidade.

— Sim, mas não vão acreditar no senhor — observei —, passaram-se catorze anos.

— Tenho provas importantes. Apresento.

E então comecei a chorar e lhe dei um beijo.

— Resolva uma coisa para mim, uma coisa! — disse-me (como se tudo agora dependesse de mim). — Minha mulher, meus filhos! Minha mulher talvez morra de desgosto, e meus filhos, mesmo que não percam o título de nobreza e a fazenda, ainda assim serão filhos de um galé, e para sempre. E a lembrança, que lembrança deixarei de mim em seus corações!

Calo.

— Mas como me separar deles, deixá-los para sempre? Porque é para sempre, para sempre!

Estou ali sentado, rezando cá comigo em silêncio. Por fim me levanto, sentia-me horrorizado.

— E então? — está olhando para mim.

— Vá — digo eu —, leve ao conhecimento das pessoas. Tudo passará, só a verdade permanecerá. Seus filhos, quando crescerem, compreenderão o quanto houve de generosidade em sua grande decisão.

Ele deixou a minha casa como que efetivamente decidido. No entanto, por mais de duas semanas continuou a me visitar seguidamente todas as tardes, sempre se preparando, sempre sem conseguir decidir-se. Deixou-me o coração torturado. Chegava firme e dizia comovido:

— Sei que o paraíso vai começar para mim, vai começar assim que eu tornar público. Passei catorze anos no inferno. Quero sofrer. Assumirei o sofrimento e começarei a viver. Quem passou a vida mentindo não volta atrás. Agora não é só meu próximo, mas também meus próprios filhos que não me atrevo a amar. Senhor, mas meus filhos acabarão compreendendo, talvez, o que me custou esse sofrimento e não me condenarão! Deus não está na força, mas na verdade.

— Todos compreenderão o seu feito — digo-lhe —, não agora, mas depois compreenderão, porque o senhor serviu à verdade suprema, não à terrena...

E ele sai de minha casa como que consolado, mas no dia seguinte torna a voltar raivoso, pálido, dizendo em tom zombeteiro:

— Sempre que entro em sua casa o senhor me olha com essa curiosidade, como quem diz: "De novo não confessou?". Espere, não me despreze muito. Fazer isso não é tão fácil como lhe parece. É possível que eu nunca venha mesmo a fazê-lo. O senhor não vai me denunciar, hein?

Havia momentos em que eu não só o olhava com uma tola curiosidade, como tinha até medo de olhá-lo. Estava a ponto de adoecer de tanta tortura e tinha a alma cheia de lágrimas. Chegava até a perder o sono durante a noite.

— Estive ainda agora com minha esposa — continuou. — O senhor compreende o que é uma esposa? Meus filhinhos, quando eu estava saindo, gritaram para mim: "Adeus, papai, volte logo para ler conosco *A Leitura para Crianças*".[88] Não, o senhor não compreende isso! Desgraça de outra gente não nos torna inteligentes.

Seus olhos brilharam, os lábios tremeram. De repente deu um murro na mesa, de modo que pularam as coisas que ali estavam — um homem tão brando, era a primeira vez que isso lhe acontecia.

— Mas é necessário? — exclamou — mas é preciso? Ora, ninguém foi condenado, ninguém foi mandado a trabalhos forçados por minha causa, o criado morreu de doença. E pelo sangue derramado fui castigado com tormentos. Além do mais, não acreditarão absolutamente em mim, não acreditarão em nenhuma de minhas provas. Preciso explicar, preciso? Pelo sangue derramado estou disposto a passar o resto da vida ainda me atormentando, contanto que não atinja minha mulher e meus filhos. Seria justo eu destruí-los comigo? Será que não estamos cometendo um erro? Onde está a verdade nisso? E as pessoas irão reconhecer essa verdade, apreciá-la, respeitá-la?

"Meu Deus! — penso cá comigo —, ele pensando no respeito das pessoas numa hora dessas!" E senti tanta pena dele naquele momento, que pareceria disposto a dividir com ele sua sorte, contanto que o deixasse aliviado. Observei-o, estava com jeito de louco. Fiquei horrorizado e compreendi, já não só com a inteligência mas de viva alma, o que custava aquela determinação.

— Decida logo meu destino! — tornou a exclamar.

— Vá e confesse — murmurei-lhe. Faltara-me a voz, mas murmurei com firmeza. Neste momento peguei o Evangelho de cima da mesa, na tradução russa, e lhe mostrei o versículo 24 do capítulo 12 de João:

"Em verdade, em verdade vos digo: Se o grão de trigo, caindo na terra, não morrer, fica ele só; mas se morrer, produz muito fruto." Eu acabara de ler esse versículo antes de sua chegada.

Ele leu.

[88] Havia na Rússia várias revistas para crianças com títulos semelhantes. (N. da E.)

— É a verdade — disse, mas deu um risinho amargo. — Sim, nesses livros — afirma depois de uma pausa —, é um horror o que a gente encontra. É fácil esfregá-los no nariz de alguém. E quem os escreveu, terá sido gente?

— O Espírito Santo os escreveu — digo eu.

— Para o senhor é fácil tagarelar — deu ainda um risinho, mas já quase com ódio. Tornei a pegar o livro, abri e lhe mostrei outra passagem do capítulo 10, versículo 31 da Epístola aos Hebreus. Ele leu: "Horrenda coisa é cair nas mãos do Deus vivo".

Ele leu de forma displicente e largou o livro. Chegou a tremer por inteiro.

— É um versículo terrível — diz —, dispensa comentário, o senhor o escolheu a dedo. — Levantou-se da cadeira. — Bem, adeus, é possível que eu não volte a aparecer... nos veremos no paraíso. Quer dizer que faz catorze anos que "caí nas mãos do Deus vivo", portanto, é esse o significado desses catorze anos. Amanhã vou pedir que essas mãos me libertem...

Eu quis abraçá-lo e beijá-lo, mas não me atrevi — seu rosto estava tão contraído que dava até pena fitá-lo. Ele saiu. "Meu Deus — pensei —, para onde terá ido esse homem?" Prostrei-me de joelhos diante do ícone e comecei a chorar por ele perante a santa mãe de Deus, nossa protetora imediata e auxiliadora. Passei cerca de meia hora rezando entre lágrimas, e já era tarde da noite, aproximava-se das doze horas. Súbito vejo a porta entreabrir-se e ele torna a entrar. Fiquei admirado.

— Onde o senhor esteve? — pergunto-lhe.

— Eu — diz —, eu, parece, esqueci alguma coisa... O lenço, parece... Bem, mesmo que não tenha esquecido nada, deixe-me sentar-me...

Sentou-se numa cadeira. Eu estava em pé. "Sente-se o senhor também", disse ele. Sentei-me. Passamos uns dois minutos sentados, ele me olhando fixamente. Súbito deu um risinho, lembro-me disso, depois se levantou, abraçou-me com força e me beijou...

— Lembra-te — diz — de como vim outra vez à tua casa. Ouve, lembra-te disto!

Era a primeira vez que me tratava por *tu*. E se foi. "É amanhã" — pensei.

E foi o que aconteceu. Naquela noite eu não sabia que justo no dia seguinte era seu aniversário. Eu mesmo não arredara pé de casa nos últimos dias e por isso não podia tomar conhecimento de nada por intermédio de ninguém. Naquela mesma data, todos os anos, reunia-se muita gente em sua casa, toda a cidade comparecia. Compareceu também desta vez. Pois bem, depois do jantar ele vai ao meio do salão com um papel na mão — a confissão formal às autoridades. E como as autoridades estavam presentes, ele leu o que estava no papel em voz alta para todos os convidados, e no papel estava a descrição completa de todo o crime em todos os detalhes: "Como um monstro estou me expelindo do meio dos homens. Deus me visitou — concluía o escrito —, quero sofrer!". E ali mesmo tirou e pôs sobre a mesa tudo o que julgava ser prova de seu crime e que conservara durante catorze anos: os objetos de ouro da morta, que ele havia raptado com a intenção de desviar a suspeita de si, o medalhão e o crucifixo que ele lhe arrancara do pescoço — no medalhão havia o retrato do noivo dela —, um livro de notas e, por fim, duas cartas: uma carta do noivo para ela, em que anunciava sua breve chegada, e a resposta a essa carta, que ela iniciara mas não concluíra e deixara sobre a mesa para enviá-la no dia seguinte pelo correio. Ele levara consigo ambas as cartas — para quê? Por que as conservara durante catorze anos em vez de destruí-las como provas? Eis o que aconteceu: todos ficaram surpresos e horrorizados, e ninguém quis acreditar naquilo, embora todos tivessem ouvido com uma curiosidade excepcional, mas como se ouvissem um doente, e passados alguns dias todas as famílias já haviam decidido e sentenciado de forma absoluta que o infeliz tinha enlouquecido. As autoridades e o tribunal não podiam deixar de dar curso ao caso, mas eles também se detiveram: embora os objetos e as cartas apresentados obrigassem a refletir, foi decidido que se essas provas eram de fato verdadeiras, ainda assim a sentença definitiva não podia ser proferida apenas com base em tais provas. Além disso, sendo seu conhecido, ele podia ter recebido todos esses objetos das próprias mãos dela e por procuração. Eu mesmo ouvi dizer, a propósito, que a autenticidade dos objetos fora posteriormente verificada através de muitos conhecidos e parentes da morta, e que não havia dúvidas a respeito. Todavia, mais uma vez o caso estava condenado a não ter conclusão. Uns cinco dias depois todo mundo ficou sabendo que o mártir adoecera e temia-se por sua vida. Que tipo de doença o acometera não posso explicar, diziam que estava com uma perturbação cardíaca, mas se soube que uma junta médica, convocada por insistência de sua esposa, confirmara sua condição mental e concluíra que ele já estava louco. Eu nada presenciei, contudo as pessoas se precipitaram a me interrogar, e quando desejei visitá-lo fui impedido durante muito tempo, principalmente por sua esposa: "Foi o senhor — disse-me — que o deixou perturbado; antes ele já andava sombrio, mas no último ano todos notaram nele uma agitação incomum e uns atos estranhos, e foi justo aí que o senhor o fez perder-se; foi o senhor que o estragou, passou um mês inteiro sem arredar pé de sua casa". Pois bem, não só a esposa como também todo mundo na cidade investiu contra mim, acusando-me: "Foi o senhor” — diziam. Eu calava, mas estava com a alma alegre, pois percebera a indiscutível misericórdia de Deus para com aquele homem que se levantara contra si mesmo e se supliciara. Quanto à loucura dele, eu não podia acreditar. Por fim permitiram que eu também o visitasse, ele mesmo o exigira com insistência para se despedir de mim. Entrei e vi bem que não só seus dias, mas também suas horas estavam contadas. Estava fraco, amarelo, as mãos trêmulas, arquejava, mas tinha um olhar comovido e alegre.

— Aconteceu! — disse-me. — Faz tempo que anseio por te ver, por que não apareceste?

Não lhe disse que não me haviam permitido vê-lo.

— Deus teve piedade de mim e me chama para Si. Sei que estou morrendo, mas sinto alegria e paz pela primeira vez depois de tantos anos. Mal cumpri o que era preciso senti incontinenti o paraíso em minha alma. Agora já me atrevo a amar meus filhos e beijá-los. Não acreditam em mim, ninguém acreditou, nem minha mulher, nem os juízes; os filhos também nunca acreditarão. Nisto vejo a misericórdia de Deus para com meus filhos. Morrerei e meu nome continuará imaculado para eles. Agora pressinto Deus, meu coração se alegra como se estivesse no paraíso... cumpri o dever...

Não conseguia falar, arfava, apertava-me a mão com força, olhava-me inflamado. Mas conversamos um pouco, sua mulher a todo instante aparecia, e mesmo assim ele conseguiu me cochichar:

— Estás lembrado daquela vez em que te visitei à meia-noite? E que ainda te mandei guardar na memória? Sabes para que fui lá? Fui lá para te matar!

Estremeci.

— Naquela ocasião saí de tua casa para as trevas, vaguei pelas ruas lutando comigo mesmo. E súbito me tomei de tal ódio por ti que só a custo meu coração suportou. “Agora, pensava, só ele me tem preso, é meu juiz, já não posso renunciar ao meu suplício de amanhã porque ele está sabendo de tudo.” E não era que eu temesse que tu me denunciasses (isso nem me passou pela cabeça), mas eu pensava: “Como irei encará-lo se não me denuncio?”. E mesmo que estivesses no fim do mundo, mas vivo, ainda assim era insuportável a ideia de que estavas vivo, sabias de tudo e me julgavas. Fiquei cheio de ódio por ti, como se fosses a causa e o culpado de tudo. Voltei naquela ocasião à tua casa, lembro-me de que havia um punhal sobre tua mesa. Sentei-me e pedi que te sentasses, e fiquei um minuto inteiro pensando. Se eu te houvesse matado, de qualquer maneira teria me destruído com esse assassinato, mesmo que não confessasse meu antigo crime. Mas eu não pensava absolutamente nisso e nem queria pensar naquele momento. Só de ti eu sentia ódio e desejava me vingar de ti por tudo e com todas as minhas forças. Mas Deus venceu o diabo em meu coração. Contudo, fica sabendo que nunca estiveste mais perto da morte.

Uma semana depois ele morreu. Toda a cidade acompanhou seu féretro até o túmulo. O arcipreste proferiu um discurso comovido. Lamentou-se a terrível doença que pôs fim aos seus dias. Toda a cidade se levantou contra mim quando o sepultaram, e deixaram até de me receber. É verdade que alguns, no início poucos, depois um número cada vez maior, passaram a acreditar na verdade dos testemunhos dele e começaram a me fazer muitas visitas e a me interrogar com grande curiosidade e alegria: porque o homem gosta da queda e da desonra do justo. Mas me calei e brevemente deixei de uma vez a cidade, e cinco meses depois Deus me fez merecedor de enveredar pelo caminho firme e belo, e eu bendisse o dedo invisível que me indicou com tanta clareza esse caminho. E até hoje, em minhas orações de cada dia, lembro-me a cada minuto de Mikhail, o servo sofredor de Deus.

III. Trechos das palestras e sermões do *stárietz* Zossima

e) *Algo sobre o monge russo e sua possível importância*

Padres e mestres, o que é um monge? No mundo ilustrado de nossos dias, essa palavra já é pronunciada por uns como zombaria e por outros até como ofensa. E tanto mais quanto mais o tempo passa. É verdade, oh, é verdade, também entre os monges há muitos parasitas, tipos dados à luxúria, voluptuosos e vagabundos descarados. Para esses apontam os laicos cultos, como quem diz: "Vocês são uns preguiçosos e membros inúteis da sociedade, vivem do trabalho alheio, são uns mendigos sem-vergonha". Por outro lado, quantos humildes e dóceis, sequiosos por isolamento e orações fervorosas em silêncio existem no monacato! Estes são menos apontados e até relegados ao silêncio, mas como ficaríeis admirados se eu dissesse que é desses dóceis e sequiosos por orações no isolamento que talvez ainda venha a salvação da terra russa! Porque, em verdade, eles se prepararam no silêncio "para o dia e a hora, o mês e o ano". Enquanto isso, guardam em seu isolamento a imagem de Cristo bela e genuína, na pureza da verdade de Deus, herdada dos padres mais antigos, dos apóstolos e mártires, e, quando for preciso, eles a revelarão perante a abalada verdade do mundo. Essa ideia é grande. Essa estrela brilhará do Oriente.

É isto que penso sobre o monge; será isso falso, será arrogante? Vede entre os leigos, e em todo o mundo que se coloca acima do povo de Deus, se ali não foi deformada a imagem de Deus e a Sua verdade. Eles têm a ciência, e na ciência só aquilo que está sujeito aos sentidos. Já o mundo do espírito, a metade superior do ser humano, foi rejeitada inteiramente, expulsa com certo triunfo, até com ódio. O mundo proclamou a liberdade, sobretudo ultimamente, e eis o que vemos dessa liberdade deles: só escravidão e suicídio! Porque o mundo diz: "Tens necessidades e por isso satisfaze-as, porque tens os mesmos direitos que os homens mais ilustres e ricos. Não temas satisfazê-las e até procura multiplicá-las" — eis a atual doutrina do mundo. É nisso que veem a liberdade. E o que resulta desse direito à multiplicação das necessidades? Para os ricos o *isolamento* e o suicídio espiritual, para os pobres, a inveja e o assassinato, porquanto esses direitos foram concedidos mas ainda não se indicaram os meios de satisfazer as necessidades. Asseguram que, quanto mais o tempo passar, mais o mundo irá unir-se, irá constituir-se num convívio fraterno porque isso reduz as distâncias, transmite as ideias pelo ar. Ai, não credes nessa união dos homens. Compreendendo a liberdade como a multiplicação e o rápido saciamento das necessidades, deformam sua natureza porque geram dentro de si muitos desejos absurdos e tolos, os hábitos e as invenções mais disparatadas. Vivem apenas para invejar uns aos outros, para a luxúria, a soberba. Dar jantares, viajar, possuir carruagens, posição social e criados escravos eles já consideram uma necessidade, e para saciá-la sacrificam até a vida, a honra, o amor ao homem, e até se matam se não conseguem saciá-la. Vemos a mesma coisa naqueles que não são ricos, e entre os pobres o não saciamento das necessidades e a inveja ainda são abafados pela bebedeira. Em breve, em vez do vinho haverão de embebedar-se com sangue, para isto estão sendo conduzidos. Eu vos pergunto: esse homem é livre? Conheci um "combatente pela ideia", que me contou pessoalmente que, quando foi privado de tabaco na prisão, sentiu-se tão aflito com essa privação que por pouco não traiu "sua ideia", contanto que lhe dessem tabaco. No entanto, ele afirmava: "Vou lutar pela humanidade". Ora, para onde irá um tipo assim e do que ele é capaz? Talvez de um ato rápido, porque não resistirá por muito tempo. E não é de admirar que em vez da liberdade tenham afundado na escravidão, e em vez de servir ao amor fraterno e à união dos homens afundaram, ao contrário, na *desunião* e no isolamento, como me disse em minha mocidade o meu visitante misterioso e mestre. É por isso que no mundo vem-se extinguindo cada vez mais a ideia de servir à humanidade, a ideia da fraternidade e da integridade dos homens, pois, em verdade, essa ideia já está sendo recebida até com zombaria; porque, como esse escravo se afastaria de seus hábitos, para onde iria se está tão acostumado a saciar as infinitas necessidades que ele mesmo inventou? Ele está isolado e pouco se importa com o todo. Eles chegaram a um ponto em que acumularam objetos demais, porém ficaram com alegria de menos.

Outra coisa é o caminho do monge. Chega-se até a rir da obediência, do jejum e da oração, e no entanto é só nelas que reside o caminho para uma liberdade já verdadeira, autêntica: abro mão de minhas necessidades supérfluas e desnecessárias, domino e subjugo, pela obediência, minha vontade egoísta e orgulhosa, e assim, com a ajuda de Deus, atinjo a liberdade do espírito e com ela a alegria espiritual! Qual deles é mais capaz de exaltar a grande ideia e servir a ela — o rico isolado ou este *liberto* da tirania dos objetos e dos costumes? Às vezes o censuram pelo isolamento: "Tu te isolaste com o fim de salvar tua alma entre as paredes do mosteiro, mas te esqueceste de servir fraternalmente à humanidade". Contudo, vejamos ainda quem se empenha mais pela fraternidade. Porque o isolamento não está em nós, mas neles, só que eles não o enxergam. Entretanto, foi do nosso meio que desde tempos antigos saíram os ativistas populares; por que não poderiam existir também nos dias de hoje? Os mesmos homens jejuadores humildes, dóceis e calados se erguerão e caminharão para a grande causa. Do povo vem a salvação da Rússia. O mosteiro russo esteve com o povo desde tempos imemoriais. Se o povo está isolado, nós também estamos isolados. O povo crê a nosso modo, e o ativista ateu nada realizará aqui na Rússia, mesmo que seja sincero de coração e genial de inteligência. Lembrai-vos disto. O povo enfrentará o ateu e o vencerá, e restará uma Rus[89] ortodoxa una. Defendei o povo e protegei seu coração. Educai-o em silêncio. Eis a vossa proeza de monge, porque este é um povo teóforo.

f) *Algo sobre senhores e servos*
e a possibilidade de se tornarem irmãos em espírito

Deus, quem diria, no seio do povo também existe o pecado! A chama da devassidão se multiplica de modo até visível, e vem de cima a cada hora. O isolamento chega também ao povo: surgem indivíduos cobiçosos e exploradores; o comerciante já deseja cada vez mais e mais honrarias, procura mostrar-se instruído sem ter a mínima instrução, e com esse fim desdenha torpemente dos costumes antigos e até se envergonha da fé dos pais. Visita príncipes, mas não passa de um mujique pervertido. O povo apodreceu na bebedeira e já não consegue se afastar dela. E quanta crueldade com a família, com a esposa e até com os filhos; tudo vem da bebedeira. Vi em fábricas até crianças de dez anos: fracas, estioladas, encurvadas e já depravadas. Am-

[89] Antigo nome da Rússia. (N. do T.)

biente abafado, máquinas batendo, todo o dia trabalhando, palavras obscenas e vinho, vinho; é disso que precisa a alma de uma criança ainda tão pequena? Ela precisa de sol, de brincadeiras de criança, de exemplos luminosos em toda a parte e ao menos uma gotinha de amor. Monges, não deixeis que isso aconteça, não permitais o suplício das crianças, levantai-vos e pregai isto o mais depressa, depressa. Mas Deus salvará a Rússia, porque mesmo que a gente simples seja depravada e já não possa abrir mão do fétido pecado, ainda assim sabe que seu fétido pecado é amaldiçoado por Deus e que obra mal ao pecar. De sorte que nosso povo ainda crê incansavelmente na verdade, reconhece Deus, chora comovido. Não é o que acontece entre as classes superiores. Estas seguem a ciência, querem organizar-se de maneira justa só por meio de sua inteligência, mas já sem Cristo, como antes, e já proclamaram que não existe o crime, que já não existe o pecado. Bem, isto é correto segundo elas pensam: porque se não tens Deus, como pode haver crime? Na Europa o povo já se insurge usando a força contra os ricos, e os líderes populares o conduzem em toda parte ao derramamento de sangue e ensinam que sua ira é justa. Entretanto, "sua ira é maldita porque é cruel".[90] Mas Deus salvará a Rússia como já a salvou muitas vezes. A salvação virá do povo, de sua fé e humildade. Padres e mestres, protegei a fé do povo e não esses devaneios: durante toda a minha vida impressionou-me em nosso grande povo sua magnífica e verdadeira dignidade, eu mesmo a presenciei, eu mesmo posso testemunhar, vi e fiquei admirado, vi isso, até a despeito da fetidez dos pecados e do aspecto miserável de nosso povo. Ele não é servil, e isto depois de dois séculos de escravidão. Ele é livre no aspecto e no trato, mas sem ofender ninguém. E não é vingativo nem invejoso. "Tu és nobre, és rico, és inteligente e talentoso — vá lá, Deus te abençoe. Eu te respeito, mas sei que também sou gente. É por te respeitar sem inveja que revelo diante de ti minha dignidade humana." Em verdade, se ele não diz isso (porque ainda não sabe dizê-lo), ao menos assim *age*, eu mesmo vi, eu mesmo experimentei, acreditai: quanto mais pobre e de condição inferior é nosso homem russo, mais se percebe nele essa verdade magnífica, porque os cobiçosos e exploradores que há entre eles já estão muito depravados e muito, muito disso se deve à nossa negligência e ao nosso descaso! Mas Deus salvará sua gente, porque a Rússia é grande por sua humildade. Sonho ver, e já me parece ver

[90] O *stárietz* repete as palavras de Jacó, que condenou dois de seus filhos, Simeão e Levi, que, pela honra de uma irmã, perpetraram uma vingança injustificadamente cruel contra toda uma cidade: "Maldito seja o seu furor, pois era forte, e a sua ira, pois era dura [...]" (Gênesis, 49, 7). (N. da E.)

com clareza, o nosso futuro: porque acontecerá que até o mais depravado rico nosso acabará envergonhado de sua riqueza perante o pobre, e o pobre, ao notar essa humildade, compreenderá e lhe fará concessões com alegria, compensará com carinho a bela vergonha dele. Crede que terminará assim: é para lá que se caminha. Só na dignidade espiritual do homem reside a igualdade, e só em nosso país isto será compreendido. Havendo irmãos também haverá fraternidade, mas antes que haja fraternidade nunca haverá divisão de bens. Nós conservamos a imagem de Cristo e ela resplandecerá para todo o mundo como um diamante precioso... Assim será, assim será!

Padres e mestres, uma vez me aconteceu uma coisa comovente. Em minhas peregrinações, encontrei numa ocasião na cidade provincial de K. meu ex-ordenança Afanassi, e já fazia oito anos desde que nos havíamos separado. Ele me viu por acaso num mercado, me reconheceu, correu para mim e, Deus, como ficou contente. Lançou-se sobre mim: "*Bátiuchka*, senhor, é o senhor mesmo? Será que é o senhor que eu estou vendo?". Levou-me para sua casa. Já estava reformado, casado, já pusera dois filhinhos no mundo. Vivia de um pequeno comércio com a mulher, com um tabuleiro no mercado. Seu quartinho era pobre, mas limpo, cheio de alegria. Fez-me sentar, pôs o samovar, mandou chamar a mulher, era como se eu estivesse lhe oferecendo uma festa aparecendo em sua casa. Trouxe-me os filhinhos: "Abençoe, *bátiuchka*". — "Quem sou eu para abençoar? — respondo —, sou um simples e humilde monge, vou orar a Deus por eles, e por ti, Afanassi Pávlovitch; tenho orado sempre, todos os dias, desde aquele dia que oro a Deus, pois te digo que foi contigo que tudo começou". E lhe expliquei isto como pude. Vejam como se comportou o homem: ficou olhando para mim e nada de conceber que eu, seu antigo senhor, oficial, estava agora diante dele metido naquela roupa: até começou a chorar. "Por que estás chorando, homem inesquecível? — digo-lhe — mais vale que fiques com a alma alegre por mim, meu caro, porque é alegre e luminoso o meu caminho". Não falou muito, ficou o tempo todo entre suspiros e meneios de cabeça, olhando enternecido para mim. "Onde está a sua riqueza?" Respondo: "Doei ao mosteiro, moramos numa habitação coletiva". Depois do chá começaram as despedidas, e de repente ele tirou do bolso uma moeda de cinquenta copeques, deu-me como donativo para o mosteiro, e vejo me pôr apressadamente na mão outra moeda de cinquenta: "Esta já é para o senhor, diz ele, que é viageiro estranho, talvez precise dela, *bátiuchka*". Aceitei sua moeda, fiz uma reverência a ele e à mulher e saí satisfeito e pensando pelo caminho: "Eis agora nós dois, ele em sua casa, eu em minha caminhada, entre suspiros, rindo talvez de alegria, com o contentamento em nossos corações, balançando a cabeça e recordando como Deus dispôs para que nos encontrássemos". E desde então nunca mais o vi. Fui seu senhor e ele meu criado, mas agora, depois que nos beijamos afetuosamente e em comoção espiritual, deu-se entre nós a grande união humana. Pensei muito sobre isso, e agora penso o seguinte: será que a inteligência não compreende que essa grande e simples união poderia acontecer no devido momento e por toda a parte entre os nossos homens russos? Acredito que ela acontecerá e que o momento já está próximo.

E quanto aos criados, acrescento o seguinte: antes, quando eu era jovem, me zangava muito com os criados: "A cozinheira serviu a comida quente, o ordenança não limpou a farda". Mas naquele momento me iluminou de repente a ideia do meu amado irmão, que dele ouvi em minha infância: "Mereço eu que outra pessoa me sirva e que, por sua miséria e ignorância, eu a tiranize?". E naquela mesma ocasião me admirei de como ideias simples e evidentes tardam a aparecer em nossa cabeça. Sem criados é impossível viver no mundo, mas procura agir de maneira que teu criado seja mais livre de espírito do que se não fosse criado. E por que não posso ser criado de meu criado, e que ele até o veja, mas sem que haja nenhum orgulho de minha parte nem desconfiança da dele? Por que meu criado não pode ser algo como meu parente, de modo a que eu finalmente o receba em minha família e me alegre com isto? Isso poderia se realizar até mesmo hoje, e serviria de fundamento para a futura e esplêndida união entre os homens, quando nem o homem procurará criados para si nem desejará converter seus semelhantes em criados, como hoje acontece, mas, ao contrário, ele mesmo desejará, com todas as suas forças, tornar-se criado de todos, segundo o Evangelho.[91] E por acaso é uma quimera achar que, ao fim e ao cabo, o homem encontrará suas alegrias apenas nos feitos alcançados na educação e na caridade, e não nos prazeres cruéis como acontece hoje — na glutonaria, na fornicação, na soberba, na jactância e na inveja excessiva que uns sentem dos outros? Creio firmemente que não é uma quimera, e que o momento está próximo. Uns riem e perguntam: quando chegará esse momento, e ele dá ares de que chegará? Já eu penso que resolveremos essa grande causa com Cristo. Quantas ideias já houve na Terra, na história humana, que ainda uma década antes eram inconcebíveis, mas de repente chegou sua hora misteriosa e elas se manifestaram e se espalharam por toda a Terra? Assim acontecerá também entre nós, e nosso povo brilhará perante o mundo e todos os homens dirão: "A pedra que os construtores rejeitaram, essa virá a ser a principal pedra angular"[92]

[91] Ver Mateus, 20, 25-6. (N. da E.)

[92] Ver Salmos, 117, 22. (N. da E.)

— e teríamos de perguntar aos próprios zombadores: se estamos com quimeras, então quando é que os senhores erguerão seu edifício e se organizarão com justiça guiados apenas por sua inteligência, sem Cristo? E se afirmam que eles, ao contrário, é que caminham para a união, em verdade só acreditam nisso os mais ingênuos dentre eles, de sorte que até podemos nos admirar dessa ingenuidade. Em verdade há mais fantasia sonhadora neles que em nós. Pensam organizar-se de forma justa mas, tendo renegado Cristo, acabarão por dar um banho de sangue no mundo, porque sangue chama sangue, e aquele que desembainhar a espada à espada morrerá.[93] E se não fosse a promessa de Cristo, acabariam mesmo exterminando uns aos outros até que só restassem dois homens na Terra. E estes dois últimos não conseguiriam deter um ao outro, de sorte que o último exterminaria o penúltimo e depois a si mesmo. E isto aconteceria não fosse a promessa de Cristo de que esse tempo seria abreviado em prol dos dóceis e humildes.[94] Naquela época, quando eu ainda usava meu uniforme de oficial, depois do duelo passei a falar dos criados em sociedade e, lembro-me, todos ficavam admirados comigo: "O que temos de fazer, sentar o criado no sofá e lhe servir chá?". E eu lhes respondia: "Por que não fazê-lo, ao menos às vezes?".[95] Todos riam. A pergunta era leviana e minha resposta era vaga, mas penso que havia nela certa verdade.

g) *Da oração, do amor e do contato com outros mundos*

Jovem, não esqueças a oração. Em tua oração, se for sincera, sempre aparecerá de relance um novo sentimento e, neste, uma nova ideia que antes não conhecias e que te devolverá o ânimo; e compreenderás que oração é educação. Lembra-te mais: cada dia, e sempre que puderes, afirma contigo: "Deus, tem piedade de todos os que agora se apresentam diante de ti". Porque a cada hora e a cada instante milhares de pessoas deixam a vida nesta Terra e suas almas se apresentam diante do Senhor — e quantas delas se separaram da Terra isoladas, sem que ninguém o soubesse, magoadas e tristes porque nenhuma pessoa se compadecia delas e nada sabia a seu respeito: terão vivido ou não? Pois bem, é possível que do outro extremo da Terra tua oração pela alma de uma delas chegue ao Senhor, embora tu a desconheças absolutamente e ela a ti. Quão comovente será para a alma dessa pessoa, que

[93] Ver Mateus, 26, 52. (N. da E.)

[94] Ver Mateus, 24, 22. (N. da E.)

[95] Curiosamente, o *stárietz* acaba incorporando à sua pregação um elemento das saturnais pagãs romanas, quando, um dia por ano, os senhores serviam os escravos. (N. do T.)

se apresenta apavorada perante o Senhor, sentir nesse instante que existe alguém orando por ela, que ficou na Terra um ser humano que a ama. E Deus olhará com mais misericórdia para ambos, porque se tu te compadeceste tanto dela, mais se compadecerá Ele, infinitamente mais misericordioso e amoroso do que tu. E Ele a perdoará graças a ti.

Irmãos, não temais o pecado dos homens, amai o homem também em seu pecado, porque isto é semelhante ao amor de Deus e é o ápice do amor na Terra. Amai toda a criação de Deus, no conjunto e em cada grão de areia. Amai cada folha, cada raio de Deus. Amai os animais, amai as plantas, amai todas as coisas. Amarás[96] toda e qualquer coisa e nas coisas alcançarás a compreensão do mistério de Deus. Uma vez tendo compreendido, já começarás a compreender tudo sem esmorecimento, e cada vez mais com o passar do tempo, todos os dias. E finalmente amarás o mundo inteiro já com um amor total, universal. Amai os animais: Deus lhes deu o princípio do pensamento e a alegria plácida. Não os perturbeis, não os maltrateis, não lhes tireis a alegria, não vos oponhais à ideia de Deus. Homem, não te coloques acima dos animais: eles não têm pecado e tu, com tua grandeza, apodreces a Terra com tua aparição sobre ela e deixarás depois de ti tuas pegadas podres — infelizmente quase todos nós! Amai sobretudo as crianças, porque elas também não têm pecado, como os anjos, e vivem para nosso enternecimento, para purificar nossos corações e como uma espécie de sinal para nós.[97] Ai daquele que ofender uma criança! O padre Anfim me ensinou a amar as crianças: ele, amável e calado em nossas peregrinações, com os níqueis que recebia de esmola comprava pãezinhos e balas e distribuía entre elas. Não podia passar ao lado de crianças sem ficar comovido: assim era aquele homem.

A gente fica perplexa diante de certos pensamentos, sobretudo quando observa o pecado dos homens, e se pergunta: "Recorrerei à força ou ao amor humilde?". E sempre decide assim: "Recorrerei ao amor humilde". Assim decidindo, poderás conquistar o mundo todo para sempre. A humildade amorosa é uma força terrível, a mais terrível de todas, à qual não existe nada similar. A cada dia e hora, a cada minuto, move-te em torno de ti mesmo e cuida-te para que a tua imagem seja magnífica. Pois bem, passaste ao lado de uma criancinha, passaste com raiva, dizendo palavras más, com cólera na alma; não notaste, talvez, essa criança, mas ela te notou, e tua imagem, sem graça e impura, talvez tenha ficado em seu coraçãozinho indefeso. Tu não

[96] O *stárietz* alterna a forma de tratamento entre as segundas pessoa do plural e do singular. (N. do T.)

[97] Ver Mateus, 18, 1-10. (N. da E.)

sabias disso, e talvez agindo assim tenhas lançado nela uma semente má, que crescerá, é possível, e tudo porque não te resguardaste perante a criancinha porquanto não educaste em ti o amor cauteloso, ativo. Irmãos, o amor é um mestre, mas é preciso saber adquiri-lo, porque é difícil adquiri-lo, custa caro, um longo trabalho que demanda um longo tempo, porque não se deve amar apenas por um instante fortuito, mas até o fim. Qualquer um pode amar por acaso, até o malfeitor pode amar. Meu jovem irmão pediu perdão aos passarinhos: isso pode ter sido um absurdo, mas era verdade, porque tudo é como o oceano, tudo corre e se toca, tu tocas em um ponto e teu toque repercute no outro extremo do mundo. Vá que seja loucura pedir perdão aos passarinhos, mas seria melhor para os passarinhos, e para as crianças, e para qualquer animal que estivesse a teu lado se tu mesmo fosses melhor do que és agora, ao menos um tiquinho melhor. Tudo é como o oceano, digo-te. E então rezarias também aos passarinhos, atormentado pelo amor total, como em uma espécie de êxtase, e orando para que eles tirassem o pecado de ti. Aprecia muito esse êxtase, por mais louco que ele pareça aos homens.

Meus amigos, pedi alegria a Deus. Sede alegres como as crianças, como os pássaros do céu.[98] E que o pecado dos homens não vos perturbe no curso de vossa obra, não temais que ele atrapalhe vossa obra nem impeça que ela se conclua; e não digais: "É forte o pecado, é forte a desonestidade, é forte o meio nefasto, ao passo que nós estamos sós e impotentes; o meio nefasto nos reterá e não permitirá que se conclua a nossa boa obra". Fugi, crianças, a esse desânimo! Tendes aqui uma única salvação: pegai e fazei de vós mesmos responsáveis por todo o pecado dos homens. Amigo, em verdade isso é assim, porque tão logo te fizeres sinceramente responsável por tudo e por todos, verás no ato que isso é realmente assim e que és culpado por todos e por tudo. Lançando tua preguiça e tua impotência sobre os homens, acabarás te iniciando no orgulho de Satanás e te queixando de Deus. Sobre o orgulho de Satanás, eis o que penso: para nós é difícil compreendê-lo na Terra e por isso é tão fácil cairmos no erro e nos iniciarmos nele, e ainda supondo que estamos fazendo algo grande e maravilhoso. De mais a mais, ainda não conseguimos compreender muitos dos mais fortes sentimentos e movimentos de nossa natureza na Terra, e não te deixes seduzir por isto e nem penses que isto pode te servir de justificativa, porque o juiz eterno te cobrará por aquilo que foste capaz de compreender e não pelo que não foste, tu mesmo te convencerás disto, porque então verás tudo corretamente e já não discutirás.

[98] Esse trecho reúne diversas passagens de Mateus (18, 2-3; 6, 26) e Lucas (12, 26). (N. da E.)

Em verdade, nós como que erramos pela Terra, e se não houvesse a preciosa imagem de Cristo diante de nós, morreríamos e nos perderíamos totalmente, como o gênero humano perante o dilúvio. Muita coisa na Terra nos está oculta, mas em troca nos foi dada a sensação misteriosa e arcana da nossa ligação viva com outro mundo, com o mundo das alturas e superior; aliás, as raízes dos nossos pensamentos e sentimentos não estão aqui, mas em outros mundos.[99] Eis por que os filósofos dizem que a essência das coisas não pode ser compreendida na Terra. Deus pegou as sementes de outros mundos e as semeou aqui na Terra e cultivou seu jardim, e tudo o que podia germinar germinou, mas o cultivado vive, e é animado apenas pela sensação de seu contato com os outros mundos misteriosos; se esta sensação enfraquece ou se destrói em ti, morre também o que foi cultivado em ti. Então te tornarás indiferente à vida e até a odiarás. É assim que eu penso.

h) *Podemos ser juízes dos nossos semelhantes?*

Lembra-te particularmente de que não podes ser juiz de ninguém.[100] Porque na Terra não pode haver juiz de um criminoso sem que antes esse mesmo juiz saiba que também é tão criminoso como aquele que está à sua frente e, mais do que ninguém, talvez seja o culpado pelo crime que tem diante de si. Quando compreender isto poderá ser juiz. Isso é verdade, por mais insensato que pareça. Pois se eu mesmo fosse um justo, talvez nem houvesse um criminoso diante de mim.[101] Se puderes assumir o delito do criminoso que tens à frente e julgas com teu coração, assume-o imediatamente e sofre tu mesmo por ele, liberando-o sem reprimenda. E mesmo que a própria lei tenha te constituído seu juiz, ainda assim procura criar dentro do espírito da lei até onde te for possível, pois ele será liberado e se condenará ainda mais amargamente do que o faria teu julgamento. Se, apesar de teu afago, ele sair insensível e zombando de ti, não te sintas tentado: significará isto que a hora dele ainda não chegou, mas chegará oportunamente; se não chegar, não faz mal: se não for ele, outro o experimentará por ele, e sofrerá, e condenará, e

[99] A imagem que se forma nessa passagem radica em parábolas bíblicas. Ver Gênesis, 1, 11-2, e Mateus, 13, 24-30; 13, 37-9. (N. da E.)

[100] "Não julgueis, para que não sejais julgados. Pois com o critério com que julgardes, sereis julgados [...]". Mateus, 7, 1-2. (N. da E.)

[101] Dostoiévski desenvolve essa mesma ideia no artigo "O meio", publicado em seu *Diário de um escritor* de 1873, onde trata da figura do criminoso: "Se ele infringiu a lei que a Terra lhe prescreveu, nós mesmos somos os culpados por tê-lo agora à nossa frente. Porque se todos fôssemos melhores, ele também seria melhor e não estaria agora diante de nós". (N. da E.)

acusará a si próprio, e a verdade será cumprida. Crê nisso, crê sem duvidar, porque é aí mesmo que está toda a esperança e toda a fé dos santos.

Procura obrar sem descansar. Se te lembrares, à noite, ao te recolheres para dormir: "Não cumpri o que era preciso", levanta-te imediatamente e cumpre-o. Se tens ao redor pessoas raivosas e insensíveis e elas não te querem ouvir, cai diante delas e pede perdão, porque em verdade também és culpado de que não te querem ouvir. Mas se já não podes falar com os exasperados, serve-os em silêncio e com humildade, sem nunca perder a esperança. Se, porém, todos te deixarem e já te expulsarem à força, uma vez sozinho cai sobre a terra e beija-a, umedece-a com tuas lágrimas, e a terra dará frutos de tuas lágrimas, ainda que não tenhas sido visto nem ouvido por ninguém. Crê até o fim, até mesmo se todos na Terra estiverem desencaminhados, restando apenas um único com fé: faz então um sacrifício e, sendo tu o único restante, louva a Deus. Se dois iguais a ti se encontrarem, então já será um mundo inteiro, um mundo de amor vivo; abraçai-vos enternecidos e louvai o Senhor: porque ainda que sejam dois, terá sido cumprida a verdade d'Ele.

Se tu mesmo pecas e ficas te afligindo até a morte por esses pecados ou por algum pecado que cometeste de repente, alegra-te pelo outro, alegra-te pelo justo, alegra-te porque, se pecaste, em compensação ele é justo e não pecou.

Se, porém, o crime dos homens te deixa indignado e numa aflição insuperável, até com vontade de vingar os facínoras, teme acima de tudo esse sentimento; vai imediatamente à procura de suplícios, como se tu mesmo fosses culpado por esse crime dos homens. Assume esses suplícios e suporta-os, e saciarás teu coração, e compreenderás também que és culpado, porque poderias ter iluminado os malfeitores até por seres o único sem pecado, mas não os iluminaste. Se os tivesses iluminado, com tua luz ainda haverias iluminado o caminho dos outros, e aquele que cometeu um crime talvez não o cometesse sob tua luz. E até se vieres a iluminar, mas vires que os homens não se salvam nem mesmo sob a tua luz, mantém a firmeza e não duvides da força da luz celestial; crê que se não se salvarem agora, mais tarde se salvarão. E se nem mais tarde se salvarem, seus filhos se salvarão, porquanto tua luz não morrerá ainda que tu já tenhas morrido. O justo se vai, mas fica sua luz. Os homens se salvam, e sempre, depois da morte do salvador. O gênero humano não aceita seus profetas e os espanca, mas os homens amam seus mártires e reverenciam os que eles supliciaram. Tu trabalhas para o todo, realizas para o futuro. Nunca procures recompensa, porque já é grande a tua recompensa nesta Terra: a tua alegria espiritual, que só o justo conquista. Não temas nem os grandes, nem os poderosos, mas sê sábio e sempre excelente. Sê comedido, procura conhecer a hora, aprende isso. Ficando só, ora. Aprende a gostar de prosternar-se no chão e beijá-lo. Beija a terra e sem esmorecimento, ama insaciavelmente, ama a todos, procura esse êxtase, esse frenesi. Umedece a terra com as lágrimas de tua alegria e ama estas lágrimas tuas. Não te envergonhes desse frenesi, tende-o em alta conta, porquanto é um dom de Deus, um dom grandioso, e concedido a poucos, aos eleitos.

i) *Do inferno e do fogo do inferno, uma reflexão mística*

Padres e mestres, tenho pensado: "O que é o inferno?". E julgo assim: "É o sofrimento de não mais se poder amar". Uma vez, no infinito do existir que nem o espaço nem o tempo podem mensurar, um ser espiritual ganhou, com sua aparição na Terra, a capacidade de dizer consigo: "Eu existo, eu amo". Uma vez, só uma vez lhe foi dado um instante de amor ativo, *vivo*, e para tanto foi concedida a vida na Terra, e com ela o tempo e os limites, e então: esse ser feliz rejeitou o dom precioso, não o valorizou, não o amou, zombou dele e ficou insensível. Depois de deixar a Terra, esse ser vê o seio de Abraão, e conversa com Abraão, como consta na parábola do rico e de Lázaro, e contempla o paraíso, e pode subir até o Senhor, mas se tortura justamente porque subirá à presença do Senhor sem o haver amado, entrará em contato com aqueles que o amaram e de cujo amor ele desdenhara. Porque vê com clareza e já diz de si para si: "Agora já tenho o conhecimento, e mesmo havendo ansiado por amar, já não haverá proeza no meu amor, e também não haverá sacrifício, porquanto terminou a vida terrena e Abraão não me trará sequer uma gota da água viva[102] (ou seja, outra vez o dom da vida terrena anterior e ativa) para aplacar a chama de minha sede de amor espiritual, que agora me abrasa, mas da qual desdenhei na Terra; já não há vida, nem haverá mais tempo! Ficaria alegre ao menos em dar minha vida por outros, mas já não é possível, porquanto passou aquela vida que poderia ser sacrificada ao amor, e agora um abismo a separa desta minha existência". Fala-se do fogo material do inferno: não investigo este mistério, tenho medo, mas penso que se existisse mesmo esse fogo material, em verdade isso contentaria os condenados, pois — assim fantasio — no tormento físico eles esqueceriam, ao menos por um instante, este terribilíssimo tormento espiritual. Ademais, é até impossível livrá-los desse tormento espiritual, porque esse tormento não está fora, mas dentro deles. E se fosse possível livrá-los dele, acho que isso os deixaria ainda mais amargurados e infelizes. Porque mesmo que os justos do paraíso os perdoassem ao contemplarem seus

[102] Ver Lucas, 16, 19-26. (N. da E.)

tormentos e, amando-os infinitamente, chamassem-nos para a sua companhia, deste modo multiplicariam ainda mais esses tormentos, porquanto despertariam neles, com intensidade ainda maior, a chama da sede de um já impossível amor recíproco, ativo e grato. Não obstante, na timidez de meu coração penso que a própria consciência dessa impossibilidade também os deixará finalmente aliviados, pois, tendo aceitado o amor dos justos sem possibilidade de recompensá-lo, nessa submissão e nessa humildade eles acabarão conseguindo uma espécie de imagem daquele amor ativo que desprezaram na Terra e um arremedo desse amor... Lamento, meus irmãos e amigos, não poder exprimir isto com clareza. Mas ai daqueles que se exterminaram a si mesmos na Terra, ai dos suicidas! Penso que não pode haver ninguém mais infeliz do que estes. É pecado orar a Deus por eles, dizem-nos, e a Igreja aparentemente os renega, mas no esconderijo de minha alma penso que se pode orar por eles. Cristo não ficará zangado com o amor. Confesso-lhes, padres e mestres, que durante toda minha vida tenho orado interiormente por eles, e ainda hoje rezo todos os dias.

Oh, há aqueles que até no inferno se mantiveram soberbos e ferozes, apesar de seu indiscutível conhecimento e de sua contemplação da verdade irrefutável; há os terríveis, que comungam integralmente com Satã e com seu espírito soberbo. Para estes o inferno já é voluntário e insaciável; estes já são mártires benevolentes. Porque eles mesmos se amaldiçoaram, tendo amaldiçoado Deus e a vida. Alimentam-se de seu orgulho raivoso, como um faminto no deserto que começasse a sugar o sangue de seu próprio corpo. Mas são insaciáveis para todo o sempre e rejeitam o perdão, amaldiçoam Deus que os chama. Não podem contemplar sem ódio o Deus vivo e exigem que Deus não exista e que Ele destrua a si mesmo e à sua criação. E hão de arder eternamente no fogo de sua ira, hão de ansiar pela morte e pelo não ser. Mas não ganharão a morte...

Aqui termina o manuscrito de Alieksiêi Fiódorovitch Karamázov. Repito: ele é incompleto e fragmentário. Por exemplo, os dados biográficos abrangem apenas a primeira fase da juventude do *stárietz*. De seus ensinamentos e opiniões fica evidente que se juntou, num todo aparente, o que foi dito em diferentes períodos e por motivações diversas. Tudo o que foi dito pelo *stárietz*, particularmente nessas últimas horas de sua vida, não está definido com precisão, e nos fica apenas uma ideia do espírito e do caráter dessa palestra se a compararmos aos seus primeiros ensinamentos registrados no manuscrito de Alieksiêi Fiódorovitch. Já a morte do *stárietz* realmente ocorreu de modo totalmente inesperado. Pois, embora todos os que estavam reunidos à sua volta naquela última noite compreendessem plenamente que sua morte estava próxima, ainda assim era impossível imaginar que ela viesse de modo tão repentino; ao contrário, como já observei antes, seus amigos, ao vê-lo com ar tão bem-disposto e loquaz naquela noite, estavam até convencidos de que ele tivera uma visível melhora, ainda que apenas breve. Como mais tarde disseram surpresos, ainda não era possível prever nada nem cinco minutos antes da morte. Súbito ele sentiu como que uma dor fortíssima no peito, empalideceu e apertou com força a mão sobre o coração. Todos se levantaram e se precipitaram para ele; mas ele, mesmo sofrendo, e ainda assim olhando-os com um sorriso nos lábios, arriou suavemente da poltrona para o chão e ajoelhou-se, em seguida curvou-se e encostou o rosto no chão, abriu alegremente os braços e, beijando o chão e orando (como ele mesmo ensinara) como que esfuziante de êxtase, entregou a alma a Deus num gesto sereno e alegre. A notícia de sua morte espalhou-se imediatamente pelo eremitério e chegou ao mosteiro. Os íntimos do recém-falecido e os hierarquicamente incumbidos de agir começaram a preparar o corpo conforme o ritual antigo, e toda a irmandade se reuniu na catedral. E, como mais tarde se soube pelos rumores que se espalharam, ainda antes do raiar do dia a notícia sobre o recém-falecido chegou à cidade. Ao amanhecer, quase toda a cidade falava do acontecimento, e uma multidão de cidadãos correu para o mosteiro. Mas disto falaremos no livro seguinte, porque agora adiantaremos apenas que ainda não havia passado nem um dia quando aconteceu algo tão inesperado para todos e, pela impressão deixada no meio monástico e na cidade, tão estranho, inquietante e confuso, que até hoje, depois de tantos anos, mantém-se em nossa cidade a mais viva impressão daquele dia tão cheio de ansiedade para muitos...

TERCEIRA PARTE

Livro VII
ALIÓCHA

I. Cheiro deletério[1]

O corpo morto do hieromonge Zossima foi preparado para o sepultamento segundo o rito estabelecido pela tradição. Como se sabe, não se lavam os corpos dos monges e ascetas mortos. "Quando um monge vai para Deus (está escrito no *Grande Ritual*), um monge designado para isto limpa seu corpo com água morna, antes fazendo com uma esponja (isto é, uma esponja grega) uma cruz em sua fronte, no peito, nas mãos, nas pernas e nos joelhos, e mais nada." Tudo isso o próprio padre Paissi executou sobre o corpo do morto. Depois de enxugá-lo, ele o vestiu com as vestes de monge e o envolveu com um manto; para isto, seguindo o regulamento, fez alguns cortes no manto para deixá-lo em forma de cruz. Pôs-lhe na cabeça um capuz com uma cruz de oito pontas. Deixou o capuz aberto e cobriu o rosto do morto com um véu negro. Pôs em suas mãos um ícone do Salvador. Assim o colocaram no caixão (já preparado havia muito tempo) ao amanhecer. Resolveram deixar o caixão na cela (no primeiro grande cômodo em que o falecido *stárietz* recebia a irmandade e os leigos) o dia inteiro. Uma vez que o morto era da categoria de hieromonge, então cabia aos hieromonges e hierodiáconos ler não os Salmos, mas o Evangelho. Logo após a cerimônia fúnebre, o padre Ióssif começou a leitura do Evangelho; o padre Paissi, que desejara ele mesmo passar o dia inteiro e a noite inteira lendo, ainda estava muito ocupado e preocupado, junto com o abade do eremitério, porque de uma hora para outra uma perturbação inusitada, inaudita e até "inconveniente", e uma expectativa impaciente começaram a manifestar-se — e a crescer quanto mais o tempo passava — tanto entre a irmandade do mosteiro quanto entre os leigos que chegavam em multidões do hotel do mosteiro e

[1] O título deste capítulo e a situação geral em que o céu parece indiferente às coisas da terra provavelmente remontam ao poema de F. I. Tiúttchev, "À cova já desceu o caixão", de 1836: "À cova já desceu o caixão,/ Todos em volta se estreitam.../ A custo respiram aos encontrões,/ Um cheiro deletério oprime o peito". (N. da E.)

da cidade. O abade e o padre Paissi envidavam todos os esforços para acalmar, na medida do possível, aquelas pessoas tomadas de tão alarmante inquietação. Quando o dia já amanhecera o suficiente, começaram a chegar da cidade até algumas pessoas acompanhadas de seus doentes, como se aguardassem especialmente esse instante, pelo visto nutrindo esperança na imediata força da cura que, segundo sua fé, não poderia tardar a manifestar-se.[2] E só então se descobriu quanto já estavam todos habituados a considerar o falecido *stárietz* como um santo grande e indiscutível ainda em vida. Entre os que chegavam nem de longe havia só gente do povo. Essa grande expectativa das pessoas de fé, que se manifestava com tanta precipitação, até com intolerância e uma quase exigência, parecia ao padre Paissi uma indiscutível tentação, e mesmo que ele a tivesse pressentido já bem antes, ainda assim ela superava de fato sua própria expectativa. Quando cruzava com monges inquietos, o padre Paissi até lhes dizia: "Uma expectativa tamanha e tão imediata de algo grande — dizia ele — é uma leviandade só possível entre laicos, mas imprópria para nós". No entanto, não lhe davam ouvidos, e o padre Paissi o percebia intranquilo, se bem que ele mesmo (se é para se ter uma lembrança veraz de tudo), apesar de indignado com as expectativas por demais impacientes e de perceber nelas leviandade e futilidade, em segredo, lá com seus botões, no fundo de sua alma, esperava a mesma coisa que esses alvoroçados, o que não podia deixar de reconhecer para si mesmo. Ainda assim, eram-lhe particularmente desagradáveis certos encontros que, por algum pressentimento, lhe despertavam grandes dúvidas. No meio da multidão, que se acotovelava na cela do morto, o padre Paissi notou com uma aversão na alma (pela qual se censurou no ato), por exemplo, a presença de Rakítin, ou do hóspede distante — o monge de Obdorsk, que ainda permanecia no mosteiro —, e por algum motivo teve a súbita impressão de que os dois eram suspeitos, embora não fossem os únicos que pudessem ser vistos assim. Entre todos os alvoroçados, o monge de Obdorsk era o que parecia mais azafamado; podia ser visto em todos os lugares: em toda parte interrogava, em toda parte escutava, em toda parte cochichava com um ar particularmente misterioso. A expressão de seu rosto era a mais impaciente e como que já irritada com a não realização daquilo que se aguardava havia tanto tempo. Quanto a Rakítin, como depois se esclareceu, chegara muito cedo ao eremitério por incumbência especial que recebera da senhora Khokhlakova. Essa mulher bondosa, mas pusilânime, que não podia ser admitida pessoalmente

[2] Os milagres que se seguem à morte do justo (habitualmente os milagres da cura) são um dos lugares-comuns da narrativa hagiográfica. (N. da E.)

no eremitério, mal acordara e soubera do ocorrido, fora tomada de tão repentina e impetuosa curiosidade que enviara imediatamente Rakítin em seu lugar ao eremitério a fim de que este observasse tudo e lhe informasse imediatamente por escrito *sobre tudo o que ocorria*, mais ou menos a cada meia hora. Ela considerava Rakítin o jovem mais honrado e religioso, tamanha era a capacidade dele de se dar com todo mundo e apresentar-se diante de cada um como este gostaria de vê-lo, desde que visse nisso o mínimo de vantagem para si mesmo. O dia estava claro e ensolarado, e entre os devotos ali chegados muitos se aglomeravam ao lado dos túmulos do eremitério, amontoados mais em torno do templo assim como espalhados por todo o eremitério. Ao contornar o eremitério, o padre Paissi lembrou-se subitamente de Aliócha e de que não o via fazia tempo, quase desde a noite passada. E assim que se lembrou dele notou-o imediatamente no canto mais distante do eremitério, junto ao muro, sentado na lápide de um monge morto havia muito tempo e famoso por seus feitos. Estava sentado de costas para o eremitério, de rosto para o muro e como que escondido atrás do monumento. Ao chegar-se bem perto, o padre Paissi notou que ele cobria o rosto com as mãos e chorava alto, ainda que abafado, com o corpo todo sacudido pelo pranto. O padre Paissi postou-se algum tempo à sua frente.

— Basta, meu filho querido, basta, amigo — pronunciou comovido —, por que estás assim? É hora de alegria, não de pranto. Ou não sabes que este dia é o mais importante dos dias *dele*? Onde está ele neste momento? pensa só nisso!

Aliócha esboçou fitá-lo, descobrindo o rosto inchado pelo choro, como uma criancinha, mas virou o rosto imediatamente e, sem dizer palavra, tornou a cobri-lo com ambas as mãos.

— É possível que seja assim mesmo — pronunciou o padre Paissi pensativo —, é possível, e podes chorar, foi Cristo que te enviou estas lágrimas. "Tuas lagrimazinhas comoventes são apenas um repouso da alma e servirão para te alegrar o coração amável" — acrescentou já de si para si, afastando-se de Aliócha e pensando nele com afeto. Aliás, afastou-se depressa, porque, se ficasse olhando para Aliócha, talvez também viesse a chorar. Enquanto isso o tempo passava, os serviços do mosteiro e as cerimônias fúnebres do morto continuavam dentro das formalidades. O padre Paissi tornou a notar o padre Ióssif junto ao caixão e voltou a substituí-lo na leitura do Evangelho. Mas nem passara das três da tarde quando aconteceu algo a que já me referi no final do livro anterior, algo tão inesperado para qualquer um de nós e tão contrário à esperança geral que, repito, o relato minucioso e inquietante dessa ocorrência até hoje continua extraordinariamente vivo na memória de nossa cidade e de todas as suas redondezas. Aqui faço mais um adendo pessoal: quase sinto náusea quando recordo esse episódio inquietante e cheio de tentação, no fundo o mais insignificante e natural, e eu, é claro, o suprimiria totalmente de meu relato, evitaria qualquer menção a ele, não fosse a enorme influência que de certo modo ele exerceu na alma e no coração do herói principal, *ainda que futuro*, de minha narrativa, isto é, Aliócha, provocando-lhe na alma uma espécie de reviravolta e uma mudança brusca, que abalou mas também fortaleceu sua razão de forma já definitiva, pelo resto de sua vida e num determinado sentido.

Então, ao relato. Quando, ainda antes do raiar do dia, colocaram no caixão o corpo do *stárietz* preparado para o sepultamento e o levaram para o primeiro cômodo, a antiga sala de recepção, surgiu uma pergunta entre os que se encontravam junto ao caixão: será o caso de abrir as janelas do cômodo? Mas essa pergunta, que alguém fizera de passagem e por alto, ficou sem resposta e quase não foi notada — talvez só alguns dos presentes a tenham notado, e assim mesmo de si para si, dando-lhe o único sentido de que esperar decomposição e cheiro deletério de um defunto como aquele era puro absurdo, digno até de pena (senão de zombaria) em face da pouca fé e da leviandade de quem a fizera. Porque se esperava exatamente o contrário. E eis que, logo depois do meio-dia, teve início uma coisa que, a princípio, os que entravam e saíam só notavam em silêncio e de si para si, e cada um até com visível temor de comunicar a alguém o que lhe acabava de passar pela cabeça, mas por volta das três da tarde a coisa já se revelou tão evidente e irrefutável que a notícia se espalhou por todo o eremitério e entre todos os devotos que o visitavam, penetrou incontinenti no mosteiro, provocou a surpresa de todos os seus habitantes e, enfim, no mais curto lapso de tempo chegou também à cidade e ali deixou todos inquietos, os crentes e os descrentes. Os ímpios se encheram de alegria e, quanto aos religiosos, apareceram alguns ainda mais alegres que os próprios ímpios, pois "os homens gostam de ver a queda do justo e sua desonra", como dissera o próprio *stárietz* em um de seus ensinamentos. É que o cheiro deletério começou a escapar pouco a pouco do caixão, mas com o passar do tempo foi-se fazendo sentir cada vez mais, e por volta das três da tarde já se evidenciara por demais e aumentava gradualmente. Isso já não acontecia havia muito tempo, e era mesmo impossível que alguém se lembrasse de ter havido, em toda a vida pregressa de nosso mosteiro, uma tentação grosseiramente descomedida — até impossível em outros casos — como a que se verificou inclusive entre os monges imediatamente após esse acontecimento. Já mais tarde, mesmo depois de muitos anos, quando alguns de nossos sensatos monges recordavam cada detalhe desse dia, ficavam surpresos e horrorizados com a maneira pela qual a tentação pudera chegar àquele ponto naquele momento. Porque já antes disso haviam morrido monges que levaram uma vida muito justa e cuja condição de justos era patente, e também *startzí* tementes a Deus, e no entanto seus caixões humildes também exalavam um cheiro naturalmente deletério como todos os mortos, mas isso não redundara em tentação e nem mesmo na mínima perturbação. É claro que entre nós, desde tempos remotos, houve alguns mortos cuja lembrança ainda se mantinha viva no mosteiro e cujos restos mortais, segundo a lenda, não revelaram decomposição, o que influenciou de modo comovente e misterioso a irmandade e permaneceu em sua memória como algo lindo e maravilhoso e como promessa de que seus túmulos irradiariam uma glória ainda maior no futuro, se esse momento chegasse pela vontade de Deus. Dentre estes, conservara-se particularmente a lembrança do *stárietz* Iov, famoso asceta, grande jejuador e silenciário, que vivera até os cento e cinco anos e morrera havia muito tempo, ainda no primeiro decênio deste século, e cuja sepultura era mostrada com extraordinária reverência a todos os devotos que ali apareciam pela primeira vez, ocasião em que se aludia, em tom de mistério, a umas esperanças grandiosas. (Era o mesmo túmulo no qual o padre Paissi encontrara Aliócha sentado pela manhã.) Além desse *stárietz* morto em tempos remotos, continuava viva a lembrança do grande *stárietz* e hieromonge Varsonofi, que morrera havia relativamente pouco tempo — aquele mesmo monge de quem o *stárietz* Zossima recebera o *startziado* e que, ainda em vida, era verdadeiramente considerado um *iuródiv* por todos os peregrinos que visitavam o mosteiro. A respeito desses dois, conservava-se a lenda segundo a qual eles permaneceram como vivos em seus caixões, foram enterrados sem nenhum sinal de decomposição e seus semblantes até ficaram como que iluminados. Alguns até insistiam em lembrar que seus corpos exalavam uma sensível fragrância. Contudo, mesmo a despeito dessas lembranças tão sugestivas, ainda assim seria difícil explicar a causa imediata que possibilitou aquela manifestação tão leviana, absurda e malévola em torno do caixão do *stárietz* Zossima. No que me diz respeito, suponho que aí houve a coincidência de muitas outras coisas, de diferentes causas que exerceram uma influência conjunta. Entre elas, por exemplo, estava essa arraigada hostilidade ao *startziado* como novidade perniciosa, que ainda se escondia no fundo das mentes de muitos monges de nosso mosteiro. Depois vinha, é claro, e como principal, a inveja da santidade do morto, que se estabelecera com tanta força quando ele ainda estava vivo e à qual parecia proibido fazer objeção. Porque embora o falecido *stárietz* tivesse atraído para seu lado e erguido à sua volta, não tanto pelos milagres quanto pelo amor, como que um mundo inteiro de pessoas que o amavam, mesmo assim e ainda mais por isso acabou dando margem ao surgimento de invejosos e, com eles, de inimigos ensandecidos, declarados e secretos, e não só entre os habitantes do mosteiro, mas até entre os laicos. Por exemplo, ele nunca fizera mal a ninguém, mas eis o que se ouvia: "Por que o consideram tão santo?". E só essa pergunta, que foi pouco a pouco se repetindo, acabou redundando num turbilhão de maldades das mais insaciáveis. Por isso eu acho que muitos dos que sentiram o cheiro deletério exalado por seu corpo, e ainda por cima tão depressa — porque ainda não havia transcorrido nem um dia de sua morte —, não cabiam em si de alegria; de igual maneira, entre os que eram dedicados ao *stárietz* e até então o veneravam, apareceram imediatamente os que se sentiram quase ultrajados e pessoalmente ofendidos com esse episódio. Essa gradação aconteceu da seguinte maneira.

Mal a decomposição começou a manifestar-se, só pelo aspecto dos monges que entravam na cela do morto dava para deduzir o que os levara ali. Um entrava, permanecia um pouco e saía para confirmar depressa a notícia aos outros que o aguardavam aglomerados lá fora. Entre os que aguardavam, uns meneavam a cabeça com tristeza, mas outros nem faziam questão de esconder sua alegria, que resplandecia nitidamente em seu olhar enfurecido. E ninguém mais os censurava, ninguém dizia uma palavra a favor do morto, o que já era de estranhar porque, apesar de tudo, os dedicados ao *stárietz* eram a maioria no mosteiro; mas era visível que o próprio Deus havia permitido que desta vez a minoria prevalecesse provisoriamente. Logo começaram a aparecer na cela uns leigos também espias, visitantes instruídos em sua maioria. Entrava pouca gente simples, embora houvesse muitos deles aglomerados à porta da cela. Era indiscutível que o afluxo de leigos aumentara muito precisamente depois das três horas, e justo em consequência da tentadora notícia. Os que antes talvez nem viessem a comparecer nesse dia e nem tivessem a intenção de comparecer, agora compareciam de propósito, e entre eles havia algumas pessoas de posição considerável. Aliás, o decoro ainda não havia sido violado na aparência e o padre Paissi continuava a ler alto o Evangelho, com voz firme e pausada, rosto severo, como se não notasse o que estava acontecendo, embora já tivesse percebido algo inusitado havia muito tempo. E eis que começaram a lhe chegar aos ouvidos umas vozes, a princípio muito abafadas, mas que foram pouco a pouco ganhando firmeza e ânimo. "É de crer que o juízo de Deus não é o mesmo que o juízo dos homens!" — ouviu de súbito o padre Paissi. O primeiro a pronunciá-lo foi um laico, funcionário da cidade, homem já entrado em anos e, até onde se sabia a seu respeito, muito devoto, mas ao pronunciá-lo em voz alta estava apenas repetindo aquilo que os monges vinham repetindo entre si ao pé do ouvido havia muito tempo. Eles já vinham fazendo essa afirmação pessimista havia muito tempo, e o pior de tudo era que nisso se manifestava e crescia certo ar de triunfo a cada minuto que passava. Entretanto, esse mesmo decoro logo começou a ser violado, e era como se todos se sentissem até com certo direito de violá-lo. "E como foi que *isso* pôde acontecer — diziam alguns monges, a princípio como que lamentando —, pois sendo o corpo dele pequeno, seco, só pele e osso, de onde então poderia sair esse cheiro?" — "Então Deus quis mandar deliberadamente um sinal", acrescentavam outros apressadamente, e sua opinião era acatada sem discussão e no ato, porque mais uma vez ficava sugerido que se o cheiro fosse natural, como o de qualquer pecador morto, ele se faria sentir mais tarde, sem essa pressa tão notória, pelo menos vinte e quatro horas depois, mas "este se antecipou à natureza"; por conseguinte, só podia ser obra de Deus e seu dedo exemplar. Quis mandar um sinal. Esse juízo dava a impressão de irrefutável. O dócil padre hieromonge Ióssif, o bibliotecário, favorito do falecido, quis objetar a alguns dos detratores que "não é assim em toda a parte", e que não era um dogma da Igreja Ortodoxa essa necessidade de imputrescibilidade dos corpos dos justos, mas tão somente uma opinião, e que nos próprios países ortodoxos, no monte Atos, por exemplo, as pessoas não se perturbam tanto com o cheiro deletério nem é a imputrescibilidade do corpo que lá se considera o principal indício da glorificação dos salvados, mas a cor de seus ossos depois que os corpos já estão há muitos anos debaixo da terra, onde inclusive se decompõem, "e se os ossos se tornaram amarelos, como cera, estará aí o sinal principal de que Deus glorificou o justo falecido; mas se não ficarem amarelos e sim negros, isto significa que ele não foi digno da glória de Deus; é assim no monte Atos, este lugar importante, onde desde tempos remotos a ortodoxia se conserva em sua pureza inviolável e límpida" — concluiu o padre Ióssif.[3] Mas a fala do humilde padre ressoou sem imponência e até provocou uma réplica zombeteira: "Isso não passa de erudição e novidade, não há por que lhe dar ouvido" — resolveram consigo os monges. "Nós nos guiamos à antiga; pouco importa o que há de novidades por aí; vamos ter de imitar todas?" — acrescentavam outros. "Nós não temos menos padres santos do que eles. Eles estão vivendo sob o jugo dos turcos e esqueceram tudo. Há muito tempo eles turvaram a ortodoxia, e nem sinos eles usam mais" — acrescentavam os mais zombeteiros. O padre Ióssif afastou-se amargurado, ainda mais porque

[3] Segundo os organizadores das notas à edição russa, Dostoiévski recriou essa lenda sobre o monte Atos a partir de relatos de religiosos. (N. do T.)

ele mesmo não tinha externado sua opinião com a devida firmeza, mas como se pouco acreditasse nela. Contudo, previu com perturbação que começava algo muito indecoroso e que até a própria insubordinação levantava a cabeça. Seguindo o padre Ióssif, todas as vozes sensatas pouco a pouco foram se calando. E aconteceu, sabe-se lá como, que, num átimo, todos os que amavam o *stárietz* e aceitavam com enternecida obediência o estabelecimento do *startziado*, ficaram terrivelmente assustados com alguma coisa e, ao cruzarem uns com os outros, limitavam-se a trocar olhares tímidos. Já os inimigos do *startziado* enquanto novidade levantavam orgulhosamente a cabeça. "O corpo do falecido *stárietz* Varsonofi não só não cheirava mal como ainda exalava uma fragrância — lembravam maldosamente —, mas ele não mereceu isso pelo *startziado* e sim por ter sido um justo." Mas contra o recém-falecido *stárietz* logo se fizeram ouvir até censuras e inclusive acusações: "Era injusto ao ensinar; ensinava que a vida é uma grande alegria e não uma resignação chorosa" — diziam alguns dos mais simplórios. "Sua crença era a da moda, ele não reconhecia o fogo material do inferno" — acrescentavam outros ainda mais simplórios. "Não era rigoroso com o jejum, permitia-se guloseimas, gostava muito de geleia de cereja com chá, que as fidalgas enviavam para ele. É coisa de monge asceta tomar chá?" — ouvia-se de outros invejosos. "Era vaidoso — lembravam cruelmente os mais maldosos —, considerava-se santo, as pessoas se prosternavam a seus pés, e ele aceitava isso como algo que lhe era devido"; "abusava do segredo da confissão" — acrescentavam com um murmúrio malévolo os mais declarados inimigos do *startziado*, e isso entre os monges mais velhos e inflexíveis em sua devoção, verdadeiros jejuadores e silenciários, que se mantiveram em silêncio enquanto o morto esteve vivo mas agora abriam de repente a boca, o que já era uma coisa terrível porque suas palavras influenciavam intensamente os monges jovens e ainda não consolidados nessa condição. O hóspede de Obdorsk, o monge de São Silvestr, também escutava perfeitamente tudo isso, suspirando fundo e balançando a cabeça: "Não, vê-se que o padre Fierapont foi justo em seu julgamento de ontem" — pensou consigo, e nisso apareceu o padre Fierapont; era como se viesse justamente para aprofundar a comoção.

Antes já mencionei que ele raramente saía de sua celinha de madeira que ficava no colmeal, que até passava muito tempo sem ir à igreja, e que a condição de *iuródiv* lhe permitia isso por desvinculá-lo do regimento comum a todos. Mas, para dizer a verdade, tudo isso lhe era permitido por certa necessidade. Porque seria até uma vergonha insistir em sobrecarregar com o regulamento geral tão grande jejuador e silenciário, que orava dia e noite (até adormecia ajoelhado), se ele mesmo não quisesse sujeitar-se. "Ele mesmo é mais santo do que nós todos e cumpre coisas mais difíceis do que as que estão no regulamento — diriam então os monges —, e quanto ao fato de não ir à igreja, ele mesmo sabe quando é sua vez de ir, tem seu próprio regulamento." Era por causa desse murmúrio previsível e da tentação que deixavam o padre Fierapont em paz. Como já era do conhecimento de todos, o padre Fierapont não morria de amores pelo *stárietz* Zossima; e eis que lhe chegou de repente à cela a notícia de que "o juízo de Deus não era, então, o mesmo que o juízo dos homens, e que até se antecipara à natureza". É de supor que o primeiro a correr e lhe comunicar a notícia tenha sido o hóspede de Obdorsk, que o visitara na véspera e se retirara horrorizado. Também mencionei que o padre Paissi, que lia de modo firme e inabalável postado ao pé do caixão, mesmo sem conseguir ouvir e notar o que ocorria fora da cela, em seu coração, porém, previra o essencial com exatidão, porque conhecia plenamente seu meio. Não estava perturbado e aguardava sem temor tudo o que ainda poderia acontecer, acompanhando com o olhar o futuro desfecho da perturbação que já se apresentava aos olhos de sua mente. E súbito um ruído inusitado que vinha do vestíbulo e quebrava notoriamente o decoro feriu-lhe o ouvido. A porta se escancarou e no limiar apareceu o padre Fierapont. Como dava para notar e até ver com clareza da cela, por trás dele se aglomeravam lá embaixo, junto ao alpendre, muitos monges que o acompanhavam, e entre eles havia também leigos. Não obstante, os acompanhantes não entraram nem subiram os degraus do alpendre, mas ficaram à espera, aguardando o que o padre Fierapont faria em seguida, porquanto, apesar de todo o seu atrevimento, pressentiam, e até com certo temor, que ele não estava ali à toa. Parando no limiar, o padre Fierapont ergueu os braços, e por trás do seu braço direito apareceram os olhos agudos e curiosos do hóspede de Obdorsk, o único que não se contivera e, movido por sua imensa curiosidade, entrara correndo pela escada atrás do padre Fierapont. Os outros, mal se escancarou ruidosamente a porta, acotovelaram-se ainda mais, recuando com um medo instantâneo. Erguendo os braços, o padre Fierapont começou de repente a vociferar:

— Eu te expulso, maldito! — E, voltando-se para os quatro cantos alternadamente, começou de imediato a benzer as paredes e todos esses cantos da cela com a mão. Esse ato do padre Fierapont foi imediatamente compreendido por seus acompanhantes; porque estes sabiam que ele sempre agia assim aonde quer que entrasse, e não se sentaria nem diria palavra antes que expulsasse o maligno.

— Fora daqui, satanás, fora daqui! — repetia a cada sinal da cruz. — Fora daqui, monstros! — tornou a berrar. Estava vestido com sua sotaina grosseira e uma corda na cintura. Por baixo da camisa de cânhamo aparecia o peito nu, coberto de pelos grisalhos. Tinha os pés descalços. Assim que agitou os braços, começaram a balançar e tinir as duras correntes que ele usava por baixo da sotaina. O padre Paissi interrompeu a leitura, avançou e parou diante dele, esperando.

— Por que vieste, honrado padre? Por que violas as regras do decoro? Por que perturbas o humilde rebanho? — pronunciou finalmente, olhando com severidade para ele.

— Por que vim? Por que perguntas? O que achas? — gritou o padre Fierapont, fazendo-se de *iuródiv*. — Vim para expulsar seus hóspedes, os diabos sórdidos. Estou vendo quantos vocês acolheram em minha ausência. Quero varrê-los daqui com vassoura de bétula.

— Queres expulsar o maligno, mas tu mesmo estás servindo a ele — continuou destemidamente o padre Paissi —, e quem pode dizer de si mesmo: "Sou um santo"? Não serás tu, padre?

— Sou um impuro, e não um santo. Não fico sentado na poltrona nem me elevo como um ídolo a ser adorado! — trovejou o padre Fierapont. — Hoje em dia as pessoas andam arruinando a fé. O falecido, o vosso santo — voltou-se para a multidão apontando com o dedo o caixão —, expulsava os diabos. Dava purgantes contra os diabos. Pois aqui eles proliferaram como aranhas espalhadas pelos cantos. Mas ele mesmo começou a feder em um dia. Nisto vemos um grande sinal de Deus.

E isso realmente aconteceu uma vez em vida do *stárietz* Zossima. Um monge começou a ver o espírito mau em sonho e, por fim, de olhos abertos. Quando ele, tomado do maior pavor, revelou isso ao *stárietz*, este lhe sugeriu orações contínuas e um jejum reforçado. Mas quando nem isso ajudou, ele recomendou que o outro tomasse um remédio, mas sem interromper as orações nem o jejum. Na ocasião muitos fiéis se deixaram induzir por isso e comentavam entre si, balançando a cabeça — e mais que todos o padre Fierapont, a quem alguns blasfemos se precipitaram no mesmo instante em dar a notícia dessa prescrição "inusitada" do *stárietz* para um caso tão singular.

— Vai embora, padre! — pronunciou em tom imperioso o padre Paissi — não são os homens que julgam, mas Deus. É possível que neste caso haja um "sinal" que não estamos em condição de compreender, nem tu, nem eu. Vai, padre, e não perturbes o rebanho! — insistiu com firmeza.

— Ele não observava o jejum que cabia à sua condição de monge asceta, daí o sinal que estamos vendo. Isto é evidente e escondê-lo é pecado! — não se continha o fanático, exaltado em seu zelo contrário à razão. — Cedia à tentação dos rebuçados que as fidalgas lhe traziam nos bolsos, deliciava-se com o chá, sacrificava o ventre, sobrecarregando-o de guloseimas, e a inteligência com pensamentos soberbos... Foi por isso que acabou desonrado...

— São levianas tuas palavras, padre! — o padre Paissi também levantava a voz. — Admiram-me teu jejum e teu ascetismo, mas tuas palavras levianas parecem a fala de um jovem inconstante e imaturo. Vai, padre, estou te ordenando — trovejou concluindo o padre Paissi.

— Eu vou! — pronunciou o padre Fierapont como que meio desconcertado, mas continuou em fúria. — Vocês, sábios! Por serem muito inteligentes, colocaram-se acima de minha insignificância. Vim para cá quase iletrado, e aqui esqueci o que sabia, o próprio Deus me protegeu como uma criatura insignificante contra a sabedoria de vocês...

O padre Paissi estava postado diante dele e aguardava com firmeza. O padre Fierapont fez silêncio e de repente entristeceu e pôs a mão direita no rosto, pronunciando com voz meio cantada e olhando para o caixão do *stárietz* morto:

— Amanhã de manhã vão cantar o belo *cânon*[4] "O auxiliar e o protetor", mas quando eu esticar vão cantar apenas o "Como uma delícia da vida", verseto insignificante[5] — disse ele em lágrimas e com pesar. — Vocês se encheram de orgulho e se colocaram acima, este lugar é vazio! — berrou de repente feito louco e sacudiu os ombros, dando rápida meia-volta e descendo apressadamente os degraus do alpendre. A multidão que o aguardava embaixo vacilou; uns o seguiram imediatamente, outros se demoraram, porque a cela ainda continuava aberta e o padre Paissi, que fora ao alpendre atrás do padre Fierapont, observava em pé. Mas o velhote que se retirava ainda não tinha terminado tudo: depois de se afastar uns vinte metros, virou-se subitamente para o lado do sol poente, levantou os dois braços e — como se alguém lhe pusesse um calço — desabou no chão com um imenso grito:

— Meu Senhor venceu! Cristo venceu o sol poente! — gritou exaltado, erguendo os braços para o sol e, caindo de rosto no chão, começou a chorar com uma voz que parecia de uma criancinha, todo sacudido pelas lágrimas e estendendo os braços no chão. Nesse instante todos se lançaram para ele, ouviram-se exclamações, um pranto em resposta... Uma exaltação apoderou-se de todos.

[4] No caso, canto grego em homenagem a um santo ou a uma festa religiosa. (N. da E.)

[5] Quando o corpo de um monge asceta é retirado (da cela para a igreja e, depois da encomenda, da igreja para o cemitério), cantam-se os versetos "Como uma delícia da vida". Se o morto é hieromonge, então se canta o *cânon* "O auxiliar e o protetor". (N. do A.)

— Eis quem é santo! eis quem é justo! — ouviram-se exclamações já destemidas — eis quem devia ser o *stárietz*! — acrescentavam outros já enfurecidos.

— Ele não vai ser *stárietz*... ele mesmo o renega... não vai servir à maldita novidade... não vai imitar as idiotices dos outros — secundaram imediatamente outras vozes; era até difícil imaginar onde isso chegaria, mas justo nesse instante o sino bateu chamando para a missa. Todos se benzeram de repente. Levantou-se também o padre Fierapont, que, protegendo-se com o sinal da cruz, tomou o caminho de sua cela sem olhar para trás e ainda persistindo em suas exclamações, só que já sem nenhum nexo. Alguns, em pequeno número, fizeram menção de segui-lo, porém a maioria começou a se dispersar, apressando-se para a missa. O padre Paissi passou a leitura do Evangelho ao padre Ióssif e desceu. Não podia vacilar diante dos desvairados clamores frenéticos dos fanáticos, mas de repente alguma coisa singular fez seu coração experimentar tristeza e desalento, e ele o sentiu. Parou e se fez uma súbita pergunta: "De onde vem essa minha tristeza que até me dá desânimo?" — e, surpreso, compreendeu no mesmo instante que essa súbita tristeza parecia vir de uma causa ínfima e peculiar: é que no meio da multidão que ali se acotovelava à entrada da cela ele também notara Aliócha entre os outros alvoroçados, e percebeu que, ao vê-lo, sentia imediatamente uma espécie de dor no coração. "Será que neste momento esse adolescente é tão importante em meu coração?" — fez-se surpreso esta súbita pergunta. Justo nesse momento Aliócha passava a seu lado como se fosse apressado a algum lugar, mas não na direção do templo. Seus olhares se cruzaram. Aliócha desviou rapidamente o olhar e baixou a vista para o chão, e já por seu simples aspecto o padre Paissi adivinhou que nesse instante uma forte mudança se processava nele.

— Será que até tu foste tentado? — exclamou de repente o padre Paissi — será que até tu estás com estes incrédulos! — acrescentou com amargura.

Aliócha parou e lançou ao padre Paissi um olhar meio vago, mas tornou a desviar rapidamente a vista e baixá-la para o chão. Estava de lado e não virou o rosto para seu inquiridor. O padre Paissi observava atentamente.

— Para onde vais com essa pressa? Estão chamando para a missa — voltou a dizer, mas Aliócha tornou a não responder.

— Ou estás deixando o eremitério? Como assim, sem permissão nem bênção?

De repente Aliócha deu um riso amarelo, lançou um olhar estranho, muito estranho ao padre inquiridor, a quem fora confiado por seu antigo guia na hora da morte, pelo antigo senhor de seu coração e de sua mente, seu amado *stárietz*, e súbito, sempre calado como antes, deu de ombros como se não estivesse preocupado nem com o respeito, e a passos rápidos tomou a direção das portas de saída.

— Ainda hás de voltar! — murmurou o padre Paissi acompanhando-o com o olhar e uma amarga surpresa.

II. O momento propício

O padre Paissi, é claro, não se enganou ao concluir que seu "amável menino" tornaria a voltar, e era até possível que tivesse penetrado (embora não plenamente, mas mesmo assim de modo perspicaz) no verdadeiro sentido do estado de espírito de Aliócha. Mesmo assim, reconheço francamente que agora me seria muito difícil transmitir com clareza e exatidão o sentido daquele momento estranho e indefinido na vida do herói da minha narrativa, ainda tão jovem e meu predileto. À pergunta amargurada que o padre Paissi fez a Aliócha: "Será que até tu estás com estes incrédulos?" — eu, é claro, poderia responder com firmeza por Aliócha: "Não, ele não está com os incrédulos". Além disso, era até o contrário o que acontecia aí: toda a sua perturbação vinha justamente do fato de ter muita fé. Mas mesmo assim havia perturbação, mesmo assim ele a experimentava, e era tão angustiante que até mais tarde, muito tempo depois, Aliócha considerava aquele triste dia um dos mais penosos e fatídicos de sua vida. Se, porém, me perguntarem francamente: "Será que toda essa melancolia e todo esse alarme podiam se instalar nele só porque o corpo do *stárietz*, em vez de começar imediatamente a produzir curas, sofreu, ao contrário, uma putrefação precoce?" — responderei sem pestanejar: "Sim, foi realmente o que aconteceu". Eu só pediria ao leitor que não se precipitasse tanto em rir do coração puro do meu jovem. Eu mesmo não só não tenho a intenção de pedir desculpas por ele ou desculpar e justificar sua fé ingênua com sua pouca idade, por exemplo, ou com os poucos êxitos que obteve anteriormente nos estudos de ciência etc., etc., como ainda faço o contrário e declaro firmemente que nutro uma sincera estima pela natureza de seu coração. Sem dúvida, outro jovem, que encarasse com cautela as impressões do coração, que já soubesse amar não com ardor, mas tão somente com calor, que tivesse um espírito seguro, mas excessivamente sensato (e por isso insignificante) para sua idade, um jovem assim, digo eu, evitaria o que aconteceu com meu jovem, mas em alguns casos, palavra, seria mais honroso deixar-se levar por outro envolvimento, mesmo insensato, viesse de um grande amor do que não se entregar absolutamente a ela. Ainda mais na idade juvenil, porque é suspeito e de pouco valor um jovem que seja sensato com demasiada frequência — eis minha opinião! "Mas — exclamarão, talvez, as pessoas sensatas — nem todo jovem pode acreditar em semelhante preconceito, e o seu jovem não é modelo para os outros." A isto torno a responder: sim, meu jovem acreditava, acreditava de modo sagrado e inabalável, mas ainda assim não peço desculpas por ele.

Vejam só: mesmo que eu tenha declarado acima (e talvez com excessiva precipitação) que não vou explicar, desculpar e justificar meu herói, percebo, porém, que ainda assim é necessário elucidar alguma coisa para a subsequente compreensão desta narrativa. Eis o que vou dizer: neste caso não se trata propriamente de milagres. A espera de milagres não era leviana por causa de sua impaciência. E Aliócha não precisava de milagres para que triunfassem quaisquer convicções (nada disso havia), para que alguma ideia anterior, preconcebida, viesse a triunfar mais depressa sobre outra — oh, não, não era nada disso: em tudo o que ocorria ele tinha diante de si, antes de tudo e em primeiro lugar, as feições, e só as feições — as feições de seu amado *stárietz*, as feições daquele justo que ele venerava a ponto de adorá-lo. Aí é que são elas, porque todo o amor que seu coração jovem e puro — ao menos em seus arroubos mais fortes — guardava "por todos e por tudo", naquele momento e durante todo o ano anterior, vez por outra como que se concentrava, de modo completo e talvez até incorreto, preferivelmente em um ser — em seu amado *stárietz* agora morto. É verdade, esse ser estivera durante tão longo tempo diante dele como um ideal indiscutível que todas as suas forças juvenis e todo o empenho dessas forças já não podiam deixar de direcionar-se exclusivamente para esse ideal, levando-o por alguns momentos até a esquecer "todos e tudo". (Mais tarde, ele mesmo recordava que naquele penoso dia esquecera totalmente o irmão Dmitri, com quem tanto se preocupara e por quem sentira tanta tristeza na véspera; esquecera-se também de levar ao pai de Iliúchetchka os duzentos rublos, o que tencionava fazer com tamanho fervor também na véspera.) Mais uma vez, porém, não era de milagres que ele precisava, mas tão somente da "suprema justiça" que, segundo crença sua, havia sido violada, e assim seu coração ficara tão cruel e inesperadamente ferido. E daí que essa "justiça", nas expectativas de Aliócha e até pelo próprio desenrolar da questão, assumisse a forma de milagres imediatamente esperados das cinzas do seu antigo e adorado e guia? Acontece, porém, que assim pensavam e aguardavam todos no mosteiro, todos, inclusive aqueles cuja inteligência Aliócha reverenciava, o próprio padre Paissi, por exemplo, e então Aliócha, sem se inquietar com quaisquer dúvidas, plasmara seus sonhos na mesma forma que todos haviam plasmado. Sim, isso se arranjara em seu coração fazia já muito tempo, ao longo de um ano inteiro de vida monacal, e seu coração já pegara o hábito de assim esperar. Mas tinha sede de justiça, de justiça e não só de milagres! E eis que aquele que, como almejava Aliócha, deveria ser colocado acima de todos no mundo inteiro — ele mesmo acabara de repente rebaixado e desonrado, em vez de receber a glória de que se fazia merecedor. Por quê? Quem julgava? Quem podia julgar assim? — foram estas as perguntas que imediatamente deixaram atormentado o seu coração inexperiente e casto. Ele não conseguia suportar sem se sentir ofendido, sem ficar até com o coração exasperado, que o mais justo dos justos fosse entregue ao escárnio tão malévolo e zombeteiro de uma multidão tão leviana e tão inferior a ele. Vá que não houvesse mesmo nenhum milagre, vá que não se anunciasse nada de milagroso e nem se justificasse a expectativa imediata, mas por que se manifestara semelhante infâmia, por que se permitiu a desonra, por que essa putrefação precipitada "que se antecipara à natureza", como diziam os monges cheios de maldade? Por que esse "sinal" que eles agora proclamam com tamanho triunfo junto com o padre Fierapont, e por que acreditam que ganharam até o direito de proclamá-lo? Onde estão a Providência e seu dedo? Por que ela recolheu seu dedo "no momento mais necessário" (pensava Aliócha), como se ela mesma quisesse sujeitar-se às leis naturais, cegas, mudas e impiedosas?

Eis o que fazia sangrar o coração de Aliócha e, é claro, como eu já disse antes, aí aparecia em primeiro lugar a pessoa que ele mais amava em todo o mundo e que estava "desonrada" e também infamada! Vá que esse queixume de meu jovem fosse leviano e irrefletido, mas torno a repetir, pela terceira vez (e concordo que esteja antecipando que talvez o faça também com leviandade): estou feliz porque meu jovem não se revelou tão sensato em tal momento, porque o homem que não é tolo sempre terá a sua hora de sensatez, mas se em um momento tão excepcional não aparece amor no coração do jovem, então, quando esse amor aparecerá? Neste caso, porém, não quero calar tampouco a respeito de um fenômeno estranho que se manifestou, ainda que de maneira fugaz, na mente de Aliócha nesse momento fatídico e confuso para ele. Esse *algo* novo que apareceu, que se entremostrou, era uma impressão angustiante que agora não lhe saía da cabeça e vinha da sua conversa da véspera com o irmão Ivan. E não saía justo nessa hora. Oh, não é que alguma coisa de suas crenças essenciais e, por assim dizer, espontâneas, tivesse sido abalado em sua alma. Amava seu Deus e cria inabalavelmente n'Ele, mesmo que inesperadamente tivesse feito menção de se queixar d'Ele. Mas, ainda assim, uma impressão vaga porém angustiante e má, deixada pela lembrança da conversa da véspera com o irmão Ivan, agora voltava a fervilhar de repente em sua alma e teimava em aflorar. Quando a escuridão já começava a se intensificar, Rakítin, que passava pelo bosque de coníferas do eremitério para o mosteiro, notou de súbito Aliócha deitado embaixo de uma árvore, de rosto para o chão e imóvel, como se estivesse dormindo. Ele se aproximou e gritou-lhe.

— Estás aqui, Alieksiêi? Ora, será que tu... — ia pronunciar, surpreso, mas parou sem concluí-lo. Quis dizer: "Será que tu chegaste *a este ponto*?". Aliócha não olhou para ele, mas algum gesto seu fez Rakítin aperceber-se de que ele o ouvia e compreendia.

— Ora, o que tens? — continuou ele surpreso, mas em seu rosto a surpresa já começava a ser substituída por um sorriso que ia assumindo cada vez mais uma expressão zombeteira.

— Ouve, já faz mais de duas horas que ando à tua procura. De repente sumiste de lá. O que é que estás fazendo aqui? Que tolice é essa que estás fazendo? Ao menos olha para mim...

Aliócha levantou a cabeça, sentou-se e apoiou as costas na árvore. Não chorava, mas seu rosto exprimia sofrimento e percebia-se irritação no olhar. Aliás, não olhava para Rakítin, mas para algum lugar ao lado.

— Sabes, a expressão do teu rosto mudou completamente. Não há nada daquela tua famigerada docilidade de antes. Estás enfurecido com alguém? Te ofenderam?

— Para! — pronunciou de súbito Aliócha sem fitá-lo, como antes, e deu de ombros com uma expressão de cansaço.

— Vejam só, é assim que estamos! Começou a gritar exatamente como os outros mortais. E isso vindo de anjos! Bem, Aliócha, tu me deixaste admirado, tu sabes disso, estou sendo sincero. Faz muito tempo que não me surpreendo com nada daqui. Ora, apesar de tudo eu te considerava um homem instruído... — Aliócha finalmente olhou para ele, mas de um jeito meio distraído, como se ainda o compreendesse pouco.

— Será possível que estás assim só porque o teu velho começou a feder? Será mesmo que tu acreditavas a sério que ele ia começar a obrar milagres? — exclamou Rakítin voltando à mais sincera surpresa.

— Acreditava, acredito, quero acreditar e vou acreditar, o que mais queres? — gritou irritado Aliócha.

— Coisíssima nenhuma, meu caro. Arre, com os diabos, hoje, nem um colegial de treze anos acredita nisso. Aliás, com os diabos... Então estás agora zangado com teu Deus, te rebelaste como quem diz: não prestaram as devidas honras a ele, nem o condecoraram para a festa! Sim senhor!

— Contra o meu Deus eu não me rebelo, apenas "não aceito o seu mundo" — Aliócha deu um repentino sorriso amarelo.

— Como não aceitas o mundo? — Rakítin pensou um pouquinho na resposta dele. — Que asneira é essa?

Aliócha não respondeu.

— Bem, chega de bobagens, vamos direto ao assunto: comeste hoje?

— Não me lembro... Comi, parece.

— Precisas restaurar as forças, a julgar por tua cara. Dá até pena olhar para ti. Ora, passaste a noite sem dormir, ouvi dizer que houve uma reunião na cela. E depois todo aquele rebuliço, aquela lambança, vai ver mastigaste apenas um pedaço de hóstia. Tenho salame aqui no bolso, acabei de pegá-lo na cidade para alguma eventualidade quando vinha para cá, só que tu não comes salame...

— Dá-me o salame.

— Ah! Então estás assim! Quer dizer que já é rebelião mesmo, barricada! Bem, meu irmão, não há por que desprezar isso. Vamos ao meu quarto... Agora eu tomaria uma bicada de vodca, estou morto de cansaço. Por certo que não te atreverás a uma vodca... ou beberás?

— Serve a vodca também.

— Vejam só! É um milagre, meu irmão! — Rakítin o olhou de modo estranho. — Pois é, seja como for, vodca ou salame, trata-se de coisa delicada, boa, e não se pode deixar passar, vamos!

Aliócha levantou-se e seguiu Rakítin.

— Se teu irmão Vánietchka[6] visse isto ficaria admirado! Aliás, teu irmãozinho Ivan Fiódorovitch se mandou para Moscou hoje de manhã, estás sabendo?

— Estou sabendo — pronunciou Aliócha alheio, e súbito passou-lhe de relance pela mente a imagem de Dmitri, mas só de relance, e embora ela o fizesse lembrar-se de algo, algum assunto urgente, que já não podia ser mais adiado nem por um minuto, algum dever, alguma obrigação terrível, nem isso produziu qualquer impressão nele ou lhe atingiu o coração, voou no mesmo instante de sua memória e caiu no esquecimento. Mais tarde, porém, Aliócha o recordou.

— Teu irmãozinho Vánietchka disse uma vez a meu respeito que eu sou um "nulo saco liberal". Uma vez tu também não te contiveste e me deste a entender que sou "desonesto"... Vá lá! Agora vou observar o vosso talento e a vossa honestidade (isto Rakítin já concluiu de si para si, com um mur-

[6] Diminutivo de Ivan. (N. do T.)

múrio). Arre, ouve — voltou a falar alto —, vamos evitar o mosteiro, pegar uma senda direto para a cidade... Hum... Aliás, eu precisaria dar uma chegada à casa da senhora Khokhlakova. Imagina: descrevi para ela o que aconteceu aqui e, vê só, ela me respondeu no mesmo instante com um bilhete escrito a lápis (essa senhora gosta imensamente de escrever bilhetes), dizendo que "nunca iria esperar *semelhante atitude* de um *stárietz* tão respeitável como o *stárietz* Zossima!". Foi assim mesmo que escreveu: "Atitude"! Também ficou furiosa; vocês, hein! Espera — tornou a gritar inesperadamente, parou de súbito e, segurando Aliócha pelo ombro, deteve-o também.

— Sabes, Alióchka — encarava-o com o olhar escrutador, todo ele sob a impressão de uma nova ideia que de repente o iluminava, e embora ele mesmo sorrisse por fora, pelo visto, porém, temia externar em voz alta essa nova e repentina ideia, a tal ponto ainda não conseguia acreditar de maneira nenhuma no estado de espírito maravilhoso e totalmente inesperado em que agora via Aliócha —, Alióchka, sabes aonde seria melhor que fôssemos agora? — pronunciou finalmente com ar tímido e perscrutador.

— Aonde quiseres... para mim tanto faz.

— Vamos à casa de Grúchenka, hein? Vais? — disse finalmente Rakítin, chegando até a tremer todo levado por uma tímida expectativa.

— Vamos à casa de Grúchenka — respondeu Aliócha de chofre e calmamente, e isso foi tão inesperado para Rakítin, ou seja, a concordância foi tão rápida e tranquila, que por pouco ele não deu um salto para trás.

— Pois então!... É isso! — quase gritou de surpresa, mas pegou subitamente Aliócha pelo braço com força, conduziu-o rapidamente pela senda ainda cheio de temores de que desaparecesse a firmeza do outro. Caminhavam em silêncio, Rakítin tinha até medo de entabular conversa.

— E ela, como vai ficar feliz, feliz... — quis murmurar, mas tornou a calar-se. Pensando bem, não era absolutamente para alegrar Grúchenka que ele atraíra Aliócha para sua casa; ele era um homem sério e não fazia nada sem visar a um objetivo vantajoso. Nesse momento visava a um duplo objetivo; em primeiro lugar, vingativo, ou seja, queria assistir à "desonra do justo" e à provável "queda" de Aliócha "de santo a pecador", o que antes já o deixava inebriado, e, em segundo, visava também a um objetivo material, muito vantajoso para ele, de que falaremos adiante.

"Então chegou o momento propício — matutava ele de um jeito alegre e maldoso —, pois então agarremos esse momento, porque ele nos convém muito."

III. A cebolinha

Grúchenka morava no lugar mais animado da cidade, perto da praça Sobórnaia, na casa de Morózova, viúva de um comerciante, de quem ela alugava um pequeno anexo de madeira no pátio. A casa de Morózova era grande, de pedra, dois andares, velha e muito sem graça; nela morava a própria senhoria, uma velha, com suas duas sobrinhas solteironas, também bastante idosas. Ela não precisava alugar o anexo do pátio, mas todos sabiam que aceitara Grúchenka como inquilina (ainda quatro anos antes) unicamente para fazer a vontade de um parente seu, o comerciante Samsónov, protetor declarado de Grúchenka. Diziam que o velho ciumento, ao instalar sua "favorita" na casa de Morózova, tivera inicialmente em vista o olho perscrutador da velha para observar o comportamento da nova inquilina. Mas muito brevemente o olho perscrutador se revelou desnecessário e tudo terminou com Morózova se encontrando só raramente com Grúchenka e sem mais importuná-la com nenhuma vigilância. É verdade que já fazia quatro anos que o velho trouxera da principal cidade da província para aquela casa uma mocinha de dezoito anos, tímida, encabulada, franzina, magrinha, pensativa e triste, e desde então muita água correra pelo moinho. Aliás, em nossa cidade tinha-se um conhecimento precário e confuso da biografia dessa moça; esse conhecimento não aumentou nem nos últimos tempos, nem mesmo depois que muita gente passou a se interessar pela tamanha "beldade" em que Agrafiena Alieksándrovna se transformara em quatro anos. Havia apenas boatos de que ela fora seduzida ainda mocinha de dezessete anos por alguém, parece que um oficial, e imediatamente abandonada. O tal oficial teria ido embora e depois se casado alhures com outra em algum lugar, enquanto Grúchenka ficava desonrada e na miséria. Diziam, aliás, que embora Grúchenka tivesse sido realmente tirada da miséria por seu velho, era, entretanto, de uma família honesta e descendente de gente do clero, filha de algum diácono extranumerário ou coisa do gênero. Pois bem, em quatro anos aquela órfãzinha suscetível, ofendida e digna de pena tornou-se uma beldade russa, corada, cheinha, mulher de caráter ousado e decidido, altiva e insolente, eficiente no trato com dinheiro, hábil negociante, avarenta e cautelosa, mas que, como se dizia, com verdades ou inverdades, já conseguira juntar seu próprio capital. Só de uma coisa todos estavam convencidos: o acesso a Grúchenka era difícil e, além do velho, seu protetor, durante todos aqueles quatro anos ainda não havia um único homem que pudesse gabar-se de ter caído em suas boas graças. O fato era comprovado porque não foram poucos os que desejaram ganhar essas boas graças, sobretudo nos últimos dois anos. Mas todas as tentativas se revelaram vãs, e alguns dos que tentaram foram forçados a bater em retirada inclusive com um desfecho cômico e vergonhoso, graças à recusa firme e cheia de galhofa que receberam da jovem criatura de caráter. Sabia-se ainda que a jovem criatura, particularmente no último ano, metera-se naquilo que se chama *Geschäft*[7] e que aí se revelara excepcionalmente capaz, de sorte que acabou recebendo de muitos o apelido de verdadeira *jidóvka*.[8] Não é que ela emprestasse dinheiro a juros, mas se sabia, por exemplo, que em sociedade com Fiódor Pávlovitch Karamázov ela realmente se dedicara por algum tempo ao açambarcamento de letras de câmbio por uma pechincha, pagando dez copeques por rublo e ganhando depois cinquenta copeques por rublo com algumas dessas letras de câmbio. O doente Samsónov, que no último ano ficara incapacitado de usar as pernas inchadas, viúvo, tirano dos filhos adultos, detentor da grande quantia de cem mil rublos, sovina e implacável, caíra, não obstante, sob forte influência de sua *protégée*, a quem tratara inicialmente com mão de ferro, maltratava e "dava ninharias", como diziam então os galhofeiros. Mas Grúchenka conseguira emancipar-se, incutindo nele, apesar de tudo, uma confiança ilimitada no tocante à sua fidelidade. Esse velho, grande negociante (falecido havia muito), era também de uma índole notável principalmente por ser avarento e duro como uma rocha, e embora Grúchenka o tivesse impressionado a ponto de ele não poder viver sem ela (era o que vinha acontecendo, por exemplo, nos últimos dois anos), ainda assim não lhe reservou um grande capital, e mesmo que ela ameaçasse abandoná-lo de vez, ele se manteria implacável. Mas, em compensação, deixou-lhe um pequeno capital, e isso surpreendeu todo mundo quando o fato se tornou conhecido. "Tu mesma és uma mulher esperta — disse ele a Grúchenka ao lhe separar uns oito mil rublos —, administra tu mesma essa quantia, mas fica sabendo que além da mesada anual, que continuarás recebendo até a minha morte, não receberás mais nada de mim, nem te deixarei mais nada em testamento." E cumpriu a palavra: morreu e deixou tudo para os filhos, que durante toda a sua vida havia mantido em pé de igualdade com os criados, com suas mulheres e filhos, e sequer fez qualquer menção a Grúchenka no testamento. Tudo isso se tornou conhecido mais tarde. Fazendo sugestões de como administrar "o próprio capital", ele ajudou bastante a Grúchenka e lhe indicou "os negócios". Quando Fiódor Pávlovitch Karamázov, que inicialmente se ligara a

[7] "Negócio", em alemão. (N. do T.)

[8] Feminino de *jid*. (N. do T.)

Grúchenka em função de um *Geschäft* casual, terminou, de modo totalmente inesperado para si, apaixonando-se perdidamente por ela e até como que enlouquecendo, o velho Samsónov, que na ocasião já cheirava a defunto, riu muito. É digno de nota que durante todo o tempo em que se conheceram, Grúchenka foi com seu velho plena e como que até calorosamente sincera, e parece que o fez com um único homem no mundo. Bem ultimamente, quando Dmitri Fiódorovitch apareceu de repente com seu amor, o velho deixou de rir. Ao contrário, certa vez deu a Grúchenka um conselho sério e severo: "Se tiveres de escolher um dos dois, o pai ou o filho, escolhe o velho, mas, não obstante, contanto que o velho canalha se case forçosamente contigo e deixe de antemão ao menos algum capital em testamento. Quanto ao capitão, não te envolvas com ele, seria inútil". Pois foram estas as palavras mesmas que o velho voluptuoso disse a Grúchenka já pressentindo a morte próxima, e efetivamente morreu cinco meses depois de lhe dar esse conselho. Observo ainda de passagem que, mesmo que naquela ocasião muita gente em nossa cidade estivesse a par da absurda e monstruosa concorrência entre os Karamázov, pai e filho, que tinha Grúchenka como objeto, poucos compreendiam o verdadeiro sentido das relações dela com os dois. Até as duas criadas de Grúchenka (depois da catástrofe que se desencadeara e da qual falaremos adiante) declararam mais tarde, em seu depoimento em juízo, que Agrafiena Alieksándrovna recebia Dmitri Fiódorovitch unicamente por medo, porque ele "a ameaçara de morte". Grúchenka tinha duas criadas, uma cozinheira muito velha, que viera ainda da família do pai, doente e quase surda, e sua neta, a criada de quarto, uma jovenzinha esperta de uns vinte anos. Grúchenka vivia com muita avareza e modéstia. Seu anexo tinha apenas três cômodos, com móveis da senhoria antigos, de mogno, estilo anos vinte. Rakítin e Aliócha entraram em sua casa já no lusco-fusco, mas os quartos ainda não estavam iluminados. A própria Grúchenka estava deitada em sua sala de visitas, num sofá grande e desajeitado com um encosto de mogno áspero e forrado de um couro gasto e furado havia muito tempo. Tinha a cabeça apoiada em duas almofadas brancas de pena, que eram de sua cama. Estava deitada de costas, estirada e imóvel, com as duas mãos na cabeça. Trajava um vestido de seda preta, como se esperasse alguém, e usava uma touca leve e rendada na cabeça, que lhe caía muito bem; tinha nos ombros um lenço rendado preso por um pesado broche de ouro. Estava de fato esperando alguém, deitada, com ar de aborrecimento e impaciência, com o rosto um pouco pálido, os lábios e os olhos ardentes, e a ponta do pé direito batendo impacientemente no braço do sofá. Mal Rakítin e Aliócha apareceram, houve um pequeno alvoroço: da antessala ouviu-se Grúchenka pular rapidamente do sofá e súbito gritar assustada: "Quem está aí?". Mas a criada recebeu as visitas e respondeu imediatamente à senhora.

— Não é ele, são outros, não é nada.

"O que será que ela tem?" — balbuciou Rakítin, introduzindo Aliócha pelo braço na sala. Grúchenka estava em pé junto ao sofá como que ainda tomada pelo susto. Uma espessa mecha de cabelo castanho escuro de sua trança escapou de repente da touca e caiu sobre seu ombro direito, mas ela não o notou nem o ajeitou enquanto não olhou atentamente para os visitantes e os reconheceu.

— Ah, és tu, Rakitka?[9] Tu me deixaste toda assustada. Com quem estás? Quem é esse que está contigo? Meu Deus, vejam só quem ele trouxe! — exclamou ao ver Aliócha.

— Ora, manda acender as velas! — pronunciou Rakítin com o ar desembaraçado do conhecido mais íntimo, com direito até de dar ordens na casa.

— As velas... é claro, as velas... Fiênia, traze uma vela... Então, em que hora achaste de trazê-lo! — tornou a exclamar Grúchenka, apontando com a cabeça para Aliócha e, voltando-se para o espelho, começou com ambas as mãos a ajeitar a trança. Era como se estivesse descontente.

— Ou será que não fiz tua vontade? — perguntou Rakítin, por um instante quase ofendido.

— Tu me assustaste, Rakitka, foi isso — Grúchenka voltou-se para Aliócha sorrindo. — Não tenhas medo de mim, meu caro Aliócha, estou contente demais com tua presença, meu visitante inesperado. Já tu, Rakitka, me assustaste: é que eu estava pensando que Mítia fosse irromper porta adentro. Ainda há pouco eu o engazopei e o fiz me dar sua palavra de honra de que havia acreditado em mim, mas eu menti. Disse-lhe que ia à casa de Kuzmá Kuzmitch para ver o meu velho, que estaria lá toda a tarde e até a noite, conferindo dinheiro com ele. Toda semana vou à casa dele e fico a tarde inteira lá acertando as contas. Nós nos trancamos à chave: ele faz as contas no ábaco e eu, ali sentada, registro nos livros — ele só confia em mim. Pois Mítia acreditou que eu estava lá, mas eu me tranquei em casa e eis-me aqui esperando uma notícia. Como Fiênia o deixou entrar? Fiênia, Fiênia! Corre até o portão, abre e olha ao redor para ver se o capitão não estará por lá. Pode ser que tenha se escondido e ficado de olho, tenho medo de morrer.

— Não há ninguém, Agrafiena Alieksándrovna, acabei de olhar ao redor; vou dar uma olhada de meio minuto pela brecha, eu mesma estou tremendo de medo.

[9] Diminutivo do sobrenome Rakítin. (N. do T.)

— As janelas estão fechadas, Fiênia? é bom baixar a cortina, é mesmo! — Ela mesma baixou a pesada cortina. — Senão ele pode investir atraído pela luz. É do teu irmão Mítia, Aliócha, que estou com medo hoje — Grúchenka falou alto, embora alarmada, mas ao mesmo tempo como se estivesse quase em êxtase.

— Por que justo hoje estás com medo de Mítienka? — quis saber Rakítin —, parece que não o temes, ele dança conforme tua música.

— Estou te dizendo que espero uma notícia, uma dessas noticiazinhas de ouro, de sorte que neste momento Mítienka é totalmente dispensável. Além do mais, ele não iria acreditar que eu fui à casa de Kuzmá Kuzmitch, eu sinto isso. Neste momento deve estar sentado lá no jardim dos fundos da casa de Fiódor Pávlovitch e me vigiando. Se encalhou por lá, quer dizer que não virá para cá e isso é ainda melhor! Mas acontece que eu realmente corri para a casa de Kuzmá Kuzmitch, o próprio Mítia me acompanhou, eu lhe disse que ficaria até a meia-noite e que ele viesse sem falta à meia-noite me acompanhar para casa. Ele foi embora, eu fiquei uns dez minutos com o velho e voltei para cá, já com medo — corria para evitar encontrá-lo.

— Aonde vais com tanta elegância? Vejam só que touca curiosa em tua cabeça!

— E como tu és curioso, Rakítin! Estou te dizendo que espero uma noticiazinha. O mensageiro vai chegar, eu sairei voando, é só por isso que vocês estão me vendo assim. Foi para estar pronta que me arrumei desse jeito.

— E para onde vais voar?

— Quem muito quer saber, cedo há de envelhecer.

— Vejam só! Está toda radiante... Eu nunca tinha te visto assim. Vestiu-se como se fosse para um baile — Rakítin a examinava.

— Como se fosses um grande entendedor de bailes.

— E tu, entendes muito de baile?

— Andei frequentando bailes. No ano retrasado Kuzmá Kuzmitch casou o filho, eu assisti da galeria. Ora, Rakitka, eu lá vou conversar contigo tendo este príncipe aqui? Isso sim é que é visita! Aliócha, meu caro, olho para ti e não acredito: meu Deus, como é que foste aparecer em minha casa? Para te dizer a verdade, nunca me passou pela cabeça que pudesses vir à minha casa, antes eu nunca acreditaria nisso. Ainda que a hora não seja a mais apropriada, estou contente demais com tua presença! Senta-te no sofá, aqui, assim, meu menino. Palavra, é como se eu ainda não estivesse entendendo... Ah, Rakitka, se tu o tivesses trazido ontem ou anteontem!... Bem, mas assim mesmo estou contente. Talvez tenha sido até melhor agora, num momento como esse, e não anteontem.

Ela se sentou no sofá com um ar travesso ao lado de Aliócha e ficou a olhar para ele absolutamente encantada. E realmente estava alegre, não mentia ao dizê-lo. Os olhos ardiam, os lábios sorriam, mas de um jeito bonachão, sorriam alegremente. Aliócha nem esperava dela uma expressão tão bondosa no rosto... Poucas vezes a havia visto antes da véspera, tinha uma ideia terrível a seu respeito, e na véspera ficara tão profundamente abalado com seu pérfido desatino contra Catierina Ivánovna e tão surpreso, que agora via de repente uma criatura como que diferente e imprevisível. E por mais esmagado que estivesse por seu próprio pesar, seu olhar se fixou involuntariamente nela com atenção. Todas as suas maneiras era como se também tivessem mudado totalmente para melhor desde a véspera: quase não havia nada daquela afetação anterior na fala, daqueles gestos amimalhados e dengosos... Tudo era simples, bonachão, os gestos eram rápidos, diretos, confiantes, mas ela estava muito excitada.

— Meu Deus, quanta coisa está acontecendo hoje, palavra! — tornou a balbuciar Grúchenka. — E por que estou tão alegre com tua presença, Aliócha, eu mesma não sei. Se perguntares não saberei responder.

— Será que não sabes mesmo por que estás alegre? — deu um risinho Rakítin. — Antes me importunavas não sei por quê: era um tal de "traze-o aqui!", tinhas um objetivo.

— Antes eu tinha outro objetivo, mas agora ele passou, o momento é outro. Agora vou servi-los, isso mesmo. Agora eu estou mais bondosa, Rakitka. Mas senta tu também, Rakitka, por que estás em pé? Ah, mas já estás sentado? Na certa Rakítuchka[10] não se esquece de si mesmo. Ei-lo agora sentado aí à nossa frente, Aliócha, e ainda ofendido: só porque não o convidei a sentar-se antes de ti. Ai, Rakitka, tu és mesmo melindroso! — Grúchenka caía na risada. — Não te zangues, Rakitka, agora estou sendo bondosa. Ademais, que tristeza é esta tua, Alióchetchka,[11] ou estás com medo de mim? — olhou-o nos olhos com ar galhofento e alegre.

— Ele está magoado. Negaram a promoção — disse Rakítin com voz de baixo.

— Que promoção?

— O *stárietz* dele está fedendo.

— Como fedendo? Tu és mesquinho dizendo esse disparate, querendo insinuar alguma torpeza. Cala-te, imbecil. Aliócha, deixa que eu me sente no

[10] Diminutivo de Rakitka. (N. do T.)

[11] Outro diminutivo de Aliócha. (N. do T.)

teu colo, assim! — e de repente, num piscar de olhos, ela se levantou, pulou sorrindo para o colo dele como uma gata se desfazendo em carinho e envolveu-lhe ternamente o pescoço com o braço direito. — Vou te distrair, meu menino devoto! Não, será que vais mesmo permitir que eu fique em teu colo, não te zangarás? É só mandares que me levanto de um salto.

Aliócha calava. Ali sentado, temia mexer-se e ouvia as palavras dela: "é só mandares que me levanto de um salto", mas ele não respondeu, era como se estivesse embotado. Mas o que se passava com ele não era o que se podia esperar nem o que nesse momento podia imaginar, por exemplo, um tipo como Rakítin, por exemplo, que de seu lugar o observava com um ar lascivo. O grande pesar de sua alma absorvia todas as sensações que pudessem brotar em seu coração, e se neste momento ele pudesse aperceber-se plenamente do que se tratava, ele mesmo adivinharia que agora estava protegido pela mais forte couraça contra qualquer sedução e tentação. Entretanto, a despeito de toda a vaga inconsciência de seu estado de espírito e de todo o pesar que o oprimia, ainda assim ele se surpreendia involuntariamente com uma sensação nova e estranha que lhe nascia no coração: essa mulher, essa mulher "terrível" não só não o assustava agora com aquele pavor de antes, pavor que lhe nascia sempre que ele fantasiava qualquer mulher, que sua alma a vislumbrava, mas, ao contrário, essa mulher que ele temia mais do que todas, que estava sentada em seu colo e o abraçava, agora suscitava nele uma sensação inteiramente distinta, inesperada e especial, a sensação de uma curiosidade inusitada, grandiosa e sincera por ela, e tudo isso já sem qualquer temor, sem nada daquele antigo medo — eis o que era importante e o que involuntariamente o surpreendia.

— Chega dos absurdos de vocês dois — gritou Rakítin —, é melhor que sirvas champanhe, estás em dívida comigo, tu mesma o sabes!

— É verdade que estou em dívida. Vê, Aliócha, além de tudo eu lhe prometi champanhe se ele te trouxesse para cá. Que venha o champanhe, eu também vou beber! Fiênia, Fiênia, traze champanhe para nós, aquela garrafa que Mítia deixou, vai depressa, corre. Mesmo que eu seja sovina, uma garrafa eu sirvo; não a ti, Rakitka, tu és um cogumelo, ao passo que ele é um príncipe! E mesmo que isso não me encha a alma neste momento, vá lá, também vou beber com vocês, estou a fim de uma farra.

— Ora, que momento é esse de que falas, e que "notícia" é essa, pode-se perguntar ou é segredo? — tornou a falar Rakítin com curiosidade, fingindo de todas as maneiras ignorar as afrontas lançadas incessantemente contra ele.

— Ah, não é segredo, e tu mesmo sabes — falou Grúchenka com súbita preocupação, voltando a cabeça para Rakítin e afastando-se um pouco de Aliócha, embora continuasse em seu colo e com o braço enlaçado em seu pescoço —, meu oficial está de chegada, Rakítin!

— Ouvi dizer que está para chegar, mas já está tão perto?

— Neste momento está em Mókroie, vai mandar de lá um estafeta, conforme escreveu, acabei de receber a carta. Estou esperando por ele.

— Então é isso! Por que em Mókroie?

— É uma história comprida. E chega de tuas perguntas.

— Agora é que a coisa vai pegar com Mítienka, ui, ui! Ele está sabendo ou não?

— Por que haveria? Não sabe de nada! Se soubesse me mataria. Aliás, agora nada disso me mete medo, agora a faca dele não me mete medo. Cala-te, Rakitka, não menciones Dmitri Fiódorovitch: ele me deixou o coração todo esmigalhado. E ademais não quero nem pensar em nada disso neste momento. Já em Alióchetchka posso pensar, e fico olhando para Alióchetchka... Vamos, ri de mim, meu caro, alegra-te da minha tolice, ri da minha alegria... Ah, ele sorriu, sorriu! Vejam só que olhar carinhoso. Sabes, Aliócha, não me saía da cabeça que estavas zangado comigo por aquilo de anteontem, por causa da senhorita. Eu fui uma cadela, eis o que fui... Só que, apesar de tudo, foi bom aquilo ter acontecido daquela maneira. Foi ruim e também foi bom — súbito Grúchenka sorriu com um ar meditativo, e um tracinho de crueldade se esboçou de repente em seu riso. — Mítia me contou que ela gritava: "Ela precisa de umas chibatadas!". Eu a ofendi muito. Mandou me chamar, queria aparecer vitoriosa, me seduzir com seu chocolate... Não, foi bom ter acontecido daquela maneira — deu um risinho. — Só que ainda temo que estejas zangado...

— E é isso mesmo — Rakítin meteu-se de repente na conversa seriamente surpreso. — É que ela realmente tem medo de ti, Aliócha, medo desse franguinho.

— Para ti ele é um franguinho, Rakitka, eis a questão... porque não tens consciência, eis a questão! Vê, eu o amo com a minha alma, eis a questão! Aliócha, acreditas que te amo com toda a minha alma?

— Ai, que sem-vergonha tu és! Aliócha, ela está te fazendo uma declaração de amor!

— E daí? Amo mesmo!

— E o oficial? E a noticiazinha de ouro de Mókroie?

—Isto é uma coisa, mas o assunto aqui é outro.

— Vejam só como a mulher se sai!

— Não me enfureças, Rakitka — emendou Grúchenka com fervor —, aquilo é uma coisa, o assunto aqui, outra. Aliócha eu amo de outro jeito. Aliócha, é verdade que eu antes pensava em ti de um jeito ardiloso. Porque sou vil, porque sou exaltada, mas vez por outra, Aliócha, me acontece de olhar para ti como para minha própria consciência. E fico pensando: "Ora, agora ele deve mesmo desprezar uma criatura tão detestável como eu". Também pensei nisso anteontem, quando fugi daquela senhorita para cá. Faz tempo que venho notando esse teu jeito, Aliócha, e Mítia sabe, eu falei para ele. E é assim que Mítia entende. Acredita, Aliócha, palavra que às vezes olho para ti e sinto vergonha, vergonha de mim mesma... Não faço ideia de quando dei de pensar assim a teu respeito...

Fiênia entrou e pôs na mesa uma bandeja com uma garrafa aberta e três taças servidas.

— Trouxeram o champanhe! — gritou Rakítin — estás excitada, Agrafiena Alieksándrovna, não cabes em ti. Se tomares uma taça começarás a dançar. Ora bolas! não foram nem capazes de fazer a coisa direito — acrescentou ele, observando o champanhe. — A velha encheu as taças na cozinha e trouxeram a garrafa sem a tampa, e ainda quente. Bem, mas vamos lá assim mesmo.

Chegou-se à mesa, pegou uma taça, bebeu-a de um só gole e se serviu de outra.

— Não é frequente a gente esbarrar em champanhe — disse lambendo os beiços —, vamos lá, Aliócha, pega uma taça, mostra quem és. A que vamos beber? À entrada no paraíso? Pega a taça, Grucha, bebe tu também à entrada no paraíso.

— Que entrada no paraíso é essa?

Ela pegou uma taça, Aliócha pegou a sua, tomou um gole e pôs a taça de volta.

— Não, é melhor que eu não beba! — sorriu baixinho.

— E ainda te vangloriavas! — gritou Rakítin.

— Bem, já que é assim eu também não vou beber — emendou Grúchenka —, aliás, nem estou com vontade. Bebe sozinho a garrafa toda, Rakitka. Se Aliócha beber, eu também bebo.

— Lá vens tu com essa denguice — provocou Rakítin. — Mas tu mesma ficas aí sentada no colo dele! Vá lá que ele esteja pesaroso, mas tu? Ele se rebelou contra o seu Deus, estava querendo comer salame...

— Como assim?

— O *stárietz* dele morreu hoje, o *stárietz* Zossima, o santo.

— Então morreu o *stárietz* Zossima? — exclamou Grúchenka. — Meu Deus, e eu que não sabia! — Ela se benzeu com ar devoto. — Meu Deus, por que eu, por que eu estou no colo dele neste momento?! — e precipitou-se subitamente como se estivesse assustada, num piscar de olhos pulou do colo dele e tornou a sentar-se no sofá. Aliócha olhou demoradamente e com surpresa para ela, e algo pareceu iluminar-se em seu rosto.

— Rakítin — pronunciou de chofre em voz alta e firme —, não me provoques dizendo que me rebelei contra o meu Deus. Não quero ter raiva de ti, e por isso sê tu também mais bondoso. Perdi um tesouro que tu nunca tiveste, e agora não podes me julgar. É melhor que olhes aqui para ela: viste como foi clemente comigo? Vim para cá para encontrar uma alma perversa — eu mesmo me senti atraído por isto porque eu era vil e perverso, mas aqui encontrei uma irmã sincera, encontrei um tesouro — uma alma que ama... Ela acabou de ser clemente comigo... Agrafiena Ivánovna, estou falando de ti. Acabaste de restaurar minha alma.

Os lábios de Aliócha tremeram e a respiração ficou opressa. Ele parou.

— Até parece que ela te salvou. — Rakítin deu uma risada maldosa. — Só que ela queria te devorar, estás sabendo?

— Para, Rakitka! — Grúchenka se levantou de supetão — calem-se vocês dois. Agora vou dizer tudo: cala-te, Aliócha, porque palavras como essas tuas me deixam envergonhada, porque sou perversa e não bondosa — é isso o que sou. E quanto a ti, Rakitka, cala-te porque estás mentindo. Eu tive essa ideia vil de devorá-lo, mas agora estás mentindo, agora a coisa é bem outra... E que eu não ouça mais nada dito por ti, Rakítin! — Grúchenka pronunciou tudo isso numa perturbação fora do comum.

— Ora, vejam, ambos estão possessos! — resmungou Rakítin, observando os dois com surpresa — parecem loucos, é como se eu estivesse em um manicômio. Ambos elanguesceram, logo vão começar a chorar!

— E vou começar a chorar, e vou começar a chorar! — falou Grúchenka. — Ele me chamou de irmã, e nunca mais vou esquecer isso! Só que escute aqui, Rakitka, embora eu seja perversa, ainda assim ofereci a cebolinha.

— Que cebolinha é essa? Arre, diabo, estão mesmo loucos!

Rakítin estava surpreso com o entusiasmo deles e tomado de uma fúria melindrosa, embora pudesse compreender que se fundia nos dois tudo o que lhes transtornava a alma, como raramente acontece na vida. Mas Rakítin, que tinha muita sensibilidade para compreender tudo o que lhe dizia respeito, era muito grosseiro para compreender os sentimentos e sensações de quem lhe era íntimo — em parte por sua inexperiência juvenil, mas em parte também pelo seu imenso egoísmo.

— Vê, Aliócha — Grúchenka deu uma súbita risada nervosa dirigindo-se a ele —, eu me vanglorie com Rakitka dizendo que ofereci a cebolinha, mas contigo eu não me vanglorio, vou te falar disso com outro objetivo. Trata-se apenas de uma fábula, mas de uma fábula bonita,[12] eu a ouvi quando ainda era criança, de minha Matriona, que agora é minha cozinheira. Ouve como é essa história: "Era uma vez uma mulher perversa demais, e ela morreu. E não deixou de lembrança nenhuma boa ação. Os diabos a agarraram e a lançaram no lago de fogo. Mas seu anjo da guarda estava a postos e pensava: preciso me lembrar de alguma obra virtuosa praticada por ela para contar a Deus. Lembrou-se de uma e a contou a Deus: ela, diz ele, arrancou uma cebolinha de sua horta e a deu a uma pedinte. E Deus lhe responde: pega essa mesma cebolinha, diz Ele, estende-a para ela no lago, para que ela a agarre e tente sair; e se conseguires tirá-la do lago, então que ela vá para o paraíso; mas se a cebolinha arrebentar a mulher ficará lá onde está agora. O anjo correu para a mulher, estendeu-lhe a cebolinha: pega, mulher, diz ele, agarra-te e sai. E começou a puxá-la cuidadosamente, e já quase conseguira tirá-la quando outros pecadores do lago, vendo que ela estava sendo tirada, começaram todos a agarrar-se a ela para serem tirados juntos. Mas a mulher era perversa demais, e começou a escoiceá-los: 'É a mim que estão tirando e não a vocês, a cebolinha é minha e não de vocês'. Mal ela pronunciou essas palavras a cebolinha arrebentou. E a mulher caiu no lago e lá está ardendo até hoje. E o anjo chorou e foi embora". Eis a fábula, Aliócha, gravei-a de memória porque eu mesma sou essa mulher perversa. Eu me vangloriei com Rakitka de que tinha dado a cebolinha, mas a ti digo de maneira diferente: em toda a minha vida só dei *uma única* cebolinha, pratiquei uma única obra virtuosa. E não me elogies depois disso, Aliócha, não me consideres bondosa, eu sou má, má demais, se me elogiares me deixarás envergonhada. É, vou confessar tudo. Ouve, Aliócha, eu queria tanto te atrair à minha casa e importunei tanto Rakitka que lhe prometi vinte e cinco rublos se ele o trouxesse para mim. Para, Rakitka, espera! — foi até a mesa a passos rápidos, abriu uma gaveta, tirou o moedeiro e dele uma nota de vinte e cinco rublos.

— Que absurdo! Que absurdo! — exclamava Rakítin preocupado.

— Recebe-a, Rakítin, é a dívida, decerto não a recusarás, tu mesmo a pediste. — E atirou-lhe a nota.

— Pudera eu recusá-la — anuiu Rakítin com voz de baixo, pelo jeito

[12] Segundo as notas da edição russa, Dostoiévski disse em carta a N. A. Liubímov, de 16 de setembro de 1879, que anotara essa fábula a partir das palavras de uma camponesa. O autor não devia conhecer o livro de A. N. Afanássiev, *Lendas populares russas*, de 1859, que já trazia a história. (N. do T.)

atrapalhado mas disfarçando galhardamente a vergonha —, isto nos vem muitíssimo a calhar, é para o proveito do homem inteligente que existem os imbecis.

— Mas agora te cala, Rakitka, o que vou dizer agora não será para os teus ouvidos. Senta-te aqui no canto e fica calado; tu não gostas da gente, então, calado.

— Por que eu haveria de gostar de vocês? — rosnou Rakítin já sem esconder a raiva. Meteu a nota de vinte e cinco rublos no bolso e ficou terminantemente envergonhado perante Aliócha. Contava receber o pagamento depois, de modo a que o outro não viesse a saber, mas agora a vergonha o deixava furioso. Até esse momento achara uma atitude muito política não contrariar Grúchenka, apesar de todas as afrontas que recebia dela, porque era visível que ela tinha certo poder sobre ele. Mas agora ele também estava zangado:

— Gosta-se por alguma coisa, mas vocês dois, o que fizeram por mim?

— Procura gostar por nada, assim como Aliócha gosta.

— Mas por que ele iria gostar de ti, que espécie de prova te deu, por que o cobres de atenção?

Grúchenka estava no meio da sala, falava com ardor, e em sua voz ouviam-se notas histéricas.

— Cala-te, Rakitka, não entendes nada do nosso assunto! E doravante não te atrevas mais a me tratar por *tu*, não quero te permitir isso; de onde tiraste tanto atrevimento? ora vejam só! Senta-te no canto e bico calado, como meu criado. E agora, Aliócha, vou contar toda a pura verdade só para ti, para que vejas que réptil sou eu! Não é para Rakitka, mas para ti que falo. Eu queria te pôr a perder, Aliócha, esta é uma grande verdade, eu estava totalmente decidida; queria tanto que subornei Rakitka com dinheiro para que ele te trouxesse. E por que eu queria tanto isso? Tu, Aliócha, não sabias de nada, desviavas ao passar por mim, baixavas a vista, e antes disso eu olhara cem vezes para ti, comecei a interrogar todo mundo a teu respeito. Teu rosto me ficou no coração: "Ele me despreza, pensava eu, não quer nem olhar para mim". Finalmente fui tomada de um sentimento tal que eu mesma me surpreendia: por que tenho medo de um menino como esse? Vou devorá-lo inteiro e depois zombar. Estava totalmente enfurecida. Não sei se acreditas: aqui ninguém se atreve a pensar e dizer que visita Agrafiena Alieksándrovna por causa dessa coisa má; aqui só recebo o velho, a ele estou atada e vendida, satanás nos casou, mas em compensação não recebo mais ninguém. Entretanto, ao te contemplar decidi: vou devorá-lo. Devorá-lo e zombar. Estás vendo que cadela ruim é esta que chamaste de tua irmã! Pois bem, esse meu ofensor chegou, e agora estou aqui aguardando notícias. Sabes quem é esse meu ofensor? Cinco anos antes que Kuzmá me trouxesse para cá, eu ficava em casa, me escondendo das pessoas para que ninguém me visse nem me ouvisse, eu, magrinha, tolinha, ficava em casa aos prantos, passava noites inteiras sem dormir, pensando: "Por onde andará ele, o meu ofensor, neste momento? Na certa está rindo de mim com a outra, mas eu — pensava — queria apenas vê-lo, encontrá-lo: ah, vou lhe dar o troco, ah, vou lhe dar o troco!". Noite e dia chorava no escuro em cima do travesseiro e repensava tudo isso, despedaçando de propósito o coração, saciando-o de raiva: "Ah, vou lhe dar o troco, ah, vou lhe dar o troco!". Vez por outra eu também gritava no escuro. É, quando de repente me lembrava de que não faria nada contra ele e que ele então ria de mim e possivelmente já me havia esquecido de vez, atirava-me da cama no chão, banhava-me de lágrimas impotentes e punha-me a tremer e tremer até o raiar do dia. De manhã me levantava com mais raiva do que uma cadela, disposta a devorar o mundo inteiro. Depois, o que achas que fiz? Comecei a juntar dinheiro, tornei-me impiedosa, engordei, fiquei mais inteligente — é isso que achas, hein? Pois não foi isso, ninguém viu nem sabe disso em todo o universo; mas assim que caíam as trevas da noite, assim como cinco anos antes, quando eu era uma mocinha, às vezes eu ficava deitada, rangendo os dentes e chorando a noite inteira: "Vou lhe dar o troco, ah, vou dar!", pensava. Ouviste tudo isso? Pois bem, já que agora me compreendes: no mês passado chega-me de repente esta carta; ele está para chegar, enviuvou, quer me ver. Fiquei totalmente sem fôlego, meu Deus, e de repente pensei: vai chegar, assobiar para mim, chamar-me, e eu me arrastarei para ele como uma cadela surrada e culpada. Acho que nem eu acredito em mim mesma: "Sou vil ou não sou vil, saio ou não saio correndo para ele?". E agora, durante todo este mês, uma raiva tamanha se apoderou de mim que foi pior até do que cinco anos atrás. Agora vês, Aliócha, como sou impetuosa, como sou desvairada; te contei toda a verdade! Eu me entretinha com Mítia a fim de não fugir para o outro. Boca calada, Rakitka, não és tu que haverás de me julgar, não é contigo que estou falando. Antes de vocês dois chegarem eu estava aqui deitada, esperando, pensando, resolvendo todo o meu destino, e vocês nunca saberão o que eu tinha no coração. Não, Aliócha, diga à sua senhorita que não fique zangada por causa de anteontem!... Ninguém em todo este mundo sabe como me sinto neste momento, e nem pode saber... Porque hoje é possível que eu leve comigo uma faca para lá, ainda não me decidi...

E tendo pronunciado essas palavras "lamentáveis", Grúchenka subitamente não se conteve, não concluiu a frase, cobriu o rosto com as mãos, lançou-se no sofá de cara nos travesseiros e caiu em pranto como uma criancinha. Aliócha se levantou e foi até Rakítin.

— Micha — disse —, não fiques zangado. Ela te ofendeu, mas não fiques zangado. Tu não acabaste de ouvir suas palavras? Não se pode exigir tanto da alma humana, é preciso ser misericordioso.

Aliócha pronunciou essas palavras com o coração tomado de um ímpeto incontido. Precisava manifestar-se e dirigiu-se a Rakítin. Se não existisse Rakítin, ele as teria pronunciado sozinho. Mas Rakítin o olhou com ar de galhofa e Aliócha parou de repente...

— Ainda há pouco te contagiaram com teu *stárietz* e agora queres descarregar esse *stárietz* em mim, Alióchenka, homem de Deus — disse Rakítin com um sorriso cheio de ódio.

— Não rias, Rakítin, para com essa risota, e não fales do falecido: ele era superior a todos na face da Terra! — gritou Aliócha com voz chorosa. — Não é como juiz que estou falando, eu mesmo sou o último dos réus. Quem sou eu diante dela? Vim para cá com o intuito de me perder, e dizendo: "Que seja, que seja!". E isso por causa de minha covardia, ao passo que ela, depois de cinco anos de tormento, foi só o primeiro lhe aparecer e lhe dizer uma palavra sincera, que ela perdoou tudo, esqueceu tudo, e está chorando! Seu ofensor voltou, está chamando por ela, e ela lhe perdoa tudo, e se precipita para ele cheia de alegria, e não levará a faca consigo, não levará! Não, eu não sou assim. Não sei se és assim, Micha, mas eu não sou. Hoje, agora, acabei de receber uma lição... Ela é superior a nós pelo amor... Já tinhas ouvido antes o que ela acabou de contar? Não, não ouviste; se o tivesses ouvido, há muito tempo terias compreendido... E a outra, a que foi ofendida anteontem, que também a perdoe! E perdoará se vier a saber... e saberá... Essa é uma alma ainda não reconciliada, precisamos poupá-la... essa alma pode conter um tesouro...

Aliócha calou-se porque lhe faltou fôlego. Rakítin o olhava admirado, apesar de toda a sua raiva. Jamais esperaria semelhante tirada do sereno Aliócha.

— Vejam só que advogado apareceu! Terás te apaixonado por ela? Agrafiena Alieksándrovna, nosso jejuador se apaixonou mesmo por ti, venceste! — bradou com um riso descarado.

Grúchenka levantou a cabeça do travesseiro e olhou para Aliócha com um sorriso comovido, que resplandeceu em seu rosto subitamente inchado pelas lágrimas derramadas.

— Deixa-o, Aliócha, meu querubim, estás vendo como ele é, isso lá é jeito de falar? Mikhail Óssipovitch — dirigiu-se ela a Rakítin —, eu estava querendo te pedir perdão pelos insultos, mas novamente passou a vontade. Aliócha, vem até aqui, senta-te aqui — chamou-o com um sorriso cheio de alegria —, assim, senta-te aqui, dize-me (ela o segurava pelas mãos e o olhava sorridente no rosto), dize-me: amo aquele outro ou não? Amo ou não amo o meu ofensor? Antes de vocês chegarem, eu estava aqui deitada, no escuro, interrogando sem parar meu coração: amo-o ou não? Guia-me, Aliócha, chegou a hora; o que resolveres, assim será. Eu o perdoarei ou não?

— Ora, já o perdoaste — proferiu Aliócha sorrindo.

— E perdoei mesmo — disse Grúchenka pensativa. — Vê só que coração ordinário! Ao meu coração ordinário! — pegou de súbito uma taça na mesa, bebeu tudo de um gole, ergueu-a e atirou-a com toda a força no chão. A taça quebrou-se e tilintou. Um tracinho de crueldade desenhou-se em seu sorriso.

— Mas acontece que eu talvez ainda não tenha perdoado — disse com um tom de ameaça na voz e baixando a vista como se falasse consigo mesma. — Talvez meu coração ainda esteja apenas se preparando para perdoar. Ainda vou lutar com o meu coração. Como vês, Aliócha, amei muito esses meus cinco anos de lágrimas... É possível que eu tenha amado apenas a minha ofensa, mas não a ele em absoluto.

— Bem, eu não gostaria de estar na pele dele — resmungou Rakítin.

— E não estarás, Rakitka, nunca estarás na pele dele. Tu serves para costurar meus sapatos, Rakitka. É nisso que posso te empregar, porque uma mulher como eu nunca será para o teu bico... Aliás, talvez nem para o dele...

— Para o dele? E por que estás aí toda emperiquitada? — provocou sarcasticamente Rakítin.

— Não me censures pela roupa, Rakitka, tu ainda não conheces todo o meu coração! Se eu quiser, rasgo a roupa, rasgo agora mesmo, neste instante — gritou com voz sonora. — Não sabes para que me vesti assim, Rakitka! Talvez eu apareça diante dele e lhe diga: "Já me viste assim ou ainda não?". Por que ele me largou com dezessete anos, magrinha, estiolada, choramingas. Eu me sento ao lado dele, o seduzo, o deixo incendiado: "Estás vendo como sou agora, direi a ele; pois que fique só nisso, meu caro senhor, da mão à boca se perde a sopa!" — pois talvez esta roupa seja para isso, Rakitka — concluiu Grúchenka com um riso maldoso. — Eu sou desvairada, Aliócha, sou uma fúria. Arranco essa minha roupa, mutilo-me, deformo minha beleza, queimo meu rosto e o retalho à faca e saio por aí pedindo esmola. Se quiser não vou agora a lugar nenhum, nem procurar ninguém, se quiser amanhã devolvo a Kuzmá tudo o que ele me deu de presente, todo o seu dinheiro, e vou trabalhar como diarista pelo resto da vida... Achas que não sou capaz de fazer isso, Rakitka, que não me atrevo a fazê-lo? Farei, farei, agora mesmo posso fazê-lo, só não me irrites... Toco também o outro para fora, mando-o às favas, ele nunca porá a mão em mim!

Ela gritou histericamente essas últimas palavras, porém mais uma vez não se conteve, cobriu o rosto com as mãos, lançou-se sobre o travesseiro e tornou a sacudir-se de prantos. Rakítin levantou-se:

— Está na hora — disse —, é tarde, não nos deixarão entrar no mosteiro.

Grúchenka levantou-se de um salto.

— Não me digas que tu também queres ir embora, Aliócha — exclamou com uma amarga surpresa —, o que estás fazendo comigo neste momento: me deixaste toda estimulada, me torturaste, e agora terei de passar mais uma noite, mais uma vez, sozinha!

— Não seria o caso de ele dormir em tua casa? Se ele quiser, que durma! Eu vou embora sozinho! — brincou Rakítin com ar mordaz.

— Cala-te, alma maldosa — gritou-lhe Grúchenka em fúria —, nunca me disseste as palavras que ele veio me dizer.

— O que foi que ele te disse de tão especial? — rosnou Rakítin irritado.

— Não sei, não faço a mínima ideia do que ele me disse, fez meu coração sentir, revirou meu coração... Foi o primeiro, o único a se compadecer de mim, eis a questão! Por que não apareceste antes, querubim? — súbito ela se deixou cair de joelhos diante dele como que tomada de um frenesi. — Passei a vida inteira esperando uma pessoa como tu, sabia que alguém assim iria aparecer e me perdoar. Acreditava que alguém também me amaria, a mim, a esta torpe, não só para me desonrar!...

— O que foi que eu te fiz de especial? — respondeu Aliócha com um sorriso enternecido, inclinando-se para ela e segurando-lhe as mãos com ternura. — Eu te dei uma cebolinha, a mais ínfima cebolinha, e só, só!...

E tendo pronunciado isto, ele mesmo começou a chorar. Neste instante tornou-se a ouvir um ruído no vestíbulo, alguém acabara de entrar na antessala; Grúchenka levantou-se de um salto, parecendo terrivelmente assustada. Fiênia entrou correndo na sala agitada e gritando.

— Senhora, minha cara, senhora, o estafeta chegou! — exclamou com alegria e arquejando. — Uma *tarantás* chegou de Mókroie para buscá-la, o cocheiro Timofiei trouxe uma trinca de cavalos, agora vão substituir os cavalos... A carta, a carta, senhora, aqui está a carta!

A carta estava nas mãos dela e ela a agitava sem parar enquanto gritava. Grúchenka tomou dela a carta e levou-a à luz. Era apenas um bilhete, algumas linhas, ela leu tudo num piscar de olhos.

— Mandou me chamar! — bradou ela toda pálida, com o rosto todo crispado por um sorriso doentio — deu um assobio! Arrasta-te, cadelinha!

Mas ela hesitou apenas um instante; súbito o sangue lhe subiu à cabeça e o fogo lhe cobriu as faces.

— Estou indo! — exclamou de repente. — Meus cinco anos! Adeus! Adeus, Aliócha, meu destino está selado... Saiam, saiam, saiam todos de minha casa agora para que eu não mais os veja!... Grúchenka voou para a nova vida... Não me guardes rancor, Rakitka. Talvez eu esteja indo para a morte! Oh! É como se eu estivesse bêbada!

Largou-os de repente e correu para o seu quarto.

— Bem, agora ela não está para nós! — rosnou Rakítin. — Vamos indo, senão esse grito de mulher talvez recomece, estou farto desses gritos cheios de lamúria...

Aliócha se deixou conduzir maquinalmente. No pátio havia uma *tarantás*, atrelavam os cavalos, andavam de lanterna na mão, agitavam-se. Pelo portão aberto entrava uma trinca de cavalos descansados. Contudo, mal Aliócha e Rakítin desceram os degraus do alpendre, a janela do dormitório de Grúchenka se abriu e ela gritou com voz sonora atrás de Aliócha.

— Alióchetchka, saúda teu mano Mítienka, e pede que não guarde rancor desta sua malfeitora. E transmite a ele apenas estas minhas palavras: "Grúchenka ficou com o canalha e não contigo, que és nobre!". E acrescenta ainda que Grúchenka o amou por uma horinha, só por uma horinha o amou — e que ele guarde essa horinha na memória pelo resto da vida, dize que Grúchenka ordena que o faça pelo resto da vida!...

Ela concluiu com a voz cheia de soluços. A janela bateu.

— Hum, hum! — rosnou Rakítin rindo — ela degola teu irmão Mítienka e ainda o ordena que se lembre dela pelo resto da vida. Que abutre!

Aliócha nada respondeu, era como se não tivesse ouvido; caminhava rapidamente ao lado de Rakítin como se estivesse com uma pressa terrível; parecia absorto, caminhava maquinalmente. Súbito Rakítin sentiu uma espécie de picada, como se lhe tivessem tocado uma ferida com o dedo. Não era nada disso que esperava ao juntar Grúchenka e Aliócha; saíra tudo ao contrário do que ele tanto queria.

— Esse oficial é o polaco — tornou a falar, contendo-se —, e além disso não é mais oficial e sim um funcionário da alfândega na Sibéria, lá pelas bandas da fronteira com a China, deve ser um polaquinho mirrado. Dizem que perdeu o emprego. Ouviu dizer que agora Grúchenka arranjou capital e aí está ele de volta — e nisso está todo o milagre.

Mais uma vez era como se Aliócha não tivesse ouvido. Rakítin não se conteve:

— Então, converteste a pecadora? — riu com maldade para Aliócha. —

Desviaste a devassa para o caminho da verdade? Expulsaste os sete demônios,[13] hein? Eis onde se realizaram aqueles milagres que ainda há pouco esperávamos!

— Para, Rakítin — respondeu Aliócha com sofrimento na alma.

— Agora tu me "desprezas" por causa desses vinte e cinco rublos? Quer dizer que eu vendi um amigo de verdade. Só que tu não és Cristo, nem eu sou Judas.

— Ah, Rakítin, garanto que eu até havia esquecido isso — exclamou Aliócha —, és tu que o estás lembrando...

Rakítin, porém, já estava terminantemente furioso.

— O diabo que os carregue a todos e cada um de vocês! — berrou de súbito —, por que diabos fui me ligar a ti? Doravante, não quero mais saber de ti. Vou só, teu caminho é por ali!

E deu uma guinada para outra rua, deixando Aliócha sozinho na escuridão. Aliócha saiu da cidade e tomou o caminho do mosteiro pelo campo.

IV. Caná da Galileia

Já era muito tarde para as normas do mosteiro quando Aliócha chegou ao eremitério; o porteiro o deixou entrar por uma passagem especial. O relógio já batera nove horas — hora de descanso e repouso geral depois de um dia tão inquietante para todos. Aliócha abriu timidamente a porta e entrou na cela do *stárietz*, onde agora estava seu caixão. Além do padre Paissi, que lia sozinho o Evangelho ao lado do caixão, e do jovem noviço Porfiri, que, esgotado pela palestra noturna da véspera e pela agitação do dia, dormia seu forte sono de jovem no chão do outro quarto, não havia ninguém na cela. O padre Paissi, apesar de ouvir Aliócha entrar, sequer olhou em sua direção. Aliócha guinou para um canto à direita da porta, ajoelhou-se e começou a rezar. Sua alma transbordava, mas de um modo meio vago, e nenhuma sensação se destacava muito ao vir à tona; ao contrário, uma desalojava outra em um torvelinho regular e silencioso. Mas tinha doçura no coração e, estranho, Aliócha não se surpreendia com isso. Tornava a ver à sua frente aquele caixão, todo fechado, com aquele morto precioso, mas em sua alma não havia aquela compaixão dolente, chorosa e torturante da manhã. Ao entrar, caiu diante do caixão como diante de um santuário, mas a alegria, a alegria

[13] "Havendo ele [Jesus] ressuscitado [...], apareceu primeiro a Maria Madalena, da qual expelira sete demônios". Marcos, 16, 9. (N. da E.)

lhe resplandecia na mente e no coração. Uma janela da cela se encontrava aberta, o ar estava fresco e meio frio. "Então o cheiro ficou ainda mais forte, já que resolveram abrir a janela" — pensou Aliócha. Mas nem a ideia do cheiro deletério, que ainda há pouco lhe parecia tão terrível e inglória, motivava agora aquela tristeza e aquela indignação de antes. Começou a rezar baixinho, mas logo sentiu que rezava quase maquinalmente. Retalhos de pensamentos lhe passavam de relance pela alma, acendiam-se como estrelas miúdas e logo se apagavam, substituídos por outros, mas em compensação reinava nela algo de pleno, firme, sereno, e ele mesmo tinha consciência disso. Às vezes começava a rezar fervorosamente, sentia muita vontade de agradecer e amar... Começando, porém, a orar, passava de repente a alguma outra coisa, caía em meditação, esquecia a oração e também o que a havia interrompido. Ia começando a ouvir o que o padre Paissi lia, mas, muito exausto, pouco a pouco entrou a cochilar...

"*Três dias depois houve um casamento em Caná da Galileia* — lia o padre Paissi —, *achando-se ali a mãe de Jesus. Jesus também foi convidado, com seus discípulos, para o casamento.*"[14]

"Casamento? O que é isso... casamento... — passou como um remoinho pela mente de Aliócha — ela também está feliz... foi ao banquete... Não, ela não levou a faca, não levou a faca... Foi só uma palavra 'lamentável'... Ora... as palavras lamentáveis devem ser perdoadas, obrigatoriamente. As palavras lamentáveis consolam a alma... sem elas a dor dos homens seria penosa demais. Rakítin tomou o rumo do beco. Enquanto Rakítin estiver pensando em suas ofensas, sempre tomará o rumo do beco... Mas o caminho... o caminho é longo, reto, luminoso, cristalino, e há sol no final... Hein? O que estão lendo?"

"*... Tendo acabado o vinho, a mãe de Jesus Lhe disse: eles não têm mais vinho...*" — chegou aos ouvidos de Aliócha.

"Ah, sim, cometi uma omissão, eu não queria omitir, eu gosto desta passagem: trata-se de Caná da Galileia, do primeiro milagre... Ah, é um milagre, é um lindo milagre! Não foi a tristeza mas a alegria dos homens que Cristo visitou ao obrar milagre pela primeira vez, contribuiu para a alegria dos homens... 'Quem ama os homens ama também sua alegria...' O falecido repetia isto a cada instante, era um dos seus principais pensamentos... Sem alegria é impossível viver, diz Mítia... Sim, Mítia... Tudo o que é verdadeiro e belo está sempre cheio de perdão — mais uma vez era ele que dizia..."

[14] O trecho grifado e os demais que se seguem encontram-se no Evangelho segundo João, 2, 1-10. (N. do T.)

"... *Mas Jesus lhe disse: Mulher, que tenho eu contigo? Ainda não é chegada a minha hora. Então ela falou aos serventes: Fazei tudo o que Ele vos disser.*"

"Fazei-o... A alegria, a alegria de alguns homens pobres, de alguns muito pobres... Sim, é claro, dos pobres, se não tinham nem vinho para o casamento... Vejam, escrevem os historiadores que junto ao lago de Genesaré e por todos aqueles lugares espalhava-se naquela época a população mais pobre que se pode imaginar... E outro grande coração de outra grande criatura que estava ali mesmo, a mãe d'Ele, sabia que ele não tinha vindo naquela ocasião apenas para realizar seu grande e formidável feito, e que seu coração estava aberto também para a alegria ingênua e simplória de criaturas obscuras, obscuras e ingênuas, que carinhosamente o convidavam para seu pobre casamento. 'Ainda não é chegada a minha hora' — diz ele com um sorriso sereno (sem dúvida ele lhe sorriu docilmente)... De fato, será que Ele desceu à terra para multiplicar o vinho nos casamentos dos pobres? Mas eis que Ele foi lá e o fez atendendo ao pedido d'Ela... Ah, ele está lendo novamente."

"... *Jesus lhes disse: Enchei d'água as talhas. E eles as encheram totalmente.*

Então lhes determinou: Tirai agora e levai ao mestre-sala. Eles o fizeram.

Tendo o mestre-sala provado a água transformada em vinho, não sabendo donde viera, se bem que o sabiam os serventes que haviam tirado a água, chamou o noivo, e lhe disse: Todos costumam pôr primeiro o bom vinho e, quando já beberam fartamente, servem o inferior; tu, porém, guardaste o bom vinho até agora."

"Mas o que é isso, o que é isso? Por que as paredes do quarto estão se deslocando?... Ah, sim... é o casamento, são as bodas... Sim, é claro, aí estão os convidados, os jovens estão sentados ali, a multidão alegre e... Onde está o sábio mestre-sala? Mas quem é esse? Quem é? Outra vez o quarto alargou-se... Quem está se levantando ali daquela mesa grande? Como... Ele aqui também? Ora, ele está no caixão... Mas também está aqui... Levantou-se, me viu, vem vindo para cá... Meu Deus!..."

Sim, dele, Aliócha, aproximou-se ele, o velhinho ressequido, com rugas miúdas no rosto, sorrindo de um jeito alegre e sereno. O caixão sumiu, e ele veste a mesma roupa que vestia ontem quando estava com eles na presença de suas visitas. O mesmo rosto franco, os olhos resplandecentes. Como é possível? então ele também está no banquete, também foi convidado para o casamento em Caná da Galileia...

— Eu também, querido, também fui convidado, convidado e conclamado — ouve-se sobre ele uma voz serena. — Por que te escondeste aqui, que não se pode te ver?... Vem tu também nos fazer companhia.

É a voz dele, a voz do *stárietz* Zossima... Sim, e como não haveria de ser ele se o está chamando? O *stárietz* soergue Aliócha com a mão, este deixa a posição genuflexa.

— Estamos nos divertindo — continua o velhote ressequido —, bebemos um vinho novo, o vinho de uma alegria nova, grande; estás vendo quantos convidados? Olha ali o noivo e a noiva, olha o sábio mestre-sala, está experimentando o vinho novo. Por que estás surpreso comigo? Eu estendi a cebolinha, e eis-me aqui também. E muitos dos que estão aqui estenderam apenas uma cebolinha, uma única e mínima cebolinha... O que representam nossas ações? Tu também, que és sereno, tu também, meu menino dócil, tu também soubeste estender hoje uma cebolinha a uma criatura muito faminta. Começa, meu querido, começa, meu dócil, a realizar o teu trabalho!... Estás vendo o nosso sol, estás vendo?

— Estou com medo... não me atrevo a olhar... — murmurou Aliócha.

— Não tenhas medo d'Ele. Ele impõe medo por sua grandeza diante de nós, é terrível pela altura em que se encontra, mas Sua misericórdia é infinita, por amor iguala-Se a nós e Se alegra em nossa companhia, transforma água em vinho para não interromper a alegria dos convidados, aguarda novos convidados, convida incessantemente outros novos e agora pelos séculos dos séculos. Vê, estão trazendo vinho novo, vê, estão trazendo as vasilhas..."

Algo ardia no coração de Aliócha, algo o preencheu de repente a ponto de provocar dor, lágrimas de êxtase irromperam de sua alma... Ele limpou com as mãos, soltou um grito e acordou...

Outra vez o caixão, a janela aberta e a leitura do Evangelho em voz baixa, imponente e clara. Mas Aliócha já não ouvia quem lia. Coisa estranha, ele adormecera ajoelhado e agora estava em pé, e, súbito, como quem se arranca do lugar, com três passos rápidos chegou-se bem perto do caixão. Chegou até a esbarrar com o ombro no padre Paissi e não se deu conta. O outro ensaiou por um instante levantar os olhos do livro para ele, mas os desviou no mesmo instante, compreendendo que algo estranho acontecia com o jovem. Aliócha olhou cerca de meio minuto para o caixão, para o morto ali trancado, imóvel e estirado, com um ícone no pescoço e o capuz com a cruz de oito pontas na cabeça. Acabara de ouvir sua voz e essa voz ainda fazia eco em seus ouvidos. Apurou o ouvido, ficou esperando mais sons... porém deu uma súbita guinada e saiu da cela.

Não parou nem no alpendre, desceu rapidamente os degraus. Sua alma cheia de êxtase ansiava por liberdade, por espaço, por amplitude. Sobre sua cabeça desmaiava a abóbada celeste inalcançável à vista e coberta de estrelas serenas e cintilantes. Do zênite ao horizonte desdobrava-se uma vaga Via Láctea. A noite fresca e quase imóvel de tão calma envolvia a Terra. As torres brancas e as cúpulas douradas da catedral resplandeciam contra um céu safira. Nos canteiros próximos à casa, as exuberantes flores do outono tiraram a noite num sono só, que se estendeu até o amanhecer. O silêncio da terra parecia fundir-se ao silêncio do céu, o mistério da terra tocava o mistério das estrelas... Aliócha observava parado, e de repente desabou de joelhos sobre a terra como se o tivessem abatido.

Não sabia por que a abraçava, não se dava conta da razão pela qual sentira uma vontade incontida de beijá-la, de beijá-la toda, mas ele a beijava chorando, soluçando e banhando-a com suas lágrimas e, exaltado, jurava amá-la, amá-la até a consumação dos séculos. "Banha a terra com as lágrimas de tua alegria e ama estas tuas lágrimas..." — ecoou em sua alma. Por que estava chorando? Oh, estava chorando em seu êxtase até por aquelas estrelas que lhe brilhavam lá do abismo, e "não se envergonhava desse desvario". Era como se os fios de todos os inúmeros mundos de Deus confluíssem de uma só vez em sua alma, e ela tremesse toda, "ao contato com esses mundos". Sentia vontade de perdoar a todos e por tudo e pedir perdão, oh! não para si mas por todos, por tudo e por todos, pois "por mim todos haverão de pedir" — tornou a ecoar em sua alma. Mas a cada instante sentia de forma clara e como que palpável que algo firme e inabalável qual essa abóbada celeste lhe penetrava na alma. Um quê de ideia começava a reinar em sua mente — e já para o resto da vida e pelos séculos dos séculos. Caíra por terra um jovem fraco e levantara-se um combatente firme para o resto da vida, e ele sentiu e tomou consciência disto para o resto da vida nesse instante mesmo de seu êxtase. E depois, ao longo de toda a sua vida, Aliócha nunca pôde esquecer esse instante. "Alguém me visitou a alma naquela hora" — dizia mais tarde com uma fé inabalável em suas palavras...

Três dias depois ele deixou o mosteiro, o que estava de acordo com a palavra do seu falecido *stárietz*, que lhe ordenara "residir no mundo".

Livro VIII
MÍTIA

I. Kuzmá Samsónov

Dmitri Fiódorovitch, a quem Grúchenka, ao voar para a nova vida, "mandara" sua última saudação e ordenara que guardasse para sempre na memória a horinha em que ela o amara, nada sabia nesse instante do que acontecera com ela e estava terrivelmente ansioso e azafamado. Nos últimos dois dias andava numa situação tão inimaginável que efetivamente poderia adoecer de infecção cerebral, como ele mesmo dizia depois. Na véspera Aliócha não conseguira encontrá-lo pela manhã, e no mesmo dia o irmão Ivan não conseguiu acertar um encontro com ele na taverna. Os donos do apartamento que ele alugava escondiam seus vestígios por ordem sua. Nesses dois dias, ele literalmente desatinara em todas as direções, "lutando com o destino e procurando salvar-se", como ele mesmo se exprimiria depois, e inclusive voara por algumas horas para fora da cidade levado por uma questão inadiável, mesmo lhe sendo terrível sair da cidade deixando Grúchenka fora do alcance dos seus olhos, ainda que fosse por um minuto. Tudo isso se esclareceu mais tarde da forma mais detalhada e documentada, mas agora só apontaremos de fato o essencial da história desses dois horrendos dias de sua vida, que antecederam a terrível catástrofe que desabou tão de repente sobre seu destino.

Embora Grúchenka lhe tivesse dado uma horinha de amor verdadeiro e sincero, o que é verdade, ao mesmo tempo também o torturava de modo realmente cruel e implacável de quando em quando. O pior é que ele não conseguia adivinhar nada por trás das intenções dela; atraí-la pelo carinho ou pela força também era impossível: ela não cederia por nada desse mundo, apenas se zangaria e lhe daria inteiramente as costas, o que então ele compreendia com clareza. Tinha muita razão ao suspeitar que ela mesma se encontrava numa certa luta, numa indecisão incomum, tentando decidir-se por alguma coisa mas sem conseguir se decidir por nada, e por isso ele supunha, com fundamento e com o coração na mão, que por instantes ela devia simplesmente odiar a ele e sua paixão. Talvez fosse isso mesmo, mas o que exatamente levava Grúchenka à tristeza era algo que ele, apesar de tudo, não compreendia. Achava, propriamente, que toda a questão que o torturava resumia-se a uma definição: "Ou ele, Mítia, ou Fiódor Pávlovitch". A propósito, cabe assinalar aqui um fato incontestável: ele estava plenamente convicto de que Fiódor Pávlovitch forçosamente proporia (se já não tivesse proposto) casamento legal a Grúchenka e nem por um instante acreditava que o velho voluptuoso se limitasse aos três mil rublos. Foi o que Mítia concluiu por conhecer Grúchenka e seu caráter. É por isso que, às vezes, podia lhe parecer que todo o suplício e toda a indecisão de Grúchenka também decorriam apenas de ela não saber qual dos dois escolher e qual dos dois lhe seria mais vantajoso. Quanto ao iminente retorno do "oficial", isto é, daquele homem que fora fatídico na vida de Grúchenka e cuja chegada ela aguardava com tanta inquietação e pavor, ele — coisa estranha — nem esboçou cogitar do assunto naquela ocasião. É verdade que bem nos últimos dias Grúchenka quase não tocara no assunto com ele. Entretanto, por intermédio dela mesma ele estava perfeitamente a par da carta recebida de seu antigo sedutor um mês antes, e, em parte, também conhecia o conteúdo da carta. Naquela ocasião Grúchenka lhe mostrara essa carta num momento de raiva, mas, para sua surpresa, ele não deu quase nenhuma importância ao escrito. E seria muito difícil explicar a razão: talvez simplesmente porque, oprimido por toda a indecência e pelo horror de sua luta com o pai por essa mulher, ele mesmo já não conseguisse supor nada pior e mais perigoso para si, ao menos naquele momento. Na existência do noivo, que depois de um sumiço de cinco anos brotara de repente sabe-se lá de onde, ele simplesmente nem chegava a acreditar, sobretudo em sua breve chegada. Ademais, nessa mesma primeira carta do "oficial", que mostraram a Mítienka, fazia-se uma referência muito vaga à chegada desse novo rival: a carta era muito obscura, grandiloquente e cheia de puro sentimentalismo. Cabe observar que, na ocasião, Grúchenka escondera dele as últimas linhas da carta, que tratavam de modo um pouco mais preciso do regresso. Além disso, mais tarde Mítienka lembrou-se de que, na ocasião, percebera em Grúchenka certo desprezo involuntário e altivo por essa missiva enviada da Sibéria em nome da própria Grúchenka. Depois Grúchenka nada mais informou a respeito dos outros contatos posteriores com esse novo rival. Assim, pouco a pouco ele foi até esquecendo o oficial. Pensava apenas que, o que quer que acontecesse e qualquer que fosse o desfecho da questão, o choque definitivo entre ele e Fiódor Pávlovitch, que vinha se avizinhando, já estava próximo demais e deveria resolver-se antes de qualquer outra coisa. Com o coração na mão, ele esperava a cada instante a decisão de Grúchenka e não deixava de acreditar que ela se daria como que de repente, por inspiração. De uma hora para outra ela lhe diria: "Toma-me, sou tua para sempre", e tudo estaria terminado: ele a pegaria e levaria para o fim do mundo, imediatamente. Oh, ele a levaria no ato para o mais longe possível, o mais longe possível, se não para o fim do mundo, ao menos para algum lugar no fim da Rússia, lá se casaria e se estabeleceria com ela *incognito*,[15] para que ninguém soubesse nada a respeito dos dois, nem aqui, nem lá, nem em parte alguma. Então, oh, então ele começaria logo uma vida inteiramente nova! Sobre essa outra vida, renovada e "virtuosa" ("forçosamente, forçosamente virtuosa"), ele sonhava a cada instante em seu desvario. Ansiava por essa ressurreição e renovação. A abjeta voragem em que se metera por sua própria vontade o oprimia demais, e ele, como muitos em tais circunstâncias, sempre acreditava mais na mudança de lugar: era só não haver essa gente, era só não haver essas circunstâncias, era só voar deste lugar maldito e — tudo renasceria, ganharia novo sentido! Eis em que ele acreditava e com que se afligia.

Mas isso apenas se a solução do problema fosse a primeira, a *feliz*. Também havia outra solução, apresentava-se ainda outro desfecho, mas já terrível. De repente ela lhe diria: "Vai embora, eu acabei de decidir ficar com Fiódor Pávlovitch e me casar com ele, e te dispenso" — e então... e então... Aliás, Mítia não sabia o que aconteceria então, até a última hora não o soube, é preciso desculpá-lo por isso. Não tinha intenções definidas, não havia crime planejado. Ele apenas espreitava, espionava e atormentava-se, mas ainda assim só se preparava para o primeiro desfecho — o feliz — de seu destino. Chegava até a afastar qualquer outra ideia. Aí, porém, já começava um suplício de todo diferente, surgia uma circunstância totalmente nova e estranha, mas igualmente fatídica, insolúvel.

Pois bem, caso ela lhe dissesse: "Sou tua, leva-me", como haveria de levá-la? Onde arranjaria recursos, dinheiro para isso? Justo nesse período esgotaram-se todas as suas rendas, que até então não haviam cessado graças às transferências feitas por Fiódor Pávlovitch durante tantos anos. É claro, Grúchenka tinha dinheiro, mas neste caso Mítia revelou subitamente um imenso orgulho: queria levá-la por conta própria e começar com ela uma nova vida com seus próprios recursos, não com os dela; não podia sequer pensar em aceitar dinheiro dela, e sofria com essa ideia a ponto de experimentar uma aversão angustiante. Não me alongo aqui a respeito desse fato, não o analiso, limito-me a observar: era esse o seu estado de espírito naquele momento. Tudo isso podia ter origem indireta e como que inconsciente até

[15] Em latim, no original. (N. do T.)

nos tormentos secretos provocados em sua consciência pelo dinheiro de Catierina Ivánovna, do qual ele se apossara como um ladrão: "Perante uma sou um patife, e perante a outra logo aparecerei de novo como um patife — pensava na ocasião —, e se Grúchenka souber, ela mesma não vai querer semelhante patife. Então, onde vou conseguir recursos, onde vou arranjar esse fatídico dinheiro? Senão tudo irá por água abaixo e nada acontecerá, e unicamente porque faltou dinheiro, oh, desonra!".

Antecipo-me: aí é que são elas, pois é possível que ele até soubesse onde arranjar esse dinheiro, talvez soubesse até onde ele se encontrava. Desta vez não darei mais nenhum detalhe a respeito, porque depois tudo se esclarecerá; eis, contudo, em que consistia a principal desgraça para ele, e vou dizê-lo ainda que de forma vaga: para apanhar esses recursos que estavam não se sabe onde, *ter o direito* de pegá-los, era preciso devolver previamente os três mil a Catierina Ivánovna — senão "serei um batedor de carteira, um patife, e não quero começar uma nova vida como um patife" — decidiu Mítia, e por isso resolveu pôr o mundo inteiro de cabeça para baixo, se fosse necessário, mas devolver forçosamente esses três mil a Catierina Ivánovna a qualquer custo e *antes de qualquer coisa*. Ele passou pelo processo definitivo dessa solução, por assim dizer, nas últimas horas de sua vida, precisamente a partir do último encontro com Aliócha, dois dias antes, à noitinha, na estrada, depois que Grúchenka ofendera Catierina Ivánovna e Mítia, tendo ouvido de Aliócha o relato a respeito, tomou consciência de que era um patife e mandou transmitir isto a Catierina Ivánovna, "caso isto possa deixá-la minimamente aliviada". Naquela noite, ao despedir-se do irmão, sentiu, em seu desvario, que era até melhor "matar e saquear alguém, mas saldar a dívida com Cátia". "Pois é até melhor que eu apareça como assassino e ladrão perante esse alguém, morto e saqueado, e perante todos, e vá para a Sibéria, do que ver Cátia se sentir no direito de dizer que eu a traí e roubei seu dinheiro, e com esse dinheiro fugi para começar uma vida virtuosa com Grúchenka! Isso eu não posso!" Assim disse Mítia rangendo os dentes, e em alguns momentos ele pode realmente ter imaginado que acabaria tendo uma encefalite. Mas por enquanto lutava...

Coisa estranha: pareceria que com essa decisão já não lhe restava mais nada a não ser o desespero; pois onde iria arranjar tamanha quantia de uma hora para outra e ainda mais sendo um pé-rapado como era? E mesmo assim, durante todo esse tempo ele acreditou até o fim que iria conseguir essa quantia, que ela daria um jeito de voar por si mesma até ele, ainda que caísse do céu. Mas isso acontece justamente com aqueles que, como Dmitri Fiódorovitch, em toda a sua vida só sabem gastar e esbanjar o dinheiro que lhes chega de graça por herança, mas não fazem a mínima ideia de como se batalha o dinheiro. Tão logo ele se despediu de Aliócha dois dias antes, o mais fantástico turbilhão moveu-se em sua cabeça e embaralhou todas as suas ideias. E aconteceu que ele começou pelo empreendimento mais louco. Sim, é possível que justamente em tais situações os empreendimentos mais impossíveis e fantásticos se afigurem os primeiros e mais possíveis para gente assim. De uma hora para outra ele resolveu procurar o comerciante Samsónov, protetor de Grúchenka, propor-lhe um "plano" e, com base nesse "plano", conseguir de uma vez toda a quantia desejada; em termos comerciais não tinha a mínima dúvida de seu plano, a única dúvida era como o próprio Samsónov veria o seu desatino se resolvesse considerar a questão em termos não só comerciais. Embora Mítia conhecesse de vista esse comerciante, não travara conhecimento e jamais havia trocado uma única palavra com ele. Contudo, por alguma razão formara, e até desde muito tempo, a convicção de que, no presente momento, esse velho libertino, que já cheirava a defunto, talvez não fizesse nenhuma objeção se de algum modo Grúchenka organizasse a sua vida honestamente e se casasse com um "homem confiável". E de que ele não só não faria objeção como pessoalmente o desejava, e era só aparecer a oportunidade que ele mesmo iria propiciá-lo. Não se sabe se levado por boatos ou por alguma palavra pronunciada por Grúchenka, o fato é que ele ainda concluiu que o velho talvez o preferisse a Fiódor Pávlovitch para Grúchenka. É possível que muitos dos leitores de nossa narrativa achem excessivamente grosseiro e inescrupuloso da parte de Dmitri Fiódorovitch contar com semelhante ajuda e ter a intenção de tirar sua noiva, por assim dizer, das mãos de seu protetor. Posso observar apenas que, para Mítia, o passado de Grúchenka já era coisa ida. Ele olhava para esse passado com infinita compaixão e, com todo o fervor de sua paixão, resolveu que tão logo Grúchenka lhe declarasse que o amava e que se casaria com ele, começaria uma Grúchenka inteiramente nova e, com ela, um Dmitri Fiódorovitch totalmente novo, desta feita sem quaisquer vícios e só com virtudes: os dois se perdoariam e começariam sua vida já de modo inteiramente novo. Quanto a Kuzmá Samsónov, Mítia achava que ele fora um homem fatídico na vida de Grúchenka em seu malogrado passado, a quem, todavia, ela nunca havia amado e que também — isso é o essencial — já "havia passado", chegara ao fim, de sorte que agora ele também já não existia em absoluto. Além do mais, agora Mítia já nem podia considerá-lo um homem, porquanto todos e cada um na cidade sabiam que ele era apenas uma ruína doente, que mantinha com Grúchenka, por assim dizer, relações paternais sem nenhum vínculo com as anteriores, e isso já vinha acontecendo desde muito tempo, desde quase um ano. Em todo caso, aí também havia muito de ingenuidade por parte de Mítia, porque, a despeito de todos os seus defeitos, ele era um homem muito ingênuo. Devido a essa ingenuidade, aliás, ele estava seriamente convicto de que o velho Kuzmá, que preparava sua retirada para o outro mundo, sentia um sincero arrependimento por todo o seu passado com Grúchenka e de que agora ela não tinha um protetor e amigo mais dedicado do que esse velho já inofensivo.

Já no dia seguinte à sua conversa com Aliócha no campo, depois da qual Mítia passara quase uma noite inteira sem dormir, ele apareceu em casa de Samsónov por volta das dez da manhã e mandou que anunciassem sua presença. Era uma casa velha, sombria, muito ampla, de dois andares, com dependências externas e um anexo. No térreo moravam os dois filhos casados de Samsónov com suas famílias, sua irmã velhíssima e uma filha solteira. No anexo moravam seus dois caixeiros, um dos quais tinha uma família numerosa. Tanto as crianças quanto os caixeiros se acotovelavam em suas moradas, mas o velho ocupava sozinho o primeiro andar e ali não permitia que vivesse nem a filha, que cuidava dele e que, apesar de sofrer de uma dispneia antiga, em tais e tais horas tinha sempre de correr ao andar de cima a fim de atender a vagos apelos dele. Nesse andar "superior" havia uma infinidade de cômodos grandes, mobiliados segundo o gosto dos comerciantes antigos, com filas longas e enfadonhas de poltronas desajeitadas e cadeiras de mogno junto às paredes, lustres de cristal encapados e lúgubres espelhos nos espaços entre as janelas. Todos esses cômodos estavam inteiramente vazios e desabitados, porque o velho doente ocupava apenas um quartinho, seu pequeno e distante dormitório, onde era servido por uma velha criada de cabelos cobertos por um lenço e um "rapazinho", que ficava sentado num caixote comprido na antessala. O velho quase já não conseguia andar por causa de suas pernas inchadas, só de quando em quando se levantava de sua poltrona de couro e vez por outra a velha o acompanhava pelo quarto, segurando-o pelo braço. Ele era severo e de poucas falas até mesmo com essa velha. Quando lhe comunicaram a chegada do "capitão", ele ordenou imediatamente que não o recebessem. Mas Mítia insistiu que fosse mais uma vez anunciado. Kuzmá Kuzmitch interrogou minuciosamente o rapazinho: o que queria, qual era seu aspecto, não estaria bêbado? Não estaria fazendo desordem? E ouviu como resposta que ele estava "sóbrio, mas não queria ir embora". O velho ordenou mais uma vez que lhe negassem a entrada. E então Mítia, que previra tudo isso e para essa eventualidade trouxera de propósito papel e lápis, escreveu com clareza num pedacinho de papel a frase: "Vim tratar de um assunto da maior necessidade, intimamente vinculado a Agrafiena Alieksándrovna" — e o enviou ao velho. Depois de pensar um pouco, o velho ordenou que o rapazinho introduzisse a visita na sala e mandou que a velha descesse imediatamente com a ordem de que seu filho caçula fosse imediatamente ter com ele lá em cima. Esse caçula, homem de uns doze *vierchóks*[16] e de uma força descomunal, que se vestia e barbeava à alemã (o próprio Samsónov andava de *caftan* e usava barba), apareceu imediatamente e sem dizer palavra. Todos eles tremiam diante do pai. O velho mandara chamar esse rapagão não tanto por medo do capitão, pois de medroso não tinha nada, mas assim, apenas para alguma eventualidade, mais para ter uma testemunha. Acompanhado do filho, que o segurava pelo braço, e do rapazinho, ele finalmente apareceu na sala. É de pensar que experimentasse alguma curiosidade bastante forte. A sala em que Mítia o esperava era um cômodo imenso, lúgubre, que matava de tristeza uma pessoa, tinha duas fileiras de janelas sobrepostas, galerias, paredes revestidas de "mármore" e três imensos lustres de cristal encapados. Mítia estava sentado numa pequena cadeira junto à porta de entrada e aguardava a sua sorte com uma impaciência nervosa. Quando o velho apareceu à porta que ficava no lado oposto, a umas dez braças da cadeira de Mítia, este se levantou de um salto e foi ao encontro dele com seus passos firmes, marciais, largos. Mítia estava bem-vestido, com uma sobrecasaca abotoada, o chapéu redondo nas mãos e luvas pretas, tal qual estivera dois dias antes no mosteiro, com o *stárietz*, na reunião familiar com Fiódor Pávlovitch e os irmãos. O velho o aguardava em pé com ar importante e severo, e Mítia logo percebeu que enquanto caminhava em sua direção ele o examinara inteirinho. Ainda impressionou Mítia o rosto de Kuzmá Kuzmitch, que inchara extraordinariamente nos últimos tempos: seu lábio inferior, que já era grosso, agora parecia uma panqueca flácida. Com ar imponente e calado, fez com a cabeça uma reverência ao visitante e indicou-lhe a poltrona ao lado do sofá, sentou-se devagar no sofá diante de Mítia, apoiado na mão do filho e gemendo morbidamente, de tal sorte que o outro, vendo seus esforços doentios, logo sentiu no coração um arrependimento e um embaraçoso constrangimento por sua insignificância perto de uma pessoa tão importante, que ele vinha incomodar.

— O que deseja de mim, senhor? — pronunciou o velho de forma lenta, pausada, severa porém cortês, depois de finalmente sentar-se.

Mítia estremeceu, ia se levantando de um salto mas tornou a sentar-se. Em seguida pôs-se a falar alto, rápido, nervoso, gesticulando e tomado de um

[16] Antiga medida de comprimento russa. A altura das pessoas era medida em *vierchóks* acima de dois *archins*, sendo o *vierchók* equivalente a 4,44 cm e o *archin* a 71 cm. No caso, o personagem em questão teria quase 2 m de altura. (N. do T.)

evidente desvario. Via-se que o homem chegara ao limite, estava perdido e procurava a última saída e, se não a conseguisse, poderia lançar-se agora mesmo no rio. Tudo isso, é provável, o velho Samsónov compreendeu num piscar de olhos, embora seu rosto permanecesse inalterado e frio como o de uma estátua.

"Nobilíssimo Kuzmá Kuzmitch, o senhor provavelmente já ouviu falar mais de uma vez de minhas questões com meu pai, Fiódor Pávlovitch Karamázov, que roubou minha herança depois da morte de minha mãe... como toda a cidade anda matraqueando... porque aqui todo mundo matraqueia sobre o que não devia... Além disso, a notícia poderia lhe ter sido trazida por Grúchenka... desculpe: por Agrafiena Alieksándrovna... a Agrafiena Alieksándrovna que muito estimo, que muito respeito..." — assim começou Mítia, e parou às primeiras palavras. Mas não vamos citar toda a sua fala ao pé da letra, faremos apenas um resumo. Ocorre que ainda três meses antes ele, Mítia, aconselhara-se de caso pensado (ele disse precisamente "de caso pensado" e não "de propósito") com um advogado da capital da província, "o famoso advogado Pável Pávlovitch Kornieplódov; o senhor, Kuzmá Kuzmitch, terá provavelmente ouvido falar dele? É uma grande cabeça, dotado de uma inteligência quase de estadista... também conhece o senhor... fez as melhores referências..." — Mítia tornou a interromper-se. Mas suas interrupções não o detinham, no mesmo instante ele pulava por cima delas e ia cada vez mais em frente. Esse mesmo Kornieplódov, depois de minucioso interrogatório e do exame dos documentos que Mítia pôde lhe apresentar (a referência de Mítia aos documentos foi vaga e particularmente apressada nessa passagem), alegou que, no tocante à aldeia de Tchermachniá, que por herança da mãe deveria pertencer a ele, Mítia, realmente se podia começar uma demanda e assim deixar o velho desordeiro aturdido... "porque nem todas as portas estão fechadas e a justiça sabe por onde penetrar". Em suma, ele poderia esperar até por uns seis mil que ainda faltava receber de Fiódor Pávlovitch, até por uns sete, uma vez que Tchermachniá não custava menos do que vinte e cinco mil rublos, quer dizer, na certa uns vinte e oito, "uns trinta, uns trinta, Kuzmá Kuzmitch, mas eu, imagine o senhor, não arranquei nem dezessete daquele homem cruel!.... Pois bem, eu, Mítia, abandonei essa causa na ocasião porque não sei tratar com a justiça, mas, vindo para cá, fiquei pasmado com uma reconvenção (aqui Mítia tornou a atrapalhar-se e mais uma vez passou bruscamente por cima do assunto); então, diz ele, não desejaria o senhor, nobilíssimo Kuzmá Kuzmitch, assumir todos os meus direitos contra aquele monstro e me pagar apenas três mil... Em nenhuma circunstância o senhor sairá perdendo, isso eu juro por minha honra, por minha honra; é totalmente o contrário, o senhor pode ganhar uns seis ou sete mil em vez de três... E o principal é que se conclua esse caso 'ainda hoje mesmo'. Eu farei tudo isso em cartório, ou como... Numa palavra, estou disposto a tudo, apresento todos os documentos que se fizerem necessários, assino tudo... E agora mesmo nós poderíamos preencher inteiramente esse papel, e se fosse possível, se fosse possível hoje mesmo pela manhã... O senhor me entregaria esses três mil... porque, quem poderia se comparar com um capitalista como o senhor nesta cidadezinha?... e assim me salvaria de... numa palavra, salvaria a minha pobre cabeça para um ato nobilíssimo, para um ato sublimíssimo, pode-se dizer... porque estou imbuído dos mais nobres sentimentos por uma certa pessoa que o senhor conhece bem demais e por quem nutre uma preocupação paternal. Do contrário, se não fosse essa preocupação paternal eu não estaria aqui. Se quer saber, neste caso se chocaram três cabeças, porque o destino é um espantalho, Kuzmá Kuzmitch! Realismo, Kuzmá Kuzmitch, realismo! E como já faz tempo que o senhor devia estar fora disso, restam aí duas testas, como me exprimi talvez desajeitadamente, mas eu não sou um literato. Ou seja, só a minha testa, porque a outra é a daquele monstro. Então escolha: eu ou o monstro? Agora tudo está em suas mãos — três destinos e duas sentenças... Desculpe, perdi o fio da meada, mas o senhor compreende... estou vendo por seus respeitáveis olhos que o senhor compreendeu... E se não compreendeu, hoje mesmo eu me atiro no rio, pois é!"

Mítia interrompeu sua absurda fala com esse "pois é" e, tendo se levantado de um salto, aguardava a resposta à sua tola proposta. Depois da última frase, ele percebeu de súbito e desesperadamente que tudo fora por água abaixo e, o mais grave, que dissera terríveis disparates. "Coisa estranha, enquanto vinha para cá tudo parecia bem, mas agora vejam que disparate!" — passou-lhe num átimo pela desesperada cabeça. Durante toda a sua fala o velho permanecera ali sentado, imóvel, e o observava com uma expressão glacial no olhar. Entretanto, depois de mantê-lo por um minuto na expectativa, Kuzmá Kuzmitch finalmente pronunciou com o tom mais decidido e desolador.

— Desculpe, não tratamos de casos desse tipo.

Mítia sentiu de chofre as pernas enfraquecerem.

— Como é que eu fico agora, Kuzmá Kuzmitch? — murmurou com um sorriso amarelo. — Porque agora estou perdido; o que é que o senhor acha?

— Desculpe.

Mítia continuava postado e sempre com um olhar imóvel e fixo, e de repente notou certo movimento no rosto do velho. Estremeceu.

— Veja, senhor, negócios como esse não nos convêm — proferiu lentamente o velho —, haverá processos, advogados, uma verdadeira desgraça! Mas se o senhor quiser, há uma pessoa para este caso, dirija-se a ela...

— Meu Deus, quem é essa pessoa?... O senhor me ressuscita, Kuzmá Kuzmitch — balbuciou de súbito Mítia.

— Não é daqui, essa pessoa, e neste momento não se encontra aqui. É um camponês, negocia com madeira, seu apelido é Liágavi. Já faz um ano que vem negociando essa sua mata de Tchermachniá com Fiódor Pávlovitch, mas não se acertam no preço, talvez tenha ouvido falar. Sim, justo agora ele está novamente por aqui e hospedado na casa do padre de Ilinski, a umas doze verstas da estação de Volóvia, na aldeia de Ilinski. Ele escreveu para gente daqui e também para mim a respeito desse mesmo negócio, ou seja, dessa mata, me pediu sugestão. O próprio Fiódor Pávlovitch está pensando em ir vê-lo. Então, se o senhor se antecipasse a Fiódor Pávlovitch e propusesse a Liágavi o mesmo que me propôs, é possível que ele...

— Uma ideia genial! — interrompeu entusiasticamente Mítia. — É a ele mesmo, a ele mesmo que isso vem a calhar! Ele está tentando fazer negócio, estão lhe cobrando caro, e agora eu lhe apresento o documento de compra e venda, ah-ah-ah! — e Mítia deu uma risada com seu curto riso de madeira, de modo totalmente inesperado, de sorte que a cabeça de Samsónov até tremeu.

— Como lhe agradecer, Kuzmá Kuzmitch? — Mítia fervia.

— Não há de quê — Samsónov inclinou a cabeça.

— Mas o senhor não sabe, o senhor me salvou, oh, um pressentimento me atraiu para cá... Então, vamos a esse pope!

— Não precisa agradecer.

— Vou correndo, voando. Abusei de sua saúde. Por um século não esquecerei, é um russo que está lhe dizendo isso, Kuzmá Kuzmitch, um russo!

— É...

Mítia fez menção de segurar a mão do velho para sacudi-la, mas algo de raivoso passou de relance pelos olhos do outro. Mítia recolheu a mão, mas no mesmo instante se censurou pela cisma. "Ele está cansado..." — passou-lhe pela cabeça.

— É por ela! Por ela, Kuzmá Kuzmitch! O senhor compreende que é por ela! — rugiu de repente para toda a sala, fez uma reverência, deu uma brusca meia-volta e com os mesmos passos rápidos e largos lançou-se para a saída sem olhar para trás. Tremia de êxtase. "Ora, tudo estava indo por água abaixo e eis que um anjo da guarda salvou tudo — passava pela mente dele. — E se um homem de negócio como esse velho (nobilíssimo velho, e que postura!) indicou essa via, então... então, é claro, a coisa está ganha. Agora é voar. Volto até o anoitecer, volto à noite, mas a coisa está ganha. Será que o velho podia estar zombando de mim?" Assim exclamava Mítia a caminho de seu apartamento e, é claro, não podia lhe parecer diferente: ou era um conselho prático (de um homem de negócios como aquele) de quem conhecia o assunto, conhecia esse Liágavi (estranho sobrenome!),[17] ou — o velho havia zombado dele! Ai! essa última ideia é que era a única verdadeira. Mais tarde, muito tempo depois, quando toda a catástrofe já havia acontecido, o próprio velho Samsónov reconhecia entre risos que naquela ocasião ridicularizara o "capitão". Era um homem raivoso, frio e zombeteiro, além de ter antipatias mórbidas. Não sei se teria sido o aspecto extasiado do capitão, a tola convicção desse "gastador e perdulário" de que ele, Samsónov, poderia se deixar levar por tamanha asneira como o seu "plano", ou o ciúme que sentia de Grúchenka, em nome da qual "esse diabrete" o procurara propondo uma asneira por dinheiro — não sei o que então motivou precisamente o velho quando Mítia estava à sua frente sentindo que lhe fraquejavam as pernas e exclamava absurdamente que estava perdido — naquele instante o velho o fitou com uma raiva infinita e resolveu zombar dele. Quando Mítia saiu, Kuzmá Kuzmitch, pálido de raiva, voltou-se para o filho e mandou ordenar que doravante não houvesse ali nem sombra daquele maltrapilho, e que nem o deixassem entrar no pátio, senão...

Não concluiu a ameaça, mas até o filho, que frequentemente o via enfurecido, estremeceu de medo. Uma hora inteira depois o velho ainda tremia todo de raiva e, ao anoitecer, adoeceu e mandou chamar o "médico".

II. Liágavi

Pois bem, era preciso "galopar", e no entanto ele não tinha um copeque para pagar os cavalos, isto é, tinha duas moedas de vinte copeques e era tudo — tudo o que havia restado de tantos anos do antigo bem-estar! Mas tinha em casa um velho relógio de prata, parado fazia já muito tempo. Agarrou-o e o levou a um judeu relojoeiro, que tinha o seu tabuleiro em um bazar. Recebeu seis rublos pelo relógio. "E nem esperava tanto!" — bradou Mítia extasiado (ainda continuava extasiado), pegou os seis rublos e correu para casa. Em casa completou a quantia pegando três rublos emprestados de seus senhorios, que lhe emprestaram com prazer, apesar de entregarem o último dinheiro que tinham, tanto que gostavam dele. Em seu êxtase, Mítia lhes re-

[17] "Tira", "delator", em russo. (N. do T.)

velou no mesmo instante que seu destino estava se resolvendo e contou, com uma pressa enorme, quase todo o "plano" que acabara de apresentar a Samsónov, depois a decisão de Samsónov, suas futuras esperanças etc., etc. Mesmo antes os senhorios estavam a par de muitos dos seus segredos porque o consideravam gente *sua*, um fidalgo sem nenhum orgulho. Juntando, assim, nove rublos, Mítia mandou buscar cavalos de posta para levá-lo à estação de Volóvia. Mas, dessa maneira, ficou gravado e evidenciado o fato de que "na véspera de certo acontecimento, ao meio-dia, Mítia não tinha um copeque e que, para conseguir dinheiro, vendeu o relógio e tomou três rublos emprestados aos seus senhorios, e tudo isso na presença de testemunhas".

Registro esse fato de antemão, mais tarde se esclarecerá minha finalidade.

Depois de galopar até a estação de Volóvia, Mítia, mesmo radiante com o pressentimento de que enfim encerraria e se livraria "de todas essas questões", ainda assim tremia de medo: o que aconteceria agora com Grúchenka em sua ausência? Mas e se justo hoje ela finalmente decide ir à casa de Fiódor Pávlovitch? Eis por que ele viajara sem dizer nada a ela e mandando que os senhorios nada revelassem a respeito de onde ele se metera, se aparecesse alguém perguntando por ele. "Preciso voltar hoje à noitinha sem falta, sem falta — repetia, sacudindo-se na carroça — e talvez trazer para cá esse Liágavi... para a conclusão desse ato..." —, assim sonhava Mítia, botando a alma pela boca, mas ai!, seus sonhos estavam mais que fadados a não se realizarem segundo o seu "plano".

Em primeiro lugar, atrasou-se por ter partido da estação de Volóvia por uma estrada vicinal. Essa estrada não era de doze, mas de dezoito verstas. Em segundo lugar, não conseguiu encontrar em casa o padre de Ilínskoe, que viajara a uma aldeia vizinha. Até encontrá-lo nessa aldeia vizinha, aonde foi com os mesmos cavalos já extenuados, quase anoiteceu. O padre, de aparência tímida e afetuosa, explicou-lhe imediatamente que esse Liágavi, embora houvesse se hospedado inicialmente em sua casa, agora se encontrava em Sukháia Possiolka, e lá pernoitaria hoje na isbá do guarda, porque ali também se comerciava madeira. Aos insistentes pedidos de Mítia para levá-lo imediatamente à presença de Liágavi e "desse modo salvá-lo, por assim dizer", o padre, apesar de vacilar no início, concordou em acompanhá-lo a Sukháia Possiolka, pelo visto sentiu curiosidade; mas por azar sugeriu que fossem "a pé", uma vez que ficava apenas a uma versta "e uns quebrados". Mítia, é claro, concordou e caminhou com seus passos largos, de sorte que o coitado do padre quase corria atrás dele. O padre não era velho e era um homem muito cauteloso. Mítia começou imediatamente a lhe falar de seus planos, tomado de ardor e nervosismo, pediu-lhe conselhos sobre Liágavi e falou durante todo tempo em que caminharam. O padre o ouviu com atenção, mas lhe fez poucas sugestões. Respondia às perguntas de Mítia com evasivas: "Não sei, oh, não sei, como eu iria saber?", etc. Quando Mítia falou de suas querelas com o pai a respeito da herança, o *bátiuchka* até se assustou, porque mantinha certas relações de dependência com Fiódor Pávlovitch. Aliás, surpreso, quis saber por que ele chamava Liágavi a esse Górstkin, camponês negociante, e achou indispensável explicar a Mítia que, embora o outro fosse mesmo Liágavi, todavia não era Liágavi, porque ficava brutalmente ofendido justo com esse nome, e deviam chamá-lo obrigatoriamente de Górstkin, "caso contrário não conseguiria nada com ele e além do mais ele não iria ouvi-lo" — concluiu o *bátiuchka*. De imediato Mítia ficou um pouco surpreso e explicou que o próprio Samsónov lhe chamava assim. Ao ouvir tal coisa, o *bátiuchka* imediatamente desviou a conversa, se bem que teria agido certo esclarecendo a Dmitri Fiódorovitch essa sua conjetura: se o próprio Samsónov o mandara procurar esse mujique como Liágavi, não o teria feito por galhofa e não haveria nisso alguma maldade? Mas Mítia estava sem tempo para se deter "em semelhantes ninharias". Tinha pressa, caminhava, e só depois de chegar a Sukháia Possiolka percebeu que não haviam percorrido uma versta, nem uma e meia, mas certamente três; isso o deixou agastado, porém ele se conteve. Entraram na isbá. O guarda florestal, conhecido do *bátiuchka*, acomodava-se numa metade da isbá e na outra, na metade limpa, do outro lado do vestíbulo, acomodara-se Górstkin. Entraram nessa isbá limpa e acenderam uma vela de sebo. A isbá estava fortemente aquecida. Na mesa de pinho havia um samovar apagado, e ao lado uma bandeja com xícaras, uma garrafa de rum esvaziada, uma garrafa de vodca não totalmente bebida e restos de pão de centeio. O próprio visitante estava estirado em um banco, com a roupa de cima amarrotada sob a cabeça, como travesseiro, e roncava pesadamente. Mítia ficou atônito. "É claro que preciso acordá-lo: meu caso é importante demais, vim com muita pressa e tenho pressa de voltar hoje mesmo" — inquietou-se; mas o *bátiuchka* e o guarda calavam, não externavam sua opinião. Mítia se aproximou e começou a tentar acordá-lo, e com firmeza, mas o adormecido não acordava. "Ele está bêbado — resolveu Mítia —, o que é que eu vou fazer, meu Deus, o que é que eu vou fazer?!" E de repente, tomado de uma terrível impaciência, pôs-se a puxar o adormecido pelos braços, pelas pernas, a sacudir-lhe a cabeça, a soerguê-lo e sentá-lo no banco, e mesmo assim, depois de esforços muito longos, conseguiu apenas que o outro começasse a dar mugidos absurdos e fortes e a xingar, ainda que de maneira vaga.

— Não, é melhor o senhor esperar um pouco — disse finalmente o *bátiuchka* —, porque ele está visivelmente sem condições.

— Bebeu o dia inteiro — respondeu o guarda.

— Meu Deus! — gritava Mítia — se os senhores soubessem como estou necessitado e em que desespero me encontro!

— Não, o melhor é o senhor esperar até amanhecer — repetiu o *bátiuchka.*

— Até amanhecer? Tenha dó, isso é impossível! — E, no desespero, por pouco não se precipitou outra vez a acordar o bêbado, mas logo desistiu, compreendendo toda a inutilidade de seus esforços. O *bátiuchka* calava, o guarda sonolento estava sombrio.

— Que terríveis tragédias o realismo apronta com as pessoas! — proferiu Mítia em total desespero. O suor lhe escorria pelo rosto. Aproveitando o instante, o padre expôs de um modo muito razoável que, mesmo se conseguisse acordar o bêbado, por estar bêbado ele não estaria apto para nenhuma conversa, "e o senhor tem um assunto importante, então o mais certo é ficar até de manhãzinha...". Mítia ficou sem saber o que fazer e concordou.

— *Bátiuchka*, vou ficar aqui com a vela e aproveitar o momento. Ele acorda e então eu começo... Pela vela eu te pago — dirigiu-se ao guarda —, pelo pernoite também, hás de te lembrar de Dmitri Karamázov, só que não sei o que fazer com o senhor, *bátiuchka*; onde vai se deitar?

— Não, vou para a minha casa. Na égua dele eu chego em casa — apontou para o guarda. — Agora adeus, desejo que tudo lhe corra bem.

E assim ficou resolvido. O padre se foi na eguinha, satisfeito por finalmente se ver livre, mas ainda assim balançando a cabeça com ansiedade e meditando: não seria bom levar de antemão, amanhã, esse caso curioso ao conhecimento do meu benfeitor Fiódor Pávlovitch? "Senão pode ser que ele venha a saber, se zangue e suspenda as esmolas." O guarda coçou-se, rumou em silêncio para sua isbá, e Mítia sentou-se num banco para aproveitar o momento, segundo sua expressão. Uma profunda tristeza envolveu-lhe a alma como uma bruma pesada. Uma tristeza profunda, terrível! Estava ali sentado, pensando, mas não conseguia decidir nada. A velinha consumira-se, o cotoco de vela chiou, o cômodo aquecido ficou insuportavelmente abafado. Súbito lhe vem à imaginação o jardim, a entrada por trás do jardim, e uma porta a abrir-se misteriosamente em casa do pai, e pela porta Grúchenka entrando correndo... Ele se levanta de um salto.

— Tragédia! — proferiu rangendo os dentes, chegou-se maquinalmente ao adormecido e ficou a olhar para o seu rosto. Era um mujique descarnado, ainda moço, de rosto muito alongado, madeixas castanho-claras e de colete preto, de cujo bolso aparecia a corrente de um relógio de prata. Mítia examinava aquela fisionomia com um ódio terrível e, sabe-se lá por quê, sentia um ódio particular por vê-lo usar madeixas. O grave, o que o deixava insuportavelmente injuriado, é que ele, Mítia, estava ali diante do outro com seu caso inadiável, depois de sacrificar tanta coisa, de largar tanta coisa, totalmente extenuado, enquanto o parasita, "de quem agora depende todo meu destino, ronca como se nada estivesse acontecendo, como se fosse de outro planeta". "Oh, ironia do destino!" — exclamou Mítia e, súbito, perdendo totalmente a cabeça, lançou-se mais uma vez para acordar o mujique bêbado. Tentava acordá-lo com certa fúria, arrancá-lo dali, empurrava-o, até batia, porém, depois de uns cinco minutos de tentativas mais uma vez inúteis, voltou ao seu banco e sentou-se num desespero impotente.

— Tolice, tolice! — exclamava Mítia —, e... como tudo isso é desonesto! — acrescentou de repente não se sabe por quê. Começou a sentir uma terrível dor de cabeça: "Será o caso de largá-lo? De ir embora de vez? — passou-lhe de relance pela mente. — Não, vou até de manhã. Pois vou ficar de propósito, de propósito! Por que achei de vir depois daquilo? E ainda ir embora de mãos abanando, de que jeito vou sair daqui agora? Oh, absurdo!".

Mas sua dor de cabeça aumentava cada vez mais. Estava ali imóvel e já sem atinar como começara a cochilar e adormecera de repente, sentado. Pelo visto dormira duas horas ou mais. Acordou por causa da dor de cabeça insuportável, insuportável quase a ponto de fazê-lo gritar. As têmporas e o sincipúcio doíam; depois de acordar, demorou muito tempo para recobrar-se inteiramente e entender o que teria acontecido. Por fim apercebeu-se de que no cômodo bem aquecido exalava um terrível gás carbônico e que ele poderia ter morrido. Enquanto isso o mujique bêbado continuava estirado e roncando; a velinha derretera e estava a ponto de apagar-se. Mítia deu um grito e precipitou-se cambaleando pelo vestíbulo em direção à isbá do guarda. Este logo acordou e, ao saber que havia gás carbônico na outra isbá, mesmo tendo ido para lá tomar as providências, encarou o fato com uma indiferença que beirava o estranho, e isso surpreendeu Mítia.

— Mas ele está morto, está morto, e então... o que vai ser então? — exclamava Mítia em fúria perante o outro.

Abriram a porta, a janela, a chaminé, Mítia trouxe do vestíbulo um balde com água, primeiro molhou sua cabeça e depois, encontrando um trapo, mergulhou-o na água e o pôs na cabeça de Liágavi. O guarda continuava observando todo esse episódio até com certo desdém e, depois de abrir a janela, disse de um jeito sombrio: "Assim está bem" — e voltou para dormir, deixando com Mítia uma lanterna de ferro acesa. Mítia cuidou do intoxicado por gás carbônico coisa de meia hora, sempre lhe umedecendo a cabeça, e já estava com a séria intenção de passar o resto da noite sem dormir mas, exausto, sentou-se assim por um minuto para tomar fôlego e fechou num instante os olhos, em seguida estendeu-se inconscientemente no banco e adormeceu feito morto.

Acordou tardíssimo. Já se aproximava das nove horas da manhã. O sol resplandecia nas duas janelinhas da isbá. O mujique encaracolado da véspera estava sentado no banco, já vestido e metido numa *podióvka*.[18] Diante dele havia um novo samovar e uma nova garrafa. A garrafa da véspera já estava vazia e a nova, aberta, com mais da metade bebida. Mítia levantou-se de um salto e num piscar de olhos se deu conta de que o maldito mujique estava novamente bêbado, profunda e irreversivelmente bêbado. Olhou-o por um minuto com os olhos arregalados. O mujique olhava para ele calado e com um ar de finório, com uma tranquilidade que o deixava injuriado, até com uma presunção desdenhosa, como pareceu a Mítia. Este se precipitou para ele.

— Permita-me, veja, eu... o senhor provavelmente ouviu do guarda daqui que está na outra isbá: sou o tenente Dmitri Karamázov, filho do velho Karamázov com quem o senhor está negociando a mata...

— Estás mentindo! — escandiu de chofre e tranquilamente o mujique.

— Como mentindo? Conhece Fiódor Pávlovitch?

— Não conheço esse teu Fiódor Pávlovitch — proferiu o mujique, mexendo pesadamente a língua.

— A mata, o senhor está negociando a mata com ele; mas acorde, recobre-se. O padre Pável de Ilínskoe me acompanhou até aqui... o senhor escreveu a Samsónov e ele me mandou procurá-lo... — Mítia arfava.

— M-mentira! — tornou a escandir Liágavi.

As pernas de Mítia gelaram.

— Tenha dó, não estou brincando! O senhor talvez esteja bêbado. Enfim está em condições de entender... senão... senão eu fico sem entender nada!

— És um tintureiro!

— Tenha dó, eu sou Karamázov, Dmitri Karamázov, tenho uma proposta a lhe fazer... uma proposta vantajosa... muito vantajosa... exatamente a respeito da mata.

O mujique alisava a barba com ar importante.

— Não, tu fizeste uma empreitada e te revelaste um canalha. És um canalha!

— Eu lhe asseguro que está enganado! — Mítia torcia as mãos de de-

[18] Casaco pregueado na cintura. (N. do T.)

sespero. O mujique continuava alisando a barba, e de repente entrefechou maliciosamente os olhos.

— Não, me mostra uma coisa: me mostra uma lei que permita fazer sujeira, estás ouvindo? És um canalha, entendes isso?

Mítia recuou com ar sombrio e de repente sentiu "uma espécie de pancada na testa", como ele mesmo se expressaria mais tarde. Num piscar deu-lhe o estalo, "acendeu-se uma luzinha e captei tudo". Estava em pé petrificado, sem atinar como pudera ele, um homem apesar de tudo inteligente, deixar-se levar por tamanha tolice, atolar-se em tamanha aventura e prosseguir nisso tudo quase um dia e uma noite inteiros, meter-se com esse Liágavi, umedecer-lhe a cabeça... "Ora, o homem está bêbado, caindo de bêbado e ainda vai continuar bebendo uma semana inteira sem parar — esperar o quê? E se Samsónov tiver me mandado de propósito para cá? E se ela... Oh, Deus, o que foi que eu fiz?...".

O mujique continuava sentado, olhando para ele e rindo. Fosse outro o caso e Mítia talvez matasse esse imbecil por raiva, mas agora ele mesmo estava fraco como uma criança. Chegou-se devagarinho ao banco, pegou seu sobretudo, vestiu-o em silêncio e saiu da isbá. Não encontrou o guarda na outra isbá, lá não havia ninguém. Tirou cinquenta copeques do bolso e os pôs na mesa, pelo pernoite, pela velinha e pelo incômodo. Ao deixar a isbá, viu que ao redor só havia mata e nada mais. Saiu a esmo, sem sequer se lembrar da direção que deveria tomar ao sair dali — se para a direita ou para a esquerda; chegara ali apressadamente com o padre na noite da véspera, sem notar o caminho. Em sua alma não havia nenhuma vingança contra ninguém, nem mesmo contra Samsónov. Caminhava na mata por uma senda estreita disparatadamente, desnorteado, com "uma ideia desnorteada" e sem se preocupar em saber absolutamente para onde ir. Poderia ser vencido por uma criança que o encontrasse, tão enfraquecido ficara de repente de corpo e alma. Não obstante, deu um jeito de sair da mata: súbito se descortinaram à sua frente campos ceifados e pelados num espaço que a vista não alcançava. "Que desespero, que morte ao redor!" — repetia, sempre seguindo e seguindo em frente.

Foi salvo por uns passantes: um cocheiro conduzia um velhote comerciante pela estrada vicinal. Quando emparelharam, Mítia perguntou que caminho tomar e verificou-se que eles também iam para Volóvia. Entraram em negociação e levaram Mítia como companheiro de viagem. Umas três horas depois chegaram. Na estação de Volóvia Mítia encomendou cavalos de posta para levá-lo à cidade e de repente se deu conta de que estava com uma fome insuportável. Enquanto atrelavam os cavalos, preparam-lhe uma porção de ovos estrelados. Ele a comeu toda num ai, comeu um grande pedaço de pão, um salame que apareceu por ali e bebeu três cálices de vodca. Com as forças restauradas, animou-se e mais uma vez sua alma serenou. Voava pela estrada, apressava o cocheiro e subitamente arquitetou um plano novo e já "inquestionável" para obter "esse maldito dinheiro" ainda no mesmo dia, antes do anoitecer. "E só de pensar, só de pensar que por causa desses insignificantes três mil rublos vai por água abaixo o destino de um homem! — exclamou com desdém. — Hoje mesmo resolvo isso!". E se não fosse o pensamento continuamente fixo em Grúchenka e a preocupação com que viesse a acontecer alguma coisa com ela, ele, é possível, ficaria outra vez totalmente alegre. Mas o pensamento nela cravava-se a todo instante em sua alma como uma faca afiada. Finalmente chegaram e Mítia correu no mesmo instante para a casa de Grúchenka.

III. Lavras de ouro

Essa era justamente aquela visita de Mítia à qual Grúchenka se referira com tanto medo na conversa com Rakítin. Naquele momento ela esperava por seu "estafeta" e estava muito contente porque Mítia não aparecera na véspera nem naquele dia e, se Deus quisesse, não apareceria antes de sua partida, mas eis que ele chega de supetão. O resto nós já sabemos: para livrar-se dele, ela o convencera, num piscar de olhos, a acompanhá-la à casa de Kuzmá Samsónov, alegando uma terrível pressa de ir lá para "contar o dinheiro", e no momento em que Mítia a deixava lá, ela, ao despedir-se dele no portão de Kuzmá, arrancara-lhe a promessa de vir buscá-la depois das onze para acompanhá-la de volta à sua casa. Mítia também ficara contente com essa ordem: "Vai passar um tempo com Kuzmá, quer dizer que não vai se encontrar com Fiódor Pávlovitch... se é que não está mentindo" — acrescentou incontinenti. Mas aos olhos dele ela não parecia mentir. Ele era justamente daquele tipo de ciumento que, quando longe da mulher amada, inventa imediatamente sabe Deus que horrores a respeito do que pode acontecer com ela, que ela o estaria "traindo" por lá, mas, ao correr de volta para ela, abalado, arrasado, já irreversivelmente certo de que, apesar de tudo, ela arranjou tempo para traí-lo, ao primeiro olhar para o rosto dela, para o rosto sorridente, alegre e carinhoso dessa mulher — imediatamente cria alma nova, imediatamente afasta toda e qualquer suspeita e, tomado de uma vergonha alegre, censura a si mesmo pelo ciúme. Tendo acompanhado Grúchenka, ele se precipitou de volta para casa. Oh, quanto ainda teria de fazer nesse dia!

Pelo menos sentiu um alívio no coração. "Pois é, só preciso me informar depressa com Smierdiakóv se não aconteceu alguma coisa por lá ontem à noite, se ela não terá feito a visita a Fiódor Pávlovitch, é capaz de ter feito, oh!" — passou-lhe pela cabeça. De sorte que nem ainda tivera tempo de chegar em casa e o ciúme já voltava a fervilhar em seu coração insaciável.

Ciúme! "Otelo não é ciumento, é crédulo" — observou Púchkin, e só essa observação já é uma prova da profundidade incomum do nosso grande poeta. Otelo estava simplesmente com a alma em frangalhos e com toda sua visão de mundo turvada porque *morrera o seu ideal*. Mas Otelo não ficaria se escondendo, espionando, com olhares furtivos, ele é crédulo. Ao contrário, precisava ser açulado, incitado, atiçado com esforços extraordinários para que só assim se apercebesse da traição. Não é assim o verdadeiro ciumento. É até impossível imaginar toda a desonra e decadência moral a que um ciumento é capaz de acomodar-se sem quaisquer remorsos. E note-se que nem todos são propriamente almas torpes e sórdidas. Ao contrário, de coração elevado, de amor puro, cheios de abnegação, podem ao mesmo tempo esconder-se debaixo de mesas, subornar diaristas torpes e acomodar-se à mais indecente sordidez da espionagem e da escuta atrás das portas. Otelo não poderia se conformar com a traição por nada neste mundo — deixar de perdoar não dexaria, mas se conformar, não — embora fosse de alma pacata e pura como a alma de uma criança. Não é o mesmo que acontece com o verdadeiro ciumento: é difícil imaginar a que esse ou aquele ciumento pode acomodar-se e conformar-se e o que pode perdoar! Os ciumentos são os primeiros a perdoar, e isso todas as mulheres sabem. O ciumento pode e é capaz de perdoar depressa demais (claro, após uma terrível cena inicial), por exemplo, uma traição já quase provada, os abraços e beijos já presenciados por ele mesmo, se, por exemplo, puder ao mesmo tempo asseverar-se, de alguma maneira, de que isso aconteceu "pela última vez" e que a partir desse momento seu rival desaparecerá, irá para o fim do mundo, ou ele mesmo a levará para algum lugar em que esse terrível rival não voltará a aparecer. É claro que a conciliação acontecerá apenas por uma hora, porque, mesmo que o rival tenha realmente desaparecido, amanhã mesmo ele inventará outro, um novo, e voltará a ter ciúmes. Poder-se-ia pensar: que amor é esse que precisa ser tão vigiado, e de que vale um amor que precisa ser tão intensamente vigiado? Pois é isso que nunca irá compreender o verdadeiro ciumento; não obstante, palavra, entre eles aparecem pessoas até de coração elevado. Também é digno de nota que, estando essas mesmas pessoas de corações elevados em algum cubículo, escutando atrás da porta e espionando, ainda que, com "seus corações elevados", compreendam claramente toda a desonra em que caíram voluntariamente, mesmo assim nunca sentem remorso, ao menos enquanto se encontram nesse cubículo. Quando Mítia via Grúchenka desaparecia-lhe o ciúme e num instante ele se tornava crédulo e nobre, chegava até a se desprezar por nutrir maus sentimentos. Isto, porém, significava apenas que em seu amor por essa mulher havia algo bem mais elevado do que ele mesmo supunha e não só paixão, não só as "curvas do corpo" de que ele falara a Aliócha. Não obstante, mal Grúchenka desaparecia Mítia voltava a suspeitar que ela estivesse praticando todas as baixezas e artimanhas da traição. E aí não sentia nenhum remorso.

Pois bem, o ciúme voltava a ferver nele. Em todo caso, precisava apressar-se. A primeira coisa a fazer seria conseguir ao menos um tiquinho de dinheiro para o desaperto. Os nove rublos da véspera tinham ido quase todos na viagem e, como se sabe, sem dinheiro não se pode dar um passo a lugar nenhum. Mas, ao arquitetar seu novo plano ainda há pouco na carroça, pensara onde arranjar dinheiro também para o desaperto. Possuía um par de boas pistolas de duelo com munição, e se até então não as empenhara era porque gostava delas mais do que de tudo o que possuía. Fazia já muito tempo que conhecera ligeiramente um jovem funcionário na taverna A Capital, e aí mesmo soube por acaso que esse funcionário, solteiro e muito abastado, amava armas de paixão, comprava pistolas, revólveres, punhais, pendurava tudo nas paredes de sua casa, mostrava-os a conhecidos, vangloriava-se, era um mestre na explicação do sistema do revólver, de como carregá-lo, de como atirar com ele, etc. Sem pensar duas vezes, Mítia foi imediatamente à casa dele e lhe propôs ficar com as armas em penhor por dez rublos. O funcionário passou a persuadi-lo alegremente para que as vendesse em definitivo, mas Mítia não concordou e o outro lhe entregou os dez rublos, declarando que não lhe cobraria nenhum juro. Despediram-se amigos. Mítia estava apressado, ansioso por chegar aos fundos da casa de Fiódor Pávlovitch, ao seu caramanchão, para dali chamar depressa Smierdiakóv. Assim, porém, verificou-se mais uma vez o fato de que apenas três ou quatro horas antes de certo incidente, de que adiante muito se falará, Mítia não tinha um copeque no bolso e empenhou por dez rublos um objeto que amava, ao passo que três horas depois viu-se de repente com milhares de rublos nas mãos... Mas estou me antecipando.

No quintal de Mária Kondrátievna (vizinha de Fiódor Pávlovitch), esperava-o a notícia da doença de Smierdiakóv, que o deixou sumamente pasmado e perturbado. Ouviu o relato sobre sua queda na adega, depois sobre o ataque de epilepsia, a visita do médico, as preocupações de Fiódor Pávlovitch; soube ainda, com curiosidade, que naquela manhã o irmão Ivan Fiódorovitch acabara de partir para Moscou. "Deve ter passado por Volóvia antes de mim — pensou Dmitri Fiódorovitch, mas Smierdiakóv o preocupava terrivelmente: — Como é que vai ser agora, quem ficará vigiando, quem me manterá informado?" Começou a interrogar avidamente aquelas mulheres; não teriam elas notado algo na noite anterior? Elas não compreenderam muito bem o que ele queria saber e o dissuadiram de todo: ninguém aparecera, Ivan Fiódorovitch pernoitara, "tudo estava em perfeita ordem". Mítia ficou pensativo. Não há dúvida de que é preciso montar guarda também hoje, mas onde: aqui ou no portão de Samsónov? Ele resolveu que tanto aqui quanto lá precisava ficar de olho, mas por enquanto, por enquanto... Acontece que agora ele tinha pela frente aquele "plano" recente, um plano novo e já certo, que ele arquitetara na carroça, e cuja execução já não era mais possível adiar. Mítia resolveu sacrificar a isso uma hora: "em uma hora resolvo tudo, fico sabendo de tudo, e então, em primeiro lugar, vou à casa de Samsónov, me informo se Grúchenka estará por lá e num piscar de olhos volto para cá e aqui fico até às onze, e depois torno a ir atrás dela na casa de Samsónov para acompanhá-la de volta à sua casa". Foi essa a sua decisão.

Voou para casa, lavou-se, penteou-se, escovou a roupa, vestiu-se e foi para a casa da senhora Khokhlakova. Que azar! este era o seu "plano". Resolvera pedir três mil rublos emprestados a essa senhora. E, ressalte-se, surgiu-lhe de chofre, assim como que de repente, a estranha convicção de que ela não lhe diria não. Talvez alguém se surpreenda com o fato de que, se havia tal certeza, por que ele não procurou antes a casa dessa senhora, por assim dizer, do seu meio social, mas foi procurar Samsónov, homem de outra mentalidade, com quem ele não sabia sequer como conversar. Acontece, porém, que ele cessara quase inteiramente as relações com Khokhlakova no último mês, se bem que também antes a conhecesse mal, e ainda por cima sabia muito bem que ela mesma não conseguia suportá-lo. Esta senhora se tomara de ódio por ele desde o início simplesmente porque ele era noivo de Catierina Ivánovna, enquanto ela, sabe-se lá a razão, desejou subitamente que Catierina Ivánovna o largasse e se casasse com "o amável Ivan Fiódorovitch, educado como cavalheiro e de maneiras tão belas". Já as maneiras de Mítia ela odiava. Mítia chegava até a rir dela, e certa vez disse que essa senhora "era tão esperta e desembaraçada quanto ignorante". E eis que pouco antes, ainda pela manhã, na telega, foi ele iluminado pela ideia mais cristalina: "Ora, se ela se opõe tanto a que eu me case com Catierina Ivánovna, e a tal ponto (ele sabia que nisso ela quase chegava à histeria), então por que agora irá me recusar esses três mil justamente para que, com esse dinheiro na mão, eu deixe Cátia e me mande para sempre daqui? Se essas senhoras mimadas da alta sociedade chegam às raias da extravagância quando encasquetam com alguma coisa, então já não poupam nada para que essa coisa saia a seu modo. Além disso, ela é tão rica!" — raciocinava Mítia. No que se refere particularmente ao "plano", era a mesma coisa de antes, isto é, o oferecimento de seus direitos sobre Tchermachniá, mas já sem o objetivo comercial proposto na véspera a Samsónov, sem procurar cativar essa senhora, como o fizera com Samsónov na véspera, com a possibilidade de embolsar, em vez de três mil, o dobro da bolada, uns seis ou sete mil, mas simplesmente como uma nobre garantia da dívida. Desenvolvendo essa sua nova ideia, Mítia chegou ao êxtase, mas isso sempre lhe acontecia em todas as suas iniciativas, em todas as suas decisões intempestivas. Entregava-se apaixonadamente a toda e qualquer ideia nova que concebia. Ainda assim, quando pôs o pé no alpendre da casa da senhora Khokhlakova sentiu o súbito calafrio do pavor correr-lhe a espinha: só nesse instante teve a consciência plena, e já matematicamente nítida, de que essa era sua última esperança e de que, se desse com os burros n'água, não restaria mais nada no mundo "a não ser degolar e assaltar alguém para arrancar esses três mil, e nada mais...". Já eram sete e meia quando ele tocou a sineta.

De início a coisa lhe pareceu sorrir: mal se fez anunciar, foi imediatamente recebido com uma rapidez incomum. "É como se ela estivesse à minha espera" — passou de relance pela mente de Mítia e, ato contínuo, tão logo foi introduzido no salão a anfitriã apareceu quase correndo e lhe declarou francamente que estava à sua espera...

— Estava esperando, esperando! É que eu não conseguia nem pensar que o senhor viesse me procurar, o senhor mesmo há de convir, e entretanto estava à sua espera; admire-se do meu instinto, Dmitri Fiódorovitch, durante toda a manhã estive certa de que o senhor apareceria hoje.

— Isto é de fato surpreendente, minha senhora — pronunciou Mítia, sentando-se desajeitadamente —, no entanto estou aqui por uma questão de extraordinária importância... a mais importante de todas as questões importantes, quer dizer, para mim, senhora, só para mim, e tenho pressa...

— Sei que é por uma questão importantíssima, Dmitri Fiódorovitch, que aqui não se trata de pressentimentos, nem de retrógradas pretensões a milagres (o senhor ouviu falar do *stárietz* Zossima?); aqui, aqui se trata de matemática: o senhor não podia deixar de vir depois de tudo o que aconteceu com Catierina Ivánovna, não podia, não podia, isso é matemática.

— É o realismo da vida real, minha senhora, eis o que é isso! Entretanto, permita-me expor...

— Exatamente o realismo, Dmitri Fiódorovitch. Atualmente sou toda favorável ao realismo, estou escolada demais em assunto de milagres. O senhor ouviu falar na morte do *stárietz* Zossima?

— Não, senhora, estou ouvindo pela primeira vez — Mítia ficou um pouco surpreso. Passou-lhe de relance pela mente a imagem de Aliócha.

— Foi na noite passada, imagine...

— Senhora — interrompeu Mítia —, a única coisa que eu imagino é que estou na mais desesperada situação e que se a senhora não me ajudar tudo vai afundar e eu serei o primeiro. Desculpe a trivialidade da expressão, mas é que estou ardendo, estou com febre...

— Sei, sei que o senhor está com febre, sei de tudo, o senhor nem pode mesmo estar em outro estado de espírito, e seja lá o que o senhor venha a dizer eu estarei sabendo de tudo de antemão. Dmitri Fiódorovitch, há muito tempo venho considerando o seu destino, eu o observo e o estudo... Oh, acredite que sou uma médica da alma experiente, Dmitri Fiódorovitch.

— Senhora, se a senhora é uma médica experiente, em compensação eu sou um doente experiente — Mítia se violentava para ser amável — e pressinto que se a senhora observa tanto meu destino, irá ajudá-lo em sua ruína, para isso me permita finalmente lhe expor o plano com que me arrisquei a aparecer... e o que espero da senhora... Vim para cá, senhora...

— Não exponha, isso é secundário. E quanto à ajuda, o senhor não é o primeiro a quem ajudo, Dmitri Fiódorovitch. O senhor certamente ouviu falar de minha prima Bielmiessova; seu marido estava se arruinando, afundando, como o senhor se exprimiu sintomaticamente, Dmitri Fiódorovitch; pois bem, eu lhe sugeri abrir um haras e hoje ele é um homem próspero. O senhor tem ideia do que seja um haras, Dmitri Fiódorovitch?

— Nem a mínima, senhora, oh, senhora, nem a mínima! — bradou Mítia com uma impaciência nervosa e até fez menção de levantar-se. — Só lhe imploro, senhora, que me escute, dê-me só dois minutos para falar livremente, para que eu primeiro possa lhe expor todo o projeto com que vim para cá. Além disso careço de tempo, estou terrivelmente apressado!... — gritou Mítia em tom histérico, sentindo que ela recomeçaria imediatamente a conversa e esperando abafar a voz dela. — Vim para cá desesperado... no último grau do desespero, para lhe pedir um empréstimo de três mil rublos em dinheiro, um empréstimo, mas sob a segura, a mais segura garantia, senhora, sob a mais segura garantia! Permita-me apenas fazer uma exposição...

— Isso tudo o senhor faz depois, depois! — com um gesto de mão a senhora Khokhlakova dispensou o assunto —, e ademais já sei de antemão o que quer que o senhor venha a dizer, e eu já lhe disse isso. O senhor está pedindo uma determinada quantia, o senhor está precisando de três mil, mas vou lhe dar mais, infinitamente mais, vou salvá-lo, Dmitri Fiódorovitch, mas é preciso que o senhor me obedeça.

Mítia até voltou a pular do lugar.

— Senhora, será que a senhora é mesmo tão bondosa? — bradou tomado de um arroubo extraordinário. — Meu Deus, a senhora me salvou. A senhora está salvando um homem de morte violenta, de morte de pistola... Meu eterno agradecimento...

— Vou lhe dar infinitamente, infinitamente mais do que os três mil rublos! — bradava a senhora Khokhlakova, olhando com um sorriso resplandecente para o êxtase de Mítia.

— Infinitamente? Mas não preciso de tanto. Preciso apenas desses fatídicos três mil, e, de minha parte, vim aqui lhe dar como fiança dessa quantia minha infinita gratidão e lhe propor um plano que...

— Basta, Dmitri Fiódorovitch, é dito e feito — cortou a senhora Khokhlakova com uma casta solenidade de benfeitora. Prometi salvá-lo e vou salvá-lo. Vou salvá-lo como fiz com Biemiessov. O que o senhor acha das lavras de ouro, Dmitri Fiódorovitch?

— Das lavras de ouro, senhora! Nunca pensei nada a respeito.

— Mas em compensação eu pensei pelo senhor! Pensei e repensei! Faz um mês inteiro que venho observando o senhor com esse fim. Olhei cem vezes para o senhor, quando o senhor aparecia por aqui, e repeti cá comigo: aí está um homem enérgico que precisa ir para as lavras. Estudei até o seu andar e decidi: este homem vai descobrir muitas lavras.

— Pelo andar, senhora? — sorriu Mítia.

— Pois é, pelo andar. Por que não? Ora, será que o senhor nega que pelo andar se pode reconhecer o caráter, Dmitri Fiódorovitch? As ciências naturais confirmam a mesma coisa. Oh, agora eu sou realista, Dmitri Fiódorovitch. A partir de hoje, depois de toda essa história do mosteiro, que me deixou tão transtornada, sou totalmente realista e quero me lançar a uma atividade prática. Estou curada, basta! — como disse Turguêniev.[19]

— Mas senhora, esses três mil, que a senhora tão generosamente me prometeu emprestar...

— Não lhe escaparão, Dmitri Fiódorovitch — cortou no ato a senhora Khokhlakova —, é o mesmo que o senhor ter esses três mil no bolso, e não três mil, mas três milhões, Dmitri Fiódorovitch, e no tempo mais breve! Vou lhe expor a minha ideia: o senhor descobre uma lavra, ganha milhões, volta

[19] Referência paródica à novela *Basta*, de Turguêniev. (N. da E.)

e se torna um homem de ação, vai também nos mobilizar, nos dirigir para o bem. Será que temos de deixar tudo com os *jids*? O senhor vai construir edifícios e empresas várias. Vai ajudar os pobres e estes irão abençoá-lo. Estamos no século das estradas de ferro, Dmitri Fiódorovitch. O senhor se tornará famoso e necessário ao ministério das finanças, que anda tão desprovido. A decadência das nossas cédulas de rublo em papel está me tirando o sono, Dmitri Fiódorovitch; as pessoas mal conhecem esse meu lado...

— Senhora, senhora! — tornou a interromper Dmitri Fiódorovitch tomado de um pressentimento meio intranquilo —, eu vou seguir muito, talvez muito esse seu último conselho, esse seu conselho inteligente, senhora, e vou partir, talvez, para lá... para essas lavras... e ainda voltarei para conversar com a senhora sobre isso... até muitas vezes... mas neste momento, esses três mil que a senhora tão generosamente... Oh, eles me tirariam de uma enrascada, e se fosse possível hoje... Quer dizer, veja, não posso demorar nem mais uma hora, nem mais uma hora...

— Basta, Dmitri Fiódorovitch! — interrompeu com tenacidade a senhora Khokhlakova. — Eis a questão: ou o senhor vai ou não vai para as lavras, está plenamente decidido? Responda matematicamente.

— Irei, senhora, depois... Irei para onde a senhora quiser... Mas neste momento...

— Espere um pouco! — a senhora Khokhlakova gritou, levantou-se de um salto e precipitou-se para o seu magnífico birô, cheio de uma infinidade de gavetinhas, e começou a puxar uma gaveta após a outra, procurando algo e terrivelmente apressada.

"Três mil! — pensava Mítia, pasmando —, e agora, sem quaisquer papéis, sem um recibo... oh, isso é cavalheirismo! É uma mulher magnífica, ah se não fosse tão falastrona..."

— Aqui está! — bradou com alegria a senhora Khokhlakova, voltando para Mítia —, eis o que eu procurava!

Era um minúsculo santinho de prata num cordão, daqueles que às vezes se usam junto com a cruz no pescoço.

— É de Kíev, Dmitri Fiódorovitch — continuou ela em tom de veneração —, uma relíquia de Santa Varvara. Permita que eu mesma a coloque em seu pescoço e assim o abençoe pela nova vida e por novos feitos.

E ela realmente pôs o santinho no pescoço dele e quis ajeitá-lo. Muito acanhado, Mítia abaixou-se, pôs-se a ajudá-la e finalmente enfiou ele mesmo o santinho por baixo da gravata e do colarinho da camisa.

— Bem, agora o senhor pode ir! — proferiu a senhora Khokhlakova, voltando a sentar-se triunfalmente em seu lugar.

— Senhora, estou tão comovido... Eu não sei nem como agradecer por tais sentimentos, entretanto, se a senhora soubesse como o tempo agora me é precioso!... Essa quantia que espero tanto de sua generosidade... Oh, senhora, se a senhora é tão bondosa, tão comoventemente generosa comigo — bradou subitamente Mítia tomado de inspiração —, permita-me então lhe revelar... o que, aliás, a senhora mesma já sabe há muito tempo... que eu amo uma criatura daqui... Traí Cátia... Catierina Ivánovna, quero dizer. Oh, fui desumano e desonesto com ela, mas aqui na cidade passei a amar outra... uma mulher, senhora, talvez desprezível para a senhora, porque a senhora já sabe de tudo, mas a qual eu não posso largar de maneira nenhuma, de maneira nenhuma, e por isso esses três mil agora...

— Largue tudo, Dmitri Fiódorovitch! — interrompeu a senhora Khokhlakova com o tom mais decidido. — Largue, e especialmente as mulheres. Seu objetivo são as lavras, e não há nenhum motivo para levá-las. Depois, quando o senhor retornar dono de riqueza e fama, encontrará uma amiga do coração na mais alta sociedade. Será uma moça contemporânea, dotada de conhecimentos e sem preconceitos. Justamente a essa altura estará amadurecida a questão feminina, que acaba de surgir, e aparecerá uma nova mulher.

— Senhora, não é isso, não é isso... — Dmitri Fiódorovitch juntou as mãos, implorando.

— É isso mesmo, Dmitri Fiódorovitch, é disso mesmo que o senhor precisa, pelo que anseia sem se dar conta. Não sou nada alheia à atual questão feminina, Dmitri Fiódorovitch. O desenvolvimento da mulher, e inclusive o papel político da mulher no mais breve futuro — eis o meu ideal. Eu mesma tenho uma filha, Dmitri Fiódorovitch, e esse meu lado é pouco conhecido. Escrevi a esse respeito ao escritor Schedrín. Esse escritor me orientou tanto, me orientou tanto na missão da mulher, que no ano passado lhe enviei um bilhete anônimo com duas linhas: "Um abraço e um beijo para o senhor, meu escritor, pela mulher contemporânea; vá em frente". E assinei: "Uma mãe". Quis escrever: "Uma mãe contemporânea", mas vacilei e me detive simplesmente na mãe: nela há mais beleza moral, Dmitri Fiódorovitch, e ademais a palavra "contemporânea" lhe lembraria *O Contemporâneo*[20] — lembrança amarga para ele em função da censura de hoje... Oh, meu Deus, o que o senhor tem?

[20] Revista de literatura, política e questões sociais, fundada em 1836 por A. S. Púchkin, constantemente perseguida pelo governo e definitivamente fechada em 1866. Em suas páginas, o escritor Saltikóv-Schedrín desenvolveu intensa polêmica com as revistas *O Tempo* (*Vriêmia*, 1861-63) e *Época* (*Epokha*, 1864-65), dos irmãos Dostoiévski. (N. da E.)

— Senhora — Mítia finalmente se levantou de um salto, ficando de mãos postas diante dela e implorando impotente —, a senhora me fará chorar, senhora, se adiar o que tão generosamente...

— E chore, Dmitri Fiódorovitch, chore! São sentimentos maravilhosos... O senhor terá de percorrer esse caminho! As lágrimas o aliviarão, depois o senhor voltará e terá alegrias. Virá correndo da Sibéria para partilhar a alegria especialmente comigo...

— Mas permita também a mim — começou a berrar repentinamente Mítia —, eu lhe imploro pela última vez que me diga: posso receber hoje da senhora essa quantia prometida? Se não, quando terei precisamente de vir aqui buscá-la?

— Que quantia, Dmitri Fiódorovitch?

— Os três mil que a senhora prometeu... que a senhora tão generosamente...

— Três mil? Rublos? Oh, não, não tenho três mil — disse a senhora Khokhlakova, revelando uma surpresa tranquila. Mítia ficou aturdido...

— Então como foi que a senhora... agora... acabou de dizer... A senhora disse até que era o mesmo que eles já estivessem no meu bolso.

— Oh, não, o senhor não me entendeu direito, Dmitri Fiódorovitch, se foi assim, então o senhor não me entendeu direito. Eu estava falando das lavras... É verdade, eu lhe prometi mais, infinitamente mais do que os três mil rublos, agora estou me lembrando de tudo, mas eu tinha em vista apenas as lavras.

— Mas e o dinheiro? E os três mil? — exclamou Dmitri Fiódorovitch de um jeito absurdo.

— Oh, se estava pensando em dinheiro, eu não tenho, não tenho, não tenho dinheiro nenhum, Dmitri Fiódorovitch, estou justamente em guerra com meu administrador, por esses dias eu mesma peguei quinhentos rublos emprestados com Miússov. Não, não, dinheiro eu não tenho. E sabe, Dmitri Fiódorovitch, mesmo que eu o tivesse não lhe emprestaria. Em primeiro lugar não empresto dinheiro. Emprestar dinheiro significa arranjar briga. Mas ao senhor, particularmente ao senhor eu não emprestaria, por gostar do senhor não emprestaria para salvá-lo, não emprestaria porque o senhor só precisa de uma coisa: das lavras, das lavras e das lavras!...

— Oh, que o diabo!... — berrou de repente Mítia e deu um murro na mesa com toda a força.

— A-ai! — gritou Khokhlakova assustada e recuou voando para o canto oposto da sala.

Mítia deu de ombros e a passos rápidos saiu da sala, da casa para a rua, para a escuridão! Andava feito louco, batendo no peito, no mesmo lugar do peito em que havia batido dois dias antes diante de Aliócha quando se avistaram pela última vez à noite, no escuro, na estrada. O que significava aquela batida no próprio peito, *naquele lugar*, e o que ele queria sugerir com isso ainda era um segredo que ninguém no mundo sabia e ele não revelara nem a Aliócha naquela ocasião, mas esse segredo já continha mais do que a desonra para ele, continha a morte e o suicídio, e fora isso mesmo que ele decidira fazer se não conseguisse aqueles três mil para ressarcir Catierina Ivánovna e assim tirar do peito, "*daquele lugar do peito*", a desonra que ali carregava e que tanto lhe esmagava a consciência. Mais tarde tudo isso será plenamente explicado ao leitor, mas agora, depois que viu desaparecer sua última esperança, esse homem, fisicamente tão forte, mal deu alguns passos após deixar a casa de Khokhlakova e subitamente ficou banhado em lágrimas como uma criancinha. Caminhava aturdido e enxugava as lágrimas com a mão. Assim chegou à praça e sentiu de repente que se chocara de corpo inteiro com alguma coisa. Ouviu-se o ganido fino de uma velhota que ele por um triz não derrubou.

— Meu Deus, por pouco não me matou! Por que andas por aí à toa, diabrete!

— Como, é a senhora? — bradou Mítia depois de examinar a velhota no escuro. Era a mesma velha criada que servia a Kuzmá Samsónov e em quem Mítia havia reparado bem demais na véspera.

— E o senhor mesmo quem é, meu caro? — perguntou a velha com voz bem diferente. — Não dá para reconhecê-lo no escuro.

— A senhora mora em casa de Kuzmá Kuzmitch, trabalha para ele?

— Exatamente, *bátiuchka*, estou correndo justamente para a casa dele... Por que eu não consigo reconhecer o senhor?

— Diga-me uma coisa, mãezinha, Agrafiena Alieksándrovna está lá agora? — disse Mítia excitadíssimo com a expectativa. — Ainda há pouco eu mesmo a acompanhei até lá.

— Esteve, *bátiuchka*, esteve, ficou um pouco e foi embora.

— Como? Foi embora? — bradou Mítia. — Quando foi embora?

— Saiu no mesmo instante, passou só um minutinho lá. Contou uma historinha a Kuzmá Kuzmitch, distraiu-o e fugiu.

— Estás mentindo, maldita! — berrou Mítia.

— A-ai — gritou a velhinha, mas Mítia desapareceu sem deixar vestígio; correu com todas as forças para a casa de Morózova. Isso aconteceu no justo momento da escapada de Grúchenka para Mókroie, não mais de quinze minutos depois de sua partida. Fiênia estava na cozinha com sua avó, a cozinheira Matriona, quando de repente o “capitão” irrompeu. Ao vê-lo, Fiênia começou a berrar feito possessa.

— Estás gritando? — berrou Mítia. — Onde está ela? — Mas antes que Fiênia, paralisada de pavor, dissesse uma única palavra em resposta, ele desabou de repente ao seus pés:

— Fiênia, por nosso Cristo, diz: onde ela está?

— *Bátiuchka*, não sei de nada. Meu caro Dmitri Fiódorovitch, não sei de nada, pode me matar que eu não sei de nada — jurou Fiênia por Deus —, o senhor mesmo ainda há pouco saiu com ela daqui...

— Ela voltou, voltou!...

— Meu caro, não voltou, juro por Deus que não voltou!

— Mentira! — bradou Mítia —, só pelo teu medo sei onde ela está...

Ele saiu precipitadamente. A assustada Fiênia estava contente por ter se livrado com facilidade, mas compreendeu muito bem que ele apenas estava apressado, senão ela possivelmente teria acabado mal. No entanto, mesmo correndo dali ele surpreendeu tanto Fiênia como a velha Matriona com o mais inesperado desatino: havia na mesa um pequeno pilão de cobre, e dentro dele sua mãozinha de apenas uns dezoito centímetros. Ao precipitar-se para sair e já abrindo a porta com uma das mãos, súbito Mítia agarrou de passagem com a outra a mãozinha do pilão, meteu-a no bolso lateral e eclipsou-se.

— Ah, meu Deus, está querendo matar alguém! — Fiênia levantou os braços.

IV. No escuro

Para onde ele correu? Estava claro: “Onde ela poderia estar senão em casa de Fiódor Pávlovitch? Correu da casa de Samsónov direto para lá, agora está claro. Toda a trama, todo o embuste agora estão evidentes...”. Tudo isso voava como um redemoinho na cabeça dele. Mas ele não passou pelo pátio de Mária Kondrátievna: “Não devo ir lá, de maneira nenhuma... Para que não haja a mínima inquietação... vão comunicar e entregar no mesmo instante... É evidente que Mária Kondrátievna está no complô, Smierdiakóv também, também, estão todos subornados!”. Mudou de intenção: com uma volta grande por um beco ele contornou a casa de Fiódor Pávlovitch, passou pela rua Dmítrovskaia, atravessou depois uma pontezinha e saiu direto no beco isolado dos fundos, deserto, inabitado, que tinha de um lado as cercas de uma horta vizinha e do outro um muro alto e grosso, que envolvia em círculo o jardim de Fiódor Pávlovitch. Ali escolheu um lugar e, pela lenda que conhecia, parecia ser o mesmo por onde Lizavieta Smierdiáschaia outrora pulara o muro. "Se ela conseguiu pular — sabe Deus por que isso lhe passou de relance pela cabeça —, então como eu não haveria de conseguir?" De fato, ele deu um salto e num piscar de olhos conseguiu agarrar-se no topo do muro com uma das mãos, em seguida soergueu-se com energia, subiu de uma vez e montou no muro. Ali, bem perto do jardim, havia um banco, mas do muro avistavam-se as janelas iluminadas da casa. "É isso mesmo, o quarto do velho está iluminado, ela está lá!" — e pulou do muro no jardim. Embora soubesse que Grigori estava doente e, talvez, Smierdiakóv também, e que não havia ninguém para escutá-lo, escondeu-se instintivamente, congelou no lugar e aguçou o ouvido. Mas em toda a parte reinava um silêncio de morte e, como de propósito, total calmaria, nem um ventinho mínimo soprava.

"'E só o silêncio murmura'"[21] — não sei por que esse versinho lhe veio de relance à lembrança —, "só espero que ninguém tenha me ouvido pular; parece que não". Depois de um minuto postado, caminhou devagarzinho pelo jardim, sobre a grama; contornando as árvores e os arbustos, caminhou demoradamente, disfarçando cada passo, escutando cada passo que dava. Levou uns cinco minutos para se aproximar de uma janela iluminada. Lembrou-se de que ali, debaixo das próprias janelas, havia algumas moitas grandes, altas e frondosas de sabugueiro e viburno. A porta de saída da casa para o jardim, à esquerda da frente, estava fechada, e isso ele examinou propositai e minuciosamente ao passar. Por fim chegou às moitas e escondeu-se atrás delas. Não conseguia respirar. "Agora preciso esperar — pensou —, se eles tiverem ouvido os meus passos e agora estiverem à escuta, então, para despistá-los é só eu não tossir nem espirrar..."

Aguardou uns dois minutos, mas seu coração batia terrivelmente e por instantes quase o deixava sufocado. "Não, essas batidas do coração não vão passar — pensou —, não posso esperar mais." Estava em pé na sombra atrás de um arbusto; a luz da janela iluminava a metade frontal do arbusto. "O viburno, as amoras, como são vermelhas!" — murmurou sem saber por quê. Chegou-se à janela devagarzinho, em passos cadenciados e silenciosos, e ficou na ponta dos pés. Todo o quarto de Fiódor Pávlovitch lhe apareceu como na palma da mão. Era um quarto pequeno, todo dividido transversalmente por pequenos biombos vermelhos, por "chineses", como lhes chamava Fiódor Pávlovitch. Os "chineses" — passou pela mente de Mítia —, e atrás

[21] Citação modificada de *Ruslam e Liudmila*, de Púchkin: "E me parece... o silêncio murmura".

dos biombos está Grúchenka. Pôs-se a observar Fiódor Pávlovitch atentamente. Ele vestia seu novo roupão de seda listrado, que Mítia ainda não havia visto, cintado por um cordão de seda com borlas. Por baixo do roupão aberto aparecia uma elegante camisa limpa, uma fina camisa de holanda com abotoaduras douradas. Na cabeça de Fiódor Pávlovitch estava a mesma faixa vermelha que Aliócha tinha visto nele. "Trocou de roupa" — pensou Mítia. Postado perto da janela, Fiódor Pávlovitch parecia meditar; levantou de súbito a cabeça, aguçou levemente o ouvido e, sem nada escutar, foi até a mesa, serviu de uma garrafa meio cálice de conhaque e bebeu. Em seguida encheu o peito num suspiro, tornou a postar-se, foi distraidamente ao espelho entre as janelas, com a mão direita levantou um pouco a faixa vermelha da testa e ficou examinando suas equimoses e feridas, que ainda não haviam sarado. "Está só — pensou Mítia —, tudo indica que está só." Fiódor Pávlovitch afastou-se do espelho, guinou subitamente para a janela e olhou por ela. Num piscar de olhos Mítia recuou para a sombra.

"Talvez ela esteja no quarto dele atrás dos biombos, talvez já esteja até dormindo" — sentiu uma pontada o coração. Fiódor Pávlovitch afastou-se da janela. "Ele a estava procurando pela janela, logo, ela não está aí: por que ele fica olhando para o escuro?... quer dizer que a impaciência o está devorando..." Mítia ergueu-se imediatamente e ficou outra vez a olhar pela janela. O velho já estava sentado diante da mesinha, pelo visto entristecido. Por fim, pôs os cotovelos na mesa e apoiou a face na mão direita. Mítia o examinava avidamente.

"Está só, só! — tornou a afirmar. — Se ela estivesse aqui, ele estaria com outra cara." Coisa estranha: ferveu de repente em seu coração um despeito absurdo e esquisito pelo fato de que ela não estava ali. "Isso não é porque ela não está aqui — Mítia apercebeu-se e respondeu de imediato a si próprio —, mas porque certamente não tenho nenhum meio de saber se ela está ou não está aqui." Mais tarde o próprio Mítia recordou que naquele momento sua mente estava excepcionalmente clara e ele compreendia tudo nos mínimos detalhes, captando cada minúcia. Mas o aborrecimento, o aborrecimento de não ver e de estar indeciso crescia em seu coração com desmedida rapidez. "Enfim, ela está ou não está aqui?" — ferveu-lhe raivosamente no coração. E súbito ele se decidiu, estendeu o braço e bateu baixinho no caixilho da janela. Bateu fazendo o sinal combinado pelo velho com Smierdiakóv: nas duas primeiras vezes devagar, depois três vezes mais depressa: tuc-tuc-tuc — sinal que significava que "Grúchenka chegou". O velho estremeceu, levantou a cabeça, ergueu-se de um salto e correu à janela. Mítia recuou para a sombra. Fiódor Pávlovitch abriu a janela e pôs toda a cabeça para fora.

— Grúchenka, és tu? Serás tu? — pronunciou meio murmurando e com voz trêmula. — Onde estás, mãezinha, anjinho, onde estás? — Ele estava numa terrível inquietação, arfava.

"Está só!" — decidiu Mítia.

— Onde estás? — tornou a gritar o velho e enfiou ainda mais a cabeça pela janela, enfiou a cabeça e os ombros, olhando para todos os lados, à direita e à esquerda. — Vem cá; preparei um presentinho, vem, eu te mostro!...

"Está falando do pacote com os três mil" — passou pela cabeça de Mítia.

— Mas onde estás?... Ou será que estás à porta? Agora mesmo vou abrir...

E o velho por pouco não saiu pela janela ao olhar à direita, para o lado em que ficava a porta que dava para o jardim, tentando enxergar no escuro. Em um segundo correria sem falta para abrir a porta, sem esperar a resposta de Grúchenka. Mítia olhava de lado e não se mexia. Todo o perfil do velho, que tanto o repugnava, toda a flácida papada, o nariz em gancho, os lábios que sorriam numa expectativa melosa, tudo isso era iluminado com nitidez pela luz oblíqua da lâmpada que saía do quarto pela esquerda. Uma raiva terrível e desvairada ferveu de repente no coração de Mítia: "Aí está ele, o seu rival, o seu torturador, o torturador de sua vida!". Era o afluxo daquele ódio mais intempestivo, vingativo e desvairado, que ele, como se o pressentisse, anunciara a Aliócha, na conversa com ele no caramanchão quatro dias antes, quando Aliócha lhe perguntara: "Como podes dizer que matarás nosso pai?".

"Bem, não sei, não sei — dissera-lhe então —, pode ser que não mate, mas pode ser que mate. Temo que de repente ele se torne odioso para mim *pela cara que fizer na hora agá*. Odeio a papada dele, o nariz dele, os olhos dele, sua zombaria desavergonhada. Sinto um asco pessoal. Eis o que eu temo: vá que não consiga me conter..."

O asco pessoal crescia insuportavelmente. Mítia estava fora de si e de repente arrancou do bolso a mão do pilão de cobre...

....

"Deus — como o próprio Mítia diria mais tarde — me vigiou naquele momento": justo nesse instante o doente Grigori Vassílievitch acordou em seu leito. Na noite daquele mesmo dia ele aplicara em si mesmo o famoso tratamento relatado por Smierdiakóv a Ivan Fiódorovitch, ou seja, friccionou todo o corpo, com a ajuda da mulher, usando vodca misturada a uma infusão tonificante secreta, bebeu o resto acompanhado de "uma certa reza" proferida sobre ele pela esposa, e deitou-se para dormir. Marfa Ignátievna também experimentou a infusão e, sendo abstêmia, adormeceu um sono de morte ao lado do marido. Mas eis que, de modo totalmente inesperado, Grigori acordou de chofre no meio da noite, refletiu um instante e, embora logo voltasse a sentir uma dor pungente na região lombar, ergueu-se na cama. Em seguida tornou a refletir, levantou-se e vestiu-se às pressas. Talvez estivesse picado pelo remorso, porque ele dormia enquanto a casa ficava sem vigia "num momento tão perigoso". Debilitado pela epilepsia, Smierdiakóv jazia estirado e imóvel no outro cubículo. Marfa Ignátievna não se mexia. "Bateu a fraqueza na mulher"— pensou Grigori Vassílievitch olhando para ela e saiu gemendo para o alpendrezinho. É claro que ele saiu apenas para dar uma olhada no alpendrezinho, porque não estava com forças para andar, a dor na região lombar e na perna direita era insuportável. Mas de súbito lembrou-se justamente de que não havia fechado à chave o portãozinho do jardim quando anoitecera. Era um homem sumamente cuidadoso e preciso ao extremo, homem extremamente cuidadoso e pontual, de hábitos arraigados e antigos. Coxeando e torcendo-se de dor, desceu do alpendrezinho e caminhou para o jardim. Dito e feito: o portãozinho estava escancarado. Ele entrou maquinalmente no jardim: talvez tivesse lobrigado alguma coisa, talvez ouvido algum som, porém, ao olhar para a esquerda, viu a janela do quarto do senhor aberta, a janelinha já deserta e sem mais ninguém olhando por ela. "Por que está aberta? não estamos no verão!" — pensou Grigori, e súbito, justo neste mesmo instante lobrigou alguma coisa incomum bem à sua frente no jardim. Uns quarenta passos à sua frente teve a impressão de ver uma pessoa correndo no escuro, uma sombra movendo-se com muita rapidez. "Meu Deus!" — disse Grigori e, fora de si, esqueceu a dor na região lombar e correu para cortar o caminho ao fugitivo. Tomou um atalho, certamente conhecia o jardim melhor do que o fugitivo. Este tomou a direção do quarto de banho, correu para trás dele, lançou-se contra o muro... Grigori o seguia sem perdê-lo de vista e corria feito um alucinado. Alcançou o muro no justo momento em que o fugitivo já o estava pulando. Fora de si, Grigori deu um berro, lançou-se e agarrou-se com ambas as mãos à sua perna.

Dito e feito: o pressentimento não o traíra; reconhecera-o, era ele, o "monstro parricida"!

— Parricida! — gritou o velho para todo o entorno, mas foi só isso que conseguiu gritar; caiu de chofre como alguém fulminado por um raio. Mítia voltou a pular para o jardim e inclinou-se sobre o velho abatido. Segurava a mãozinha do pilão de cobre e a atirou maquinalmente na grama. Ela caiu a dois passos de Grigori, não no meio da grama, mas numa vereda, no lugar mais visível. Durante alguns segundos Mítia examinou o corpo deitado à sua frente. A cabeça do velho estava toda em sangue. Mítia estirou o braço e começou a apalpá-la. Mais tarde, recordou com nitidez que naquele instante tivera imensa vontade de "certificar-se plenamente" se teria ou não fraturado o crânio do velho ou apenas o deixara "aturdido" com a pancada que lhe dera na têmpora com a mãozinha do pilão. Mas o sangue escorria, jorrava, e num instante banhou com um jato quente os dedos trêmulos de Mítia. Lembrava-se de que tirara do bolso seu lenço branco novo, que pegara quando ia à casa de Khokhlakova, e o pusera na cabeça do velho, procurando absurdamente enxugar o sangue da testa e do rosto. Mas num piscar de olhos o lenço também ficou todo encharcado de sangue. "Meu Deus, para que eu fiz isso? — recobrou-se Mítia subitamente — agora como vou saber se fraturei o crânio... E isso agora faz alguma diferença? — acrescentou em desespero —, matei, então está matado... O velho se deixou apanhar, pois fique aí estirado!" — proferiu em voz alta e lançou-se de chofre sobre o muro, pulou para o beco e se pôs a correr. Segurava o lenço encharcado de sangue na mão direita fechada e na correria o meteu no bolso traseiro da sobrecasaca. Ia em desabalada carreira, e alguns raros passantes que cruzaram com ele pelas ruas da cidade naquela escuridão, mais tarde recordaram que naquela noite haviam cruzado com um homem que corria como um alucinado. Tornava a voar para a casa de Morózova. Pouco antes, assim que saíra, Fiênia correra para o velho porteiro Nazar Ivánovitch e implorara em nome de Cristo que ele "não deixasse mais o capitão entrar, nem hoje, nem amanhã". Após ouvi-la, Nazar Ivánovitch concordou. Mas, por azar, ausentara-se para o quarto do senhor no andar de cima, onde o chamaram inesperadamente, e encontrando de passagem seu sobrinho, um rapaz de uns vinte anos, que só recentemente chegara do campo, ordenou que ficasse no pátio mas se esqueceu de lhe dar a ordem sobre o capitão. Chegando ao portão, Mítia bateu. O rapaz o reconheceu imediatamente: mais de uma vez Mítia já lhe dera gorjeta. Ele lhe abriu imediatamente o portão, deixou-o entrar e, sorrindo alegremente, apressou-se em informar que "Agrafiena Alieksándrovna não está em casa neste momento".

— Mas onde está ela, Prókhor? — Mítia parou de supetão.

— Viajou faz pouco, umas duas horas, com Timofiêi para Mókroie.

— Por quê? — gritou Mítia.

— Isso não posso saber, foi se encontrar com não sei que oficial, alguém mandou chamá-la de lá e lhe enviou os cavalos...

Mítia o deixou e correu como louco à procura de Fiênia.

V. Uma decisão repentina

Ela estava na cozinha com a avó e as duas se preparavam para dormir. Confiando em Nazar Ivánovitch, mais uma vez deixaram de fechar as portas por dentro. Mítia irrompeu, lançou-se para Fiênia e a agarrou com força pela garganta.

— Fala agora, onde está ela, com quem está neste momento em Mókroie? — começou a vociferar desvairadamente.

As duas mulheres estremeceram.

— Ai, vou dizer, ai, vou dizer, caro Dmitri Fiódorovitch, vou dizer tudo agora mesmo, não vou esconder nada — Fiênia matraqueou em voz alta, morrendo de medo. — Foi para Mókroie se encontrar com o oficial.

— Com que oficial? — vociferou Mítia.

— Com o antigo oficial, com aquele mesmo, aquele seu oficial de cinco anos atrás, que esteve com ela, a largou e foi embora — gritou Fiênia com o mesmo matraqueado.

Dmitri Fiódorovitch retirou as mãos que lhe apertavam a garganta. Estava postado diante dela pálido como um cadáver e mudo, mas por seu olhar dava para perceber que compreendera tudo de um estalo, tudo, tudo de um estalo e sem mais palavras até o último detalhe, e que adivinhara tudo. É claro que não era a pobre Fiênia que haveria de observar nesse instante se ele compreendera ou não. Ela, do jeito que estava sentada no baú quando ele irrompeu, permanecia agora, toda trêmula, com as mãos para a frente como se quisesse defender-se, congelara nessa posição. Cravara nele as pupilas de seus olhos assustados, imóveis e dilatadas pelo pavor. Para completar, ele ainda estava com as mãos manchadas de sangue. Talvez ao correr para lá as tivesse levado à testa para limpar o suor do rosto, o que deixara a face direita lambuzada por manchas vermelhas de sangue. Fiênia estava a ponto de ter um ataque de histeria, a velha cozinheira se levantara de um salto e olhava como louca, quase inconsciente. Dmitri Fiódorovitch permaneceu postado cerca de um minuto e súbito arriou maquinalmente numa cadeira ao lado de Fiênia.

Ficou ali sentado, não propriamente refletindo mas com um jeito assustado, como alguém tomado de certo pasmo. Tudo, porém, estava claro como o dia: esse oficial — ele sabia de sua existência, e sabia perfeitamente de tudo, ficara sabendo através da própria Grúchenka, sabia que um mês antes ele enviara uma carta. Quer dizer que até agora, até a vinda desse novo homem mantiveram o assunto profundamente escondido dele, durante um mês, um mês inteiro, e ele nem chegara a pensar no fulano! Mas como pôde, como ele pôde não pensar no outro? Por que, apesar de tudo, esquecera então daquele oficial, esquecera-o no mesmo instante em que tomara conhecimento de sua existência? Eis uma questão que se colocava diante dele como um monstro. E ele contemplava esse monstro realmente assustado, gelado de susto.

Mas súbito ele começou a conversar com Fiênia em voz serena e dócil, como uma criança serena e carinhosa, como se tivesse esquecido inteiramente que acabara de assustá-la, ofendê-la e afligi-la. Começou a interrogar Fiênia com uma precisão extraordinária e até surpreendente em sua situação. E Fiênia, embora olhasse aterrorizada para suas mãos ensanguentadas, também começou a lhe responder cada pergunta com uma disposição e uma pressa surpreendentes, até se precipitando em lhe dizer toda a "verdade verdadeira". Pouco a pouco, começou a expor, e até com certa alegria, todos os detalhes, sem qualquer intenção de angustiá-lo, mas como se tivesse pressa de usar de todas as forças para lhe ser obsequiosa de coração. Contou-lhe até o último detalhe também sobre tudo o que ocorrera nesse dia, a visita de Rakítin e Aliócha, como ela, Fiênia, ficara vigiando, que ao partir a senhora gritara da janelinha para Aliócha mandando uma saudação a ele, Mítienka, e dizendo que este "se lembrasse eternamente de que ela o amara por uma horinha". Ao ouvir sobre a saudação Mítia deu um súbito riso e um rubor se estampou em suas faces pálidas. Nesse mesmo instante Fiênia lhe disse, já sem um pingo de medo por sua curiosidade:

— Como estão suas mãos, Dmitri Fiódorovitch, cobertas de sangue!

— É — respondeu Mítia maquinalmente, olhando distraído para as mãos e esquecendo-as no ato, bem como a pergunta de Fiênia. Voltara a mergulhar no silêncio. Desde que irrompera ali já se haviam passado uns vinte minutos. Seu susto de há pouco passara, mas dava para notar que já estava plenamente dominado por uma nova decisão inexorável. Levantou--se de supetão e sorriu com ar pensativo.

— Senhor, o que lhe aconteceu? — perguntou Fiênia, apontando mais uma vez para as mãos, e falou em um tom de lamento, como se nessa ocasião fosse a criatura mais próxima a ele em sua desgraça.

Mítia tornou a olhar para as mãos.

— É sangue, Fiênia — pronunciou, olhando para ela com uma expressão estranha —, é sangue humano e, meu Deus, para que foi derramado? No entanto... Fiênia... existe um muro (olhava para ela como se lhe propusesse um enigma), um muro alto e de aspecto terrível, mas... ao raiar o dia de amanhã, quando "o sol se levantar", Mítienka vai saltar esse muro... Tu não estás entendendo que muro é esse, Fiênia, mas não tem importância... seja como for, amanhã ouvirás falar e compreenderás tudo... mas agora adeus! Não vou atrapalhar e me afastarei, saberei me afastar. Vive, meu bem... tu me amaste por uma horinha, então te lembra para todo o sempre de Mítienka Karamázov... Sim, porque ela sempre me chamava de Mítienka, estás lembrada?

E com essas palavras deixou subitamente a cozinha. Mas Fiênia quase sentiu mais medo dessa saída do que pouco antes sentira da entrada abrupta e da investida dele contra ela.

Exatos dez minutos depois Dmitri Fiódorovitch entrou na casa do jovem funcionário Piotr Ilitch Pierkhótin, com quem empenhara as pistolas pouco antes. Já eram oito e meia e Piotr Ilitch, que se fartara de chá em sua casa, acabava de pôr mais uma vez a sobrecasaca com o intuito de ir à taverna A Capital jogar bilhar. Mítia o alcançou à saída. O outro, vendo-o com o rosto sujo de sangue, não fez senão exclamar:

— Meu Deus! O que aconteceu com o senhor?

— Veja só — proferiu rapidamente Mítia —, vim buscar minhas pistolas e trouxe seu dinheiro. Estou agradecido. Tenho pressa, Piotr Ilitch, por favor, depressa.

Piotr Ilitch ia ficando cada vez mais surpreso: súbito viu um bolo de dinheiro nas mãos de Mítia e, o mais sério, que ele segurava esse bolo e havia entrado com ele de um jeito como ninguém segura dinheiro nem entra com ele em lugar nenhum: trazia todas as notas na mão direita, com a mão à frente, como se quisesse mostrá-las. O menino, criado do funcionário, que dera com Mítia na antessala, contava depois que ele entrara daquele mesmo jeito na antessala, com o dinheiro na mão; logo, também o trouxera do mesmo jeito pela rua, com a mão direita à frente. As notas eram todas de cem rublos, irisadas, e ele as segurava com os dedos ensanguentados. Depois, respondendo a perguntas feitas bem mais tarde por pessoas interessadas em saber quanto havia de dinheiro, Piotr Ilich declarou que era difícil contá-lo de vista, talvez houvesse uns dois mil, quiçá três mil rublos, mas que o bolo era grande, "grosso". O próprio Dmitri Fiódorovitch, conforme declarou igualmente mais tarde, "também estava como que meio perturbado, mas não bêbado e sim numa espécie de êxtase, muito distraído e ao mesmo tempo também aparentemente concentrado, como se pensasse em alguma coisa com que se debatia sem conseguir resolver. Tinha muita pressa, dava respostas bruscas, muito estranhas, por instantes parecia não sentir nenhum pesar e até estar alegre".

— Mas o que é que está havendo com o senhor agora? — tornou a bradar Piotr Ilitch, olhando aterrorizado para o visitante. — Como é que o senhor ficou tão ensanguentado assim, terá caído? Olhe!

Segurou-o pelo cotovelo e o pôs diante do espelho. Ao ver o rosto manchado de sangue, Mítia estremeceu e franziu o cenho com ira.

— Eh, diabo! Só faltava essa — murmurou com raiva, passou rapidamente as notas da mão direita para a esquerda e arrancou convulsivamente o lenço do bolso. Mas o lenço também estava encharcado de sangue (com esse mesmo lenço limpara a cabeça e o rosto de Grigori): não havia quase nenhum ponto branco, e ele não começara propriamente a secar, mas formava algo como uma bola endurecida e não queria abrir-se. Mítia o arremessou com raiva no chão.

— Eh, diabo! O senhor não terá um trapo qualquer... seria bom me enxugar...

— O senhor está apenas sujo, não estará ferido? Então o melhor é lavar-se — respondeu Piotr Ilitch. — Aqui está o lavatório, eu lhe dou água.

— Lavatório? Isso é bom... mas onde vou meter isto? — já tomado de uma perplexidade totalmente estranha, ele mostrou a Piotr Ilitch seu bolo de notas de cem, fitando-o como se o outro devesse resolver onde ele meteria seu dinheiro.

— Ponha no bolso ou ali naquela mesa, não vai sumir.

— No bolso? Sim, no bolso. Está bem... Não, veja, tudo isso é tolice! — bradou como se de repente saísse do alheamento. — Veja: primeiro, vamos concluir essa questão das pistolas, o senhor as devolve e aqui está seu dinheiro... Porque preciso muito, muito... e de tempo, de tempo não tenho um pingo...

E tirou do bolo a nota de cem que estava em cima, entregando-a ao funcionário.

— Mas eu não tenho troco — observou o outro —, não tem trocado?

— Não — disse Mítia, tornando a olhar para o bolo e, como se estivesse inseguro de suas palavras, examinou com os dedos umas duas ou três das notas de cima —, não, são todas iguais — acrescentou e tornou a olhar com ar interrogativo para Piotr Ilitch.

— Como foi que o senhor conseguiu ficar tão rico? — perguntou o outro. — Espere, vou mandar meu menino correr à venda dos Plótnikov. Eles fecham tarde, talvez troquem. Ei, Micha! — gritou para a antessala.

— À venda dos Plótnikov — magnífico! — gritou Mítia, como se alguma ideia lhe viesse à cabeça. — Micha — voltou-se para o menino que entrara —, vê, corre à venda dos Plótnikov e diz que Dmitri Fiódorovitch manda uma saudação e ele mesmo vai aparecer... E ouve, ouve: que até a chegada dele preparem champanhe, umas três dúzias, e empilhem como daquela vez em que ele foi para Mókroie... Daquela vez comprei quatro dúzias —

virou-se subitamente para Piotr Ilitch —, eles já sabem, não se preocupe, Micha — tornou a voltar-se para o menino. — E ouve: que eles botem queijo, tortas de Estrasburgo, salmão defumado, presunto, caviar, bem, de tudo, de tudo o que eles tiverem lá, uns cem ou cento e vinte rublos, como da outra vez... Ouve mais: que não esqueçam os doces, os rebuçados, peras, umas duas ou três... ou quatro melancias — não, basta uma melancia, e que ponham também chocolate, balas, bombons de frutas, bem, de tudo o que eles me arranjaram daquela vez para Mókroie, e uns trezentos rublos de champanhe... Pois bem, que agora também seja como daquela vez. E lembra-te mais, Micha, se tu, Micha... Ele se chama Micha, não? — tornou a dirigir-se a Piotr Ilitch.

— Espere — interrompeu Piotr Ilitch, ouvindo-o com inquietação e ponderando —, é melhor o senhor mesmo ir lá e dizer o que quer, senão ele vai confundir.

— Vai confundir, estou vendo que vai confundir! É, Micha, eu queria te dar um beijo pela comissão... se não fizeres confusão, te dou dez rublos, corre depressa... Champanhe, o principal é que não se esqueçam de botar champanhe, e conhaque também, e vinho tinto e branco, e tudo como da outra vez... Ora, eles sabem como foi da outra vez.

— Mas o senhor me escute! — interrompeu Piotr Ilitch já impaciente. — Estou dizendo: que ele corra até lá apenas para trocar a nota e transmita a ordem para que não fechem, e o senhor mesmo irá até lá fazer a encomenda... Dê-me sua nota. Micha, depressa, um pé lá e outro cá! — Parece que Piotr Ilitch apressou Micha porque este, do jeito que se postara diante do visitante e arregalara os olhos para o seu rosto ensanguentado e as mãos ensanguentadas que seguravam o bolo de dinheiro entre os dedos trêmulos, continuava boquiaberto, tomado de surpresa e pavor, provavelmente compreendendo pouca coisa de toda a ordem que Mítia lhe dera.

— Bem, agora vamos nos lavar — disse severamente Piotr Ilitch. — Ponha o dinheiro em cima da mesa ou meta-o no bolso... Ah, sim, vamos. Mas tire a sobrecasaca.

E pôs-se a ajudá-lo a tirar a sobrecasaca, mas de repente tornou a gritar:

— Veja, sua sobrecasaca também está ensanguentada!

— Não... não é a sobrecasaca. É só um pouco aqui na manga... E é só aqui onde estava o lenço. Escorreu do bolso. Sentei-me no lenço quando estava em casa de Fiênia, e aí o sangue escorreu — explicou Mítia de chofre com uma credulidade surpreendente. Piotr Ilitch o escutou de cenho franzido.

— O senhor andou aprontando: deve ter brigado com alguém — murmurou. Mítia começou a lavar-se. Piotr Ilitch segurava o jarro e derramava a água. Mítia estava com pressa e lavou mal as mãos. (As mãos lhe tremiam, como Piotr Ilitch recordou mais tarde.) No mesmo instante, Piotr Ilitch mandou que ele se lavasse mais e se esfregasse mais. Parecia ter assumido certa prevalência sobre Mítia nesse instante, que aumentava conforme o tempo ia passando. Observemos a propósito: o jovem não era de índole tímida.

— Veja, não lavou debaixo das unhas; bem, agora esfregue o rosto, nesse ponto aqui: nas têmporas, junto das orelhas... Vai com essa camisa? Para onde vai assim! Veja, o punho da manga direita está ensanguentado.

— Sim, ensanguentado — observou Mítia examinando o punho da manga.

— Então troque a camisa.

— Não tenho tempo. Eu, veja, veja... — continuava Mítia com a mesma credulidade, já enxugando com uma toalha o rosto e as mãos e pondo a sobrecasaca — vou arregaçar a extremidade da manga e ninguém a verá por baixo da sobrecasaca... Veja!

— Agora me diga: onde isso lhe aconteceu? Andou brigando, com quem? Não terá sido de novo na taverna, como da outra vez? E novamente com o capitão, como da outra vez, quando o espancou e o arrastou? — lembrava Piotr Ilitch num tom meio de censura. — Quem mais o senhor espancou... Ou matou talvez?

— Tolice! — proferiu Mítia.

— Como tolice?

— Não importa — disse Mítia e deu um súbito risinho. — Eu acabei de atropelar uma velhinha na praça.

— De atropelar? Uma velhinha?

— Um velho! — bradou Mítia olhando Piotr Ilitch direto no rosto, rindo e gritando para ele como para um surdo.

— Ah, com os diabos, um velho, uma velhinha... Terá matado alguém?

— Nós fizemos as pazes. Nos engalfinhamos — e fizemos as pazes. No mesmo lugar. Separamo-nos amigos. Um imbecil... me perdoou...agora certamente já perdoou... Se se levantasse não perdoaria mesmo — Mítia deu uma súbita piscadela —, quer saber, que vá para o inferno, está ouvindo, Piotr Ilitch? para o inferno; não falemos nisso! Neste momento não quero! — cortou Mítia com firmeza.

— Estou querendo dizer que o senhor é chegado a meter-se com qualquer um... como se meteu daquela vez com aquele capitão por umas bobagens... Brigou, e agora voa para a farra — esse é o seu gênio. Três dúzias de champanhe — para que tanto?

— Bravo! Agora me dê as pistolas. Juro que estou sem tempo. Estava querendo conversar contigo,[22] meu caro, mas não tenho tempo. E ademais é totalmente dispensável, é tarde demais. Ah, onde está o dinheiro, onde eu o meti? — bradou e pôs-se a enfiar as mãos pelos bolsos.

— O senhor o pôs em cima da mesa... o senhor mesmo... veja, ali está. Esqueceu? Realmente, dinheiro em suas mãos é como se fosse lixo ou água. Aqui estão suas pistolas. Estranho, ainda há pouco, entre cinco e seis horas, o senhor as empenhou por dez rublos, e veja-se agora, está com uns mil. Na certa uns dois ou três, não?

— Na certa três — riu Mítia, enfiando o dinheiro no bolso lateral da calça.

— Vai acabar perdendo-o. Estará explorando lavras de ouro?

— Lavras? As lavras de ouro! — bradou com toda a força e rolou de rir. — Pierkhótin, quer ir para as lavras? Agora mesmo uma senhora daqui lhe dará generosamente três mil para que você parta para lá. Ela me deu generosamente essa quantia, é gostar muito de lavras! Conhece Khokhlakova?

— Não conheço, mas já ouvi falar dela e a vi. Não me diga que ela que lhe deu três mil? Assim, sem mais nem menos? — Piotr Ilitch olhava desconfiado.

— Pois bem, amanhã, assim que o sol sair, que Febo, o eternamente jovem, se levantar, louvando e glorificando a Deus, o senhor vá à casa dela, de Khokhlakova, e pergunte a ela mesma: deu-me ou não os três mil rublos? Informe-se.

— Não conheço suas relações com ela... já que o senhor fala de maneira tão afirmativa, significa que ela deu... E com dinheiro na mão o senhor cai na farra, em vez de ir para a Sibéria. E aonde o senhor está indo mesmo agora, hein?

— A Mókroie.

— A Mókroie? Ora, mas já é noite.

— Estava Mastriúk com tudo, ficou Mastriúk sem nada! — proferiu subitamente Mítia.[23]

— Como sem nada? Com todos esses milhares no bolso e ainda sem nada?

[22] Mítia trata Piotr Ilitch ora por "o senhor", ora por "tu". Mais adiante, Piotr Ilitch também misturará as formas de tratamento. (N. do T.)

[23] Verso da canção popular russa *Mastriúk Tiemriukóvitch*: "Deitado Mastriúk e desmaiado,/ Não notou quando o despiram/ Estava Mastriúk com tudo/ Ficou Mastriúk sem nada". (N. da E.)

— Não estou falando dos milhares. O diabo que os carregue! Estou falando da índole feminina:

A mulher é por índole crédula
E volúvel, e depravada.[24]

Concordo com Ulisses, é ele que diz isso.

— Não o compreendo!

— Estarei bêbado?

— Não está bêbado, mas pior do que isso.

— Estou bêbado de espírito, Piotr Ilitch, bêbado de espírito, e basta, basta...

— O que está fazendo, carregando a pistola?

— Estou carregando a pistola.

Mítia, depois de abrir a caixa com as pistolas, realmente destampou o cornimboque com pólvora, deitou-a minuciosamente no cartucho e socou a carga. Em seguida pegou uma bala e, antes de encaixá-la, ergueu-a com os dois dedos à sua frente sobre a vela.

— Por que olha para a bala? — Piotr Ilitch o seguia com uma curiosidade intranquila.

— Por olhar. Estou com uma ideia. Vê, se resolvesses meter essa bala na cabeça, ao carregar a pistola irias examiná-la ou não?

— Por que examiná-la?

— Ela vai entrar no meu cérebro, então é interessante examiná-la para ver como é... Mas, pensando bem, é uma tolice, uma tolice de momento. Bem, terminei — acrescentou, depois de encaixar a bala e ajustá-la com estopa. — Piotr Ilitch, meu caro, é absurdo, tudo absurdo, e se tu soubesses o quanto é absurdo! Arranja-me um pedacinho de papel.

— Aqui está o papel.

— Não, um papel liso, limpo, para escrever. Assim — e, pegando uma caneta na mesa, Mítia escreveu rapidamente duas linhas no pedaço de papel, fez um quadrado com ele e meteu no bolso do colete. Pôs as pistolas na caixa, fechou-a com uma chavinha e segurou-a com a mão. Em seguida olhou para Piotr Ilitch e, com ar pensativo, deu um longo sorriso.

— Agora vamos — disse ele.

— Aonde? Não, espere... O senhor talvez esteja querendo metê-la na cabeça, a bala... — disse Piotr Ilitch com preocupação.

[24] Palavras do "Odisseu inspirado" do poema "Exéquias", de Tiúttchev. (N. da E.)

— Bala na cabeça é uma tolice! Eu quero viver, eu amo a vida! Fica sabendo. Amo Febo das douradas madeixas e sua luz ardente... Meu amável Piotr Ilitch, sabes afastar-te?

— Que história é essa de afastar-se?

— Para abrir caminho. Para a pessoa amada e a pessoa odiada. E para que o odioso se torne amável — eis como abrir caminho! E dizer aos dois: vão com Deus, sigam em frente, que eu...

— E o senhor?

— Basta, vamos!

— Juro, vou contar a alguém — Piotr Ilitch o fitava — para que não o deixem ir para lá. O que vai fazer agora em Mókroie?

— Há uma mulher lá, uma mulher, e basta de tua parte, Piotr Ilitch, e chega!

— Ouça, embora o senhor seja um selvagem, de certo modo sempre gostei do senhor... É por isso que me preocupo.

— Eu te agradeço, meu irmão. Sou um selvagem, como dizes. Selvagem, selvagem! Não afirmo outra coisa: um selvagem! Ah, sim, aí vem Micha, eu tinha até me esquecido dele.

Micha entrou às pressas com um maço de dinheiro trocado e informou que na venda dos Plótnikov "todos haviam entrado em ação", estavam providenciando as garrafas, e o peixe, e o chá, e que num instante tudo estaria pronto. Mítia pegou uma nota de dez rublos e entregou-a a Piotr Ilitch, lançando outra nota de dez rublos para Micha.

— Não se atreva — bradou Piotr Ilitch. — Aqui em minha casa não pode, além disso esse é um tipo de mimo ruim. Guarde seu dinheiro, aqui neste lugar, por que esbanjá-lo? Amanhã mesmo vai precisar e acabará vindo me pedir dez rublos. Por que insiste em enfiá-lo no bolso lateral? Ei, vai acabar perdendo!

— Ouve, amável criatura, vamos a Mókroie comigo?

— O que eu iria fazer lá?

— Ouve, queres que eu abra agora uma garrafa para bebermos à vida? Estou com vontade de beber, e mais ainda contigo. Nunca bebi contigo, hein?

— Está bem, pode ser na taverna, vamos, neste momento eu mesmo estou indo para lá.

— Estou sem tempo para ir à taverna, mas podemos beber no cômodo dos fundos da venda dos Plótnikov. Se quiseres, posso te propor um enigma.

— Propõe.

Mítia tirou do bolso do colete o pedaço de papel, desenrolou-o e mostrou. Ali estava escrito com letra graúda e nítida:

"Suplicio-me por toda a minha vida, castigo toda a minha vida!"

— Palavra, vou contar a alguém, vou sair agora mesmo e contar — disse Piotr Ilitch após ler o papelzinho.

— Não terás tempo, meu caro, andemos e bebamos, marcha!

A venda dos Plótnikov ficava na esquina, e quase só uma casa a separava da casa de Piotr Ilitch. Era a mercearia mais importante de nossa cidade, de comerciantes ricos, e ela própria não era nada má. Tinha de tudo o que se poderia encontrar em qualquer mercearia da capital, em qualquer casa de secos e molhados: vinho "engarrafado pelos Irmãos Ielissêiev", frutas, cigarro, chá, açúcar, café, etc. Três balconistas e meninos entregadores viviam num eterno corre-corre. Embora nossa região estivesse empobrecida, com seus senhores de terra em retirada, o comércio apagado, a mercearia, entretanto, prosperava como antes e até melhorava mais e mais a cada ano: para tais artigos não faltavam compradores. Na venda aguardavam Mítia com impaciência. Lembravam-se bem demais de que três semanas antes ele comprara de uma vez, como agora, toda sorte de mercadoria e vinhos por várias centenas de rublos em dinheiro vivo (a crédito, é claro, não lhe confiavam nada), de que então um verdadeiro bolo de notas irisadas aparecera em suas mãos tal como agora, de que ele as esbanjara à toa, sem regatear, sem refletir nem querer refletir para que precisava de tanta mercadoria, de tanto vinho, etc. Mais tarde, contava-se por toda a cidade que no momento de sua escapada com Grúchenka para Mókroie ele "torrou numa noite e no dia seguinte três mil rublos de uma vez e voltou da farra sem um centavo, do jeito que veio ao mundo". Na ocasião mobilizara um acampamento inteiro de ciganos (que então errava em nossa cidade), que em dois dias arrancaram dele, bêbado, dinheiro sem conta e sem conta beberam vinho caro. Contavam, rindo de Mítia, que em Mókroie ele encharcara de champanhe mujiques brutos, alimentara moçoilas e mulheres camponesas com bombons e torta de Estrasburgo. Também em nossa cidade, particularmente na taverna, riam da confissão franca e pública de Mítia (não lhe riam na cara, é claro, rir em sua cara era um tanto perigoso) de que durante toda aquela extravagância só conseguira de Grúchenka "a permissão de lhe beijar o pezinho, e nada mais".

Quando Mítia e Piotr Ilitch chegaram à venda, encontraram à entrada uma troica[25] pronta, uma telega forrada por um tapete, com sininhos, guizos, e o cocheiro Andriêi à espera de Mítia. Na venda estavam quase terminando de "arrumar" uma caixa com a mercadoria e só esperavam a chegada de Mítia para fechá-la e colocá-la na telega. Piotr Ilitch ficou surpreso.

[25] Neste caso, trinca de cavalos. (N. do T.)

— De onde vieram esses cavalos? — perguntou ele a Mítia.

— Enquanto eu corria para tua casa, encontrei Andriêi, esse aí, e mandei que viesse direto para a venda. Nada de perder tempo! Da outra vez fui com Timofiêi, mas agora Timofiêi se escafedeu, mandou-se na minha frente com uma feiticeira. Andriêi, estamos atrasados?

— Talvez eles cheguem só uma hora à nossa frente, aliás nem isso, nem uma hora antes! — respondeu apressadamente Andriêi. — Fui eu que equipei Timofiêi, sei como vão andar. A marcha deles não é a nossa, Dmitri Fiódorovitch, como é que iriam conseguir se igualar à nossa! Não vão conseguir chegar uma hora antes! — interrompeu-se com fervor Andriêi, um cocheiro ainda moço, rapaz arruivado, magro, metido numa *podióvka* e com um *armiak*[26] na mão esquerda.

— Eu te dou cinquenta rublos para a vodca se chegares só com uma hora de atraso.

— Uma hora a gente garante, Dmitri Fiódorovitch; ora veja, não vão chegar nem meia hora antes, que dirá uma!

Mítia estava até agitado ao dar as ordens, falava e mandava de um modo meio estranho, descosido, descontínuo. Começava uma coisa e esquecia de terminá-la. Piotr Ilitch achou necessário interferir e ajudar.

— Uma compra de quatrocentos rublos, não menos que quatrocentos, tal qual da outra vez — comandava Mítia. — Quatro dúzias de champanhe, nem uma garrafa a menos.

— Por que tanto, para que isso? Para! — berrou Piotr Ilitch. — Que caixa é essa? O que tem nela? Não me digam que aí tem mercadoria para quatrocentos rublos!

Os agitados balconistas lhe explicaram incontinenti, com suas falas melífluas, que nessa primeira caixa havia apenas meia dúzia de champanhe e "toda sorte de mercadorias indispensáveis no primeiro momento", como salgados, confeitos, *montpensier*[27] etc. O grosso do "consumo", porém, seria arrumado e logo enviado à parte, como da outra vez, numa telega especial e também puxada por uma troica que chegaria a tempo, "apenas uma hora depois que Dmitri Fiódorovitch chegar ao lugar".

— Não mais que uma hora, não mais que uma hora, e ponham a maior quantidade possível de *montpensier* e bombons; as moças de lá gostam disso — insistia Mítia cheio de entusiasmo.

— Bombons, vá lá. Mas para que quatro dúzias de champanhe? Basta

[26] Antiga veste superior camponesa, de tecido grosso, em forma de *caftan*. (N. do T.)

[27] Marca francesa de balas de frutas. (N. do T.)

uma. — Piotr Ilitch já estava quase zangado. Começou a regatear, exigiu a conta, não queria acalmar-se. Mesmo assim salvou apenas uma centena de rublos. Acertaram que a mercadoria não passaria dos trezentos rublos.

— Diabo que os carregue! — bradou Piotr Ilitch como se de repente repensasse. — O que eu tenho a ver com isso? Joga fora teu dinheiro, já que o conseguiste de graça!

— Para cá, seu econômico, para cá, não te zangues — Mítia o arrastou para o cômodo dos fundos da venda. — Aqui vão nos servir agora mesmo uma garrafa e nós a sorveremos. Ah, Piotr Ilitch, vem comigo, porque és um homem amável, gosto de gente assim.

Mítia sentou-se numa cadeira de vime diante de uma mesinha minúscula coberta por uma toalhinha imunda. Piotr Ilitch acomodou-se defronte, e num piscar de olhos apareceu champanhe. Perguntaram se os senhores não iam querer ostras, "ostras fresquíssimas, da mais recente remessa".

— Ao diabo com essas ostras, não as como, e aliás não precisamos de nada — resmungou Piotr Ilitch quase com raiva.

— Não há tempo para ostras — observou Mítia —, e estou sem apetite. Sabes, meu amigo — falou de repente com sentimento —, nunca gostei de toda essa desordem.

— E quem é que gosta! Três dúzias de champanhe para mujiques, tenha dó, faz qualquer um explodir.

— Não é disso que eu estou falando, estou falando de uma ordem superior. Em mim não existe ordem, uma ordem superior... Mas... tudo isso está acabado, nada de aflição. É tarde, com os diabos! Toda a minha vida foi uma desordem e é preciso pôr ordem. Estou fazendo trocadilhos, hein?

— Delirando, e não fazendo trocadilhos.

Glória ao Altíssimo no mundo,
Glória ao Altíssimo em mim!

Esses versinhos me saíram outrora da alma, não são versos, são lágrimas... Eu mesmo os compus... Mas não naquela ocasião em que arrastei o capitão pela barbicha...

— Por que de repente falas dele?

— Por que falei dele de repente? Tolice! Tudo termina, tudo se nivela, é o limite — e eis tudo.

— Palavra, tuas pistolas não me saem da cabeça.

— As pistolas também são uma tolice! Bebe, e nada de fantasia. Amo a vida, passei a amar excessivamente a vida, e tão excessivamente que é até abominável. Basta! Pela vida, meu caro, bebamos pela vida, proponho um brinde pela vida! Por que estou satisfeito comigo? Sou vil, mas estou satisfeito comigo. E, não obstante, eu me atormento por ser vil, mas estou satisfeito comigo. Bendigo a criação, neste momento estou disposto a bendizer a Deus e Sua criação, no entanto... É preciso exterminar um inseto fedorento para que não se arraste, não estrague a vida dos outros... Bebamos pela vida, amável irmão! O que pode ser mais precioso que a vida!? Nada, nada! Pela vida, e por uma rainha das rainhas.

— Bebamos pela vida e, vamos, por tua rainha também.

Beberam um copo cada um. Mítia, embora excitado e expansivo, mesmo assim se sentia meio triste. Era como se uma preocupação insuperável e grave o oprimisse.

— Micha... Foi teu Micha que entrou? Micha, meu caro, Micha, vem aqui, bebe-me este copo, pelo Febo de madeixas douradas de amanhã...

— Mas por que lhe ofereces? — gritou Piotr Ilitch irritado.

— Vamos, deixa, não faz mal, ora, eu quero.

— Tu, hein!

Micha bebeu um copo, fez uma reverência e se foi correndo.

— Lembra-te de mais uma coisa — observou Mítia. — Eu amo uma mulher, uma mulher! O que é a mulher? A rainha da Terra! Estou triste, triste, Piotr Ilitch. Lembra-te de Hamlet: "Estou tão triste, tão triste, Horácio... Ah, pobre Yorik!".[28] Talvez eu seja mesmo Yorik. Justo neste momento eu sou Yórik, depois serei uma caveira. Piotr Ilitch ouvia e calava, Mítia também se calou.

— Qual é a raça desse teu cão? — perguntou de chofre e distraidamente a um dos balconistas, ao notar em um canto uma cadelinha bonita de pelo longo e sedoso e olhinhos negros.

— É de Varvara Alieksêievna, nossa patroa — respondeu o balconista —, ela o trouxe para cá e o esqueceu aqui. É preciso levá-lo de volta.

— Eu vi uma igualzinha... no regimento... — disse meditativo Mítia —, só que ela estava com a patinha traseira quebrada... Piotr Ilitch, eu queria te perguntar a propósito: algum dia em tua vida roubaste alguma coisa?

— Que pergunta é essa?

— Não é nada, perguntei por perguntar. Por exemplo, do bolso de alguém, o alheio? Não estou falando de dinheiro público, dinheiro público todo mundo rouba, e tu também, é claro...

— Vai pro diabo que te carregue.

[28] Trata-se da cena I do ato V de *Hamlet*, que Mítia cita erroneamente. (N. da E.)

— Estou falando do alheio: direto do bolso, da carteira, hein?

— Uma vez eu roubei duas moedas de dez copeques de minha mãe, tinha nove anos, peguei-as da mesa. Peguei-as às furtadelas e apertei-as na mão.

— E então?

— Não houve nada de mais. Guardei-as por três dias, senti vergonha, confessei e devolvi.

— E então?

— Naturalmente me açoitaram. Ora, mas por que essas perguntas, tu mesmo não terás roubado alguma coisa?

— Roubei — Mítia piscou o olho com ar ladino.

— O que roubaste? — Piotr Ilitch ficou curioso.

— Roubei duas moedas de dez copeques de minha mãe, eu tinha nove anos, três dias depois devolvi. — Após dizer isto, Mítia levantou-se de súbito.

— Dmitri Fiódorovitch, não é o caso de nos apressamos? — gritou de súbito Andriêi da porta da venda.

— Está tudo pronto? Vamos! — Mítia agitou-se. — Só uma última lenda e...[29] Um copo de vodca para Andriêi pegar a estrada agora! E uma taça de conhaque para ele em vez de vodca! Põe essa caixa (com as pistolas) debaixo do meu assento. Adeus, Piotr Ilitch, não guardes rancor.

— Sim, mas amanhã não estarás de volta?

— Sem falta.

— O senhor quer saldar a conta agora? — interveio o balconista.

— Ah, sim, a conta! Necessariamente!

— Tornou a tirar do bolso seu bolo de notas, pegou três notas irisadas, lançou-as sobre o balcão e saiu às pressas da venda. Todos o acompanharam e, entre reverências, despediram-se com saudações e votos de boa viagem. Andriêi deu um grasnido após tomar o conhaque e de um salto acomodou-se no assento. Contudo, mal Mítia começou a acomodar-se, Fiênia apareceu inesperadamente diante dele. Chegou correndo e toda ofegante, parou aos gritos e de mãos postas à sua frente e desabou a seus pés:

— *Bátiuchka*, Dmitri Fiódorovitch, meu caro, não desgrace a patroa! E eu que lhe contei tudo!... E não desgrace a ele também, pois ele é o primeiro dela! Agora vai se casar com Agrafiena Alieksándrovna, foi por isso que voltou da Sibéria... *Bátiuchka*, Dmitri Fiódorovitch, não estrague a vida alheia.

[29] Referência ao monólogo de Pímen na tragédia de Púchkin, *Boris Godunóv*: "Só mais uma, a última lenda/ E minha crônica chega ao fim...". (N. da E.)

— Ora, vejam só que coisa! Bem, agora tu vais aprontar por lá! — murmurou de si para si Piotr Ilitch. — Agora está tudo entendido, como não entender! Dmitri Fiódorovitch, entrega-me agora mesmo as pistolas se queres passar por homem — exclamou em voz alta para Mítia —, estás ouvindo, Dmitri?

— As pistolas? Espera, meu caro, durante a viagem vou jogá-las numa poça — respondeu Mítia. — Fiênia, levanta-te, não fiques aí estirada à minha frente. Doravante Mítia, este tolo aqui, já não desgraçará ninguém. Vê, Fiênia — gritou-lhe já depois de acomodar-se na telega —, ainda há pouco eu te ofendi, então me desculpa e me perdoa, desculpa este canalha... E se não desculpares será indiferente! Porque agora já é tudo indiferente! Ligeiro, Andriêi, dispara!

Andriêi arrancou; o sininho tilintou.

— Adeus, Piotr Ilitch. Minha última lágrima é para ti!...

"Não está bêbado, mas diz cada disparate!" — pensou Piotr Ilitch depois da partida. Ia ficar para verificar como abasteceriam o carro (também uma troica) com o resto das provisões e dos vinhos, pressentindo que engazopariam e roubariam Mítia, mas de repente teve raiva de si mesmo, deu de ombros e foi jogar sinuca na taverna.

— É um imbecil, embora seja um bom rapaz... — murmurava de si para si a caminho da taverna. — Já ouvi falar desse "antigo" oficial de Grúchenka. Mas se chegou, então... Aquelas pistolas, sim senhor! Com os diabos, por acaso eu sou algum aio dele? Que fique com elas! Aliás, não vai acontecer nada. É um falastrão e nada mais. Vão encher a cara e brigar, brigar e fazer as pazes. Por acaso são homens de ação? Que história é essa de "me afasto", "suplicio-me" — não vai acontecer nada! Milhares de vezes gritou essa frase na taverna, bêbado. Agora não está bêbado. "Está bêbado de espírito" — esses canalhas gostam de fraseado. Por acaso sou seu aio? Só pode ter brigado, está com as fuças totalmente ensanguentadas. Com quem terá sido? Na taverna vou ficar sabendo. E aquele lenço no bolso... Com os diabos, ficou lá em casa no chão... Que se dane!

Chegou à taverna no mais detestável estado de espírito e começou imediatamente uma partida. A partida o distraiu muito. Jogou outra, e súbito pôs-se a comentar com um dos parceiros que tornara a aparecer dinheiro nas mãos de Dmitri Fiódorovitch, uns três mil, ele mesmo os havia visto, e que Mítia novamente escapara para farrear com Grúchenka em Mókroie. Isso foi recebido com uma curiosidade quase inesperada pelos ouvintes. E todos começaram a comentar sem rir, e de um modo estranhamente sério. Chegaram até a interromper o jogo.

— Três mil? Onde ele iria arranjar três mil?

Vieram mais perguntas. Receberam com desconfiança a notícia sobre Khokhlakova.

— Será que ele não assaltou o velho, hein?

— Três mil! Tem alguma coisa errada aí.

— Ele mesmo se vangloriou alto e bom som de que mataria o pai, todo mundo aqui ouviu. E falou justamente desses três mil...

Piotr Ilitch ouvia e súbito passou a responder de forma seca e comedida ao interrogatório. Não fez nenhuma menção ao sangue que havia no rosto e nas mãos de Mítia, mas quando ia para lá tivera vontade de falar. Começaram a terceira partida e a conversa sobre Mítia foi pouco a pouco cessando; mas, terminada a terceira partida, Piotr Ilitch não quis mais jogar, guardou o taco e deixou a taverna sem jantar, como era sua intenção. Ao chegar à praça, ficou perplexo e até admirado consigo mesmo. De repente compreendeu que quisera ir imediatamente à casa de Fiódor Pávlovitch com o fim de inteirar-se se não haveria acontecido alguma coisa lá. "Com essa minha ida absurda vou despertar uma casa estranha e provocar um escândalo. Com os diabos, por acaso sou algum aio dele?"

No mais deplorável estado de ânimo, tomou o caminho direto de sua casa e num átimo lembrou-se de Fiênia: "Com os diabos, eu devia tê-la interrogado agora há pouco — pensou desanimado —, ficaria a par de tudo". E de repente ardeu nele uma vontade tão sôfrega e pertinaz de conversar com ela e inteirar-se de tudo, que do meio do caminho ele guinou para a casa de Morozóvaia, onde morava Grúchenka. Ao chegar ao portão, bateu, e o ruído da batida no silêncio da noite o fez voltar a si como que de repente e o deixou furioso. Além disso, ninguém respondeu, todos em casa estavam dormindo. "Aqui também vou provocar um escândalo!" — pensou já com algum sofrimento na alma, mas em vez de retirar-se definitivamente recomeçou de chofre a bater e desta feita com toda a força. Levantou-se um alarido em toda a rua. "Não, isso não vai ficar assim, vou bater até o fim, bater até o fim!" — murmurava, e a cada batida a raiva de si mesmo chegava à fúria, mas ao mesmo tempo intensificava as batidas no portão.

VI. Estou a caminho!

Enquanto isso, Dmitri Fiódorovitch voava estrada afora. Mókroie ficava a pouco mais de vinte verstas, mas a troica de Andriêi galopava de tal maneira que podia chegar em uma hora e quinze minutos. A marcha veloz pareceu revigorar Mítia de uma hora para outra. O ar estava fresco e meio frio, estrelas graúdas resplandeciam no céu limpo. Era aquela mesma noite, e talvez a mesma hora em que Aliócha, depois de cair por terra, "jurava com desvario amá-la para sempre". Mas estava confusa, muito confusa a alma de Mítia, e ainda que agora muita coisa a atormentasse, nesse instante todo o seu ser precipitava-se irresistivelmente só para ela, a sua rainha, para quem ele voava com o fim de olhar para ela pela última vez. Só uma coisa eu afirmo: nem por um minuto seu coração chegou a questionar nada. Talvez não me acreditem se eu disser que esse ciumento não sentia o mínimo ciúme desse novo homem, desse novo rival que brotara do chão, desse "oficial". De qualquer outro que aparecesse ele ficaria imediatamente cheio de ciúmes e talvez voltasse a manchar de sangue suas mãos terríveis, mas desse, desse "primeiro dela" não só não nutria um misto de ódio e ciúme, enquanto voava em sua troica, como sequer experimentava um sentimento de hostilidade — é verdade que ainda não o tinha visto. "Ora, isso é indiscutível, é um direito dela e dele; este é o primeiro amor dela, que durante cinco anos ela não esqueceu: quer dizer que só a ele ela amou nesses cinco anos, mas eu, por que fui me envolver nisso? Por que estou nisso, e a troco de quê? Afasta-te, Mítia, e deixa o caminho livre! Sim, o que hei de fazer agora? Ora, mesmo que não houvesse o oficial tudo agora estaria terminado, ainda que ele não tivesse aparecido tudo estaria terminado..."

Eis em que termos ele poderia expor aproximadamente suas sensações, desde que estivesse em condições de raciocinar. Mas já não conseguia raciocinar. Toda a decisão tomada nesse momento nascera sem discussões, num piscar de olhos, fora concebida de imediato e aceita integralmente, com todas as suas consequências, diante de Fiênia, às primeiras palavras dela. E ainda assim, apesar de toda a decisão tomada, sua alma estava confusa, confusa a ponto de sofrer: nem mesmo aquela decisão lhe dera tranquilidade. Havia deixado para trás um excesso de coisas que o atormentavam. E por instantes isso lhe era estranho: sim, porque escrevera de próprio punho sua sentença naquele papel — "suplicio-me e castigo-me" —, e o papelzinho estava ali, em seu bolso, pronto; ora, a pistola já está carregada, ora, ele já decidiu como receberá amanhã o primeiro raio quente do "Febo das madeixas douradas", e todavia não dava para ajustar contas com tudo o que ficava para trás e o atormentava, e ao percebê-lo ele chegava a se martirizar, e o pensamento fixo nisso ferroava-lhe a alma com o desespero. Durante a viagem, houve um momento em que lhe deu uma súbita vontade de parar Andriêi, pular da telega, pegar sua pistola carregada e pôr fim a tudo sem esperar o amanhecer. Mas esse instante passou como um raio. Além disso a troica voava "devorando o espaço", e na medida em que se aproximava do objetivo o pensamento nela, só nela, voltava a apoderar-se de sua alma com força cada vez maior e afugentava de seu coração todos os outros terríveis fantasmas. Oh, queria tanto olhar para ela, ainda que fosse de relance, ainda que fosse de longe! "Agora ela está com *ele*; pois bem, dou uma olhadinha para ver como está agora com ele, com o seu primeiro amado, e é só disso que preciso." Nunca antes brotara de seu peito tanto amor por essa mulher fatídica em seu destino, um sentimento tão novo e jamais experimentado, um sentimento inesperado até para ele mesmo, um sentimento de ternura que o fazia quase suplicar, sumir diante dela. "E hei de me eclipsar!" — pronunciou de chofre num acesso de arrebatamento histérico.

Já galopavam por quase uma hora. Mítia estava em silêncio e Andriêi, embora fosse um mujique falastrão, também ainda não dissera uma palavra, como se temesse articular uma conversa, limitando-se a tanger ligeiro seus cavalos, sua troica baia, descarnada, veloz. E de repente Mítia exclamou com uma terrível intranquilidade.

— Andriêi! E se estiverem dormindo?

Isto lhe veio de estalo à mente, até então ele não pensara em tal coisa.

— É de pensar que já estão deitados, Dmitri Fiódorovitch.

Mítia franziu o cenho com ar doentio: "pois é, realmente chegará voando... com tais sentimentos... mas eles estão dormindo... Ela também, talvez, e ao lado...". Um sentimento mau ferveu em seu coração.

— Fustiga, Andriêi, corre, depressa! — gritou em seu desvario.

— Mas pode ser que ainda não estejam deitados — raciocinou Andriêi, depois de uma pausa. — Timofiêi até me disse que havia muita gente lá.

— Na estação?

— Não na estação, mas na pousada dos Plastunov, quer dizer, uma estação livre.

— Sei; como é que estás dizendo que são muitos? Muitos, como? Quem são? — Mítia levantou-se com uma terrível inquietação em face da inesperada notícia.

— Sim, Timofiêi disse que são todos senhores: são dois da cidade, quem são, não sei, foi só o que Timofiêi disse, dois senhores daqui e aqueles dois que parecem de fora, e talvez mais alguém, não perguntei direito. Ele disse que estavam jogando baralho.

— Baralho?

— Pois é, pode ser que não estejam dormindo se começaram a jogar baralho. É preciso considerar que agora estamos apenas perto das onze, não passa disso.

— Fustiga, Andriêi, fustiga! — tornou a bradar nervosamente Mítia.

— O que foi aquilo? eu lhe pergunto, senhor — retomou Andriêi depois de uma pausa —, só não quero que o senhor fique zangado, tenho medo, senhor.

— O que queres saber?

— Ainda há pouco Fiedóssia Markovna deitou-se a seus pés, implorando para que o senhor não desgraçasse sua senhora e mais alguém... Pois bem, senhor, estou conduzindo o senhor para lá... Desculpe-me, senhor, são escrúpulos, talvez eu tenha dito uma bobagem.

Mítia o agarrou subitamente por trás, pelos ombros.

— Tu és um cocheiro? Um cocheiro? — começou com desvario.

— Um cocheiro.

— Tu sabes que é preciso dar passagem aos outros. Por seres cocheiro, achas que não precisas dar passagem a ninguém, como quem diz "aperta aí, estou passando"? Não, cocheiro, não deves apertar ninguém! Não se pode fustigar um homem, não se pode estragar a vida das pessoas; e se estragaste uma vida, castiga a ti mesmo; se é que estragaste, se é que desgraçaste a vida de alguém — suplicia-te a ti mesmo e vai embora.

Mítia deixou escapar tudo isso como que tomado de total histeria. Andriêi, mesmo tendo ficado surpreso com o senhor, manteve a conversa.

— Isso é verdade, *bátiuchka* Dmitri Fiódorovitch, o senhor está certo em dizer que não se deve apertar um homem, e nem atormentá-lo, assim como nenhum bicho, porque todo bicho é obra da criação. Veja, por exemplo, o cavalo, porque tem gente que espanca cavalo à toa, até mesmo os nossos cocheiros... Nada os detém, e por isso fustigam o bicho, e não param de fustigá-lo nem na cara da gente.

— Para o inferno? — interrompeu subitamente Mítia e disparou aquela sua risada curta e inesperada. — És uma alma simples — tornou a segurá-lo com força pelos ombros —, diz-me cá uma coisa: Dmitri Fiódorovitch Karamázov vai ou não vai para o inferno, o que é que tu achas?

— Não sei, meu caro, depende do senhor, porque aqui... Veja, senhor, quando o filho de Deus foi crucificado e morreu na cruz, ele desceu da cruz direto para o inferno e libertou todos os pecadores que lá sofriam tormentos. E então o inferno se pôs a lastimar, porque achava que agora ninguém mais, nenhum pecador, iria para lá. E o Senhor disse ao inferno: "Não lastimes, inferno, porque doravante virão para cá todos os altos dignatários, governantes, magistrados e ricos, e ficarás tão repleto quanto estiveste ao longo dos séculos e até o momento em que eu retornar". Isso é verdade, foi essa a palavra d'Ele...

— É uma lenda popular, magnífica! Açoita o cavalo da esquerda, Andriêi.

— Pois veja, senhor, a quem o inferno se destina — Andriêi açoitou o cavalo da esquerda —, mas para nós o senhor continua sendo como uma criança pequena... e assim nós o consideramos... Embora o senhor seja colérico, e isso é verdade, mesmo assim Deus perdoará sua simplicidade.

— E tu, Andriêi, tu me perdoas?

— Eu lá tenho o que lhe perdoar? o senhor não me fez nada.

— Não, perdoar por todos; agora mesmo, aqui na estrada, tu sozinho me perdoas por todos? Fala, alma simples!

— Oh, senhor! Dá até medo conduzi-lo, que conversa terrível é essa sua...

Mas Mítia não escutava. Rezava desvairadamente e murmurava assustado lá com seus botões.

— Deus, recebe-me com todas as minhas arbitrariedades, mas não me julgues. Deixa passar sem julgamento este teu... não julgues porque eu mesmo me condenei; não julgues porque eu Te amo, Senhor! Eu mesmo sou vil, mas te amo: se me mandas para o inferno, lá também continuarei Te amando e de lá gritarei que Te amo para todo o sempre... mas deixa que eu também ame... aqui, que eu ame até o fim aqui, apenas por cinco horas, até que venha o teu raio ardente... porque amo a rainha de minha alma. Amo e não posso deixar de amar. Tu mesmo me vês inteiro. Correrei até ela, cairei a seus pés: tens razão de me desprezar... Adeus e esquece tua vítima, nunca te aflijas!

— Mókroie! — gritou Andriêi, apontando adiante com o chicote.

No meio do escuro pálido da noite negrejou de repente a massa compacta das casas espalhadas num espaço imenso. A vila de Mókroie tinha dois mil habitantes, mas nessa hora todos já estavam dormindo e só aqui e ali raras luzinhas ainda cintilavam no meio da escuridão.

— Fustiga, fustiga, Andriêi, estou indo! — exclamou Mítia como alguém febricitante.

— Não estão dormindo! — tornou a pronunciar Andriêi, apontando com o cabo do chicote para a hospedaria dos Plastunov, que ficava ali mesmo na entrada da vila e estava com todas as seis janelas, que davam para a rua, fortemente iluminadas.

— Não estão dormindo! — emendou alegremente Mítia —, estrondeia, Andriêi, aperta o galope, faz retinir, estrondeia na chegada. Para que todos saibam quem chegou! Estou chegando! Em pessoa! — exclamava desvairadamente Mítia.

Andriêi apertou o galope da troica extenuada, aproximou-se do alto alpendre efetivamente estrondeando e freou bruscamente seus cavalos estafados e meio mortos. Mítia pulou da telega, e justo nesse instante o dono da estalagem, que na verdade já ia deitar-se, teve a curiosidade de olhar do alpendre para ver quem chegava com tanta pressa.

— Trifón Boríssitch, és tu?

O anfitrião inclinou-se, olhou ao redor, desceu a toda pressa do alpendre e com entusiasmo servil precipitou-se para o visitante.

— *Bátiuchka*, Dmitri Fiódorovitch! Será mesmo o senhor que estou vendo de novo?

Esse Trifón Boríssitch era um mujique atarracado e saudável, de estatura mediana, rosto um tanto balofo, aparência severa e intransigente, sobretudo com os mujiques de Mókroie, mas tinha o dom de imprimir rapidamente ao rosto a expressão mais servil quando farejava vantagem. Vestia-se à maneira russa, com camisa de gola inclinada e *podióvka*, possuía um dinheirinho considerável, mas não parava de sonhar também com uma posição mais elevada. Mais da metade dos mujiques vivia na sua unha, todos ao redor lhe deviam. Arrendava terra de latifundiários e também a comprava, e os mujiques trabalhavam essa terra para ele em pagamento de uma dívida da qual nunca conseguiam livrar-se. Era viúvo e tinha quatro filhas; uma já era viúva, morava com ele com dois filhos menores, seus netos, e trabalhava para ele como diarista. Outra filha, uma campônia, era casada com um funcionário, um escrivão, e entre as fotografias da família espalhadas na parede de um dos cômodos da estalagem podia-se ver, em tamanho ínfimo, uma foto desse funcionário de uniforme e dragonas. As duas filhas mais jovens, quando iam a festas da igreja ou faziam alguma visita, trajavam vestido azul ou verde, da moda, justos atrás e com uma cauda de um *archin* de comprimento, mas já na manhã do dia seguinte, como em qualquer outro dia, levantavam-se ao nascer do sol e com vassouras de bétula nas mãos varriam os cômodos após a saída dos hóspedes e levavam para fora a água usada no banho. Apesar dos milhares de rublos já obtidos, Trifón Boríssitch gostava muito de esfolar o hóspede farrista e, lembrando-se de que ainda não fazia nem um mês que se aproveitara de Dmitri Fiódorovitch durante sua farra com Grúchenka e em um dia lhe surrupiara duas centenas de rublos e uns quebrados, senão trezentos redondos, recebeu-o com alegria e presteza, já pelo simples fato de que Mítia aparecia intempestivamente em seu alpendre e ele farejava mais uma vez a presa.

— *Bátiuchka*, Dmitri Fiódorovitch, é o senhor que temos mais uma vez por aqui?

— Espera, Trifón Boríssitch — começou Mítia —, primeiro o mais importante: onde está ela?

— Agrafiena Alieksándrovna? — o anfitrião compreendeu de imediato, olhando com perspicácia para o rosto de Mítia. — Sim, ela também... está aqui...

— Com quem, com quem?

— Com hóspedes em trânsito... Um é funcionário, deve ser polonês, a julgar por sua conversa. Foi ele que mandou daqui os cavalos para buscá-la; o outro que está com ele deve ser um camarada ou um companheiro de viagem, vá lá saber; estão vestidos à paisana...

— E então, estão farreando? São ricos?

— Qual farra! Coisa à toa, Dmitri Fiódorovitch.

— À toa? Sim, mas e os outros?

— Esses são da cidade, dois senhores... Voltaram de Tchórnaia e ficaram aqui. Um, o jovem, deve ser parente do senhor Miússov, só que me esqueci como se chama... já o outro é de supor que o senhor também conheça: o fazendeiro Maksímov, diz que foi ao mosteiro da sua cidade em peregrinação, e está viajando com esse parente jovem do senhor Miússov.

— São só esses?

— Só.

— Espera, cala-te, Trifón Boríssitch, agora me diz o mais importante: como está ela, o que está fazendo?

— Bem, chegou há pouco e está com eles.

— Alegre? Rindo?

— Não, parece que não está rindo muito. Está até muito chateada, penteava os cabelos de um moço.

— Do polonês, do oficial?

— Qual! esse lá é moço? e não é oficial coisa nenhuma; não, senhor, não eram os cabelos dele, mas do sobrinho de Miússov, aquele moço... só que esqueci o nome.

— Kalgánov?

— Isso mesmo, Kalgánov.

— Está bem, eu mesmo vou ver. Estão jogando baralho?

— Jogaram, mas pararam, tomaram chá, o funcionário pediu licor de frutas.

— Espera, Trifón Boríssitch, espera, homem, eu mesmo vou ver isso. Agora me responde o mais importante: não tem ciganas por aqui?

— Agora nem se ouve falar de ciganas, Dmitri Fiódorovitch, as autoridades as expulsaram, mas aqui tem os *jides*, tocam címbalos e violino no Natal, esses pelo menos a gente pode mandar chamar agora mesmo. Virão.

— Manda chamar, sem falta! — bradou Mítia. — E podes acordar as moças como da outra vez, especialmente Mária, e também Stiepanida, Arina. Duzentos rublos pelo coro!

— Ora, por tanto dinheiro, posso acordar a vila inteira para ti,[30] mesmo que já estejam deitados. Mas, *bátiuchka* Dmitri Fiódorovitch, será que vale a pena tratar os mujiques daqui ou essas moças com tanta afabilidade? E gastar tamanha quantia com essa gentalha vil e grosseira! Cigarro não é pro bico deles, nossos mujiques, mas tu o deste a eles. Eles fedem, esses bandoleiros. E as moças, sejam lá quantas forem, são todas piolhentas. Ora, acordo minhas filhas de graça para ti, e não por uma quantia como essa, elas acabaram de se deitar, dou um chute nas costas de cada uma e as obrigo a cantar para ti. Há poucos dias o senhor deu champanhe aos mujiques, sim senhor!

Trifón Boríssitch se lamentava à toa com Mítia: ele mesmo lhe surrupiara meia dúzia de garrafas de champanhe da outra vez, apanhara do chão uma nota de cem rublos e a escondera na mão fechada debaixo da mesa. E acabou ficando com ela na mão fechada.

— Trifón Boríssitch, daquela vez esbanjei aqui mais de um milhar de rublos. Estás lembrado?

— Esbanjou, meu caro, como eu iria esquecer? deixou aqui vai ver que três mil.

— Pois bem, agora também trouxe essa quantia, estás vendo?

E Mítia retirou do bolso seu bolo de notas e o pôs bem no nariz do dono da estalagem.

— Agora ouve e lembra-te: em uma hora chegarão vinho, salgados, tortas e bombons: leva tudo imediatamente lá para cima. Essa caixa, que está com Andriêi, leva-a também agora para cima, abre e serve imediatamente o champanhe... E o principal — as moças, as moças, e Mária também, sem falta...

Virou-se para a telega e tirou de debaixo do assento sua caixa com as pistolas.

— Recebe a conta, Andriêi! Aí tens quinze rublos pela troica e esses cinquenta para a vodca...[31] por tua presteza, por tua atitude simpática... Lembra-te do senhor Karamázov!

— Estou com medo, senhor — hesitou Andriêi —, cinco rublos de gorjeta, vá lá, mais não aceito. Trifón Boríssitch é testemunha. Desculpe minhas palavras tolas...

— Medo de quê? — Mítia o mediu com o olhar — então vai para o in-

[30] Trifón Boríssitch mistura os pronomes de tratamento. (N. do T.)

[31] Isto é, de gorjeta. (N. do T.)

ferno, já que és assim! — gritou, lançando-lhe cinco rublos. — Agora, Trifón Boríssitch, me acompanha sem fazer ruído e deixa-me primeiro dar uma espiadela em todos eles sem que me notem. Onde eles estão lá, no salão azul?

Trifón Boríssitch olhou temeroso para Mítia, mas tratou de cumprir imediatamente sua exigência: conduziu-o com cautela ao vestíbulo, entrou no primeiro grande cômodo, contíguo ao que os hóspedes ocupavam, e tirou de lá uma vela. Em seguida introduziu sorrateiramente Mítia e o pôs num canto, no escuro, de onde ele podia observar livremente os interlocutores sem ser visto por eles. Mas Mítia ficou pouco tempo olhando, pois não conseguiu fixar o olhar: avistou-a, e seu coração começou a bater, a vista escureceu. Ela estava sentada de um lado da mesa, numa poltrona, tendo do outro Kalgánov, rapaz ainda muito jovem e bonitinho; ela segurava a mão dele e parece que ria, mas ele, sem olhar para ela e com ar enfarado, falava algo em voz alta para Maksímov, que estava sentado defronte a Grúchenka do lado oposto da mesa. Maksímov ria muito com alguma coisa. No sofá estava *ele* e, numa cadeira junto à parede, ao lado do sofá, um outro desconhecido. O que estava no sofá refestelava-se, fumava cachimbo, e Mítia teve a leve impressão de que esse homem, meio gordo e de cara larga, não devia ser de estatura alta e parecia zangado com alguma coisa. Seu companheiro, outro desconhecido, Mítia achou altíssimo; todavia não conseguiu observar mais nada. Estava com a respiração presa. Não pôde resistir nem um minuto, pôs a caixa em cima da cômoda e, gelando e estupefato, tomou o caminho direto do salão azul onde estavam os interlocutores.

— Ui! — ganiu Grúchenka de susto, a primeira pessoa a notá-lo.

VII. O primeiro e indiscutível

Com seus passos largos e rápidos Mítia chegou-se à mesa.

— Senhores — começou em voz alta, quase gritando, mas gaguejando a cada palavra —, eu... não é nada! Não temam — exclamou —, não é nada, nada — voltou-se de repente para Grúchenka, que se inclinara na poltrona na direção de Kalgánov e se agarrara com força ao braço dele. — Eu... Eu também estou viajando. Vou ficar aqui até o amanhecer. Senhores, permitem que um viajante em trânsito... fique até o amanhecer em sua companhia? Só até o amanhecer, pela última vez, nesta mesma sala?

Isto ele já concluiu dirigindo-se ao gordo que estava no sofá e fumava cachimbo. O outro tirou o cachimbo da boca com ar importante e proferiu em tom severo:

— *Pane*,[32] estamos aqui em reunião privada. Há outros cômodos.

— É você, Dmitri Fiódorovitch, ora, o que é isso? — respondeu de súbito Kalgánov. — Boa noite, vamos, sente-se aqui conosco.

— Boa noite, meu caro... e precioso homem! Sempre o estimei... — respondeu Mítia de um jeito alegre e precipitado, estendendo-lhe imediatamente a mão por cima da mesa.

— Ai, com que força você aperta! Quebrou inteiramente meus dedos — Kalgánov deu uma risada.

— É que ele sempre aperta assim! — respondeu alegremente Grúchenka com um sorriso ainda tímido, parecendo subitamente convencida de que, pela aparência, Mítia não iria cometer nenhum desatino, e olhando-o com uma imensa curiosidade e ainda com preocupação. Havia nele qualquer coisa que a deixou estupefata, e além disso ela não esperava, em hipótese nenhuma, que ele fosse aparecer ali naquele instante e começasse a falar daquela maneira.

— Boa noite — respondeu docemente à esquerda também o fazendeiro Maksímov. Mítia lançou-se também para ele:

— Boa noite, o senhor também por aqui, como estou contente que o senhor também esteja aqui! Senhores, senhores, eu... — Ele tornou a dirigir-se ao *pan* do cachimbo, decerto tomando-o como a pessoa mais importante ali. — Eu vim voando... Eu queria passar meu último dia e minha última hora neste salão, neste mesmo salão... onde também adorei... minha rainha!... Desculpe, *pane* — gritou em tom desvairado —, vinha voando para cá e jurei... Oh, não temam, é minha última noite! Bebamos, *pane*, por um arranjo amigável! Neste momento vai ser servido vinho... Eu trouxe isto. — Sabe-se lá por quê, tirou de repente seu bolo de notas do bolso. — Permita, *pan*! Quero música, ruído, vozerio, tudo como antes... Mas um verme, um verme desnecessário se arrastará pelo chão e não sobreviverá! Vou guardar na lembrança o dia de minha alegria em minha última noite!...

Estava quase sufocado; queria dizer muita, muita coisa, mas lhe saíram apenas exclamações esquisitas. O *pan* olhava imóvel para ele, para o bolo de notas, olhava para Grúchenka e estava tomado de uma visível perplexidade.

[32] De *pan*, termo de origem polonesa antigamente empregado no sudeste da Rússia, particularmente na Ucrânia e na Bielorrússia, para designar "senhor", ou como tratamento respeitoso dispensado a pessoas socialmente privilegiadas. Sua forma feminina é *pane*, e seu plural, *panove*. Nos diálogos deste capítulo, os homens se tratam ora por *pan*, ora por *pane*. O emprego de *pane* (entre homens) e de *pani* (quando o interlocutor é mulher) é uma declinação do termo no antigo caso vocativo (*zvátielnyi padiéj*) da língua russa. (N. do T.)

— Se minha *ruinha cosente*...[33] — esboçou ele.

— *Ruinha*, o que é isso, será rainha? — interrompeu subitamente Grúchenka. — Acho até engraçado o senhor, com esse jeito de falar. Senta-te, Mítia, e o que é que estás dizendo? Por favor, não me venhas com sustos. Não vais dar susto, não é? Se não o fizeres estarei contente com tua presença...

— Eu, eu assustar? — bradou de chofre Mítia com as mãos para o alto. — Oh, vá em frente, passe, não vou atrapalhar!... — E súbito, de um modo totalmente inesperado para todos e, é claro, para si também, deixou-se cair na cadeira e se desfez em pranto, voltando a cabeça para a parede oposta e agarrando-se com ambas as mãos ao encosto da cadeira, como se a abraçasse.

— Vê só, vê só como és! — exclamou Grúchenka em tom de censura. — Pois era assim que ele aparecia em minha casa, começava a falar de repente, mas eu não entendia nada. Uma vez desatou a chorar exatamente assim, e agora vem repetir isso — é uma vergonha! Por que estás chorando? *Se ao menos tivesses por quê!* — acrescentou de repente com ar enigmático e enfatizando suas palavras com certa irritação.

— Eu... eu não estou chorando... Bem, boa noite! — voltou-se num piscar de olhos na cadeira e súbito caiu na risada, mas sem aquele seu riso seco e entrecortado e sim com um riso abafado, longo, nervoso e convulsivo.

— Lá me vens tu de novo... Vamos, alegra-te, alegra-te! — Grúchenka tentava persuadi-lo. — Estou muito contente com tua presença, muito contente, Mítia, estás ouvindo que estou muito contente? Quero que ele fique aqui conosco — dirigiu-se em tom imperioso como que a todos, embora suas palavras se voltassem visivelmente para o homem do sofá. — Eu quero, quero! E se ele for embora eu também vou, é isso! — acrescentou com os olhos subitamente em chamas.

— A vontade da rainha é lei! — pronunciou o *pan*, beijando galantemente a mãozinha de Grúchenka. Peço ao *pan* que nos faça companhia! — dirigiu-se amavelmente a Mítia. Este fez nova menção de levantar-se de um salto, com a visível intenção de mais uma vez sair-se com uma tirada, mas lhe saiu outra coisa.

— Bebamos, *pane*! — cortou de repente a tencionada fala. Todos caíram na risada.

— Meu Deus! Pensei que ele quisesse falar outra vez — exclamou nervosamente Grúchenka. — Estás ouvindo, Mítia? — insistiu. — Para de pu-

[33] Optou-se por grifar, aqui e nos trechos seguintes, as palavras pronunciadas incorretamente pelos poloneses. (N. do T.)

lar na cadeira, e quanto ao champanhe que trouxeste, foi maravilhoso. Eu mesma vou beber, não suporto esses licores de fruta. Mas o melhor mesmo foi tua chegada, porque estava uma chatice... Quer dizer que vieste mais uma vez farrear? E esconde esse dinheiro no bolso! Onde arranjaste tanto?

Mítia, que ainda segurava nas mãos o bolo de notas, muito observadas por todos e particularmente pelos *pans*, meteu-as rápida e desconcertadamente no bolso. Corou. Nesse mesmo instante o dono da estalagem trouxe uma garrafa de champanhe aberta numa bandeja com taças. Mítia agarrou a garrafa, mas ficou tão atrapalhado que esqueceu o que fazer com ela. Kalgánov tirou-a de sua mão e serviu o champanhe no lugar dele.

— Mais uma, mais uma garrafa! — gritou Mítia para o dono da estalagem e, esquecendo-se de brindar com o *pan*, a quem convidara tão solenemente para beber com ele pelo arranjo pacífico, entornou de chofre toda a sua taça sozinho, sem esperar por mais ninguém. Todo o seu rosto se transformou num átimo. Um quê de pueril substituía em seu rosto a expressão solene e trágica com que havia entrado. Súbito pareceu serenar inteiramente e ficou humilde. Olhava para todos com ar tímido e alegre, dando risadinhas frequentes e nervosas, com o jeito agradecido de um cãozinho culpado a quem tornavam a afagar e tornavam a admitir. Era como se tivesse esquecido tudo e olhava para todos ao redor encantado e com um sorriso de criança. Olhava sorrindo e incessantemente para Grúchenka, e encostou sua cadeira na poltrona dela. Pouco a pouco examinou ambos os *pans*, embora ainda fizesse uma pálida ideia do que eram. O *pan* do sofá o impressionou por sua postura, pelo sotaque polonês e, principalmente, pelo cachimbo. "Ora, não há nenhum mal nisso, é até bom que ele fume cachimbo" — contemplava Mítia. O rosto meio balofo, quase quadragenário do *pan*, com seu nariz muito pequeno, sob o qual aparecia um bigodinho bem fino, pintado e descarado, também ainda não provocou em Mítia a mínima interrogação. Nem a peruquinha muito ordinária do *pan*, feita na Sibéria, com os cabelos caídos sobre as têmporas e penteados estupidamente para a frente, causou grande impressão em Mítia: "Se ele usa peruca é porque isso é necessário" — continuou ele, contemplando com satisfação. Já o outro *pan*, mais jovem que o do sofá e que, sentado junto à parede, observava todos os presentes com ar petulante e acintoso e ouvia a conversa geral com um desdém silencioso, também surpreendeu Mítia por ser muito alto, extremamente desproporcional à do *pan* do sofá. "Em pé, deve ter mais de doze *vierchóks*" — passou de relance pela cabeça de Mítia. Passou-lhe também de relance que esse *pan* alto era provavelmente amigo e comparsa do *pan* do sofá, uma espécie de "guarda-costas", e que o *pan* baixo do cachimbo evidentemente comandava o *pan* alto. Mas até isso Mítia achou muitíssimo bom e indiscutível. No pequeno cãozinho cessara toda e qualquer rivalidade. Ele ainda não havia compreendido nada em Grúchenka e no tom enigmático de algumas de suas frases; apenas compreendia, e com todo o coração vibrando, que ela estava carinhosa com ele, que o havia "perdoado" e o fizera sentar-se a seu lado. Não cabia em si de tão encantado após vê-la sorver uma taça de vinho. Contudo, o silêncio dos presentes pareceu subitamente impressioná-lo, e ele correu sobre todos um olhar em que havia alguma expectativa. "Ora bolas, por que estamos aqui sentados, por que não se põem a fazer nada, senhores?" — era como se dissesse o seu olhar sorridente.

— Vejam isso, ele não para de mentir, e nós aqui estávamos todos rindo — começou de chofre Kalgánov, como se adivinhasse o pensamento dele e apontando para Maksímov.

Mítia fitou Kalgánov e logo Maksímov.

— De mentir? — deu seu breve sorriso seco e logo se sentiu contente com alguma coisa. — Ah-ah!

— Sim. Imagine, ele afirma que toda a nossa cavalaria teria se casado com polacas na década de 20; mas isso é um terrível absurdo, não é verdade?

— Com polacas? — tornou a secundar Mítia já totalmente encantado.

Kalgánov compreendia muito bem as relações de Mítia com Grúchenka, adivinhava também a respeito do *pan*, mas nada disso lhe suscitava maiores interesses, e pode até ser que não o interessasse em absoluto, pois era Maksímov quem mais o interessava. Chegara ali com Maksímov por acaso e encontrara os *pans* na estalagem pela primeira vez na vida. Grúchenka ele já conhecia e numa ocasião até estivera em sua casa com alguém; naquela ocasião ela não gostou dele. Mas aqui ela o olhava de modo muito carinhoso; antes da chegada de Mítia até o acarinhara, mas ele fora como que insensível a isso. Era um jovem que não passava dos vinte anos, vestido com elegância, de um rostinho amável e muito claro e cabelos castanhos claros belos e bastos. Nesse rostinho claro havia uns encantadores olhos azuis claros, uma expressão inteligente, às vezes profunda, até incompatível com sua idade, embora de quando em quando o jovem falasse e olhasse igualzinho a uma criança, não demonstrasse nenhum acanhamento com isso e até tivesse consciência do fato. Em linhas gerais, era muito original, até dado a caprichos, mas sempre afável. Às vezes um quê de imóvel e obstinado transparecia na expressão de seu rosto: olhava para a gente, ficava escutando, mas era como se estivesse eternamente absorto. Ora se mostrava murcho e indolente, ora começava a inquietar-se, às vezes pelo motivo mais fútil.

— Imagine, já faz quatro dias que o trago comigo — continuou, como que arrastando um pouco as palavras preguiçosamente, mas sem qualquer fatuidade, de modo absolutamente natural. — Você se lembra de quando seu irmão o arrancou da carruagem e o fez voar. Naquele momento eu me interessei muito por ele, levei-o para o campo, mas agora ele vive mentindo, de tal forma que dá até vergonha lhe fazer companhia. Estou levando-o de volta...

— O *pan* não *conhenceu* uma *pane*[34] polonesa e diz que isso não *podê* ter acontecido — observou o *pan* do cachimbo para Maksímov.

O *pan* do cachimbo falava bem o russo, ao menos bem melhor do que fazia parecer. Se empregava palavras russas, ele as deformava ao modo polonês.

— Sim, mas eu mesmo fui casado com uma *pane* polonesa — respondeu Maksímov.

— Ora, o senhor por acaso serviu na cavalaria? Porque o senhor estava falando da cavalaria. Por acaso o senhor é um cavalariano? — intrometeu-se Kalgánov incontinenti.

— Sim, é claro, por acaso ele é um cavalariano? ah-ah! — bradou Mítia, que escutava a conversa com avidez e rapidamente transferia seu olhar interrogativo de um dos falantes para outro, como se esperasse ouvir sabe Deus o quê de cada um deles.

— Não, veja — Maksímov virou-se para ele —, estou dizendo que aquelas *panezinhas*... bonitinhas... mal terminam de dançar a mazurca com o nosso ulano... mal uma termina de dançar a mazurca com ele, pula imediatamente em seu colo como uma gatinha... branquinha... mas o *pan*-pai e a *pane*-mãe veem e aprovam... e aprovam... e no dia seguinte o ulano vai à casa dela e lhe propõe casamento... pois é... e propõe casamento, ah-ah! — gargalhou Maksímov depois de concluir.

— O *pan* é um *laidak*![35] — rosnou de chofre em sua cadeira o *pan* alto e cruzou as pernas. Apenas a imensa bota engraxada do *pan* com um solado grosso e sujo saltou à vista de Mítia. Aliás, ambos os *pans* estavam com as roupas bem imundas.

— Vejam só, já apelou até para *laidak*! Por que está insultando? — Grúchenka zangou-se de repente.

— *Pani* Agrippina, o *pan* só conheceu na Polônia mulheres muito pobres, e não *panes* nobres — observou o *pan* do cachimbo para Grúchenka.

[34] Feminino de *pan*. (N. do T.)

[35] Segundo o *Dicionário da língua russa* de V. Dall, *laidak* é derivado de *lodar*, termo empregado no sudoeste da Rússia com o sentido de "patife", "velhaco", etc. (N. do T.)

— Podes estar certa — cortou desdenhosamente de sua cadeira o *pan* alto.

— Era só o que faltava! Deixem que ele também fale! As pessoas estão falando, por que atrapalhar? A companhia deles é alegre — rosnou Grúchenka.

— Eu não estou atrapalhando, *pani* — observou em tom significativo o *pan* da peruca, olhando demoradamente para Grúchenka, e, depois de calar-se com ar importante, voltou a sugar o cachimbo.

— Ah, não, não, agora o *pan* falou a verdade — tornou a inflamar-se Kalgánov, como se fosse possível saber do que se tratava. — Ora, ele não esteve na Polônia, então como é que ele pode falar da Polônia? Porque o senhor não se casou na Polônia, hein?

— Não, casei-me na província de Smoliensk. Só que ainda antes disso um ulano a trouxera, a minha esposa, futura, e junto com ela a *pane*-mãe, uma *tante*[36] e mais uma parenta com o filho adulto, e da própria Polônia, da própria... e me cedeu. Era um tenente nosso, um jovem muito bom. Primeiro ele mesmo queria se casar, mas não se casou porque descobriu que ela era coxa...

— Quer dizer então que o senhor se casou com uma coxa? — exclamou Kalgánov.

— Com uma coxa. Na ocasião os dois me esconderam o problema e me enganaram um pouquinho. Eu pensava que ela saltitava, ela estava sempre saltitando, mas eu achava que era de alegria...

— Alegria porque estava se casando com o senhor? — berrou Kalgánov com uma sonora voz de criança.

— Sim, de alegria. Mas aconteceu que a causa foi totalmente outra. Depois, quando já tínhamos nos casado, na mesma noite do casamento, ela o confessou, e de um jeito muito comovente me pediu desculpa, dizendo que uma vez, quando era mocinha, pulara uma poça e tinha prejudicado a perna, ih-ih!

Kalgánov caiu a valer na risada mais infantil e quase desabou em cima do sofá. Grúchenka também riu. Mítia estava no auge da felicidade.

— Sabe, sabe, agora ele está mesmo falando a verdade, agora ele não está mentindo! — exclamava Kalgánov, dirigindo-se a Mítia. — Sabe, ele foi casado duas vezes, está falando da primeira mulher, porque a segunda mulher dele fugiu e continua viva, sabia disso?

[36] "Tia", em francês ou alemão. (N. do T.)

— Será possível? — Mítia virou-se rapidamente para Maksímov com uma surpresa incomum estampada no rosto.

— Sim, fugiu, passei por essa contrariedade — confirmou modestamente Maksímov. — Com um *monsieur*. E o pior é que a primeira coisa que fez foi passar de antemão toda a minha aldeota para o seu nome. Tu, disse ela, és um homem instruído e encontrarás um jeito de ganhar o pão. E assim me deixou. Uma vez um respeitável bispo me observou: uma esposa tua era coxa, a outra, excessivamente boa de canela, ih-ih!

— Ouçam, ouçam! — Kalgánov fervia — se ele mente (e mente com frequência), só mente para deixar todos satisfeitos: e isso não é torpe, não é torpe, é?! Sabe, às vezes eu gosto dele. É muito torpe, mas é naturalmente torpe, hein?! O que os senhores acham? Outros cometem torpezas por algum motivo, para levar vantagem, mas ele o faz com simplicidade, é da sua natureza... Imaginem, por exemplo, que ele pretende (ontem discutiu durante a viagem toda) que foi sobre ele que Gógol escreveu *Almas mortas*. Está lembrado de que lá existe um fazendeiro chamado Maksímov, que Nozdriov[37] açoitou e por isso foi processado? "Por afrontar pessoalmente o fazendeiro Maksímov com chicotadas quando estava bêbado" — então, está lembrado? Pois bem, imagine que ele diz que foi ele o açoitado! Ora, isso lá pode ser verdade? Tchítchikov viajou o mais tardar na década de 20, no início, de sorte que não há nenhuma coincidência entre os anos. Não o podia ter açoitado naquela ocasião. Ora, não podia, podia?

Era difícil imaginar o que deixava Kalgánov tão exaltado, mas ele estava sinceramente exaltado. Mítia entrou em seu jogo.

— Ora, vá que o tenham açoitado mesmo! — bradou com uma gargalhada.

— Não é que tenham açoitado, é modo de dizer — emendou de súbito Maksímov.

— Como assim? Açoitaram ou não?

— *Ktura godzina*, *pan*? (Que horas são?) — o *pan* do cachimbo dirigiu-se ao *pan* alto da cadeira. O outro deu de ombros como resposta: nenhum dos dois tinha relógio.

— Por que não haveriam de conversar? Deixem que os outros conversem. Se o senhor está enfastiado, então os outros que fiquem de bico calado! — tornou a arremeter Grúchenka, imiscuindo-se visivelmente de propósito. Parece que pela primeira vez, algo passou de relance pela mente de Mítia. Desta feita o *pan* já respondeu com uma visível irritação:

[37] Nozdriov e Tchítchikov: personagens de *Almas mortas*, de Gógol. (N. do T.)

— *Pani, ya nitz ne muven prótiv, nitz ne povedzialem* (Não estou contrariando, eu não disse nada).

— Então está bem, e quanto a ti, continua contando — bradou Grúchenka para Maksímov. — Por que todos se calaram?

— Mas neste caso não há o que contar, porque é tudo uma tolice só — secundou no ato Maksímov com visível satisfação e uma pitada de denguice —, e além do mais tudo isso aparece em Gógol sob a forma de alegoria, porque todos os sobrenomes são alegóricos: Nozdriov não era Nozdriov, mas Nóssov, e Kuvchínikov já não tem nada a ver, porque ele era Chkvorniov.[38] Já Fenardi era realmente Fenardi, só que ele não era italiano, mas russo, Pietrov; e *mamsel*[39] Fenardi era bonitinha, usava meias de tricô nas perninhas bonitinhas, uma sainha bem curtinha, com lantejoulas, e dava uns giros quando dançava, só que não duravam quatro horas, mas apenas quatro minutos... e cativava todo mundo...

— Mas foi por isso que te açoitaram, te açoitaram por isso? — berrou Kalgánov.

— Por causa de Piron — respondeu Maksímov.

— Que Piron? — bradou Mítia.

— O famoso escritor francês, Piron. Na ocasião todos nós estávamos tomando vinho num grupo numeroso, numa taverna nessa mesma feira. Foram eles que me convidaram, e a primeira coisa que eu fiz foi declamar epigramas: "Tu és mesmo Boileau, que roupa engraçada!".[40] E Boileau responde que está indo a um baile de máscaras, ou seja, ao banho, ih-ih, e então eles tomaram isso para si. E rapidamente eu declamei outro, mordaz, muito conhecido de todas as pessoas instruídas:

Tu és Safo, eu, Faon, isto não discuto,
Mas para meu infortúnio,
Não conheces o caminho do mar.

[38] Maksímov joga com a semântica dos nomes dessas personagens de *Almas mortas*: Nozdriov deriva de *nozdriá* (narinas); Nóssov deriva de *nós* (nariz); Kuvchínikov deriva de *kuvchín* (jarro, moringa), e Chkvórniev deriva de *chkvóren* (cravija, peça de carro de tração animal). Já Fenardi era um famoso mágico dos anos 1820, mencionado com os outros na mesma passagem de livro de Gógol. (N. do T.)

[39] Forma popular e antiga de *mademoiselle* entre os russos. (N. do T.)

[40] Trecho do poema de I. A. Krilóv, "Epigrama com a tradução de *L'Art poétique*", de Boileau, publicado pela primeira vez na Rússia em 1814. (N. da E.)

Eles ficaram ainda mais ofendidos e começaram a me destratar com palavrões, mas eu, para meu infortúnio, tentando consertar a situação, achei de contar justo uma anedota erudita sobre como Piron, que não havia sido aceito na academia francesa, para se vingar, escreveu seu próprio epitáfio na lápide do seu túmulo:

Ci-git Piron qui ne fut rien
Pas même académicien.[41]

Então me pegaram e me açoitaram.

— Mas por quê, por quê?

— Por minha ilustração. Sabe-se lá que motivos as pessoas não encontram para açoitar um homem! — concluiu Maksímov em tom breve e moralizante.

— Ora, basta, tudo isso é detestável, não quero ouvir, pensei que isso aqui fosse divertido — interrompeu subitamente Grúchenka. Mítia agitou-se e parou de rir no ato. O *pan* alto levantou-se e, com ar arrogante de quem se sente entediado entre estranhos, começou a andar de um canto a outro da sala com as mãos atrás das costas.

— Vejam só, resolveu andar! — Grúchenka olhou desdenhosamente para ele. Mítia ficou intranquilo, e além disso notou que o *pan* do sofá olhava para ele com ar irritado.

— *Pan* — bradou Mítia —, bebamos, *pane*! E com o outro *pan* também: bebamos, *panove*![42] — num piscar de olhos ele aproximou três copos e serviu champanhe.

— Pela Polônia, *panove*! Por sua Polônia, pelo torrão polonês! — exclamou Mítia.

— *Bardzo mi to, pane* (Isso me agrada muito, *pane*), bebamos — pronunciou com ar importante e benevolente o *pan* do sofá e pegou seu copo.

— O outro *pan* também — como se chama? —, ei, respeitabilíssimo *pan*, pegue seu copo! — insistia Mítia.

— *Pan* Wrublevsk — lembrou o *pan* do sofá.

Gingando o corpo, *pan* Wrublevsk chegou-se à mesa e pegou seu copo.

— Pela Polônia, *panove*, urra! — bradou Mítia levantando o copo.

[41] "Aqui jaz Piron, que não foi ninguém/ Nem sequer um acadêmico", em francês no original. (N. do T.)

[42] Plural de *pan*. (N. do T.)

Todos os três beberam. Mítia agarrou a garrafa e imediatamente serviu mais três copos.

— Agora pela Rússia, *panove*, e confraternizemo-nos!

— Serve-nos também — disse Grúchenka —, pela Rússia eu também quero beber.

— Eu também — disse Kalgánov.

— E eu também gostaria... pela Russiazinha, a velha vovozinha — deu um risinho Maksímov.

— Todos, todos! — exclamou Mítia. — Patrão, mais garrafas!

Trouxeram todas as três garrafas que restavam das que Mítia havia trazido. Mítia serviu.

— Pela Rússia, *urra*! — tornou a proclamar. Todos beberam, menos os *pans*, e Grúchenka bebeu de um gole todo o seu copo. Os *pans* não tocaram nos seus.

— E os senhores, *panove*? — exclamou Mítia. — Então é assim?

Pan Wrublevsk pegou o copo, ergueu e proferiu com voz retumbante:

— Pela Rússia nos limites de 1772![43]

— *Oto bardzo penkne*! (Assim é que é bom!) — bradou o outro *pan*, e ambos esvaziaram seus copos de um gole.

— Os senhores são uns parvos, *panove*! — deixou escapar subitamente Mítia.

— *Pa-ne*! — gritaram ambos os *pans* em tom de ameaça, mirando em Mítia como galos. *Pan* Wrublevsk ficou particularmente exaltado.

— Por acaso não se pode amar o seu país?

— Calados! Não briguem! Nada de briga! — gritou Grúchenka imperiosamente e bateu com o pé no chão. Estava com o rosto em brasas e os olhos faiscando. O copo que acabara de beber fazia seu efeito. Mítia levou um terrível susto.

— *Panove*, desculpem! A culpa é minha, não vou repetir. Wrublevsk, *pan* Wrublevsk, não vou repetir!...

— Ora, pelo menos tu cala a boca, senta-te, seu idiota! — rosnou Grúchenka para ele com um enfado raivoso.

Todos se sentaram, todos se calaram, todos se entreolharam.

— Senhores, eu sou a causa de tudo! — recomeçou Mítia, sem ter en-

[43] Na primeira divisão da Polônia, realizada entre a Rússia, a Prússia e a Áustria, em 1772, foram incorporadas à Rússia a parte leste da Bielorrússia e a parte católica da Lituânia; as terras propriamente polonesas foram incorporadas somente à Áustria e à Prússia, e não à Rússia. (N. da E.)

tendido nada do brado de Grúchenka. — Ora, por que ficamos aqui sentados? O que podemos fazer... para isso aqui ficar divertido novamente?

— Ah, isso aqui está mesmo horrivelmente chato — balbuciou Kalgánov com indolência.

— Que tal jogarmos a banca como ainda há pouco... — Maksímov deu um súbito risinho.

— A banca? Magnífico! — secundou Mítia — desde que os *panove*...

— *Puzno, pan*! — respondeu como que sem querer o *pan* do sofá...

— É verdade — fez coro o *pan* Wrublevsk.

— *Puzno*! O que quer dizer *puzno*? — perguntou Grúchenka.

— Quer dizer tarde, *pani*, tarde, hora tardia — explicou o *pan* do sofá.

— Para eles é sempre tarde, é sempre impossível! — Grúchenka quase ganiu agastada. — Eles ficam aí entediados, então que os outros também fiquem entediados. Antes da tua chegada, Mítia, ficaram o tempo todo calados e bancando os presunçosos comigo...

— Minha deusa! — bradou o *pan* do sofá. — Percebo antipatia e por isso estou triste. Estou pronto, *pane* — concluiu, dirigindo-se a Mítia.

— Comece, *pane*! — secundou Mítia, tirando do bolso suas notas e colocando duas de cem na mesa. — Quero perder muito, muito para ti, *pan*. Pega as cartas, banca o jogo!

— As cartas têm que ser do estalajadeiro, *pane* — pronunciou o *pan* baixo num tom sério e firme.

— É a melhor maneira — fez coro *pan* Wrublevsk.

— Do estalajadeiro? Está bem, eu compreendo, então que sejam do estalajadeiro, está bem, *panove*! Baralho! — comandou Mítia para o estalajadeiro.

Ele trouxe um baralho lacrado e anunciou a Mítia que as moças já estavam sendo reunidas, que os *jides* com seus címbalos também viriam, provavelmente logo, e quanto à troica com as provisões, esta ainda não havia chegado. Mítia pulou da cadeira e correu ao cômodo vizinho para tomar as providências imediatas. Mas ali só se encontravam três moças e ainda faltava Mária. Aliás, nem ele mesmo sabia como tomaria as providências e por que correra para esse cômodo: mandou apenas que trouxessem da caixa os doces, as balas e os bombons e que os dessem às moças. "E sirvam vodca a Andriêi! — ordenou às pressas. — Eu ofendi Andriêi!" Nisso Maksímov, que correra atrás dele, tocou-lhe o ombro.

— Arranje-me cinco rublos — cochichou para Mítia —, eu também gostaria de arriscar na banca, ih-ih.

— Magnífico, excelente! Pegue, tome! — tornou a tirar todas as notas do bolso e procurou uma de dez rublos. — Se perderes me procura de novo, de novo...

— Está bem — cochichou alegremente Maksímov e correu para o salão. Mítia retornou imediatamente e pediu desculpas por se fazer esperar. Os *pans* já estavam sentados e haviam deslacrado o baralho. Estavam bem mais amistosos, quase afetuosos. O *pan* do sofá deu uma nova baforada no cachimbo e preparou-se para dar as cartas; havia até certo ar triunfal em seu rosto.

— Ocupem seus lugares, *panove*! — proferiu *pan* Wrublevsk.

— Não, eu não vou mais jogar — respondeu Kalgánov —, ainda há pouco perdi cinquenta rublos para eles.

— O *pan* estava sem sorte, mas pode ser que a sorte volte agora — observou em sua direção o *pan* do sofá.

— De quanto é a aposta? — exaltava-se Mítia.

— Pode ser de cem, pode ser de duzentos, quanto o senhor quiser apostar, *pane*.

— Um milhão! — Mítia deu uma risada.

— O *pan* capitão talvez tenha ouvido falar de *pan* Podvisotzki?

— Que Podvisotzki?

— Em Varsóvia o jogador é quem canta o lance. Podvisotzki chega, vê mil moedas de ouro, e diz: "aposta a banca toda". O banqueiro diz: "*Pane* Podvisotzki, apostas em ouro ou sob palavra de honra?" — "Sob palavra de honra, *pan*" — diz Podvisotzki. "Ótimo, *pane*". O banqueiro corta o baralho, Podvisotzki ganha e recolhe as moedas de ouro. "Espere um pouco, *pane* — diz o banqueiro, tirando da gaveta e lhe entregando um milhão —, recebe, *pane*, esse é o teu ganho!" A aposta era de um milhão. "Eu não sabia disso" — diz Podvisotzki. "*Pan* Podvisotzki — diz o banqueiro —, apostaste sob palavra de honra e nós bancamos sob palavra de honra." Podvisotzki recebeu um milhão.

— Isso é uma inverdade — disse Kalgánov.

— *Pane* Kalgánov, não se fala assim entre gente decente.

— Como se um jogador polonês entregasse sem mais nem menos um milhão! — exclamou Mítia, mas no mesmo instante se arrependeu. — Desculpe, *pane*, foi culpa minha, mais uma vez foi culpa minha, ele entregará, entregará um milhão, sob palavra de honra, pela honra polonesa! Veja só como eu falo polonês, ah-ah! Vamos, aposto dez rublos, no valete.

— Já eu aposto um rublozinho, na dama de copas, na daminha bonitinha do *pan*, ih-ih — deu uma risadinha Maksímov, apresentando sua dama e, como que desejando escondê-la de todos, encostou-se totalmente na mesa e rapidamente se benzeu por baixo dela. Mítia ganhou. O rublinho de Maksímov também.

— Aumento a aposta! — bradou Mítia.

— Já eu vou repetir meu rublinho, um simples rublinho — balbuciava Maksímov com um ar venturoso, numa imensa alegria por ter ganhado um rublo.

— Perdi! — gritou Mítia. — Dobro no sete!

Perdeu também no sete.

— Pare — disse subitamente Kalgánov.

— Dobro, dobro — Mítia dobrava a aposta e, por mais que dobrasse, cobriam a sua aposta. Mas os rublinhos ganhavam.

— Dobro — rugiu Mítia enfurecido.

— Perdeu duzentos, *pan*. Vai apostar mais duzentos? — quis saber o *pan* do sofá.

— Como, já perdi duzentos? Então mais duzentos! Dobro todos os duzentos! — E, tirando o dinheiro do bolso, Mítia ia apostar duzentos rublos na dama quando Kalgánov cobriu subitamente a carta com a mão.

— Basta! — gritou com sua voz sonora.

— O que é que está fazendo? — Mítia o encarou.

— Basta, não quero! Não vai jogar mais.

— Por quê?

— Porque sim. Mande a partida às favas e saia, eis o porquê. Não vou mais deixá-lo jogar.

Mítia o fitava surpreso.

— Para, Mítia, talvez ele esteja certo; já perdeste muito — pronunciou Grúchenka com um tom estranho na voz. Ambos os *pans* se levantaram de repente com um aspecto terrivelmente ofendido.

— Está brincando, *pane*? — pronunciou o *pan* baixo, examinando severamente Kalgánov.

— Como o senhor se atreve a fazer isso, *pane*? — rosnou também *pan* Wrublevsk para Kalgánov.

— Não se atrevam, não se atrevam a gritar! — bradou Grúchenka. — Ora vejam, seus perus!

Mítia olhava alternadamente para os dois; mas alguma coisa na expressão do rosto de Grúchenka subitamente o surpreendeu e, ato contínuo, teve uma sensação de algo inteiramente novo — uma ideia nova e terrível!

— *Pani* Agrippina! — ensaiou articular o *pan* baixo, todo vermelho de cólera, mas Mítia achegou-se de súbito e tocou-lhe no ombro.

— Respeitabilíssimo *pane*, duas palavrinhas.

— O que deseja, *pane*?

— Vamos para aquele quarto, aquele aposento, quero te dizer duas boas palavrinhas, as melhores, ficarás satisfeito.

O *pan* baixo ficou surpreso e olhou receoso para Mítia. Contudo, concordou no mesmo instante, mas com a condição *sine qua non* de que *pan* Wrublevsk os acompanhasse.

— O guarda-costas? Que venha também, é até necessário! É até forçoso! — exclamou Mítia. — Em marcha, *panove*!

— Aonde estão indo? — perguntou Grúchenka inquieta.

— Voltaremos num segundo — respondeu Mítia. Uma coragem, um ânimo inesperado brilhou em seu rosto; entrara uma hora antes naquela sala com uma cara inteiramente diferente. Conduziu os *pans* para o quarto à direita, não para aquele grande em que se preparavam as moças do coro e se punha a mesa, mas para o dormitório, onde ficavam arcas, baús e duas camas grandes com um monte de travesseiros de chita em cima de cada uma. Ali, bem no canto, uma vela ardia sobre uma mesinha de ripas. O *pan* e Mítia se acomodaram nessa mesinha frente a frente, e o imenso *pan* Wrublevsk ao lado deles, com as mãos para trás. Os *pans* observavam com severidade, mas com visível curiosidade.

— Em que podemos servir o *pane*? — balbuciou o *pan* baixo.

— Eis em quê, *pane*, vou ser breve: vê esse dinheiro — ele tirou as notas do bolso —, se quiseres três mil rublos, pega-os e vai embora daqui sabes para onde.

O *pan* o observava com um ar perscrutador, de olhos arregalados e a vista cravada no rosto de Mítia.

— *Truês* mil, *pane*? — ele e Wrublevsk entreolharam-se.

— *Truês*, *panove*, *truês*! Ouve, *pane*, sei que és um homem sensato. Pega três mil e vai embora daqui com todos os diabos, e leva junto Wrublevsk, estás ouvindo? Mas que seja agora, neste instante, e para sempre, estás entendendo, *pane*, sairás por aquela porta ali e para sempre. O que é que tens lá dentro: um sobretudo, um casaco de pele? Eu te levarei. Agora mesmo preparam uma troica para ti e — adeus, *pan*! Hein?!

Mítia esperava convictamente a resposta. Não tinha dúvida. Algo extraordinariamente decidido passou de relance pelo rosto do *pan*.

— E os rublos, *pane*?

— Com os rublos vamos fazer assim, *pan*: quinhentos neste instante, para que pagues o cocheiro, e os dois mil e quinhentos amanhã, na cidade; juro por minha honra que os conseguirei nem que seja de debaixo da terra! — bradou Mítia.

Os poloneses tornaram a se entreolhar, o rosto do *pan* começou a mudar para pior.

— Setecentos, setecentos e não quinhentos, em tuas mãos, agora, neste instante! — acrescentou Mítia, sentindo alguma coisa ruim. — O que é isso, *pane*? Não acreditas? Eu não vou te dar todos os três mil de uma vez. Eu te dou, e tu voltas para ela amanhã mesmo... e além disso eu não tenho todos os três neste momento, tenho em casa, na cidade — balbuciava Mítia, temeroso e caindo em desânimo a cada palavra que dizia —, juro, estão guardados em minha casa...

Num piscar de olhos o sentimento de uma dignidade própria incomum resplandeceu no rosto do *pan* baixo:

— Não vais querer mais nada? — perguntou ele ironicamente. — *Pfe*! *Pfe*! (vergonha, infâmia!) — e deu uma cusparada. *Pan* Wrublevsk também cuspiu.

— Estás cuspindo assim, *pane* — pronunciou Mítia como um desesperado, compreendendo que tudo fora por água abaixo —, porque achas que vais arrancar mais de Grúchenka. Vocês dois são uns capões, é isso que são!

— *Estem do jivego doknentnim*! (Fui ofendido ao máximo!) — de repente o *pan* baixo ficou vermelho como um pimentão e, numa terrível indignação, saiu depressa do quarto, como se não quisesse ouvir mais nada. Atrás dele saiu Wrublevsk gingando, e atrás dos dois Mítia, desconcertado e atônito. Temia Grúchenka, pressentia que o *pan* logo começaria a gritar. E foi o que aconteceu. O *pan* entrou na sala e parou num gesto teatral diante de Grúchenka.

— *Pani* Agrippina, *estem do jivego doknentnim*! — esboçou uma exclamação, mas Grúchenka pareceu perder subitamente toda a paciência, como se tivesse sido atingida em seu ponto mais frágil.

— Em russo, fala russo e não digas uma palavra em polonês! — Ela gritou para ele. — Antes falavas russo, não me digas que esqueceste em cinco anos! — Estava toda vermelha de ira.

— *Pani* Agrippina...

— Eu me chamo Agrafiena, eu sou Grúchenka, fala russo ou me nego a te ouvir! — O *pan* se desdobrava em sua presunção e, estropiando a fala russa, proferiu de forma rápida e afetada:

— *Pani* Agrafiena, eu vim esquecer o passado e perdoá-lo, esquecer o que houve antes deste dia...

— Como perdoar? Foi a mim que vieste perdoar? — cortou Grúchenka e levantou-se de um salto.

— Isso mesmo, *pani*, eu não sou pusilânime, eu sou magnânimo. Mas fiquei surpreso quando vi teus amantes. Naquele aposento ali *pan* Mítia me ofereceu três mil rublos para eu ir embora. Cuspi na carranca do *pan*.

— Como? Ele te ofereceu dinheiro em troca de mim? — gritou histericamente Grúchenka. — É verdade, Mítia? E como te atreveste? Por acaso estou à venda?

— *Pane, pane* — berrou Mítia —, ela é pura e irradia pureza, e nunca fui amante dela! Isto é mentira tua...

— Como te atreves a me defender perante ele? — berrou Grúchenka — não fui pura por virtude e nem por medo a Kuzmá, mas para que pudesse ser altiva diante dele e ter o direito de chamá-lo de canalha quando o encontrasse. E será mesmo que ele não aceitou teu dinheiro?

— Aceitou, aceitou! — exclamou Mítia. — Só que queria receber os três mil de uma vez, mas lhe dei apenas setecentos de sinal.

— Bem, está entendido: ele ouviu dizer que eu tinha dinheiro e por isso veio para se casar comigo!

— *Pani* Agrippina — gritou o *pan* —, sou um cavaleiro, um *szlachcic*,[44] e não um *laidak*! Vim para te tomar como esposa, mas estou vendo uma nova *pani*, não aquela de antes, mas uma cheia de caprichos e desavergonhada.

— Então pega e volta para o lugar de onde vieste! Vou mandar te escorraçar agora mesmo, e te escorraçarão! — gritou Grúchenka em desvario. — Imbecil, fui uma imbecil me atormentando durante cinco anos! Mas não era absolutamente por causa dele que me atormentava, era de raiva! Onde mandaste fazer essa peruca? O outro era um falcão, mas este é um pato. O outro ria e me cantava canções e eu, e eu que passei cinco anos banhada em lágrimas, eu era uma maldita duma imbecil, baixa, sem-vergonha!

Caiu na poltrona e cobriu o rosto com as mãos. Nesse instante, no cômodo contíguo à esquerda, ouviu-se finalmente o coro das moças de Mókroie entoando um animado canto para dança.

— Isso é uma esbórnia! — berrou de repente *pan* Wrublevsk. — Patrão, põe pra fora essas sem-vergonha!

O estalajadeiro, que da entrada espiava com curiosidade havia muito tempo, ao ouvir gritos e farejando que os hóspedes estavam brigando, apareceu imediatamente na sala.

— Por que estás gritando, vais rasgar a garganta — dirigiu-se a Wrublevsk com uma descortesia até incompreensível.

— Animal! — exclamou *pan* Wrublevsk.

— Animal? E tu, com que baralho acabaste de jogar? Eu te entreguei

[44] Pequeno fazendeiro nobre na Polônia. (N. do T.)

um baralho, mas tu o escondeste! Jogaste com cartas falsas! Por causa do baralho falso eu posso te confinar na Sibéria, tu sabes, porque isso é o mesmo que usar dinheiro falso... — e, chegando-se ao sofá, enfiou os dedos entre o encosto e o almofadão e tirou de lá um baralho lacrado.

— Aqui está o meu baralho, lacrado — ele o ergueu e mostrou a todos ao redor. — Eu vi de lá como ele enfiou o meu baralho nessa brecha e o substituiu pelo seu; és um vigarista e não um *pane*.

— E eu vi o *pan* trapaceando duas vezes — bradou Kalgánov.

— Ah, que vergonha, ah, que vergonha! — Grúchenka exclamou, ergueu os braços e realmente corou de vergonha. — Meu Deus, o homem se transformou nisso, nisso!

— Eu também pensei nisso — bradou Mítia. Mas nem teve tempo de concluir e *pan* Wrublevsk, confuso e enfurecido, dirigiu-se a Grúchenka e gritou, ameaçando-a com os punhos:

— Rameira! — Mas não conseguiu concluir, pois Mítia investiu contra ele, agarrou-o com ambas as mãos, levantou-o no ar e num piscar de olhos o retirou para o cômodo à direita, aonde acabara de levar os dois.

— Eu o larguei lá no chão! — anunciou, retornando imediatamente e arfando de emoção. — O canalha lutou, mas pelo jeito não vai voltar!... — Fechou uma metade da porta e, segurando a outra aberta, exclamou para o *pan* baixo:

— Respeitabilíssimo, não gostaria de ir para lá também?

— *Bátiuchka*, Mitri[45] Fiódorovitch — falou Trifón Boríssitch —, toma deles o dinheiro que perdeste! Porque é como se eles tivessem te roubado.

— Não quero tomar de volta meus cinquenta rublos — declarou de repente Kalgánov.

— E eu também não quero os meus duzentos! — exclamou Mítia. — Não vou tomá-los de maneira nenhuma, que fiquem com eles para consolo.

— Excelente, Mítia! Bravo, Mítia! — bradou Grúchenka, e em sua exclamação ressoou um tom extremamente raivoso. O *pan* baixo, rubro de fúria, embora sem perder um mínimo de sua imponência, ia tomando a direção da porta, mas parou de repente e proferiu, dirigindo-se a Grúchenka.

— *Pani*, se quiseres me acompanhar, vamos; senão, adeus!

E, bufando de indignação e ufania, passou em direção à porta. O homem era obstinado: depois de tudo o que acontecera, ainda não perdera a esperança de que a *pani* o acompanhasse — tão alta era a conta em que se tinha. Mítia bateu a porta atrás dele.

[45] Tratamento íntimo do nome Dmitri. (N. do T.)

— Tranque os dois à chave — disse Kalgánov. Mas a fechadura estalou do lado de dentro, eles mesmos se haviam trancado.

— Excelente! — tornou a gritar Grúchenka em tom raivoso e implacável. — Excelente! Fizeram por merecer.

VIII. Delírio

Começou uma quase orgia, um rega-bofe. Grúchenka foi a primeira a gritar pedindo vinho: "Quero beber, quero ficar completamente bêbada, como daquela vez, estás lembrado, Mítia, tu te lembras que daquela vez nos conhecemos de perto aqui?". O próprio Mítia estava como em delírio e pressentindo "sua felicidade". Aliás, Grúchenka o afastava incessantemente: "Vai, procura te divertir, diz a eles que dancem, que se divirtam todos, 'anda, isbá, anda, forno',[46] como daquela vez, como daquela vez!" — continuava exclamando. Estava excitadíssima. E Mítia corria para tomar providências. O coro estava na sala contígua. A sala em que eles haviam estado até agora era, além de tudo, apertada, dividida ao meio por uma cortina de chita, atrás da qual também havia uma cama imensa, com colchão de penas e uma montanha de travesseiros igualmente de chita. Além disso, em todos os quatro cômodos "limpos" da casa havia camas por todos os cantos. Grúchenka se acomodou bem à porta, para onde Mítia lhe trouxe a poltrona: estava sentada do mesmo jeito que "da outra vez", no dia da primeira farra dos dois ali, e dali observava o coro e a dança. As moças ali reunidas eram as mesmas da outra vez; os *jidezinhos* com os violinos e as cítaras também estavam presentes e, por fim, chegara a troica com a tão esperada carga de vinhos e provisões. Mítia estava agitado. Estranhos também apareciam para observar a sala, mujiques e camponesas que já estavam dormindo mas despertaram e farejaram um festim nunca visto, tal como o de um mês antes. Mítia cumprimentava e abraçava os conhecidos, esforçava-se para lembrar dos rostos, abria garrafas e servia a qualquer um que aparecia. Só as moças cobiçavam muito o champanhe, porque os mujiques gostavam mais do rum e do conhaque, e particularmente do ponche quente. Mítia mandou fazer chocolate para todas as moças e manter acesos pela noite inteira três samovares destinados ao chá e ao ponche, para qualquer um que aparecesse: quem quisesse que se servisse. Numa palavra, começou algo desordenado e absurdo, mas Mítia

[46] Versos de uma canção popular russa, cantada quase sempre em quadrinhas, muitas vezes acompanhada de sapateado: "Anda isbá, anda forno...". (N. da E.)

estava como que em seu elemento natural, e quanto mais absurdo tudo ia ficando, mais ânimo ele ganhava. Pedisse-lhe dinheiro algum mujique nesse instante, e ele tiraria do bolso todo o seu bolo e passaria a distribuí-lo a torto e a direito, sem contar. Eis a razão por que, provavelmente para proteger Mítia, Trifón Boríssitch, o estalajadeiro, andava novamente a seu redor, quase sem arredar pé e, parece, já depois de ter desistido inteiramente de dormir nessa noite, mas bebendo pouco (bebera apenas um copinho de ponche) e velando a seu modo pelos interesses de Mítia. Nos momentos necessários ele o continha de um modo afetuoso e servil, e procurava convencê-lo, impedia-o de distribuir "cigarros e vinho do Reno" e, Deus nos livre, dinheiro entre os mujiques, como "da outra vez", e sentia-se muito indignado porque as moças bebiam licor e comiam bombons: "Elas são cheias de piolho, Mitri Fiódorovitch — dizia ele —, e eu as trato a pontapés e ainda ordeno que tomem isso como uma honra — é assim que elas são!". Mítia tornou a lembrar-se de Andriêi e ordenou que lhe enviassem ponche. "Ainda há pouco eu o ofendi" — repetia com voz debilitada e enternecida. Kalgánov não queria beber e inicialmente detestou o coro das moças, mas, depois de tomar mais umas duas taças de champanhe, ficou muitíssimo alegre, andando pelos cômodos, rindo, elogiando a tudo e a todos, os cantos e a música. Maksímov, feliz e bêbado, não o largava. Grúchenka, que também estava ficando embriagada, apontava Kalgánov para Mítia: "Que gracinha ele é, que rapazinho lindo!". E Mítia, extasiado, corria para beijar Kalgánov e Maksímov. Oh, ele pressentia muita coisa; ela ainda não lhe havia dito nada de especial e até parecia retardar de propósito para dizê-lo, só de raro em raro olhando para ele com um olharzinho carinhoso e ardente. Por fim ela o agarrou subitamente pelo braço e o puxou com força para si. Estava sentada na poltrona junto à porta.

— Que jeito deste para entrar ainda há pouco, hein?! Que jeito!... fiquei até assustada. Então tu querias me ceder a ele, hein? Será que querias mesmo?

— Eu não queria estragar tua felicidade! — balbuciou Mítia extasiado. Ela, porém, estava até dispensando a resposta dele.

— Mas vai... procura te divertir — tornava a afastá-lo —, e não chores, te chamarei outra vez.

E ele corria, e ela ficava mais uma vez a ouvir as canções e assistir à dança, acompanhando-o com o olhar onde quer que ele estivesse, mas quinze minutos depois tornava a chamá-lo e ele tornava a correr.

— Bem, senta-te agora aqui a meu lado, conta como ontem ouviste dizer que eu tinha vindo para cá; por quem o soubeste primeiro?

E Mítia começava a contar tudo de forma desconexa, desordenada, exaltada porém apaixonada, mas contava, franzindo de repente o cenho e parando.

— Por que franzes o cenho? — perguntava ela.

— Não é nada... deixei um doente por lá. Neste momento eu daria dez anos de minha vida para saber se ele se recuperou, se vai se recuperar!

— Bem, Deus que fique com ele se está doente. Agora, será possível que querias te suicidar amanhã, seu tolo, e por quê? Eu gosto de gente assim, insensata — balbuciava ela com a língua já um pouco pesada. — Então tu farias qualquer coisa por mim? Hein? E não me digas, seu tolinho, que querias mesmo te suicidar amanhã! Não, por ora espera, amanhã eu talvez te diga uma palavrinha... não vou te dizer hoje, mas amanhã. E tu gostarias que fosse hoje? Não, hoje eu não quero... bem, anda, vai agora te divertir.

Se ela, porém, o chamara para perto de si, é que parecia perplexa e preocupada.

— Por que estás triste? Vejo que estás triste... Não, eu estou vendo — acrescentou, olhando-o nos olhos de um modo penetrante. — Embora fiques trocando beijos com os mujiques e gritando, eu percebo qualquer coisa. Não, procura te divertir, estou me divertindo e tu também procura te divertir... eu gosto de uma pessoa aqui, adivinhas quem?... Ai, olha só: meu menino adormeceu, está embriagado, um amor.

Ela falava de Kalgánov: este realmente se embriagara e adormecera por um instante sentado no sofá. E não adormecera só por embriaguez, algo o deixara subitamente triste ou, como ele mesmo disse, "entediado". Ficara, enfim, fortemente desanimado com os cantos das moças, que começavam a passar pouco a pouco da bebedeira para algo já demasiado indecente e dissoluto. E as danças também: duas moças se travestiram de ursos e Stiepanida, uma moça esperta que segurava um pedaço de pau na mão, fazendo as vezes de mestre, começou a "exibi-las". "Mais alegre, Mária — gritava ela —, senão te dou uma paulada!" Kalgánov as observava com a expressão de quem parecia ter se sujado. "Todo esse troço popular aí é uma porcaria — observou, afastando-se —, isso aí que elas estão fazendo são jogos da primavera, quando elas velam pelo sol durante toda a noite de verão."[47] Mas o desagra-

[47] Na Rússia, a partir do carnaval, uma variedade de festas populares, que hoje coincidem com os dias guardados pela Igreja, está relacionada com crenças pagãs da remota Antiguidade e são de natureza genuinamente dionisíaca. Em algumas dessas festas, as pessoas recepcionam o sol travestidas, o mais das vezes em pele de urso. No dia 29 de julho, por exemplo, acendem-se fogueiras nas colinas em plena madrugada e vigia-se o nascer do sol até que ele resplandeça no céu. (N. da E.)

dou particularmente uma cançãozinha "nova", acompanhada de um animado estribilho de dança, que falava de como um fidalgo testava as moças:

O senhor testava as moças:
As moças me amam ou não?

Mas as moças achavam que não era possível amar o senhor:

O senhor baterá, sentirei dor,
E não terá o meu amor.

Depois passava um cigano (elas pronunciavam cígano) e este também:

O cígano testa às moças:
Moças, podem me amar?

Mas não podiam amar o cigano:

O cigano vai me roubar
E eu vou me amargurar.

E assim passou muita gente testando as moças, até um soldado:

O soldado testava as moças:
Moças, podem me amar?

Mas respondiam com desdém ao soldado:

O soldado leva a mochila,
E eu terei de segui-lo...

E aí vinham os versos mais indecentes, cantados com toda franqueza, que fizeram furor no público ouvinte. O caso terminava com um comerciante:

O comerciante testou as moças:
Moças, podem me amar?

E viu-se que amavam muito, porque

O comerciante vai comerciar
E sou eu que vou reinar.

Kalgánov ficou até furioso:

— Essa é exatamente a mesma canção de ontem — observou em voz alta —, quem compõe isso para elas? Só faltava um ferroviário ou um *jide* aparecer e testar as moças: eles venceriam todas. — E, quase ofendido, anunciou no ato que estava entediado, sentou-se no sofá e logo começou a cochilar. Tinha o rostinho bonito levemente pálido e afundado no almofadão do sofá.

— Vê como é bonitinho — dizia Grúchenka aproximando Mítia dele —, ainda há pouco o penteei; os cabelos são parecidos com linho, e bastos...

E, inclinando-se sobre ele cheia de enternecimento, deu-lhe um beijo na testa. Kalgánov abriu incontinenti os olhos, olhou para ela, soergueu-se e perguntou com a expressão mais preocupada: onde está Maksímov?

— Vê só quem ele está querendo — Grúchenka deu uma risada —, vamos, fica um pouco a meu lado. Mítia, vai atrás de Maksímov.

Verificou-se que Maksímov já não largava as moças, só de raro em raro corria para se servir de um licorzinho, e já bebera duas xícaras de chocolate. Tinha o rosto afogueado, o nariz rubro, os olhos úmidos, doces. Chegou-se às pressas e anunciou que agora queria dançar um "um motivozinho" da *sabotière*.[48]

— É que, quando eu era pequeno, me ensinaram todas aquelas danças refinadas, bem comportadas...

— Então vai, vai com ele, Mítia, e daqui eu fico assistindo como ele dança.

— Não, eu também, eu também vou assistir — exclamou Kalgánov, rejeitando da mais ingênua maneira a proposta de Grúchenka para que ficasse a seu lado. E todos foram assistir. Maksímov realmente dançou sua dança, mas quase não deixou ninguém especialmente encantado, a não ser Mítia. Toda a dança consistia em dar pulos jogando as pernas para os lados, virando para cima a planta dos pés, e a cada pulo Maksímov batia com a mão na sola do calçado. Kalgánov detestou, mas Mítia chegou até a dar um beijo na testa do dançarino.

— Bem, obrigado, deves estar cansado; por que estás olhando para cá: queres uma bala, hein? Talvez um cigarrinho, queres?

— Um cigarrinho.

[48] Dança popular francesa executada sobre tamancos. (N. da E.)

— Não queres beber?

— Acabei de tomar um licorzinho... Mas o senhor não teria balas de chocolate?

— Sim, veja ali na mesa, um montão, escolhe qualquer uma, alma dócil.

— Não, quero uma que tenha baunilha... para os velhos... ih-ih.

— Não, meu caro, dessas especiais não temos.

— Escuta! — o velhote chegou-se de repente bem ao pé do ouvido de Mítia —, aquela mocinha ali, Mariúchka, ih-ih, de que jeito eu, se fosse possível, travaria conhecimento com ela, contando com a bondade do senhor...

— Olha só o que estás querendo! Não, meu caro, estás com conversa fiada.

— Ora, eu não faço mal a ninguém! — murmurou Maksímov em desalento.

— Vá, está bem, está bem. Aqui, meu caro, só se canta e se dança, mas, pensando bem, com os diabos! espera... Por enquanto come, bebe, diverte-te. Não precisas de dinheiro?

— Depois, se for possível — sorriu Maksímov.

— Está bem, está bem...

A cabeça de Mítia ardia. Ele foi ao vestíbulo que dava para uma galeriazinha de madeira no piso superior, que, partindo do pátio, contornava por dentro uma parte de todo o edifício. O ar fresco o reanimou. Ele ficou ali postado, sozinho, no escuro, em um canto, e súbito pôs as duas mãos na cabeça. Num átimo seus pensamentos dispersos se juntaram, as sensações se fundiram em um todo e se fez luz. Uma luz terrível, aterradora! "Pois bem, se eu tenho de me matar, então quando, senão agora? — passou-lhe pela mente. — É ir lá buscar a pistola, trazê-la para cá e aqui, neste mesmo canto sujo e escuro, acabar com tudo." Passou quase um minuto na indecisão. Pouco antes, quando corria para lá, deixava atrás de si a desonra, o roubo cometido, já perpetrado por ele, e aquele sangue, o sangue!... Mas naquele momento era mais fácil, oh, mais fácil! Sim, porque naquela altura já estava tudo terminado: ele a havia perdido, cedido, ela estava morta para ele, desaparecera — oh, naquele momento a sentença lhe era mais leve, pelo menos lhe parecia inevitável, necessária, portanto, por que cargas-d'água iria continuar no mundo? Mas agora! Por acaso agora a situação era a mesma daquele momento? Agora pelo menos liquidara um fantasma, um bicho-papão: aquele "primeiro" dela, o indiscutível, o homem fatal, este desaparecera sem deixar vestígio. O terrível fantasma de repente se transformara em algo tão pequeno, tão cômico; levaram-no com as mãos para o aposento e o trancaram lá à chave. Este nunca mais voltará. Ela está envergonhada, e em seus olhos ele agora já vê com clareza a quem ela ama. Pois bem, esta é que seria a hora só de viver e... e não dá para viver, não dá, oh, maldição! "Deus, reanima aquele ferido ao pé do muro! Afasta de mim esse terrível cálice![49] Pois, Senhor, Tu já obraste milagres para pecadores como eu! E então, e então se o velho estiver vivo? Oh, então eu destruirei a vergonha da outra desonra, devolverei o dinheiro roubado, devolverei, eu o conseguirei debaixo do chão... Não restarão vestígios da desonra, exceto os que me ficarão para sempre no coração! Mas não, não, oh impossíveis e covardes sonhos! Oh, maldição!"

Contudo, uma espécie de raio de alguma esperança luminosa resplandeceu para ele na escuridão. Ele se precipitou do lugar e correu para a sala, novamente para ela, para sua eterna rainha! "Sim, será que uma hora, um minuto do amor dela não vale por todo o resto da vida, ainda que mergulhada nas angústias da desonra?" Essa pergunta extravagante apossou-se do seu coração. "Tenho que ir para ela, para ela só, vê-la, ouvi-la e não pensar em nada, esquecer tudo ainda que seja só por esta noite, por uma hora, por um instante!" Bem à entrada do vestíbulo, ainda na galeriazinha, ele esbarrou no taverneiro Trifón Boríssovitch. Achou-o sombrio e preocupado e, parece, andava à sua procura.

— O que tens, Boríssovitch, estarias me procurando?

— Não, não é ao senhor — de repente o estalajadeiro ficou meio pasmado —, por que eu iria procurá-lo? E o senhor... onde estava?

— Por que estás tão chateado? Não estarás zangado? Espera, logo irás dormir... Que horas são?

— Bem, já são três horas. Já deve até passar das três.

— Vamos terminar, vamos terminar.

— Desculpe, não é nada. Pode ficar o quanto quiser...

"O que se passa com ele?" — pensou de relance Mítia e correu para o cômodo em que as moças dançavam. Mas ela não estava lá. No salão azul também não; apenas Kalgánov dormitava no sofá. Mítia olhou atrás da cortina — ela estava lá. Estava sentada em um canto, numa arca, inclinada, com os braços e a cabeça sobre a cama ao lado, chorando amargamente e fazendo de tudo para abafar o choro, para que ninguém o ouvisse. Ao ver Mítia chamou-o para si, e quando este chegou às pressas ela lhe segurou a mão com força.

— Mítia, Mítia, ora, eu o amava! — começou entre murmúrios —, eu o amei tanto, durante todos esses cinco anos, durante todo, todo esse tempo! Será que eu o amava ou amava apenas o meu rancor? Não, era a ele! Oh,

[49] Ver essa célebre passagem em Lucas, 22, 42, e Marcos, 14, 36. (N. do T.)

a ele! Ora, minto quando digo que amava só o meu rancor e não a ele! Mítia, naquela época eu só tinha dezessete anos, e ele era tão carinhoso comigo, tão cheio de alegria, cantava canções para mim... Ou será que era impressão de uma imbecil, de uma menina... Mas agora, meu Deus, não é ele, não tem nada a ver com ele. E pelo rosto também não é ele, não é ele, de jeito nenhum. Nem pelo rosto o reconheci. Vinha para cá com Timofiêi e não parava de pensar, pensava a viagem inteira: "Como vou encontrá-lo, o que direi, como olharemos um para o outro?...". Toda a minha alma desfalecia, e eis que foi como se ele despejasse de repente um balde de água suja em cima de mim. Falava como se fosse um professor: um sabichão, importante, me recebeu com uns ares tão importantes que eu fiquei num beco sem saída. Não tinha onde encaixar uma palavra. Primeiro pensei que ele estivesse com vergonha do seu polaco comprido. Sentada, eu olhava para eles e pensava: por que não consigo trocar uma palavra com ele neste momento? Sabes, foi a mulher dele que o estragou, aquela com que ele se casou depois de me largar... foi ela que o mudou. Mítia, que vergonha! Oh, estou envergonhada, Mítia, envergonhada, oh, envergonhada pelo resto de minha vida! Malditos, malditos sejam todos esses cinco anos, malditos! — e tornou a banhar-se em lágrimas, mas sem largar o braço de Mítia, apoiada nele.

— Mítia, meu caro, espera, não saias, quero te dizer uma palavrinha — murmurou e ergueu subitamente o rosto para ele. — Ouve-me, dize-me: a quem eu amo? Eu amo um homem que está aqui. Quem é esse homem? eis o que deves me dizer. — Um sorriso brilhou em seu rosto inchado de lágrimas, seus olhos resplandeceram na penumbra. — Há pouco entrou aqui um falcão, e fiquei com o coração na mão. "És uma imbecil, eis aí a pessoa que amas" — foi assim que o coração me cochichou de imediato. Tu entraste e iluminaste tudo. "Mas o que ele estará temendo?" — pensei. Porque estavas com medo, totalmente amedrontado, não conseguias falar. Não é deles, pensei, que ele está com medo — por acaso podes ter medo de alguém? É de mim que ele tem medo, pensei, só de mim. Pois bem, Fiênia te contou, seu tolinho, como eu gritei da janela para Aliócha, dizendo que tinha amado Mítienka por uma horinha, mas que então estava indo amar... outro. Mítia, Mítia, como é que eu, imbecil, pude pensar que amava outro depois de ti?! Tu me perdoas, Mítia? Tu me perdoas ou não? Me amas? Amas?

Ela se levantou de um salto e o agarrou pelos ombros com ambas as mãos. Mítia, mudo de êxtase, fitava-lhe os olhos, o rosto, o sorriso, e de repente a abraçou com força, precipitou-se para beijá-la.

— Tu me perdoas pelos tormentos? Porque eu atormentava a vocês todos por rancor. Fiz aquele velhote perder o juízo propositadamente por rancor... Tu te lembras de uma vez que bebeste em minha casa e quebraste uma taça? Eu me lembrei disso e hoje também quebrei uma taça, bebi por "meu coração torpe". Mítia, meu falcão, por que não me beijas? Me deste um beijo e te afastaste, ficas aí me olhando, me escutando... Nada de me escutar! Beija-me, beija-me mais forte, assim. Se é para amar, então é amar mesmo! Agora serei tua escrava, escrava pelo resto da vida! É doce ser escrava!... Beija-me! Bate-me, atormenta-me, faz comigo o que... Oh, eu preciso mesmo ser atormentada... Para! Espera, depois, não vou querer assim... — ela o afastou de súbito. — Sai, Mítika, agora vou me embriagar de vinho, quero ficar bêbada, agora vou dançar bêbada, estou com vontade, com vontade!

Ela se livrou dele e saiu de trás da cortina. Mítia saiu atrás dela como um bêbado. "Vá lá, vá lá, o que quer que aconteça agora, darei o mundo inteiro por um só minuto" — passou de relance pela cabeça dele. Grúchenka realmente tomou de um gole mais uma taça de champanhe e no ato embriagou-se. Sentou-se na poltrona, no mesmo lugar de antes, com um sorriso beatífico nos lábios. As faces ardiam, os lábios estavam em fogo, os olhos, que antes brilhavam, encheram-se de torpor, o olhar ardente seduzia. Até Kalgánov pareceu sentir uma fisgada no coração e aproximou-se dela.

— Tu ouviste como ainda há pouco te dei um beijo quando dormias? — murmurou-lhe Grúchenka. — Agora estou embriagada, pois é... e tu, não estás embriagado? E Mítia, por que não está bebendo? Por que não estás bebendo, Mítia? eu bebi, mas tu não bebes...

— Estou bêbado! E tão bêbado... bêbado de ti, mas agora quero me embebedar de vinho. — Ele tomou mais uma taça e — a ele mesmo pareceu estranho — só com essa última taça embriagou-se, embriagou-se de repente, mas até então estivera sóbrio, ele mesmo se lembrava disso. A partir desse momento tudo começou a girar em volta dele como num delírio. Ele andava, ria, conversava com todo mundo, e tudo como se não desse tino de si. Só um sentimento fixo e pungente manifestava-se dentro dele a cada instante, "como uma brasa na alma", como recordou mais tarde. Ele se chegou a ela, sentou-se a seu lado, passou a fitar-lhe o rosto, a ouvi-la... Ela ficou extraordinariamente loquaz, chamava todos para si, de repente chamava uma moça do coro, esta vinha, ela a beijava e liberava ou às vezes a benzia com a mão. Mais um minuto, e poderia desatar no choro. O "velhote", assim ela chamava Maksímov, também a distraía muito. A todo instante corria até ela e lhe beijava as mãos "e cada dedinho", e por fim dançou mais uma dança acompanhada de uma velha canção que ele mesmo cantou. Dançou com um fervor particular acompanhado do estribilho:

O porquinho faz ronque-ronque, ronque-ronque,
A bezerrinha mu-mu, mu-mu,
O patinho quá-quá, quá-quá,
O ganso quem-quem, quem-quem

A galinha andava no vestíbulo,
Có-có-có, cocó-ricó, ela dizia,
Ai, ai, ela dizia!

— Dá-lhe alguma coisa, Mítia — dizia Grúchenka —, dá-lhe alguma coisa, ele é pobre! Ah, pobres, ofendidos!... Sabes, Mítia, vou entrar para um convento. Não, algum dia eu vou mesmo. Hoje Aliócha me disse umas palavras que ficarão para o resto de minha vida... É... Mas hoje vamos dançar. Amanhã, ao convento, mas hoje, à dança. Quero aprontar, minha boa gente, que há de mal nisso? Deus perdoa. Se eu fosse Deus, perdoaria todos: "Meus queridos pecadores, doravante perdoo todos vocês". E eu mesma vou pedir perdão. "Minha boa gente, perdoai uma mulher tola — é isso aí." Uma fera, eis o que eu sou. Mas quero rezar. Eu estendi uma cebolinha. Uma malfeitora como eu querendo rezar! Mítia, deixa que eles dancem, não atrapalhes. Todos os homens na Terra são bons, todos sem exceção. É bom estar no mundo. Ainda que sejamos ruins, é bom estar no mundo. Somos maus c ruins, e ruins e bons... Não, respondam, eu lhes pergunto, cheguem-se todos, e eu pergunto; todos me respondam isto: por que sou tão boa?... Porque sou boa, sou muito boa... Pois bem: por que sou tão boa? — Assim balbuciava Grúchenka, cada vez mais e mais embriagada, e por fim anunciou que agora ela mesma queria dançar. Levantou-se da poltrona e cambaleou. — Mítia, não me sirvas mais vinho; se eu pedir, não sirvas. O vinho não dá tranquilidade. Tudo está girando, e o forno, e tudo girando. Quero dançar. Que todos vejam como danço... como danço bem e maravilhosamente...

Sua intenção era séria: tirou do bolso um lencinho branco de batista e o segurou pela ponta, com a mão direita, para agitá-lo durante a dança. Mítia tomou as providências, as moças se calaram, preparando-se para entoar em coro a letra da dança ao primeiro sinal. Ao saber que Grúchenka queria dançar, Maksímov soltou um grito esganiçado e pôs-se a saltar diante dela, cantando:

Perninhas finas, flancos cheios,
Rabinho revirado...

Mas Grúchenka agitou o lenço contra ele e o enxotou.

— Psit! Mítia, por que não se chegam? Que venham todos... assistir. Chama também aqueles, os que estão trancados... Por que os trancaste? Diz a eles que estou dançando e que venham ver como danço...

Mítia bateu vigorosamente à porta dos poloneses.

— Ei, vocês aí... Seus Podvisotzki! Saiam daí, ela quer dançar e os chama.

— *Laidak*! — grunhiu um dos *pans*.

— E tu és um *sublaidak*! És um mísero *podletchónotchek*;[50] é isso que és.

— O senhor podia parar de zombar da Polônia — observou em tom sentencioso Kalgánov, que também estava caindo de bêbado.

— Cala-te, menino! Se o chamei de patife, não quer dizer que tenha chamado toda a Polônia de patife. Um patife não representa a Polônia inteira. Cala-te, meu bonitinho, toma um bombom.

— Ai, como eles são! É como se não fossem gente. Por que não querem fazer as pazes? — disse Grúchenka, e foi dançar. O coro ribombou: "Ai, saguão, meu saguão".[51] Grúchenka atirou a cabeça para trás, entreabriu os lábios, sorriu, agitou o lencinho e súbito, depois de cambalear fortemente, parou atônita no meio da sala.

— Estou fraca... — disse com uma voz que denotava estafa — desculpem... estou fraca, não consigo... Desculpem...

Fez uma reverência ao coro e passou a distribuir cumprimentos para todos os lados:

— Desculpem... Perdão...

— Ela está bêbada, está bêbada a bonita senhorinha — ouviram-se vozes.

— Tomou um pileque — explicava Maksímov às moças entre risadas.

— Mítia, leva-me... toma-me — dizia Grúchenka sem forças. Mítia precipitou-se para ela, tomou-a nos braços e correu com seu precioso troféu para trás da cortina. "Agora eu me vou" — pensou Kalgánov e, saindo do salão azul, fechou atrás de si as duas metades da porta. Mas no salão o festim atroava e prosseguia, e atroava ainda mais forte. Mítia pôs Grúchenka na cama e cravou-lhe beijos nos lábios.

— Deixa-me... — balbuciou ela com voz suplicante —, não me toques,

[50] Termo formado por aglutinação do substantivo russo *podliétz* (patife, canalha) com os sufixos *tchon* e *tchek*, formadores de diminutivo. (N. do T.)

[51] Canto popular para dançar, onde uma mocinha diz que, apesar da proibição e da ameaça do pai, ela vai divertir o seu mancebo. (N. da E.)

por enquanto não sou tua... Disse-te que seria, mas não me toques... poupa-me... Com aqueles dois aqui, perto deles é impossível. Ele está aqui. Seria indigno...

— Obedeço! Nem em pensamento... respeito!... — balbuciou Mítia. — Sim, este lugar é indigno, desprezível. — E, sem desfazer o abraço, ajoelhou-se ao lado da cama.

— Sei que és uma fera, mas és nobre — disse Grúchenka com dificuldade —, é preciso que isso seja honesto... que doravante seja honesto... e que nós também sejamos honestos e bons, não como animais, mas bons... Leva-me, leva-me para longe, estás ouvindo?... Aqui não quero, é preciso que seja longe, longe...

— Oh, sim, sim, obrigatoriamente! — Mítia a apertava em seus braços. — Eu te levarei, voaremos daqui... Oh! neste momento eu trocaria toda a minha vida por um ano só para saber daquele sangue!

— Que sangue? — Grúchenka ficou perplexa.

— Nada! — disse Mítia, rangendo os dentes. — Grúchenka, tu queres uma vida honesta, mas sou um ladrão. Roubei dinheiro de Cátia... Uma vergonha! Uma vergonha!

— De Cátia? Daquela senhorita? Não, tu não roubaste. Devolve-lhe o que deves, pega do meu dinheiro... Por que estás gritando? Agora tudo o que é meu é teu. Que nos importa o dinheiro? Vamos esbanjá-lo mesmo... Tipos como nós não podem deixar de esbanjar. É melhor nós dois irmos lavrar a terra. Quero raspá-la com estas mãos. É preciso trabalhar, estás ouvindo? É ordem de Aliócha... Não serei tua amante, serei fiel a ti, serei tua escrava, trabalharei para ti. Iremos saudar aquela senhorita para que nos perdoe, e partiremos. E se ela não nos perdoar, iremos assim mesmo. A ela devolve o dinheiro; mas a mim, ama... Não a ela. Não a ames mais. Se amares, eu a estrangulo... Arranco-lhe os dois olhos com uma agulha.

— É a ti que amo, só a ti, te amarei na Sibéria...

— Por que na Sibéria? Bem... até na Sibéria pode ser, se quiseres... dá no mesmo... havemos de trabalhar... na Sibéria há neve... Gosto de viajar na neve... é preciso que haja guizos... Estás ouvindo, há um guizo tilintando... Onde tilinta esse guizo? Alguém vem vindo... mas ele parou de tilintar.

Prostrada, ela fechou os olhos e súbito pareceu dormitar. De fato, um guizo tilintara ao longe e súbito deixara de tilintar. Mítia reclinou a cabeça sobre o peito de Grúchenka. Não notou que o guizo parara de tilintar, como tampouco notou como de repente as canções também haviam silenciado e no lugar das canções e do vozerio bêbado reinou como que de repente um silêncio sepulcral em toda a casa. Grúchenka abriu os olhos.

— Como? Eu dormi? Sim... o guizo... Dormi e tive um sonho: estou viajando pela neve... um guizo tilinta, mas eu dormito. Ao lado de meu querido, parece que tu estavas comigo. Para longe, longe... Eu te abraço, te beijo... me estreito contra ti, parece que eu estou com frio... e a neve cintila... Sabes, quando a neve cintila de noite e a lua espia; era como se eu estivesse em algum lugar fora da Terra... Acordo e vejo meu querido aqui a meu lado, como é bom...

— A teu lado — balbuciou Mítia, beijando-lhe o vestido, o colo, as mãos. E súbito teve uma impressão estranha: pareceu-lhe que Grúchenka olhava bem à sua frente, mas não para ele, não para o seu rosto, porém acima de sua cabeça, com um olhar fixo, estranhamente imóvel. A surpresa, quase o medo, estampou-se em seu rosto.

— Mítia, quem é que nos olha dali? — murmurou subitamente. Mítia voltou-se e viu que realmente alguém afastara a cortina e parecia examiná-los. E que pelo visto não estava só. Ergueu-se de um salto e dirigiu-se rapidamente ao homem.

— Venha aqui conosco, por favor — disse alguém em voz baixa, mas firme.

Mítia saiu de trás da cortina e ficou estático. A sala toda estava cheia de gente, não da gente de ainda há pouco, mas uma gente totalmente nova. Um calafrio instantâneo percorreu-lhe a espinha e ele estremeceu. Num piscar de olhos reconheceu todos aqueles homens. Aquele velho alto e corpulento, de sobretudo e quepe com cocar, é o comissário Mikhail Makáritch.[52] Aquele almofadinha "tísico" e asseado, "sempre metido nessas botas engraxadas", é o promotor substituto. "Possui um cronômetro de quatrocentos rublos, que já me mostrou uma vez." Aquele ali, pequeno, jovenzinho, de óculos... Mítia só não se lembrava de seu sobrenome, mas o conhecia, já o tinha visto: é o juiz de instrução, da "Faculdade de Direito". Aquele ali é o comissário de polícia rural Mavrikii Mavríkitch,[53] esse ele conhece, é seu conhecido. E aqueles ali, com aquelas placas de metal, por que estão aqui? E mais aqueles dois mujiques... E ali à porta Kalgánov e Trifón Boríssovitch...

— Senhores... O que desejam, senhores? — articulou Mítia, mas de repente, como tomado de extrema excitação, como se não falasse por si mesmo, exclamou em voz alta e sonora:

— Com-pre-en-do!

[52] Variação do patronímico Makárovitch. (N. do T.)

[53] Variação do patronímico Mavríkievitch. (N. do T.)

Súbito o jovem de óculos avançou e, achegando-se a Mítia, começou com ar imponente, mas como que meio apressado:

— Nós temos de lhe dizer... numa palavra, peço-lhe que venha até aqui, ao lado do sofá... Existe a necessidade premente de uma explicação do senhor.

— O velho! — exclamou Mítia alucinado —, o velho e seu sangue!... Com-pre-en-do!

E, com ar abatido, como que desabou na cadeira que estava ao lado.

— Compreendes? Compreendeste! Parricida e monstro, o sangue de teu velho pai clama contra ti! — rugiu de chofre o velho comissário, chegando--se a Mítia. Estava fora de si, vermelho e todo trêmulo.

— Mas isso é intolerável! — exclamou o pequeno jovenzinho. — Mikhail Makáritch, Mikhail Makáritch! Não é assim, não é assim!... Peço-lhe que deixe que só eu fale... Nunca poderia esperar semelhante atitude de sua parte...

— Mas isso é uma loucura, senhores, uma loucura! — exclamava o comissário. — Olhem para ele: de noite, embriagado, na companhia de uma devassa e manchado com o sangue do pai... Uma loucura! Uma loucura!

— Peço-lhe por todos os meios, meu caro Mikhail Makáritch, que desta vez contenha os seus sentimentos — murmurou o promotor substituto —, senão serei forçado a tomar...

Mas o pequeno juiz de instrução não lhe permitiu concluir: dirigiu-se a Mítia e pronunciou em voz alta, firme e imponente:

— Senhor tenente da reserva Karamázov, devo lhe comunicar que o senhor é acusado do assassinato de seu pai, Fiódor Pávlovitch Karamázov, ocorrido esta noite...

Ele disse mais alguma coisa, o promotor também parece ter insinuado algo, mas Mítia, ainda que os ouvisse, já não os compreendia. Deitava um olhar absurdo sobre todos ao redor...

Livro IX
INVESTIGAÇÃO PRELIMINAR

I. Início da carreira do funcionário Pierkhótin

Piotr Ilitch Pierkhótin, que deixamos batendo com toda força no sólido portão fechado da casa da comerciante Morózova, acabou, é claro, conseguindo seu objetivo. Ao ouvir batidas tão frenéticas no portão, Fiênia, que duas horas antes tanto se assustara e ainda não se atrevera a deitar-se por causa da inquietação e das "cogitações", agora tornava a assustar-se quase a ponto de ter um ataque histérico: imaginava que era Dmitri Fiódorovitch outra vez batendo (apesar de ela mesma ter presenciado sua partida), porque ninguém, senão ele, seria capaz de bater tão "desaforadamente". Ela correu ao porteiro, que acordara e já caminhava para o portão levado pelas batidas, e lhe implorou que não o deixasse entrar. Mas o porteiro perguntou quem batia e, ao saber quem era e que desejava ver Fiedóssia Markovna para tratar de um assunto muito importante, finalmente resolveu abrir-lhe o portão. Depois que Piotr Ilitch entrou para conversar com Fiedóssia Markovna naquela mesma cozinha e ela, através de rogos, conseguiu que ele "por via das dúvidas" permitisse o acesso também do porteiro, Piotr Ilitch começou a interrogá-la e num piscar de olhos chegou ao ponto mais importante, ou seja: ao sair correndo à procura de Grúchenka, Dmitri Fiódorovitch pegara uma mãozinha de pilão de metal mas já voltara sem ela, com as mãos ensanguentadas. "E o sangue ainda pingava, e não parava de pingar, não parava de pingar das mãos dele!" — exclamou Fiênia, que provavelmente criara ela mesma essa história terrível em sua imaginação perturbada. Contudo, as mãos ensanguentadas foram vistas pelo próprio Piotr Ilitch, embora delas não pingasse sangue e ele mesmo houvesse ajudado a limpá-las; a questão, porém, não era saber se elas haviam secado rápido, mas exatamente para onde correra Dmitri Fiódorovitch com a mãozinha do pilão, ou seja, se fora ao certo para a casa de Fiódor Pávlovitch e o que permitia que se chegasse a uma conclusão tão categórica. Piotr Ilitch insistia nos detalhes desse ponto, e embora daí não resultasse nada certo, ainda assim firmou uma quase convicção de que Dmitri Fiódorovitch não poderia haver corrido a nenhum outro lugar a não ser à casa do pai e que, por conseguinte, *algo* devia ter forçosamente acontecido por lá. "E quando ele voltou — acrescentou Fiênia nervosamente — eu lhe confessei tudo e passei a interrogá-lo: por que, meu caro Dmitri Fiódorovitch, suas duas mãos estão ensanguentadas?", ele lhe teria respondido que era sangue — sangue humano, e que acabara de matar um homem; "foi isso que confessou, me confessou tudo, e de repente saiu correndo feito louco. Sentei-me e fiquei pensando: para onde ele terá corrido agora feito louco? Vai a Mókroie, pensei, vai matar a senhora. Corri com o fim de implorar que não matasse a senhora, corri para a casa dele, mas na venda dos Plótnikov vi que ele já estava de partida e já não tinha mais as mãos ensanguentadas" (Fiênia notara e gravara isso na memória). A velha, avó de Fiênia, confirmou, até onde pôde, todos os depoimentos da neta. Depois de mais algumas perguntas, Piotr Ilitch deixou a casa ainda mais agitado e intranquilo do que quando entrara.

É de crer que para ele o mais imediato e urgente seria tomar agora o caminho da casa de Fiódor Pávlovitch e inteirar-se sobre se não teria acontecido alguma coisa por lá, e, caso houvesse, o que precisamente, e só depois de formar uma convicção irrefutável procurar o comissário, como já era a firme decisão de Piotr Ilitch. Mas a noite estava escura, o portão da casa de Fiódor Pávlovitch era sólido, precisaria tornar a bater, conhecia só levemente Fiódor Pávlovitch — pois bem, bateria, lhe abririam o portão, de repente nada teria acontecido por lá, e então, no dia seguinte, o galhofento do Fiódor Pávlovitch sairia espalhando pela cidade a piada de que o desconhecido funcionário Pierkhótin forçara a entrada de sua casa, no meio da noite, tentando saber se não teriam matado alguém por lá. Um escândalo! E escândalo era o que Piotr Ilitch mais temia no mundo. Entretanto, o sentimento que o envolvia era tão forte que ele, depois de bater com raiva o pé no chão e tornar a se xingar, tomou imediatamente um novo caminho, não mais o da casa de Fiódor Pávlovitch e sim da senhora Khokhlakova. Se, pensava ele, ela respondesse negativamente à pergunta: teria sido ela que, pouco antes, emprestara três mil rublos, em tal e tal hora, a Dmitri Fiódorovitch? — ele procuraria imediatamente o comissário sem ir à casa de Fiódor Pávlovitch; em caso contrário, deixaria tudo para amanhã e voltaria para sua casa. Sem dúvida, francamente parece que na decisão do jovem de ir à noite, quase às onze horas, à casa de uma senhora da alta sociedade, que ele absolutamente não conhecia, tirá-la talvez da cama para lhe fazer uma pergunta surpreendente para a situação, ainda poderia haver muito mais chances de um escândalo do que se ele fosse à casa de Fiódor Pávlovitch. Mas vez por outra é assim que acontece, particularmente em casos dessa natureza, que envolvem decisões das pessoas mais rigorosas e fleumáticas. Nesse instante, porém, Piotr Ilitch já não tinha nada de fleumático. Mais tarde, durante toda a sua vida, recordou como aquela intranquilidade irresistível, que dele se apoderou gradualmente, acabou em angústia e o envolveu até contra sua vontade. É claro que, apesar de tudo, ele se recriminou durante todo o percurso por ter ido procurar aquela senhora, mas "vou levar isso, vou levar isso até o fim!" — repetia pela décima vez, rangendo os dentes, e cumpriu sua intenção — foi até o fim.

Eram exatamente onze horas quando ele entrou na casa da senhora Khokhlakova. Introduziram-no com bastante brevidade no pátio, mas à pergunta: a senhora já está dormindo ou ainda não se deitou? — o porteiro não soube responder com precisão, a não ser que àquela hora ela já costumava estar deitada. "Lá em cima o senhor se apresenta: se quiserem receber, o receberão, se não quiserem, não receberão." Piotr Ilitch subiu, porém ali foi mais difícil. O criado não queria anunciá-lo, chamou finalmente uma moça. Piotr Ilitch pediu de modo cortês mas insistente que ela o anunciasse à senhora da seguinte maneira: apareceu um funcionário daqui da cidade, chamado Pierkhótin, dizendo que tem um assunto particular, e que se não fosse uma questão tão importante não se atreveria a aparecer — "é precisamente, precisamente com essas palavras que a senhora deve informar" —, pediu ele à moça. Esta saiu. Ele ficou esperando na antessala. A senhora Khokhlakova, embora ainda não estivesse dormindo, já se encontrava em seus aposentos. Estava perturbada desde a visita que pouco antes Mítia lhe fizera e já pressentia que passaria a noite sem se livrar da habitual enxaqueca que sentia em casos semelhantes. Ao ouvir, com surpresa, a informação da moça, ela, não obstante, ordenou em tom irritado que o despedisse, ainda que uma visita inesperada de um desconhecido "funcionário daqui", a tal hora, mexesse extraordinariamente com sua curiosidade feminina. Mas desta vez Piotr Ilitch foi teimoso como uma mula: ao ouvir a recusa, pediu, com excepcional insistência, que a moça tornasse a anunciá-lo e transmitisse "exatamente com estas palavras" que ele estava ali "para tratar de uma questão de extrema importância e que, talvez, ela mesma viesse a lamentar mais tarde se não o recebesse agora". "Era como se eu estivesse despencando de uma montanha" — contava ele mesmo depois. A criada de quarto, depois de examiná-lo com ar surpreso, voltou para tornar a anunciá-lo. A senhora Khokhlakova estava pasma, pensou, interrogou sobre o aspecto dele e soube que "está decentemente vestido, é jovem e muito gentil". Observemos, entre parênteses e de passagem, que Piotr Ilitch era um jovem bastante bonito, e ele mesmo sabia disso. A senhora Khokhlakova resolveu aparecer. Já estava metida em seu

Schlafrock[54] e de chinelos, mas jogou um xale preto nos ombros. Pediram ao "funcionário" que entrasse no salão, o mesmo em que poucas horas antes ela recebera Mítia. A anfitriã apresentou-se ao visitante com ar severamente interrogativo e, sem convidá-lo a sentar-se, foi direto à questão: "O que o senhor deseja?".

— Atrevi-me a incomodá-la, senhora, a respeito de um nosso conhecido comum, Dmitri Fiódorovitch Karamázov — esboçou Pierkhótin, mas tão logo ele pronunciou esse nome, uma fortíssima irritação estampou-se no rosto da senhora. Ela quase deu um ganido e o interrompeu furiosamente.

— Até quando, até quando vão ficar me atormentando com esse homem horrível? — bradou em fúria. — Como se atreveu, meu caro senhor, como se atreveu o senhor a incomodar uma dama em sua casa, a estas horas... e procurá-la para falar de um homem que veio aqui, a este mesmo salão, há apenas três horas, para me matar, que bateu com os pés no chão e saiu de uma casa decente de um jeito como ninguém sai? Saiba, meu caro senhor, que vou apresentar queixa contra o senhor, que não quero recebê-lo, faça o favor de me deixar agora mesmo... Sou mãe, neste momento... eu... eu...

— Matar! Ele também quis matar a senhora?

— Por acaso ele já matou alguém? — perguntou com ímpeto a senhora Khokhlakova.

— Consinta em me ouvir, apenas meio minuto, senhora, e em duas palavras eu lhe esclareço tudo — respondeu Pierkhótin com firmeza. — Hoje, às cinco da tarde, o senhor Karamázov me tomou emprestados, amigavelmente, dez rublos, e tenho certeza de que ele não tinha dinheiro, mas hoje mesmo, às nove horas, entrou em minha casa trazendo nas mãos, bem à vista, um bolo de notas de cem rublos, com aproximadamente dois ou até três mil rublos. Tinha as mãos e o rosto ensanguentados e uma aparência de doido. Quando lhe perguntei onde havia arranjado tanto dinheiro, respondeu-me com precisão que acabara de sair de sua casa e que a senhora lhe emprestara três mil rublos para que ele partisse para as lavras de ouro.

Uma inquietação incomum e doentia estampou-se de repente no rosto da senhora Khokhlakova.

— Meu Deus! Quer dizer que ele matou seu velho pai! — bradou ela, levantando os braços. — Não lhe emprestei dinheiro nenhum, nenhum! Oh, corra, corra!... não diga mais uma palavra! Salve o velho, corra para a casa do velho, corra!

[54] "Penhoar", em alemão. (N. do T.)

— Permita, senhora, então a senhora não lhe emprestou dinheiro? A senhora se lembra perfeitamente de que não lhe emprestou quantia nenhuma?

— Não emprestei, não emprestei! Recusei, porque ele não soube apreciar minha proposta. Saiu daqui uma fera e batendo com os pés. Investiu contra mim, mas eu recuei... E lhe digo mais, como a alguém de quem já não tenho intenção de esconder nada, que ele chegou até a cuspir em mim, o senhor pode imaginar? Mas por que estamos em pé? Ah, sente-se... Desculpe, eu... ou melhor, corra, corra, o senhor precisa correr e salvar o infeliz do velho de uma morte horrível!

— Mas e se ele já o tiver matado?

— Ah, meu Deus, realmente! Então, o que nós vamos fazer agora, o que o senhor acha que é preciso fazer agora?

Enquanto isso, ela fizera Piotr Ilitch sentar-se e sentara-se defronte. Piotr Ilitch lhe expôs de forma breve, mas bastante clara, toda essa história, ao menos aquela parte da história que ele mesmo acabara de testemunhar, contou também da visita que acabara de fazer a Fiênia e mencionou o episódio da mãozinha do pilão. Todos esses detalhes abalaram a não mais poder a excitada dama, que soltava brados e cobria os olhos com as mãos...

— Imagine, eu pressenti tudo isso! Tenho essa peculiaridade: o que quer que eu imagine, tudo acaba acontecendo. E quantas, quantas vezes olhei para esse homem horrível e sempre pensei: eis o homem que acabará me matando. Pois foi o que aconteceu... Quer dizer, se agora ele matou não a mim, mas apenas a seu pai, então foi certamente porque aí interferiu o dedo invisível de Deus, que me protegeu, e ainda por cima ele teve vergonha de me matar porque eu, aqui mesmo neste lugar, lhe pus no pescoço um santinho com a imagem da poderosa mártir Santa Bárbara... E como naquele momento estive perto da morte, porque me acheguei a ele, e ele esticou o pescoço para mim! Sabe, Piotr Ilitch (desculpe, parece que foi assim que o senhor disse que se chama, Piotr Ilitch)... sabe, não acredito em milagre, mas esse santinho e esse evidente milagre que acabou de acontecer comigo — isso me impressiona e mais uma vez começo a acreditar seja lá no que for. O senhor ouviu falar do *stárietz* Zossima?... Aliás, não sei o que estou dizendo... Imagine, mesmo com o santinho no pescoço ele me cuspiu... É claro, só cuspiu, mas não matou, e... e veja para onde correu! Mas aonde nós, aonde nós dois devemos ir agora, o que o senhor acha?

Piotr Ilitch levantou-se e anunciou que agora iria direto ao comissário e lhe contaria tudo, e ele que agisse lá como lhe aprouvesse.

— Ah, ele é um homem maravilhoso, maravilhoso, eu conheço Mikhail Makárovitch. Vá sem falta, justamente a ele. Como o senhor é engenhoso,

Piotr Ilitch, como o senhor pensou bem tudo isso; sabe, em seu lugar eu nunca pensaria nisso!

— Ainda mais porque eu mesmo sou bem conhecido do comissário — observou Piotr Ilitch ainda em pé e com a visível vontade de se livrar o mais rápido possível da impetuosa senhora, que de forma alguma lhe permitia despedir-se e tomar o seu caminho.

— E sabe, sabe — balbuciava ela —, volte para me contar o que o senhor viu e de que se inteirou por lá... o que for descoberto... e como vão proceder com ele, e onde irão condená-lo a cumprir a pena. Diga-me uma coisa: em nosso país não existe pena de morte, não é? Mas volte impreterivelmente, mesmo que seja às três da manhã, mesmo que seja às quatro, até mesmo às quatro e meia... Mande me acordar, me sacudir se eu não conseguir me levantar... Oh, Deus, nem vou pegar no sono. Sabe, não será o caso de eu acompanhá-lo?...

— N-não, mas veja, se a senhora escrever agora num papel, de próprio punho, umas três linhas, para alguma eventualidade, dizendo que não emprestou dinheiro nenhum a Dmitri Fiódorovitch, talvez não seja demais... para alguma eventualidade.

— Sem falta! — a senhora Khokhlakova correu entusiasmada à sua escrivaninha. — Sabe, o senhor me impressiona, o senhor simplesmente me faz pasmar com sua engenhosidade e sua habilidade nessas questões... O senhor trabalha aqui? Como é agradável saber que o senhor trabalha aqui...

E ainda dizendo essas palavras, rascunhou rapidamente três linhas em meia folha de papel de carta e em letras graúdas com o seguinte:

"Nunca em minha vida emprestei ao infeliz Dmitri Fiódorovitch Karamázov (uma vez que agora ele é mesmo um infeliz) a quantia de três mil rublos, ou qualquer outra quantia, nunca, nunca! Juro por tudo o que é sagrado em nosso mundo.

Khokhlakova"

— Aqui está o bilhete! — voltou-se rapidamente para Piotr Ilitch. — Vá, salve-o. É um grande feito de sua parte.

E ela o benzeu três vezes. E correu até a antessala para acompanhá-lo.

— Como lhe sou grata! O senhor não acredita quanto agora lhe sou grata por me haver procurado primeiro. Como é possível que não tenhamos nos encontrado antes? Para mim seria muito lisonjeiro recebê-lo em minha casa de hoje em diante. E como é agradável ouvir que o senhor trabalha aqui... e com tanto esmero, com tanto engenho... Mas eles lá devem apreciá-lo, afinal devem compreender isso, e tudo, tudo o que eu puder fazer pelo senhor, pode estar certo... Oh, eu gosto tanto dos jovens! Sou apaixonada pelos jovens. Os jovens são o esteio de toda a nossa Rússia sofredora de hoje, toda a sua esperança... Oh, vá, vá!...

Mas Piotr Ilitch já saíra correndo, do contrário ela não o liberaria tão cedo. Aliás, a senhora Khokhlakova deixou-lhe uma impressão bastante agradável, que até aliviou um pouco sua inquietação com o fato de se haver metido num caso tão detestável. Há gostos extraordinariamente variados, isso é coisa sabida. "E ela não é nada velha — pensou ele com uma sensação agradável —, ao contrário, eu a confundiria com a filha."

Quanto à própria senhora Khokhlakova, ela estava simplesmente encantada com o jovem. "Tanta habilidade, tanto esmero num rapaz tão jovem em nossa época, e tudo isso junto com aquelas maneiras e aquela aparência. E ainda dizem que os jovens de hoje não sabem fazer nada; eis aí um exemplo..." etc., etc. De sorte que a horrível "ocorrência" até lhe caiu simplesmente no esquecimento, e só ao deitar-se lembrou-se de "como esteve próxima da morte", e proferiu: "Oh, isso é horrível, horrível!". Mas caiu imediatamente no sono mais forte e doce. Aliás, eu não me estenderia em semelhantes ninharias e detalhes episódicos se, mais tarde, esse encontro excêntrico entre o jovem funcionário e a viúva ainda nada velha, que acabo de descrever, não tivesse se constituído no fundamento de toda a carreira desse jovem rigoroso e esmerado, fato até hoje lembrado com assombro em nossa cidadezinha e sobre o qual é possível que nós também digamos uma palavrinha especial ao concluirmos nosso longo relato sobre os irmãos Karamázov.

II. Alvoroço

Nosso comissário de polícia Mikhail Makárovitch Makárov, coronel reformado, que fora nomeado para o novo cargo de conselheiro de corte, era viúvo e um homem bom. Chegara à nossa cidade apenas três anos antes, mas já fizera por merecer a simpatia geral, principalmente porque "sabia unir a sociedade". As visitas à sua casa nunca cessavam e, parecia, sem elas ele mesmo não conseguiria viver. Todo santo dia alguém almoçava impreterivelmente com ele, fossem dois, fosse apenas um visitante, mas sem visitas em casa dele nem se sentavam à mesa. De quando em quando ele dava jantares de gala, sob quaisquer pretextos, às vezes até inesperados. A comida que se servia, mesmo não sendo refinada, era abundante, preparava-se magnificamente a *kuliebiaka*,[55] e o vinho, ainda que não brilhasse pela qualidade, em

[55] Pastelão de carne, peixe e repolho. (N. do T.)

compensação era servido em quantidade. Na sala de entrada ficava o bilhar, num ambiente muito decente, ou seja, havia até quadros com cavalos de corrida ingleses em molduras negras nas paredes, o que, como se sabe, forma a decoração indispensável de qualquer salão de bilhar na casa de um homem solteiro. Todas as tardes jogavam baralho, ainda que fosse em uma só mesa. Contudo, muito amiúde ali também se reunia para dançar o que havia de melhor em nossa sociedade local, incluindo as mães e as filhas. Mikhail Makárovitch, embora fosse viúvo, vivia em família, morando com uma filha que enviuvara havia muito tempo, por sua vez mãe de duas moças, netas de Mikhail Makárovitch. As moças já estavam em idade adulta e com os estudos concluídos, eram de aparência simpática e temperamento alegre e, embora se soubesse que não tinham dote, ainda assim atraíam para a casa do avô os nossos jovens da alta sociedade. Mikhail Makárovitch não era lá muito perspicaz nos assuntos do seu ofício, mas não desempenhava sua função pior do que muitos outros. Para ser franco, era bem ignorante e até negligente quando se tratava de interpretar com clareza os limites de seu poder administrativo. Não é que não atinasse plenamente com algumas reformas da atual administração tsarista, mas em sua interpretação cometia alguns equívocos às vezes bem flagrantes, nunca por alguma incapacidade especial própria, mas simplesmente por sua índole negligente, porque nunca arranjava tempo para pensar a fundo nessas questões. "Senhores, minha alma é mais militar do que civil" — dizia de si mesmo. Era como se ainda não tivesse adquirido uma noção firme e definitiva sequer dos fundamentos precisos da reforma camponesa e, por assim dizer, ia se inteirando deles de ano para ano, multiplicando seus conhecimentos em termos práticos e de modo involuntário, e não obstante era fazendeiro. Piotr Ilitch sabia com exatidão que naquela noite encontraria forçosamente algum dos visitantes em casa de Mikhail Makárovitch, só não sabia exatamente quem. Entrementes, já estavam à mesa dele para o *ieralach*[56] o promotor e o nosso médico da *zémstvo*[57] Varvinski, jovem que acabara de chegar de Petersburgo e um dos que ali se haviam formado brilhantemente na Academia de Medicina. O promotor, isto é, o promotor substituto Hippolit Kiríllovitch, que em nossa cidade todos chamavam de promotor, era entre nós um homem singular, de pouca idade, apenas uns trinta e cinco anos, mas com uma forte propensão para a tísica e ainda casado com uma senhora muito gorda e sem filhos, um homem irritante e cheio

[56] Antigo jogo de cartas semelhante ao uíste. (N. do T.)

[57] Administração local eleita pelas classes abastadas, que vigorou na Rússia entre 1864 e 1918. (N. do T.)

de amor-próprio, dotado, entretanto, de uma inteligência muito sólida e até de uma alma bondosa. Parece que todo o mal de sua índole estava no fato de que ele fazia de si mesmo um conceito um pouco mais alto do que os seus verdadeiros méritos lhe permitiam. Eis porque parecia constantemente intranquilo. Além disso, tinha inclusive algumas veleidades superiores, e até artísticas, por exemplo a de psicólogo, de possuir um conhecimento especial da alma humana, um dom particular de conhecer o criminoso e seu crime. Neste sentido ele se considerava um tanto ofendido e preterido no serviço, e estava sempre convicto de que lá, nas esferas superiores, haviam sido incapazes de reconhecer seu valor e de que tinha inimigos. Em seus momentos sombrios ameaçava até largar a função para ser advogado criminalista. O inesperado caso de parricídio dos Karamázov pareceu sacudi-lo por inteiro: "Era um caso que poderia se tornar conhecido em toda a Rússia". Mas ao dizer isto eu já estou botando o carro diante dos bois.

Na sala vizinha estava em companhia das senhoritas o nosso jovem juiz de instrução Nikolai Parfiénovitch Nieliúdov, que apenas dois meses antes chegara de Petersburgo à nossa cidade. Mais tarde se comentaria entre nós, e até com surpresa, que todas aquelas pessoas teriam se reunido deliberadamente na sede do poder executivo na noite do "crime". Entretanto, a coisa foi bem mais simples e sumamente natural: já fazia dois dias que a esposa de Hippolit Kiríllovitch estava com dor de dente, e ele precisava fugir de seus gemidos; o médico, por sua própria natureza, não poderia estar em nenhum outro lugar à noite a não ser à mesa de jogo. Já Nikolai Parfiénovitch Nieliúdov contava, desde a antevéspera, comparecer naquela noite à casa de Mikhail Makárovitch de um modo por assim dizer acidental, para, num lance insidioso, fazer de repente a sua Olga Mikháilovna, a mais velha, pasmar com a notícia de que conhecia o seu segredo, sabia que ela estava aniversariando e queria escondê-lo deliberadamente de nossa sociedade com o fim de não convidar a cidade para o baile. Esperava-se muito riso e alusões à idade dela, ao seu suposto temor de revelá-la, ao fato de que ele, agora a par de seu segredo, saísse já no dia seguinte contando-o para todo mundo, etc., etc. Nesse quesito o jovem e amável homenzinho era um grande travesso, foi de travesso que as nossas damas o apelidaram, e parece que ele gostou muito. Aliás, vinha de um meio social bastante bom, de boa família, era de boa educação e de bons sentimentos, e mesmo sendo amigo dos prazeres era, não obstante, muito ingênuo e sempre decente. Era de baixa estatura, compleição fraca e delicada. Em seus dedinhos finos e pálidos sempre brilhavam vários anéis exageradamente grandes. Quando exercia sua função enchia-se de uma excepcional imponência, como se atribuísse a si mesmo e às suas obrigações um sentido de coisa sagrada. Nos interrogatórios, revelava especial habilidade para desconcertar assassinos e outros malfeitores oriundos da gente simples, e realmente infundia neles senão respeito, pelo menos algum espanto.

Ao entrar na casa do comissário, Piotr Ilitch ficou simplesmente boquiaberto: percebeu de chofre que ali já sabiam de tudo. De fato, haviam suspendido o jogo, estavam todos em pé e discutindo, e até Nikolai Parfiénovitch largara as moças e apresentava o aspecto mais aguerrido e enérgico. Piotr Ilitch foi recebido com a notícia desconcertante de que o velho Fiódor Pávlovitch realmente havia sido assassinado naquela noite em sua própria casa, assassinado e roubado. A notícia acabara de chegar da seguinte maneira.

Marfa Ignátievna, esposa de Grigori — que fora ferido ao pé do muro —, embora dormisse um sono pesado em sua cama e ainda pudesse dormir até o amanhecer, não obstante acordara de repente. Para isso contribuíra o horrível grito epiléptico de Smierdiakóv, que estava acamado inconsciente no quarto contíguo — aquele grito com que sempre começavam seus ataques epiléticos e que, durante toda a vida, sempre haviam deixado Marfa Ignátievna terrivelmente assustada e exerciam sobre ela um efeito doentio. Ela nunca conseguira acostumar-se com eles. No meio do sono ela se levantou de um salto e se precipitou quase inconsciente para o cubículo de Smierdiakóv. Mas ali estava escuro, e apenas dava para ouvir que o doente começara a gemer e debater-se intensamente. Nisso Marfa Ignátievna começou a gritar e ia chamar o marido, mas súbito se deu conta de que Grigori parecia não estar na cama quando ela se levantara. Correu para a cama e tornou a apalpá-la, mas a cama estava efetivamente vazia. Logo, ele havia saído, mas para onde? Ela correu para o alpendre e de lá o chamou timidamente. Resposta, é claro, não recebeu, mas, no meio do silêncio da noite, ouviu uns gemidos que vinham de algum ponto distante do jardim. Aguçou o ouvido; os gemidos tornaram a repetir-se e ficou claro que realmente vinham do jardim. "Meu Deus, parece Lisavieta Smierdiáschaia naquela noite!" — passou-lhe pela cabeça perturbada. Desceu timidamente a escada e percebeu que o portão do jardim estava aberto. "Na certa é ele, o coitadinho, que está lá" — pensou, aproximou-se do portão e súbito ouviu nitidamente que Grigori a chamava, apelava: "Marfa, Marfa!" — com uma voz fraca, terrível, gemente. "Meu Deus, protege-nos da desgraça" — murmurou Marfa Ignátievna e precipitou-se para atender o chamado, e assim encontrou Grigori. No entanto o encontrou não ao pé do muro, não no lugar onde ele havia sido atingido, mas já a uns vinte passos do muro. Depois se verificou que, ao voltar a si, ele se arrastou, e é provável que demoradamente, perdendo várias vezes a consciência. Então ela percebeu que ele estava todo banhado em sangue e começou a gritar feito possessa. Grigori balbuciava em voz baixa e desconexa: "Matou... Matou o pai... por que estás gritando, imbecil... corre, chama...". Mas Marfa Ignátievna não se continha e não parava de gritar e, súbito, vendo que a janela do quarto do senhor estava aberta e no quarto havia luz, correu até lá e começou a chamar por Fiódor Pávlovitch. Contudo, olhando pela janela deparou com um espetáculo terrível: o senhor estava estirado de costas no chão, imóvel. O robe claro e a camisa branca estavam banhados de sangue no peito. A vela sobre a mesa iluminava com clareza o sangue e o rosto morto e imóvel de Fiódor Pávlovitch. Então, no auge do horror, Marfa Ignátievna precipitou-se para longe da janela, saiu correndo do jardim, abriu o ferrolho do portão e disparou feito doida para os fundos da vizinha Mária Kondrátievna. As duas vizinhas, mãe e filha, já estavam dormindo, mas acordaram com as batidas fortes e alucinadas na janela e os gritos de Marfa Ignátievna e correram para a janela. Marfa Ignátievna, não obstante ganisse e gritasse de forma desconexa, transmitiu o essencial e pediu ajuda. Justo nessa noite Fomá, que andava vagabundeando, pernoitava em casa delas. Num instante o tiraram da cama e todos os três correram para o local do crime. A caminho, Mária Kondrátievna conseguiu se lembrar de que pouco antes, por volta das nove horas, ouvira um grito terrível e lancinante vindo do jardim de Fiódor Pávlovitch para toda a redondeza — e era, é claro, precisamente o grito de Grigori, que ao agarrar as pernas de Dmitri Fiódorovitch, com este já sentado no muro, gritara: "Parricida!". "Alguém deu um berro e de repente parou" — contava Mária Kondrátievna enquanto caminhavam. Depois que chegaram ao lugar em que Grigori estava estirado, as duas mulheres o levaram para o anexo com a ajuda de Fomá. Acenderam a vela e viram que Smierdiakóv ainda não se acalmara e debatia-se em seu cubículo, tinha os olhos tortos e uma espuma lhe escorria dos lábios. Lavaram a cabeça de Grigori com água e vinagre, a água o fez recobrar os sentidos e ele perguntou de imediato: "O senhor foi ou não foi morto?". As duas mulheres e Fomá foram ao quarto do senhor e, ao saírem para o jardim, notaram dessa vez que não só a janela, mas também a porta que dava para o jardim estava escancarada, embora já fizesse uma semana que, mal escurecia, o próprio Fíodor Pávlovitch se trancava com segurança todas as noites e não permitia nem que Grigori lhe batesse à porta sob nenhum pretexto. Ao verem a porta aberta, todos eles, as duas mulheres e Fomá, temeram entrar no quarto do senhor "para que depois não acontecesse alguma coisa". Já Grigori, quando eles voltaram, mandou que corressem a chamar o próprio comissário. Foi então que Mária Kondrátievna correu até lá e deixou alvoroçados todos os que se encontravam em casa do comissário. Ela chegou apenas cinco minutos antes de Piotr Ilitch, de sorte que este já não apareceu só com suas suposições e conclusões, mas como testemunha ocular que, com seu relato, confirmou ainda mais a hipótese geral sobre quem era o assassino (no que, aliás, no íntimo ele continuava se negando a acreditar até esse último instante).

Resolveram agir energicamente. O auxiliar do comissário de polícia recebeu a missão imediata de reunir até quatro testemunhas e, seguindo todas as normas que aqui não vou descrever, penetraram na casa de Fiódor Pávlovitch e realizaram a investigação no local. O médico da *ziêmstvo*, homem impaciente e novel, de tanto rogar quase conseguiu acompanhar o comissário, o promotor e o juiz de instrução. Só uma observação breve: Fiódor Pávlovitch estava morto, com o crânio fraturado, mas por que arma? — o mais provável é que tivesse sido a mesma arma que depois atingira Grigori. E eis que num piscar de olhos também acharam a arma, depois de ouvirem de Grigori, a quem fora prestado o socorro médico possível, um relato bastante coerente, embora transmitido em voz fraca e entrecortada, de como ele havia sido atingido. Passaram a procurar junto ao muro, com uma lanterna, e acharam a mãozinha do pilão de cobre bem à vista, numa senda do jardim. No quarto em que Fiódor Pávlovitch estava estirado não notaram nenhuma desordem especial, mas detrás do biombo, junto à cama dele, recolheram do chão um envelope grande, de papel grosso e tamanho ofício, com a inscrição: "Um presentinho de três mil rublos para meu anjo Grúchenka, se ela resolver aparecer", à qual se juntava "e franguinha" na parte inferior, acrescentada provavelmente já depois e pelo próprio Fiódor Pávlovitch. Havia no envelope três grandes selos de lacre vermelho, mas o envelope já estava rasgado e vazio: o dinheiro fora levado. Encontraram ainda no chão a fitinha cor-de-rosa fininha, que enlaçava o envelope. Nos depoimentos de Piotr Ilitch, uma circunstância, entre outras, produziu uma impressão extraordinária no promotor e no juiz de instrução, a saber: a hipótese de que até o amanhecer Dmitri Fiódorovitch fatalmente se suicidaria, de que ele mesmo tomara essa decisão, ele mesmo falara a respeito com Piotr Ilitch, carregara a pistola em sua presença, escrevera um bilhete e o metera no bolso etc., etc. Quando Piotr Ilitch, que continuava sem querer acreditar em Mítia, ameaçara procurar alguém e contar para evitar o suicídio, o próprio Mítia lhe teria respondido, rangendo os dentes: "Não terás tempo". Logo, era preciso ir às pressas a um lugar, a Mókroie, para surpreender o criminoso antes que ele talvez resolvesse suicidar-se de fato. "Isso está claro, está claro! — repetia o promotor numa excitação extraordinária —, é exatamente o que semelhantes diabretes acabam fazendo: amanhã eu me mato, mas antes de morrer caio na farra." A história de como ele comprara vinho e outras mercadorias na venda só excitou ainda mais o promotor. "Senhores, estão lembrados daquele rapaz que matou o comerciante Olssúfiev, roubou-lhe mil e quinhentos rublos, no mesmo instante foi frisar o cabelo e depois, sem sequer esconder direito o dinheiro, também quase o levando nas mãos, foi ao encontro das moças?" Entretanto, a investigação, a revista na casa de Fiódor Pávlovitch e as formalidades, etc., retiveram todos. Tudo isso demandava tempo e, por essa razão, duas horas antes enviaram para Mókroie o comissário de polícia rural Mavrikii Mavríkievitch Chmiertzov, que justo na manhã da véspera chegara à cidade para receber seus vencimentos. Mavrikii Mavríkievitch recebeu uma instrução: chegando a Mókroie, e sem nenhum alarme, vigiar incansavelmente o "criminoso" até a chegada das devidas autoridades, assim como preparar testemunhas, escolta etc., etc. Foi assim que Mavrikii Mavríkievitch agiu, manteve-se *incognito*[58] e revelou só a Trifón Boríssovitch, seu velho conhecido, uma parte do segredo. Esse momento coincidiu exatamente com aquele em que Mítia encontrou, no escuro do anexo, o taverneiro que o procurava, e nessa mesma ocasião notou alguma mudança repentina nas feições e na fala de Trifón Boríssovitch. Assim, nem Mítia nem ninguém mais sabia que o estavam vigiando; havia tempo que Trifón Boríssovitch já lhe sequestrara a caixa com as pistolas e a escondera em lugar isolado. Só por volta das cinco da manhã, quase ao amanhecer, chegou em duas carruagens puxadas por duas troicas a comitiva das autoridades; o comissário de polícia, o promotor e o juiz de instrução. O médico permaneceu em casa de Fiódor Pávlovitch com o objetivo de fazer uma autópsia no cadáver logo de manhã, mas, e isso é o essencial, interessou-se justamente pelo estado do criado Smierdiakóv: "Ataques de epilepsia tão impiedosos e tão longos, que se repetem continuamente durante dois dias e duas noites, são raros e isso compete à ciência" — proferiu excitado para seus parceiros que partiam, e estes, rindo, o felicitaram por sua descoberta. Além disso, o promotor e o juiz de instrução fixaram bem na memória que o médico acrescentara, com o tom mais categórico, que Smierdiakóv não sobreviveria até o amanhecer.

Agora, depois de uma explicação longa e, ao que parece, necessária, retornamos àquele ponto em que suspendemos o nosso relato no livro anterior.

[58] Em latim, no original. (N. do T.)

III. Tormento de uma alma em provações. Primeira provação

Pois bem, Mítia estava sentado e observava os presentes ao redor com um olhar absurdo, sem entender o que estavam falando. Súbito se levantou, ergueu os braços e gritou de viva voz:

— Não sou culpado! Por esse sangue não sou culpado! Pelo sangue de meu pai não sou culpado... Quis matá-lo, mas não sou culpado! Não fui eu!

Contudo, mal conseguiu gritar essas palavras, Grúchenka irrompeu de trás da cortina e desabou literalmente aos pés do comissário.

— Sou eu, eu, maldita, sou eu a culpada! — gritou com um clamor que dilacerava a alma, toda banhada em lágrimas e estendendo as mãos para todos —, foi por minha causa que ele matou!... Fui eu que o atormentei e o levei a isso! Também atormentei o coitado do velhote falecido, movida pelo meu ódio, e o levei a esse ponto!

— Sim, tu és a culpada! Tu és a principal criminosa, és uma desvairada, uma depravada, és a principal culpada — berrou o comissário, ameaçando-a com os punhos, mas foi rápida e decididamente contido. O promotor chegou até a agarrá-lo com as mãos.

— Isso já é uma desordem total, Mikhail Makárovitch — bradou ele —, o senhor está terminantemente prejudicando a investigação... prejudicando o processo... — Estava quase sufocado.

— É preciso tomar medidas, tomar medidas, tomar medidas! — Nikolai Parfiénovitch também estava no auge da exaltação —, senão vai ser totalmente impossível!...

— Julguem-nos juntos! — continuava Grúchenka, exclamando desvairadamente, ainda de joelhos. — Executem-nos juntos, agora eu o acompanho até para a morte!

— Grucha, vida minha, sangue meu, minha coisa sagrada! — Mítia também caiu de joelhos ao lado dela e a estreitou com força em seus braços. — Não acreditem nela — gritava ele —, ela não tem culpa de nada, de sangue nenhum e de nada!

Mais tarde ele se lembraria de que vários homens o separaram dela à força, que subitamente a levaram, e que se recobrara já sentado na cadeira. A seu lado e atrás dele estavam os homens com plaquetas de metal. Defronte, sentado num sofá do outro lado da mesa, Nikolai Parfiénovitch, o juiz de instrução, procurava convencê-lo a beber um pouco de água de um copo que estava na mesa: “Isso vai refrescá-lo, vai acalmá-lo, não tema, não se preocupe” — acrescentava com extraordinária polidez. Súbito Mítia achou muitíssimo curiosos seus anéis grandes — disto ele se lembrava —, um de ametista, outro amarelo claro, transparente e de um brilho lindo. Mais tarde, por muito tempo ele recordaria, com surpresa, que aqueles anéis haviam atraído irresistivelmente seu olhar inclusive no decorrer de todas aquelas terríveis horas de interrogatório, de tal sorte que não conseguia se livrar deles e esquecê-los como algo que nada tinha a ver com a sua situação. À esquerda de Mítia, no lugar em que Maksímov estivera sentado no início da festa, agora se acomodava o promotor e, à direita de Mítia, no lugar então ocupado por Grúchenka, acomodava-se agora um jovem corado, que usava um paletó de caçador, bastante surrado, diante do qual havia papel e tinta. Verificou-se que se tratava do escrevente do juiz de instrução, que ele trouxera consigo. Agora o comissário estava à janela, no outro extremo da sala, ao lado de Kalgánov, que também se sentara numa cadeira ao pé da mesma janela.

— Beba água! — repetiu com brandura o juiz de instrução pela décima vez.

— Já bebi, senhores, já bebi... porém... pois bem, senhores, esmaguem, executem, decidam o destino! — gritou Mítia para o juiz de instrução, com os olhos terrivelmente imóveis e arregalados.

— Então o senhor afirma terminantemente que não é culpado pela morte de seu pai Fiódor Pávlovitch? — perguntou o juiz de instrução em tom brando, mas firme.

— Não sou culpado! Sou culpado por outro sangue, pelo sangue de outro velho, mas não pelo de meu pai. E lamento! Matei, matei um velho, matei e o deixei caído, mas é duro responder por esse sangue com outro sangue, um sangue terrível, pelo qual não sou culpado. É uma acusação terrível, senhores, é como se me dessem uma pancada na testa! Mas quem matou meu pai, quem foi que o matou? Quem poderia matá-lo a não ser eu? É um espanto, um absurdo, uma impossibilidade!

— Pois é, quem poderia matá-lo... — ia começando o juiz de instrução, mas o promotor Hippolit Kiríllovitch (o promotor substituto, mas que por questão de brevidade vamos chamar de promotor) trocou olhares com o juiz de instrução e proferiu, dirigindo-se a Mítia:

— O senhor está se preocupando à toa com o velho criado Grigori Vassílievitch. Fique sabendo que ele está vivo, recobrou-se, e apesar do duro golpe[59] que o senhor lhe aplicou, segundo depoimento dele e agora do se-

[59] Apesar de Dmitri ter dado apenas um golpe em Grigori, todos os seus inquiridores usam o substantivo russo *pobói*, que significa golpes que são desferidos pelo corpo da pes-

nhor, parece que sobreviverá sem dúvida, pelo menos é o que o médico acha.

— Vivo? Então ele está vivo! — berrou Mítia de repente levantando os braços. Todo o seu rosto iluminou-se. — Senhor, eu te agradeço por esse grandioso milagre com que agraciaste a mim, este pecador e malfeitor, atendendo às minhas orações!... Sim, sim, foi atendendo às minhas orações, eu orei a noite inteira!... — e benzeu-se três vezes. Estava quase sufocado.

— Pois foi desse mesmo Grigori que ouvimos depoimentos tão significativos referentes ao senhor, que... — o promotor ia continuar, mas de repente Mítia se levantou de um salto.

— Um minuto, senhores, pelo amor de Deus, apenas um minutinho; vou rapidinho até ela...

— Com licença! Neste instante é absolutamente impossível! — Nikolai Parfiénovitch quase chegou a ganir e também se levantou de um salto. Os homens das plaquetas no peito agarraram Mítia, mas ele mesmo sentou-se na cadeira...

— Senhores, que pena... Eu queria ter com ela só por um instante... queria lhe anunciar que aquele sangue que a noite inteira me sugou o coração está lavado, desapareceu, e que já não sou um assassino! Senhores, ela é minha noiva! — proferiu de repente com entusiasmo e veneração, correndo os olhos sobre todos. — Oh, eu lhes agradeço, senhores! Oh, como os senhores me fizeram renascer, como me ressuscitaram em um instante!... Aquele velho me carregou nos braços, senhores, me deu banho na tina quando eu era uma criança de três anos e todos me haviam abandonado, foi meu pai de verdade!...

— E então o senhor... — ia começando o juiz de instrução.

— Permitam-me, senhores, permitam-me mais um minutinho — interrompeu Mítia, pondo os cotovelos na mesa e cobrindo o rosto com as mãos —, deixem-me raciocinar um pouquinho, deixem-me tomar fôlego, senhores. Tudo isso me deixa terrivelmente abalado, terrivelmente, o homem não é saco de pancada, senhores!

— O senhor poderia tomar mais uma aguinha... — balbuciou Nikolai Parfiénovitch.

Mítia tirou as mãos do rosto e deu uma risada. Tinha o olhar animado, era como se num instante houvesse sofrido uma mudança total. O tom de sua voz também mudara inteiramente: estava ali sentado um homem mais

soa e provocam escoriações, isto é, significam espancamento. Para evitar estranheza do nosso leitor, optamos por golpe. (N. do T.)

uma vez em igualdade com todos aqueles antigos conhecidos, como se todos se tivessem reunido na véspera, em alguma alta roda, quando ainda não havia acontecido nada. Entretanto, observemos a propósito que, no início da estada do comissário de polícia em nossa cidade, Mítia fora recebido cordialmente em sua casa, mas depois, sobretudo no último mês, quase não o visitara, e quando o comissário cruzava com ele na rua, por exemplo, franzia intensamente o cenho e só por gentileza lhe fazia reverência, o que Mítia reparara muito bem. Sua relação com o promotor era ainda mais distante, no entanto visitava de quando em quando sua esposa, uma senhora nervosa e fantasiosa, e as visitas eram, não obstante, as mais respeitosas, ele mesmo até nem entendia direito por que a visitava, e ela sempre o recebia de maneira afetuosa, porque se interessava por ele até bem recentemente. Com o juiz de instrução ainda não tivera tempo de travar conhecimento, mas, não obstante, também já o havia encontrado e até conversara com ele umas duas vezes, ambas sobre o sexo feminino.

— O senhor, Nikolai Parfiénitch, pelo que vejo é um juiz de instrução habilidosíssimo — súbito Mítia deu uma risada alegre —, mas agora eu mesmo vou ajudá-lo. Oh, senhores, nasci de novo... e não se ofendam comigo por eu me dirigir aos senhores assim de igual para igual e com tanta franqueza. Além disso estou um pouquinho embriagado, e isso eu lhes digo francamente. Eu, parece, tive a honra... a honra e o prazer de encontrá-lo, Nikolai Parfiénitch, em casa de meu parente Miússov... Senhores, senhores, não tenho pretensão de me igualar, porque eu compreendo quem sou aqui perante os senhores. Pesa sobre mim... se é que Grigori prestou depoimento contra mim... pesa sobre mim — oh, é claro, pesa mesmo — uma terrível suspeita! Um horror, um horror — e isso eu compreendo! Mas vamos ao assunto, senhores, estou pronto, e agora vamos terminar com isso num piscar de olhos, porque, ouçam, ouçam, senhores. Porque se eu sei que não sou culpado, então, é claro, num piscar de olhos a gente termina com isso! Não é? Não é?

Mítia falava rápido e muito, de forma nervosa e expansiva e como que tomando decididamente seus ouvintes por seus melhores amigos.

— Pois bem, por ora vamos escrever que o senhor nega radicalmente a acusação que lhe é feita — proferiu com imponência Nikolai Parfiénovitch e, voltando-se para o escrevente, ditou-lhe a meia-voz o que precisava anotar.

— Anotar? Os senhores querem anotar isso? Vá, anotem, estou de acordo, dou meu total consentimento, senhores... Vejam, porém... Esperem, esperem, anotem assim: "Pelos excessos ele é culpado, pelos duros golpes aplicados a um pobre velho, é culpado. E ainda de si para si, em seu íntimo, no fundo do coração, é culpado", mas isto já não é preciso escrever — voltou-se de repente para o escrevente —, isso já é minha vida privada, senhores, isso já não lhes diz respeito, essas profundezas do coração, por outras palavras... Mas pelo assassinato do pai não é culpado! Isso é uma ideia horrenda! Uma ideia totalmente horrenda!... Eu lhes provarei e num instante os senhores se convencerão. Vão rir, senhores, os senhores mesmos hão de rir às gargalhadas de sua suspeita!...

— Acalme-se, Dmitri Fiódorovitch — preveniu o juiz de instrução, pelo visto querendo dominar o desvairado com sua tranquilidade. — Antes de continuarmos o interrogatório, eu gostaria de ouvir do senhor, desde que o senhor concorde em responder, a confirmação de que pelo visto o senhor não gostava do falecido Fiódor Pávlovitch, estava em permanente desavença com ele... Aqui mesmo, um quarto de hora atrás, parece que o senhor se permitiu dizer que até quis matá-lo: "Não matei — exclamou o senhor —, mas quis matá-lo!".

— Eu exclamei isso? Oh, é possível, senhores! Sim, infelizmente eu quis matá-lo, muitas vezes quis, infelizmente, infelizmente!

— Quis. O senhor não concordaria em explicar, em termos precisos, em que convicções se baseava tamanho ódio à pessoa do seu pai?

— O que explicar, senhores? — Mítia sacudiu os ombros com ar sombrio, baixou os olhos. — Ora, eu não escondia meus sentimentos, toda a cidade sabe disso — sabem todos que frequentavam a taverna. Ainda recentemente, no mosteiro, eu o declarei na cela do *stárietz* Zossima... Naquele mesmo dia, à noite, espanquei e por pouco não matei meu pai, e jurei que voltaria lá e o mataria, isso diante de testemunhas... Oh, milhares de testemunhas! Gritei isso o mês inteiro, todos são testemunhas!... O fato é evidente, o fato fala, clama, mas os sentimentos, senhores, os sentimentos já são outra coisa. Vejam, senhores — Mítia franziu o cenho —, parece-me que, no tocante aos sentimentos, os senhores não têm o direito de me fazer perguntas. Ainda que os senhores estejam investidos de autoridade, o que eu compreendo, isto, porém, é assunto meu, questão interior minha, íntima, no entanto... já que eu não escondia os meus sentimentos antes... na taverna, por exemplo, falava para todos e cada um, então... agora tampouco vou fazer mistério com isso. Vejam, senhores, eu compreendo que neste caso há provas terríveis contra mim: eu disse a todo mundo que o mataria, e de repente o mataram: neste caso, como não teria sido eu? Ah-ah! Eu os desculpo, senhores, os desculpo plenamente. Eu mesmo estou estupefato até a epiderme,[60]

[60] "*Porajém do epidermi*", no original. Rachel de Queiroz, na edição da José Olym-

porque, enfim, quem neste caso o teria matado senão eu? Não é verdade? Se não fui eu, então quem é que foi? Senhores! — Mítia exclamou subitamente —, eu quero saber, eu até o exijo dos senhores: onde ele foi morto? Como foi morto, com que e de que maneira? Digam-me — falou rapidamente, correndo a vista pelo promotor e o juiz de instrução.

— Nós o encontramos estirado no chão em seu gabinete, de costas, com o crânio fraturado — disse o promotor.

— É uma coisa horrível, senhores — estremeceu subitamente Mítia e, apoiando os cotovelos na mesa, cobriu o rosto com a mão direita.

— Vamos continuar — interrompeu Nikolai Parfiénovitch. — Pois bem, e em que convicções se baseavam seus sentimentos de ódio? Parece que o senhor declarou publicamente que sentia ciúme?

— Sim, sentia ciúme, e não só ciúme.

— Querelas por dinheiro?

— É, sim, por dinheiro.

— Parece que a querela foi por três mil rublos, que não lhe teriam sido repassados integralmente da herança.

— Qual três! Mais, mais — Mítia levantou-se —, mais de seis, talvez mais de dez. Eu disse para todo mundo, gritei para todo mundo! Mas eu tinha resolvido que ia ficar por isso mesmo, que me conformaria com os três mil. Eu precisava de qualquer jeito desses três mil... de sorte que aquele pacote com os três mil rublos estava debaixo do travesseiro dele, como eu sabia, tinha sido preparado para Grúchenka, e eu achava terminantemente que era como se o tivessem roubado de mim, isso mesmo, senhores, eu o considerava meu, como se fosse minha propriedade...

O promotor trocou olhares significativos com o juiz de instrução e conseguiu piscar o olho para ele sem ser notado.

— Nós ainda voltaremos a esse assunto — proferiu imediatamente o promotor —, e agora o senhor nos permita notar e anotar precisamente esse pequeno ponto: que o senhor considerava como se fosse propriedade sua aquele dinheiro que estava naquele pacote.

— Anotem, senhores, eu compreendo que isso é mais uma prova contra mim, mas eu não temo provas e eu mesmo estou me acusando. Ouçam,

pio, traduziu do francês essa expressão de Mítia como "fico profundamente impressionado"; Natália Nunes e Oscar Mendes (Ediouro) a traduziram do inglês como "Eu mesmo estou atônito". Dmitri simplesmente usa uma palavra estrangeira sem conhecimento de seu real sentido, do que resulta uma expressão obscura. Aliás, o abstruso é uma constante em todas as falas de Mítia. (N. do T.)

eu mesmo! Vejam, senhores, parece que os senhores me tomam por uma pessoa totalmente diferente do que sou — acrescentou de chofre com ar sombrio e triste. — Está falando com os senhores um homem nobre, uma pessoa nobilíssima, e principalmente — não percam isto de vista — um homem que cometeu um horror de torpezas, mas sempre foi e se manteve uma criatura nobilíssima, como criatura, interiormente, em seu imo... bem, numa palavra, não consigo me expressar. Durante toda a minha vida eu me atormentei justo porque ansiava pela nobreza, era, por assim dizer, um mártir da nobreza que a procurava com a lanterna na mão, com a lanterna de Diógenes,[61] mas, por outro lado, passara a vida inteira fazendo apenas sujeira, como todos nós, senhores... ou seja, só como eu, senhores, não todos, só eu, me enganei, só eu, só eu!... Senhores, estou com dor de cabeça — franziu o cenho numa expressão de sofrimento —, vejam, senhores, a aparência dele me desagradava, havia nela um quê de desonestidade, de vanglória, um espezinhamento de tudo o que era sagrado, escárnio e descrença, um nojo, um nojo! Mas agora, quando ele já está morto, penso diferente.

— Como diferente?

— Não diferente, mas lamento pelo ódio que tinha por ele.

— Sente arrependimento?

— Não, não propriamente arrependimento, não anotem isso. Eu mesmo não sou bom, senhores, vejam só, eu mesmo não sou lá muito bonito, e por isso não tinha direito de achá-lo repugnante, eis a questão — bem, isso podem anotar.

Ao dizer isso, Mítia foi tomado de uma imensa tristeza. Fazia tempo que, pouco a pouco, vinha ficando cada vez mais e mais sombrio conforme respondia às perguntas do juiz de instrução. E súbito, justo neste instante, desencadeou-se uma cena novamente inesperada. É que Grúchenka, ainda que pouco antes tivesse sido retirada dali, não havia sido levada para muito longe, apenas ao terceiro cômodo depois daquele salão azul em que agora transcorria o interrogatório. Era um quartinho de uma janela só, contíguo à sala grande da dança e do rega-bofe da noite. Lá estava ela sentada, e com ela apenas Maksímov, estupefato, terrivelmente acovardado e colado a ela como se a seu lado procurasse a salvação. À porta deles havia um mujique com uma plaqueta no peito. Grúchenka chorava, e eis que de repente, quando a aflição lhe atingiu demasiadamente a alma, ela se ergueu de um salto,

[61] Diógenes de Sínope (*c.* 404-323 a.C.), filósofo cínico que, segundo a lenda, andava com uma lanterna acesa em plena luz do dia, e quando lhe perguntavam por que fazia aquilo, respondia: “Procuro um homem”. (N. da E.)

levantou os braços e, clamando em voz alta: "Desgraça minha, desgraça!", precipitou-se do cômodo em direção a ele, ao seu Mítia, e de forma tão inesperada que ninguém conseguiu detê-la. Mítia, ao ouvir seu clamor, estremeceu, pulou da cadeira, deu um berro e precipitou-se ao encontro dela como se estivesse fora de si. Mais uma vez, porém, não deixaram que ficassem juntos, embora os dois já tivessem visto um ao outro. Seguraram-no com força pelos braços: ele se debatia, tentava livrar-se, foram necessários três ou quatro homens para segurá-lo. Ela também foi agarrada, e ele viu como, aos gritos, ela lhe estirava os braços enquanto a retiravam. Quando a cena terminou, ele se recobrou em seu antigo lugar, à mesa, defronte do juiz de instrução, e gritou, voltando-se para eles:

— O que ela significa para os senhores? Por que a atormentam? Ela é inocente, inocente!...

O promotor e o juiz de instrução procuravam acalmá-lo. Assim transcorreu algum tempo, uns dez minutos; por fim, depois de uma breve ausência, Mikhail Makárovitch entrou apressadamente na sala e disse em voz alta e excitada para o promotor:

— Ela foi afastada, está lá embaixo, os senhores não me permitiriam dizer apenas uma palavra a este homem infeliz? Na sua presença, senhores, na sua presença!

— Faça o obséquio, Mikhail Makárovitch — respondeu o juiz de instrução —, neste caso não temos nenhuma objeção.

— Dmitri Fiódorovitch, escuta, meu caro — começou Mikhail Makárovitch dirigindo-se a Mítia, e todo o seu rosto comovido expressava uma compaixão afetuosa e paternal pelo infeliz —, eu mesmo levei tua Agrafiena Alieksándrovna lá para baixo e a deixei aos cuidados das filhas do estalajadeiro, agora ela está na companhia permanente do velhote Maksímov, e eu a convenci — estás ouvindo? —, convenci e acalmei, lhe fiz ver que tu precisas te justificar, de sorte que ela não deve atrapalhar, te fazer cair em melancolia, senão poderás ficar perturbado e depor erroneamente contra ti mesmo, estás entendendo? Bem, numa palavra, eu falei e ela compreendeu. Ela, meu caro, é inteligente, boa, precipitou-se para beijar minhas mãos, deste velho, pediu por ti. Ela mesma me mandou vir aqui te dizer que fiques tranquilo por ela, e preciso, meu caro, preciso voltar lá e lhe dizer que tu estás tranquilo e aliviado por ela. Pois bem, acalma-te, entende isso. Sou culpado diante dela, ela é uma alma cristã, sim, senhores, é uma alma dócil e não tem culpa de nada. Então, Dmitri Fiódorovitch, o que vou dizer a ela, que estás aqui tranquilo ou não?

O bonachão falou muita coisa supérflua, mas a aflição de Grúchenka, a aflição humana penetrara em sua alma bondosa e até lágrimas lhe brotavam dos olhos. Mítia deu um salto e precipitou-se para ele.

— Desculpem, senhores, permitam, oh, permitam, oh! — bradou —, o senhor é uma alma angelical, angelical, Mikhail Makárovitch, eu lhe agradeço por ela! Vou, vou ficar tranquilo, vou ficar alegre, diga-lhe, Mikhail Makárovitch, pela infinita bondade de sua alma, que estou alegre, alegre, agora vou até começar a rir por saber que ela está acompanhada de um anjo da guarda como o senhor. Vou terminar tudo isso agora mesmo, e assim que me liberar irei imediatamente vê-la, ela verá, que espere! Senhores — dirigiu-se subitamente ao promotor e ao juiz de instrução —, agora vou abrir meu coração para os senhores, todo o coração, num piscar de olhos encerraremos tudo, encerraremos alegremente — e vamos rir no fim, não vamos? Mas, senhores, essa mulher é a rainha de minha alma! Oh, permitam-me dizê-lo, isso eu revelo aos senhores... Pois vejo que estou na companhia de pessoas nobilíssimas: ela é a luz, é a minha relíquia, e se os senhores pudessem saber! Ouviram-na gritar: "Eu o acompanho até para a morte"? E o que foi que eu dei a ela, eu, um miserável, um pé-rapado, para que sinta tamanho amor por mim, será que mereço, eu, um réptil desajeitado, infame e com uma cara infame, mereço tanto amor a ponto de ela querer me acompanhar aos trabalhos forçados? Por minha causa ela se jogou aos pés dos senhores ainda há pouco, ela, altiva e sem culpa de coisa nenhuma! Como eu não iria adorá-la, berrar, precipitar-me para ela como acabei de fazer? Oh, senhores, desculpem! Mas agora, agora estou consolado!

Deixou-se cair na cadeira e começou a soluçar, cobrindo o rosto com as duas mãos. Mas essas já eram lágrimas de felicidade. Recobrou-se num instante. O velho comissário estava muito satisfeito, e parece que os juristas também: eles sentiram que agora o interrogatório entrava numa nova fase. Depois de acompanhar o comissário até a porta, Mítia ficou deveras alegre.

— Bem, senhores, agora sou vosso, todo vosso. E... não fossem todas essas ninharias, chegaríamos a um acordo agora mesmo. Torno a insistir nas ninharias. Sou seu, senhores, mas juro que precisamos de uma confiança mútua — dos senhores para comigo e de mim para com os senhores — senão nunca chegaremos ao fim. É para os senhores que eu estou falando. Ao assunto, senhores, ao assunto, e, principalmente, não fiquem me escavando a alma, não a atormentem com ninharias, mas vamos apenas ao que interessa e aos fatos, e eu os satisfarei agora mesmo. E quanto às ninharias, o diabo que as carregue!

Assim exclamava Mítia. O interrogatório recomeçou.

IV. Segunda provação

— O senhor não vai acreditar, Dmitri Fiódorovitch, como o senhor mesmo nos incentiva com essa sua disposição... — começou a falar Nikolai Parfiénovitch com ar animado e uma visível satisfação que lhe resplandecia nos olhos castanhos claros graúdos e saltados, aliás muito míopes, de sobre os quais tirara os óculos um minuto antes. — O senhor acabou de fazer uma observação justa sobre essa nossa confiança mútua, que às vezes nos é até imprescindível em assuntos de tamanha importância, caso o suspeito realmente deseje, espere e possa justificar-se. De nossa parte faremos tudo o que depender de nós, e o senhor mesmo pôde acabar de ver como estamos conduzindo o caso... O senhor aprova, Hippolit Kiríllovitch? — dirigiu-se de repente ao promotor.

— Oh, sem dúvida — aprovou o promotor, embora de modo um tanto seco em comparação com o entusiasmo de Nikolai Parfiénovitch.

Observo de uma vez por todas: Nikolai Parfiénovitch, recém-chegado à nossa cidade, desde os primeiros dias de sua atividade sentira uma estima incomum pelo nosso Hippolit Kiríllovitch, o promotor, e se fizera seu amigo quase íntimo. Ele era quase a única pessoa a acreditar incondicionalmente no excepcional talento de psicólogo e orador do nosso "ofendido e preterido" Hippolit Kiríllovitch, e acreditava plenamente que o haviam ofendido. Ainda em Petersburgo ouvira falar a seu respeito. Em compensação, o jovenzinho Nikolai Parfiénovitch, por sua vez, foi também a única pessoa em todo o mundo de quem o nosso "ofendido" promotor gostou sinceramente. A caminho de Mókroie conseguiram chegar a um acordo e alguma combinação a respeito do caso que teriam de examinar e agora, à mesa, a inteligência aguda de Nikolai Parfiénovitch captava no ar e, pelo olhar, por um piscar de olhos, compreendia imediatamente qualquer sugestão, qualquer gesto que se esboçava no rosto de seu confrade mais velho.

— Senhores, permitam que só eu narre e não me interrompam com ninharias, que num piscar de olhos eu lhes exponho tudo — Mítia falou excitado.

— Magnífico. Grato. Mas antes de passarmos a ouvir o que o senhor nos vai informar, peço que me permita apenas constatar mais um pequeno fato, muito curioso para nós, precisamente a respeito daqueles dez rublos que ontem, por volta das cinco horas, o senhor tomou emprestados ao seu amigo Piotr Ilitch Pierkhótin, dando suas pistolas como penhor.

— Empenhei, senhores, empenhei por dez rublos, e que mais? Eis tudo, tão logo retornei à cidade eu as empenhei.

— E o senhor voltou de uma viagem? O senhor viajou para fora da cidade?

— Viajei, senhores, a quarenta verstas daqui, não sabiam disso?

O promotor e Nikolai Parfiénovitch se entreolharam.

— E se o senhor começasse sua narrativa com uma descrição sistemática de todo o seu dia de ontem, desde o amanhecer? Permita-me, por exemplo, saber: por que razão se ausentou da cidade, e quando precisamente viajou e retornou... e todos esses fatos...

— Era assim que os senhores deviam ter perguntado desde o início — Mítia deu uma gargalhada —, e se quiserem, não se deve começar de ontem, mas de anteontem, do amanhecer, e então compreenderão aonde fui, como e por que. Eu fui anteontem pela manhã, senhores, à casa de Samsónov, um comerciante daqui, pedir um empréstimo de três mil rublos sob garantia segura — precisei de repente, senhores, precisei de repente...

— Permita-me interrompê-lo — o promotor o interrompeu polidamente —, por que o senhor precisou tão de repente, e justo de semelhante quantia, ou seja, de três mil rublos?

— Ora, senhores, não é o caso de entrar em ninharias: como, quando e por que precisei justo dessa e não daquela quantia, e toda essa lengalenga... porque desse jeito não vai ser possível descrever isso nem em três volumes, e ainda vai ser preciso um epílogo!

Mítia falou tudo isso com a familiaridade bonachona mas impaciente de um homem que deseja dizer toda a verdade e está imbuído das melhores intenções.

— Senhores — de repente pareceu aperceber-se —, não me levem a mal por meus esperneios, torno a pedir: acreditem mais uma vez que nutro pleno respeito e compreendo o presente estado do caso. Não pensem que eu esteja bêbado. Já estou sóbrio. E mesmo que estivesse bêbado não haveria nenhum mal nisso. Porque comigo é assim:

Desembriagou-se, tomou juízo — ficou tolo,
Embriagou-se, tornou-se tolo — ficou inteligente.

Ah-ah! Pensando bem, senhores, percebo que por ora ainda não me fica bem fazer gracejos diante dos senhores, ou seja, enquanto não nos explicarmos. Permitam-me uma observação sobre minha própria dignidade. Ora, eu compreendo a diferença que há neste momento entre nós: seja como for, diante dos senhores eu sou um criminoso, logo, estou em suprema desigualdade em relação aos senhores, e os senhores têm a missão de me vigiar: os senhores não vão me passar a mão pela cabeça por causa de Grigori, realmente não se pode sair por aí quebrando a cabeça dos velhos impunemente, por causa dele os senhores hão de me julgar e me recolher por meio ano, bem, por um ano, a uma casa de correção, não sei qual será minha condenação, pode ser até que não me privem dos direitos, que não me privem dos direitos, hein, promotor? Pois bem, senhores, eu compreendo essa diferença... Mas convenham também que os senhores podem desconcertar o próprio Deus fazendo perguntas assim: aonde foste, como foste, quando foste e em que lugar entraste? Porque sendo assim eu posso me desconcertar, dizer algo, os senhores vão me culpar por qualquer erro, e então, em que isso vai dar? Em nada! E enfim, se agora comecei a mentir vou mentir até o fim, e os senhores, pessoas de educação superior e nobilíssimas, hão de me perdoar. Concluo justamente com um pedido: senhores, desaprendam esse burocracismo do interrogatório, isto é, comecem primeiro por algo mísero, por algo insignificante: como me levantei, o que comi, como cuspi e, "tendo entorpecido a atenção do criminoso", surpreendam-no de repente com uma pergunta desconcertante: "quem o senhor matou, quem roubou?". Ah-ah! Porque esse burocracismo entre os senhores é regra, é nisso que se fundamenta toda a sutileza dos senhores! Sim, porque com semelhantes astúcias os senhores podem entorpecer os mujiques, mas não a mim. É que eu entendo do riscado, eu mesmo fui servidor, ah-ah-ah. Não se zanguem, senhores, perdoam-me o atrevimento? — bradou, olhando para todos com uma bonomia quase surpreendente. — Ora, Mítia Karamázov disse, então podem até perdoá-lo, porque o que não se perdoa em um homem inteligente, perdoa-se em Mítia! Ah-ah!

Nikolai Parfiénovitch ouvia e também sorria. O promotor, ainda que não sorrisse, examinava Mítia com ar perscrutador e sem desviar os olhos, como se não quisesse perder nem a mínima expressão, nem o mínimo gesto, nem a mínima contração da mais ínfima linha de seu rosto.

— Não obstante — respondeu Nikolai Parfiénovitch ainda sorrindo —, foi assim que começamos com o senhor, desde o início, para não desnorteá-lo perguntando como se levantou de manhã, o que comeu; nós inclusive partimos daquilo que é mais do que essencial.

— Compreendo, compreendo e aprecio, e aprecio ainda mais essa sua bondade deste momento para comigo, sem precedentes, digna das almas mais nobres. Aqui estão reunidas três pessoas nobres, e oxalá tudo entre nós transcorra com base na confiança mútua de homens instruídos e de sociedade, ligados pela nobreza e a honra. Em todo caso, permitam-me considerá-los como os meus melhores amigos nesse instante de minha vida, neste minuto de humilhação de minha honra! Porque isso não é uma ofensa para os senhores, é?

— Ao contrário, o senhor exprimiu tudo isso magnificamente, Dmitri Fiódorovitch — concordou Nikolai Parfiénovitch com ar sobranceiro e aquiescente.

— E quanto às ninharias, senhores, fora com todas essas ninharias de chicana — exclamou entusiasticamente Mítia —, porque senão isso vai dar o diabo sabe em quê, não é verdade?

— Vou seguir plenamente suas sensatas sugestões — súbito anuiu o promotor dirigindo-se a Mítia —, no entanto não abrirei mão de minha pergunta. Para nós é essencialmente necessário, e demais, saber para que o senhor precisou de tamanha quantia, ou seja, precisamente de três mil?

— Para que precisei? Bem, para isso, para aquilo... ora, para saldar uma dívida.

— Precisamente com quem?

— Isto eu me nego terminantemente a dizer, senhores! Vejam, não é porque eu não possa dizer, ou não me atreva, ou tema, porque tudo isso é coisa de somenos, ninharias absolutas, e não vou dizer porque aí existe um princípio: trata-se de minha vida privada e não permito interferência em minha vida privada. Eis o meu princípio. Sua pergunta não tem a ver com o caso, e tudo aquilo que não tem a ver com o caso é minha vida privada! Quis saldar uma dívida de honra, mas com quem — não vou dizer.

— Permita que anotemos isto — disse o promotor.

— Faça o favor. Anote assim: que não direi, e não direi. Anotem, senhores, que considero até indecente dizê-lo. Puxa, que tempão os senhores têm para tomar nota!

— Permita-me, meu caro senhor, preveni-lo e lembrar-lhe mais uma vez, se é que o senhor não sabia — proferiu o promotor com uma imponência particular e muito severa —, que o senhor tem todo o direito de não responder às perguntas que lhe fazemos neste momento, e nós, ao contrário, não temos nenhum direito de arrancar respostas do senhor se o senhor mesmo se esquiva a responder por esse ou aquele motivo. Trata-se de uma consideração de ordem pessoal de sua parte. Mais uma vez, porém, é nosso dever lhe mostrar e explicar, neste caso, todo o mal que o senhor faz a si mesmo negando-se a prestar esse ou aquele depoimento. Dito isto, peço que continue.

— Senhores, eu não estou zangado... eu... — balbuciou Mítia meio confuso com a admoestação —, vejam, senhores, esse mesmo Samsónov a quem fui procurar naquele momento...

Nós, é claro, não vamos reproduzir em detalhes o relato daquilo que o leitor já conhece. O narrador quis, impacientemente, contar tudo nos mínimos detalhes e ao mesmo tempo com a maior brevidade possível. Mas anotavam os depoimentos à medida que Mítia os dava e, portanto, o interrompiam quando era necessário. Dmitri Fiódorovitch censurava isto, porém se subordinava, zangava-se, mas de um jeito ainda bonachão. É verdade que de quando em quando bradava: "Senhores, isso deixa o próprio Deus enfurecido", ou: "Senhores, sabem que só estão me irritando inutilmente?", e mesmo fazendo esse tipo de exclamação não mudava seu ânimo amistoso e expansivo. Assim, contou como dois dias antes Samsónov o havia "engazopado". (Agora já percebia plenamente que fora engazopado na ocasião.) A venda do relógio por seis rublos, com o fim de arranjar dinheiro para a viagem, venda ainda totalmente desconhecida do promotor e do juiz de instrução, despertou imediatamente toda a extraordinária atenção deles, o que já provocou a infinita indignação de Mítia: eles acharam necessário registrar minuciosamente esse fato, tendo em vista que ele reconfirmava a circunstância de que, na véspera, ele já não tinha quase nenhum centavo. Pouco a pouco Mítia foi ficando sombrio. Em seguida, depois de descrever a viagem para procurar Liágavi e a noite passada na isbá cheia de gás carbônico etc., levou o relato para o retorno à cidade, e aí começou por conta própria, já sem ser especialmente solicitado, a descrever em minúcias os tormentos do ciúme que sentia de Grúchenka. Ouviam-no em silêncio e com atenção, examinaram particularmente a circunstância de que ele arranjara, havia muito tempo, um ponto no jardim de Mária Kondrátievna, "nos fundos" da casa de Fiódor Pávlovitch, para vigiar Grúchenka, e que lá recebia de Smierdiakóv as informações: isso foi muito notado e anotado. A respeito de seu ciúme ele se expandiu com fervor e, embora no fundo da alma se envergonhasse de estar expondo seus sentimentos íntimos, por assim dizer, à "desonra pública", ainda assim superava visivelmente a vergonha para ser mais veraz. A severidade impassível dos olhares do juiz de instrução e especialmente do promotor, fixados nele durante a narração, acabaram por deixá-lo fortemente perturbado: "Esse promotor doente e esse rapazinho Nikolai Parfiénovitch, com quem apenas alguns dias atrás conversei bobagens sobre mulheres, não merecem que eu lhes conte isso — passou-lhe tristemente e de relance pela mente —, é uma vergonha! — 'Aguenta firme, submete-te e cala-te'"[62] — concluiu sua reflexão com esses versos, mas tornou a conter-se para prosseguir. Passando ao relato sobre Khokhlakova, até voltou a alegrar-se e quis inclusive

[62] Citação imprecisa do poema de Tiúttchev "Silentium", de 1830: "Cala-te, esconde-te e encobre/ Os sentimentos e os sonhos teus". (N. da E.)

contar sobre essa grã-senhora uma anedota singular, ouvida pouco tempo antes mas inconveniente naquela situação, porém o juiz de instrução o deteve e propôs gentilmente que passasse "ao mais essencial". Por fim, após descrever seu desespero e contar sobre o momento em que, saindo da casa de Khokhlakova, chegou a pensar até em "degolar depressa alguém e conseguir os três mil", tornaram a interrompê-lo e anotaram a referência "quis degolar". Mítia permitiu em silêncio que anotassem. Enfim chegou àquele ponto do relato em que soubera de repente que Grúchenka o havia enganado e deixado a casa de Samsónov logo após ele a ter acompanhado, quando ela lhe dissera que ficaria até a meia-noite em casa do velho: "Se naquele momento, senhores, não matei aquela Fiênia foi somente porque estava sem tempo" — deixou subitamente escapar nesse ponto do relato. E isso foi minuciosamente anotado. Mítia esperou com ar sombrio, e ia começando a contar como correra para o jardim do pai, quando o juiz o interrompeu subitamente e tirou de sua grande pasta, que estava no sofá a seu lado, a mãozinha do pilão de cobre.

— O senhor conhece este objeto? — mostrou-o a Mítia.

— Ah, sim! — deu um riso sombrio —, como não iria conhecê-lo! Deixe-me examiná-lo! Com os diabos, não precisa!

— O senhor se esqueceu de mencioná-lo — observou o juiz.

— Com os diabos! Não iria escondê-lo dos senhores, por certo não poderia deixar de ser mencionado, o que os senhores acham? Apenas tinha me escapado da lembrança.

— Tenha a bondade de contar minuciosamente como se armou com ele.

— Permitam-me, terei a bondade, senhores.

Mítia contou como pegara a mãozinha do pilão e saíra correndo.

— Que objetivo o senhor tinha ao se armar de semelhante arma?

— Que objetivo? Nenhum objetivo! Peguei-o e saí correndo.

— Para quê, se não tinha objetivo?

A irritação fervia dentro de Mítia. Olhou fixamente para o "rapazinho" e deu um riso sombrio e malévolo. É que ia ficando cada vez mais e mais envergonhado por ter acabado de contar com tanta sinceridade e expansividade a história do seu ciúme a "esses homens".

— Que se dane a mãozinha do pilão! — deixou escapar de repente.

— Não obstante...

— Bem, para me defender dos cães. Ora, estava escuro escuro... Pois bem, para alguma eventualidade.

— Mas antes o senhor também pegaria alguma arma ao sair de casa à noite se tivesse tanto medo do escuro?

— Eh, diabos, arre! Senhores, é literalmente impossível falar com os senhores! — bradou Mítia no auge da irritação e, voltando-se para o escrevente, todo vermelho de raiva e com um tom desvairado na voz, disse-lhe rapidamente:

— Escreva agora... agora... "que levei a mãozinha do pilão para matar meu pai... Fiódor Pávlovitch... com um golpe na cabeça!". Então, estão satisfeitos agora, senhores? Estão de alma lavada? — proferiu, fixando um olhar de desafio no juiz de instrução e no promotor.

— Nós compreendemos perfeitamente que o senhor acabou de dar esse depoimento irritado conosco e agastado com as perguntas que lhe fazemos, que para o senhor são ninharias mas que, no fundo, são essenciais — respondeu-lhe secamente o promotor.

— Alto lá, senhores! Pois bem, levei a mãozinha do pilão... Ora, para que, em tais circunstâncias, se leva alguma coisa nas mãos? Não sei para quê. Peguei-a e saí correndo. Eis tudo. É uma vergonha, senhores, *passons*,[63] senão juro que vou parar de contar!

Apoiou os cotovelos na mesa e a cabeça numa das mãos. Estava sentado de lado para eles, fitando a parede, reprimindo no íntimo um sentimento ruim. Sentia realmente uma terrível vontade de levantar-se e anunciar que não diria mais uma palavra, "ainda que o levassem para ser executado".

— Vejam, senhores — proferiu de chofre, dominando-se a custo —, vejam. Escuto os senhores e me vem a impressão de... de quando em quando eu tenho um sonho, um desses sonhos... e sonho constantemente, repetidamente, que alguém está me perseguindo, alguém de quem eu tenho um medo terrível me persegue no escuro, à noite, me procura, e eu me escondo dele em algum lugar atrás de uma porta ou armário, me escondo de forma humilhante, e o pior é que ele sabe perfeitamente onde me escondi, mas é como se fingisse de propósito que não sabe onde estou para continuar a me atormentar, para se deleitar com o meu pavor... Pois é isso que os senhores estão fazendo agora. Parece com isso.

— E o senhor tem esses sonhos? — quis saber o promotor.

— Sim, esses sonhos... E o senhor, não gostaria de anotá-los? — Mítia deu um sorriso amarelo.

— Não, não é o caso de anotá-los, mas mesmo assim são curiosos esses seus sonhos.

— Agora já não é sonho! É realismo, senhores, realismo da vida real! Eu sou um lobo, e os senhores os caçadores. Então, persigam o lobo.

[63] "Basta", em francês. (N. do T.)

— Foi inútil o senhor fazer essa comparação... — articulou Nikolai Parfiénovitch com extrema brandura.

— Não foi inútil, senhores, não foi inútil! — Mítia tornou a exaltar-se, embora tivesse aliviado visivelmente a alma com o ataque de repentina ira e já retomasse sua bondade a cada palavra que dizia. — Senhores, podem não acreditar num criminoso ou réu que torturam com suas perguntas, mas num homem nobilíssimo, nos nobilíssimos arroubos de sua alma (isto eu brado ousadamente!) — não! neste os senhores não podem deixar de acreditar... não têm sequer o direito... no entanto —

Cala-te, coração,
Aguenta firme, submete-te e cala-te!

Então, continuemos? — interrompeu com ar sombrio.

— Como não, faça o favor — respondeu Nikolai Parfiénovitch.

V. Terceira provação

Embora falasse com severidade, via-se, entretanto, que Mítia empenhava-se ainda mais por não esquecer nem omitir nenhuma minúcia do que transmitia. Contou como havia pulado o muro para o jardim do pai, como chegara à janela e, por fim, tudo o que aí acontecera. Informou com clareza, precisão e como que escandindo as palavras sobre os sentimentos que o inquietavam naquele instante em que permanecera no jardim, quando lhe deu aquela imensa vontade de saber: estaria Grúchenka com o pai ou não? Mas, coisa estranha: desta vez, tanto o promotor como o juiz de instrução o ouviam de um jeito por demais contido, com o olhar frio, fazendo bem menos perguntas. Pela expressão de seus rostos Mítia não conseguia concluir nada. "Ficaram zangados e ofendidos — pensou ele —, o diabo que os carregue!" Quando contou que finalmente resolvera dar ao pai o *sinal* de que Grúchenka havia chegado para que ele abrisse a janela, o promotor e o juiz não prestaram nenhuma atenção na palavra "sinal", como se não tivessem compreendido absolutamente que importância tinha essa palavra nesse momento, de sorte que Mítia o notou, inclusive. Chegando, enfim, ao instante em que, ao ver o pai pondo a cabeça para fora da janela, ele fervera de ódio e tirara do bolso a mãozinha do pilão, súbito parara como de propósito. Sentado, fitava a parede, sabia que os outros tinham os olhos cravados nele.

— Então — disse o juiz —, o senhor pegou a arma e... o que aconteceu em seguida?

— Em seguida? Em seguida matei... dei-lhe um golpe na têmpora e lhe abri o crânio... Ora, é essa a versão dos senhores, essa! — num átimo seus olhos brilharam. Toda a ira que havia serenado sublevou-se de chofre em sua alma com uma força incomum.

— É a nossa versão — pegou a deixa Nikolai Parfiénovitch —, e qual é a sua?

Mítia baixou a vista e ficou demoradamente calado.

— A minha, senhores, é esta — falou baixinho —, não sei se foram as lágrimas de alguém, se foi minha mãe que implorou a Deus, se foi um espírito de luz que me deu um beijo naquele instante — não sei, mas o diabo foi vencido. Precipitei-me para longe da janela e corri na direção do muro... Meu pai assustou-se e pela primeira vez me viu, deu um grito e afastou-se de um salto da janela — disso eu me lembro perfeitamente. Do jardim trepei no muro... e foi nesse instante que Grigori me alcançou, quando eu já estava trepado no muro...

Neste ponto ele levantou finalmente os olhos para os ouvintes. Estes, parecia, olhavam-no com uma atenção totalmente plácida. Um espasmo de indignação passou pela alma de Mítia.

— Pois é, os senhores estão zombando de mim neste momento! — interrompeu de chofre.

— Por que essa conclusão? — observou Nikolai Parfiénovitch.

— Não acreditam numa única palavra, eis por quê! Ora, eu compreendo que chegamos ao ponto central: agora o velho está lá estirado, com a cabeça rachada, e eu, depois de descrever tragicamente como quis matá-lo e até como já havia tirado do bolso a mãozinha de pilão, de repente corri da janela... Um poema! Em versos! Pode-se acreditar na palavra de um rapagão! Ah-ah! São uns zombeteiros, senhores!

E ele girou de corpo inteiro na cadeira, de sorte que a cadeira rangeu.

— O senhor não teria notado — reiniciou o promotor como se não ligasse para a inquietação de Mítia —, o senhor não teria notado, ao correr da janela, se a porta que dá para o jardim, que fica no extremo oposto do anexo, estava ou não aberta?

— Não, não estava aberta.

— Não estava?

— Estava fechada, ao contrário, e quem a poderia ter aberto? Bah! A porta, esperem! — ele como que atinou e quase estremeceu —, e por acaso os senhores encontraram a porta aberta?

— Aberta.

— Então, quem a poderia ter aberto, se os senhores mesmo não a abriram? — Mítia ficou terrivelmente surpreso.

— A porta estava aberta, o assassino de seu pai entrou indiscutivelmente por essa porta e, depois de cometer o homicídio, saiu por essa mesma porta — proferiu o promotor lenta e pausadamente, como se escandisse as palavras. — Para nós isto está absolutamente claro. O assassinato foi cometido, evidentemente, no quarto *e não pela janela*, o que o laudo da perícia deixa terminantemente claro, pela posição do corpo e por tudo o mais. Sobre esta circunstância não pode haver qualquer dúvida.

Mítia estava estupefato.

— Mas isto é impossível, senhores! — bradou totalmente desconcertado —, eu... eu não entrei... eu lhes afirmo categoricamente, com precisão, que a porta esteve fechada durante todo o tempo em que estive no jardim e quando corri para fora do jardim. Apenas fiquei perto da janela e pela janela o vi, e só, só... Tenho na lembrança até o último instante. Além disso, ainda que não me lembrasse, de qualquer modo eu saberia, porque aqueles *sinais* só eu e Smierdiakóv, e também ele, o falecido, conhecíamos, mas ele, sem ouvir os *sinais*, não abriria a porta para ninguém neste mundo!

— Sinais? Que sinais eram esses? — perguntou o promotor com uma curiosidade voraz, quase histérica, e num instante perdeu toda a postura contida. Fez a pergunta como quem vai se abeirando timidamente, de mansinho. Farejou uma prova importante, que desconhecia, e sentiu de imediato o mais terrível medo de que Mítia talvez não a quisesse revelar plenamente.

— Então o senhor nem sabia! — Mítia piscou o olho para ele, sorrindo de um jeito zombeteiro e malévolo. — E se eu não disser? Através de quem ficarão sabendo? Os sinais eram do conhecimento do falecido, de mim e de Smierdiakóv, eis tudo, e ainda do Céu, só que ele não lhes dirá. Mas a provinha é curiosa, o diabo sabe o que se pode criar em cima dela, ah-ah! Consolem-se, senhores, vou revelar, os senhores têm a mente cheia de tolices. Não sabem com quem estão lidando! Os senhores estão lidando com um acusado que depõe contra si próprio, dá depoimentos em prejuízo próprio! Sim, porque sou um cavaleiro da honra, ao passo que os senhores, não!

O promotor engoliu todas as pílulas, apenas tremia na impaciência de conhecer a nova prova. Mítia expôs com precisão e amplitude tudo o que se referia aos sinais inventados por Fiódor Pávlovitch para Smierdiakóv, contou o que significava precisamente cada batida na janela, até bateu na mesa fazendo esses sinais, e quando Nikolai Parfiénovitch perguntou se ele, Mítia, ao bater na janela do velho, fez exatamente o sinal que significava —

"Grúchenka chegou" —, respondeu com precisão que batera exatamente assim, para dizer "Grúchenka chegou".

— Bem, agora os senhores podem construir a torre! — interrompeu Mítia e tornou a lhes dar as costas com desdém.

— E só o seu falecido pai, o senhor e o criado Smierdiakóv conheciam esses sinais? E ninguém mais? — quis ainda saber Nikolai Parfiénovitch.

— Sim, o criado Smierdiakóv e mais o Céu. Anotem também sobre o Céu; não será supérfluo escrevê-lo. E os senhores também vão precisar de Deus.

E, é claro, passaram a anotar, mas enquanto escreviam o promotor disse, como se tivesse dado de chofre com um novo pensamento:

— Bem, se Smierdiakóv também sabia desses sinais, e o senhor nega categoricamente qualquer acusação que lhe é feita pela morte de seu pai, então não teria sido ele que, depois de dar os sinais combinados, fez seu pai abrir a porta de seu quarto e em seguida... cometeu o crime?

Mítia lançou-lhe um olhar profundamente zombeteiro, mas carregado ao mesmo tempo de imenso ódio. Fitou-o demoradamente e em silêncio, de modo que os olhos do promotor começaram a piscar.

— Tornaram a pegar a raposa! — proferiu finalmente Mítia —, prenderam a miserável pelo rabo, eh-eh! Eu leio seus pensamentos, promotor! Ora, o senhor pensava que eu ia me levantar de um salto, agarrar-me ao que o senhor acabou de me soprar e gritar a plenos pulmões: "Ai, foi Smierdiakóv, eis o assassino!". Confesse que estava pensando nisso, confesse, e então eu continuo.

O promotor não confessou.

— Enganou-se, não vou gritar contra Smierdiakóv! — disse Mítia.

— E não tem nenhuma suspeita?

— E o senhor, tem?

— Suspeitamos dele também.

Mítia mergulhou os olhos no chão.

— Deixemos as brincadeiras de lado — disse em tom sombrio —, ouçam: desde o início, ainda quase no momento em que corri de trás da cortina para cá, passou-me essa ideia pela cabeça: "Foi Smierdiakóv!". Estava aqui sentado à mesa e gritei que não tenho culpa por esse sangue, mas fiquei o tempo todo pensando: "Foi Smierdiakóv!". Smierdiakóv não me saía da alma. Por fim, agora também pensei de repente a mesma coisa: "Foi Smierdiakóv!", mas apenas por um segundo: no mesmo instante pensei: "Não, não foi Smierdiakóv!". Não é obra dele, senhores!

— Neste caso, o senhor não suspeita de mais alguém? — perguntou cautelosamente Nikolai Parfiénovitch.

— Não sei quem foi, se foi a mão de Deus ou a de satanás, mas... não Smierdiakóv! — cortou categoricamente Mítia.

— Mas por que o senhor afirma com tanta firmeza e com tanta insistência que não foi ele?

— Por convicção. Por impressão. Porque Smierdiakóv é um homem de índole reles e covarde. Não é um covarde, é um conjunto de todos os covardes do mundo juntos sobre duas pernas. Ele nasceu de uma galinha. Quando falava comigo sempre tremia pedindo que não o matasse, quando eu sequer levantei a mão para ele. Caía a meus pés e chorava, beijou-me essas botas aqui, literalmente, implorando que eu "não o assustasse". Ouçam: "Não o assustasse" — que expressão é essa? E eu até lhe dava presentes. Aquilo é uma galinha doente de epilepsia, de inteligência fraca e até um menininho de oito anos pode surrá-lo, que índole é aquela? Não foi Smierdiakóv, senhores, e além disso ele não gosta de dinheiro, não aceitava por nada meus presentes... E afinal, por que iria matar o velho? Ele pode até ser filho bastardo dele, os senhores sabem disso?

— Já ouvimos essa lenda. Mas o senhor mesmo também é filho do seu pai e no entanto dizia a todo mundo que queria matá-lo.

— Isso é uma indireta! E uma indireta vil, abominável! Não tenho medo! Oh, senhores, talvez seja infame demais de sua parte dizer isso na minha cara! Eu não só quis como podia matá-lo, e ainda assumi voluntariamente que por pouco não o matei! Mas só que não o matei, só que meu anjo da guarda me preservou dessa desgraça — e foi justo isso que os senhores desconsideraram... Pois é uma infâmia de sua parte, senhores, uma infâmia! Porque eu não o matei, não matei, não matei! Está ouvindo, promotor: não o matei!

Estava quase sufocado. Durante todo o interrogatório ele ainda não havia chegado a tamanha perturbação.

— E o que lhes disse Smierdiákov? — perguntou, depois de uma pausa. — Posso perguntar isso?

— Pode nos perguntar tudo — respondeu o promotor com um ar frio e severo —, tudo o que se relaciona com o aspecto factual do caso, e nós, repito-lhe, somos até obrigados a satisfazê-lo em cada pergunta. O criado Smierdiakóv, sobre quem o senhor pergunta, nós o encontramos estirado em sua cama, inconsciente, num ataque de epilepsia de extraordinária intensidade, talvez o décimo consecutivo. O médico que nos acompanhava, após examinar o doente, chegou até a nos dizer que ele talvez não amanhecesse vivo.

— Bem, neste caso foi o diabo quem matou meu pai! — deixou escapar Mítia, como se até esse instante repetisse de si para si: "Foi Smierdiakóv ou não foi Smierdiakóv?".

— Ainda voltaremos a esse fato — decidiu Nikolai Parfiénovitch —, e agora, não desejaria continuar o depoimento?

Mítia pediu para descansar. Foi cordialmente atendido. Após descansar, retomou a narração. Mas era visível a sua dificuldade... Estava exausto, ofendido e moralmente abalado. Ainda por cima, e agora já como que de propósito, o promotor o irritava a cada instante, agarrando-se a "ninharias". Nem bem Mítia acabou de descrever como, trepado no muro, golpeara com a mãozinha do pilão a cabeça de Grigori e imediatamente saltara de volta para examinar o ferido, o promotor o interrompeu e pediu que descrevesse com mais detalhes como estava sentado sobre o muro. Mítia ficou surpreso.

— Ora, estava assim, escanchado, uma perna lá, outra cá...

— E a mãozinha do pilão?

— Estava na minha mão.

— Não era no bolso? O senhor se lembra desse detalhe? Então, levantou o braço com força?

— Devo ter batido com força; mas por que quer saber disso?

— E se o senhor se sentasse na cadeira exatamente como estava no muro e nos mostrasse de forma patente, para esclarecer como e em que sentido, em que direção agitou o braço?

— Ora, o senhor não estará zombando de mim? — perguntou Mítia, olhando com altivez para o inquiridor, mas este sequer pestanejou. Mítia voltou-se num gesto convulso, escanchou-se na cadeira e agitou o braço:

— Foi assim que bati! Foi assim que matei! O que mais quer saber?

— Obrigado. Agora, não se incomodaria de explicar propriamente para que saltou do muro, com que finalidade, e o que tinha precisamente em vista?

— Ora, com os diabos... saltei para ver o ferido... Não sei para quê!

— Tão excitado como estava? E fugiu?

— Sim, e excitado fugi.

— Quis socorrê-lo?

— Qual socorrê-lo... Sim, talvez até socorrê-lo, não me lembro.

— Não se dava conta de seus atos? Ou seja, estava até meio alheado?

— Oh, não, não estava nada alheio, lembro-me de tudo. Até das minúcias. Pulei para dar uma olhada e lhe enxuguei o sangue com um lenço.

— Nós vimos o seu lenço. Esperava devolver à vida o homem que havia prostrado?

— Não sei se esperava isso. Queria simplesmente verificar se estava vivo ou não.

— Ah, então queria verificar? E então?

— Não sou médico, não consegui concluir. Corri dali, pensando que o havia matado, mas eis que voltou a si.

— Ótimo — concluiu o promotor. — Agradeço-lhe. Eu só precisava saber. Agora faça o favor de continuar.

Ai! Nem passou pela cabeça de Mítia contar que descera do muro por compaixão, embora se lembrasse disso, e que, ao colocar-se ao lado do morto, pronunciara algumas palavras de compaixão: "Te deixaste apanhar, meu velho, não há nada a fazer, agora fica aí estirado". O promotor, porém, concluiu apenas que Mítia descera, "num momento como aquele e com tamanha perturbação", unicamente para se certificar de uma coisa: se estaria viva a *única* testemunha de seu crime. Sendo assim, que força, sangue-frio e precaução teve esse homem num momento como aquele... etc., etc. O promotor estava satisfeito: "Exasperei esse homem magoado com 'ninharias' e ele deu com a língua nos dentes".

Mítia prosseguiu a muito custo. Mas foi novamente interrompido, e desta feita por Nikolai Parfiénovitch:

— Como o senhor pôde correr para procurar a criada Fiedóssia Markovna com as mãos tão ensanguentadas e, como se verificou depois, o rosto também?

— No momento não notei nenhum sangue em mim! — respondeu Mítia.

— É verossímil, às vezes isso acontece mesmo — o promotor trocou um olhar com Nikolai Parfiénovitch.

— Não notei mesmo, excelente observação, promotor — aprovou Mítia. Mas em seguida veio a história de sua decisão repentina de "afastar-se" e "sair do caminho dos felizes". E ele já não conseguiu, de modo algum, abrir seu coração e falar da "rainha de sua alma" como fizera pouco antes. Desagradava-lhe fazê-lo diante dessa gente fria, que "se encravara nele como percevejos". Daí sua resposta lacônica e ríspida às perguntas reiteradas:

— Bem, eu tinha resolvido me matar. Para que continuar vivendo? Essa questão se colocava naturalmente. Tinha aparecido o primeiro dela, o indiscutível, seu ofensor, mas que tinha chegado correndo cinco anos depois, cheio de amor, para acabar com a ofensa através de um casamento legítimo. Bem, aí compreendi que para mim tudo estava perdido... Ficava para trás a desonra e aquele sangue, o sangue de Grigori... Então, para que viver? Aí fui resgatar as pistolas empenhadas com o fim de carregá-las e no raiar do dia meter uma bala na cabeça.

— E passa a noite num rega-bofe?

— A noite num rega-bofe. Que diabo, senhores, acabemos logo com isso! O certo é que eu queria me matar aqui por perto, fora da cidade, tinha decidido que seria aí pelas cinco da manhã, escrevi um bilhete em casa de Pierkhótin, depois de carregar a pistola, e o meti no bolso. Aqui está, leiam. Não é para os senhores que conto isso — acrescentou subitamente com desdém. Tirou do bolso do colete o bilhetinho e o jogou sobre a mesa; os juízes o leram com curiosidade e, como é de praxe, juntaram-no ao caso.

— E ainda não tinha pensado em lavar as mãos nem ao entrar na casa do senhor Pierkhótin? Logo, não temia suspeitas?

— Que suspeitas? Quem quisesse que suspeitasse, pouco se me dava, de qualquer modo eu correria para cá e às cinco horas me suicidaria, e ninguém teria tempo de fazer nada. Não fosse o ocorrido com meu pai, os senhores não saberiam de nada, nem viriam para cá. Oh, foi o diabo que fez isso, o diabo matou meu pai, e foi por intermédio do diabo que os senhores foram informados com tanta rapidez! Como conseguiram chegar aqui com tamanha rapidez? É um prodígio, é fantástico!

— O senhor Pierkhótin nos informou que o senhor, ao entrar em sua casa, segurava nas mãos... nas mãos ensanguentadas... o seu dinheiro... muito dinheiro... em um bolo de notas de cem rublos, e que o rapazinho que o serve também viu isso.

— Isso mesmo, senhores, lembro-me de que foi isso mesmo.

— Agora me vem uma perguntinha. O senhor não poderia informar — começou Nikolai Parfiénovitch com extrema brandura — onde arranjou de repente tanto dinheiro, pois os dados do caso mostram que, pelo cálculo do tempo, o senhor não passou em sua casa?

O promotor chegou a franzir o cenho ante essa pergunta formulada de modo tão incisivo, mas não interrompeu Nikolai Parfiénovitch.

— Não, não passei em minha casa — respondeu Mítia aparentando muita tranquilidade, mas olhando para o chão.

— Então me permita repetir a pergunta — prosseguiu Nikolai Parfiénovitch de um jeito meio sorrateiro. — Onde poderia ter arranjado de uma só vez tamanha quantia, quando, segundo sua própria confissão, ainda às cinco da tarde do mesmo dia...

— Precisava de dez rublos e empenhei as pistolas com Pierkhótin, depois fui à casa da senhora Khokhlakova lhe pedir um empréstimo de três mil rublos, mas ela não me deu etc., e assim por diante — interrompeu Mítia bruscamente. — Pois bem, senhores, estava sem recursos, e de repente me aparecem milhares de rublos, hein? Pois bem, senhores, agora os dois estão aí com muito medo: e se ele não disser onde arranjou o dinheiro? Pois é isso mesmo; não o direi, senhores, adivinharam, mas vão ficar sem saber — escandiu Mítia num átimo, com uma firmeza excepcional.

— Compreenda, senhor Karamázov, que para nós é absolutamente indispensável sabê-lo — proferiu Nikolai Parfiénovitch em voz baixa e cordata.

— Compreendo, mas ainda assim não o direi.

O promotor interferiu e tornou a lembrar que o interrogado podia, é claro, não responder às perguntas se o julgasse mais vantajoso para si, etc., mas que, em vista do prejuízo que o suspeito poderia causar a si mesmo com seu silêncio e, sobretudo, considerando-se a importância das perguntas...

— *Et cetera*, senhores, *et cetera*! Basta, já ouvi essa cantilena antes! — tornou a interromper Mítia —, eu mesmo compreendo a importância do assunto e que se trata do ponto capital, mas, apesar de tudo, não o direi.

— Pouco se nos dá, o problema não é nosso, mas seu, o senhor só vai prejudicar a si mesmo — observou nervosamente Nikolai Parfiénovitch.

— Brincadeiras à parte, senhores — Mítia ergueu os olhos e encarou firmemente os dois. — Desde o começo pressenti que bateríamos de frente neste ponto. Contudo, no início, quando há pouco comecei a depor, tudo isso estava numa névoa distante, tudo flutuava, e fui até tão ingênuo que propus "confiança mútua". Agora eu mesmo estou vendo que essa confiança seria mesmo impossível, porque de qualquer modo acabaríamos chegando a esse maldito muro! Pois bem, aqui estamos! Não foi possível, e basta! Aliás, não os culpo, porque não é mesmo possível que os senhores acreditem em minhas palavras, e isso eu compreendo.

Mítia calou-se com um ar sombrio.

— E o senhor não poderia, sem violar sua decisão de calar sobre o essencial, não poderia nos fazer alguma alusão, a mínima que fosse, ao seguinte: que motivos tão poderosos poderiam levá-lo a calar num momento tão perigoso para o senhor neste depoimento?

Mítia sorriu de um jeito triste e como que pensativo.

— Sou bem mais bondoso do que os senhores pensam, vou lhes dizer o motivo e fazer essa alusão, embora não o mereçam. Calo-me, senhores, porque há nisso uma desonra para mim. A resposta à pergunta sobre a procedência do dinheiro implica tamanha desonra, que a ela não seria possível comparar nem o assassinato nem o roubo de meu pai, se eu o tivesse assassinado e roubado. Eis por que não posso falar. Então, senhores, querem anotar isso?

— Sim, vamos anotar — balbuciou Nikolai Parfiénovitch.

— Não deviam mencionar o que lhes disse sobre a "desonra". Só lhes contei isso por bondade d'alma, mas podia não contar; por assim dizer, eu lhes dei isso de presente, e agora vão pôr em minha conta. Vamos, anotem, anotem o que quiserem — concluiu com desdém e nojo —, não os temo e... mantenho minha altivez perante os senhores.

— Não nos diria que espécie de desonra é essa? — balbuciou Nikolai Parfiénovitch.

O promotor fez uma careta horrível.

— De jeito nenhum, *c'est fini*,[64] não insistam. De mais a mais não vale a pena me sujar. Assim mesmo já me sujei em contato com os senhores. Não merecem, nem os senhores nem ninguém... Basta, senhores, calo-me.

Tinha sido categórico demais. Nikolai Parfiénovitch deixou de insistir, mas, pelos olhares de Hippolit Kiríllovitch, Mítia percebeu num estalo que este ainda não perdera a esperança.

— Não pode nos informar ao menos o montante que tinha nas mãos quando entrou em casa do senhor Pierkhótin, ou seja, precisamente quantos rublos?

— Não posso informar nem isso.

— Parece que com o senhor Pierkhótin falou em três mil rublos que teria recebido da senhora Khokhlakova.

— É possível que o tenha dito. Basta, senhores, não vou declarar nenhum valor.

— Neste caso, faça o favor de descrever como veio para cá e tudo o que fez depois da chegada.

— Ah! Sobre isso perguntem a todos que estão aqui. Bem, mesmo assim vou lhes contar tudo.

Ele contou, mas já não reproduzirei o relato. Narrou com secura, superficialmente. Não disse uma palavra sobre seus arroubos de amor. Contou, porém, como a decisão de suicidar-se se desfez "em virtude de fatos novos". Narrava sem expor motivos, sem entrar em pormenores. Ademais, dessa vez não o incomodaram muito: era evidente que para eles a questão central não residia aí.

— Verificaremos tudo isso, ainda retomaremos tudo quando interrogarmos as testemunhas, o que será feito em sua presença, é claro — concluiu Nikolai Parfiénovitch o interrogatório. — Agora me permita pedir que deposite aqui, sobre a mesa, todas as coisas que estiverem com o senhor, principalmente todo o dinheiro que tiver neste momento.

— O dinheiro, senhores? Pois não, compreendo que isso é necessário. Até me admira não terem manifestado essa curiosidade antes. É verdade que

[64] "É o fim", em francês. (N. do T.)

daqui eu não sairia para nenhum lugar, aqui sou alvo da atenção geral. Bem, aqui está ele, o meu dinheiro, tomem-no e contem, parece que é tudo.

Tirou tudo dos bolsos, até os trocados, tirou uma moeda de vinte copeques de um bolso lateral do colete. Contado o dinheiro, verificou-se a quantia de oitocentos e trinta e seis rublos e quarenta copeques.

— É tudo? — perguntou o juiz de instrução.

— Tudo.

— Há poucos minutos o senhor disse em seu depoimento que gastou trezentos rublos na venda dos Plótnikov, deu dez a Pierkhótin, vinte ao cocheiro, aqui perdeu duzentos no jogo, depois...

Nikolai Parfiénovitch conferiu tudo. Mítia o ajudou de boa vontade. Contaram cada copeque e incluíram na conta. Nikolai Parfiénovitch fez um breve resumo.

— Juntando estes oitocentos, quer dizer que o senhor devia ter inicialmente um total de mil e quinhentos rublos?

— Quer dizer.

— Então como é que todos afirmam que o senhor tinha muito mais?

— Que afirmem.

— O senhor também afirmou o mesmo.

— Eu mesmo o afirmei.

— Ainda verificaremos tudo com os depoimentos das pessoas que ainda não foram interrogadas; quanto ao seu dinheiro, pode ficar tranquilo; será guardado no devido lugar e estará à sua disposição ao término de tudo... o que iniciamos... caso se verifique ou, por assim dizer, se prove que o senhor tem indiscutível direito a ele. Bem, agora...

De repente Nikolai Parfiénovitch levantou-se e declarou com firmeza a Mítia que "se via forçado e no dever" de examinar minuciosamente "sua roupa e tudo o mais...".

— Pois não, senhores, se quiserem reviro todos os bolsos.

E ele realmente começava a revirar os bolsos.

— Será necessário tirar até a roupa.

— Como? Desnudar-me? Arre, diabo! Ora, revistem-me assim! Não pode ser assim?

— De maneira nenhuma, Dmitri Fiódorovitch. Precisa tirar a roupa.

— Como queiram — obedeceu Mítia com ar soturno —, por favor, só não aqui, e sim atrás das cortinas. Quem fará a revista?

— É claro que será atrás das cortinas — anuiu Nikolai Parfiénovitch meneando a cabeça. Seu rostinho expressou até uma importância especial.

VI. O promotor surpreende Mítia

Começou algo inteiramente inesperado e surpreendente para Mítia. Ainda um minuto antes nada neste mundo o faria supor que alguém pudesse dispensar semelhante tratamento a ele, Mítia Karamázov! O grave é que surgira algo afrontoso, "arrogante e até desdenhoso para com ele" da parte dos inquiridores. Se fosse para tirar a sobrecasaca ainda não seria nada, mas lhe pediram para tirar o resto da roupa. E não é que tivessem pedido, mas, no fundo, lhe haviam ordenado; isso ele compreendeu perfeitamente. E por orgulho e desdém se sujeitou inteiramente, sem dizer palavra. Além de Nikolai Parfiénovitch, o promotor também foi para trás da cortina, onde alguns mujiques também estavam presentes, "é claro que para mostrar força — pensou Mítia —, mas também pode ser para algo mais".

— Então, será que vou ter de tirar a camisa também? — perguntou rispidamente, mas Nikolai Parfiénovitch não lhe respondeu: acompanhado do promotor, concentrava-se no exame da sobrecasaca, da calça, do colete e do boné, e via-se que os dois estavam muito interessados no exame: "Não fazem nenhuma cerimônia — veio à cabeça de Mítia —, não observam nem a necessária polidez".

— Eu lhes pergunto pela segunda vez: preciso ou não tirar a camisa? — perguntou ele com um tom ainda mais ríspido e irritado.

— Não se preocupe, nós lhe avisaremos — respondeu Nikolai Parfiénovitch de um jeito até imperioso. Pelo menos foi o que pareceu a Mítia.

Enquanto isso, o juiz de instrução e o promotor conferenciavam diligentemente a meia-voz. Na sobrecasaca, particularmente na parte de trás da aba esquerda, apareciam imensas manchas de sangue ressequido, coagulado, ainda não endurecido. Na calça também. Além disso, na presença das testemunhas Nikolai Parfiénovitch correu os próprios dedos pela gola, pelos punhos das mangas e por todas as costuras do colete e da calça, parecendo procurar alguma coisa — dinheiro, é claro. E o pior é que não escondia de Mítia as suspeitas de que ele pudesse e fosse capaz de ter costurado dinheiro na roupa. "Assim já estão me tratando francamente como ladrão, e não como oficial" — rosnou Mítia de si para si. Os dois trocavam ideias na presença dele com uma franqueza até estranha. Por exemplo, o escrevente, que também aparecera atrás da cortina e se mostrava azafamado e servil, chamou a atenção de Nikolai Parfiénovitch para o boné, que também apalparam: "Está lembrado do escrivão Gridienka — observou o escrevente —, que no verão foi receber os vencimentos de toda a chancelaria e ao voltar declarou que, em estado de embriaguez, perdera o dinheiro? Pois bem, onde o encontraram?

Pois nesses mesmos debruns, dentro do boné, notas de cem rublos tinham sido enroladas em canudos e costuradas". O episódio de Gridienka estava bem vivo na memória do juiz de instrução e do promotor, e por isso deixaram de lado o boné de Mítia e decidiram que tudo, incluindo toda a roupa, precisava ser reexaminado cuidadosamente depois.

— Com licença — bradou de súbito Nikolai Parfiénovitch, observando o punho da manga direita da camisa de Mítia arregaçado, todo banhado de sangue —, com licença, o que é isso, é sangue?

— Sangue — cortou Mítia.

— Quer dizer, que sangue... e por que a manga da camisa está arregaçada?

Mítia contou como manchara o punho ao ocupar-se com Grigori, e que o havia arregaçado ainda em casa de Pierkhótin, ao lavar as mãos.

— Precisamos levar sua camisa também, isso é muito importante... para as provas materiais. — Mítia enrubesceu e ficou uma fúria.

— Quer dizer que vou ter de ficar nu? — gritou ele.

— Não se preocupe... Daremos um jeito nisso, e por enquanto faça o favor de tirar as meias.

— Os senhores não estarão brincando? Isso é realmente tão necessário? — Mítia arregalou os olhos.

— Não estamos para brincadeira — redarguiu severamente Nikolai Parfiénovitch.

— Bem, se é preciso... eu... — balbuciou Mítia e, sentando-se na cama, começou a tirar as meias. Estava insuportavelmente desconcertado: todos vestidos, e ele nu, e, coisa estranha — nu, ele mesmo se sentiu como que culpado diante deles e, o pior, ele mesmo estava quase concordando que de repente se tornara de fato inferior a eles, que agora já tinham pleno direito de desprezá-lo. "Se todos estivessem nus não seria tão vergonhoso, mas só um nu, e todos olhando — é uma vergonha! — tornou a lhe passar pela mente. — É como se eu estivesse sonhando, algumas vezes sonhei com essas minhas desonras." Mas lhe era até angustiante tirar as meias: estavam muito sujas, e a roupa-branca também, e agora todos vendo aquilo. E o pior é que ele mesmo não gostava de seus pés, porque a vida inteira achara os dedões de ambos os pés uma deformidade, sobretudo o do pé direito, que era tosco, achatado, com a unha virada para dentro, e agora todo mundo iria ver aquilo. Levado por uma vergonha insuportável, ficou subitamente ainda mais grosseiro, e de propósito. Ele mesmo tirou a camisa.

— Não querem procurar em mais algum lugar, se não se sentem envergonhados?

— Não, por enquanto não é preciso.

— Então, eu vou ter de ficar nu assim? — acrescentou furioso.

— Não, por ora não é necessário... Por ora faça o favor de ficar sentado aí, pode pegar o lençol da cama e enrolar-se, enquanto eu... eu enrolo tudo isso.

Mostraram todas as coisas às testemunhas, redigiram a ata da vistoria e, por fim, Nikolai Parfiénovitch saiu e atrás dele levaram a roupa de Mítia. Hippolit Kiríllovitch também saiu. Com Mítia ficaram apenas os mujiques, em pé e calados, sem desviar dele o olhar. Mítia enrolou-se no lençol, sentiu frio. Seus pés descalços apareciam, e ele não encontrava meio de ajeitar o lençol para cobri-los. Não se sabe por que Nikolai Parfiénovitch demorava a voltar, "é aflitiva essa demora", "está me tratando como um fedelho", rangeu os dentes Mítia. "A droga de promotor também saiu, pelo visto por desprezo, por asco de olhar para um homem nu." Mesmo assim Mítia achava que sua roupa estava sendo examinada em algum lugar e lhe seria devolvida. Mas qual não foi sua indignação quando Nikolai Parfiénovitch voltou num átimo com uma roupa bem diferente daquela que o mujique tinha levado ao segui-lo quando ele saiu.

— Bem, aí está sua roupa — proferiu sem cerimônia, aparentando estar muito satisfeito com o sucesso de sua iniciativa. — É o senhor Kalgánov que a está sacrificando para este caso curioso, assim como uma camisa limpa para o senhor. Por sorte, tudo isso estava na mala dele. O senhor pode manter sua roupa-branca e suas meias.

Mítia ficou terrivelmente enfurecido.

— Não quero roupa alheia! — gritou ameaçadoramente —, tragam a minha!

— Impossível.

— Tragam a minha, Kalgánov que vá para o inferno junto com sua roupa!

Levaram muito tempo a persuadi-lo. Mas deram algum jeito de tranquilizá-lo. Convenceram-no de que sua roupa, como estava manchada de sangue, devia "juntar-se ao conjunto de provas materiais", e agora eles "não tinham sequer o direito" de deixá-la com ele, "tendo em vista o desfecho do caso". Mítia acabou entendendo isso de alguma maneira. Calou-se com ar sombrio e começou a vestir-se. Observou apenas que a roupa era mais luxuosa do que sua roupa velha e que não queria "aproveitar-se". Além disso, "era humilhantemente apertada. Estarão querendo me fazer de espantalho... para sua satisfação?".

Tornaram a persuadi-lo de que ele estava exagerando, que o senhor

Kalgánov, mesmo sendo mais alto do que ele, era-o apenas um pouco, e só a calça estava meio comprida. Mas a sobrecasaca estava realmente apertada nos ombros.

— Com os diabos, até abotoar é difícil — tornou a rosnar Mítia —, faça-me o favor de transmitir agora mesmo ao senhor Kalgánov que não fui eu quem lhe pediu a sua roupa e que eu mesmo fui vestido de palhaço.

— Ele compreende isto muito bem e lamenta... Ou seja, não lamenta por sua roupa, mas propriamente por todo este caso... — balbuciou Nikolai Parfiénovitch.

— Que se dane o lamento dele! Então, para onde vamos agora? Ou vamos ficar o tempo todo aqui?

Pediram-lhe que fosse novamente para "aquele cômodo". Mítia saiu sombrio de raiva e procurando não olhar para ninguém. Com roupa alheia sentia-se completamente desonrado, até perante aqueles mujiques e Trifón Boríssovitch, cuja cara apareceu subitamente à porta sabe-se lá por quê e desapareceu. "Veio bisbilhotar o fantasiado" — pensou Mítia. Sentou-se em sua antiga cadeira. Tinha a sensação de algo terrível e absurdo, parecia-lhe que não estava regulando bem.

— E agora vão começar a me chicotear? porque não resta mais nada a fazer — rangeu os dentes para o promotor. Já não queria voltar-se para Nikolai Parfiénovitch, como se não houvesse por bem sequer falar com ele. "Examinou com excessiva atenção minhas meias, canalha, e ainda mandou virá-las do avesso, e fez de propósito para mostrar a todos como minha roupa de baixo está suja!"

— Bem, agora teremos de passar ao interrogatório das testemunhas — proferiu Nikolai Parfiénovitch como se respondesse à pergunta de Dmitri Fiódorovitch.

— Sim — proferiu com ar pensativo o promotor, como se também atinasse em alguma coisa.

— Dmitri Fiódorovitch, nós fizemos o que nos foi possível de acordo com seus próprios interesses — continuou Nikolai Parfiénovitch —, contudo, tendo ouvido de sua parte uma recusa tão radical de nos esclarecer a origem da quantia encontrada com o senhor, neste momento...

— De que é esse seu anel? — interrompeu subitamente Mítia, como se saísse de alguma reflexão e apontando com o dedo para um dos três grandes anéis que enfeitavam a mão direita de Nikolai Parfiénovitch.

— O anel? — perguntou surpreso Nikolai Parfiénovitch.

— Sim, esse aí... esse aí do dedo médio, com veias, que pedra é essa? — insistia Mítia de um jeito irritado, como uma criança teimosa.

— É topázio esfumado — sorriu Nikolai Parfiénovitch —, quer olhar, eu tiro...

— Não, não, não tire! — gritou Mítia enfurecido, reconsiderando e enraivecendo-se consigo mesmo —, não tire, não é necessário... diabos... Senhores, os senhores emporcalharam a minha alma! Será possível que acham que eu iria esconder dos senhores se tivesse realmente matado meu pai, que iria ficar com rodeios, mentindo e dissimulando? Não, Dmitri Karamázov não é desse tipo, ele não suportaria isso; se eu fosse culpado, juro, não teria esperado que os senhores chegassem aqui nem que o sol nascesse e, como era minha intenção inicial, teria me destruído ainda antes, sem esperar o raiar do dia! Agora sinto isso em mim mesmo. Em vinte anos de vida[65] não aprendi tanto quanto nesta maldita noite!... E eu lá seria assim, seria como fui nessa noite e estou sendo agora neste momento, sentado diante dos senhores, eu estaria falando dessa maneira, estaria me movimentando, estaria olhando desse jeito para os senhores e para o mundo se fosse realmente um parricida, quando até esse assassinato involuntário de Grigori me tirou a paz a noite inteira — e não por medo, oh! não pelo simples medo do vosso castigo?! É uma desonra! E os senhores querem que eu revele e conte a uns galhofeiros como os senhores, que nada veem e em nada acreditam, a umas toupeiras cegas e galhofeiras, mais uma torpeza minha, mais uma desonra, ainda que isso me salve da vossa acusação? Ora, prefiro os trabalhos forçados! Aquele que abriu a porta para o quarto do meu pai e saiu por essa porta, esse o matou, esse o roubou. Quem é ele — eu me atrapalho e me atormento, mas não é Dmitri Karamázov, fiquem sabendo, e eis tudo o que lhes posso dizer, e chega, parem de importunar... Exilem-me, executem-me, mas parem de me irritar. Eu me calo. Chamem suas testemunhas.

Mítia proferiu seu inesperado monólogo como se doravante já tivesse se decidido a calar definitivamente. O promotor o observou o tempo todo e mal ele se calou, disse com o ar mais frio e mais tranquilo, como se falasse da coisa mais trivial:

— Pois é exatamente a respeito dessa porta aberta, que o senhor acabou de mencionar, que justo agora e bem a propósito podemos lhe informar sobre um depoimento sumamente curioso e de suprema importância para o senhor e para nós — o depoimento do velho Grigori Vassílievitch, que o senhor feriu. Ele, depois de voltar a si, respondendo às nossas perguntas, nos informou, de modo claro e pertinaz, que quando saía para o alpendre e ouviu certo ruído no jardim, resolveu ir ao jardim pelo portãozinho que estava

[65] Na verdade, Mítia tem vinte e sete anos de idade. (N. do T.)

aberto e, ao chegar ao jardim, ainda antes de notar o senhor fugindo no escuro — como o senhor já nos informou — da janela aberta onde o senhor vira seu pai, ele, Grigori, tendo lançado um olhar à esquerda e notado essa janela efetivamente aberta, notou ao mesmo tempo, bem mais perto de onde estava e escancarada, a porta que o senhor declarou que estivera fechada durante todo o tempo em que permaneceu no jardim. Não lhe escondo que o próprio Vassílievitch conclui e testemunha com firmeza que o senhor deve ter fugido pela porta, embora, é claro, ele não tenha visto com os próprios olhos como o senhor correu dali, notando-o no primeiro momento já a alguma distância dele, no meio do jardim, fugindo na direção do muro...

Ainda na metade dessa fala, Mítia pulou da cadeira.

— Absurdo! — berrou de supetão em desvario —, é uma mentira deslavada! Ele não pode ter visto a porta aberta porque na ocasião ela estava fechada... Ele está mentindo!...

— Considero meu dever repetir para o senhor que o depoimento dele é firme. Ele não vacila. Ele o mantém. Nós repetimos a pergunta várias vezes.

— Isso mesmo, eu repeti a pergunta várias vezes! — confirmou com ardor Nikolai Parfiénovitch.

— Não é verdade, não é verdade! Ou é uma calúnia contra mim ou uma alucinação de louco — continuou gritando Mítia —, ele teve essa impressão pura e simplesmente em delírio, ensanguentado, por causa do ferimento, quando voltou a si... Por isso delira.

— Sim, só que ele notou a porta aberta não quando voltou a si, depois do ferimento, mas ainda antes disso, mal deixou o anexo e penetrou no jardim.

— Mas não é verdade, não é verdade, isso é impossível! Ele está me caluniando por raiva... Ele não pode ter visto... Eu não corri pela porta — Mítia arfava.

O promotor voltou-se para Nikolai Parfiénovitch e lhe disse em tom imponente:

— Mostre-lhe.

— O senhor conhece esse objeto? — Nikolai Parfiénovitch colocou subitamente na mesa o envelope grande, tamanho ofício, de papel grosso, no qual ainda se viam três selos inteiros. O próprio envelope estava vazio e rasgado de um lado. Mítia arregalou os olhos para ele.

— Esse... esse... envelope é do meu pai, quer dizer — balbuciou ele —, o mesmo em que havia aqueles três mil... e se houver um sobrescrito, com licença: "Franguinha"... Vejam: três mil — bradou ele —, três mil, estão vendo?

— Como não, estamos vendo, mas já não encontramos o dinheiro nele, estava vazio e jogado no chão, ao pé da cama, atrás dos biombos.

Mítia ficou alguns segundos como que atônito.

— Senhores, foi Smierdiakóv! — gritou de súbito com toda a força —, foi ele que matou, foi ele que roubou! Só ele sabia onde o velho escondia o envelope... Foi ele, agora está claro!

— Acontece que o senhor também sabia a respeito do envelope e que ele estava debaixo do travesseiro.

— Nunca soube: e também nunca o vi absolutamente, estou vendo pela primeira vez agora, antes só ouvi Smierdiakóv falar dele... Ele era o único que sabia onde o velho o escondia, mas eu não sabia... — Mítia estava totalmente sem fôlego.

— E não obstante o senhor mesmo nos testemunhou ainda há pouco que o envelope estava debaixo do travesseiro do seu falecido pai... O senhor disse precisamente que estava debaixo do travesseiro, portanto, sabia onde estava.

— E foi assim que anotamos! — confirmou Nikolai Parfiénovitch.

— Uma tolice, um absurdo! Eu não sabia absolutamente que estava debaixo do travesseiro. Aliás, é possível que não estivesse absolutamente debaixo do travesseiro... Eu disse impensadamente que estava debaixo do travesseiro... O que diz Smierdiakóv? Os senhores lhe perguntaram onde estava? O que diz Smierdiakóv? Isso é o principal... Já eu menti de propósito contra mim mesmo... Eu lhes menti sem pensar que estava debaixo do travesseiro, e agora os senhores... Sabem como é, às vezes se deixa escapar, e escapa. Mas só Smierdiakóv sabia, unicamente Smierdiakóv e ninguém mais!... Nem a mim ele revelou onde estava! Mas foi ele, foi ele; não há dúvida de que ele matou, isso agora está claro como o dia para mim — exclamava Mítia cada vez mais e mais desvairado, repetindo-se de forma desconexa, exaltado e ensandecido. — Entendam isso e o prendam depressa. O mais depressa... Foi justamente ele que matou quando eu estava fugindo e Grigori desmaiado, agora isso está claro... Ele deu o sinal e meu pai lhe abriu a porta... Porque ele era o único a conhecer os sinais, e sem os sinais meu pai não abriria a porta para ninguém...

— Mas o senhor torna a esquecer a circunstância — observou o promotor do mesmo jeito contido, porém já como que triunfal — de que não era necessário dar os sinais se a porta já estava aberta quando o senhor estava lá, ainda quando o senhor estava no jardim...

— A porta, a porta — balbuciava Mítia, que em silêncio olhou fixamente para o promotor e tornou a deixar-se cair na cadeira sem forças. Todos se calaram.

— Sim, a porta!... Isso é um fantasma! Deus está contra mim! — exclamou ele olhando à sua frente com um ar vago.

— Pois veja — proferiu com imponência o promotor — e agora julgue o senhor mesmo, Dmitri Fiódorovitch: por um lado, é esse depoimento sobre a porta aberta por onde o senhor fugiu que nos esmaga a nós e ao senhor também. Por outro, seu silêncio incompreensível, persistente e quase ensandecido a respeito da origem do dinheiro que de repente apareceu em suas mãos, quando ainda três horas antes da existência dessa quantia o senhor, segundo seu próprio depoimento, empenhou suas pistolas em troca de apenas dez rublos! Em face de tudo isso, decida o senhor mesmo: em que havemos de crer e em que devemos nos fixar? E não fique ofendido, achando que "somos uns cínicos frios e galhofeiros", incapazes de acreditar nos ímpetos nobres de sua alma... Ponha-se, ao contrário, em nosso lugar...

Mítia estava numa agitação inimaginável, empalideceu.

— Está bem! — exclamou de repente. — Vou lhes revelar o meu segredo, revelar de onde eu tirei o dinheiro!... Revelo minha desonra, para depois não pôr a culpa nos senhores nem em mim...

— E acredite, Dmitri Fiódorovitch — secundou Nikolai Parfiénovitch com uma vozinha enternecida e alegre —, que qualquer confissão sincera e completa de sua parte, feita neste exato minuto, pode influir posteriormente numa imensa atenuação de sua sorte e até mais que isso...

Mas o promotor o tocou levemente por baixo da mesa e ele se deteve a tempo. É verdade que Mítia sequer ouvia.

VII. O GRANDE SEGREDO DE MÍTIA. OS APUPOS

— Senhores — começou ele com a mesma agitação —, esse dinheiro... quero confessar plenamente... esse dinheiro era *meu*.

O promotor e o juiz de instrução ficaram até de cara murcha, pois não era nada disso que esperavam.

— Como seu — balbuciou Nikolai Parfiénovitch —, se ainda às cinco da tarde, segundo o senhor mesmo confessou...

— Ora, que se danem as cinco da tarde e a minha própria confissão, não é isto que está em jogo neste momento! Aquele dinheiro era meu, meu, quer dizer, um meu roubado... Ou seja, não meu, mas roubado, roubado por mim, e eram mil e quinhentos, e estavam comigo, o tempo inteiro comigo...

— Mas de onde o senhor os tirou?

— Do pescoço, senhores, tirei do pescoço, deste mesmo pescoço aqui... Estavam aqui no meu pescoço, costurados num trapo e pendurados neste pescoço, já fazia tempo, já fazia um mês que eu os carregava no pescoço com vergonha e desonra!

— Mas a quem pertencia quando o senhor... se apropriou?

— O senhor quis dizer "roubou"? Seja franco ao usar as palavras neste momento. Sim, considero que, de qualquer forma, eu o roubei, mas se quiserem realmente "me apropriei". Porém, a meu ver roubei. E ontem à noite acabei roubando completamente.

— Ontem à noite? Mas o senhor acabou de dizer que já fazia um mês que o tinha... conseguido!

— Sim, mas não foi de meu pai, não se preocupem, não foi de meu pai que eu o roubei, mas dela. Deixem-me contar e não me interrompam. Isso é duro. Vejam: há um mês Catierina Ivánovna Vierkhóvtzeva, minha ex-noiva... Os senhores a conhecem?

— Que dúvida, tenha dó!

— Sei que conhecem. É uma nobilíssima alma, a mais nobre das nobres, mas que já me odeia faz tempo, oh, faz tempo, faz tempo... e é justo, me odeia e é justo!

— Catierina Ivánovna? — perguntou surpreso o juiz de instrução. O promotor também cravou os olhos nele.

— Oh, não pronunciem o nome dela em vão! Sou um canalha porque a exponho. Sim, notei que ela me odiava... havia muito tempo... desde a primeira vez, desde aquela primeira vez em minha casa, ainda lá... Mas basta, basta, os senhores não são dignos nem de saber disso, isso é totalmente dispensável... Precisam saber apenas que ela me chamou no mês passado à sua casa, me entregou três mil rublos para que eu os enviasse à sua irmã e a mais uma parenta em Moscou (como se ela mesma não pudesse enviá-los!), mas eu... isso aconteceu justamente naquele momento fatídico de minha vida, quando eu... bem, numa palavra, quando eu acabava de me apaixonar por outra, por *ela*, a atual, essa que está sentada lá embaixo a mando dos senhores, Grúchenka... eu a agarrei e a trouxe cá para Mókroie e aqui esbanjei em dois dias metade daqueles malditos três mil rublos, ou seja, mil e quinhentos, e a outra metade mantive comigo. Pois bem, esses mil e quinhentos que mantive, eu os carregava comigo pendurados no pescoço como um amuleto, mas ontem o abri e os esbanjei. Os oitocentos de troco estão agora em suas mãos, Nikolai Parfiénovitch, são o troco dos mil e quinhentos de ontem.

— Com licença, como é que pode, se um mês atrás o senhor esbanjou três mil aqui, e não mil e quinhentos, todo mundo não sabe disso?

— Quem é que sabe? Quem contou o dinheiro? Quem eu deixei contá-lo?

— Com licença, mas o senhor mesmo disse para todo mundo que na ocasião havia gasto três mil.

— É verdade, eu disse para a cidade inteira, e a cidade inteira comentou, e todo mundo achou que assim tinha sido, aqui em Mókroie também, de sorte que todo mundo achou que eu havia gasto três mil, só que, apesar disso, eu não gastei três, mas mil e quinhentos, e os outros mil e quinhentos eu costurei num saquinho; e foi assim que aconteceu, senhores, eis de onde eu tirei esse dinheiro de ontem...

— Isso é quase um prodígio... — balbuciou Nikolai Parfiénovitch.

— Permita-me perguntar — falou finalmente o promotor —, o senhor não teria comunicado ao menos a uma pessoa essa circunstância antes... Ou seja, que havia retido consigo esses mil e quinhentos naquela mesma ocasião, um mês atrás?

— Não disse a ninguém.

— É estranho. Será que o senhor não disse a absolutamente ninguém mesmo?

— A absolutamente ninguém. A ninguém vezes ninguém.

— Mas então por que esse silêncio? O que o levou a fazer disso tamanho segredo? Vou ser mais preciso: o senhor finalmente nos revelou seu segredo, tão "desonroso", segundo suas palavras, embora, no fundo, ou seja, falando apenas em termos relativos, é claro, essa atitude ou, para ser preciso, a apropriação de três mil rublos alheios e, sem dúvida, apenas provisoriamente, essa atitude, a meu ver, é, quando nada, uma atitude extremamente leviana, mas não tão desonrosa, levando-se em conta, além disso, o caráter do senhor... Bem, admitamos que tenha sido uma atitude extremamente vergonhosa, concordo, mas, apesar de tudo, o vergonhoso ainda não é desonroso... Quer dizer, estou conduzindo a questão propriamente no sentido de que, mesmo sem sua confissão, no decorrer desse mês muita gente já vinha suspeitando dessa história dos três mil rublos da senhorita Vierkhóvtzeva, que o senhor esbanjou; eu mesmo ouvi essa invencionice... Mikhail Makárovitch, por exemplo, também ouviu. De sorte que, no fim das contas, isso quase não é mais uma invencionice e sim uma fofoca da cidade inteira. Além disso, há indícios de que o senhor mesmo, se não estou enganado, confessou isso a alguém, isto é, confessou precisamente que pegara esse dinheiro com a senhorita Vierkhóvtzeva... É por isso que me surpreende demais que até agora, ou seja, até este exato momento, o senhor tenha cercado de um mistério tão fora do comum esses mil e quinhentos que o senhor mesmo disse que tinha reservado, ligando a esse seu segredo até certo horror... É inverossímil que a confissão de tal segredo possa lhe haver custado tantos tormentos... Porque o senhor acabou de bradar inclusive que preferia os trabalhos forçados à confissão...

O promotor calou-se. Estava exaltado. Não escondia sua irritação, quase raiva, e extravasou tudo que havia acumulado sem sequer se preocupar com a beleza do estilo, isto é, falou de forma desconexa e quase confusa.

— A desonra não consistia nesses mil e quinhentos, mas no fato de que eu havia separado esses mil e quinhentos daqueles três mil — disse Mítia com firmeza.

— Mesmo assim — o promotor deu um sorriso irritado —, o que há de desonroso nisso, posto que dos três mil recebidos já vergonhosamente ou, se quiser, até desonrosamente, o senhor se reservou a metade a seu critério? O mais grave é que o senhor se apropriou de três mil e não a maneira como dispôs deles. Aliás, por que o senhor dispôs deles justo dessa maneira, ou seja, reservando essa metade? Para que, com que finalidade fez isso, será que pode nos explicar?

— Oh, senhores, é na finalidade que está toda a força — exclamou Mítia. — Eu os reservei por torpeza, quer dizer, por cálculo, porque neste caso o cálculo é que é a torpeza... E essa torpeza durou um mês inteiro!

— Não entendi.

— Os senhores me surpreendem. Mas vá lá, me explico outra vez, a coisa pode realmente ser incompreensível. Procurem me acompanhar: eu me aproprio de três mil confiados à minha honra, caio na farra com eles, esbanjo tudo, na manhã seguinte apareço diante dela e digo: "Cátia, desculpe, esbanjei seus três mil" — e então, fiz bem? Não, não fiz bem, foi desonesto e covarde, sou um animal e uma pessoa que não consegue se conter nem diante da crueldade, não é, não é? E no entanto não sou um ladrão, hein? Não um ladrão autêntico, autêntico, convenham! Esbanjei, mas não roubei! Agora vamos ao segundo fato, ainda mais favorável, e procurem me acompanhar, senão eu talvez volte a perder o fio — estou meio tonto —, então, o segundo caso: esbanjo aqui apenas metade daqueles três mil, ou seja, mil e quinhentos. No dia seguinte, apareço diante dela e lhe entrego esta metade: "Cátia, recebe de mim, deste patife e canalha leviano, esta metade, porque a outra metade eu esbanjei, quer dizer, vou esbanjar também esta, quero ficar longe da tentação!". Então, em que isso resulta? Aqui sou qualquer coisa, animal e canalha, mas já não sou ladrão, não um ladrão consumado, porque se eu fosse ladrão na certa não devolveria a metade, mas me apropriaria dela também. E então ela vê que, se Mítia devolveu com tanta presteza a metade, devolverá também o restante, ou seja, o que foi esbanjado, passará a vida inteira procurando consegui-lo, irá trabalhar, mas o arranjará e devolverá. Assim seria um canalha, mas não um ladrão, não um ladrão, achem o que quiserem, não um ladrão!

— Admitamos que exista certa diferença — riu friamente o promotor. — Mas mesmo assim é estranho que o senhor já veja nisso uma diferença tão fatal.

— Sim, eu vejo essa diferença fatal! Canalha todo mundo pode ser, aliás, todo mundo talvez o seja mesmo, mas nem todo mundo pode ser ladrão, só um arquicanalha o pode. Bem, não tenho capacidade para entrar nessas sutilezas... Só que o ladrão é mais canalha que o canalha, eis a minha convicção. Ouçam: o mês inteiro venho andando com o dinheiro, mas amanhã posso decidir devolvê-lo e já não serei mais um canalha; no entanto não consigo me decidir, e essa é a questão, porque mesmo que todo dia eu tente decidir, mesmo que todo dia eu me estimule: "Decide, decide, canalha!", acabo passando um mês inteiro sem conseguir me decidir, e essa é a questão! Então, para os senhores isso é bom?

— Admitamos que não seja tão bom, isso eu posso compreender perfeitamente e não discuto — respondeu contidamente o promotor. — Aliás, deixemos de lado toda discussão sobre essas sutilezas e diferenças e, se lhe convier, retomemos a questão. E a questão consiste justamente em que o senhor ainda não se dignou de nos explicar, apesar de ter sido indagado: com que finalidade o senhor começou fazendo essa divisão desses três mil rublos, ou seja, esbanjando uma metade e escondendo a outra? Para que precisamente a escondeu, em que propriamente pretendia usar esses mil e quinhentos que separou? Eu insisto nessa pergunta, Dmitri Fiódorovitch.

— Ah sim, realmente! — bradou Mítia batendo na testa —, desculpem, eu estou a atormentá-los e não explico o principal, senão os senhores entenderiam num piscar de olhos, pois é na finalidade, nessa finalidade que está a desonra! Pois bem, tudo tinha origem no velho, no falecido, ele não parava de perturbar Agrafiena Alieksándrovna, e eu ficava enciumado e pensando que naquela época ela estivesse indecisa entre mim e ele; então eu pensava todo santo dia: e se de repente ela decidir, e se parar de me atormentar e disser: "É a ti e não a ele que eu amo, leva-me para o fim do mundo". Mas eu só tinha duas moedas de vinte copeques no bolso; com que iria levá-la, o que haveria de fazer? — foi aí que me desgracei. Ora, na época eu não a conhecia nem compreendia, pensava que ela queria dinheiro e não perdoaria a minha miséria. E então separo perfidamente a metade daqueles três mil e com uma agulha passo a costurá-la a sangue-frio em um saquinho, a costurá-la com um plano na cabeça, e costurá-la ainda antes da bebedeira, e depois de costurá-la saio para encher a cara com a outra metade! Não, isso é uma torpeza! Entenderam agora?

O promotor deu uma sonora gargalhada, o juiz de instrução também.

— Acho que foi até sensato e moral o senhor ter se contido e evitado esbanjar todo o dinheiro — deu um risinho Nikolai Parfiénovitch —, porque, o que há de mal nisso?

— O roubo que cometi, eis o quê! Oh, Deus, os senhores me deixam horrorizado com essa incompreensão! Durante todo o tempo em que carreguei esses mil e quinhentos costurados e pendurados no pescoço, a cada dia e a cada hora eu dizia a mim mesmo: "És um ladrão, és um ladrão!". Por isso cometi desmandos nesse mês, por isso briguei na taverna, por isso espanquei meu pai, porque me sentia um ladrão! Nem a Aliócha, meu irmão, decidi nem ousei revelar a história desses mil e quinhentos rublos: a tal ponto me sentia um canalha e vigarista! Mas fiquem sabendo que, enquanto eu andava com aquele dinheiro, a cada dia e a cada hora eu me dizia ao mesmo tempo: "Não, Dmitri Fiódorovitch, talvez ainda não sejas um ladrão". Por quê? Justamente porque amanhã podes ir lá e devolver esses mil e quinhentos rublos a Cátia. E eis que só ontem, quando ia da casa de Fiênia para a de Pierkhótin, decidi rasgar o saquinho que trazia no pescoço, mas até aquele instante eu vacilava, e mal o rasguei me tornei no mesmo instante um ladrão rematado e indiscutível, um ladrão e um homem desonrado pelo resto da vida. Por quê? Porque rasgando o saquinho eu destruí também meu sonho de ir até Kátia e dizer: "Sou um canalha, mas não um ladrão". Agora estão entendendo?

— Por que justamente ontem à noite o senhor tomou essa decisão? — interrompeu-o Nikolai Parfiénovitch.

— Por quê? A pergunta é ridícula: porque eu me havia condenado à morte, aqui, às cinco da manhã, ao alvorecer: "Ora, pensei, dá no mesmo morrer canalha ou decente!". Pois não dá, vi que não dá no mesmo. Acreditem ou não, senhores, não era isso, não era isso o que mais me atormentava nessa noite em que matei o velho criado e estava sob a ameaça de ir para a Sibéria, e em que momento? — no momento em que se dava o coroamento de meu amor e o céu de novo se abria para mim! Oh, isso me afligia, mas não tanto; ao menos não tanto como essa maldita consciência de que finalmente eu tinha arrancado do peito e esbanjado aquele maldito dinheiro, portanto, doravante eu já era um ladrão rematado! Oh, Deus eu repito para os senhores com o coração sangrando: nessa noite eu me inteirei de muita coisa. De que não é só impossível viver como um canalha, como também é impossível morrer como um canalha. Não, senhores, morrer tem de ser honestamente!...

Mítia estava pálido. Tinha a exaustão e o tormento estampados no rosto, apesar de sua extrema excitação.

— Começo a entendê-lo, Dmitri Fiódorovitch — falou o promotor de um jeito brando e até meio compassivo —, mas, me desculpe, acho que tudo isso vem apenas de seus nervos... de seus nervos doentios, eis a questão. E por que, por exemplo, para se livrar de tantos tormentos que experimentou por quase um mês inteiro, o senhor não procurou essa criatura e lhe devolveu esses mil e quinhentos rublos que ela lhe havia confiado e, já depois de se explicar com ela, por que, tendo em vista sua situação tão terrível naquele momento, como o senhor mesmo a pinta, não tentou uma combinação, que à razão pareceria tão natural, isto é, depois de lhe confessar dignamente os seus erros, por que o senhor não lhe pediu uma quantia necessária às suas despesas, que ela, com seu coração magnânimo e vendo a sua perturbação, evidentemente já não lhe recusaria, sobretudo sob a garantia de um documento ou, enfim, ao menos sob uma garantia igual à que o senhor propôs ao comerciante Samsónov e à senhora Khokhlakova? O senhor ainda considera essa garantia válida, não?

Mítia corou subitamente:

— Será que o senhor me considera um canalha a esse ponto? Não é possível que esteja falando sério!... — proferiu com indignação, olhando o promotor nos olhos como se não acreditasse no que ouvira dele.

— Asseguro que estou falando sério, por que pensa que não é sério? — o promotor, por sua vez, surpreendeu-se.

— Oh, como isso seria torpe! Senhores, sabem que estão me torturando? Permitam, vou lhes dizer tudo, vá lá, agora vou lhes confessar todo o inferno em que estou metido, mas para deixá-los envergonhados, e os senhores mesmo ficarão surpresos ao saberem a que torpeza pode chegar uma combinação dos sentimentos humanos. Fiquem sabendo que eu já acalentava essa combinação, essa mesma a que o senhor acabou de referir-se, promotor! Sim, senhores, eu também andei com essa mesma ideia na cabeça durante esse maldito mês, de sorte que quase decidi procurar Cátia, tão torpe eu era! Mas procurá-la, explicar-lhe minha traição, e ainda pedir dinheiro a ela, a Cátia (pedir, está ouvindo, pedir!), para pôr em prática essa mesma traição, para as futuras despesas com essa traição, e correr imediatamente dela para a outra, sua rival, que a odeia e a havia ofendido — tenha dó, o senhor enlouqueceu, promotor!

— Enlouquecido ou não, é claro que, por afobação, não me dei conta... desse tal ciúme feminino... se é que aí pode realmente ter havido ciúme como o senhor afirma... se bem que aí haja alguma coisa parecida — sorriu o promotor.

— Mas isso já seria tamanha torpeza — Mítia deu um murro na mesa com fúria —, isso cheiraria tão mal que já nem sei mais! Sabem os senhores que ela poderia me dar esse dinheiro, sim, e daria, certamente daria, daria para se vingar de mim, pelo prazer da vingança, daria pelo desprezo que nutre por mim, porque também é uma alma infernal e uma mulher de grande ira! Eu pegaria o dinheiro, oh, se pegaria, pegaria e passaria o resto da vida... oh, Deus! Desculpem, senhores, grito assim porque andei com essa ideia ainda há bem pouco tempo, apenas dois dias atrás, justo quando estava envolvido com Liágavi, e depois ontem, sim, ontem também, durante todo o dia de ontem, estou lembrado disso, até o momento desse incidente...

— De que incidente? — Nikolai Parfiénovitch quis intervir por curiosidade, mas Mítia não ouviu.

— Eu lhes fiz uma terrível confissão — concluiu com ar sombrio. — Apreciem isso, senhores. Mas é pouco, apreciar é pouco, não o apreciem, mas valorizem, e se não, se nem isso toca as suas almas, então os senhores estarão francamente me desrespeitando, senhores, eis o que lhes digo, e morrerei de vergonha por ter feito essa confissão a gente como os senhores! Oh, eu me matarei! Aliás, já estou vendo, estou vendo que não acreditam em mim! Como, então até isso estão querendo anotar? — bradou Mítia já assustado.

— Veja só o que o senhor acabou de dizer — Nikolai Parfiénovitch olhava admirado para ele —, ou seja, que até a última hora o senhor mesmo ainda admitia procurar a senhora Vierkhóvtzeva e lhe pedir essa quantia... Eu lhe asseguro, Dmitri Fiódorovitch, que esse é um testemunho muito importante para nós, isto é, para todo este caso... E importante sobretudo para o senhor... sobretudo para o senhor.

— Tenham dó, senhores — Mítia ergueu os braços —, pelo menos isso não anotem, tenham vergonha! Porque eu, por assim dizer, estou rasgando minha alma em duas metades diante dos senhores, mas os senhores se aproveitam e esgaravatam com os dedos o ponto rasgado das duas metades... Oh, Deus!

Cobriu o rosto com as mãos em desespero.

— Não fique tão preocupado, Dmitri Fiódorovitch — concluiu o promotor —, tudo o que foi aqui anotado vai ser lido depois para o senhor e aquilo de que o senhor discordar será modificado segundo o que o senhor disser, mas agora vou lhe repetir pela terceira vez uma perguntinha: será que em realidade ninguém, ninguém ouviu o senhor falar desse dinheiro costurado no saquinho? Isso, eu lhe digo, é quase impossível imaginar.

— Ninguém, ninguém, eu já disse, ou os senhores não entenderam nada! Deixem-me em paz.

— Vá lá, esse ponto deve ser esclarecido, e ainda haverá tempo para isso, mas por ora reflita: temos, talvez, dezenas de testemunhos de que foi o senhor mesmo que espalhou e até bradou por toda parte sobre a existência desses três mil que esbanjou, três e não mil e quinhentos, e também agora, depois daquele dinheiro de ontem, o senhor deu a entender a muita gente que mais uma vez trouxe consigo três mil...

— Não dezenas, mas centenas de testemunhos os senhores têm nas mãos, duas centenas de testemunhos, duas centenas de pessoas ouviram, milhares ouviram! — bradou Mítia.

— Como o senhor está vendo, todos, todos estão dando testemunhos. Então, a palavra *todos* não significa alguma coisa?

— Não significa nada, eu menti, e depois de mim todos passaram a mentir.

— Sim, mas por que o senhor precisou tanto "mentir", como se exprime?

— O diabo sabe. Foi por fanfarrice, talvez... pois é... para acharem que eu esbanjei tamanha quantia de dinheiro... Talvez para esquecer aquele dinheiro costurado... sim, justamente por isso... diabos... quantas vezes o senhor fez essa pergunta? Bem, menti e, é claro, uma vez tendo mentido já não quis mais corrigir. O que não leva um homem algumas vezes a mentir?

— É muito difícil decidir, Dmitri Fiódorovitch, o que leva um homem a mentir — proferiu com imponência o promotor. — Diga, entretanto: era grande esse saquinho, como o senhor o chama, que tinha pendurado no pescoço?

— Não, não era grande.

— De que tamanho, por exemplo?

— De uma nota de cem rublos dobrada ao meio — era esse o tamanho.

— Não seria melhor o senhor nos mostrar o retalho? Sim, porque ele deve estar em algum lugar de sua casa.

— Ai, diabo... que tolice... não sei onde está.

— Mas mesmo assim permita: quando e onde o senhor o tirou do pescoço? Sim, porque como o senhor testemunha, não voltou para casa!

— Foi assim, saí da casa de Fiênia e me dirigi à de Pierkhótin, a caminho eu o arranquei do pescoço e tirei o dinheiro.

— No escuro?

— Para que vela aí? Fiz isso com um dedo, num piscar de olhos.

— Sem tesoura, na rua?

— Na praça, parece; para que tesoura? Era um trapo velho, rasgou-se no ato.

— Onde o senhor o meteu depois?

— Eu o larguei lá mesmo.

— Precisamente onde?

— Ora, na praça, lá na praça! O diabo sabe em que ponto da praça. Mas para que precisam disso?

— Isso é de suma importância, Dmitri Fiódorovitch: é uma prova material a seu favor, como se nega a entender isso? Quem o ajudou a costurá-lo um mês atrás?

— Ninguém me ajudou, eu mesmo costurei.

— O senhor sabe costurar?

— Um soldado deve saber costurar, e para isso não precisa habilidade.

— Onde o senhor conseguiu o material, ou seja, esse trapo em que costurou o dinheiro?

— Será que não estão rindo de mim?

— Em hipótese nenhuma, e não estamos para riso, Dmitri Fiódorovitch.

— Não me lembro de onde tirei o trapo, eu o tirei de algum lugar.

— Como, parece já não se lembrar disso?

— Juro que não me lembro, talvez tenha rasgado algum pedaço de roupa-branca.

— Isso é muito interessante: amanhã poderíamos encontrar em sua casa esse objeto, uma camisa, talvez, de onde tenha sido tirado o retalho. De que era esse trapo: de linho, de tecido?

— O diabo sabe de quê! Espere... Parece que não o tirei de nada. Era de percal... Parece que foi numa touquinha da senhoria que costurei.

— Na touquinha da senhoria?

— Sim, eu a surrupiei.

— Como surrupiou?

— Veja, eu realmente me lembro de que certa vez surrupiei uma touquinha para usar como trapo, talvez para limpar uma pena. Peguei sorrateiramente, porque era um trapo que não servia para nada, as tiras rolavam no meu quarto, e eu estava com esses mil e quinhentos, então peguei o trapo e costurei... Parece que foi justamente nesse trapo que costurei. Uma velha porcaria de percal, mil vezes lavada.

— E o senhor já se lembra disso com segurança?

— Não sei se é com segurança. Parece que foi na touquinha. Ah, estou me lixando!

— Neste caso pelo menos sua senhoria poderia se lembrar de que esse objeto sumiu?

— De jeito nenhum, nem deu por falta. Era um trapo velho, estou lhes dizendo, um trapo velho, que não valia nada.

— Mas e a agulha, a linha, onde o senhor arranjou?

— Encerro, não quero mais falar. Basta! — Mítia acabou ficando zangado.

— E é estranho que mais uma vez o senhor já tenha esquecido inteiramente o preciso lugar da praça onde jogou fora esse... saquinho.

— Amanhã mandem varrer a praça, talvez o encontrem — deu um risinho Mítia. — Chega, senhores, chega — resolveu Mítia com uma voz extenuada. — Estou vendo com clareza: os senhores não acreditaram em mim! Em nada, em patavina! A culpa é minha e não sua, eu não tinha que me meter. Por que, por que me fiz abominável confessando meu segredo? Para os senhores isso é motivo de riso, vejo por seus olhos. Foi o senhor, promotor, que me levou a isso! Cante um hino a si mesmo, se puder... Malditos sejam, seus torturadores!

Ele baixou a cabeça e cobriu o rosto com as mãos. O promotor e o juiz de instrução calavam. Um minuto depois ele levantou a cabeça e olhou com ar meio vago para eles. Seu rosto exprimia um desespero já consumado, já irreversível, e ele se calou de um jeito sereno, ficou ali sentado como que alheio de si. Entretanto, era preciso encerrar o caso: urgia passar sem delongas ao interrogatório das testemunhas. Já eram oito horas da manhã. Fazia tempo que as velas estavam apagadas. Mikhail Makárovitch e Kalgánov, que durante todo o interrogatório entravam e saíam do recinto, desta vez tornaram a sair. O promotor e o juiz de instrução também tinham um aspecto sumamente cansado. A manhã chegara com mau tempo, com todo o céu coberto de nuvens e chovendo a cântaros. Mítia fitava as janelas com um olhar vago.

— Posso dar uma olhada pela janela? — perguntou de repente a Nikolai Parfiénovitch.

— Oh, o quanto quiser — respondeu o outro.

Mítia levantou-se e foi até a janela. A chuva açoitava os pequenos vidros esverdeados dos postigos. Bem debaixo da janela via-se a estrada enlameada e, mais adiante, na penumbra da chuva, apareciam fileiras escuras, pobres e feias de isbás, que pareciam ainda mais escurecidas e empobrecidas por causa da chuva. Mítia lembrou-se do "Febo de louras madeixas" e de como quisera matar-se ao seu primeiro raio. "Talvez fosse melhor numa manhã como essa" — sorriu de repente, abanou a mão de cima para baixo e voltou-se para os "carrascos":

— Senhores — exclamou —, vejo que estou perdido. Mas ela? Falem-me sobre ela, eu lhes imploro, será que ela vai se perder comigo? Porque ela é inocente, ontem ela gritou fora de seu juízo que era "a culpada por tudo". Ela não tem culpa de nada, não tem culpa de nada! Passei a noite toda em profunda aflição aqui com os senhores... Será que não daria, que não seria possível os senhores me dizerem: o que vão fazer com ela agora?

— Pode ficar absolutamente tranquilo a esse respeito, Dmitri Fiódorovitch — respondeu imediatamente o promotor com visível pressa —, por ora não temos quaisquer motivos significativos para incomodar minimamente a pessoa por quem o senhor tanto se interessa. Espero que no curso do caso aconteça o mesmo... Ao contrário, neste sentido faremos tudo o que for possível da nossa parte.

— Agradeço, senhores, e eu sabia mesmo que, apesar de tudo, os senhores são gente honesta e justa, apesar de tudo. Tiraram um fardo de minha alma... Então, o que vamos fazer agora? Estou pronto.

— Pois bem, precisamos acelerar as coisas. Cabe passar sem delongas ao interrogatório das testemunhas. Tudo isso deve acontecer forçosamente na sua presença, e por isso...

— Não seria o caso de antes tomarmos um chazinho? — interrompeu Nikolai Parfiénovitch —, pois parece que já fizemos por merecer.

Resolveram que, se já houvesse chá pronto lá embaixo (tendo em vista que Mikhail Makárovitch certamente saíra para "providenciar o chá"), cada um tomaria um copo para depois "continuar e continuar". O verdadeiro chá com os "salgados" seria adiado para quando houvesse mais tempo livre. Realmente encontraram chá lá embaixo e o levaram às pressas para cima. A princípio Mítia recusou o copo que Nikolai Parfiénovitch lhe ofereceu gentilmente, mas depois ele mesmo pediu e o bebeu com sofreguidão. Seu aspecto geral era até surpreendentemente estafado. Era de crer que, diante de sua força hercúlea, pouco poderia significar uma noite de farra, ainda que acrescida das mais fortes sensações. Mas ele mesmo sentia que mal se aguentava ali sentado, e de quando em quando todos os objetos começavam a mover-se e girar diante de seus olhos. "Mais um pouco, e talvez eu comece a delirar" — pensou consigo.

VIII. Depoimento das testemunhas. Um bebê

Começou o interrogatório das testemunhas. Contudo, já não prosseguiremos em nosso relato com tantos detalhes como o fizemos até agora. Por isso omitiremos a maneira pela qual Nikolai Parfiénovitch incutiu em cada testemunha chamada que ela deveria testemunhar segundo a verdade e a consciência; que, posteriormente, deveria repetir esse depoimento sob juramento, e como, por fim, exigiu que cada testemunha assinasse a ata de seus depoimentos etc., etc. Observemos apenas que o ponto principal para o qual se chamou toda a atenção dos depoentes foi, predominantemente, aquela mesma questão dos três mil rublos, ou seja, se a quantia era de três ou de mil e quinhentos rublos da primeira vez, isto é, na primeira farra de Dmitri Fiódorovitch aqui em Mókroie um mês atrás, e se era de três ou mil e quinhentos na véspera, na segunda farra de Dmitri Fiódorovitch. Aí, todas as testemunhas, sem exceção, se mostraram contra Mítia e nenhuma a seu favor, e algumas das testemunhas chegaram até a inserir fatos novos e quase surpreendentes para refutar os testemunhos dele. O primeiro interrogado foi Trifón Boríssitch. Ele se apresentou diante dos interrogadores sem o mínimo temor; ao contrário, aparentava a mais rigorosa e severa indignação contra o acusado e assim se revestia, indiscutivelmente, de uma aparência de extraordinária veracidade e dignidade. Falou pouco, de forma contida, aguardando as perguntas, respondendo de modo preciso e ponderado. Declarou com firmeza e sem rodeios que no mês anterior não podiam ter sido gastos menos de três mil, que ali todos os mujiques testemunhariam que tinham ouvido o próprio "Mitri Fiódorovitch" falar em três mil: "Só aos ciganos, quanto dinheiro ele distribuiu! Vai ver que só com eles torrou uns mil".

— Talvez eu não tenha dado nem quinhentos — observou Mítia com ar sombrio —, só que no momento não contei, estava bêbado, e é uma pena...

Desta feita Mítia estava sentado de lado, de costas para as cortinas, ouvindo com ar sombrio, com um aspecto triste e cansado, como quem diz: "Eh, declarem o que quiserem, agora tudo é indiferente!".

— Gastou mais de mil com eles, Mitri Fiódorovitch — refutou com firmeza Trifón Boríssitch —, lançava o dinheiro à toa e eles o apanhavam. É uma gente ladra e vigarista, são ladrões de cavalo, foram expulsos daqui, senão eles mesmos poderiam depor, dizendo em quanto se aproveitaram do senhor. Eu mesmo vi na ocasião a quantia em suas mãos — contar eu não contei, o senhor não me deixou, está certo, mas de olho, eu me lembro, havia muito mais do que mil e quinhentos... Qual mil e quinhentos! Eu já tinha visto dinheiro antes, posso julgar!

No tocante à quantia da véspera, Trifón Boríssovitch declarou sem rodeios que o próprio Dmitri Fiódorovitch, mal saíra da caleche, anunciara que trouxera três mil.

— Chega, Trifón Boríssovitch, terá sido isso — objetou Mítia —, será que eu anunciei mesmo, terminantemente, que havia trazido três mil?

— O senhor disse, Mitri Fiódorovitch. Disse na presença de Andriêi. O próprio Andriêi está aqui, ainda não foi embora, mandem chamá-lo. E lá no salão, quando o senhor obsequiava o coro, gritou abertamente que estava deixando o sexto milhar aqui — somados com aqueles deixados da outra vez, assim deve ser entendido. Stiepan e Semión ouviram, e Piotr Fomitch Kalgánov estava ao lado do senhor, talvez ele também se lembre.

O depoimento acerca dos seis mil foi ouvido com uma impressão incomum pelos interrogadores. A nova formulação agradou: três mais três são seis, logo, três mil da outra vez e três mil desta, eis aí os seis mil, estava claro.

Interrogaram todos os mujiques indicados por Trifón Boríssovitch: Stiepan e Semión, o cocheiro Andriêi e Piotr Fomitch Kalgánov. Os mujiques e o cocheiro confirmaram sem titubear o depoimento de Trifón Boríssovitch. Além disso, anotaram em particular, segundo as palavras de Andriêi, aquela sua conversa com Mítia durante a viagem: "Para onde eu, Dmitri Fiódorovitch, vou: para o céu ou para o inferno, e será que no outro mundo vou ser perdoado ou não?". O "psicólogo" Hippolit Kiríllovitch ouviu tudo isso com um sorriso sutil nos lábios e terminou dizendo que recomendava "acrescentar ao caso" esse depoimento a respeito de para onde iria Dmitri Fiódorovitch.

Solicitado a depor, Kalgánov entrou a contragosto, sombrio, cheio de caprichos e conversou com o promotor e Nikolai Parfiénovitch de um modo como se os visse pela primeira vez na vida, embora fossem velhos conhecidos e se vissem todos os dias. Começou dizendo que "não sabia nem queria saber de nada daquilo". Mas, como se verificou, também ouvira falar dos seis mil, e confessou que estava nessa ocasião ao lado de Mítia. Em sua opinião havia dinheiro nas mãos de Mítia, mas "não sei quanto". No tocante às trapaças dos polacos no jogo, ele as confirmou em seu depoimento. Explicou ainda, respondendo a perguntas reiteradas, que com o alijamento dos polacos Mítia e Agrafiena Alieksándrovna realmente haviam restabelecido as suas relações e que ela mesma dissera que o amava. A respeito de Agrafiena Alieksándrovna, exprimiu-se de forma contida e respeitosa, como se ela fosse uma senhorita da melhor sociedade, e não se permitiu chamá-la de "Grúchenka" uma única vez. Apesar da visível ojeriza do jovem ao depoimento, Hippolit

Kiríllovitch o interrogou longamente e só através dele ficou sabendo de todos os detalhes do que constituíra o, por assim dizer, "romance" de Mítia naquela noite. Mítia não interrompeu Kalgánov nenhuma vez. Por fim liberaram o jovem e ele se retirou com visível indignação.

Interrogaram também os poloneses. Estes, embora estivessem deitados para dormir em seu quarto, ficaram a noite inteira sem pregar os olhos e, com a chegada das autoridades, vestiram-se depressa e se prepararam, compreendendo eles mesmos que seriam forçosamente convocados. Apresentaram-se com dignidade, embora não sem certo medo. O principal, ou seja, o *pan* baixo, revelou-se um funcionário de décima segunda classe, exonerado, que servira na Sibéria como veterinário e tinha por sobrenome Mussialovitch. Já *pan* Wrublevsk era dentista particular, médico-dentista como se diz em russo. Tão logo entraram na sala, os dois, apesar das perguntas de Nikolai Parfiénovitch, passaram a dirigir suas respostas a Mikhail Makárovitch, que estava postado ao lado, tomando-o, por ignorância, pela patente principal e autoridade maior ali presente, e a cada palavra que diziam chamavam-lhe "*pan pulkóvnik*".[66] E só depois de repetirem isto várias vezes e serem admoestados pelo próprio Mikhail Makárovitch desconfiaram de que deviam responder apenas a Nikolai Parfiénovitch. Verificou-se que os dois sabiam falar russo até de forma muitíssimo correta, com exceção talvez da pronúncia de algumas palavras. Quanto às suas relações com Grúchenka, antigas e atuais, *pan* Mussialovitch começou a exprimir-se com ardor e orgulho, de sorte que Mítia logo ficou fora de si e gritou que não permitiria a um "patife" falar daquela forma em sua presença. *Pan* Mussialovitch imediatamente chamou atenção para a palavra "patife" e pediu que fosse incluída na ata. Mítia ferveu de fúria.

— É patife sim, patife! Anotem isso e anotem também que, apesar da ata, ainda assim eu grito que é um patife! — gritou ele.

Nikolai Parfiénovitch, embora incluísse essas palavras na ata, revelou nesse desagradável caso a mais elogiosa diligência e habilidade para tomar providências: depois de uma severa repreensão a Mítia, ele mesmo suspendeu imediatamente todas as perguntas posteriores relativas ao aspecto romântico da questão e passou depressa ao essencial. No ponto essencial, apareceu um depoimento dos *pans* que despertou uma curiosidade excepcional nos inquiridores: foi precisamente a maneira como, naquela sala, Mítia tentou subornar *pan* Mussialovitch e lhe ofereceu três mil rublos como compensação, desde que ele recebesse setecentos em mãos e os dois mil e trezentos res-

[66] Pronúncia errada de *polkóvnik*, isto é, coronel, em russo. (N. do T.)

tantes "amanhã de manhã mesmo, na cidade", além de ter jurado, sob palavra de honra, que ali, em Mókroie, não dispunha por enquanto desse dinheiro, mas o tinha na cidade. Mítia quis observar, afobadamente, que não dera certeza de entregar o restante no dia seguinte na cidade, mas *pan* Wrublevsk confirmou o depoimento e o próprio Mítia, depois de pensar por um minuto, concordou, com ar sombrio, que devia ter acontecido isso mesmo que os *pans* estavam relatando, que, na ocasião, estava exaltado e por isso podia realmente ter falado assim. O promotor literalmente aferrou-se ao depoimento: para a investigação ficou claro (como mais tarde realmente se concluiu) que metade, ou uma parte, dos três mil que chegaram às mãos de Mítia, realmente poderia ter ficado escondida em algum lugar na cidade, e talvez até em algum lugar ali em Mókroie, de sorte que assim se esclarecia igualmente a circunstância, delicada para a investigação, de só terem encontrado oitocentos rublos em poder de Mítia — circunstância que, embora única até então e bastante insignificante, mesmo assim era algum testemunho a favor de Mítia. Agora até essa circunstância única a seu favor desmoronava. À pergunta do promotor: onde ele arranjaria os dois mil e trezentos restantes para entregar ao *pan* no dia seguinte, se ele mesmo afirmava que tinha apenas mil e quinhentos rublos, e entretanto dava sua palavra de honra ao *pan* como garantia — Mítia respondeu com firmeza que queria oferecer "ao polaquinho" no dia seguinte não dinheiro, mas o ato formal da cessão de seus direitos à fazenda de Tchermachniá, os mesmos direitos que propusera a Samsónov e a Khokhlakova. O promotor chegou a sorrir com a "ingenuidade da esquisitice".

— E o senhor acha que ele aceitaria esses "direitos" em vez dos dois mil e trezentos rublos à vista?

— Forçosamente aceitaria — interrompeu Mítia com fervor. — Ora, aí não eram só dois, eram quatro, eram até seis mil que ele podia embolsar. Na mesma hora ele reuniria seus advogadozinhos, seus polaquinhos e *jidezinhos* e arrancaria do velho não só três mil, mas toda Tchermachniá.

É claro que o depoimento de *pan* Mussialovitch foi incluído na ata da forma mais detalhada. Nesse ponto dispensaram os *pans*. Quanto ao fato de que eles haviam falsificado o baralho, isso quase não foi mencionado; Nikolai Parfiénovitch já estava agradecido demais a eles e não quis incomodá-los com ninharias, ainda mais porque tudo não passava de desavença vazia de bêbados em torno do baralho. Quanta farra e desordem não teria havido naquela noite... De sorte que o dinheiro, os duzentos rublos, acabaram ficando no bolso dos *pans*.

Em seguida chamaram o velhote Maksímov. Ele se apresentou tímido, aproximou-se com os passinhos miúdos, tinha uma aparência desgrenhada e muito triste. Passara o tempo todo escondido lá embaixo ao lado de Grúchenka, ficara sentado com ela em silêncio e "às vezes começava a choramingar diante dela, limpando os olhos com um lencinho azul quadriculado", como depois contou Mikhail Makárovitch. De sorte que ela mesma já o havia acalmado e consolado. O velhote confirmou no mesmo instante, entre lágrimas, que era culpado, que pegara emprestados com Dmitri Fiódorovitch "dez rublos por causa de minha pobreza" e que estava pronto para devolvê-los... À pergunta direta de Nikolai Parfiénovitch: não teria ele notado quanto dinheiro precisamente havia nas mãos de Dmitri Fiódorovitch, uma vez que, ao receber o empréstimo, poderia ter visto o dinheiro nas mãos dele mais de perto que os outros, Maksímov respondeu, da forma mais decidida, que eram "vinte mil".

— E algum dia antes o senhor já viu vinte mil rublos? — perguntou sorrindo Nikolai Parfiénovitch.

— Como não, vi, só que não vinte, mas sete, quando minha esposa empenhou minhas terrinhas. Me deixou olhar só de longe o dinheiro e se gabou diante de mim. Era um pacote muito grande, tudo de notas irisadas. E as de Dmitri Fiódorovitch eram todas irisadas...

Logo o dispensaram. Por fim também chegou a vez de Grúchenka. Pelo visto, o procurador e o juiz de instrução temiam a impressão que seu aparecimento poderia causar em Dmitri Fiódorovitch, a quem Nikolai Parfiénovitch tentou inclusive exortar com algumas palavras balbuciadas, mas em resposta Mítia baixou a cabeça em silêncio, assim fazendo saber que "não haveria desordem". O próprio Mikhail Makárovitch fez Grúchenka entrar. Ela entrou com uma expressão severa e sombria no rosto, com uma aparência quase tranquila, e sentou-se em silêncio numa cadeira que lhe foi indicada diante de Nikolai Parfiénovitch. Estava muito pálida, parecia sentir frio, e envolveu-se fortemente em seu belo xale preto. De fato, ela começara a sentir um leve calafrio febril — início de uma longa doença que a partir dessa noite passou a sofrer. Seu aspecto severo, o olhar direto e sério e sua maneira tranquila produziram em todos uma impressão muito agradável. Nikolai Parfiénovitch logo se sentiu até um pouco "apaixonado". Contando esse episódio mais tarde em algum lugar, ele mesmo confessou que só a partir desse momento percebeu como essa mulher "era bonita", e que antes, embora a tivesse encontrado várias vezes, sempre a considerara uma espécie de "hetera de província". "Suas maneiras são as mesmas da mais alta sociedade" — deixou escapar entusiasmado em um círculo feminino. Mas isto foi recebido com a mais plena indignação, e por isso foi chamado no mesmo instante de "travesso", o que o deixou muito satisfeito. Ao entrar na sala, Grúchenka apenas olhou como que de passagem para Mítia, que, por sua vez, olhou-a com intranquilidade, mas no mesmo instante ficou tranquilo com o aspecto dela. Depois das primeiras perguntas e exortações de praxe, Nikolai Parfiénovitch, embora titubeando um pouco, mas mesmo assim conservando o aspecto mais polido, perguntou: "Quais eram as suas relações com o tenente da reserva Dmitri Fiódorovitch Karamázov?". A isto Grúchenka pronunciou em voz baixa e firme.

— Era meu conhecido, e como conhecido eu o recebi no último mês.

Diante das perguntas subsequentes e curiosas, declarou de modo direto e com toda franqueza que, embora tivesse até gostado dele "por algumas horas", mesmo assim não o amava, mas o seduzira movida por "um torpe ódio meu", assim como o fizera com o tal "velhote"; percebia que Mítia tinha muito ciúme dela com Fiódor Pávlovitch e com todo mundo, mas que ela apenas se divertia com isso. À casa de Fiódor Pávlovitch nunca tivera nenhuma vontade de ir, apenas zombava dele. "Durante todo esse mês não estive em condições de pensar nos dois; esperava outro homem, que tinha culpa diante de mim... Só que acho — concluiu ela — que os senhores não têm nada que se interessar por isso nem eu tenho nada a lhes responder, pois isto é assunto particular meu."

Foi o que fez imediatamente Nikolai Parfiénovitch: mais uma vez parou de insistir nos pontos "românticos" e passou diretamente à questão séria, ou seja, à mesma questão principal dos três mil. Grúchenka confirmou que no mês anterior realmente haviam sido gastos três mil rublos em Mókroie, e, embora ela mesma não tivesse contado o dinheiro, ouvira do próprio Dmitri Fiódorovitch que eram três mil rublos.

— Ele lhe disse isso a sós com a senhora ou perante mais alguém, ou a senhora apenas o ouviu dizê-lo a outros em sua presença? — quis saber no ato o promotor.

A isso Grúchenka respondeu que ouvira também na presença de outras pessoas, ouvira da conversa dele com outros e ouvira também dele a sós com ela.

— A senhora ouviu dele uma vez, a sós com ele, ou reiteradas vezes? — quis saber novamente o promotor, e soube que Grúchenka ouvira reiteradas vezes.

Hippolit Kiríllitch[67] ficou muito satisfeito com esse depoimento. As perguntas subsequentes esclareceram que Grúchenka também estava a par da

[67] Variação popular do patronímico Kiríllovitch. (N. do T.)

origem do dinheiro, e que Dmitri Fiódorovitch o havia recebido de Catierina Ivánovna.

— A senhora não teria ouvido falar, ao menos uma vez, que no mês passado não foram esbanjados três mil, porém menos, e que Dmitri Fiódorovitch conservou metade dessa quantia inteira para si?

— Não, nunca ouvi isso — depôs Grúchenka.

Esclareceu-se em seguida que, ao contrário, durante todo esse mês Mítia lhe dissera frequentemente que não tinha um copeque no bolso. "Estava sempre esperando receber do pai" — concluiu Grúchenka.

— E ele não teria dito alguma vez na sua presença... ou assim, meio por alto, ou levado pela irritação — interveio de repente Nikolai Parfiénovitch —, que tinha a intenção de atentar contra a vida do pai?

— Oh, falou! — suspirou Grúchenka.

— Uma ou várias vezes?

— Mencionou várias vezes, sempre num assomo de cólera.

— E a senhora acreditava que ele fizesse isso?

— Não, nunca acreditei! — respondeu ela com firmeza — confiava na nobreza dele.

— Senhores, permitam-me — bradou subitamente Mítia —, permitam-me dizer, em sua presença, apenas uma palavra a Agrafiena Alieksándrovna.

— Diga — permitiu Nikolai Parfiénovitch.

— Agrafiena Alieksándrovna — Mítia soergueu-se da cadeira —, acredite em Deus e em mim: não tenho culpa pelo sangue do meu falecido pai!

Após estas palavras, Mítia tornou a sentar-se. Grúchenka soergueu-se e benzeu-se com devoção diante de um ícone.

— Graças a ti, meu Deus! — proferiu com fervor, com emoção na voz, e ainda antes de tornar a sentar-se acrescentou, dirigindo-se a Nikolai Parfiénovitch: — Acredite no que ele acabou de dizer! Eu o conheço: não importa o que tagarele, seja para fazer rir, seja por teimosia, mas se for contra sua consciência ele nunca mentirá. Dirá francamente a verdade, e nisso podem acreditar!

— Obrigado, Agrafiena Alieksándrovna, trouxeste um socorro para minha alma! — Mítia falou com voz trêmula.

Às perguntas sobre o dinheiro da véspera ela declarou que não sabia quanto havia sido, mas o ouvira dizer muitas vezes a outras pessoas que trouxera três mil. E quanto a saber de onde ele havia tirado o dinheiro, respondeu que ele dissera só a ela que o havia "roubado" de Catierina Ivánovna, ao que ela lhe respondera que ele não o roubara e que já no dia seguinte teria de devolvê-lo. À insistente pergunta do promotor: que dinheiro ele disse que tinha roubado de Catierina Ivánovna — o de ontem ou aqueles outros três mil que haviam sido gastos ali no mês passado? — ela declarou que ele falara daquela quantia do mês passado e que assim ela havia entendido.

Por fim Grúchenka foi dispensada, tendo ouvido de Nikolai Parfiénovitch, em tom enfático, que ela poderia voltar naquele mesmo instante para a cidade, e que se ele pudesse contribuir de alguma maneira, por exemplo, no tocante à carruagem, ou se ela desejasse um acompanhante, ele... de sua parte...

— Agradeço imensamente — Grúchenka lhe fez uma reverência —, vou com o velho, o fazendeiro, vou levá-lo, mas por enquanto fico lá embaixo esperando a decisão dos senhores a respeito de Dmitri Fiódorovitch.

Ela saiu. Mítia estava tranquilo e até parecia cheio de ânimo, mas foi apenas por um instante. Com o passar do tempo uma estranha impotência física se apoderava cada vez mais dele. Seus olhos se fechavam de cansaço. O interrogatório das testemunhas finalmente terminara. Teve início a redação definitiva da ata. Mítia levantou-se e se deslocou com sua cadeira para um canto perto da cortina, deitou-se em cima de um grande baú do senhorio, coberto por um tapete, e num piscar de olhos adormeceu. Teve um sonho estranho, algo totalmente dissociado do lugar e do momento. Parece caminhar pela estepe de um lugar qualquer, lá pelas bandas de onde servira havia já muito tempo, e um mujique o conduz debaixo do mau tempo em uma telega puxada por uma parelha de cavalos. Só que Mítia parece estar com frio, é início de novembro, e a neve cai em grandes flocos úmidos e, ao cair no chão, derrete imediatamente. E o mujique o conduz com destreza, agita magnificamente o chicote, tem uma barba arruivada, longa, e não é que seja um velho, tem coisa de uns cinquenta anos, usa um *zipun*[68] cinza, de mujique. Eis que um povoado aparece ali perto, avistam-se isbás escuras, escuras, metade das isbás foi devorada por um incêndio, só o madeiramento chamuscado sobressai. Na saída há uma aglomeração de mulheres à beira da estrada, muitas mulheres, toda uma fileira, todas magras, macilentas, uns rostos de cor tirante ao castanho escuro. Eis aquela ali naquele canto, muito ossuda, alta, parece que tem uns quarenta anos, mas pode ser que tenha apenas vinte, rosto comprido, magro, com uma criancinha chorando em seus braços, seus seios devem estar muito ressecados, não têm uma gota sequer de leite. E o bebê chora, chora, e estende os bracinhos, nus, com os punhozinhos totalmente azulados de frio.

[68] Antiga veste camponesa em forma de *caftan*, de fazenda rústica e fabricação caseira. (N. do T.)

— Por que estão chorando? Por que razão estão chorando? — pergunta Mítia, passando velozmente a seu lado com galhardia.

— É um bêbe[69] — responde-lhe o cocheiro —, é um bêbe que está chorando. — E impressiona Mítia o fato de que ele falou a seu modo, ao modo dos mujiques: bêbe e não bebê. E lhe agrada que o mujique tenha falado "bêbe": parece aumentar a compaixão.

— Mas por que está chorando? — insiste Mítia feito bobo. — Por que os bracinhos estão nus, por que não o vestem?

— O bêbe está gelado, a roupinha está gelada, por isso não aquece.

— Mas por que é assim? Por quê? — continua insistindo o bobo do Mítia.

— É porque são pobres, vítimas de incêndio, estão sem pão, pedem no lugar onde houve o incêndio.

— Não, não — é como se Mítia continuasse a não entender —, dize-me: por que estão aí em pé essas mães vítimas de incêndio, por que as pessoas são pobres, por que o bebê é pobre, por que a estepe é nua, por que eles não se abraçam, não se beijam, por que não cantam canções alegres, por que a desgraça negra as deixou tão escuras, por que não alimentam o bebê?

E ele sente em seu íntimo que, embora fique perguntando feito louco e à toa, quer sem falta perguntar justamente assim e é justamente assim que precisa perguntar. E sente ainda que em seu coração se agita um enternecimento que jamais o habitara, que tem vontade de chorar, que quer fazer algo em prol de todas as pessoas para que a criança pare de chorar, para que a mãe do bebê, de rosto ressequido e escuro, também pare de chorar e a partir desse instante ninguém mais derrame lágrimas, e que isso seja feito agora, neste exato momento, sem demora e apesar dos pesares, com toda a impetuosidade dos Karamázov.

— Mas eu estou contigo, doravante não te deixarei, te acompanharei pelo resto da vida — ouvem-se a seu lado as palavras de Grúchenka, amáveis, repletas de sentimento. E seu coração se enche de fervor e precipita-se para alguma luz, e ele quer viver e mais viver, ir adiante, prosseguir no sentido de algum caminho, de uma nova luz que o chama, e depressa, depressa, agora mesmo, neste instante!

— O quê? Para onde? — exclama ele abrindo os olhos e sentando-se em seu baú, como que despertando totalmente de um desmaio, mas com um

[69] O mujique pronuncia *ditiô* em vez de *ditiá*, palavra usual que designa bebê, em russo. (N. do T.)

sorriso iluminado nos lábios. Nikolai Parfiénovitch está em pé a seu lado e o convida a ouvir e assinar a ata. Mítia se dá conta de que dormira uma hora ou mais, só que não ouviu Nikolai Parfiénovitch falar. Ficou subitamente surpreso por ter aparecido um travesseiro debaixo de sua cabeça, que, entretanto, não estava ali quando ele arriou sem forças no baú.

— Quem foi que me pôs o travesseiro debaixo da cabeça? Quem foi essa boa alma? — exclamou com um sentimento de êxtase e gratidão e uma voz chorosa, como se só Deus soubesse o favor que lhe haviam feito. Essa boa alma permaneceu incógnita mesmo depois, alguma das testemunhas e talvez até o escrevente de Nikolai Parfiénovitch tivessem mandado colocar o travesseiro debaixo de sua cabeça por compaixão, mas toda a sua alma pareceu tremer entre lágrimas. Ele se chegou à mesa e declarou que assinaria tudo o que quisessem.

— Tive um sonho bom, senhores — pronunciou de um modo meio estranho, de cara nova, como que iluminada pela alegria.

IX. Mítia é levado preso

Quando a atas foram assinadas, Nikolai Parfiénovitch dirigiu-se solenemente ao acusado e leu para ele a "Peça Acusatória", que rezava que em tal ano, em tal dia, em tal lugar, o juiz de instrução do tribunal de tal distrito interrogou fulano de tal (isto é, Mítia) na qualidade de acusado disso e daquilo (todas as culpas foram minuciosamente anotadas) e, levando em conta que o acusado não se reconhece culpado pelos crimes que lhe são imputados nem apresenta nada que o absolva, não obstante as testemunhas (tais e tais) e as circunstâncias (tais e tais) provarem plenamente a sua culpa, com base em tais e tais artigos do Código Penal etc., delibera: privar fulano de tal (Mítia) dos meios para escapar ao inquérito e ao julgamento, recolhê-lo a tal e tal prisão, informando isto ao acusado, e fornecer uma cópia desta peça acusatória ao promotor substituto, etc., etc. Em suma, comunicou-se a Mítia que, a partir desse instante, ele era um prisioneiro e que seria levado imediatamente à cidade, onde ficaria preso em um lugar muito desagradável. Mítia, depois de ouvir atentamente, apenas deu de ombros.

— Que se há de fazer, senhores, não os culpo, estou pronto... Compreendo que nada mais lhes resta.

Nikolai Parfiénovitch lhe explicou, em tom brando, que o comissário de polícia rural Mavrikii Mavríkievitch, ali presente, o levaria no mesmo instante...

— Um momento — Mítia o interrompeu de chofre e pronunciou com uma emoção incontida, dirigindo-se a todos os presentes. — Senhores, todos nós somos cruéis, todos somos uns monstros, todos levamos as pessoas ao choro, mães e crianças de colo, mas de todos — que assim fique resolvido neste momento —, de todos eu sou o réptil mais torpe! Que seja! Todo santo dia de minha vida batia em meu peito prometendo a mim mesmo corrigir-me, e todo santo dia cometia as mesmas vilanias. Agora compreendo que gente como eu precisa de um golpe, de um golpe do destino, para ser presa como por um laço e sujeitada por uma força externa. Eu nunca, nunca me levantaria por mim mesmo! Mas a tempestade desabou. Aceito o suplício da acusação e minha desonra pública, quero sofrer e com o sofrimento purificar-me! Porque talvez me purifique, não, senhores? Mas, não obstante, ouçam pela última vez: não sou culpado pelo sangue derramado de meu pai! Aceito o suplício não por o haver matado, mas por ter querido matá-lo, e é possível que realmente viesse a matá-lo... Mas, apesar de tudo, tenciono lutar com os senhores e isso eu vos anuncio. Hei de lutar com os senhores até o último limite, e aí Deus decide! Adeus, senhores, não se zanguem por eu ter gritado com os senhores durante o interrogatório, oh, eu ainda era muito tolo... Dentro de um minuto serei um prisioneiro e agora, pela última vez, Dmitri Fiódorovitch, como homem ainda livre, estende aos senhores a sua mão. Ao me despedir dos senhores, despeço-me dos homens!...

Sua voz tremeu, e ele realmente ia estendendo a mão, mas Nikolai Parfiénovitch, que entre todos era o mais próximo dele, como que de repente, num gesto quase convulso, escondeu a mão atrás das costas. Num piscar de olhos Mítia o percebeu e estremeceu. Baixou incontinenti a mão que havia estirado.

— O inquérito ainda não terminou — balbuciou Nikolai Parfiénovitch meio desconcertado —, na cidade ainda vamos continuar e eu, é claro, de minha parte estou disposto a lhe desejar toda a sorte... para sua absolvição... Sempre estive propenso a considerar propriamente o senhor um homem, por assim dizer, mais infeliz que culpado... Todos nós aqui, se ouso me exprimir em nome de todos, todos nós estamos prontos a reconhecê-lo como um jovem de princípios nobres, mas, ai!, arrastado por certas paixões em um grau um tanto exagerado.

A pequena figura de Nikolai Parfiénovitch expressou, no final de sua fala, a mais completa majestade. Passou de relance pela cabeça de Mítia que esse "menino" iria segurá-lo agora mesmo pela mão, levá-lo para o outro canto da sala e lá retomar com ele a conversa sobre "mocinhas" que os dois haviam travado pouco tempo antes. Contudo, sabe-se lá que ideias inconvenientes vez por outra passam de relance até pela cabeça de um criminoso a caminho da execução!

— Senhores, os senhores são bons, são humanos, posso vê-*la*, me despedir dela pela última vez? — perguntou Mítia.

— Sem dúvida, mas à vista... em suma, doravante isso já não pode ser sem a presença...

— Por favor, presenciem!

Trouxeram Grúchenka, mas a despedida foi breve, reticente e não deixou Nikolai Parfiénovitch satisfeito. Grúchenka fez uma reverência profunda a Mítia.

— Eu te disse que sou tua, que serei tua, e vou te acompanhar para sempre, aonde quer que resolvam mandar-te. Adeus, criatura que se destruiu sem ter culpa!

Seus lábios estremeceram, as lágrimas lhe rolaram dos olhos.

— Perdoa-me, Grucha, por meu amor, pela desgraça que te causei com meu amor!

Mítia ainda quis dizer alguma coisa, mas cortou subitamente a própria fala e saiu. No mesmo instante foi rodeado por uns homens que não desviavam os olhos dele. Embaixo, junto ao alpendre ao qual chegara na véspera com tamanho estardalhaço na troica de Andriêi, já havia duas telegas prontas. Mavrikii Mavríkievitch, homem atarracado, corpulento e de cara obesa, estava irritado com alguma coisa, com alguma desordem que acabara de surgir, estava zangado e gritava. Com excessiva severidade convidou Mítia a subir à telega. "Antes, quando eu lhe dava de beber na taverna, sua cara era completamente outra" — pensou Mítia ao subir. Trifón Boríssovitch também desceu do alpendre. Junto ao portão havia gente aglomerada, mujiques, mulheres, cocheiros, todos de olhos fixos em Mítia.

— Adeus, gente de Deus! — gritou-lhes subitamente Mítia da telega.

— E nos perdoe a nós também — ouviram-se umas duas ou três vozes.

— Adeus também a ti, Trifón Boríssitch!

Mas Trifón Boríssovitch sequer olhou para trás, talvez já estivesse muito ocupado. Também gritava algo e agitava-se. Verificou-se que na segunda telega, na qual dois soldados da polícia rural deviam acompanhar Mavrikii Mavríkievitch, ainda não estava tudo em ordem. O mujiquezinho que recebera ordem de viajar na segunda troica vestia o *zipun* e discutia acaloradamente que quem devia ir não era ele, mas Akin. Akin, porém, não estava; correram para chamá-lo; o mujiquezinho insistia e implorava que o esperassem.

— Que gente essa nossa, Mavrikii Mavríkievitch, totalmente sem vergonha! — exclamava Trifón Boríssovitch. — Anteontem — disse Trifón ao mujiquezinho — Akin te deu vinte e cinco copeques, tu torraste tudo na bebida, e agora estás aí gritando. Me admira a sua bondade com nossa gente torpe, Mavrikii Mavríkievitch, é só o que lhe digo!

— Mas para que precisamos de uma segunda troica? — quis interferir Mítia —, vamos em uma, Mavrikii Mavríkitch, por certo não vou me rebelar, não vou fugir de ti, para que escolta?

— Senhor, procure falar direito comigo se ainda não aprendeu, para o senhor não sou *tu*, não se meta a me tutear, e guarde para si esses conselhos... — interrompeu de forma súbita e furiosa Mavrikii Mavríkievitch, como quem se satisfaz em descarregar a raiva.

Mítia calou-se. Corou por inteiro. Um instante depois sentiu um frio repentino e forte. Parara de chover, mas o céu turvo continuava coberto de nuvens, um vento cortante soprava direto no rosto. "Será que estou com calafrio?" — pensou Mítia encolhendo os ombros. Por fim Mavrikii Mavríkievitch também subiu, sentou-se de um jeito pesadão e espalhado na telega e, como se não notasse, apertou muito Mítia. Na verdade, estava de mau humor e detestando a missão que lhe haviam atribuído.

— Adeus, Trifón Boríssitch — tornou a gritar Mítia, e ele mesmo percebeu que agora não gritara por bonomia, mas de raiva, gritara a contragosto. Mas Trifón Boríssitch estava em pé com ar orgulhoso, de braços cruzados e com o olhar fixo em Mítia, olhando com severidade e raiva, e nada lhe respondeu.

— Adeus, Dmitri Fiódorovitch, adeus! — ouviu-se de repente a voz de Kalgánov, que de repente irrompera de algum lugar. Correu para a telega e apertou a mão de Mítia. Estava sem o boné. Mítia ainda teve tempo de lhe agarrar e apertar a mão.

— Adeus, amável criatura, não esquecerei sua generosidade! — bradou com fervor. Mas a telega se pôs em movimento e suas mãos se separaram. O guizo tilintou — levaram Mítia.

E Kalgánov correu para o vestíbulo, sentou-se em um canto, baixou a cabeça, cobriu o rosto com as mãos e pôs-se a chorar, e assim ficou muito tempo sentado e chorando — chorando como se fosse um menininho e não um jovem já de vinte anos. Oh, ele acreditou na inocência de Mítia quase inteiramente! "Que gente é essa, que gente é essa depois de tudo isso!" — exclamava de forma desconexa num amargo desalento, quase em desespero. Nesse instante não queria nem viver neste mundo. "Será que vale a pena, será que vale a pena?" — exclamava o amargurado jovem.

QUARTA PARTE

Livro X
OS MENINOS

I. Kólia Krassótkin

Início de novembro. Entre nós começou o frio de uns onze graus abaixo de zero e, com ele, tudo se cobriu de gelo. À noite caiu um pouco de neve seca na terra gelada, e um vento "seco e cortante" levanta e arremessa a neve pelas fastidiosas ruas de nossa cidadezinha e sobretudo na praça do mercado. A manhã está turva, mas a nevezinha parou de cair. Não longe da praça, perto da venda dos Plótnikov, fica a residência da viúva do funcionário Krassótkin, uma casa pequena e muito limpinha por fora e por dentro. O próprio secretário de província Krassótkin já morreu há muito tempo, quase catorze anos, mas sua viúva, uma senhorinha de uns trinta anos e até hoje ainda muito bonitinha, está viva e vive "de seu capital" em sua casinhola limpinha. Leva uma vida honesta e retraída, é de índole meiga, mas bastante alegre. Tinha uns dezoito anos quando ficou sem o marido, depois de viver com ele apenas cerca de um ano e acabar de lhe dar um filho. Desde então, após sua morte, dedicou-se inteiramente à educação de Kólia, seu tesouro de menino, e embora o tivesse amado loucamente durante todos esses catorze anos, já havia, é claro, experimentado com ele incomparavelmente mais sofrimentos que alegrias, quase todo santo dia tremendo e morrendo de medo de que ele adoecesse, gripasse, subisse numa cadeira e caísse, etc., etc. Quando Kólia começou a frequentar a escola e depois o nosso colégio, a mãe se pôs a estudar com ele todas as ciências a fim de ajudá-lo e acompanhá-lo no preparo das lições, precipitou-se a travar conhecimento com os professores e suas esposas, acarinhava até os alunos, colegas de Kólia, e os adulava para que não tocassem nele, não caçoassem dele, não batessem nele. Levou a coisa a tal ponto que os meninos passaram efetivamente a usá-la para caçoar de Kólia e começaram a provocá-lo por ele ser de fato um filhinho de mamãe. Mas o menino sabia se defender. Era um menininho corajoso, "terrivelmente forte", segundo o boato que se espalhou e se consolidou na turma, era habilidoso, firme de caráter, de espírito atrevido e empreendedor. Ia bem nos estudos, e corria até o boato de que superava o próprio professor Dardaniélov em aritmética e história universal. Mas o menino, ainda que olhasse todos por cima dos ombros, de nariz arrebitado, era um bom colega e desprovido de presunção. Encarava o respeito que lhe tinham os colegas como algo devido, mas era de postura amigável. O principal é que tinha senso de medida, quando era o caso sabia conter-se, e em suas relações com a direção da escola nunca ultrapassava aquele limite último e vedado além do qual já não se tolera uma falta, que se converte em desordem, rebeldia e arbitrariedade. E todavia não era nada, nada contra fazer umas traquinagens sempre que se apresentava a oportunidade, e fazer traquinagem como o pior dos meninos, não tanto fazer traquinagens quanto arranjar alguma complicação, fazer extravagâncias, aprontar, usar de "*extraferera*",[1] ostentar algo, fazer bonito. Cabe destacar que era cheio de amor-próprio. Conseguia colocar até a mãe numa relação de subordinação para com ele, agindo sobre ela de maneira quase despótica. E ela se sujeitara, oh, sujeitara-se já fazia tempo, e a única coisa que por nada nesse mundo conseguia suportar era a ideia de que o menino "a amasse pouco". Sempre lhe parecia que Kólia era "insensível" com ela, e havia casos em que, banhada em lágrimas histéricas, ela começava a acusá-lo de frieza. O menino não gostava disso, e quanto mais se exigiam efusões amorosas da parte dele, mais se tornava inflexível, como que de propósito. Mas isto lhe acontecia involuntariamente e não por pirraça — assim era a sua índole. A mãe se enganava: ele a amava muito, e só não gostava de "exageros de ternura", como se exprimia em sua linguagem de colegial. O pai deixara um armário em que eram guardados alguns livros; Kólia gostava de ler, e já havia lido sozinho alguns deles. A mãe não se perturbava com isso, e de quando em quando só se admirava de que esse menino, em vez de ir brincar, passasse horas inteiras lendo algum livro ao pé do armário. E assim Kólia leu alguma coisa proibida para sua idade. Aliás, embora o menino não gostasse de ultrapassar certo limite em suas travessuras, nos últimos tempos começara a aprontar algumas que assustaram a mãe a valer — é verdade que não eram imorais, mas em compensação eram temerárias e desesperadoras. Justo naquele verão, no mês de julho, durante as férias, aconteceu que a mãezinha e o filhinho foram a outro distrito, a setenta verstas, passar uma semana em visita a uma parenta distante, cujo marido trabalhava na estação ferroviária (naquela mesma estação mais próxima de nossa cidadezinha, de onde Ivan Fiódorovitch Karamázov partira um mês antes para Moscou). Ali, Kólia começou por examinar minuciosamente a ferrovia,

[1] Do alemão *extra* (especial), e *Pfeffer* (pimenta): expressão com o sentido de "passar um sabão em alguém". (N. da E.)

estudar os horários, compreendendo que com seus novos conhecimentos poderia brilhar entre seus colegas de colégio ao voltar para casa. Mas na ocasião apareceram ali mais alguns meninos, com os quais ele fez amizade; uns deles moravam na estação, outros pela vizinhança — eram todos jovens de uns doze a quinze anos, ao todo uns seis ou sete, e dois deles de nossa cidadezinha. Os meninos brincavam e faziam suas travessuras e, no quarto ou quinto dia da estada na estação, esses jovenzinhos tolos fizeram uma impensável aposta de dois rublos, a saber: Kólia, que era quase o mais jovem de todos, e por isso meio desprezado pelos mais velhos, motivado pelo amor-próprio ou por sua ousadia petulante, propôs deitar-se de bruços entre os trilhos, à noite, durante a passagem do trem das onze, e ali permanecer imóvel enquanto o trem passava sobre ele a todo vapor. É verdade que fizeram um estudo prévio, pelo qual concluíram que realmente era possível estirar-se achatado entre os trilhos que o trem, é claro, passaria sem tocar na pessoa estirada, mas o problema era de que jeito deitar-se. Kólia defendia com firmeza sua proposta. Primeiro zombaram dele, chamaram-lhe de mentiroso, fanfarrão, mas com isso só o incitaram ainda mais. O pior é que esses meninos de quinze anos empinavam demais o nariz diante dele e a princípio não queriam nem considerá-lo colega por ele ser "pequeno", o que já era insuportavelmente ofensivo. Então resolveram ir ao anoitecer para um ponto situado a uma versta de distância da estação, para que o trem, que partia da estação, já passasse por ali a todo vapor. Os meninos se juntaram. Caiu uma noite sem lua, não apenas escura, mas quase negra. Na hora certa Kólia deitou-se entre os trilhos. Os outros cinco participantes da aposta aguardavam com ansiedade e, por fim, com pavor e arrependimento entre arbustos na parte baixa do aterro ao longo da estrada. Finalmente o trem estrondeou ao longe, partindo da estação. Do meio das trevas brilharam os dois faróis vermelhos e o monstro estrondeou, aproximando-se. "Corre, corre para fora dos trilhos!" — gritaram dos arbustos para Kólia os meninos, mortos de medo, mas já era tarde: o trem aproximou-se e passou em disparada. Os meninos se precipitaram para Kólia: ele estava imóvel, estirado. Eles começaram a tocá-lo, a tentar levantá-lo. Ele se levantou subitamente e desceu o aterro calado. Ao chegar embaixo, anunciou que ficara estirado de propósito, como se estivesse desmaiado, para assustá-los, mas a verdade é que realmente desmaiara, como muito tempo depois confessou pessoalmente à mãe. Assim, sua fama de audacioso consolidou-se para sempre. Ele voltou para casa, próxima à estação, pálido como um lenço. No dia seguinte adoeceu de uma febre levemente nervosa, mas seu ânimo era sumamente divertido, alegre e satisfeito. O fato não se tornou logo conhecido, mas se infiltrou no colégio de nossa cidade e chegou à administração. Nesse ponto, porém, a mamãezinha de Kólia correu à administração e implorou por seu menino, a história terminou com o respeitado e influente professor Dardaniélov intercedendo por ele, e a questão foi deixada de lado como se nunca houvesse acontecido. Esse Dardaniélov, homem solteiro e ainda não entrado em anos, havia muito tempo amava de paixão a senhora Krassótkina, e uma vez, coisa de um ano antes, se arriscara, com o maior respeito e gelado de medo e delicadeza, a lhe propor casamento; mas ela recusara categoricamente, considerando que a aceitação seria uma traição ao seu menino, se bem que, segundo alguns indícios secretos, Dardaniélov talvez tivesse até algum direito de sonhar que não era inteiramente repugnante para a encantadora, mas já excessivamente casta e meiga viúva. A louca travessura de Kólia pareceu quebrar o gelo e, por ter Dardaniélov intercedido por ele, foi-lhe insinuada uma esperança, verdade que distante, mas ele mesmo era um fenômeno de pureza e delicadeza e por isso essa insinuação lhe bastava por ora para a plenitude de sua felicidade. Gostava do menino, embora achasse humilhante adulá-lo, e durante as aulas dava-lhe um tratamento severo e exigente. Mas o próprio Kólia o mantinha numa distância respeitosa, preparava suas lições com excelência, era o segundo da turma e tratava Dardaniélov com secura, e toda a turma acreditava firmemente que Kólia era tão forte em história universal que "bateria" o próprio Dardaniélov. E de fato, certa vez Kólia lhe perguntou: "Quem fundou Troia?", ao que Dardaniélov respondeu apenas de maneira genérica, falando dos povos, de seus deslocamentos e migrações, falou da profundeza dos tempos, da mitologia; mas quem, que povo precisamente fundara Troia, não conseguiu responder, e não se sabe por que chegou até a considerar a pergunta ociosa e inconsistente. Mas os meninos acabaram convictos de que Dardaniélov não sabia quem fundara Troia. Já Kólia havia decorado o episódio da fundação de Troia de um livro de Smaragdov, que estava no armário com outros livros deixados por seu pai. Ao término de tudo isso, todos os meninos acabaram interessados numa coisa: quem realmente fundara Troia, mas Krassótkin não revelou seu segredo e conservou inabalável para si a fama de conhecedor.

Depois do episódio da estrada de ferro houve alguma mudança nas relações de Kólia com a mãe. Quando Anna Fiódorovna (viúva de Krassótkin) soube da façanha do filhinho, por pouco não enlouqueceu de horror. Teve acessos tão terríveis de histeria, que continuaram por vários dias com algumas interrupções, que Kólia, já seriamente assustado, deu-lhe sua palavra nobre e de honra de que nunca mais repetiria semelhantes travessuras. Jurou ajoelhado diante de um ícone e pela memória do pai, como o exigiu a própria senhora Krassótkina, e além do mais o "valente" Kólia se desfez em choro como um menininho de seis anos, levado pelos "sentimentos", e durante todo esse dia mãe e filho se precipitaram nos braços um do outro sacudidos por soluços. No dia seguinte Kólia acordou "insensível" como sempre, porém se tornou mais calado, mais modesto, mais severo, mais pensativo. É verdade que um mês e meio depois iria cometer outra travessura, e seu nome se tornaria conhecido até de nosso juiz de paz, mas a travessura já era de uma espécie bem diferente, até engraçada e tola, se bem que ele próprio não a cometeu, apenas foi cúmplice dela, como se verificou. Mas deixemos isso para depois. A mãe continuou tremendo e martirizando-se e, à medida que seus temores aumentavam, Dardaniélov nutria cada vez mais esperança. Cabe observar que, neste aspecto, Kólia compreendia e decifrava Dardaniélov e, é claro, desprezava-o profundamente por seus "sentimentos"; antes tivera até a indelicadeza de exprimir esse seu desprezo perante a mãe, insinuando levemente que compreendia o que Dardaniélov queria. Mas depois do incidente na estrada de ferro ele mudou de comportamento também a esse respeito: já não se permitia mais insinuações, nem mesmo as mais leves, e passou a referir-se a Dardaniélov com mais respeito na presença da mãe, o que a sensível Anna Fiódorovna compreendeu de pronto com o coração infinitamente agradecido, mas, por outro lado, logo ficava toda vermelha de vergonha, da cor de uma rosa, se mesmo uma visita estranha pronunciasse a palavra mais insignificante, mais inadvertida sobre Dardaniélov na presença de Kólia. Nesses instantes, o próprio Kólia olhava carrancudo pela janela, examinava suas botas para ver se não estariam pedindo conserto ou chamava furiosamente Pierezvon,[2] seu cão felpudo bastante grande e doente de tinha, que cerca de um mês antes ele adquirira de uma hora para outra não se sabe onde, trouxera para casa e por algum motivo escondia nos quartos da casa, sem mostrá-lo a nenhum de seus colegas. Tiranizava-o terrivelmente, ensinando-lhe toda sorte de coisas e saberes, e levou o coitado do cão a tal ponto que ele uivava em sua ausência, quando ele saía para as aulas, e gania de êxtase quando chegava, pulava de um jeito amalucado, era subserviente, rolava pelo chão e se fazia de morto, etc., em suma, mostrava todas as brincadeiras que lhe haviam ensinado, e não mais por exigência e sim movido unicamente pelo ardor de seus extasiados sentimentos e de seu coração agradecido.

A propósito: esqueci-me de mencionar que Kólia Krassótkin era o mesmo garoto que o menino Iliúcha, já conhecido do leitor e filho do capitão

[2] *Pierezvon*: repique de sinos ou similares, em russo. (N. do T.)

reformado Snieguirióv, ferira no quadril com uma canivetada ao defender o pai, a quem, para provocá-lo, os meninos chamavam de "esfregão".

II. A MENINADA

Pois bem, naquela manhã de novembro, de frio cortante, o menino Kólia Krassótkin estava em casa. Era domingo e ele não tinha aula. Mas já haviam soado onze horas, ele precisava sair impreterivelmente "para tratar de uma questão muito importante" e no entanto era o único a permanecer em todo o prédio, e decididamente como seu guardador, porque acontecera que todos os seus moradores adultos estavam fora por uma circunstância extraordinária e singular. Na casa da viúva Krassótkina, do lado oposto do vestíbulo do apartamento que ela mesma ocupava, alugava-se ainda o único apartamento de dois pequenos cômodos que havia no prédio, no qual morava a mulher de um médico com dois filhos pequenos. Essa médica[3] era da mesma idade de Anna Fiódorovna e sua grande amiga; o próprio médico viajara fazia já um ano, primeiro a Orenburg, depois a Tachkend, e meio ano já se passara sem que ele desse sinal de vida, de sorte que, não fosse a amizade com a senhora Krassótkina, que aliviava um pouco a aflição da médica abandonada, ela se esvairia terminantemente em lágrimas levada por essa tristeza. Pois, para o cúmulo de todos os tormentos do destino, achou de acontecer que na mesma noite do sábado para o domingo Catierina, a única criada da médica, anunciou, de forma súbita e totalmente inesperada para sua senhora, que pretendia dar à luz uma criança até o amanhecer. Como acontecera de ninguém antes ter notado isto era quase um milagre para todos. A estupefata doutora decidiu, enquanto havia tempo, levar Catierina à parteira de um estabelecimento de nossa cidade, apropriado para casos semelhantes. Já que ela nutria grande apreço por essa criada, pôs imediatamente em prática seu projeto, levou-a e ainda por cima ficou para lhe fazer companhia. Depois, já pela manhã, por alguma razão fizeram-se necessárias a participação amigável e a ajuda da própria senhora Krassótkina, que, neste caso, podia recorrer a alguém e dar alguma proteção. Assim, ambas as senhoras estavam fora; Agáfia, a criada da própria senhora Krassótkina, saíra para o mercado, e desse modo Kólia se viu provisoriamente protetor e guarda dos "pimpolhos", ou seja, do menininho e da menininha da doutora, que

[3] Hábito russo de estender às esposas a profissão do marido, daí a denominação de médica. (N. do T.)

ficaram sozinhos. Kólia não temia vigiar o prédio, pois contava com a companhia de Pierezvon, que recebera ordem de ficar de bruços, "imóvel", debaixo de um banco na antessala e, justo por isso, sempre que Kólia entrava pela antessala e andava pelos cômodos, Pierezvon sacudia a cabeça e dava duas batidas firmes e servis com o rabo no chão, mas, ai!, não se ouvia o assobio de chamado. Kólia olhava ameaçadoramente para o infeliz do cão, e este tornava a imobilizar-se numa obediência entorpecida. Mas se algo perturbava Kólia eram unicamente os "pimpolhos". Ele, é claro, via o imprevisto incidente com Catierina com o mais profundo desprezo, mas gostava muito dos pimpolhos abandonados e já lhes havia levado um livro infantil. Nástia, a filha mais velha, que já estava com nove anos, sabia ler, e Kóstia,[4] o pimpolho caçula de sete anos, gostava muito de ouvir Nástia ler para ele. É claro que Krassótkin poderia ocupá-los de maneira mais interessante, ou seja, colocar os dois lado a lado e começar a brincar de soldado ou de esconde-esconde com eles por toda a casa. Antes já havia feito isso mais de uma vez e não se esquivava de fazê-lo, de modo que até em sua turma se espalhou certa vez que, em casa, Krassótkin brincava de se fazer cavalinho para seus pequenos inquilinos, e que trotava de cabeça baixa fazendo as vezes do *pristiajnáia*,[5] mas Krassótkin repelia com altivez essa acusação, fazendo ver que com seus coetâneos, colegas de treze anos, era de fato vergonhoso brincar de cavalinho "em nossa época", mas que fazia isto para os "pimpolhos" porque gostava deles e ninguém se atreveria a exigir que ele prestasse contas de seus sentimentos. Por isso ambos os "pimpolhos" o adoravam. Mas desta vez ele não estava para brincadeiras. Tinha pela frente um assunto pessoal muito importante e que parecia quase misterioso, e enquanto isso o tempo ia passando e Agáfia, com quem ele poderia deixar as crianças, nada de querer voltar do mercado. Várias vezes ele já atravessara o vestíbulo, abrira a porta da mulher do médico e examinara com preocupação os "pimpolhos" que, por ordem sua, liam sentados, e sempre que ele abria a porta lhe davam em silêncio um sorriso largo, esperando que ele entrasse a qualquer momento e fizesse algo maravilhoso e engraçado. Mas Kólia estava com a alma desassossegada e não entrava. Por fim bateram onze horas e ele resolveu, de modo firme e definitivo, que, se dentro de dez minutos a "maldita" Agáfia não voltasse, ele sairia sem esperá-la, é claro que depois de receber dos "pimpolhos" a palavra de que em sua ausência não sentiriam medo, não fariam

[4] Diminutivo de Konstantin. (N. do T.)

[5] *Pristiajnáia lóchad*: cavalo que se atrela a um dos lados do varal da carroça, atrás do cavalo principal. (N. do T.)

traquinagens nem chorariam de medo. Com essas ideias na cabeça, vestiu seu casaquinho de algodão de inverno com gola de pele de um tipo de lontra, atirou a mochila nos ombros e, apesar das antigas e reiteradas súplicas da mãe para que, ao sair de casa "num frio como esse", sempre calçasse as galochas, ele se limitou a olhá-las com desprezo ao passar pela antessala e saiu só de botas. Ao vê-lo vestido, Pierezvon começou a bater fortemente com o rabo no chão, contraindo nervosamente o corpo todo e até ensaiando um uivo cheio de lamentos, mas Kólia, ao notar tão apaixonado ímpeto em seu cão, concluiu que isso prejudicava a disciplina e o manteve debaixo do banco, ainda que por um minuto, e só depois de já ter aberto a porta para o vestíbulo chamou-o subitamente com um assobio. O cão levantou-se de um salto feito louco e precipitou-se a pular de êxtase diante dele. Após atravessar o vestíbulo, Kólia abriu a porta dos "pimpolhos". Ambos continuavam sentados à mesa, todavia não estavam mais lendo e sim discutindo acaloradamente alguma coisa. Essas criancinhas discutiam frequentemente sobre diversas coisas instigantes do cotidiano, sempre prevalecendo as opiniões de Nástia, como mais velha; Kóstia, se não concordava com ela, quase sempre apelava para Kólia Krassótkin, e o que este decidia ficava como sentença absoluta para ambas as partes. Desta feita a discussão dos "pimpolhos" interessou um pouco a Krassótkin, e este parou à porta para ouvir. As criancinhas notaram que ele escutava e continuaram sua disputa com um entusiasmo ainda maior.

— Nunca, nunca vou acreditar — balbuciava calorosamente Nástia — que as parteiras acham as criancinhas numa horta no meio dos canteiros de repolho. Já estamos no inverno, e no inverno não tem canteiro nenhum, e a parteira não poderia trazer uma filhinha para Catierina.

— Fiu, fiu! — assobiou Kólia de si para si.

— Ou então é assim: elas trazem as crianças de algum lugar, mas só para mulheres que se casam.

Kóstia olhava atentamente para Nástia, ouvia e refletia compenetradamente.

— Nástia, como tu és burra — disse finalmente com firmeza e acalorado —, como é que Catierina pode ter um filho se ela não é casada?

Nástia ficou terrivelmente irritada.

— Tu não entendes nada — cortou em tom irritado —, pode ser que ela tenha tido marido, mas ele está na cadeia e ela pegou e deu à luz.

— Ora, por acaso ela tem um marido preso? — quis saber o aquiescente Kóstia com ar sério.

— Vê uma coisa — interrompeu-o Nástia com ímpeto, abandonando e esquecendo por completo sua primeira hipótese —, ela não tem marido, nisso tu tens razão, mas ela quer casar, e então começou a pensar que ia casar, e pensava sem parar, pensava sem parar, e pensou até que ganhou não um marido, mas um filhinho.

— Ora, sendo assim — concordou Kóstia completamente vencido —, só que tu não me disseste isso antes, então como eu ia entender?

— Bem, criançada — pronunciou Kólia entrando no cômodo —, estou vendo que vocês são uma gente perigosa!

— E Pierezvon, está com você? — perguntou Kóstia, e começou a estalar os dedos chamando Pierezvon.

— Pimpolhos, estou em apuros — começou Krassótkin com ar sério — e vocês precisam me ajudar: Agáfia certamente quebrou uma perna, porque até agora não apareceu, isso é coisa decidida e assinada, mas eu preciso sair. Vocês me deixam sair ou não?

As crianças se entreolharam preocupadas, seus rostos tomados por um largo sorriso passaram a exprimir intranquilidade. Aliás, ainda não compreendiam direito o que se queria delas.

— Não vão fazer travessuras na minha ausência? Subir no armário? Quebrar as pernas? Não vão chorar de medo sozinhas?

Uma imensa tristeza estampou-se no rosto das crianças.

— Para compensar isso eu poderia mostrar uma coisinha a vocês, um canhãozinho de cobre do qual se pode atirar com pólvora de verdade.

O rosto das crianças se iluminou num instante.

— Mostre o canhãozinho — disse Kóstia todo radiante.

Krassótkin meteu a mão em sua mochila, tirou um canhãozinho de bronze e o pôs na mesa.

— Isso mesmo, vou mostrar! Veja, sobre rodas — ele arrastou o brinquedo pela mesa —, dá até para atirar. É só carregar com chumbo miúdo e atirar.

— E mata?

— Mata todo mundo, é só fazer pontaria. — E Krassótkin explicou onde colocar a pólvora, onde meter o chumbo, mostrou o furo da escorva e disse que às vezes ele recuava após o disparo. As crianças ouviam com uma imensa curiosidade. Sua imaginação ficou particularmente impressionada com o fato de haver recuo.

— E você tem pólvora? — quis saber Nástia.

— Tenho.

— Mostre a pólvora também — arrastou ela com um sorriso suplicante.

Krassótkin tornou a remexer na mochila e tirou de lá um frasquinho, no qual realmente havia um pouco de pólvora de verdade, e um papel dobrado com alguns caroços de chumbo. Ele chegou até a abrir o frasquinho e derramou um pouco de pólvora na palma da mão.

— Vejam, só não pode haver fogo, senão isso explode e mata todos nós — preveniu Krassótkin para fazer efeito.

As crianças examinaram a pólvora com um medo reverente, que intensificava ainda mais o prazer. Kóstia, porém, gostou mais do chumbo.

— E o chumbo não pega fogo? — quis saber ele.

— Chumbo não pega fogo.

— Me dê de presente um pouco de chumbo — disse ele com uma vozinha suplicante.

— Eu lhe dou um pouquinho de chumbo, tome-o, só que não mostre à sua mãe sem mim, antes de eu voltar, senão ela vai pensar que isso é pólvora, morrer de medo e ainda açoita vocês dois.

— Mamãe nunca nos açoita com vara — observou imediatamente Nástia.

— Sei, falei apenas para fazer bonito com o estilo. E nunca enganem sua mãe, só desta vez, até eu voltar. E então, pimpolhos, posso ir? Não vão chorar de medo na minha ausência?

— Va-mos — arrastou Kóstia, já se preparando para chorar.

— Vamos, na certa vamos chorar! — secundou Nástia com um matraqueado tímido.

— Oh, crianças, crianças, como é perigosa sua idade![6] Não há o que fazer, pimpolhos, vou ter de ficar com vocês não sei até quando. Mas o tempo, o tempo, oh!

— Ordene que Pierezvon finja de morto! — pediu Kóstia.

— Bem, não há mesmo o que fazer, vou ter mesmo de apelar até para Pierezvon. Aqui, Pierezvon! — e Kólia começou a comandar o cão, e este a mostrar tudo o que sabia. Era um cão felpudo, do tamanho de um vira-lata comum, de pelo cinza violáceo. Tinha o olho direito torto e um corte na orelha esquerda sabe-se lá por quê. Gania e pulava, andava sobre as patas traseiras, caía de costas com as quatro patas para o alto e ficava deitado imóvel como morto. Durante essa última brincadeira a porta se abriu e Agáfia, a criada gorda da senhora Krassótkina, mulher bexigosa, de uns quarenta anos, apareceu no limiar da porta, voltando do mercado e trazendo na mão a sacola de provisões compradas. Em pé, segurando na mão esquerda a sacola pendurada, ficou olhando para o cão. Kólia, por mais que esperasse Agáfia, não interrompeu a exibição e manteve Pierezvon morto por algum

[6] Início da fábula de I. I. Dmítriev, "O galo, o gato e o rato". (N. da E.)

tempo, e por fim assobiou para ele: o cão deu um salto e começou a pular de alegria por ter cumprido seu dever.

— Isso é que é cachorro! — pronunciou Agáfia em tom edificante.

— E tu, sexo feminino, por que atrasaste? — perguntou Krassótkin com ar ameaçador.

— Sexo feminino, vejam só o fedelho!

— Fedelho?

— Fedelho, sim. Não é da tua conta que eu tenha me atrasado, se atrasei é porque foi necessário — resmungava Agáfia, preparando-se para seus afazeres em torno do fogão, todavia com uma voz nada descontente nem zangada, mas, ao contrário, muito satisfeita, como se estivesse contente com a oportunidade de galhofar com um senhorzinho jovial.

— Ouve, velha leviana — começou Krassótkin, levantando-se do sofá —, podes me jurar por tudo o que há de sagrado neste mundo e ainda por algo mais que na minha ausência tomarás conta desses pimpolhos incansavelmente? Vou dar uma saída.

— Por que eu tenho de te jurar? — riu Agáfia —, já ia mesmo tomar conta deles.

— Não, só se me jurares pela salvação de tua alma na eternidade. Senão eu não vou.

— E não vá. Pouco se me dá, lá fora está frio, fica em casa.

— Pimpolhos — Kólia dirigiu-se às crianças —, esta mulher ficará com vocês até eu voltar ou até sua mãe voltar, porque ela também devia ter voltado há muito tempo. Além disso, vai dar o café da manhã a vocês. Vais dar alguma coisa a eles, Agáfia?

— É possível.

— Até logo, pimpolhos. Vou com o coração tranquilo. Quanto a ti, velhinha — pronunciou a meia-voz e com ar importante, passando ao lado de Agáfia —, espero que não fiques mentindo para eles, contando tuas habituais tolices femininas sobre Catierina, que poupes a infância. Aqui, Pierezvon!

— Ora, vai com Deus — rosnou Agáfia já zangada. — És ridículo! És tu que precisas de umas vergastadas pelo que dizes, isso sim.

III. O COLEGIAL

Mas Kólia já não ouvia. Enfim pôde sair. Ao passar pelo portão olhou ao redor, encolheu os ombros e disse: “Está frio!”, caminhou direto pela rua e depois guinou para um beco à direita, rumo à praça do mercado, parou à entrada do último prédio antes da praça, tirou um apito do bolso e apitou com toda a força, como quem dá um sinal combinado. Não teve de esperar mais de um minuto; em sua direção irrompeu de um portãozinho um garoto corado de uns onze anos, que também estava agasalhado com um casaquinho limpo e até elegante. Era o menino Smúrov, aluno do curso preparatório (ao passo que Kólia Karassótkin era dois anos mais adiantado), filho de um abastado funcionário público e a quem, parece, os pais não permitiam andar com Krassótkin por ser este o travesso mais famoso e audacioso, de sorte que agora Smúrov parecia ter escapado às furtadelas. Esse Smúrov, se o leitor esqueceu, era daquele grupo de meninos que dois meses antes haviam atirado pedras em Iliúcha por cima do canal e naquela ocasião falara de Iliúcha a Aliocha Karamázov.

— Já faz uma hora inteira que estou à sua espera, Krassótkin — disse Smúrov com ar decidido, e os meninos saíram andando pela praça.

— Atrasei um pouco — respondeu Krassótkin. — Tive motivos. Não vão te açoitar porque estás comigo?

— Ora, basta, por acaso me açoitam? Pierezvon está com você?

— Pierezvon está!

— Você o está levando para lá?

— Ele também vai para lá.

— Ah, se fosse Jutchka!

— Jutchka não pode ser. Jutchka não existe. Jutchka sumiu nas trevas do desconhecido.

— Puxa, será que não se dava um jeito? — parou de repente Smúrov —, porque Iliúcha diz que Jutchka também era felpudo e também grisalho, cor de fumo como Pierezvon — será que não dá para dizer que esse é o próprio Jutchka? pode ser que ele acredite?

— Colegial, desdenha da mentira, isso em primeiro lugar; em segundo, ainda que seja por uma boa causa. O mais importante, espero eu, é que lá não digas nada sobre a minha chegada.

— Deus me livre, eu compreendo isso. Mas você não vai consolá-lo com Pierezvon — suspirou Smúrov. — Sabe de uma coisa: o pai, aquele capitão, o esfregão, nos disse que hoje vão lhe trazer um filhote de cachorro, um verdadeiro medeliano,[7] de nariz preto; ele pensa que com isso vai consolar Iliúcha, só que é pouco provável, não?

— Como é que ele mesmo, Iliúcha, está?

[7] Cão de grande porte, cabeça grande, focinho comprido, pelos lisos; lembra o buldogue. (N. to T.)

— Ah, mal, mal! Acho que está com tísica. Está consciente, só que respirando daquele jeito, não está respirando bem. Um dia desses pediu que o levassem para passear, calçaram as botas nele, ele ia sair, mas ficou prostrado. "Ah, diz ele, eu te disse, papai, que minhas botas são ruins, antigas, antes já era desconfortável usá-las." Ele pensa que não se segura nas pernas por causa das botas, mas é simplesmente de fraqueza. Não dura uma semana. Herzenstube faz visitas. Agora eles estão ricos de novo, têm muito dinheiro.

— Uns tratantes.

— Quem é tratante?

— Os médicos, e toda a canalha médica, estou falando em geral e, é claro, também em particular. Eu nego a medicina. É uma instituição inútil. Aliás, venho investigando tudo isso. Mas que raio de sentimentalismo é esse em que vocês todos caíram? A turma inteira de vocês vai lá?

— Não são todos, são uns dez da nossa turma que vão sempre lá, todo dia. Isso não tem importância.

— Em tudo isso me surpreende o papel de Alieksiêi Karamázov: amanhã ou depois de amanhã o irmão dele vai ser julgado por aquele crime, mas ele fica gastando tanto tempo em sentimentalismo exagerado com garotos!

— Aí não existe nenhum sentimentalismo exagerado. Agora tu mesmo estás indo fazer as pazes com Iliúcha.

— As pazes? Expressão ridícula. Aliás, não permito que ninguém analise os meus atos.

— E como Iliúcha vai ficar contente com tua presença! Ele nem imagina que apareças por lá. Por que, por que ficaste tanto tempo sem querer ir lá? — exclamou subitamente Smúrov com ardor.

— Meu amável menino, isso é problema meu e não seu. Estou indo por iniciativa própria, porque essa é minha vontade, mas naquela ocasião Alieksiêi Karamázov arrastou todos vocês para lá, então existe diferença. Como é que você sabe? Eu posso não estar indo fazer as pazes coisa nenhuma. Sua expressão foi tola.

— Isso não tem nada a ver com Karamázov, nada a ver. Os nossos[8] simplesmente passaram a ir lá, é claro que primeiro com Karamázov. E não houve nada de mais, nenhuma tolice. Primeiro foi um, depois outro. O pai dele ficou alegre demais com nossa presença. Tu sabes que ele simplesmente enlouquecerá se Iliúcha morrer. Ele percebe que Iliúcha vai morrer. E está muito contente conosco porque fizemos as pazes com Iliúcha. Iliúcha pergun-

[8] Modo de falar muito comum entre os russos: pode significar nossos colegas, amigos, familiares, soldados, etc. (N. to T.)

tou por ti, e ficou só nisso. Perguntou e calou-se. Mas o pai vai enlouquecer ou se enforcar. Antes ele já se comportava como maluco. Sabes, ele é um homem decente, e aquilo foi um erro. Toda a culpa é daquele parricida que o espancou naquele dia.

— Mesmo assim o Karamázov é um enigma para mim. Há muito tempo eu poderia ter travado conhecimento com ele, mas em alguns casos eu gosto de ser orgulhoso. Além disso, formei uma opinião sobre ele que ainda preciso verificar e esclarecer.

Kólia calou-se com ar sério; Smúrov também. Smúrov, é claro, venerava Kólia Krassótkin e não se atrevia nem a pensar em igualar-se a ele. Agora estava interessadíssimo porque Kólia lhe explicara que estava "indo por iniciativa própria", e sendo assim era inevitável que houvesse algum enigma no fato de Kólia ter resolvido de uma hora para outra ir lá e precisamente hoje. Os dois caminhavam pela praça do mercado, onde desta vez havia muitas carroças de fora e muitas aves. Debaixo de seus toldos, as vendedoras da cidade comerciavam roscas, miudezas, etc. Esses ajuntamentos dominicais são ingenuamente chamados de feiras em nossa cidadezinha, e essas feiras são muitas durante o ano. Pierezvon corria no mais alegre estado de ânimo, guinando sem parar à direita e à esquerda para farejar alguma coisa em algum lugar. Ao encontrar outros cãezinhos, cheiravam-se com uma vontade incomum, segundo todas as regras caninas.

— Gosto de observar o realismo, Smúrov — falou Kólia subitamente. — Já notaste como os cachorros se cheiram quando se encontram? Nisso se movem por uma lei geral de sua natureza.

— Sim, alguma lei ridícula.

— Ah, não, ridícula não, nisto não tens razão. Na natureza não existe nada ridículo, por mais que pareça ao homem, movido por seus preconceitos. Se os cães fossem capazes de refletir e criticar, nas relações sociais entre os homens, seus amos, certamente encontrariam um número igual — se não bem maior — de coisas que achariam ridículas — se não bem maior; repito isto porque tenho a firme convicção de que nós fazemos muito mais tolices. É uma ideia de Rakítin, uma ideia notável. Eu sou socialista, Smúrov.

— E o que é socialista? — perguntou Smúrov.

— É quando todos são iguais, têm uma opinião comum, não há casamentos, e cada um pratica a religião e todas as leis como quer, assim como o resto. Tu ainda não cresceste para entender isso, ainda é cedo para ti. Mas está fazendo frio.

— Sim, está doze graus abaixo de zero. Ainda há pouco meu pai conferiu o termômetro.

— Já notaste, Smúrov, que se a temperatura está quinze ou até dezoito graus abaixo de zero no meio do inverno não parece tão frio como por exemplo agora, no início do inverno, quando por acaso o frio bate de repente, vai a doze graus abaixo de zero e ainda por cima cai pouca neve? Isso quer dizer que as pessoas ainda não se acostumaram. As pessoas fazem tudo por hábito, tudo, até na vida pública e na política. O hábito é o motor principal. Mas que mujique engraçado!

Kólia apontou para um mujique alto, metido num casaco de pele, com uma fisionomia bonachona, que batia as mãos enluvadas uma contra a outra por causa do frio. O frio formava uma camada de geada em sua longa barba castanho-clara.

— A barba do mujique está congelada! — bradou Kólia em voz alta e provocante ao passar ao lado dele.

— Muita gente está com a barba congelada — proferiu o mujique em resposta, num tom tranquilo e sentencioso.

— Não o provoques — observou Smúrov.

— Não é nada, não te zangues, ele é bom. Adeus, Matviêi.

— Adeus.

— Por acaso te chamas Matviêi?

— Matviêi. E tu não sabias?

— Não sabia; falei à toa.

— Ora veja. Por certo és colegial!

— Colegial.

— Então, te açoitam?

— Não são bem açoites, mas sabes como é.

— E dói?

— Não dá para evitar.

— Sim senhor, que vida! — suspirou o mujique de todo coração.

— Adeus, Matviêi.

— Adeus. Tu és um rapazinho amável, fica sabendo.

Os meninos seguiram em frente.

— Ele é um bom mujique — falou Kólia para Smúrov. — Gosto de conversar com o povo e estou sempre pronto a ser justo com ele.

— Por que mentiste para ele, dizendo que nos açoitam? — perguntou Smúrov.

— Era preciso consolá-lo.

— Com quê?

— Vê, Smúrov, não gosto que alguém me peça para repetir se não me compreendeu logo às primeiras palavras. Elas não podem ter outra explicação. Pela ideia do mujique, o colegial é açoitado e deve ser açoitado: que colegial é esse, pensa ele, se não é açoitado? E de repente eu lhe digo que em nosso colégio não se açoita e isso o deixa decepcionado. Aliás, tu não compreendes isto. É preciso saber falar com o povo.

— Só não o provoques,[9] por favor, senão vai se repetir a história que aconteceu com aquele ganso.

— E tens medo?

— Não rias, Kólia, tenho medo, juro, meu pai vai ficar furioso. Estou severamente proibido de andar contigo.

— Não te preocupes, desta vez não vai acontecer nada. Bom dia, Natacha — gritou ele para uma vendedora que estava debaixo de um toldo.

— Eu lá sou Natacha? sou Mária — respondeu gritando a mercadeira, mulher ainda longe de ser velha.

— É bom que te chames Mária, adeus.

— Ai, que travesso, um pingo de gente e já indo por esse caminho!

— Estou sem tempo, estou sem tempo para conversar contigo, domingo que vem tu me contas — Kólia deu de ombros como se ela estivesse implicando com ele, e não ele com ela.

— Mas o que vou te contar domingo? Tu te meteste comigo, e não eu contigo, seu peralta — gritava Mária —, o que precisas mesmo é de uns açoites, é disso que precisas, és um ofensor de marca, isso sim!

Entre as outras vendedoras que comerciavam em seus tabuleiros ao lado de Mária ouviu-se uma risada, e de repente, sem quê nem mais, da fileira das barracas da cidade brotou um homem irritado, com jeito de administrador comercial, não comerciante nosso mas de fora, metido num *caftan* azul de abas longas, de boné com pala, ainda jovem, de cabelos castanhos escuros encaracolados e rosto alongado, pálido e sarapintado. Estava numa agitação meio tola e logo começou a ameaçar Kólia com os punhos.

— Eu te conheço — exclamou irritado —, eu te conheço!

Kólia olhou fixamente para ele. Não conseguia se lembrar de quando poderia ter tido alguma briga com aquele homem. Mas sabe-se lá quantas vezes não andara brigando pelas ruas, não dava para se lembrar de todas.

— Conheces? — perguntou-lhe ironicamente Kólia.

— Eu te conheço! Eu te conheço! — afirmou o homem com ar de parvo.

— Melhor para ti. Bem, estou sem tempo, adeus.

— Que travessuras andas armando? — gritou o homem. — Estás aprontando outras travessuras? Eu te conheço! Vais aprontar outras travessuras?

[9] Smúrov alterna os pronomes de tratamento. (N. do T.)

— Meu caro, agora não é da tua conta se estou fazendo travessuras — proferiu Kólia parando e continuando a examiná-lo.

— Como não é da minha conta?

— Porque não é.

— Mas de quem é? Da tua? Vamos, de quem é então?

— Meu caro, agora é da conta de Trifón Nikítitch, e não da tua.

— De que Trifón Nikítitch? — o rapaz estava com o olhar fixo em Kólia, com uma expressão de surpresa idiota, mas mesmo assim exaltado. Kólia o mediu com o olhar e com um ar sobranceiro.

— Assististe à festa da Anunciação? — perguntou Kólia em tom severo e tenaz.

— Que Anunciação? Para quê? Não, não assisti — o rapaz ficou meio pasmado.

— Conheces Sabanêiev? — perguntou Kólia ainda com mais tenacidade e mais severidade.

— Que Sabanêiev? Não, não conheço.

— Então o diabo que te carregue! — cortou subitamente Kólia e, dando uma brusca guinada para a direita, tomou rapidamente seu caminho, como se desprezasse até conversar com um paspalhão como aquele, que nem sequer conhecia Sabanêiev.

— Para, ei! Quem é esse Sabanêiev? — pensou melhor o rapaz, novamente cheio de inquietação. — O que foi mesmo que ele disse? — voltou-se de súbito para as vendedoras com uma expressão estúpida.

As mulheres caíram na risada.

— Menino complicado — disse uma delas.

— Que, que Sabanêiev é esse? — perguntou o rapaz ainda exaltado e abanando a mão direita.

— Deve ser aquele Sabanêiev que trabalhou para os Kuzmítchiev, é isso, deve ser isso — adivinhou subitamente uma das mulheres.

O rapaz fixou furiosamente o olhar nela.

— Para os Kuz-mí-tchiev? — repetiu a pergunta outra mulher —, ele lá se chama Trifón? Ele é Kuzmá e não Trifón, e como o rapazinho disse Trifón Nikítitch, então não é ele.

— Olha só, não é Trifón e nem Sabanêiev, é Tchijov — secundou de repente uma terceira mulher, que até então calava e ouvia com ar sério —, ele se chama Alieksiêi Ivánitch. Alieksiêi Ivánovitch Tchijov.

— É isso mesmo, é Tchijov — confirmou a quarta mulher com voz firme.

O atônito rapaz olhava ora para uma, ora para outra.

— Mas por que ele perguntou, perguntou por quê, minha boa gente?

— exclamou ele quase em desespero. — "Conheces Sabanêiev?" O diabo sabe que Sabanêiev é esse.

— Que atoleimado és tu, elas estão dizendo que não é Sabanêiev, mas Tchijov, Alieksiêi Ivánovitch Tchijov, eis quem é! — gritou-lhe com imponência uma vendedora.

— Que Tchijov é esse? Vamos, qual? Fala, se é que sabes!

— É um sujeito comprido, moncoso, que passou este verão no mercado.

— Para que me serve esse tal de Tchijov, minha boa gente, hein?

— E como é que eu vou saber para que te serve Tchijov?

— E quem vai saber para que ele te serve? — secundou outra —, tu mesmo deves saber para que precisas dele, já que estás berrando. Porque ele falou contigo e não conosco, criatura tola. Ou na verdade não conheces?

— Quem?

— Tchijov.

— O diabo que carregue esse Tchijov junto contigo! Dou uma surra nele, isso mesmo! Riu de mim!

— Vais dar uma surra em Tchijov? Ou ele vai dar em ti! És um imbecil, isso sim!

— Não é em Tchijov, em Tchijov, mulher ruim, nociva, é no menino que eu vou dar uma surra, é isso! Tragam-no, tragam-no para cá, ele riu de mim!

As mulheres gargalhavam, mas Kólia já andava longe, com uma expressão triunfal no rosto. Smúrov caminhava ao lado, olhando para trás na direção do grupo que gritava de longe. Também estava muito alegre, mesmo que ainda temesse ver-se implicado em alguma história com Kólia.

— Quem é esse Sabanêiev sobre quem perguntaste? — perguntou a Kólia, pressentindo a resposta.

— Como é que eu vou saber quem é? Agora elas vão gritar até o anoitecer. Gosto de dar uma sacudida nos imbecis de todas as camadas sociais. Vê, mais um paspalho, aquele mujique ali. Repara o que dizem: "Não há nada de mais tolo do que um francês tolo", mas a fisionomia russa também se trai. Não está escrito na cara daquele indivíduo que ele é um imbecil, aquele mujique ali?

— Deixa pra lá, Kólia, vamos passar ao largo.

— Não vou deixá-lo por nada, agora que já comecei. Ei, mujique, bom dia!

O corpulento mujique, de rosto redondo e simplório e barba grisalha, que passava lentamente ao lado e já devia estar bêbado, levantou a cabeça e olhou para o rapazinho.

— Ora, bom dia, se não estás brincando — respondeu sem pressa.

— E se eu estiver brincando? — Kólia deu uma risada.

— Estás brincando, então brinques, Deus te proteja. Não é nada, isso é permitido. Sempre é possível brincar um pouco.

— Desculpa, meu caro, eu estava brincando.

— Bem, que Deus te perdoe.

— E tu, perdoas?

— Muito! Vai!

— Que coisa, é, tu talvez sejas um mujique inteligente.

— Mais inteligente do que tu — respondeu inesperadamente o mujique com o tom importante de antes.

— É pouco provável — disse Kólia meio boquiaberto.

— Estou falando a verdade.

— Vá, isso também é possível.

— Pois é, meu caro.

— Adeus, mujique.

— Adeus.

— Há diferentes tipos de mujique — observou Kólia a Smúrov depois de certa pausa. — Como eu haveria de saber que esbarraria em um inteligente? Estou sempre pronto a reconhecer inteligência no povo.

Ao longe o relógio da matriz bateu onze e meia. Os meninos aceleraram o passo e percorreram com rapidez e quase sem conversar o caminho ainda bastante longo até a casa do capitão Snieguiriów. A vinte passos da casa Kólia parou e ordenou que Smúrov fosse na frente e chamasse Karamázov ali para fora.

— É preciso farejar previamente — observou ele a Smúrov.

— Mas por que chamá-lo — quis objetar Smúrov —, entra assim mesmo, vão ficar muito contentes com tua presença. Por que travar conhecimento aqui no frio?

— Eu mesmo sei por que preciso dele aqui no frio — cortou despoticamente Kólia (o que ele gostava terrivelmente de fazer com os "pequenos"), e Smúrov correu para cumprir a ordem.

IV. Jutchka[10]

Com a cara séria, Kólia encostou-se à cerca e ficou aguardando o aparecimento de Aliócha. Sim, fazia tempo que queria encontrar-se com ele.

[10] "Besourinho", em russo. (N. do T.)

Ouvira muito os meninos falarem dele, mas até então sempre aparentara um desdenhoso ar de indiferença quando lhe falavam dele, chegava até a "criticar" Aliócha ao ouvir o que lhe falavam sobre ele. Mas, lá com seus botões, tinha muita, muita vontade de conhecê-lo: em todas as histórias que ouvia sobre Aliócha havia algo simpático e atraente. Assim, o momento atual era importante; em primeiro lugar, precisava sair-se com honra, mostrar independência: "Senão ele vai pensar que eu tenho treze anos e me tomar por um menininho igual a esses outros. E o que esses menininhos significam para ele? Vou perguntar quando nos encontrarmos. No entanto, é deplorável que eu seja tão baixo. Túzikov é mais moço do que eu, porém meia cabeça mais alto. Pensando bem, tenho um rosto inteligente; não sou bonito, sei que sou de feição detestável, mas tenho uma cara inteligente. Também preciso não me abrir muito, porque se for logo aos abraços ele vai pensar... Arre, que torpeza se ele pensar!...".

Assim Kólia se inquietava, procurando com unhas e dentes assumir o aspecto mais independente. O grave é que o atormentava sua baixa estatura, não tanto o rosto "detestável" quanto a estatura. Ainda no ano passado ele fizera em um canto de sua casa um traço a lápis, pelo qual ia medindo seu tamanho, e desde então a cada dois meses ia se medir ali: quanto teria conseguido crescer? Mas ai! crescera pouquíssimo, e às vezes isso o deixava simplesmente desesperado. Quanto ao rosto, não era nada "detestável", ao contrário, era bastante gracioso, clarinho, pálido, sardento. Os olhos cinza, miúdos mas vivos, eram ousados e frequentemente brilhavam de emoção. Tinha as maçãs do rosto largas, os lábios miúdos, não muito grossos mas muito corados; o nariz pequeno inteiramente arrebitado: "completamente arrebitado, completamente arrebitado!" — balbuciava Kólia de si para si quando se olhava no espelho, e sempre se afastava do espelho com indignação. "Duvido até que eu tenha um rosto inteligente!" — pensava às vezes, e até duvidava disso. Pensando bem, não se deve supor que a preocupação com o rosto e a estatura lhe absorvesse toda a alma. Ao contrário, por mais cruéis que fossem os instantes diante do espelho, ele rapidamente os esquecia e até passava muito tempo "todo entregue às ideias e à vida real", como ele mesmo definia sua atividade.

Aliócha logo apareceu e chegou-se apressado a Kólia; ainda a alguns passos ele percebeu que Aliócha tinha no rosto uma expressão de completa alegria. "Será que está alegre por me ver?" — pensou Kólia com satisfação. A propósito, aqui cabe observar que Aliócha mudara muito desde que o deixamos: largara a sotaina e agora vestia uma sobrecasaca de belo corte, usava um macio chapéu redondo e os cabelos curtos. Tudo isso melhorava muito a sua aparência e o tornava um homem belo. Tinha sempre um ar alegre no rosto gracioso, mas essa era uma alegria serena e quieta. Para surpresa de Kólia, Aliócha veio a seu encontro do jeito que estava no quarto, sem casaco, via-se que estava apressado. Foi direto a Kólia, estendendo-lhe a mão.

— Eis que você finalmente apareceu, como todos nós esperávamos.

— Havia motivos que vai ficar conhecendo agora. Em todo caso, estou feliz por conhecê-lo. Fazia muito tempo que eu aguardava essa oportunidade e ouvi falar muito a seu respeito — balbuciou Kólia, arfando um pouco.

— Nós dois iríamos mesmo nos conhecer, pessoalmente ouvi falar muito a seu respeito, mas você demorou muito a aparecer por aqui.

— Diga-me, como vão as coisas por aqui?

— Iliúcha está muito mal, fatalmente vai morrer.

— O que está dizendo! Convenha que a medicina é uma torpeza, Karamázov — exclamou Kólia com fervor.

— Iliúcha o tem mencionado com frequência, com muita frequência, saiba que até dormindo, delirando. Vê-se que antes ele o apreciava muito, muito... antes daquele incidente... com o canivete. Por trás disto existe outro motivo... Diga-me uma coisa: esse cachorro é seu?

— Meu, é Pierezvon.

— Mas não é Jutchka? — Aliócha olhou lastimoso nos olhos de Kólia. — Então ele desapareceu mesmo?

— Sei que todos vocês queriam Jutchka, ouvi falar de tudo — Kólia deu um risinho enigmático. — Ouça, Karamázov, eu lhe explico toda a questão, o que me trouxe aqui foi principalmente esse objetivo, mandei chamá-lo para lhe explicar de antemão, antes de nossa entrada, todo aquele incidente — começou ele em tom animado. — Veja, Karamázov, na primavera Iliúcha ingressou na turma do preparatório. Bem, nossa turma do preparatório é conhecida: uns meninínhos, uma criançada. Imediatamente começaram a provocar Iliúcha. Sou duas séries mais adiantado e, é claro, fiquei a observar de longe, de fora. Notei que é um menino pequeno, fraquinho, mas não se sujeita, até briga com os outros, é altivo, os olhinhos ardem, gosto de gente assim. Mas eles o provocavam ainda mais. O pior é que na ocasião ele usava uma roupinha ordinária, calças muito curtas, botas pedindo conserto. E por isso eles começaram a provocá-lo. Humilhavam-no. Não, disso eu já não gosto, intercedi imediatamente e passei uma *extrafefera*. Veja só, bato neles, mas eles me adoram, sabia disso, Karamázov? — Kólia se gabava de forma expansiva. — É, de um modo geral gosto da criançada. Agora mesmo tenho dois pintinhos sobre meus ombros em casa, eles até me retiveram hoje. De modo que pararam de bater em Iliúcha e eu o pus sob minha proteção. Noto que o menino é altivo, eu lhe afirmo que é altivo, mas acabou ficando servil a mim, cumpre as mínimas ordens que lhe dou, ouve-me como a um deus, esforça-se por me imitar. Nos intervalos entre as aulas corre para mim e andamos juntos. Aos domingos também. Em nosso colégio riem quando um aluno mais velho trava tamanha amizade com os pequenos, mas isso é um preconceito. Essa é minha fantasia, e basta, não é verdade? Eu o ensino, eu o desenvolvo — por que, diga-me, não posso desenvolvê-lo se gosto dele? Ora, Karamázov, o senhor mesmo fez amizade com todos esses pintinhos, então deseja influenciar a nova geração, desenvolvê-la, ser útil? Confesso que esse traço do seu caráter, que fiquei conhecendo por ouvir dizer, foi o que mais me interessou. Aliás, vamos direto ao assunto: noto que no menino se desenvolve alguma sensibilidade, algum sentimentalismo, e eu, fique sabendo, desde que nasci sou inimigo categórico de qualquer pieguice. E ainda por cima existem as contradições: é altivo, porém servilmente dedicado a mim — servilmente dedicado, mas de repente os olhinhos brilham e não quer concordar comigo, discute, sobe nas paredes. Às vezes eu lhe expunha várias ideias: não é que ele discordasse das ideias, eu simplesmente notava que ele se rebelava pessoalmente contra mim, porque respondo às suas ternuras com sangue-frio. E então, quanto mais ele revela ternura eu revelo ainda mais sangue-frio para suportá-lo, e faço isso de propósito, é essa minha convicção. Eu tinha em mente adestrar seu caráter, aprumá-lo, criar um homem... Bem, nessas coisas... você, é claro, me compreende sem meias palavras. Noto subitamente que um dia, outro dia, mais outro, está perturbado, aflito, no entanto isso já não se deve àquelas ternuras porém a algo diferente, mais forte, superior. Penso: que tragédia é essa? Eu o aperto e descubro a coisa: deu um jeito de fazer amizade com o criado do seu falecido pai (que então ainda estava vivo), Smierdiakóv, e este achou de lhe ensinar, bobinho como ele é, uma brincadeira tola, isto é, uma brincadeira selvagem, uma brincadeira torpe — pegar um pedaço de pão, um miolo, meter um alfinete nele e lançá-lo para algum vira-lata desses que, levados pela fome, engolem um pedaço sem mastigar, e ficar observando em que daria isso. Pois bem, prepararam um pedaço de pão assim e o lançaram para aquele mesmo Jutchka peludo, sobre o qual agora se conta essa história, esse mesmo vira-lata que vinha de um quintal onde simplesmente não o alimentavam, e ele latia o dia inteiro para o vento. (Gosta desse latido tolo, Karamázov? Eu não consigo suportá-lo.) O cachorro lançou-se, engoliu o pedaço e começou a ganir, a girar e pôs-se a correr, correr e ganir sem parar, e sumiu — foi assim que o próprio Iliúcha me descreveu. Ele me confessou mas chorou, chorou, me abraçou, estremeceu: "Corria e gania, corria e gania" — era só o que ele repetia, aquele quadro o deixou impressionado. Bem, pensei, está com remorso. Levei a coisa a sério. Minha maior vontade, considerando seus antecedentes, era disciplina-lo, de sorte que, confesso, apelei para um ardil, fingi-me tomado de uma indignação que talvez nem houvesse absolutamente em mim: "Tu cometeste um ato vil, digo eu, és um canalha; eu, é claro, não vou divulgá-lo, mas por ora corto relações contigo. Vou pensar nisso e te farei saber por Smúrov (aquele mesmo menino que chegou aqui comigo, e que sempre me foi dedicado): vou ver se de hoje em diante continuo os vínculos contigo ou te deixo para sempre como um canalha". Isto o deixou terrivelmente impressionado. Naquele mesmo instante, confesso, senti que talvez houvesse sido severo demais, porém, o que fazer se essa era minha ideia no momento? Um dia depois mando Smúrov visitá-lo e transmitir que "não falo mais" com ele, ou seja, é assim que entre nós se faz quando dois colegas rompem relações. O segredo está em que eu queria mantê-lo em *Verbannung*[11] apenas alguns dias, e então, vendo o arrependimento, tornar a lhe estender a mão. Era minha firme intenção. E o que o senhor pensa que aconteceu? Ouvi de Smúrov que os olhos dele brilharam de repente. "Transmite de minha parte a Krassótkin — gritou ele — que doravante vou lançar pedaços de pão com alfinetes para todos os cachorros, todos, todos!" — "Ah, penso eu, está querendo bancar o independente, precisa ser escorraçado" — e passei a mostrar total desprezo por ele, sempre que nos encontrávamos eu lhe dava as costas ou ria ironicamente. E de repente vem esse incidente com o pai dele, está lembrado do esfregão? Compreenda que dessa maneira ele já estava predisposto a uma terrível irritação. Vendo que eu o havia abandonado, os meninos investiram contra ele, provocando-o: "esfregão, esfregão". E foi aí que começaram entre eles as batalhas que eu lamento imensamente, porque parece que na ocasião o espancaram duramente. Pois uma vez ele investiu contra todos no pátio, quando deixavam as salas, e eu estava parado justamente a uns dez metros, observando-o. Juro, não me lembro de ter rido, ao contrário, na ocasião senti muita, muita pena dele, mais um instante e eu me lançaria em sua defesa. Súbito, porém, ele cruzou com meu olhar: o que lhe pareceu, não sei, mas ele pegou o canivete, investiu contra mim e deu-me uma canivetada no quadril, aqui na perna direita. Não me movi, confesso que às vezes sou valente, Karamázov. Apenas olhei para ele com desprezo, como se dissesse com o olhar: "Será que não queres mais nada, por toda a minha amizade? pois estou ao teu dispor". Mas ele não me deu outra canivetada, conteve-se,

[11] "Exílio", "desterro", em alemão. (N. do T.)

ele mesmo se assustou, largou o canivete, começou a chorar alto e pôs-se a correr. Eu, evidentemente, não o delatei e ordenei que todos se calassem para que a história não chegasse à administração, até a minha mãe só contei quando tudo já havia sarado, e o ferimento era uma insignificância, um arranhão. Depois ouvi dizer que no mesmo dia ele havia trocado pedradas com os outros e mordido seu dedo — mas o senhor compreende em que estado ele se encontrava! Então, o que fazer? cometi uma tolice: quando ele adoeceu não apareci para perdoá-lo, ou seja, fazer as pazes, hoje me arrependo. Mas aí me surgiram uns objetivos especiais. Pois bem, aí está toda a história... só que parece que fiz uma tolice...

— Ah, que pena que eu não soubesse de suas relações com ele antes — exclamou Aliócha emocionado —, senão eu teria ido há muito tempo à sua casa lhe pedir que fosse comigo visitá-lo. Acredite ou não, na febre, na doença, ele o chamou em delírio. Eu nem sabia como ele o apreciava! Será, será que você não conseguiu mesmo achar Jutchka? O pai dele e todos os meninos vasculharam a cidade atrás dele. Acredite ou não, ele está doente, em minha presença repetiu para o pai entre lágrimas: "Eu estou doente, papai, porque matei Jutchka, é Deus que está me castigando!" — ninguém o afasta dessa ideia! E se agora alguém encontrasse Jutchka e lhe mostrasse que ele não morreu, mas está vivo, tenho a impressão de que ele ressuscitaria de alegria. Nós todos depositávamos esperança em você.

— Diga-me a troco de que vocês esperavam que eu achasse Jutchka, ou seja, que justo eu o achasse? — perguntou Kólia com extrema curiosidade — por que contavam justo comigo e não com outro?

— Correu um boato de que você o estaria procurando, e quando o achasse o traria. Smúrov falou alguma coisa desse gênero. Todos nós procuramos principalmente assegurar que Jutchka está vivo, que foi visto em algum lugar. Os meninos conseguiram não sei onde um coelho vivo para ele, só que ele olhou, deu um leve sorriso e pediu que o soltassem no campo, e foi o que fizemos. Nesse mesmo instante o pai voltou e trouxe para ele um filhote de medeliano que também conseguiu não sei onde, e pensava consolá-lo com isso, mas parece que o resultado foi ainda pior.

— Diga-me mais uma coisa, Karamázov: que pai é esse? Eu o conheço, mas o que o senhor acha dele: um bufo, um palhaço?

— Ah, não, há pessoas de sentimentos profundos, mas que são um tanto ressentidas. Entre elas, a bufonaria é uma espécie de ironia maldosa contra aqueles em cuja cara elas não se atrevem a dizer a verdade em virtude da longa e humilhante timidez experimentada diante delas. Acredite, Krassótkin, que às vezes essa bufonaria é extremamente trágica. Para ele, tudo na face da Terra hoje se concentra em Iliúcha, e se Iliúcha morre ele enlouquece de dor ou se mata. Fico quase convencido disto quando hoje olho para ele.

— Eu o compreendo, Karamázov, vejo que o senhor conhece o homem — acrescentou Kólia com convicção.

— E eu, quando o vi com o cachorro, pensei justamente que você havia trazido o próprio Jutchka.

— Espere, Karamázov, pode ser que o encontremos mesmo, mas este, este é Pierezvon. Vou deixá-lo entrar agora no quarto e talvez consiga distrair Iliúcha mais do que com o filhote de medeliano. Espere, Karamázov, logo saberá de uma coisa. Ah, meu Deus, por que o estou retendo! — bradou Kólia subitamente com ímpeto. — Você só de sobrecasaca num frio como esse e eu o retendo; veja, veja como sou egoísta! Oh, todos somos egoístas, Karamázov!

— Não se preocupe; é verdade que está frio, mas não sou de gripar. Mesmo assim, vamos. A propósito: como é seu nome? Sei que se chama Kólia, e o resto?

— Nikolai, Nikolai Ivánov Krassótkin ou, como se diz seguindo o estereótipo, o filho Krassótkin — riu Kólia não sabe-se lá de quê, mas de repente acrescentou: — É claro que odeio meu nome Nikolai.

— Por quê?

— É trivial, estereotipado...

— Você está na casa dos treze? — perguntou Aliócha.

— Quer dizer, dos catorze, daqui a duas semanas faço catorze, muito em breve. Vou lhe confessar de antemão uma fraqueza, Karamázov; e já faço isso para a gente começar a se conhecer, para você perceber logo minha índole inteira: me dá ódio quando perguntam minha idade, é mais do que ódio... por fim... a meu respeito, por exemplo, corre por aí a calúnia de que na semana passada eu brinquei de bandido com os meninos do preparatório. Que eu brinquei é uma realidade, mas que tenha brincado para tirar proveito, para minha própria satisfação, é uma calúnia deslavada. Tenho motivo para pensar que isso chegou ao seu conhecimento, mas não brinquei por mim e sim pela criançada, porque sem mim eles não conseguiriam inventar nada. Pois bem, entre nós sempre difundem tolices. Esta é a cidade das bisbilhotices, eu lhe asseguro.

— E mesmo que tenha brincado para sua satisfação, que há de mal nisso?

— Qual... Você não iria brincar de cavalinho!

— Você julga a coisa assim — Aliócha deu um sorriso —, mas são adultos, por exemplo, que vão ao teatro, e no teatro também se representam aventuras de personagens de toda espécie, às vezes também incluindo bandoleiros e guerra — pois bem, por acaso não é a mesma coisa, claro que em seu gênero? Mas para os jovens brincar de guerra durante o recreio ou de bandoleiros também é arte nascente, necessidade nascente de arte na alma juvenil, e às vezes essas brincadeiras são compostas até com mais coerência do que as representações no teatro, com a única diferença de que as pessoas vão ao teatro assistir aos atores, ao passo que, neste caso, os jovens são os próprios atores. Nada mais natural.

— Você pensa assim? É essa a sua convicção? — Kólia olhava fixo para ele. — Sabe, você manifestou uma ideia muito curiosa; agora vou chegar em casa e agitar o cérebro com isso. Confesso que esperava mesmo aprender alguma coisa com você. Vim para aprender alguma coisa com você, Karamázov — concluiu Kólia com voz convicta e expansiva.

— E eu com você — sorriu Aliocha, apertando-lhe a mão.

Kólia estava imensamente satisfeito com Aliócha. Impressionou-o o fato de que Aliócha conversava com ele em absoluto pé de igualdade, falava com ele como com "gente grande mesmo".

— Agora vou lhe mostrar um truque, Karamázov, também uma representação teatral — sorriu nervosamente ele —, pois foi com este fim que eu vim para cá.

— Vamos primeiro à esquerda, à casa dos senhorios, todos deixam os casacos ali, porque o quarto é apertado e quente.

— Oh, vou entrar apenas por um instante, entrar e me sentar de casaco. Pierezvon fica aqui no vestíbulo e se faz de morto: "Aqui, Pierezvon, deita e morre!". Está vendo, ele morreu mesmo. Primeiro eu entro, examino a situação e depois, quando for necessário, assobio: "Aqui, Pierezvon!" — E você vai ver como no mesmo instante ele sai daqui voando como um desatinado. Só é preciso que Smúrov não se esqueça de abrir a porta na hora certa. É só eu dar a ordem, e você verá o truque...

V. À cabeceira de Iliúcha

O cômodo que já conhecemos, habitado pela família do nosso conhecido capitão reformado Snieguirióv, estava então abafado e apertado com o numeroso público que ali se juntara. Desta vez alguns meninos estavam sentados junto a Iliúcha, e embora todos eles, como Smúrov, tencionassem negar que Aliócha os havia reconciliado e reunido com Iliúcha, isso era verdade. Neste caso, toda a arte dele consistira em tê-los reunido com Iliúcha, um após outro, sem "pieguice" e dando a impressão de que agira sem nenhum propósito, sem intenção. Já a Iliúcha isso trouxe um enorme alívio em seus sofrimentos. Estava muito emocionado por ver a amizade quase carinhosa e a solidariedade que recebia de todos aqueles meninos, seus antigos inimigos. Só faltava Krassótkin, e isso lhe oprimia terrivelmente o coração. Se havia uma amargura maior nas amargas lembranças de Iliúchetchka era justamente todo aquele episódio com Krassótkin, que fora seu único amigo e defensor, contra o qual ele investira naquela ocasião com o canivete. Assim pensava também o inteligente garoto Smúrov (o primeiro a aparecer para fazer as pazes com Iliúcha). Mas o próprio Krassótkin, quando Smúrov lhe comunicara vagamente que Aliócha queria ir à sua casa "tratar de um assunto", interrompera imediatamente a conversa e sustara a visita, incumbindo Smúrov de comunicar imediatamente a "Karamázov" que ele mesmo sabia como agir, que não pedia conselhos a ninguém e que, se fosse visitar o doente, ele mesmo saberia como ir porque tinha "seu plano". Isso acontecera ainda umas duas semanas antes desse domingo. Eis por que Aliócha não o procurara pessoalmente, como era sua intenção. Aliás, embora aguardasse, ele, não obstante, enviou Smúrov duas vezes a Krassótkin. Contudo, nas duas vezes Krassótkin já respondeu com a recusa mais insuportável e ríspida, fazendo chegar a Aliócha que, se este viesse pessoalmente procurá-lo, ele nunca iria visitar Iliúcha, e que Aliócha não voltasse a importuná-lo. Aliás, até esse último dia o próprio Smúrov nem sequer sabia que Kólia resolvera ir à casa de Iliúcha naquela manhã, e só na tarde da véspera, ao se despedir dele, Kólia lhe comunicou, súbita e bruscamente, que o aguardava em casa na manhã seguinte porque iria com ele à casa dos Snieguirióv, mas que, não obstante, ele não se atrevesse a pôr ninguém a par de sua ida, uma vez que queria aparecer de maneira imprevista. Smúrov obedeceu. Smúrov teve a ilusão de que ele levaria o sumido Jutchka com base em umas palavras que certa vez Krassótkin lançara de passagem, ao dizer que "todos eles eram uns asnos se não conseguiam encontrar um cachorro, se é que ele estava vivo". Quando Smúrov, depois de aguardar o momento propício, insinuou timidamente a Krassótkin sua conjetura a respeito do cão, o outro ficou súbita e terrivelmente zangado: "Que asno sou eu para procurar cachorros alheios pela cidade inteira quando tenho o meu Pierezvon? E pode-se ter a ilusão de que um cão que engoliu um alfinete continue vivo? Isso não passa de pieguice!".

Enquanto isso, já fazia umas duas semanas que Iliúcha quase não saía de sua caminha, que ficava no canto, ao pé dos ícones. Não frequentava a escola desde aquele acidente, quando se encontrara com Aliócha e lhe mordera o dedo. Aliás, adoeceu desde aquele dia, embora durante cerca de um mês ainda conseguisse andar um pouco pelo quarto, pelos vestíbulos, levantando-se de sua caminha de raro em raro. Por fim ficou completamente sem forças, de sorte que não podia mover-se sem a ajuda do pai. O pai tremia ao lado dele, até largou completamente a bebida, quase enlouqueceu de pavor de que seu menino morresse, e frequentemente, sobretudo depois que o conduzia pelo quarto seguro pelo braço e tornava a colocá-lo na cama, corria subitamente ao vestíbulo, a um canto escuro, encostava a cabeça na parede e caía num pranto estrepitoso, convulso, abafando a voz para que Iliúcha não lhe ouvisse os soluços.

Ao voltar ao quarto, começava habitualmente a distrair e consolar seu menino querido com alguma coisa, contava-lhe histórias, anedotas engraçadas ou imitava várias pessoas engraçadas que ele tivera oportunidade de conhecer, imitava até animais, seus gritos ou uivos engraçados. Mas Iliúcha detestava quando o pai fazia palhaçadas, quando bancava o palhaço. Embora o menino procurasse esconder que isso o desagradava, percebia, com dor no coração, que o pai era humilhado na sociedade e sempre recordava com obsessão o "esfregão" e aquele "dia terrível". Nínotchka, a irmã de Iliúchetchka sem pés, calada e dócil, também não gostava quando o pai fazia palhaçadas (quanto a Varvara Nikoláievna, havia tempo que partira para assistir seus cursos em Petersburgo); em compensação a mãezinha amalucada se divertia muito e ria de todo coração quando seu esposo começava a representar alguma coisa ou fazer alguns gestos engraçados. Só assim era possível consolá-la, o resto do tempo ela chorava e resmungava sem parar, dizendo que agora todos a haviam esquecido, que ninguém a respeitava, que a ofendiam, etc., etc. Contudo, nos últimos dias ela também parecia ter mudado inteiramente de uma hora para outra. Amiúde começava a olhar para Iliúcha naquele canto e ficava meditativa. Andava bem mais calada, emudecida e, se começava a chorar, fazia-o baixinho para que ninguém ouvisse. O capitão notou nela essa mudança com amarga perplexidade. A princípio as visitas dos meninos não lhe agradavam e só a agastavam, mas depois os gritos alegres e as histórias das crianças começaram a divertir também a ela, e a tal ponto chegaram a lhe cair no agrado que, deixassem esses meninos de aparecer, e ela ficaria terrivelmente triste. Quando as crianças contavam alguma coisa ou começavam a brincar, ela ria e batia palmas. Chamava uns a si e os beijava. Gostou particularmente do garoto Smúrov. Quanto ao capitão, o aparecimento das crianças em sua casa para distrair Iliúcha desde o início encheu-lhe a alma de uma alegria extática e até da esperança de que agora Iliúcha deixaria a tristeza e talvez por isso sarasse depressa. Apesar de todo o pavor que sentia por Iliúcha, até os últimos tempos não duvidou um só minuto de que seu menino de repente iria sarar. Recebia os pequenos visitantes com veneração, ficava circulando em torno deles, era obsequioso, dispunha-se a carregá-los nas costas, e até começou mesmo a fazê-lo, mas Iliúcha não gostou dessas brincadeiras e elas foram deixadas de lado. Passou a lhes comprar guloseimas, pães de mel, nozes, preparava chá, fazia sanduíches. Cabe observar que durante esse tempo não lhe faltou dinheiro. Ele aceitara aqueles duzentos rublos de Catierina Ivánovna, tal qual Aliócha previra. Catierina Ivánovna, depois de tomar conhecimento mais detalhado de sua situação e da doença de Iliúcha, visitou pessoalmente a casa deles, conheceu toda a família e conseguiu deixar encantada até a amalucada mulher do capitão. Desde então, seu auxílio não escasseou, e o próprio capitão, esmagado pelo pavor diante da ideia de que seu menino viesse a morrer, esqueceu seu antigo orgulho e recebia resignadamente a esmola. Durante todo esse tempo o doutor Herzenstube, por solicitação de Catierina Ivánovna, visitava o doente com frequência e esmero, dia sim, dia não, mas suas visitas surtiam pouco efeito e ele só enchia o menino de remédios. Em compensação, naquele dia, isto é, naquele domingo pela manhã, em casa do capitão esperava-se um novo médico chegado de Moscou e ali considerado uma celebridade. Fora propositadamente requisitado e solicitado de Moscou por Catierina Ivánovna à custa de uma grande quantia — não para Iliúchetchka, mas com outro fim que mencionaremos adiante e oportunamente, e uma vez que havia chegado ela lhe pediu que visitasse Iliúchetchka, sobre o que o capitão foi previamente avisado. Da visita de Kólia Krassótkin, porém, ele não tinha nenhum pressentimento, embora desejasse, havia muito tempo, que finalmente aparecesse esse menino que deixava Iliúchetchka tão atormentado. No instante em que Krassótkin abriu a porta e apareceu no quarto, todos, o capitão e os meninos, estavam aglomerados em torno da caminha do doente e observavam o minúsculo filhote de medeliano que acabava de ser trazido; nascera apenas na véspera, mas fora encomendado ainda uma semana antes pelo capitão com a finalidade de distrair e consolar Iliúchetchka, que continuava triste com o desaparecimento e, claro, com a morte de Jutchka. Mas Iliúcha, que já ouvira falar e sabia, desde a antevéspera, que ganharia de presente um cachorrinho, e não um simples cão mas um medeliano autêntico (o que, é claro, era muitíssimo importante), mesmo que por finura de sentimento, por delicadeza, se mostrasse alegre com o presente, ainda assim o pai e os meninos notaram claramente que o novo cãozinho talvez lhe tivesse revolvido no coraçãozinho, com força ainda maior, a lembrança do infeliz Jutchka que ele sacrificara. O filhotinho estava deitado a seu lado e não parava de se mexer, e ele, com um sorriso doentio nos lábios, acariciava-o com sua mãozinha fina, pálida, mirrada; via-se até que havia gostado do cãozinho, porém... Jutchka continuava sumido, apesar de tudo aquele não era Jutchka, mas se estivessem Jutchka e o filhotinho juntos, então seria a plena felicidade!

— Krassótkin! — gritou de repente um dos meninos, o primeiro a ver Kólia entrando. Houve uma visível comoção, os meninos se aglomeraram e se colocaram de ambos os lados da caminha, de modo que súbito deixaram Iliúchka inteiramente às vistas. O capitão lançou-se impetuosamente ao encontro de Kólia.

— Faça o favor, faça o favor... caro visitante! — balbuciou ele. — Iliúchetchka, o senhor Krassótkin veio te visitar...

Mas Krassótkin, depois de lhe dar a mão às pressas, num piscar de olhos manifestou também seu extraordinário conhecimento das regras sociais de bom-tom. De imediato e antes de tudo dirigiu-se à esposa do capitão (que estava terrivelmente aborrecida em sua poltrona e resmungava, dizendo que os meninos lhe bloqueavam a visão da caminha de Iliúcha e não a deixavam olhar o cachorrinho) e com extrema polidez fez um rapapé diante dela, em seguida voltou-se para Nínotchka e lhe fez a mesma reverência como a uma dama. Essa atitude cortês produziu na senhora doente uma impressão excepcionalmente agradável.

— Logo se vê que é um jovem bem-educado — ela pronunciou em voz alta, erguendo as mãos —, não é como os nossos outros visitantes: estes chegam montados uns nos outros.

— Mãezinha, como é que é isso, um montado no outro, como é isso? — balbuciou o capitão de um jeito carinhoso, mas com um pouco de temor pela "mãezinha".

— É assim que entram. Sentam-se no vestíbulo um nos ombros do outro, e entram assim na casa de uma família nobre, montados. Isso lá é visita?

— Mas quem, mãezinha, quem entrou assim, quem?

— Aquele menino ali entrou hoje montado naquele outro, e aquele ali naquele...

Mas Kólia já estava em pé à beira da caminha de Iliúcha. O doente pareceu empalidecer. Soergueu-se na caminha e olhou fixo, fixo para Kólia. O outro não via seu pequeno velho amigo fazia já uns dois meses, e parou de chofre diante dele totalmente pasmado: não podia nem imaginar que iria ver um rostinho tão emagrecido e amarelado, os olhos ardendo no calor da febre e como se estivessem terrivelmente dilatados, uns bracinhos tão magrinhos. Observava com uma surpresa amargurada como Iliúcha respirava tão fundo e de modo acelerado e tinha os lábios tão secos. Deu um passo para ele, estendeu-lhe a mão e pronunciou com um desconcerto quase total:

— Então, velhote... como estás?

Mas a voz saiu embargada, faltou-lhe desenvoltura, o rosto ficou subitamente meio contraído e algo lhe tremeu em volta dos lábios. Iliúcha lhe sorria com ar doentio, ainda sem forças para dizer uma palavra. De repente Kólia levantou a mão e sabe-se lá por que afagou os cabelos de Iliúcha.

— Não é na-da! — balbuciou-lhe baixinho, não se sabe se para animá-lo, ou se ele mesmo ignorava por que dissera isso. Mais uma vez calaram cerca de um minuto.

— O que é isso que tens aí, um filhotinho novo? — perguntou Kólia de chofre com a voz mais insensível.

— Sim-m-m! — respondeu Iliúcha com um longo murmúrio, arfando.

— Focinho preto, quer dizer que é feroz, que é de guarda — observou Kólia com ar importante e firme, como se tudo se resumisse justamente ao filhote e em seu focinho preto. O essencial, porém, era que ele ainda procurava com unhas e dentes conter a emoção para não começar a chorar como uma "criancinha", e mesmo assim não conseguia contê-la. — Vai crescer, e então terá de ser acorrentado, isso eu sei.

— Vai ser enorme! — exclamou um dos meninos do grupo.

— Isso já se sabe, é um medeliano, enorme, assim, do tamanho de um bezerro — ouviram-se concomitantemente várias vozes.

— De um bezerro de verdade — interveio o capitão —, eu procurei um assim de propósito, dos mais, mais ferozes, e os pais dele também são enormes e os mais ferozes. Desse tamanho, do chão até aqui... Sente-se, aqui na caminha, junto de Iliúcha, ou então aqui nesse banco. Faça a gentileza, caro visitante, aguardamos muito a sua visita... Entrou junto com Alieksiêi Fiódorovitch?

Krassótkin sentou-se na caminha, aos pés de Iliúcha. Embora, ao ir para lá, talvez tivesse preparado um assunto para iniciar a conversa sem cerimônia, agora, porém, perdera terminantemente o fio.

— Não... vim com Pierezvon... Agora eu tenho esse cachorro, Pierezvon. É um nome eslavo. Ele está esperando lá fora... É só eu dar um assobio que ele entra voando. Eu também trouxe um cachorro — voltou-se subitamente para Iliúcha —, estás lembrado de Jutchka, meu velho? — desferiu-lhe subitamente essa pergunta.

O rostinho de Iliúchetchka contraiu-se. Ele olhou para Kólia com ar sofrido. Aliócha, que estava postado à porta, franziu o cenho e fez furtivamente com a cabeça um sinal para que Kólia não começasse a falar de Jutchka, mas ele não notou ou não quis notar.

— Onde está Jutchka? — perguntou Iliúcha com voz entrecortada.

— Ora, meu caro, o teu Jutchka fiu-fiu! Teu Jutchka sumiu!

Iliúcha calou-se, mas tornou a olhar atentamente para Kólia. Aliócha, tendo captado o olhar de Kólia, fez das tripas coração e lhe enviou um novo sinal, mas o outro desviou novamente o olhar, fingindo que também desta vez não o havia notado.

— Fugiu para algum lugar e sumiu. Como não haveria de sumir depois de um salgadinho como aquele — cortava impiedosamente Kólia, mas enquanto isso era como se algo o deixasse sufocado. — Em compensação eu tenho Pierezvon... um nome eslavo... Eu o trouxe para ti.

— Não é pre-ci-so! — proferiu subitamente Iliúchetchka.

— Não, não, é preciso, deves vê-lo sem falta... Vais te divertir. Eu o trouxe de propósito... é tão peludo como o outro... Senhora, permite que eu chame o cachorro para cá? — dirigiu-se de chofre à senhora Snieguíriova com uma inquietação já totalmente incompreensível.

— Não é preciso, não é preciso! — exclamou Iliúcha com um esforço amargurado na voz. Uma recriminação estampou-se em seus olhos.

— O senhor poderia... — o capitão precipitou-se do baú, no qual esboçara sentar-se junto à parede —, o senhor poderia... noutra ocasião... — balbuciou ele, mas Kólia, insistindo de forma incontida e apressada, gritou subitamente para Smúrov: "Smúrov, abre a porta!" — e assim que o outro abriu ele soprou o seu apito. Pierezvon voou num impulso para dentro do quarto.

— Pula, Pierezvon, em pé! Em pé! — gritou Kólia levantando-se de um salto, e o cão aprumou-se sobre as patas traseiras bem diante da caminha de Iliúcha. Aconteceu algo que ninguém esperava: Iliúcha estremeceu e, num átimo, moveu-se com força todo para a frente, curvou-se sobre Pierezvon e, como que pasmado, ficou olhando para ele.

— Esse... é Jutchka — gritou de chofre com uma vozinha trêmula de sofrimento e felicidade.

— E quem tu pensavas que era? — bradou com toda a força Krassótkin, com uma voz sonora e feliz e, inclinando-se sobre o cão, agarrou-o e o ergueu para Iliúcha.

— Olha, meu velho, aqui vês o olho torto e o corte na orelha esquerda, exatamente os mesmos sinais que tu me descreveste. Foi por esses sinais que eu o achei! E o achei naquele mesmo momento, rapidamente. Ele não tinha dono, não tinha dono mesmo! — explicava Kólia, voltando-se rápido para o capitão, para sua esposa, para Alióchaa e novamente para Iliúcha —, estava na casa dos Fiedótov, no fundo do quintal, ia se acostumar por lá, mas eles não lhe davam de comer, era um cão fugitivo, fugido de uma aldeia... E foi então que eu o achei... Vê, meu velho, isso quer dizer que ele não engoliu aquele pedaço que tu lhe deste. Se tivesse engolido evidentemente teria morrido, isso é claro! Então ele conseguiu cuspi-lo, já que está vivo. Mas tu não notaste que ele o cuspiu. Cuspiu, mas mesmo assim furou a língua, por isso começou a ganir. Corria e gania, e tu pensavas que ele tivesse engolido tudo. Ele deve ter ganido muito, porque os cachorros têm a pele da boca muito delicada... mais delicada do que a do homem, bem mais delicada! — exclamava Kólia exaltado, com o rosto inflamado e radiante de êxtase.

Já Iliúcha nem conseguia falar. Olhava para Kólia com seus olhos graúdos e esbugalhados, boquiaberto e pálido como um lenço. Se Krassótkin, que de nada desconfiava, soubesse que influência torturante e mortífera esse instante poderia exercer sobre a saúde do menino doente, por nada nesse mundo teria resolvido aprontar a coisa que aprontou. Mas ali no quarto Aliócha talvez fosse o único a compreender isso. Quanto ao capitão, parecia inteiramente transformado num menininho.

— Jutchka! Então esse é Jutchka? — bradava ele com voz cheia de satisfação. — Iliúchetchka, esse é mesmo Jutchka! Jutchka, teu Jutchka! Mãezinha, esse é mesmo Jutchka! — Estava a ponto de chorar.

— E eu que não adivinhei! — exclamou amargamente Smúrov. — Ai, esse Krassótkin, eu disse que ele acharia Jutchka e ele o achou!

— Pois achou mesmo! — respondeu alegremente mais alguém.

— Bravo, Krassótkin! — soou uma terceira voz.

— Bravo, bravo! — gritaram todos os meninos e começaram a aplaudir.

— Mas esperem, esperem — Krassótkin se esforçava por falar mais alto que os outros —, eu vou lhes contar como isso aconteceu; o que importa é como aconteceu, nada mais! Porque eu o encontrei, levei-o para minha casa imediatamente e o escondi, meti a chave na porta e não o mostrei a ninguém até o último dia. Smúrov foi o único a saber, duas semanas atrás, mas eu lhe assegurei que era Pierezvon e ele não adivinhou, e nos intervalos eu ensinei a Jutchka todas as ciências, observem, observem só que coisas ele sabe! Eu o ensinei, meu velho, com o fim de trazê-lo para ti ensinado, roliço: vê só, meu velho, como está teu Jutchka agora! Aliás, será que vocês não têm em casa algum pedacinho de carne de gado, ele lhes mostrará uma coisa e vocês vão cair de rir; a carne de gado, um pedacinho, será que vocês não têm?

O capitão precipitou-se pelo vestíbulo em direção à isbá dos senhorios, onde se cozinhava também a comida do capitão. Kólia, para não perder o precioso tempo e movido por uma extrema pressa, gritou para Pierezvon: "Morre!". E o cão de repente girou, deitou-se de costas e congelou imóvel com todas as quatro patas para o ar. Os meninos riam, e Iliúcha olhava com o mesmo sorriso de sofrimento, mas de todos ali quem mais gostou de Pierezvon ter "morrido" foi a "mãezinha". Ela desatou a rir com o cão e começou a chamá-lo estalando os dedos:

— Pierezvon! Pierezvon!

— Por nada ele se levantará, por nada, por nada — bradou Kólia com ar triunfal e justo orgulho —, ainda que grite o mundo inteiro, mas é só eu gritar e num piscar de olhos ele se levantará de um salto! Aqui, Pierezvon!

O cão deu um salto e começou a pular, ganindo de alegria. O capitão entrou correndo, com o pedaço de carne de gado cozida na mão.

— Não está quente? — quis saber Kólia de um jeito apressado e prático, ao receber a carne —, não, não está quente, porque os cachorros não gostam de comida quente. Olhem todos. Iliúcha, olha, mas olha mesmo, olha, meu velho, por que não olhas? Eu o trouxe, mas ele nem olha!

O novo número consistia em pôr um saboroso pedaço de carne bem no focinho do cão em pé, imóvel e com o pescoço estirado. O infeliz do cão devia permanecer com o pedaço de carne no focinho por todo o tempo que seu dono quisesse, sem se mover, nem se mexer, ainda que fosse por meia hora. Mas a prova de Pierezvon durou apenas um ínfimo minutinho.

— Pega! — gritou Kólia, e num abrir e fechar de olhos a carne passou do focinho à boca de Pierezvon. O público, evidentemente, mostrou uma entusiástica surpresa.

— Será possível, será possível que você demorou esse tempão todo a aparecer só para amestrar o cão? — exclamou Aliócha com uma involuntária censura.

— Exatamente para isso — bradou Kólia da maneira mais cândida. — Eu queria mostrá-lo em todo o seu esplendor!

— Pierezvon! Pierezvon! — Iliúcha estalou de repente os magros dedos, chamando o cão.

— O que é isso! Deixa que ele mesmo salte para a tua cama. Aqui, Pierezvon!— Kólia deu uma palmada na cama e Pierezvon voou como uma flecha para junto de Iliúcha. Este lhe abraçou a cabeça com ambas as mãos, e em troca Pierezvon lambeu-lhe a face num instante. Iliúcha apertou-o contra si, estendeu-se na caminha e escondeu seu rosto no meio daquele pelo denso.

— Meu Deus, meu Deus! — exclamou o capitão.

Kólia tornou a sentar-se na cama de Iliúcha.

— Iliúcha, ainda te posso mostrar mais uma coisa. Eu te trouxe o canhãozinho. Estás lembrado de que ainda naquela época eu te falei dele, e tu me disseste: "Ah, se eu também pudesse vê-lo!"? Pois bem, agora eu o trouxe para ti.

E Kólia, apressado, tirou de sua mochila o canhãozinho de bronze. Tinha pressa, porque ele mesmo estava muito feliz: noutra ocasião teria esperado que passasse o efeito produzido por Pierezvon, mas agora tinha pressa, desprezava todo e qualquer retardamento: "se antes já estavam felizes, então vão ter mais felicidade ainda!". Ele mesmo estava muito enlevado.

— Fazia tempo que eu andava de olho nessa coisinha que estava na casa do funcionário Morózov — para ti, meu velho, para ti. Ela saiu de graça para ele, ele a herdou de um irmão e eu dei por ela um livrinho do armário de meu pai: *O parente de Maomé ou a tolice salutar.*[12] O livrinho tem cem anos, é ousado, foi publicado em Moscou quando não havia censura e Morózov é um apreciador dessas coisas. Ainda me agradeceu.

Kólia segurava o canhãozinho na mão diante de todos, de sorte que todos podiam vê-lo e deliciar-se. Iliúcha soergueu-se e ficou contemplando em êxtase o brinquedo, enquanto abraçava Pierezvon com o braço direito. O efeito chegou ao auge quando Kólia anunciou que também tinha pólvora e podia disparar agora mesmo, "se isso não vai deixar as damas intranquilas". A "mãezinha" logo pediu para ver o brinquedo mais de perto, o que foi feito imediatamente. O canhãozinho de bronze sobre rodas lhe agradou sobremaneira, e ela se pôs a rodá-lo sobre os joelhos. Ao pedido de permissão para disparar respondeu com a mais plena concordância, sem, entretanto, entender o que lhe perguntavam. Kólia mostrou a pólvora e o chumbo. O capitão, como ex-militar, preparou pessoalmente a carga, colocando uma porção mínima de pólvora, mas pedindo que se deixasse o chumbo para outra vez. Puseram o canhão no chão com o cano voltado para um espaço vazio, colocaram três grãos de pólvora no ouvido da arma e lhe chegaram um fósforo aceso. Ouviu-se o tiro mais estupendo. A mãezinha esboçou uma tremida, mas logo deu uma risada de alegria. Os meninos estavam com um ar de triunfo silencioso, no entanto o capitão era o mais satisfeito e olhava para Iliúcha. Kólia apanhou o canhãozinho e o deu no ato de presente a Iliúcha, junto com o chumbo e a pólvora.

[12] Obra traduzida do francês, versa sobre as aventuras amorosas de um francês em Constantinopla. Não traz referência ao autor. (N. da E.)

— Isto eu trouxe para ti, para ti! Estava preparado fazia muito tempo — repetiu mais uma vez na plenitude da felicidade.

— Ah, dê para mim! Não, é melhor dar o canhãozinho para mim! — súbito a mãezinha começou a pedir como se fosse uma criança. Seu rosto estampou uma amarga preocupação pelo temor de que não lhe dessem o canhãozinho. Kólia ficou atrapalhado. O capitão mostrou uma agitação intranquila.

— Mãezinha, mãezinha! — correu para ela —, o canhãozinho é teu, teu, ele pode ficar com Iliúcha porque lhe deram de presente, mas mesmo assim é teu, Iliúchetchka sempre vai te deixar brincar, deixemos que ele seja de vocês dois, de vocês dois...

— Não, não quero que seja dos dois, não, quero que seja só meu, e não de Iliúcha — continuava a mãezinha já se preparando para desatar no choro.

— Mamãe, fica, fica com ele, aqui está, fica com ele! — gritou Iliúcha de repente. — Krassótkin, posso dá-lo de presente a mamãe? — voltou-se para Krassótkin com um ar suplicante, como se temesse que Kólia fosse se ofender por ele dar a outro o presente que lhe dera.

— Tem toda a minha permissão! — Krassótkin concordou no ato e, pegando o canhãozinho das mãos de Iliúcha, entregou-o pessoalmente à mãezinha, fazendo a mais gentil reverência.

— Iliúchetchka, meu querido, eis quem gosta de sua mãezinha! — exclamou enternecida e imediatamente voltou a rodar o canhão sobre seus joelhos.

— Mãezinha, deixe eu te beijar a mãozinha — o marido correu para ela e imediatamente cumpriu sua intenção.

— Se existe o mais amável dos jovens, ele é esse menino bom! — pronunciou a mãe agradecida, apontando para Krassótkin.

— Iliúcha, agora eu posso te trazer toda a pólvora que tu quiseres. Nós mesmos estamos fazendo a pólvora. Borovikov descobriu a composição: vinte e quatro porções de salitre, dez de enxofre e seis de carvão de bétula; pulveriza-se tudo num pilão, põe-se água, mistura-se e peneira-se a pasta em uma pele de carneiro, e a pólvora está pronta.

— Smúrov já me falou de sua pólvora, mas meu pai disse que essa não é uma pólvora de verdade — respondeu Iliúcha.

— Como não é de verdade? — Kólia corou —, ela pega fogo. Se bem que não sei...

— Não, não foi isso — precipitou-se de súbito o capitão com ar de culpa. — Na verdade eu disse que não é assim que se faz pólvora de verdade, mas isso não é nada, pode-se fazê-la assim também.

— Não sei, o senhor sabe melhor. Nós a acendemos num pote de pedra para pomada, ela queimou maravilhosamente, queimou toda, deixou só um mínimo de cinza. Mas isso é apenas pasta, porque se passar pela peneira... Aliás, o senhor sabe melhor, eu não sei... O pai de Búlkin lhe deu uma surra por causa da nossa pólvora, ouviste falar? — voltou-se de súbito para Iliúcha.

— Ouvi falar — respondeu Iliúcha. Ele ouvia Kólia com infinito interesse e deleite.

— Preparamos uma garrafa inteira de pólvora, ele a guardava debaixo da cama. O pai viu. Ela pode explodir, disse ele. E aí o açoitou na mesma hora. Quis fazer queixa de mim no colégio. Agora não o deixam mais andar comigo, agora não deixam mais ninguém andar comigo. Também não deixam Smúrov, fiquei famoso; todos dizem que sou "audacioso" — Kólia deu um risinho de desdém. — Tudo isso começou com aquele caso da estrada de ferro.

— Ah, também ouvimos falar dessa sua peripécia! — exclamou o capitão —, como é que você ficou ali deitado? Será que não teve medo de nada quando estava deitado debaixo do trem? Teve medo?

O capitão se desfazia em bajulação diante de Kólia.

— N-não tanto! — respondeu Kólia com ar displicente. — Quem mais pôs minha reputação em xeque aqui foi aquele maldito ganso. — Tornou a voltar-se para Iliúcha. Embora ao contar ele fingisse um ar displicente, ainda assim não conseguia controlar-se e continuava como que pisando em falso.

— Ah, eu também ouvi falar do ganso! — riu Iliúcha todo radiante —, me contaram, mas eu não entendi, será mesmo verdade que estiveste diante do juiz?

— Foi a brincadeira mais desmiolada, mais insignificante, fizeram de um argueiro um cavaleiro, como sempre fazem por aqui — começou Kólia com desenvoltura. — Eu estava passando pela praça justo quando conduziam uns gansos. Parei e fiquei observando os gansos. De repente um rapazinho daqui, o Vichniakóv — ele está trabalhando com os Plótnikov como moço de recado —, olha para mim e diz: "Por que estás olhando para os gansos?". Olho para ele, aquela cara tola, redonda, é um rapaz de vinte anos, saiba o senhor que nunca renego o povo. Gosto de estar com o povo... Nós nos afastamos do povo[13] — isso é um axioma —, o senhor parece que está rindo, Karamázov?

[13] Kólia Krassótkin repete com seu modo empolado o discurso liberal e do próprio Dostoiévski ao dizer "nos afastamos do povo". (N. do T.)

— Não, Deus me livre, eu o estou ouvindo atentamente — respondeu Aliócha com o ar mais crédulo, e o cismado Kólia num instante se animou.

— Karamázov, minha teoria é clara e simples — apressou-se em tom alegre. — Acredito no povo e é com alegria que sempre sou justo com ele,[14] mas sem mimá-lo absolutamente, isto é *sine qua*... Ah, sim, estava falando do ganso. Pois bem, dirijo-me a esse imbecil e lhe respondo: "Pois estou pensando em que pensa o ganso". E ele me olha de um jeito totalmente abobalhado: "E em que, pergunta, o ganso pensa?". "Veja ali, digo eu, aquela carroça carregada de aveia. A aveia está escapando do saco, o ganso estirou o pescoço por baixo da roda e está bicando os grãos — estás vendo?" "Estou vendo muito bem, diz ele." "Pois bem, se alguém der um empurrãozinho na carroça, a roda corta o pescoço do ganso ao meio ou não?" "Na certa corta, diz ele" — e ele mesmo ri de boca escancarada, se derrete todo. "Então vamos lá, rapaz, digo eu, vamos lá." "Vamos", diz ele."E não ficamos muito tempo ensaiando: ele se pôs junto aos arreios, assim, sem se fazer notar, e eu de lado para direcionar o ganso. Enquanto isso o mujique, distraído, conversava com alguém, de sorte que nem tive de direcionar absolutamente o ganso: ele mesmo esticou o pescoço debaixo do saco de aveia, debaixo da carroça, bem debaixo da roda. Pisquei para o rapaz, ele deu um puxão e — *crac*, e então o pescoço do ganso foi cortado ao meio! Pois não é que justo nesse instante todos os mujiques acharam de reparar em nós, e gritaram todos de uma só vez: "Tu o fizestes de propósito!" — "Não, não foi de propósito" — "Não, foi de propósito!". Bem, levantou-se um alarido: "Ao juiz de paz!". Agarraram também a mim: "Tu também estavas metido nisso, diz ele, tu deste uma mãozinha, todo o mercado te conhece!". Sei lá, mas realmente todo o mercado me conhece — acrescentou Kólia cheio de amor-próprio. — E lá fomos todos ao juiz de paz, e levando junto o ganso. Observo e vejo que meu rapaz se acovardou e começou a chorar; palavra, chorava como uma mulher. E o carroceiro grita: "Desse jeito podem matar quantos gansos quiserem!". Bem, é claro que aí entraram as testemunhas. O juiz de paz terminou num piscar de olhos: pelo ganso pagar um rublo ao carroceiro, e que o rapaz leve o ganso para casa. Pronto. E que doravante não se permita esse tipo de brincadeira. Mas o rapaz continua berrando como uma mulher: "Não fui eu, diz ele, foi ele que me incitou" — e aponta para mim. Respondo com total sangue-frio que não o ensinei absolutamen-

[14] Kólia repete, em tom de paródia, os chavões da imprensa liberal e democrática da década de 1860-70, época de criação das teorias populistas. (N. da E.)

te, que eu só havia exprimido a ideia básica e falado apenas em termos de projeto. O juiz Niefiedov riu, e no mesmo instante zangou-se consigo por ter rido: "Quanto ao senhor — diz a mim —, agora mesmo vou certificar seu diretor para que doravante o senhor não se meta mais em semelhantes projetos, em vez de ficar sentado com os livros e preparando suas lições". Meu diretor ele não certificou, era brincadeira, mas o caso realmente se espalhou e chegou aos ouvidos do diretor: como se sabe, entre nós os ouvidos são compridos! O professor de línguas clássicas ficou particularmente revoltado, mas Dardaniélov novamente me defendeu. Já Kolbásnikov anda zangado com todo mundo como um asno. Iliúcha, na certa ouviste dizer que ele se casou, pegou mil rublos de dote dos Mikháilov, mas a noiva é um tipinho nojentinho até dizer chega. A turma do terceiro ano compôs imediatamente um epigrama:

Todos os terceiranistas ficaram pasmados,
Com o casamento do Kolbásnikov desleixado.

E assim por diante, muito engraçado; depois eu te trago a composição. Sobre Dardaniélov nada tenho a dizer: é um homem de conhecimentos firmes. Gente assim eu respeito, não pelo fato de que ele me defendeu...

— No entanto tu o confundiste na discussão sobre quem fundou Troia! — interveio de súbito Smúrov, cheio de orgulho de Krassótkin nesse momento. Havia gostado muito da história do ganso.

— Será mesmo que o confundiu? — secundou em tom lisonjeiro o capitão. — Isso foi a respeito de quem fundou Troia? Já ouvimos falar que você o confundiu. Iliúchetchka me contou na ocasião...

— Pai, ele sabe tudo, sabe melhor do que todos nós! — secundou também Iliúchetchka —, ele apenas finge que não é assim, mas entre nós é primeiro lugar em todos os assuntos.

Iliúcha olhava para Kólia com uma felicidade infinita.

— Ora, essa história sobre Troia é uma tolice, são ninharias. Eu mesmo considero fútil essa questão — respondeu Kólia com uma modéstia altiva. Já conseguira pegar plenamente o tom, embora, diga-se de passagem, estivesse meio intranquilo: percebia que estava muito excitado e que, por exemplo, usara de excessiva sinceridade ao falar do ganso, ao passo que Aliócha calara durante toda a narração e estava sério, e isso começava a atormentar pouco a pouco o coração do menino cheio de amor-próprio. "Ele não estará calado porque me despreza, pensando que estou procurando elogios? Então, se é isso que ele se atreve a pensar, então eu..."

— Considero essa questão terminantemente fútil — interrompeu com ar outra vez altivo.

— Mas eu sei quem fundou Troia — proferiu de modo súbito e inteiramente inesperado um menino que até então quase nada dissera, menino calado e de aparência tímida, muito bonitinho, que tinha uns onze anos e o sobrenome Kartachov. Estava sentado bem junto à porta. Kólia o olhou com surpresa e ar importante. Acontece que a pergunta "Quem precisamente fundou Troia?" virara sem dúvida um segredo em todas as turmas, e para penetrar nele era preciso ler Smaragdov. Contudo, ninguém tinha Smaragdov, exceto Kólia. Pois bem, uma vez o menino Kartachov, aproveitando-se de que Kólia estava de costas, abriu depressa o livro de Smaragdov, que estava entre outros, e foi direto à passagem referente aos fundadores de Troia. Isso acontecera fazia já bastante tempo, mas ele continuava meio confuso e não se decidia a revelar publicamente que sabia quem fundara Troia por temer as consequências que daí poderiam advir e que Kólia desse um jeito de deixá-lo desconcertado. Mas, por algum motivo, agora não se conteve e falou. Aliás, estava querendo fazê-lo havia tempo.

— Pois bem, então quem a fundou? — Kólia voltou-se para ele olhando por cima dos ombros e com arrogância, já adivinhando, pela expressão do rosto do outro, que este realmente sabia e, é claro, acabara de preparar-se para todas as consequências. No estado de espírito que ali reinava houve o que se chama de dissonância.

— Teucro, Dardano, Illius e Tros fundaram Troia — escandiu o menino num piscar de olhos, e corou todo, corou tanto que dava até pena fitá-lo. Mas todos os meninos o olharam fixamente, fitaram-no um minuto inteiro, e todos estes que o olhavam fixamente viraram-se em seguida de chofre para Kólia. Este continuava a medir o atrevido menino com o olhar e um desdenhoso sangue-frio.

— Como assim, como foi que eles a fundaram? — dignou-se finalmente a proferir — e o que significa em linhas gerais fundar uma cidade ou Estado? Como foi isso: chegaram e puseram um tijolo após outro, foi isso?

Ouviu-se uma risada. O menino culpado passou do tom rosado ao escarlate. Calava, estava a ponto de chorar. Kólia o manteve assim por mais um minuto.

— Para discutir acontecimentos históricos como a fundação de uma nação é preciso, antes de mais nada, compreender o que isso significa — escandiu em tom sentencioso. — Aliás, não dou importância a essas histórias da carochinha, e no geral não tenho grande apreço pela história universal — acrescentou subitamente com desdém, já se dirigindo a todos os presentes.

— Pela história universal? — quis saber o capitão tomado de um repentino susto.

— Sim, pela história universal. É o estudo de uma série de tolices humanas, e só.[15] Respeito unicamente a matemática e as ciências naturais[16] — disse Kólia com ar de gabarola e olhou de relance para Aliócha: era só deste que ele temia a opinião ali. Mas Aliócha continuava calado e sério como antes. Se nesse momento Aliócha dissesse alguma coisa o assunto terminaria aí, mas Aliócha calava, e "seu silêncio poderia ser de desdém", e Kólia já estava totalmente irritado.

— Agora essas línguas clássicas estão de volta entre nós: uma loucura e nada mais... Parece que mais uma vez o senhor não está de acordo comigo, Karamázov?

— Não estou de acordo — Aliócha sorriu moderadamente.

— Se quiser saber a minha opinião, as línguas clássicas são uma medida policial, eis a única finalidade com que foram introduzidas[17] — Kólia voltava pouco a pouco a ofegar —, foram introduzidas porque são chatas e porque embotam a capacidade. Era chato, então, como fazer para que fique ainda mais chato? Era uma coisa estúpida, então como fazer para que fique ainda mais estúpido? E então inventaram as línguas clássicas. É essa a minha opinião completa sobre elas, e espero nunca traí-la — concluiu rispidamente Kólia. Em cada uma de suas faces apareceu um ponto vermelho.

— É verdade — concordou subitamente Smúrov com uma vozinha sonora e convicta, depois de ouvi-lo com empenho.

— Mas ele é primeiro lugar em latim! — gritou subitamente um menino no meio da aglomeração.

— Sim, papai, ele mesmo diz isso, mas é o primeiro em latim em nossa turma — falou também Iliúcha.

— O que é isso? — Kólia achou necessário defender-se, embora lhe agradasse muito o elogio. — O latim eu decoro porque preciso, porque prometi à minha mãe concluir o curso, e acho que se você assumiu então pro-

[15] Vejam-se as palavras de T. N. Granovski (1813-1855) em uma carta de 1849 dirigida a Herzen: "Receba um aperto em ambas as mãos e um abraço para seus filhos. Não quero mais lhes ensinar história, não vale a pena. Chega o que já sabem, é uma coisa tola que não leva a nada". (N. da E.)

[16] As palavras de Kólia refletem o envolvimento com as ciências naturais e exatas, característico da juventude no decênio de 1860-70. (N. da E.)

[17] A implantação do ensino das línguas clássicas nos colégios deveu-se ao desejo governamental de afastar o estudantado da discussão de questões políticas e do crescente movimento revolucionário nesse decênio de 1860-70. (N. da E.)

cure fazer direito, mas no fundo da alma desprezo o classicismo e toda essa torpeza... Não concorda, Karamázov?

— Mas por que “torpeza”? — tornou a rir Aliócha.

— Ora, tenha dó, todos os clássicos foram traduzidos para todas as línguas, portanto eles não tinham nenhuma necessidade do latim para o estudo dos clássicos, mas unicamente como medida policial e para embotar a capacidade. Depois disso, como não haveria de ser uma torpeza?

— Ora, quem lhe ensinou tudo isso? — Aliócha finalmente exclamou com surpresa.

— Em primeiro lugar, eu mesmo posso compreender sem que ninguém me ensine e, em segundo, isso mesmo que eu acabei de dizer sobre os clássicos traduzidos foi dito em voz alta pelo próprio professor Kolbásnikov para todo o terceiro ano...

— O doutor chegou! — exclamou de repente Nínotchika, que o tempo todo permanecera calada.

De fato, a carruagem da senhora Khokhlakova aproximava-se do portão da casa. O capitão, que passara a manhã inteira esperando o doutor, precipitou-se atormentado para recebê-lo no portão. A mãezinha ajeitou-se e deu-se ares de importância. Aliócha foi à cama de Iliúcha e pôs-se a arrumar-lhe o travesseiro. De sua poltrona, Nínotchika observava intranquila como ele ajeitava a caminha. Os meninos começaram a se despedir às pressas, alguns prometeram voltar à tarde. Kólia gritou para Pierezvon e este pulou da cama.

— Não vou embora, não vou! — disse Kólia apressadamente a Iliúcha —, vou ficar no vestíbulo e volto quando o doutor for embora, volto com Pierezvon.

Mas o doutor já entrava — figura importante metida num casaco de pele de urso, com longas suíças escuras e um lustroso queixo barbeado. Após atravessar o umbral, parou de chofre como que pasmado: na certa teve a impressão de haver entrado no lugar errado: “O que é isso? Onde estou?” — murmurou sem tirar o casaco nem o boné de pele de lontra com pala de pele também de lontra. A aglomeração, a pobreza do cômodo, a roupa pendurada numa corda em um canto o desconcertaram. O capitão inclinou-se diante dele, curvando-se três vezes.

— O senhor está aqui, aqui — murmurava servilmente —, o senhor está aqui, em minha casa, o senhor veio à minha casa...

— Snie-gui-rióv? — pronunciou em tom alto e importante o doutor. — Senhor Snieguirióv — é o senhor?

— Sou eu!

— Ah!

O doutor mais uma vez observou o cômodo com nojo e tirou o casaco. Aos olhos de todos brilhou uma importante condecoração em seu pescoço. O capitão pegou no ar o casaco, e o doutor tirou o boné.

— Onde está o paciente? — perguntou em tom alto e imperioso.

VI. Desenvolvimento precoce

— O que o senhor acha que o doutor lhe dirá? — matraqueou Kólia — que cara repugnante, não é verdade? Não consigo suportar a medicina!

— Iliúcha vai morrer. Isso me parece uma certeza — respondeu Aliócha com tristeza.

— São uns espertalhões. A medicina é uma espertalhona! Entretanto estou contente porque o conheci, Karamázov. Há muito tempo eu queria conhecê-lo. Só lamento nosso encontro nesse clima tão triste.

Kólia queria muito dizer algo de modo ainda mais fervoroso, ainda mais expansivo, no entanto era como se alguma coisa o deixasse acanhado. Aliócha o percebeu, deu um sorriso e apertou-lhe a mão.

— Há muito tempo eu aprendi a apreciar o ser raro que existe no senhor — tornou a murmurar Kólia, perdendo o fio e atrapalhando-se. — Ouvi dizer que é um místico e que esteve no mosteiro. Sei que é místico, mas... isso não me demoveu. O contato com a realidade há de curá-lo... Não acontece outra coisa com naturezas como a sua.

— O que é que você chama de místico? Vai me curar de quê? — Aliócha estava um pouco surpreso.

— Bom, aí entram Deus e tudo mais.

— Como, por acaso você não acredita em Deus?

— Ao contrário, não tenho nada contra Deus. Claro, Deus é apenas uma hipótese... porém... reconheço que ele é necessário, para a ordem... para a ordem universal, etc... e se Ele não existisse seria preciso inventá-lo — acrescentou Kólia, começando a corar. Passou-lhe subitamente pela imaginação que Aliócha ia pensar imediatamente que ele quisesse exibir sua erudição e mostrar como era "grande". "Mas eu não tenho nenhuma vontade de exibir meus conhecimentos perante ele" — pensou Kólia com indignação. E súbito sentiu um terrível enfado.

— Confesso que não suporto entrar nessas altercações todas — cortou ele —, porque se pode amar a humanidade mesmo sem crer em Deus; o que o senhor acha? Voltaire não cria em Deus, mas não amava da humanidade? ("Outra vez, outra vez!" — pensou consigo.)

— Voltaire cria em Deus, mas, é claro, pouco, e parece que também amava pouco a humanidade — pronunciou Aliócha com voz baixa, contida e absolutamente natural, como se conversasse com alguém de sua idade ou com uma pessoa mais velha. Kólia ficou impressionado justamente com essa aparente insegurança de Aliócha ao opinar sobre Voltaire, como se ele deixasse a solução desse problema justamente com ele, o pequeno Kólia.

— E você por acaso leu Voltaire? — concluiu Aliócha.

— Não, não é que eu tenha lido... Eu, aliás, li *Cândido*, em tradução russa... naquela tradução antiga, horrível, ridícula... ("Outra vez, outra vez!").

— E entendeu?

— Oh, sim, tudo... quer dizer... por que o senhor acha que eu não teria entendido? Ali, é claro, há muitas indecências... Eu, evidentemente, estou em condição de compreender que se trata de um romance filosófico e que foi escrito para afirmar uma ideia... — Kólia já estava completamente atrapalhado. — Eu sou socialista, Karamázov, sou um socialista incorrigível — cortou de chofre sem quê nem pra quê.

— Socialista? — Aliócha deu uma risada —, mas quando é que você arranjou tempo? Ora, você não tem só treze anos?

Kólia ficou de cara amarrada.

— Em primeiro lugar, não são treze, mas catorze, daqui a duas semanas faço catorze — Kólia ficou mesmo inflamado —, e, em segundo, não compreendo absolutamente o que a minha idade tem a ver com isso. A questão é saber quais são minhas convicções, e não quantos anos eu tenho, não é verdade?

— Quando tiver mais idade, você mesmo verá que importância tem a idade para as convicções. Parece-me ainda que você não fala com suas próprias palavras — respondeu Aliócha com modéstia e tranquilidade, mas Kólia o interrompeu fervorosamente.

— Ora, o senhor quer obediência e misticismo. Convenha que, por exemplo, a fé cristã só serviu aos ricos e nobres para que mantivessem a classe inferior na escravidão, não é verdade?[18]

[18] Em sua linguagem de colegial, Kólia repete as palavras de um dos mais influentes críticos literários russos do século XIX, V. G. Bielínski (1811-1848), em sua carta a Gógol: "Propagador do chicote, apóstolo da ignorância, partidário do obscurantismo, panegirista dos costumes tártaros — o que o senhor está fazendo?... Que o senhor baseie semelhante doutrina na Igreja Ortodoxa eu ainda entendo: ela sempre foi o apoio do chicote e servil ao despotismo... A Igreja foi uma hierarquia, portanto, defensora da desigualdade, bajuladora do poder, inimiga e perseguidora da igualdade entre os homens — e assim continua sendo até hoje". (N. da E.)

— Ah, sei onde você leu isso, e não há dúvida de que alguém lhe ensinou! — exclamou Aliócha.

— Por favor, por que forçosamente li? E a rigor ninguém me ensinou. Eu mesmo sou capaz... E se quer saber, não sou contra Cristo. Ele foi uma figura perfeitamente humana, vivesse ele em nossa época e se juntaria diretamente aos revolucionários e talvez desempenhasse um importante papel... Isso seria até inevitável.

— Mas de onde, de onde foi que você tirou isso? A que cretino você está ligado? — exclamou Aliócha.

— Ora, a verdade não se esconde. Eu, é claro, por um acaso converso frequentemente com o senhor Rakítin, no entanto... Dizem que o velho Bielínski também já dizia isso.

— Bielínski? Não me lembro. Ele não escreveu isso em lugar nenhum.

— Se não escreveu, então, dizem que ele disse. Isso eu ouvi de um... aliás, com os diabos...

— E Bielínski, você leu?

— Veja... não... não li inteiramente, mas... a passagem sobre Tatiana, sobre o porquê de ela não ter acompanhado Oniéguin,[19] eu li.

— Como não acompanhou Oniéguin? Ora, por acaso você já... compreende isso?

— Tenha dó, parece que o senhor me toma pelo menino Smúrov — Kólia sorriu irritado. — Aliás, por favor não pense que eu seja lá esse revolucionário. Discordo com muita frequência do senhor Rakítin. Se eu falei sobre Tatiana, não sou, porém, absolutamente a favor da emancipação da mulher. Reconheço que a mulher é um ser subordinado e deve obedecer. *Les femmes tricottent*,[20] como disse Napoleão — Kólia deu um risinho sei lá por quê —, e ao menos nisso partilho inteiramente a convicção desse pseudo grande homem. Eu, por exemplo, acho que fugir da pátria para a América é uma baixeza, pior do que baixeza, é uma tolice. Por que ir para a América se em nosso país se pode ser útil à humanidade? Justo agora. Há toda uma gama de atividades produtivas. Foi assim que respondi.

— Como respondeu? A quem? Por acaso alguém já o convidou a ir para a América?

[19] Tatiana, personagem central do romance em versos de Púchkin *Ievguiêni Oniéguin*. Embora amando profundamente Oniéguin, Tatiana casa-se com outro. Em quase todas as afirmações de cunho político ou literário nesse diálogo com Aliócha, Kólia repete a seu modo palavras de Bielínski. (N. do T.)

[20] "As mulheres tricotam", em francês. (N. do T.)

— Confesso que me incitaram, mas eu rejeitei. Isso, é claro, fica entre nós, Karamázov, está ouvindo? Não diga nenhuma palavra a ninguém. Só ao senhor estou dizendo. Não tenho nenhuma vontade de cair nas garras da Terceira Delegacia e receber aulas junto à Ponte de Correntes,[21]

Lembrar-te-ás do prédio
Junto à Ponte de Correntes!

Está lembrado? Magnífico! De que está rindo? Não estará pensando que tudo isso é mentira? ("E se ele soubesse que no armário do meu pai existe apenas um número do *Kólokol*, e que eu não li mais nada a esse respeito?" — pensou de relance, mas estremecendo.)

— Oh, não, não me atrevo e nem penso, absolutamente, que você tenha mentido. O xis da questão está justamente em que eu não penso assim, porque, infelizmente, tudo isso é a pura verdade! Vamos, diga-me, mas Púchkin você leu, *Oniéguin*... Porque acabou de falar em Tatiana!

— Não, ainda não li, mas quero ler. Não tenho preconceitos, Karamázov. Quero ouvir ambas as partes. Por que me perguntou?

— Por perguntar.

— Diga-me, Karamázov, o senhor sente um enorme desprezo por mim? — interrompeu Kólia de chofre e aprumou-se todo diante de Aliócha como que se pondo em guarda. — Faça-me o favor, sem rodeios.

— Eu o desprezo? — Aliócha o olhou com surpresa. — Ora, por quê? Apenas acho triste que uma natureza maravilhosa como a sua, que ainda não começou a viver, já esteja deformada por toda essa tolice grosseira.

— Com minha natureza não precisa se preocupar — interrompeu Kólia não sem uma presunção ridícula —, e quanto a eu ser cismado, isso é verdade. Tolamente cismado, grosseiramente cismado. O senhor acabou de rir, e me pareceu que foi como se...

— Ah, eu ri por uma coisa totalmente distinta. Veja do que ri: há poucos dias li a referência de um alemão, que mora no estrangeiro e morou na Rússia, à nossa juventude estudantil de hoje: "Mostre — escreve ele — a um colegial russo um mapa do céu estrelado, sobre o qual até hoje ele não fazia nenhuma ideia, e amanhã ele lhe devolverá esse mapa corrigido". Nenhum conhecimento e uma fatuidade sem reservas — eis o que o alemão quis dizer sobre o colegial russo.

[21] A Terceira Delegacia da Chancelaria Pessoal de Sua Majestade Imperial ficava na rua Fontanka, 16, em Petersburgo, ao lado da Ponte de Correntes, hoje Pestel. (N. da E.)

— Ah, sim, isso é totalmente verdadeiro! — gargalhou subitamente Kólia —, veríssimo, tal qual! Bravo, alemão! Entretanto, o finês[22] desprezou também o lado bom, hein, o que o senhor acha? Fatuidade — vá lá, isso se deve à pouca idade, isso se corrige se for mesmo necessário que se corrija, mas, por outro lado, há o espírito independente desde quase a infância, por outro lado há a ousadia do pensamento e das convicções e não o espírito do servilismo de salsicheiro que eles mostram diante das autoridades... Mas mesmo assim o alemão falou bem! Bravo, alemão! Embora, apesar de tudo, seja necessário estrangular os alemães. Vá que sejam fortes em ciência, mas mesmo assim precisam ser estrangulados...

— Por que estrangular? — Aliócha sorriu.

— Bem, eu posso ter dito uma tolice, concordo. Às vezes sou uma criança horrível, e quando me alegro com alguma coisa não me contenho e me ponho a dizer disparates. Escute, mesmo assim nós dois estamos aqui tagarelando sobre ninharias, mas enquanto isso esse doutor encalhou lá dentro há muito tempo. Se bem que ele pode estar examinando a "mãezinha" e essa Nínotchika sem pés. Sabe, gostei dessa Nínotchika. Quando eu saía ela me murmurou subitamente: "Por que não veio antes?". E com aquela voz, com censura! Acho que é muitíssimo bondosa e digna de pena.

— Sim, sim! Você passará a visitá-los e verá que criatura é essa. Conhecer justamente essas criaturas lhe será muito útil, para saber apreciar ainda muitas coisas diferentes que conhecerá depois de travar conhecimento com semelhantes criaturas — observou Aliócha com fervor. — Isso o transformará mais do que qualquer coisa.

— Oh, como lamento e me censuro por não ter vindo antes! — exclamou Kólia com um sentimento de amargura.

— Sim, é muito lamentável. Você mesmo viu que impressão de alegria produziu no pobre menino! E como ele se consumia esperando por você!

— Nem me fale! O senhor aviva meu pesar. Aliás, eu mereci: não vim antes por amor-próprio, por um amor-próprio egoísta e um torpe despotismo do qual não tenho conseguido me livrar em toda a minha vida, mesmo fazendo das tripas coração. Agora vejo isso, em muita coisa sou um canalha, Karamázov!

— Não, você é de uma índole maravilhosa, ainda que deformada, e eu compreendo perfeitamente por que pôde exercer tamanha influência nesse menino nobre e morbidamente susceptível! — respondeu Aliócha com fervor.

[22] Kólia aplica ao alemão o mesmo termo depreciativo, *tchukhná*, que os russos aplicavam aos finlandeses. (N. do T.)

— E o senhor me diz isso! — bradou Kólia —, mas eu, imagine, pensei — e já muitas vezes, como estava pensando agora mesmo —, pensei que me desprezasse! Ah, se soubesse como aprecio sua opinião!

— Mas será que é realmente tão cismado? Com essa idade? Imagine que lá dentro, no quarto, olhando para você quando você narrava, pensei mesmo que você devia ser muito cismado.

— Então já havia pensado? Mas que olho o seu, o senhor enxerga, enxerga! Aposto que isso se deu naquela passagem em que eu contava sobre o ganso. Foi justamente aí que imaginei que o senhor me desprezasse profundamente, porque me precipito a me exibir como um bravo jovem, e de uma hora para outra cheguei até a odiá-lo por isso e comecei a dizer disparates. Depois, quando eu disse (isso já aqui, agora) "Se Deus não existisse seria preciso inventá-lo", imaginei que eu estava me precipitando demais para mostrar a minha erudição, ainda mais porque li essa frase em um livro. Mas juro que não me precipitei em me exibir por vaidade, mas assim, assim, não sei se por alegria, juro que foi como que por alegria... embora seja um traço profundamente vergonhoso em uma pessoa pular de alegria no pescoço dos outros. Sei disso. Mas, em compensação, agora estou convencido de que o senhor não me despreza, e que eu mesmo inventei tudo isso. Oh, Karamázov, sou profundamente infeliz. Às vezes imagino sabe Deus o quê, que riem de mim, o mundo inteiro, e então me sinto simplesmente disposto a destruir toda a ordem das coisas.

— E atormenta os que o rodeiam — sorriu Aliócha.

— E atormento os que me rodeiam, especialmente minha mãe. Karamázov, diga-me, estou sendo muito ridículo neste momento?

— Nem pense nisso, não pense nisso de maneira nenhuma! — exclamou Aliócha. — E ademais, o que é ridículo? Quantas vezes o homem é ou parece ridículo? Além disso, hoje em dia quase todas as pessoas de talento morrem de medo de serem ridículas e por isso são infelizes. Só me admira que você tenha começado a sentir isso tão cedo, se bem que eu já venho observando isso há muito tempo, e não só em você. Hoje em dia tem gente que mal saiu da infância e já começa a sofrer com isso. É quase uma loucura. O diabo encarnou-se nesse amor-próprio e infiltrou-se em toda uma geração, precisamente o diabo — acrescentou Aliócha absolutamente sem rir, como imaginaria Kólia, que tinha os olhos cravados nele. — Você é como todos os outros — concluiu Aliócha —, isto é, como muitos, só que não precisa ser tal qual todos os outros, essa é a questão.

— Mesmo apesar de todos serem assim?

— Sim, apesar de todos serem assim. Procure ser o único a não ser assim. Em realidade, você não é como todos: agorinha mesmo não se envergonhou de confessar que tem defeitos e é ridículo. E quem confessa isto hoje em dia? Ninguém, e até deixaram de sentir necessidade de autocensura. Procure não ser igual a todos os outros; mesmo que seja o único a se manter diferente, ainda assim não seja igual.

— Magnífico! Não me enganei com o senhor. O senhor tem a capacidade de consolar. Oh, como eu ansiava por conhecê-lo, Karamázov, como faz tempo que procuro um encontro com o senhor! Será possível que também pensava em mim? Ainda há pouco o senhor disse que também pensava em mim?

— Sim, ouvi falar a seu respeito e também pensava em você... E se em parte foi também o amor-próprio que o levou a me fazer essa pergunta agora, isso não tem importância.

— Sabe, Karamázov, nossa explicação está parecendo uma declaração de amor — pronunciou Kólia com um quê de frouxidão e vergonha na voz. — Isso não é ridículo, não é ridículo?

— Não tem nada de ridículo, e ainda que fosse ridículo não teria nada de mais porque é bom — Aliócha deu um sorriso luminoso.

— Vamos, Karamázov, concorde que neste momento o senhor mesmo está um pouco envergonhado de mim... Vejo por seus olhos — Kólia deu um risinho meio brejeiro, mas com um quê de quase felicidade.

— Envergonhado de quê?

— E por que corou?

— É que você agiu de tal modo que eu corei! — Aliócha deu uma risada e realmente corou todo. — É mesmo, um pouco envergonhado sabe Deus de quê, não sei de quê... — balbuciava até quase atrapalhado.

— Oh, como gosto do senhor e aprecio esse instante, justamente porque o senhor também está envergonhado de alguma coisa comigo! Porque o senhor também é exatamente como eu! — exclamou Kólia terminantemente extasiado. Ardiam-lhe as faces, os olhos brilhavam.

— Ouve, Kólia: a propósito, você será uma pessoa muito infeliz na vida — disse subitamente Aliócha por alguma razão.

— Sei, sei. Como o senhor sabe tudo isso de antemão! — endossou Kólia incontinenti.

— Mas há de bendizer a vida em seu todo, apesar de tudo.

— Isso mesmo! Hurra! O senhor é um profeta. Oh, seremos amigos, Karamázov. Sabe, o que mais me encanta é que o senhor conversa comigo absolutamente como um igual. E nós não somos iguais, não, não somos iguais, o senhor é superior! Mas seremos amigos. Sabe, passei o último mês inteiro dizendo para mim mesmo: "Ou nos tornaremos imediatamente amigos para sempre, ou da primeira vez nos separaremos como inimigos até à morte!".

— E falando assim, é claro, já gostava de mim! — Aliócha ria alegremente.

— Gostava, gostava demais, gostava e sonhava com o senhor! E como o senhor sabe tudo isso de antemão? Bah, aí está o doutor. Deus, o que ele dirá, olhe a cara dele!

VII. Iliúcha

O doutor saiu da isbá novamente envolto no casaco de pele e com o boné na cabeça. Tinha no rosto uma expressão quase zangada e enojada, como quem está sempre com medo de sujar-se com alguma coisa. Correu os olhos pelo vestíbulo e ao mesmo tempo olhou severamente para Aliócha e Kólia. Da porta Aliócha fez com a mão um sinal para o cocheiro, e a carruagem, que trouxera o doutor, encostou diante da porta de saída. O capitão irrompeu precipitadamente atrás do doutor e, curvando-se, quase se contorcendo diante dele, deteve-o para uma última palavra. O coitado tinha o rosto abatido, o olhar assustado:

— Excelência, excelência... será?... — ensaiou começar, mas não concluiu, limitando-se a levantar os braços em desespero, ainda que olhasse para o doutor com uma última súplica, como se a última palavra que o doutor dissesse agora pudesse mudar a condenação do pobre menino.

— O que fazer! Eu não sou Deus — respondeu o doutor com voz displicente, embora imponente como de costume.

— Doutor... Excelência... Isso é para breve, para breve?

— Pre-pa-re-se para tudo — escandiu o doutor, acentuando cada sílaba e baixando a vista, dispondo-se a atravessar o umbral em direção à carruagem.

— Excelência, por Cristo! — deteve-o novamente mais uma vez o capitão, assustado —, excelência!... Será que nada, será possível que nada, absolutamente nada o salvará agora?...

— Agora não de-pen-de de mim — proferiu impacientemente o doutor — e, não obstante, hum — parou de súbito —, se, por exemplo, o senhor pudesse... en-vi-ar... o seu paciente... agora e sem nenhuma tardança (o doutor pronunciou as palavras "agora e sem nenhuma tardança" não propriamente com severidade mas quase com ira, de modo que o capitão até estremeceu) a Si-ra-cu-sa, então... em virtude das novas condições cli-má-ti-cas fa-vo-rá-veis... talvez pudesse haver...

— A Siracusa! — bradou o capitão como se ainda não estivesse compreendendo nada.

— Siracusa fica na Sicília — interrompeu Kólia em voz alta, para esclarecer. O doutor olhou para ele.

— À Sicília! *Bátiuchka*, excelência — desconcertou-se o capitão —, mas o senhor acabou de ver! — ele girou as duas mãos, mostrando a sua pobreza. — E a mãezinha, e a família?

— N-não, a família não vai para a Sicília, sua família vai para o Cáucaso, no início da primavera... Sua filha vai para o Cáucaso, e sua esposa... depois de uma temporada numa estação de águas minerais no Cáu-ca-so devido aos seus reumatismos... en-vi-á-la imediatamente a Paris, ao hospital do médico psi-qui-a-tra Le-pel-le-tier, para quem eu poderia dar um bilhete através do senhor, e então... poderia, talvez, dar-se...

— Doutor, doutor! Mas o senhor está vendo! — o capitão tornou a abrir subitamente os braços, apontando em desespero as paredes nuas do vestíbulo, feitas de troncos de madeira.

— Isso já não é problema meu — deu um risinho o doutor —, eu apenas disse o que a ci-ên-ci-a poderia dizer em resposta à sua pergunta acerca dos últimos recursos; quanto ao restante... para meu infortúnio...

— Não se preocupe, seu médico,[23] meu cachorro não vai mordê-lo — cortou Kólia em voz alta, ao notar o olhar meio intranquilo do doutor para Pierezvon, que estava parado no umbral. Na voz de Kólia ouviu-se um tom de ira. A expressão "seu médico", em vez de doutor, ele havia usado *de propósito* e, como ele mesmo explicou depois, "disse para ofender".

— O que é is-so? — o doutor levantou a cabeça, cravando com surpresa o olhar em Kólia. — Quem é esse? — dirigiu-se subitamente a Aliócha, como se lhe cobrasse um relatório.

— Sou o dono de Pierezvon, seu médico, não se preocupe com minha pessoa — tornou a escandir Kólia.

— *Zvon*?[24] — repetiu a pergunta o doutor, sem entender o que era Pierezvon.

— Mas não sabe de onde vem.[25] Adeus, seu médico, nós nos veremos em Siracusa.

[23] Kólia usa o termo popular *liékar*, que significa médico, em vez do usual e mais culto *vratch*. Daí o estranhamento do médico. (N. do T.)

[24] Tinido, retinir, em russo. (N. do T.)

[25] Kólia brinca com o provérbio russo "*Slíchal zvon, no ne znaiet gde on*", que ao pé da letra significa "Ouviu o tinido, mas não sabe de onde vem". (N. do T.)

— Quem é es-se? Quem é, quem é? — súbito o doutor ficou terrivelmente inflamado.

— É um aluno do colégio daqui, doutor, um travesso, não dê atenção — pronunciou Aliócha atroprelando as palavras e franzindo o cenho. — Kólia, cale-se! — gritou para Krassótkin. — Não vale a pena dar atenção, doutor — proferiu já com um pouco de impaciência.

— A-çoi-tá-lo, a-çoi-tá-lo, a-çoi-tá-lo! — o doutor bateu com os pés sabe-se lá por quê, já no auge da fúria.

— Sabe de uma coisa, seu médico, meu Pierezvon talvez até morda mesmo! — pronunciou Kólia com voz trêmula, empalidecendo e com os olhos em chamas. — Aqui, Pierezvon!

— Kólia, se disser mais uma palavra, rompo com você para sempre! — gritou imperiosamente Aliócha.

— Seu médico, só existe uma criatura no mundo inteiro que pode dar ordem a Nikolai Krassótkin, e é esse homem aqui — Kólia apontou para Aliócha —, a ele eu obedeço, adeus.

Arrancou-se do lugar e, fechando a porta, entrou rapidamente no cômodo. Pierezvon lançou-se atrás dele. O doutor ficou postado por mais uns segundos como que petrificado, olhando para Aliócha, depois deu uma súbita cuspida e saiu rápido para a carruagem, repetindo em voz alta: “Isso, isso, isso, não sei o que é isso!”. O capitão precipitou-se para ajudá-lo a embarcar. Aliócha entrou no cômodo atrás de Kólia. Este já estava ao pé da caminha de Iliúcha. Iliúcha o segurava pela mão e chamou o pai. Um minuto depois voltava também o capitão.

— Papai, papai, venha cá... Nós — Iliúcha esboçou balbuciar com extraordinária excitação, mas estava visivelmente sem forças para continuar. De repente lançou seus dois bracinhos mirrados para a frente e, com a força que pôde, abraçou os dois, Kólia e o pai, de uma só vez, unindo-os num abraço e estreitando-se ele mesmo contra eles. Um soluço abafado sacudiu de chofre o capitão, enquanto os lábios e o queixo de Kólia começavam a tremer.

— Papai, papai! Como tenho pena de ti, papai! — gemeu amargamente Iliúcha.

— Iliúchetchka... meu querido... o doutor disse... que ficarás bom... seremos felizes... o doutor... — o capitão esboçou falar.

— Ah, papai! Eu sei o que esse novo doutor te disse sobre mim... Ora, eu vi! — exclamou Iliúcha, e tornou a estreitar com toda a força os dois contra si, escondendo o rosto no ombro do pai.

— Papai, não chores... Assim que eu morrer, pega um bom menino, outro... Escolhe tu mesmo entre todos eles um bom, chama-lhe Iliúcha e ama-o em meu lugar...

— Cala-te, meu velho, vais ficar bom! — gritou subitamente Krassótkin como se estivesse zangado.

— De mim, papai, de mim nunca te esqueças — continuou Iliúcha —, vai me visitar no túmulo... E tem mais, papai, me enterra ao pé da nossa pedra grande, onde nós íamos caminhar, e vai lá me visitar com Krassótkin, à tarde... e Pierezvon também... Eu vou ficar esperando por vocês... Papai, papai!

Ficou sem voz, todos os três estavam abraçados e já calados. Nínotchika também chorava baixinho em sua poltrona e súbito, ao ver todos chorando, a mãezinha também ficou banhada em lágrimas — Iliúchetchka! Iliúchetchka!

Krassótkin livrou-se subitamente dos abraços de Iliúcha.

— Adeus, velhote, mamãe está me esperando para almoçar — falou atropeladamente. — Que pena que eu não avisei a ela! Vai ficar muito preocupada... Mas depois do almoço volto logo para cá, pelo resto do dia, por toda a tarde, e quanta coisa vou te contar, quanta coisa! E vou trazer Pierezvon também, mas agora eu vou levá-lo porque sem mim ele vai começar a ganir e te incomodar; até logo!

E correu para o vestíbulo. Não queria chorar, mas no vestíbulo acabou se debulhando em lágrimas. Foi nesse estado que Aliócha o encontrou.

— Kólia, você deve manter infalivelmente a palavra e vir, senão ele vai ficar terrivelmente aflito — insistiu Aliócha.

— Infalivelmente! Oh, como me censuro por não ter vindo aqui antes — murmurou Kólia chorando e já sem se acanhar com o choro. Nesse instante o capitão como que pulou para fora do cômodo, fechando incontinenti a porta. Tinha no rosto a expressão do desvario, os lábios tremiam. Parou diante dos jovens e ergueu ambos os braços.

— Não quero um bom menino! Não quero outro menino! — exclamou com um murmúrio terrível, rangendo os dentes. — Se eu te esquecer, Jerusalém, apegue-se-me...[26]

Não concluiu, parecia sufocado, e arriou de joelhos sem forças diante de um banco de madeira. Apertando a cabeça com os dois punhos, começou a soluçar entre ganidos esquisitos, mas fazendo das tripas coração para que seus ganidos não fossem ouvidos na isbá. Kólia se precipitou para a rua.

[26] Passagem do famoso Salmo 137, versículos 5-6: "Se eu de ti me esquecer, ó Jerusalém [...]; apegue-se-me a língua ao paladar [...]". (N. da E.)

— Adeus, Karamázov! O senhor mesmo também venha! — bradou de forma brusca e zangada para Aliócha.

— À tardinha virei sem falta.

— Que história é essa de Jerusalém... O que significa mais essa?

— É uma passagem da Bíblia: "Se eu de ti me esquecer, oh Jerusalém", ou seja, se esquecer tudo o que há de mais precioso para mim, se vier a trocá-lo por algo, então que minha língua se apegue...

— Entendi, basta! O senhor mesmo apareça! Aqui, Pierezvon! — gritou já totalmente enfurecido para o cão e saiu a passos rápidos e largos a caminho de casa.

Livro XI
O IRMÃO IVAN FIÓDOROVITCH

I. EM CASA DE GRÚCHENKA

Aliócha tomou o rumo da casa da comerciante Morózova, na Praça da Catedral, para visitar Grúchenka. Ainda de manhã cedo ela lhe enviara Fiênia com o enfático pedido de ir visitá-la. Após interrogar Fiênia, Aliócha soube que desde a véspera sua senhora andava numa inquietação extraordinária. Em todos os dois meses que se seguiram à prisão de Mítia, Aliócha foi com frequência à casa de Morózova, quer por motivação própria, quer por incumbência de Mítia. Uns três dias depois da prisão, Grúchenka adoecera gravemente e passara quase cinco semanas tendo achaques. Passara uma dessas cinco semanas acamada, desacordada. Sofrera forte mudança no rosto, estava magra e amarelada, embora já estivesse em condições de sair de casa havia quase duas semanas. Aos olhos de Aliócha, porém, seu rosto ficara como que ainda mais atraente, e ele, ao entrar em sua casa, gostava de encontrar o olhar dela. Um quê de firmeza e ponderação parecia haver se consolidado nesse olhar. Ele revelava certa reviravolta espiritual, ganhara uma espécie de firmeza constante, humilde, boa e resoluta. Na testa, entre as sobrancelhas, surgira uma pequena ruga vertical, que lhe dava ao rosto encantador um ar de meditação ensimesmada, parecendo até severa à primeira vista. Por exemplo, não sobrara um vestígio sequer de seu antigo estouvamento. Para Aliócha, ainda era estranho que, apesar de toda a desgraça que acometera a pobre mulher, cujo noivo fora preso sob a acusação de um crime terrível quase no mesmo instante de seu noivado com ela, apesar da doença que depois a atingira e da ameaça que vinha da decisão praticamente inevitável do tribunal, ainda assim Grúchenka não tivesse perdido sua antiga alegria juvenil. Em seu antigo olhar altivo brilhava agora a serenidade, se bem que... se bem que, por outro lado, de raro em raro tornasse a flamejar nesses olhos certa chama funesta quando a visitava uma antiga preocupação, que não só não se extinguira, como até aumentara em seu coração. O objeto dessa preocupação era o mesmo de sempre: Catierina Ivánovna, que lhe vinha à lembrança até em seu delírio nos dias que passara acamada. Aliócha compreendia que Grúchenka nutria um terrível ciúme de Mítia, do prisioneiro Mítia com ela, ainda que Catierina Ivánovna não o tivesse visitado uma única vez na prisão, embora pudesse fazê-lo quando quisesse. Tudo isso se convertera num problema difícil para Aliócha, porque só a ele Grúchenka confiava seu coração e pedia conselhos continuamente; às vezes ele mesmo não estava em condições de lhe dizer absolutamente nada.

Ele entrou na casa dela preocupado. Ela já estava em casa; fazia cerca de meia hora que retornara da visita a Mítia, e já pelo gesto rápido com que saltou da poltrona atrás da mesa para ir ao seu encontro ele concluiu que ela o esperava com grande impaciência. Na mesa havia cartas, e começava o jogo do burro. No sofá de couro transformado em cama no lado oposto da mesa, Maksímov estava recostado, de roupão e gorro de algodão, visivelmente enfermo, embora com um sorriso doce nos lábios. Esse velhote desabrigado ficara direto em casa de Grúchenka desde que com ela voltara de Mókroie, ainda uns dois meses antes. Tendo então chegado com ela debaixo de chuva e na lama, ensopado e assustado, sentara-se no sofá e fixara o olhar nela em silêncio, com um sorriso tímido e suplicante nos lábios. Grúchenka, que estava numa terrível aflição e já febril e, envolvida com diversos afazeres, quase o esquecera durante a primeira meia hora após a chegada, súbito olhara para ele de um modo meio fixo: ele deu uma risadinha deplorável e vaga. Grúchenka chamou Fiênia e ordenou que lhe desse de comer. Ele passou todo esse dia sentado em seu lugar, quase sem se mexer; quando já havia anoitecido e fecharam as venezianas, Fiênia perguntou à senhora:

— Então, senhora, por acaso ele vai ficar para dormir?

— Sim, faça a cama dele no sofá — respondeu Grúchenka.

Depois de minucioso interrogatório, Grúchenka soube que agora ele realmente não tinha absolutamente onde se meter e que o "senhor Kalgánov, meu benfeitor, me declarou sem rodeios que não vai mais me receber e me deu cinco rublos de presente". "Bem, então fica, e que Deus esteja contigo" — resolveu Grúchenka com tristeza, sorrindo compassiva para ele. O velho estremeceu com o sorriso dela, e um pranto de gratidão lhe fez tremerem os lábios. E assim ele permaneceu desde então como um comensal errante em casa de Grúchenka. Ele não deixou a casa nem mesmo durante a doença dela. Fiênia e sua mãe, a cozinheira de Grúchenka, não o escorraçaram, continuaram a alimentá-lo e a fazer-lhe a cama no sofá. Mais tarde Grúchenka até se acostumou a ele e, ao voltar das visitas a Mítia (a quem logo começou a visitar, ainda convalescendo, sem esperar sequer recuperar-se direito) para matar a saudade, sentava-se e começava a conversar com "Maksímuchka" sobre toda sorte de ninharias, só para não pensar em sua aflição. Verificava-se que vez por outra o velhote também tinha algo a contar, de maneira que, ao fim e ao cabo, tornou-se até indispensável para ela. Além de Aliócha, que todavia não a visitava todos os dias e sempre era breve, Grúchenka quase nunca recebia ninguém. Seu velho, o comerciante, já estava gravemente enfermo nesse momento, "batendo em retirada", como se dizia na cidade, e de fato morreu apenas uma semana após o julgamento de Mítia. Três semanas antes da morte, ao sentir o final próximo, finalmente gritou de cima, chamando os filhos com suas mulheres e filhos, e lhes ordenou que já não arredassem mais de seu quarto. A partir desse momento ordenou severamente aos criados que não recebessem Grúchenka em hipótese nenhuma e, se ela aparecesse, dissessem-lhe então: "Ele ordena que a senhora tenha vida longa e alegre e que o esqueça de uma vez". Não obstante, Grúchenka mandava pedir notícias de sua saúde quase todos os dias.

— Até que enfim! — bradou ela, largando o baralho e cumprimentando Aliócha alegremente — Maksímuchka me assustou tanto, dizendo que talvez não viesses mais. Ah, como preciso de ti! Senta à mesa. Bem, o que te sirvo, café?

— Ah, por favor — disse Aliócha sentando-se à mesa —, estou com muita fome.

— Pois vamos lá. Fiênia, Fiênia, serve café — gritou Grúchenka. — O café já está fervendo há muito tempo, te esperando, e traz também pastelão, e que esteja quente. Não, espera, Aliócha, hoje me aconteceu uma trovoada com esses pastelões. Eu os levei para ele na prisão, mas ele, podes crer?, me devolveu tudo e acabou não comendo. Até jogou um no chão e o pisoteou. Então eu disse: "Vou deixar para o guarda; se não comeres até o anoitecer, é porque uma raiva cáustica está te alimentando!", e saí. Pois é, brigamos mais uma vez, acredita? Por mais que eu o visite, a gente briga.

Grúchenka proferiu tudo isso de um fôlego só, nervosa. Maksímov, que imediatamente se intimidara, sorriu baixando a vista.

— Por que vocês brigaram desta vez? — perguntou Aliócha.

— Por essa eu não esperava de maneira nenhuma! Imagina, está com ciúme do "primeiro": "Por que o sustentas?", diz ele. "Quer dizer que começaste a sustentá-lo?" Está sempre com ciúme, sempre com ciúme de mim! Se dorme ou come, está com ciúme. Na semana passada teve ciúme até de Kuzmá.

— Sim, mas ele sabia do "primeiro"!

— Vá alguém entendê-lo! Soube desde o início e até o dia de hoje, mas hoje de repente se levantou e começou a praguejar. Me dá até vergonha o que ele disse. Um cretino. Assim que saí, Rakitka chegou para visitá-lo. Pode ser que Rakitka o esteja envenenando, hein? O que achas? — acrescentou meio distraída.

— É a ti que ele ama, eis a questão, ama muito. E justo agora está impaciente.

— Pudera não estar impaciente, amanhã é o julgamento. Fui lá com intenção de dizer uma palavra sobre o dia de amanhã, fico até horrorizada só de pensar o que pode acontecer amanhã! Tu dizes que ele está impaciente, mas eu mesma, como estou impaciente! E ele falando do polonês! Desse cretino! Na certa não tem ciúmes de Maksímuchka.

— Minha mulher também tinha muito ciúme de mim — Maksímov meteu-se na conversa.

— Ora, logo de ti? — Grúchenka deu uma risada involuntária — ter ciúme de ti com quem?

— Com as criadas.

— Oh, Maksímuchka, cala essa boca, não estou para riso, e dá até raiva. E podes tirar o olho dos pastelões, que não vou te dar, te fazem mal, e também não vou te dar balsâmico. Só me faltava ele; como se minha casa fosse um asilo beneficente, palavra — ria ela.

— Não mereço seus favores, sou uma nulidade — pronunciou Maksímov com uma vozinha lacrimosa. — Seria melhor que a senhora distribuísse seus benefícios com quem precisa mais do que eu.

— Ora, Maksímuchka, qualquer um precisa, e como se há de saber quem precisa mais? Se ao menos não houvesse nem sombra desse polaco, Aliócha; ele também achou de adoecer hoje. Estive também com ele. Pois bem, só de pirraça, vou mandar pastelões para ele também; não estava mandando, mas Mítia me acusou de mandar, então agora vou mandá-los por pirraça, por pirraça! Ah, aí vem Fiênia com uma carta! Isso mesmo, dos polacos de novo, e de novo pedindo dinheiro.

Pan Mussialovitch realmente lhe enviara uma carta longuíssima e grandiloquente, como era seu costume, na qual pedia um empréstimo de três mil rublos. À carta vinha anexo um recibo com o compromisso de saldar a dívida em três meses; *pan* Wrublevsk também assinava o recibo. Grúchenka já recebera de seu "primeiro" muitas cartas semelhantes com as mesmas assinaturas. Isso começara desde que terminara a convalescença de Grúchenka umas duas semanas antes. Ela, porém, sabia que durante sua doença os dois *pans* vieram à sua casa procurar notícias sobre sua saúde. A primeira carta recebida por Grúchenka era longa, de uma folha de carta em formato grande, lacrada com um grande selo de família e num estilo terrivelmente obscuro e empolado, de sorte que Grúchenka leu apenas a metade e a largou, porque não entendeu nada de nada. Aliás, naquela ocasião não estava para cartas. Depois dessa primeira carta veio outra no dia seguinte, na qual *pan* Mussialovitch lhe pedia um empréstimo de dois mil rublos no prazo mais breve. Grúchenka também não respondeu a esta carta. Em seguida veio uma série de cartas, uma por dia, sempre empoladas e com ares de importância, mas nas quais a quantia antes pedida em empréstimo diminuía gradualmente, chegou a cem rublos, a vinte e cinco, a dez, e por fim, Grúchenka recebeu subitamente uma carta na qual ambos os *pans* lhe pediam apenas um rublo e anexavam um recibo assinado pelos dois. Então Grúchenka sentiu pena e, no lusco-fusco, foi pessoalmente procurar o *pan*. Encontrou os dois polacos numa terrível pobreza, quase na miséria, sem comida, sem lenha, sem cigarros, devendo à senhoria. Os duzentos rublos, ganhos de Mítia em Mókroie, haviam desaparecido rapidamente. Não obstante, Grúchenka ficou surpresa com o fato de que ambos os *pans* a receberam com fumaças de importância e ares de independência, uma formalidade imponente e falas empoladas. Grúchenka limitou-se a rir e deu dez rublos ao "primeiro". No mesmo dia contou isso a Mítia entre risos, e ele não revelou nenhum ciúme. Mas desde então os *pans* se agarraram a Grúchenka e cada dia a bombardeavam com cartas e pedidos de dinheiro, e cada vez ela lhes enviava um pouquinho. E eis que hoje Mítia resolveu tomar-se subitamente de um ciúme cruel.

— Sou uma imbecil, também fui até a casa dele, apenas por um minuto, a caminho da visita a Mítia, porque ele, o meu primeiro *pan*, também adoeceu — recomeçou Grúchenka agitada e apressada —, ri disso e contei a Mítia: imagina, digo eu, meu polaco resolveu cantar para mim as antigas canções acompanhadas do violão, pensando que eu fosse me comover e casar com ele. Mas Mítia levantou-se de repente com quatro pedras na mão... Pois não vou dar o braço a torcer, vou mandar pastelões aos *pans*! Fiênia, por que eles mandaram aquela menina para cá? Pois bem, entrega-lhe três rublos e manda para eles uns dez pastelões embrulhados num papel, e tu, Aliócha, conta infalivelmente a Mítia que mandei pastelões para eles.

— Não contarei por nada deste mundo — proferiu Aliócha sorrindo.

— Ora, tu achas que ele vai ficar atormentado; esse ciúme foi de pirraça, porque para ele tanto faz — disse Grúchenka em tom amargo.

— Como de pirraça? — perguntou Aliócha.

— És um bobo, Alióchenka, vê só, com toda a tua inteligência não entendes nada nessa história, vê só. O que lamento não é que ele tenha ciúme de uma pessoa como eu, eu lamentaria era se ele não tivesse nenhum ciúme. Sou assim. Não me ofendo por ciúme, eu mesma tenho um coração cruel e eu mesma sou ciumenta. O que lamento é ele não sentir nenhum amor por mim, e agora ficar enciumado *de pirraça*, é isso. Por acaso sou cega, não vejo? De repente ele se põe a falar da outra, de Catka:[27] ela era isso e mais aquilo, "mandou vir de Moscou um médico para me acompanhar no julgamento, para me salvar também contratou o advogado mais famoso, mais sábio". Quer dizer então que a ama, já que se pôs a elogiá-la na minha frente com a sem-vergonhice no olhar! Ele mesmo tem culpa em relação a mim, pois que deu de me amolar querendo me fazer culpada antes dele e ainda jogar tudo em cima de mim: "tu, diz ele, andaste com o polonês antes de mim, então é lícito que eu fique com Cátia". Vê só a coisa! Quer jogar toda a culpa em mim. Fica me amolando de propósito, de propósito, só que eu...

Grúchenka não acabou de dizer o que iria fazer, cobriu os olhos com um lenço e caiu num terrível pranto.

— Ele não ama Catierina Ivánovna — disse Aliócha com firmeza.

— Bem, se ama ou não, logo saberei — disse Grúchenka com um tom ameaçador na voz, tirando o lenço dos olhos. Seu rosto estava desfigurado. Aliócha notou com amargura que aquele rosto dócil e serenamente alegre tornara-se sombrio e cruel.

— Chega dessas bobagens! — cortou ela de chofre —, não foi para nada disso que mandei te chamar. Aliócha, meu caro, e amanhã, o que vai acontecer amanhã? Isso é o que me atormenta! E é só a mim que atormenta! Olho para todo mundo e vejo que ninguém está pensando nisso, ninguém está ligando o mínimo para isso. O que achas disso? Amanhã vão julgá-lo! Conta-me, como vai ser? Sim, porque foi o criado, o criado quem matou, o criado! Meu Deus! Será que vão condená-lo no lugar do criado e ninguém tomará a defesa dele? Ora, nem chegaram a incomodar o criado, não é?

— Foi rigorosamente interrogado — observou Aliócha pensativo —, mas todos concluíram que não foi ele. Agora está muito doente. Desde então está doente, de epilepsia. Doente de fato — acrescentou Aliócha.

— Meu Deus, tu poderias procurar esse advogado e contar-lhe o caso olho no olho. Porque estão dizendo que foi contratado de Petersburgo por três mil rublos.

— Fomos nós três que demos os três mil, eu, meu irmão Ivan e Catierina Ivánovna, mas o médico foi ela mesma quem mandou vir de Moscou por dois mil rublos. O advogado Fietiukóvitch cobraria mais caro, porém esse caso ganhou notoriedade em toda a Rússia, em todas as revistas e jornais se fala dele, por isso Fietiukóvitch aceitou vir para cá, mais por uma questão de fama, porque o caso ganhou excessiva notoriedade. Estive com ele ontem à noite.

[27] Diminutivo de Cátia. (N. do T.)

— E então? Trataste do assunto com ele? — Grúchenka levantou-se bruscamente.

— Ele ouviu e não disse nada. Disse que já tinha uma determinada opinião formada. Mas prometeu levar minhas palavras em consideração.

— Como em consideração!? Ah, eles são uns vigaristas! Vão arruiná-lo. Mas e o doutor, por que ela mandou vir o doutor?

— Como perito. Estão querendo deduzir que meu irmão é louco e matou num acesso de loucura, sem atinar no que fazia — Aliócha sorriu baixinho —, só que meu irmão não concorda com isso.

— Ah, sim, isso seria mesmo verdade se ele fosse o assassino! — exclamou Grúchenka. — Naquela noite ele estava louco, totalmente louco, e eu, eu, esta torpe aqui, sou a culpada! Só que ele não matou, não matou! Mas todo mundo, a cidade inteira o acusa pelo assassinato. Até Fiênia depôs dizendo que ele teria matado. Até na venda disseram isso, aquele funcionário também disse, e antes já haviam dito na taverna! Todos, todos estão contra ele, não fazem senão berrar.

— Sim, os depoimentos se multiplicaram terrivelmente — observou Aliócha com ar sombrio.

— Grigori Vassílievitch, ele continua insistindo que a porta estava aberta, fica repisando que viu, ninguém o demove disso, eu mesma corri até a casa dele, conversei com ele. E ainda por cima diz desaforos!

— É, talvez esse seja o depoimento mais forte contra meu irmão — disse Aliócha.

— E quanto ao fato de que Mítia está louco, ele anda exatamente assim agora — retomou subitamente Grúchenka com um ar particularmente preocupado e misterioso. — Sabes, Aliócha, há muito tempo eu queria te falar disso: todo dia eu o visito e fico simplesmente admirada. O que achas: por que agora ele deu para falar sem parar? Dá de falar, de falar —, não consigo entender nada, penso que ele está falando alguma coisa inteligente, e como sou uma tola, acho que sou eu que não consigo compreender, só que de repente ele começou a me falar de um bebê, ou seja, de um bebê qualquer, "por que, diz ele, o bebê é pobre? Por causa daquele bebê, agora eu vou até para a Sibéria! não matei, mas preciso ir para a Sibéria!". O que é isso, que bebê é esse? Não entendi patavina. Me limitei a cair no choro por causa do jeito bonito como ele falava sobre aquilo, e de repente ele me deu um beijo e me benzeu. O que é isso, Aliócha, diz, que "bebê" é esse?

— Não sei por que Rakítin deu de visitá-lo — sorriu Aliócha —, se bem que... isso não vem de Rakítin. Não estive com ele ontem, estarei hoje.

— Não, isso não vem de Rakítchika, é o irmão Ivan Fiódorovitch que anda a perturbá-lo, é ele que o visita, é isso... — disse Grúchenka, e súbito foi como se atinasse com algo. Aliócha fixou o olhar nela como que estupefato.

— Como o visita? Por acaso ele o está visitando? O próprio Mítia me disse que Ivan não lhe fez uma única visita.

— Ora... ora, olha como eu sou! Dei com a língua nos dentes! — exclamou Grúchenka embaraçada, corando subitamente. — Espera, Aliócha, cala-te, vá lá, já que dei com a língua nos dentes, vou te contar toda a verdade: ele o visitou duas vezes: a primeira, quando mal havia chegado, tinha acabado de viajar às pressas de Moscou, e eu ainda nem estava acamada; a outra vez foi há uma semana. Ele não permitiu que Mítia te falasse sobre isso, de maneira nenhuma, e não permitiu a ninguém falar sobre isso, fazia as visitas em segredo.

Aliócha estava numa meditação profunda e tentava atinar alguma coisa. A notícia o deixara visivelmente perplexo.

— Meu irmão Ivan não comenta comigo o caso de Mítia — falou lentamente — e em todos esses dois meses falou muito pouco comigo, e quando eu o visitei esteve sempre descontente com minha presença, de modo que faz três semanas que não o visito. Hum... Se ele o visitou na semana passada, então... durante essa semana houve efetivamente uma mudança em Mítia...

— Uma mudança, uma mudança! — secundou rapidamente Grúchenka. — Os dois têm um segredo, os dois tinham um segredo! O próprio Mítia me disse que é segredo, e tamanho segredo que Mítia nem consegue se acalmar. E olha que antes ele estava alegre, se bem que agora também está alegre, só que quando começa a sacudir a cabeça e andar pelo quarto, e ainda puxando o cabelo nas têmporas com aquele dedo direito, eu já sei que há alguma coisa a inquietá-lo lá no fundo da alma... isso eu sei!... Senão estaria alegre; aliás, hoje ele também está alegre!

— No entanto, não disseste: está impaciente?

— Sim, ele está impaciente, e também alegre. Está sempre impaciente, mas por um minuto fica alegre, só que depois torna a ficar impaciente. Sabes, Aliócha, ele sempre me surpreende: tem um horror tão grande pela frente, mas às vezes gargalha com tamanhas bobagens que parece uma criança.

— E é verdade que ele disse que eu não falasse de Ivan? Disse assim mesmo: para não falar?

— Assim mesmo: que não falasse. De ti, isso é o mais sério, ele, Mítia, tem medo. Porque é segredo, ele mesmo disse que é segredo... Aliócha, meu caro, vai lá, que segredo é esse daqueles dois e volta aqui para me contar — Grúchenka levantou-se de supetão e pôs-se a implorar —, ajuda esta coitada, para que eu saiba de minha sorte maldita! Foi por isso que mandei te chamar.

— Tu achas que é alguma coisa a teu respeito? Porque, nesse caso, ele não diria em tua presença que era segredo.

— Não sei. Talvez seja a mim mesma que ele queira dizer, mas não se atreve. Previne. Há um segredo, diz ele. Mas não disse qual.

— O que tu mesma achas?

— O que eu acho? Chegou o meu fim, é isso que eu acho. Todos os três prepararam o meu fim, porque Cátia está metida nisso. Tudo isso tem o dedo de Cátia, é dela que isso vem. "Ela é isso e mais aquilo", quer dizer que eu não sou isso. É ele que está falando de antemão, é ele que me previne de antemão. Tem a intenção de me deixar, eis todo o segredo! E aí pensaram os três juntos — Mítka, Cátia e Ivan Fiódorovitch. Aliócha, faz muito tempo que eu queria te perguntar: na semana passada ele me revelou de repente que Ivan é apaixonado por Cátia porque a visita frequentemente. Ele me disse a verdade ou não? Fala sinceramente, mata-me.

— Não vou mentir para ti. Ivan não está apaixonado por Catierina Ivánovna, é isso que eu acho.

— Pois foi isso mesmo que eu pensei na ocasião! Ele está mentindo para mim, sem-vergonha, é essa a questão! Agora anda com ciúme de mim para depois jogar a culpa em cima de mim. Porque ele é um imbecil, não sabe esconder nada, é franco... Só que eu vou lhe mostrar, vou lhe mostrar! "Tu, diz ele, acreditas que matei", diz isso a mim, foi a mim que lançou essa censura! Deus o proteja! Mas espera, essa Catka vai se dar mal comigo no julgamento! Lá eu vou dizer uma palavrinha... Lá eu vou contar tudo!

E ela tornou a chorar amargamente.

— Ouve o que posso te declarar com certeza, Grúchenka — disse Aliócha levantando-se —; primeiro que ele te ama, ama mais que a qualquer outra pessoa no mundo, e só a ti, quanto a isso podes acreditar em mim. Eu sei, e como sei. A segunda coisa que te digo é que não quero arrancar nenhum segredo dele, mas se ele mesmo me contar hoje, eu lhe direi francamente que te prometi contá-lo. Neste caso, virei hoje mesmo aqui e te contarei. Só que... parece-me... que nisso não há nem sombra de Catierina Ivánovna, e esse segredo diz respeito a alguma outra coisa. E certamente é assim. E não me parece que tenha nada a ver com Catierina Ivánovna, é o que me parece. Por ora, adeus!

Aliócha apertou-lhe a mão. Grúchenka ainda continuava chorando. Ele percebeu que ela acreditara muito pouco em seu consolo, mas se havia algo de bom para ela era ter desafogado as mágoas ao desabafar. Lamentava deixá-la em semelhante estado, mas tinha pressa. Ainda havia muitos afazeres pela frente.

II. O pezinho doente

O primeiro desses afazeres era em casa da senhora Khokhlakova, e ele correu para lá a fim de encerrar logo o assunto e não se atrasar em sua visita a Mítia. Já fazia três semanas que a senhora Khokhlakova andava indisposta, com um pé inchado não se sabe por que, e, mesmo sem estar acamada, ainda assim passava o dia recostada no canapé de seu *boudoir*,[28] metida num *déshabillé*[29] atraente porém discreto. Certa vez Aliócha observou consigo, com um sorriso inocente nos lábios, que a senhora Khokhlakova, apesar de sua doença, andava quase faceira: haviam aparecido certas fitinhas, lacinhos, camisetinhas, e ele atinou na razão disso, embora afugentasse esses pensamentos como vazios. Nos últimos dois meses, o jovem Pierkhótin passara a ser mais um entre os visitantes da senhora Khokhlakova. Já fazia uns quatro dias que Aliócha não aparecia e, ao entrar na casa, apressou-se a passar direto ao quarto de Lise, porque era com ela que tinha um assunto a tratar, porquanto ainda na véspera Liza mandara uma moça procurá-lo com o insistente pedido de que fosse vê-la imediatamente "por uma circunstância muito importante", que, por certos motivos, interessava a Aliócha. Mas enquanto a moça caminhava para o quarto de Lise a fim de lhe dar as informações, a senhora Khokhlakova já se informara da chegada dele e mandara imediatamente pedir-lhe que fosse até ela "por apenas um minutinho". Aliócha refletiu que era melhor atender primeiro ao pedido da mamã, porque esta mandaria alguém a cada minuto ao quarto de Lise enquanto ele estivesse lá. A senhora Khokhlakova estava recostada no canapé, vestida de um modo particularmente festivo e, pelo visto, numa extrema excitação nervosa. Recebeu Aliócha com gritos de entusiasmo.

— Há séculos, séculos, séculos inteiros que não o vejo! Uma semana inteira, faça-me o favor. Ah, aliás, você esteve aqui há apenas quatro dias, na quarta-feira. Veio visitar Lise, estou certa de que queria passar direto ao quarto dela, na ponta dos pés, para que eu não o ouvisse. Caro, caro Alieksiêi Fiódorovitch, se você soubesse como me preocupo com ela! Mas isso depois.

[28] Do francês; pequena sala de estar para mulheres. (N. do T.)

[29] Do francês; vestuário doméstico, que não se costuma usar na presença de estranhos. (N. do T.)

Mesmo que seja o mais importante, fica para depois. Amável Alieksiêi Fiódorovitch, eu lhe confio plenamente minha Lise. Depois da morte do *stárietz* Zossima — que Deus o tenha em paz! (ela se benzeu), depois da morte dele, olho para você como para um asceta, embora essa sua nova roupa lhe caia magnificamente. Onde arranjou esse alfaiate por aqui? Mas não, não, isso não é o principal, isso fica para depois. Desculpe por eu lhe chamar às vezes de Aliócha, sou uma velha, tudo me é permitido — ela deu um sorriso coquete —, mas isso também fica para depois. O principal é que eu não esqueça o mais importante. Por favor, me avise você mesmo assim que eu começar a divagar, me diga: "E o principal?". Ah, como é que vou saber o que é o principal agora! Desde que Lise retirou a promessa — sua promessa infantil, Alieksiêi Fiódorovitch — de se casar com você, você evidentemente compreendeu que tudo não passava de uma fantasia brejeira de uma menina doente, que passara muito tempo presa a uma poltrona — graças a Deus agora ela já está andando. Esse novo doutor, que Cátia mandou vir de Moscou para o infeliz do seu irmão, que amanhã... Ora, por que falar de amanhã?! Morro só de pensar sobre amanhã! O principal, por curiosidade... Numa palavra, esse doutor nos visitou ontem e examinou Lise... Paguei-lhe cinquenta rublos pela visita. Mas não é disso que quero falar, mais uma vez não é disso... Está vendo, agora já perdi completamente o fio da meada. Eu me precipito. Por que me precipito? Não sei. Ando perdendo terrivelmente a capacidade de atinar. Para mim as coisas se embolam. Temo que você pegue e pule fora de minha casa por tédio, quando eu mal acabei de vê-lo. Ah, meu Deus! Por que estamos aqui sentados? E em primeiro lugar, café, Yúlia, Glafira, café!

Aliócha apressou-se em agradecer e anunciou que acabara de tomar café.

— Em casa de quem?

— De Agrafiena Alieksándrovna.

— Quer dizer... Quer dizer na casa daquela mulher! Ah, foi ela que destruiu todo mundo, mas, pensando bem, não sei, dizem que se tornou uma santa, ainda que tarde. Melhor que tivesse sido antes, antes, quando era necessário, mas agora, que utilidade tem? Cale-se, cale-se, Alieksiêi Fiódorovitch, porque quero dizer tanta coisa que parece que vou acabar não dizendo nada. Esse processo horrível... Vou sem falta, estou me preparando, vão me levar numa poltrona, e então poderei me sentar, a meu lado haverá gente, e você sabe que sou uma das testemunhas. Como vou falar, como vou falar! Não sei o que vou dizer, vou precisar fazer um juramento, porque é assim, não?

— Sim, mas não penso que a senhora possa comparecer.

— Posso ficar sentada; oh, você me desvia do assunto! Esse processo, essa atitude selvagem, e depois todos irão para a Sibéria, outros se casarão, e tudo isso rápido, e tudo muda, e por fim nada acontece, todos os velhos estão com um pé na cova. Bem, vá lá, estou cansada. Essa Cátia — *cette charmante personne*,[30] frustrou todas as minhas esperanças: agora ela irá para a Sibéria atrás de um de seus irmãos, enquanto o outro irmão irá atrás dela e passará a morar na cidade vizinha, e todos irão atormentar uns aos outros. Isso me deixa louca, e, o mais grave, essa publicidade: em todos os jornais de Petersburgo e de Moscou escreveram milhões de vezes a respeito Ah, sim, imagine que também escreveram a meu respeito, dizendo que sou "a bela amiga" de seu irmão, isso para não dizer uma palavra torpe, imagine, imagine só!

— Não pode ser! Onde e como escreveram isso?

— Agora vou mostrar uma coisa. Recebi ontem e ontem mesmo li. Olhe isso aqui, no jornal *Slúkhi*[31] de Petersburgo. Esse jornal começou a sair este ano, gosto imensamente de boatos e por isso o assinei. Levei na cabeça: veja só esses boatos, aqui, aqui nesta passagem, leia.

E ela estendeu a Aliócha uma folha de jornal que tinha debaixo do travesseiro.

Não é que ela estivesse perturbada, era como se estivesse totalmente abatida e com tudo embolado em sua cabeça. A notícia do jornal era muito sintomática e, é claro, a havia deixado muito melindrada, mas para sua sorte ela talvez não fosse capaz de se concentrar nesse instante em um ponto, e por isso um minuto depois poderia esquecer até o jornal e pular para um assunto inteiramente diverso. O fato de que a fama do terrível processo já se tivesse espalhado por toda a Rússia era do conhecimento de Aliócha havia muito tempo, e, Deus, que terríveis notícias e correspondências ele conseguira ler nesses três meses em meio a outras notícias verdadeiras sobre o seu irmão, os Karamázov em geral e até sobre si mesmo! Um dos jornais chegara até a publicar que ele, levado pelo pavor após o crime do irmão, virara asceta e enclausurara-se; outro jornal refutava essa notícia e escrevia, por exemplo, que ele e seu *stárietz* Zossima haviam arrombado a caixa do mosteiro e "se escafederam do mosteiro". Agora o *Slúkhi* publicava a seguinte manchete: "De Skotoprigónsk[32] (ai, esse é o nome de nossa cidadezinha, e eu o ocultei

[30] "Essa pessoa encantadora", em francês. (N. do T.)

[31] Boatos. (N. do T.)

[32] Derivado de *skot* (gado), e *prigón*, local em que o gado é recolhido, o que se pode traduzir mais ou menos por "encurralado". (N. do T.)

durante muito tempo): o processo de Karamázov". A notícia era curta e não fazia nenhuma menção direta à senhora Khokhlakova, e aliás todos os nomes eram omitidos. Informava-se apenas que o criminoso, que agora se preparavam para julgar com tanto estrépito, era um capitão reformado do Exército, de modos insolentes, mandrião e partidário da servidão, que a todo instante estava metido em amoricos e influenciava sobretudo algumas "damas enfastiadas da solidão". Uma dessas "viúvas enfastiadas", que bancava a jovem embora já tivesse uma filha adulta, fora a tal ponto seduzida por ele que lhe oferecera três mil rublos a apenas duas horas do crime, contanto que ele fugisse imediatamente com ela para as lavras de ouro. Mas o malfeitor preferiu matar e roubar o pai justamente em três mil rublos, contando com a impunidade, a arrastar-se para a Sibéria rodeado dos encantos quadragenários de sua enfastiada dama. Essa correspondência jocosa, como é de praxe, terminava com a nobre indignação com a amoralidade do parricida e do antigo regime de servidão. Depois de ler o escrito por curiosidade, Aliócha dobrou a folha e a devolveu à senhora Khokhlakova.

— Ora, de quem estariam falando senão de mim? — tornou a balbuciar —, porque isso é comigo, quase uma hora antes do crime eu lhe ofereci as lavras de ouro, e de repente esses "encantos quadragenários"! Ora, por acaso foi essa a minha intenção? Ele escreveu isto de propósito! Que o Juiz Eterno o perdoe por esses encantos quadragenários como eu o perdoo, mas acontece que isso... Sabe quem está por trás disso? Seu amigo Rakítin?

— É possível — disse Aliócha —, embora eu não tenha ouvido falar nada.

— É ele, ele, e nada desse "é possível"! Ora, eu o botei porta afora... E você não está sabendo de toda essa história?

— Sei que a senhora o convidou a não voltar à sua casa, mas a razão exata disso eu... pelo menos de sua boca, não ouvi.

— Logo, ouviu dele! Então, ele anda falando mal de mim, falando muito mal?

— Sim, anda falando mal, mas ele fala mal de todo mundo, contudo não o ouvi dizer a razão por que a senhora o proibiu de visitá-la. E ademais eu me encontro muito raramente com ele. Não somos amigos.

— Sendo assim, vou lhe revelar tudo e — não há outro jeito, confesso, porque aí existe um ponto em que eu mesma tenho culpa. Só um pontinho, um pontinho mínimo, o mais mínimo, de sorte que pode ser até que nem exista absolutamente. Olhe, meu caro — súbito a senhora Khokhlakova assumiu um ar meio brejeiro e esboçou-se em seus lábios um sorrisinho encantador, ainda que também enigmático —, suspeito... você me desculpe, Aliócha, eu falo com você como sua mãe, oh, não, não, ao contrário, agora eu falo com você como falaria com meu pai, porque mãe aqui não teria nenhum cabimento... Bem, é como se eu me dirigisse ao *stárietz* Zossima em confissão, e isso é o mais verdadeiro, isso vem muito a calhar: ainda há pouco eu o chamei de asceta— esse pobre jovem, seu amigo Rakítin (oh, Deus, simplesmente não consigo me zangar com ele! Zango-me e me enfureço, mas não muito), numa palavra, esse jovem leviano de repente, imagine só, parece que achou de se apaixonar por mim. Depois falo disso, depois, só que de repente eu notei, não no início, ou seja, do mês passado para cá, ele passou a me visitar com mais frequência, quase todos os dias, embora já nos conhecêssemos antes. Não sei de nada... só que de repente foi como se tivesse me dado um estalo, e para minha surpresa comecei a reparar. Você sabe que já faz dois meses que comecei a receber Piotr Ilitch Pierkhótin, esse jovem modesto, amável e digno que trabalha aqui. Você mesmo o tem visto por aqui. E não é verdade que ele é digno, sério? Vem aqui de três em três dias e não diariamente (quem dera viesse diariamente), e sempre muito bem-vestido, e em geral eu gosto dos jovens, Aliócha, de talento, modestos assim como você, mas ele é quase um homem de Estado, fala de maneira muito amável, e eu hei de interceder infalivelmente por ele, infalivelmente. É um futuro diplomata. Naquele dia terrível, ele praticamente me salvou da morte quando me visitou à noite. Bem, o seu amigo Rakítin aparece sempre metido naquelas botas e as arrasta pelo tapete... numa palavra, passou até a me insinuar alguma coisa, e uma vez, ao sair, me apertou a mão com uma força terrível. Mal ele me apertou a mão, eu adoeci do pé. Já antes ele encontrara Piotr Ilitch em minha casa e, acredite, sempre o espicaçava, sempre o espicaçava, e mugia com ele não sei por quê. Eu ficava só observando os dois, vendo como se enfrentavam, mas ria por dentro. Eis que eu estou sentada sozinha, quer dizer, não, eu já estava deitada, de repente estava sozinha, deitada, Mikhail Ivánovitch aparece e, imagine, me traz seus versinhos, os mais breves, dedicados ao meu pé doente, ou seja, descreveu em seus versos meu pé doente. Espere, como era mesmo?

Esse pezinho, esse pezinho
Adoeceu um bocadinho... —

ou sei lá mais o quê, pois não há jeito de eu me lembrar dos versos, eles estão aqui comigo, outra hora lhe mostro; é só encanto para lá, encanto para cá e — sabe? — não falam só do pé, mas têm também a sua moral, e uma ideia sedutora, só que eu a esqueci, numa palavra, era coisa para meter direto num álbum. Bem, eu, claro, agradeci, e ele ficou visivelmente lisonjeado. Eu mal tivera tempo de agradecer e já entrava Piotr Ilitch, enquanto Mikhail Ivánovitch ficava subitamente carrancudo como a noite. Noto que Piotr Ilitch o atrapalhou em alguma coisa, porque Mikhail Ivánovitch queria sem falta dizer alguma coisa logo depois dos versos, eu já pressentia, mas Piotr Ilitch achou de entrar. Então pego e mostro os versos a Piotr Ilitch, mas não lhe digo quem os compôs. Mas estou certa, certa de que ele adivinhou imediatamente, embora até hoje não o confesse e diga que não adivinhou; mas faz isso de propósito. No mesmo instante, Piotr Ilitch deu uma gargalhada e começou a criticar: versinhos mixos, coisa de algum seminarista —, e ainda por cima com todos esses arroubos, com todos esses arroubos! Nisso seu amigo, em vez de desatar a rir, tomou-se de uma fúria súbita e total... Meu Deus, pensei que os dois fossem se pegar: "Fui eu que escrevi, diz ele, escrevi por brincadeira, diz, pois considero uma baixeza escrever versos. Só que meus versos são bons. Por umas perninhas de mulher estão querendo erguer um monumento ao vosso Púchkin, no entanto em meus versos há uma tendência, enquanto o senhor é um escravocrata, diz ele; o senhor é desprovido de qualquer humanitarismo, é indiferente a todos os sentimentos ilustrados de hoje, ainda não foi atingido pela evolução, o senhor, diz ele, é um burocrata e recebe propinas!". Nisso comecei a gritar e suplicar-lhes. Mas Piotr Ilitch, você sabe, é muito tímido e de repente assumiu o tom mais digno: olha para o outro com ar zombeteiro, escuta e se desculpa: "Eu, diz ele, não sabia. Se soubesse, não teria dito o que disse, teria elogiado... Por isso, diz ele, todos são tão irritadiços...". Numa palavra, uma tremenda zombaria sob a aparência do mais nobre tom. Mais tarde ele mesmo me explicou que tudo aquilo havia sido zombaria, mas eu achava que tinha sido mesmo falado a sério. Só que de repente eu estava deitada como agora, aqui à sua frente, e pensando: será ou não uma atitude nobre se de repente eu mostrar a porta da rua a Mikhail Ivánovitch porque ele está gritando de forma indecente com minha visita em minha casa? Pois acredite: estou deitada, de olhos fechados e pensando: será ou não uma atitude nobre, mas não consigo resolver, e me atormento, me atormento, e meu coração se debate: grito ou não grito? Uma voz diz: grite; já a outra diz: não, não grite! Mal essa outra voz acabara de falar, gritei de repente, e de repente desmaiei. Bem, aí, claro, houve uma gritaria. Súbito eu me levanto e digo a Mikhail Ivánovitch: é com amargura que lhe comunico que não desejo mais recebê-lo em minha casa. Mostrei-lhe a porta da rua. Ah, Alieksiêi Fiódorovitch! Eu mesma sei que cometi um ato abominável, foi tudo mentira, eu não estava com nenhuma raiva dele, mas de repente, o pior é que foi de repente, achei que aquilo seria tão bom, aquela cena... Só que, acredite, aquela cena, apesar de tudo, foi natural, porque eu até me debulhei em lágrimas e depois passei vários dias chorando, até que de repente, depois do almoço, me esqueci de tudo. Pois bem, ele deixou mesmo de me visitar já faz duas semanas, e eu fico pensando: será que ele não vai mais aparecer de maneira nenhuma? Isso foi ainda ontem, e de repente me chega à tarde esse *Slúkhi*. Li e soltei um ai: ora, quem terá escrito isso? Foi ele quem escreveu, chegou naquela noite em casa, sentou-se e escreveu; enviou para o jornal, e o publicaram. Ora, faz duas semanas que isso aconteceu. Só que, Aliócha, eu falo um horror e não digo nada de nada do que preciso. Não consigo controlar a língua.

— Hoje preciso muito chegar na hora da visita a meu irmão — ia murmurando Aliócha.

— Isso mesmo, isso mesmo! Você acaba de me lembrar tudo! Escute, o que é perturbação?[33]

— Que tipo de perturbação? — admirou-se Aliócha.

— Perturbação judicial. Um tipo de perturbação pelo qual tudo se perdoa. O que quer que a gente faça, recebe imediatamente o perdão.

— Sim, mas do que a senhora está falando?

— Do seguinte: essa Cátia... Ah, é uma criatura amável, amável, só que não encontro jeito de saber por quem ela está apaixonada. Há poucos dias esteve aqui comigo, e eu não consegui arrancar nada dela. Ainda mais porque agora passou a falar comigo de um modo bem superficial, numa palavra, só pergunta de minha saúde e nada mais, e chega até a usar um tom esquisito, mas eu disse para mim mesma: vá lá, que fique com Deus... Ah, sim, aí está a tal perturbação: para isso aquele doutor está aqui. Você sabe que o doutor chegou? Ora, como não haveria de saber, aquele que reconhece os loucos, foi você mesmo que o mandou vir, quer dizer, não você, mas Cátia. Tudo Cátia! Pois bem: um homem está sentado em seu canto, sem nada de louco, só que de repente tem uma perturbação. Está regulando bem e sabe o que faz, e no entanto sofre de uma perturbação. Pois bem, Dmitri Fiódorovitch certamente sofreu uma perturbação. Foi só inaugurarem os novos tri-

[33] Khokhlakova emprega a palavra latina *affectus* na forma russificada *affek*, que, entre suas várias acepções, significa distúrbio nervoso, comoção, perturbação, sob cujo efeito o indivíduo fica privado da capacidade de tomar consciência de seus atos, perdendo o autocontrole. Com a reforma do judiciário na Rússia dos anos 1860, o termo perturbação foi introduzido no direito penal como circunstância atenuante da pena ou até mesmo de sua supressão, em virtude da inimputabilidade do réu em delitos praticados em tais circunstâncias. Daí o argumento de Khokhlakova em favor de Mítia. Dostoiévski protestou reiteradamente contra o abuso desse recurso judicial. (N. do T.)

bunais, e logo se tomou conhecimento da perturbação. É um benefício dos novos tribunais. Esse doutor esteve aqui e me interrogou sobre aquela noite, bem, sobre as lavras de ouro: perguntou como ele estava naquele momento. Ora, como não estaria com uma perturbação? Apareceu aqui, e tome de gritar: dinheiro, dinheiro, três mil, arranje-me três mil, e depois se foi, e de repente cometeu o assassinato. Não quero, disse ele, não quero matar, e de repente matou. E é por isso mesmo que hão de perdoá-lo, porque resistiu, mas matou.[34]

— Sim, mas só que ele não matou — interrompeu Aliócha com um pouco de rispidez. A intranquilidade e a impaciência iam-se apoderando dele mais e mais.

— Eu sei, quem matou foi o velho Grigori...

— Como Grigori? — bradou Aliócha.

— Foi ele, ele, esse Grigori. Depois da pancada que Dmitri Fiódorovitch lhe deu, ele ficou estirado, mas depois se levantou, viu que a porta estava entreaberta, entrou e matou Fiódor Pávlovitch.

— Mas por quê, por quê?

— Porque teve uma perturbação. Depois que Dmitri Fiódorovitch lhe deu uma pancada na cabeça, ele voltou a si, teve uma perturbação, foi lá e matou. E quanto a ele mesmo dizer que não matou, talvez ele nem se lembre disso. Só que, veja uma coisa: será melhor, bem melhor se Dmitri Fiódorovitch for o assassino. Sim, foi isso mesmo que aconteceu, e embora eu diga que foi Grigori, na certa foi Dmitri Fiódorovitch, e isso é bem, bem melhor! Ah, não é melhor porque o filho matou o pai, não acho isso elogioso, ao contrário, os filhos devem respeitar os pais, mas mesmo assim é melhor que tenha sido ele, porque assim você não terá motivo para chorar por ele ter matado sem se dar conta do que fazia ou, melhor dizendo, atinando em tudo, mas sem saber como isso lhe aconteceu. Não, oxalá eles o perdoem; será uma coisa muito humana e servirá para que notem o benefício dos novos tribunais, só que eu não notava, mas dizem que isso já vem acontecendo há muito tempo, e ontem, assim que tomei conhecimento do fato, fiquei tão surpresa que no mesmo instante quis mandar alguém chamá-lo; e depois, se o perdoarem, então que o tragam imediatamente do tribunal para almoçar em minha casa, que eu convidarei os conhecidos e nós beberemos à saúde dos novos tribunais. Não acho que ele seja perigoso, de mais a mais vou convidar muita gente, de sorte que ele sempre poderá ser retirado se alguma coisa lhe der

[34] Numa reflexão lógica, a frase correta seria "matou, mas resistiu". Mas Khokhlakova pensa de forma atabalhoada. (N. do T.)

na telha, e mais tarde ele pode ser um juiz de paz ou alguma coisa noutra cidade qualquer, porque aqueles que sofreram pessoalmente uma desgraça são os que melhor julgam os outros. O mais importante é saber quem hoje não anda com perturbação; você, eu, todos estamos com perturbação, quantos não são os exemplos: um homem está sentado no seu canto, cantando uma romança, de repente algo lhe desagrada, ele pega uma pistola e mata o primeiro que aparece, em seguida todos o perdoam. Li isso há pouco tempo, e todos os médicos confirmaram o caso. Hoje em dia os médicos confirmam, confirmam tudo. Veja só, minha Lise está com perturbação, ainda ontem chorei por causa dela, anteontem chorei, mas hoje acabei percebendo que ela está simplesmente com perturbação. Oh, Lise me deixa muito amargurada! Acho que ela está completamente louca. Por que mandou chamá-lo? Ela mandou chamá-lo ou você veio vê-la por conta própria?

— Sim, ela mandou me chamar, e vou vê-la agora mesmo — Aliócha fez menção de levantar-se decididamente.

— Ah, meu amável, meu amável Alieksiêi Fiódorovitch, isso talvez seja o mais grave — bradou a senhora Khokhlakova começando subitamente a chorar. — Deus está vendo que lhe confio Lise sinceramente, e não há nada de mal em que ela mande chamá-lo às escondidas da mãe. Mas a Ivan Fiódorovitch, seu irmão, desculpe-me, não posso confiar minha filha com a mesma facilidade, embora continue a considerá-lo o mais cavalheiro dos jovens. Imagine, de repente ele esteve com Lise, mas eu não fiquei sabendo de nada.

— Como? O quê? Quando? — Aliócha ficou terrivelmente surpreso. Já não estava sentado e ouvia em pé.

— Vou lhe contar, talvez o tenha chamado para isso, porque já nem sei para que mandei chamá-lo. Eis a questão: Ivan Fiódorovitch esteve em minha casa apenas duas vezes depois do seu retorno de Moscou, a primeira vez me fez uma visita de cortesia, a segunda, já recentemente, Cátia estava em minha casa, e ele entrou ao saber que ela estava comigo. Eu, é claro, não tinha a pretensão de receber visitas frequentes dele, sabendo que ele já andava tão assoberbado — *vous comprenez, cette affaire et la mort terrible de votre papa*[35] —, só que de repente fiquei sabendo que ele esteve aqui outra vez, mas não comigo e sim com Lise, isso já faz uns seis dias, veio, ficou cinco minutos e foi embora. E fiquei sabendo disso exatos três dias depois, por intermédio de Glafira, de sorte que isso me deixou subitamente pasma. Chamo Lise no mesmo instante, mas ela ri: ele, diz ela, achava que a senhora es-

[35] "O senhor compreende, esse caso e a morte terrível de seu pai", em francês no original. (N. do T.)

tava dormindo e foi a meu quarto perguntar por sua saúde. Claro que foi o que aconteceu. Só que Lise, Lise, oh Deus, como me dá desgosto! Imagine, numa noite — quatro dias atrás, depois de sua última visita a ela e logo após sua saída —, de repente ela teve um ataque durante a noite, gritando, ganindo, histérica! Por que eu nunca tenho ataque de histeria? No dia seguinte teve um novo ataque, depois outro, mais um anteontem, outro ontem, e ontem também teve essa perturbação. De repente grita para mim: "Odeio Ivan Fiódorovitch, exijo que a senhora se negue a recebê-lo, que dê com a porta na cara dele!". Fiquei aturdida com semelhante surpresa e lhe fiz uma objeção: a título de que tenho de me negar a receber um jovem tão digno, e ainda por cima dotado de tantos conhecimentos e atingido por tamanha infelicidade, porque, apesar de tudo, todas essas histórias são uma infelicidade e não uma felicidade, não é verdade? Súbito ela deu uma gargalhada ao ouvir minhas palavras e, sabe, de um jeito ofensivo. Mas eu estava feliz, achando que ela havia se divertido e agora os ataques passariam, ainda mais porque eu mesma estava querendo proibir essas visitas de Ivan Fiódorovitch sem o meu consentimento e exigir explicações. Só que de repente Liza acordou esta manhã e zangou-se com Yúlia, imagina, deu-lhe um tapa no rosto. Ora, isso é monstruoso, eu trato minhas meninas por *vós*. E súbito, uma hora depois, ela abraça e beija os pés de Yúlia. Mandou me dizer que não viria me ver em hipótese alguma e depois nunca mais ia querer andar, e quando eu mesma me arrastei a custo até o quarto dela, precipitou-se para me beijar, chorando, e, ao me beijar, enxotou-me sem dizer uma palavra, de maneira que acabei sem saber de nada. Agora, meu amável Alieksiêi Fiódorovitch, todas as minhas esperanças estão em você, e, é claro, o destino de toda a minha vida está em suas mãos. Peço apenas que vá ver Lise, se informe de tudo com ela, como só você sabe fazer, e volte para me contar —, a mim, à mãe, porque, você compreende, eu vou morrer, eu simplesmente vou morrer se tudo isso continuar, ou fugirei de casa. Não aguento mais, tenho paciência, mas posso perdê-la, e então... e então virão os horrores. Ah, meu Deus, até que enfim Piotr Ilitch! — bradou num átimo a senhora Khokhlakova toda radiante, ao ver Piotr Ilitch Pierkhótin entrando. — Está atrasado, atrasado! Mas não importa, sente-se e fale, decida um destino, que me diz este advogado? Aonde vai, Alieksiêi Fiódorovitch?

— Ver Lise.

— Ah, sim! Então não vai esquecer, não vai esquecer o que lhe pedi? Trata-se do destino, do destino!

— É claro que não vou esquecer, se for mesmo possível... no entanto estou muito atrasado — murmurou Aliócha, retirando-se depressa.

— Não, volte com certeza, com certeza, e não "se for possível" eu vou morrer! — gritou-lhe às costas a senhora Khokhlakova, mas Aliócha já havia deixado a sala.

III. Um demoniozinho

Ao entrar no quarto de Lise, ele a encontrou recostada em sua antiga poltrona em que era conduzida quando ainda não conseguia andar. Ela não se mexeu ao encontro dele, mas seu olhar perspicaz, penetrante cravou-se literalmente nele. Tinha o olhar um pouco inflamado, um tom amarelo-pálido no rosto. Aliócha surpreendeu-se com a mudança sofrida por ela em três dias, estava até mais magra. Ela não lhe estendeu a mão. Ele mesmo lhe tocou os dedinhos longos e finos, imóveis sobre o vestido, e em seguida sentou-se calado à sua frente.

— Sei que tens pressa de ir à prisão — pronunciou rispidamente Liza —, mas minha mãe te reteve por duas horas e acabou de te falar sobre mim e Yúlia.

— Como soubeste? — perguntou Aliócha.

— Fiquei escutando. Por que esse olhar fixo? Quero escutar e escuto, não há nada de mau nisso. Não vou pedir desculpas.

— Estás perturbada com alguma coisa?

— Ao contrário, estou muito contente. Acabei de refletir, mais uma vez, pela trigésima vez: que bom que não aceitei teu pedido de casamento e não serei tua mulher. Tu não serves para marido: eu me caso contigo, de repente te entrego um bilhete para que o leves àquele por quem me apaixonei depois de ti, tu pegas o bilhete e infalivelmente o levas e ainda trazes a resposta. Chegarás aos quarenta anos e continuarás levando esses mesmos bilhetes meus.

Ela deu uma súbita risada.

— Há em ti algo de mau e ao mesmo tempo ingênuo — sorriu-lhe Aliócha.

— O ingênuo é eu não me sentir acanhada contigo. Além de não sentir acanhamento, não quero mesmo senti-lo justamente contigo, justamente contigo, Aliócha; por que não te respeito? Gosto muito de ti, mas não te respeito. Se te respeitasse, não falaria sem acanhamento, não é?

— É.

— E acreditas que não me sinto acanhada contigo?

— Não, não acredito.

Liza deu outra risada nervosa; falava rápido, apressadamente.

— Mandei bombons para teu irmão Dmitri Fiódorovitch na prisão. Aliócha, sabes como ele é bonitinho! Vou te amar muitíssimo por teres permitido tão depressa que eu não te ame.

— Para que mandaste me chamar hoje, Lise?

— Queria te comunicar um desejo meu. Quero que alguém me torture, case comigo, depois me torture, me traia, me deixe e parta. Não quero ser feliz!

—Tomaste gosto pela desordem?

— Ah, eu quero desordem! Estou sempre com vontade de atear fogo na casa. Imagino como me chego e boto fogo devagarzinho, tem de ser devagarzinho. As pessoas tentando apagar, e ele ardendo. E eu sabendo, mas calada. Ah, quanta bobagem! E que tédio!

Ela sacudiu os ombros com repulsa.

— Levas vida de rica — pronunciou Aliócha baixinho.

— Seria melhor que eu fosse pobre?

— Melhor.

— Foi teu falecido monge que te disse isso. Isso não é verdade. Vá que eu seja rica e todos os outros pobres, comerei bombons e tomarei creme de leite, e não darei a ninguém. Ah, não fales, não fales nada — abanou a mão, embora Aliócha não abrisse a boca —, já me disseste isso antes, sei tudo de cor. É um tédio. Se eu vier a ser pobre, matarei alguém, e se for rica talvez mate, por que viver no ócio? Sabes, quero ceifar, ceifar trigo. Eu me caso contigo e tu te tornarás um mujique, um mujique de verdade, teremos um potrinho, queres? Conheces Kalgánov?

— Conheço.

— Ele está sempre andando e sonhando. Diz: por que viver de fato? É melhor sonhar. Pode-se sonhar a coisa mais alegre, mas viver é um tédio. No entanto ele mesmo vai se casar brevemente, até a mim já fez declaração de amor. Sabes soltar pião?

— Sei.

— Pois bem, ele é como um pião: a gente o gira e solta, e fica fustigando, fustigando, fustigando com a fieira: eu me caso com ele e levo o resto da vida a soltá-lo. Não te sentes acanhado por estar comigo?

— Não.

— Ficas terrivelmente zangado porque não falo de coisas sagradas. Não quero ser santa. O que se faz no outro mundo por haver cometido o maior dos pecados? Tu deves saber isso com precisão.

— Deus condena — Aliócha fixou o olhar nela.

— Pois é isso que eu quero. Eu chegaria, me condenariam, mas de repente eu daria uma risada na cara de todos. Ando com uma terrível vontade de botar fogo na casa, Aliócha, na nossa casa. Continuas acreditando em mim?

— Por que não? Há até crianças, na faixa dos doze anos, que têm muita vontade de incendiar alguma coisa, e incendeiam. É uma espécie de doença.

— Não é verdade, não é verdade, vá que existam essas crianças, mas não é disso que estou falando.

— Tu tomas o mal pelo bem: isso é uma crise de momento, nisso está tua antiga doença, e a culpa por isso talvez seja tua.

— E mesmo assim me desprezas! Eu simplesmente não quero fazer o bem, quero fazer o mal, e nisso não há doença nenhuma.

— Por que fazer o mal?

— Para não deixar nada em lugar nenhum. Ah, como seria bom não deixar nada! Sabes, Aliócha, às vezes penso em cometer uma enormidade de maldades e de tudo que é nojento, e levarei muito tempo a fazê-lo em silêncio, mas de repente todos ficarão sabendo. Todos me abrirão caminho e me apontarão com o dedo, mas eu olharei para todos. Isso é muito agradável. Por que é tão agradável, Aliócha?

— Sei lá. É uma necessidade de esmagar alguma coisa boa ou, como disseste, atear fogo. Isso também acontece.

— Mas eu não só disse, como vou cumprir o dito.

— Acredito.

— Ah, como gosto de ti por dizeres: acredito. Acontece que não mentes em hipótese alguma, em hipótese alguma. Ou talvez aches que estou dizendo tudo isto de propósito para te provocar?

— Não, não acho... se bem que talvez haja um pouco dessa necessidade.

— Um pouco há. Nunca hei de te mentir — disse Liza com uma chaminha cintilando nos olhos.

O que mais impressionava Aliócha era a seriedade com que ela falava: nem sombra de gracejo nem de brincadeira havia agora em seu rosto, embora o antigo ar jovial e brincalhão não a abandonasse nos instantes mais "sérios".

— Há momentos em que as pessoas gostam do crime — disse Aliócha em tom meditativo.

— Sim, sim! Disseste o que eu penso; gostam, todos gostam e gostam sempre, não por "momentos". Sabes, nisso é como se um dia todo mundo tivesse combinado mentir e desde então todos mentissem. Todos dizem que odeiam as coisas más, mas lá no íntimo gostam.

— E continuas lendo livros ruins?

— Continuo. Mamã os lê e esconde debaixo do travesseiro, e eu os roubo.

— Como não te envergonhas de te destruíres?

— Quero me destruir. Um menino daqui ficou deitado entre os trilhos enquanto o trem passava por cima dele. É um felizardo! Escuta, agora teu irmão vai ser julgado porque matou o pai, e todo mundo está gostando porque ele matou o pai.

— Gostando de ele ter matado o pai?

— Gostando, todo mundo está gostando! Todo mundo diz que é uma coisa horrível, mas lá no íntimo gosta enormemente. Eu sou a primeira a gostar.

— Existe um pouco de verdade no que dizes sobre as pessoas — disse baixinho Aliócha.

— Ah, que ideias essas tuas! — Liza ganiu de êxtase —, e isso dito por um monge! Não podes acreditar como te respeito, Aliócha, porque nunca mentes. Ah, vou te contar um sonho engraçado que eu tive: às vezes sonho com diabos; é como se fosse noite, estou em meu quarto com uma vela acesa e de repente aparecem diabos em todos os cantos, por todos os lados, debaixo da mesa, e abrem a porta, e ali há uma multidão deles, querendo entrar e me agarrar. E já vão se chegando, e me agarrando. Mas de repente eu grito mais alto e eles todos recuam, sentem medo, só que não vão embora de vez, mas se postam à porta e pelos cantos, à espreita. E de repente me dá uma terrível vontade de insultar Deus em voz alta, e começo a insultá-lo, e súbito eles tornam a vir em bando em minha direção, muito alegres, e já me agarram outra vez, mas volto a me benzer — e eles todos recuam. É terrivelmente divertido, fico sem fôlego.

— Eu também andei tendo esse mesmo sonho — disse subitamente Aliócha.

— Será possível? — exclamou Liza com surpresa. — Escuta, Aliócha, não rias, isso é de suma importância: acaso é possível que duas pessoas diferentes tenham o mesmo sonho?

— Sim, é possível.

— Aliócha, estou te dizendo, isso é de suma importância — continuava Liza já com uma surpresa desmedida. — Não é o sonho que importa, mas o fato de teres sonhado a mesma coisa que eu. Tu nunca mentes para mim, agora também não mintas: isso é verdade? Não estás zombando?

— É verdade.

Liza estava perplexa e fez silêncio por meio minuto.

— Aliócha, visita-me, visita-me com mais frequência — disse de chofre com voz suplicante.

— Sempre, por toda a minha vida, hei de visitar-te — respondeu Aliócha com firmeza.

— É que eu só digo isso a ti — retomou Liza. — Digo só a mim mesma, e também a ti. Só a ti no mundo inteiro. E a ti o digo com mais vontade do que a mim mesma. E não sinto nenhum acanhamento contigo. Aliócha, por que não sinto nenhum acanhamento contigo, nenhum? Aliócha, é verdade que os *jides* roubam e devoram crianças na Páscoa?

— Não sei.

— Pois eu tenho um livro, eu li sobre um julgamento ocorrido em algum lugar, no qual um *jide* primeiro arrancou os dedinhos de ambas as mãos de um menino de quatro anos e depois o crucificou na parede, pregou com pregos e crucificou, e depois declarou no julgamento que o menino tinha morrido logo, quatro horas depois. Como foi depressa! Diz ele: gemia, gemia sem parar, enquanto ele, postado, deliciava-se ao contemplá-lo. Isso é bom!

— Bom?

— Bom. Às vezes penso que fui eu mesma que eu o crucifiquei. Ele está pendurado e geme, enquanto me sento à sua frente e tomo compota de ananás. Gosto muito de compota de ananás. Tu gostas?

Aliócha calava e olhava para ela. O rosto pálido-amarelado dela ficou subitamente desfigurado, os olhos brilharam.

— Sabes, assim que li sobre esse *jide* passei a noite inteira tremendo em lágrimas. Imagino uma criancinha gritando e gemendo (porque os meninos de quatro anos compreendem), e toda essa ideia da compota não me deixa um instante. Pela manhã mandei uma carta a uma pessoa pedindo que viesse *sem falta* me visitar. Ela compareceu, e de repente eu lhe contei sobre o menino e a compota, contei *tudo*, *tudo*, e disse que "aquilo é bom". Ele deu uma súbita risada e disse que aquilo era realmente bom. Em seguida levantou-se e foi embora. Ficou apenas cinco minutos. Estaria me desprezando? Diz, diz, Aliócha, estaria me desprezando ou não? — Liza endireitou-se no canapé, seus olhos brilharam.

— Dize-me — falou Aliócha inquieto —, tu mesma a mandaste chamar, essa pessoa?

— Eu mesma.

— Por bilhete?

— Por bilhete.

— Para perguntar especificamente por isso, pela criança?

— Não, não tinha nada a ver com isso, nada a ver. Mas ele mal entrou, fui logo perguntando. Ele respondeu, riu, levantou-se e foi embora.

— Essa pessoa agiu honestamente contigo — pronunciou baixinho Aliócha.

— E me despreza? Riu de mim?

— Não, porque ela mesma talvez acredite na compota de ananás. Agora ela também está muito doente, Lise.

— Sim, acredita — os olhos de Liza resplandeciam.

— Ela não despreza ninguém — continuou Aliócha. — Ela apenas não acredita em ninguém. Se não acredita, então é claro que também despreza.

— Portanto, também a mim? A mim?

— Também a ti.

— Isso é bom — Liza rangeu os dentes. — Quando ele saiu e desatou a rir, senti que é bom ser desprezada. O menino com os dedos decepados é bom, e ser desprezado é bom...

E, com um quê de maldade e um ar excitado, ela desatou a rir na cara de Aliócha.

— Sabes, Aliócha, sabes, eu gostaria... Aliócha, salva-me! — ela saltou subitamente do canapé, lançou-se para ele e o agarrou com força com ambas as mãos. — Salva-me — Liza quase gemeu. — Por acaso eu diria a alguém o que acabo de te dizer? É que eu te disse a verdade, a verdade, a verdade! Vou me matar, porque para mim tudo é sórdido. Não quero viver, porque tudo é sórdido para mim! Para mim, tudo é sórdido, tudo é sórdido. Aliócha, por que não gostas nem um pouco, nem um pouco de mim? — concluiu em desvario.

— Não, eu gosto, sim! — respondeu Aliócha com ardor.

— E vais chorar por mim, vai?

— Vou.

— Não porque não quis ser tua esposa, mas vais simplesmente chorar por mim, simplesmente?

— Vou.

— Obrigada! Só preciso de tuas lágrimas. Que todos os outros me supliciem e me esmaguem com os pés, todos, todos, sem excluir *ninguém*! Porque não gosto de ninguém. Está ouvindo, nin-guém! Ao contrário, odeio! Vai, Aliócha, está na hora de visitar teu irmão! — ela se desprendeu subitamente dele.

— Como vais ficar? — disse Aliócha quase assustado.

— Vai visitar teu irmão, vão fechar a prisão, vai, toma o teu chapéu. Dá um beijo em Mítia, vai, vai!

E empurrou Aliócha quase com força para a porta. Ele observava com uma amarga perplexidade, quando subitamente sentiu uma carta na mão direita, uma cartinha solidamente dobrada e lacrada. Correu a vista e num instante leu o destinatário: Ivan Fiódorovitch Karamázov. Olhou rapidamente para Liza. O rosto dela estava quase ameaçador.

— Entrega, entrega sem falta! — ordenou em tom desvairado, tremendo toda trêmula. — Hoje, agora! Senão tomo veneno! Foi para isso que mandei te chamar!

E bateu a porta com força. O ferrolho estalou. Aliócha pôs a carta no bolso e foi direto para a escada, evitando a senhora Khokhlakova, até esquecido dela. Liza, mal Aliócha se ausentou, abriu imediatamente o ferrolho, entreabriu levemente a porta, pôs um dedo na fenda e, batendo a porta com toda a força, imprensou o dedo. Dez segundos depois, já com a mão livre, caminhou lentamente e de mansinho para a sua poltrona, sentou-se toda reta e se pôs a olhar fixamente para o seu dedo escurecido e o sangue pisado debaixo da unha. Seus lábios tremiam, e ela murmurou rápido, rápido para si:

— Torpe, torpe, torpe, torpe!

IV. O HINO E O SEGREDO

Já entardecera completamente (não é longo o dia de novembro) quando Aliócha tocou a sineta à entrada da prisão. Até começava a escurecer. Mas Aliócha sabia que lhe dariam acesso a Mítia sem obstáculo. Isso acontece entre nós, em nossa cidadezinha, assim como em toda parte. A princípio, é claro, com o término de toda a investigação criminal, o acesso dos parentes e algumas outras pessoas para encontros com Mítia estava, apesar de tudo, rodeado de algumas formalidades necessárias, e se, todavia, estas não foram propriamente relaxadas, criaram-se por via natural algumas exceções para certas pessoas, ao menos para as que vinham visitar Mítia. Isso chegava a tal ponto que vez por outra até os encontros com o preso no recinto destinado ocorriam quase sob a vigilância de quatro olhos. Aliás, essas pessoas eram muito poucas: apenas Grúchenka, Aliócha e Rakítin. Mas Grúchenka gozava muito da boa vontade do próprio comissário Mikhail Makárovitch. Pesava no coração do velho aquele grito que ele dera com ela em Mókroie. Depois, a par de toda a essência do caso, ele mudou completamente de ideia em relação a ela. E era estranho: embora estivesse firmemente convicto do crime de Mítia, depois de sua prisão passou a tratá-lo de maneira cada vez mais e mais branda: “Era um homem de alma talvez boa, mas se perdeu como um sueco[36] por causa de bebedeira e da desordem!". O antigo horror foi substituído pela compaixão em seu coração. Quanto a Aliócha, o comissário gostava muito dele e fazia tempo que o conhecia, ao passo que Rakítin, que ultimamente dera para visitar com muita frequência o preso, era um dos mais íntimos conhecidos das "mocinhas do comissário", como ele as chamava, e todo santo dia esquentava assento em casa dele. Havia muito tempo dava aulas particulares em casa do chefe dos guardas da prisão, um velho militar afável, ainda que rigoroso. Aliócha também era um conhecido particular e antigo do chefe dos guardas, que gostava de conversar com ele sobre "sapiências". Por Ivan Fiódorovitch, por exemplo, o chefe dos guardas não só respeitava, mas até temia, sobretudo seus juízos, embora ele próprio também fosse um grande filósofo "guiado pela própria cabeça", é claro. Mas tinha por Aliócha uma simpatia irresistível. No último ano o velho havia justamente se fixado no Evangelho apócrifo e a todo instante confessava suas impressões ao seu jovem amigo. Antes até o visitava no mosteiro e discutia com ele e os hieromonges horas a fio. Em suma, mesmo quando Aliócha chegava à prisão depois do horário de visitas, era só procurar o chefe dos guardas que ele resolvia o problema. Além disso, todos, até o último guarda, haviam se acostumado com Aliócha na prisão. A sentinela, é claro, não o constrangia, contanto que houvesse permissão da administração. Quando Mítia era chamado, sempre descia de seu cubículo para o lugar destinado aos encontros. Ao entrar no recinto, Aliócha esbarrou justamente em Rakítin, já de saída. Os dois falavam alto. Acompanhando-o, Mítia ria muito não sei por quê, e Rakítin parecia rosnar. Particularmente nos últimos tempos, Rakítin não gostava de cruzar com Aliócha, mal lhe dirigia a palavra e até uma simples reverência fazia a muito custo. Vendo-o entrar agora, franziu o cenho num gesto particular e desviou o olhar como se estivesse todo ocupado em abotoar o longo e quente casaco com gola de pele. Em seguida pôs-se a procurar seu guarda-chuva.

— É bom não esquecer o que é meu — murmurou unicamente para dizer alguma coisa.

— Vê lá se não esqueces o alheio! — brincou Mítia, e ato contínuo deu uma gargalhada com seu gracejo. Rakítin inflamou-se incontinenti.

— Recomenda isto aos teus Karamázov, à tua estirpe escravocrata, e não a Rakítin! — gritou de repente todo trêmulo de raiva.

— O que foi que te deu? Eu estava brincando! — bradou Mítia. — Arre,

[36] Do provérbio "perdeu-se como um sueco nos arredores de Poltava", referência à batalha de 1709, em Poltava, quando as tropas de Pedro, o Grande, derrotaram as tropas suecas de Carlos XII. (N. do T.)

diabo, eles são todos assim — voltou-se para Aliócha, apontando com a cabeça para Rakítin, que se afastava às pressa. — Ele estava aqui sentado, rindo e alegre, de repente explodiu! Nem sequer te fez um aceno com a cabeça, nada. O que houve, vocês brigaram? Por que chegaste tão tarde? Eu não estava só te esperando, passei foi a manhã inteira ansiando por tua chegada! Mas não é nada! A gente recupera o tempo perdido.

— Por que ele pegou a mania de te visitar? Terás feito amizade com ele? — perguntou Aliócha, também apontando para a porta por onde Rakítin havia saído.

— Se fiz amizade com Mikhail? Não, não foi bem isso. E como poderia, é um porco! Acha que sou um... patife. Esses também não entendem uma brincadeira, e isso é o mais grave neles. Nunca vão entender uma brincadeira. Aliás, eles têm a alma seca, plana e seca, exatamente como eu quando me aproximava da prisão e olhava para seus muros. Mas é um homem inteligente, inteligente. Bem, Alieksiêi, minha cabeça agora está perdida!

Sentou-se num banco e sentou Aliócha a seu lado.

— Sim, amanhã é o julgamento. Então, será que tu não tens nenhuma esperança, meu irmão? — disse Aliócha com um quê de timidez.

— Do que estás falando? — Mítia o fitou de um modo meio vago. — Ah, sim, do julgamento! Bem, com os diabos! Até agora nós dois falamos de bobagens, o tempo todo sobre esse julgamento, mas eu não te falei sobre o mais importante. Sim, amanhã haverá o julgamento, só que eu não estava falando do julgamento quando disse que minha cabeça estava perdida. Não é a cabeça que está perdida, mas o que havia na cabeça. Por que me olhas com essa expressão crítica no rosto?

— Do que estás falando, Mítia?

— Ideias, ideias, é disso! Ética. O que é ética?

— Ética? — surpreendeu-se Aliócha.

— Sim, será uma ciência?

— Sim, é uma ciência... só que... confesso, não posso te explicar que ciência é essa.

— Rakítin sabe. Rakítin sabe muita coisa, o diabo que o carregue. Não vai ser monge. Está indo para Petersburgo, diz que lá existe um setor de crítica, mas de tendência nobre. Pois bem, ele pode tirar proveito disso e construir uma carreira. Oh, em matéria de carreira eles são uns mestres! Ao diabo com essa ética! Eu mesmo estou perdido, Alieksiêi, eu, homem de Deus. Gosto de ti mais do que de todos os outros. Meu coração estremece por ti, é isso. Quem era Karl Bernard?

— Karl Bernard? — tornou a surpreender-se Aliócha.

— Não, Karl não, espera, me enganei: Claude Bernard.[37] Quem foi? Um químico, é isso?

— Deve ter sido um cientista — respondeu Aliócha —, mas confesso que não posso dizer muita coisa a respeito dele. Apenas ouvi dizer que é um cientista, mas que tipo de cientista não sei.

— O diabo que o carregue, ora, eu também não sei — praguejou Mítia. — Um canalha qualquer, é o mais provável, aliás, todos são uns canalhas. Mas Rakítin vai subir, Rakítin vai abrir brechas, também é um Bernard. Ai, esses Bernards! Há uma grande proliferação deles!

— Mas o que é que tu tens? — insistiu Aliócha.

— Ele está querendo escrever a meu respeito, escrever um artigo sobre o meu caso, e assim começar a desempenhar seu papel na literatura, é por isso que me visita, ele mesmo explicou. Quer escrever algo em que haja uma tendência: "ele não poderia deixar de matar, é uma vítima do meio" etc., explicou-me. Terá um matiz socialista, diz ele. O diabo que o carregue, já que ele quer matiz, que seja com matiz, para mim tanto faz. Ele não gosta de nosso irmão Ivan, o odeia, e também não és benquisto por ele. Bem, não o escorraço porque é um homem inteligente. No entanto se ufana muito. Vê o que acabei de lhe dizer: "Os Karamázov não são canalhas, mas filósofos, porque todos os russos de verdade são filósofos, e tu, embora tenhas estudado, não és um filósofo, és um *smierd*.[38] Ele ri de um jeito maldoso. E eu lhe digo: *De mislibius non est disputandum*,[39] um bom gracejo, não? Pelo menos até eu me meti no classicismo — gargalhou subitamente Mítia.

— Por que estás perdido? Foi isto que acabaste de me dizer? — interrompeu Aliócha.

— Por que estou perdido? Hum! No fundo... se considerar o todo, fico com pena de Deus, eis o porquê!

— Como pena de Deus?

[37] Claude Bernard (1813-1878), fisiologista e patologista francês que se celebrizou ao defender a aplicação rigorosa do método científico à Medicina. Dava ênfase absoluta às experiências, vendo-as como o único meio de atingir o conhecimento exato. As teorias de Bernard influenciaram o escritor Émile Zola e seus romances naturalistas. (N. da E.)

[38] Na Rússia antiga, denominação pejorativa do camponês servo; mais tarde, nome dado à gente simples, sem origem nobre. Desse substantivo decorre o verbo *smerdet*, que significa feder, cheirar mal, e do qual deriva o sobrenome Smierdiakóv. (N. do T.)

[39] Mítia parafraseia a sentença latina *De gustus non est disputandum* ("Gosto não se discute"), substituindo *gustus* por *mislibus*, adaptação do vocábulo russo *misl* (pensamento, ideia, ou opiniões, quando no plural) e sugerindo a sentença: "Opiniões (ideias, etc.) não se discutem". (N. do T.)

— Imagina: isso é lá nos nervos, dentro da cabeça, ou seja, lá dentro do cérebro há esses nervos (o diabo que os carregue!)... há uns rabinhos, esses nervos têm uns rabinhos, pois bem, é só eles começarem a tremer... ou seja, fito alguma coisa com os olhos, assim, e eles, os rabinhos, começam a tremer... e assim que começam a tremer aparece uma imagem, não aparece logo, mas ao cabo de um instante, um segundo, e então vem uma coisa assim como um momento, isto é, não um momento — o diabo que carregue esse momento —, mas uma imagem, ou seja, um objeto ou um acontecimento, ah, com os diabos — eis porque eu contemplo e depois penso... porque há os rabinhos, e nunca porque eu tenha uma alma e seja uma imagem qualquer e semelhança sei lá do quê, tudo isso são tolices. Meu irmão, isso Mikhail me explicou ainda ontem, e foi como se me tivesse abrasado. Essa ciência é magnífica, Aliócha! Um novo homem há de surgir, isto eu compreendo... E mesmo assim me dá pena de Deus!

— Pois isso também é bom — disse Aliócha.

— Por que tenho pena de Deus? É a química, a química. Não há o que fazer, seu reverendo, afaste-se um pouco, a química vem vindo! Mas Rakítin não gosta de Deus, ah, não gosta! Esse é o ponto mais frágil de toda essa gente. Eles não o escondem. Mentem. Representam. "Quer dizer então que vais aplicar essa linha no setor de crítica?" — pergunto-lhe. "Ora, é claro que não vão deixar!" — diz ele, rindo. "Só que, pergunto, como é que fica o homem depois disso? Sem Deus e sem vida futura? Quer dizer então que hoje em dia tudo é permitido, pode-se fazer tudo?" "E tu não sabias?" — diz ele. Ele ri. "Um homem inteligente pode tudo, diz ele, o homem inteligente sabe usar de astúcia, já tu, diz ele, mataste, meteste os pés pelas mãos e agora estás apodrecendo na cadeia!" É a mim que ele diz isso. É um porco ao natural! Gente dessa laia eu antes tocava porta afora, mas agora escuto. Ele fala muita coisa com conhecimento de causa. Também escreve de modo inteligente. Faz cerca de uma semana que começou a ler um artigo para mim, eu copiei três linhas à toa. Vê, espera, estão aqui.

Mítia tirou apressadamente um pedaço de papel do bolso do colete e leu:

— "Para resolver essa questão, primeiro é necessário contrapor sua personalidade à sua realidade." Entendeste?

— Não, não entendi — disse Aliócha.

Ele observava e ouvia Mítia com curiosidade.

— Nem eu. É obscuro e vago, mas em compensação é inteligente. "Atualmente todo mundo escreve assim, diz ele, porque assim é o meio"... Temem o meio. Ele também escreve versos, o canalha, cantou o pé de Khokhlakova, ha! ha! ha!

— Ouvi dizer — disse Aliócha.

— Ouviste? E o poeminha, já o ouviste?

— Não.

— Eu o tenho aqui comigo, escuta, vou ler. Não estás sabendo, não te contei, e há toda uma história nisso. É um tratante! Três semanas atrás resolveu me provocar: "Tu, diz ele, caíste na esparrela como um imbecil por causa de três mil rublos, mas eu vou abocanhar mil e quinhentos, vou me casar com uma viúva e comprar um edifício de pedra em Petersburgo". E ele me contou que anda cortejando Khokhlakova e que, se quando jovem ela não era inteligente, aos quarenta perdera o resto de inteligência. "Mas é sensível, diz ele, oh, muito, e é justo nesse ponto que vou dar o golpe de misericórdia. Vou me casar, levá-la para Petersburgo, e lá começar a editar um jornal." Uma nojenta baba lasciva escorria dos lábios dele — não uma baba por Khokhlakova, mas por esses mil e quinhentos rublos. E me assegurava, me assegurava: tudo caminha para as minhas mãos cada dia que passa, ela está cedendo, diz ele. Resplandecia de alegria, e de repente lhe mostraram a porta da rua: Piotr Ilitch Pierkhótin o suplantou, bravo. Quer dizer, eu pegaria e cobriria de beijos aquela paspalhona por ter lhe mostrado a porta da rua! Pois bem, ele compôs esse poeminha quando a visitava. "Sujo as mãos pela primeira vez, diz ele, escrevendo versos para seduzir, quer dizer, por uma causa útil. Depois de me apoderar do capital e dessa paspalhona, posso ter uma utilidade civil."[40] Para essa gente, qualquer baixeza tem utilidade civil! "Mesmo assim, diz ele, escrevi melhor do que o teu Púchkin, porque consegui inserir um pesar cívico num poeminha de brincadeira." No que tange a Púchkin, eu compreendo. Que importa se ele realmente tinha talento e apenas descreveu uns pezinhos![41] Mas como ele está orgulhoso dos seus versinhos! Essa gente tem amor-próprio, amor-próprio! "Para a recuperação do pezinho doente do meu objeto", foi esse o título que ele inventou. É um brincalhão!

Ah, que coisa esse pezinho,
Está inchado, um bocadinho!
Por médicos ele é tratado,
Enfaixado, e mutilado.

[40] Ecos da polêmica desenvolvida por Dostoiévski no decênio de 1860 contra os adeptos da teoria do utilitarismo em estética. (N. da E.)

[41] Alusão ao poema de Púchkin, "Cidade elegante, cidade pobre", em que o poeta se diz tomado de fervor pelas pernas de uma mulher. (N. da E.)

Pelos pés eu não lamento —
Que Púchkin os cante em versos:
Pela cabeça é que lamento,
Que não entende de ideias.

Ela entendia um pouquinho,
Veio o pezinho atrapalhar! .
Que se cure esse pezinho,
E a cabeça as entenderá.

É um porco, um genuíno porco, mas o poema do canalha saiu jocoso! E de fato inseriu o "cívico". Mas como ficou zangado quando lhe mostraram a porta da rua. Rangia os dentes!

— Ele já se vingou — disse Aliócha. — Escreveu uma correspondência sobre Khokhlakova.

E Aliócha contou às pressas sobre a correspondência publicada pelo jornal *Slúkhi*.

— Foi ele, ele! — confirmou Mítia de cenho franzido. — Foi ele! Essas correspondências... ora, estou a par... quer dizer, quanta baixaria já foi escrita sobre Grucha, por exemplo!... E sobre a outra, Cátia, também... Hum!

Ele caminhou preocupado pelo recinto.

— Irmão, não posso demorar — disse Aliócha depois de uma pausa. — Amanhã será um dia terrível, um dia grandioso para ti: vai se realizar o julgamento de Deus contra ti... e o que me admira é que tu, em vez de tratares do caso, ficas aí dizendo Deus sabe o quê...

— Não, não te admires — interrompeu fervorosamente Mítia. — Então, eu teria de ficar falando desse cão fedorento, é isso? Sobre o assassino? Chega, nós dois já nos fartamos de falar disso. Não quero mais falar do filho fedorento de Smierdiáschaia! Deus o matará, tu verás, então cala-te!

Chegou-se emocionado a Aliócha e lhe deu um beijo. Seus olhos começaram a brilhar.

— Rakítin não compreenderia isso — começou como que eufórico —, mas tu, tu compreenderás tudo. Por isso eu ansiava por tua presença. Vê, há muito tempo eu estava querendo te dizer muita coisa aqui, diante dessas paredes descascadas, no entanto silenciava sobre o mais importante: era como se a hora teimasse em não chegar. Agora esperei o último instante para te abrir a alma. Irmão, nesses dois últimos meses senti em mim um novo homem, renasceu em mim um novo homem! Ele estava enclausurado em mim, mas nunca apareceria se não viesse essa tormenta. É terrível! Mas que me importa que eu venha a passar vinte anos arrancando minério a marretadas numa mina, não tenho nenhum medo disso, mas agora outra coisa me apavora: que o homem em mim ressuscitado possa me abandonar! Até lá nas minas, debaixo da terra, posso encontrar a meu lado um coração humano num galé e assassino como eu e fazer amizade com ele, porque lá também se pode viver, e amar, e sofrer! Nesse galé pode renascer e ressuscitar um coração congelado, pode-se cuidar dele por anos a fio e, por fim, arrancar desse antro para a luz uma alma já elevada, uma consciência sofrida, pode-se fazer renascer um anjo, ressuscitar um herói! E eles são muitos, são centenas, e todos nós somos culpados por eles! Por que sonhei com o "bebê" justo nessa circunstância? "Por que o bebê é pobre?" Essa profecia me aconteceu naquele instante! Pelo "bebê" eu vou. Porque todos são culpados por todos. Por todos os "bebês", porque há crianças pequenas e crianças grandes. Todos são "bebês". É por todos eles que eu vou, porque alguém tem de ir por todos. Não matei meu pai, mas preciso ir. Aceito! Tudo isso me veio à mente aqui... entre essas paredes descascadas. Mas eles são muitos, lá eles são centenas debaixo do chão, empunhando marretas. Ah sim, estaremos acorrentados e privados de vontade, e então, em nossa grande aflição, tornaremos a ressuscitar na alegria sem a qual já não é possível o homem viver nem Deus existir, porque Deus traz a alegria, este é o seu privilégio, grande... Que o homem se consuma na oração, Senhor! Como ficarei sem Deus lá debaixo do chão? Rakítin mente: se expulsarem Deus da face da Terra, nós O acharemos debaixo dela! Para um galé é impossível passar sem Deus, mais impossível ainda do que para quem não é galé! E então nós, homens do subterrâneo, cantaremos das entranhas da terra um hino trágico a Deus, em quem está a alegria! Viva Deus e sua alegria! Eu O amo!

Mítia quase arfava ao pronunciar seu discurso extravagante. Empalideceu, seus lábios tremeram, lágrimas rolaram de seus olhos.

— Não, a vida é plena, existe vida até debaixo da terra! — recomeçou. — Não vais acreditar, Aliócha, como quero viver agora, que sede de existir e ter consciência renasceu em mim justamente entre estas paredes descascadas! Rakítin não compreende isto, ele só quer construir um prédio e botar inquilinos dentro, mas eu estava à tua espera. Aliás, o que é o sofrimento? Não o temo, mesmo que ele seja infinito. Agora não o temo, antes temia. Sabes, talvez eu não responda nada durante o julgamento... Parece que agora esta força é tamanha em mim que vencerei tudo, todos os sofrimentos, só para falar e dizer para mim mesmo a cada instante: eu existo! Entre milhares de tormentos — eu existo. Contorcendo-me no suplício — eu existo! Mesmo acorrentado a um pilar, eu existo, veja ou não veja o sol, mas sei que ele existe. E só saber que eu existo já é toda uma vida. Aliócha, meu querubim, todas essas filosofias estão me matando, o diabo que as carregue! O irmão Ivan...

— O irmão Ivan o quê? — ia interrompendo Aliócha, mas Mítia não ouviu.

— Vê, antes eu não tinha nenhuma dessas dúvidas, mas tudo isso estava oculto dentro de mim. Talvez eu bebesse, e brigasse, e me tomasse de fúria justamente porque ideias desconhecidas se desencadeavam dentro de mim. Eu brigava para saciá-las em mim, para reprimi-las, esmagá-las. O irmão Ivan não é Rakítin, ele esconde uma ideia. O irmão Ivan é uma esfinge e cala, está sempre calado. Já a mim, Deus tortura. Não faz senão torturar. Mas e se Ele não existir? E se Rakítin tiver razão, ao dizer que isso é um artifício humano? Então, se Ele não existe, o homem é o chefe da Terra, do universo. Magnífico! Só que, como ele será um virtuoso sem Deus? É um problema! Sempre bato nessa tecla. Porque quem ele, o homem, haverá de amar? A quem será grato, em louvor de quem cantará seu hino? Rakítin ri. Rakítin diz que se pode amar a humanidade também sem Deus. Bem, esse sujeitinho ranhoso só pode afirmar uma coisa dessas, mas eu não consigo entendê-lo. Para Rakítin é fácil viver: "É melhor, disse ele hoje, que cuides de ampliar os direitos civis do homem ou evitar que suba o preço da carne de gado; assim brindarás a humanidade com um amor mais simples e compreensível do que com essas filosofias". E eu lhe respondo na bucha: "Tu és um indivíduo sem Deus, ainda serias capaz de aumentar o preço da carne de gado, se isto estivesse em teu poder, e arrancarias um rublo de cada copeque". Zangou-se. Pois o que é a virtude? Responde-me, Alieksiêi. Minha virtude é uma, a do chinês, outra — logo, é uma coisa relativa. Ou não? Ou não é relativa? É uma questão insidiosa! Não rias se te digo que passei duas noites sem dormir pensando nisso. Agora só me admira como as pessoas vivem sem pensar nada a respeito. Fatuidade! Ivan não tem Deus. Tem ideia. Isso está acima de minha compreensão. Mas ele cala. Acho que é maçom. Eu lhe perguntei, ficou calado. Tentei beber de sua fonte — silêncio. Só uma vez disse uma palavrinha.

— O que ele disse? — atalhou Aliócha.

— Eu lhe disse: já que é assim, quer dizer que tudo é permitido? Ele franziu o cenho: "Fiódor Pávlovitch, o nosso paizinho, diz ele, era um porco, mas pensava certo". Vê só o que deixou escapar. Foi só o que disse. Já é mais claro do que Rakítin.

— Sim — confirmou amargamente Aliócha. — Quando ele esteve contigo?

— Sobre isso depois, agora quero falar de outra coisa. Até agora não te falei nada sobre Ivan. Adiei até o fim. Quando essa minha coisa aí terminar e sair a sentença, então te contarei alguma coisa, te contarei tudo. Aí existe algo terrível... E tu serás meu juiz neste caso. Mas agora nem penses em falar disso, agora é silêncio. Tu falas de amanhã, do julgamento, mas, acredites ou não, eu não sei de nada.

— Conversaste com esse tal advogado?

— Qual advogado! Falei tudo com ele. É um tratante manhoso, da capital, um Bernard! Só que não acredita em patavina do que digo. Ele acredita que eu matei, imagina tu — eu logo vi. "Por que, pergunto, o senhor veio me defender neste caso?". Estou me lixando para essa gente. Até médico mandaram trazer, querem me exibir como louco. Não vou permitir! Catierina Ivánovna quer cumprir até o fim com "seu dever". A duras penas. — Mítia deu um sorriso amargo. — Uma felina! Um coração cruel! Porque ela sabe que naquela ocasião, em Mókroie, eu disse que ela é uma mulher de "grande ira"! E chegou aos seus ouvidos. É, os depoimentos se multiplicaram como areia no mar! Grigori mantém sua versão. Grigori é honesto, mas é um imbecil. Muitas pessoas são honestas justamente por serem imbecis. Essa é uma ideia de Rakítin. Grigori é meu inimigo. É mais vantajoso ter certas pessoas como inimigas do que como amigas. Isso vale para Catierina Ivánovna. Temo, oh, temo que no julgamento ela fale da tal reverência que fez até o chão depois daqueles quatro mil e quinhentos rublos! Vai pagar até o fim, até o último níquel. Não quero o sacrifício dela! Eles me envergonhariam no julgamento! Darei um jeito de suportar. Vai à casa dela, Aliócha, e pede que não fale nisso durante o julgamento. Ou não é possível? Com os diabos, seja como for, hei de suportar! Não tenho pena dela. Ela mesma quer isso. Ladrão merece suplício. Eu, Alieksiêi, vou fazer o meu discurso. — Tornou a dar um riso amargo. — Só... só Grucha, Grucha, meu Deus! Por que ela terá de assumir agora esse suplício? — exclamou de repente entre lágrimas. — Grucha me mata, pensar nela me mata, mata! Ela esteve aqui ainda há pouco...

— Ela me contou. Hoje estava muito amargurada contigo.

— Sei, o diabo que me carregue por causa do meu gênio. Fiquei com ciúmes! Na despedida me arrependi, beijei-a. Não lhe pedi perdão.

— Por que não? — exclamou Aliócha.

Súbito Mítia deu uma risada quase alegre.

— Deus te proteja, amável menino, de que um dia tenhas de pedir perdão à mulher amada por uma culpa tua! Particularmente à mulher amada, particularmente, por mais culpado que sejas perante ela! Porque a mulher é, meu irmão, o diabo sabe o que é, eu pelo menos entendo delas! Mas tenta te confessar culpado perante ela, "a culpa é minha, dirias, perdoa, desculpa": aí desabará uma saraivada de censuras! Por nada nesse mundo ela te perdoará com franqueza e simplicidade, mas te humilhará até reduzir-te a um trapo, descontará até o que não houve, levará tudo em conta, não esquecerá nada, acrescentará coisas de sua parte e só então desculpará. E isso ainda sendo a melhor, a melhor entre elas! Raspará até a última mágoa e despejará tudo em tua cabeça. — Tal é, eu te digo, a ferocidade que há nelas, em todas e em cada uma, nesses anjos sem os quais nos é impossível viver! Vê só, meu caro, e eu te digo de modo franco e simples: todo homem decente deve estar sob o tacão de ao menos alguma mulher. Essa é a minha convicção; não é uma convicção, mas um sentimento. O homem deve ser magnânimo, e isso não é uma desonra para o homem. Isso não desabona nem um herói, não desabona nem a César! Mas ainda assim não peças perdão, nunca nem por nada. Lembra-te dessa regra: ela te foi ensinada por teu irmão Dmitri, que se perdeu por causa das mulheres. Não, é melhor que eu mereça alguma coisa de Grucha, mas sem perdão. Eu a venero, Alieksiêi, eu a venero! Só ela não vê isso, não, sempre acha pouco o amor. E me atormenta, me atormenta com o amor. Como era antigamente! Antigamente, só as curvas infernais de seu corpo me atormentavam, mas agora minha alma está embebida de sua alma, e através dela eu mesmo me tornei um homem! Será que nos casarão? Porque sem isso morrerei de ciúme. O fato é que sonho com alguma coisa todo santo dia... O que ela te disse a meu respeito?

Aliócha repetiu tudo o que havia pouco ouvira de Grúchenka. Mítia o ouviu em detalhes, fez muitas perguntas e ficou satisfeito.

— Então não está zangada com meu ciúme — exclamou. — Isso é que é mulher! "Eu mesma tenho um coração cruel." Oh, é dessas que gosto, cruéis, ainda que não suporte quando têm ciúme de mim, não suporto! Haveremos de brigar. Mas amar, hei de amá-la infinitamente. Será que nos casarão? Será que casam galés? É uma questão. Mas sem ela não posso viver...

Mítia caminhou pelo recinto com ar sombrio. Estava quase escurecendo. Súbito ficou excessivamente preocupado.

— Então há um segredo, diz ela, um segredo? Quer dizer que estou num tríplice complô contra ela, e "Catka" estaria metida nisso? Não, irmã Grúchenka, não é isso. Aí cometeste um deslize, o teu tolo deslize feminino! Pois é, Aliócha, meu caro, olha onde isso foi dar! Vou te revelar o nosso segredo!

Olhou para todos os lados, achegou-se rapidamente a Aliócha postado à sua frente e lhe cochichou com ar misterioso, embora em verdade ninguém pudesse ouvi-los: o velho carcereiro cochilava num banco em um canto, e nenhuma palavra chegava às sentinelas.

— Vou te revelar todo o nosso segredo! — cochichou apressadamente Mítia. — Queria revelá-lo depois, porque acaso resolvo alguma coisa sem ti? Para mim és tudo. Embora eu diga que Ivan é superior a nós dois, tu és o meu querubim. Só tua decisão decide. Talvez tu sejas o homem superior, e não Ivan. Vê, este é um caso de consciência, um caso de consciência suprema — o segredo é tão importante que eu mesmo não consigo dar conta dele e o guardei inteirinho esperando tua chegada. Mesmo assim ainda é cedo para resolver, porque precisamos esperar a sentença: sai a sentença, e então tu decides o destino. Não decidas agora; vou te contar tudo, tu ouvirás, mas não decidas. Espera e cala-te. Não vou te revelar tudo. Vou te dizer apenas qual é a ideia, sem detalhes, e tu fica calado. Nem uma pergunta, nem um gesto, de acordo? Se bem que, meu Deus, o que vou fazer com teus olhos? Temo que teus olhos indiquem a decisão, ainda que fiques calado. Oh, tenho medo! Ouve, Aliócha: o irmão Ivan está me propondo *fugir*. Não vou te dar os detalhes: tudo está previsto, tudo se pode arranjar. Cala-te, não decidas. Fugirei com Grucha para a América. Porque sem Grucha não posso viver! Mas como haveriam de permitir que ela vá comigo? Por acaso casam galés? O irmão Ivan disse que não. E sem Grucha, o que vou fazer de martelo na mão debaixo da terra? Só esfacelar minha cabeça com esse martelo! Mas, por outro lado, e a consciência? Pois estaria fugindo do sofrimento! Havia uma orientação — rejeitei a orientação; havia o caminho da expiação — dei uma guinada para a esquerda. Diz Ivan que, "com bons pendores", na América se pode ser mais útil do que debaixo da terra. Sim, mas e o nosso hino subterrâneo, onde vai acontecer? O que é a América, a América é mais uma vez a vanidade! Sim, e as vigarices também são muitas na América, acho eu. Fugir de minha cruz! Porque eu te digo, Alieksiêi, que só tu podes compreender isso, ninguém mais; para os outros isso são bobagens, delírio, eis tudo o que te digo sobre o hino. Dirão que enlouqueci ou sou um imbecil. Não enlouqueci nem sou imbecil. Ivan também compreende o hino, oh, compreende, só que não responde sobre a questão, silencia. No hino ele não crê. Não fales, não fales, estou vendo como me olhas: já decidiste! Não decidas, poupa-me, sem Grucha não posso viver, espera o julgamento!

Mítia concluiu como desvairado. Segurava os ombros de Aliócha com ambas as mãos, com o seu olhar inflamado e sequioso cravado nos olhos dele.

— Por acaso casam galés? — repetiu pela terceira vez com voz suplicante.

Aliócha ouvia com extraordinária surpresa e profundamente impressionado.

— Dize-me só uma coisa — disse ele —, Ivan insiste muito, mas quem foi o primeiro a inventar isso?

— Ele, ele inventou, ele insiste! Ficou um tempão sem me visitar, e de repente me apareceu na semana passada e foi direto a esse assunto. Insiste por demais. Não pede, ordena. Não duvida de minha resignação, embora eu lhe tenha aberto todo o coração, como estou fazendo a ti, e falado no hino. Ele me contou como vai arranjar a coisa, reuniu todas as informações, mas disso falaremos depois. Está histérico de tanta vontade. O principal é o dinheiro: receberás dez mil para a fuga, diz ele, vinte mil para te arranjares na América, e com dez mil a gente arranja uma fuga magnífica.

— E te ordenou que não me contasses em hipótese nenhuma? — tornou a perguntar Aliócha.

— Em hipótese nenhuma a ninguém, e principalmente a ti: a ti por nada deste mundo! Certamente teme que te ponhas à minha frente como minha consciência. Não digas a ele que te contei. Ah, não digas!

— Tens razão — resolveu Aliócha —, é impossível decidir antes do veredicto do tribunal. Depois do julgamento, tu mesmo decidirás; só que encontrarás o novo homem em ti, e ele decidirá.

— O novo homem ou Bernard, e acabarei resolvendo *à la* Bernard! Porque, parece, eu mesmo sou um Bernard desprezível — disse Mítia com um riso largo e amargo.

— Mas será, será possível, meu irmão, que não tenhas nenhuma esperança de absolvição?

Mítia sacudiu os ombros num gesto convulso e balançou a cabeça negativamente.

— Aliócha, meu caro, está na tua hora! — apressou-o de repente. — O chefe dos guardas gritou no pátio, logo vai aparecer aqui. Já é tarde, isso é desordem. Me dá um abraço depressa, um beijo, benze-me, meu caro. Benze-me para a cruz de amanhã...

Abraçaram-se e beijaram-se.

— Ivan — falou de súbito Mítia — está me sugerindo a fuga, mas ele mesmo acredita que eu matei!

Seus lábios abafaram um riso triste.

— Tu lhe perguntaste se acredita ou não? — perguntou Aliócha.

— Não, não perguntei. Quis perguntar, mas não pude, me faltou força. Mas dá no mesmo, porque o noto pelo olhar dele. Bem, adeus.

Voltaram a beijar-se depressa, e Aliócha já estava saindo quando de repente Mítia tornou a lhe gritar:

— Para à minha frente, assim.

Tornou a agarrar os ombros de Aliócha com ambas as mãos, com força. Súbito seu rosto empalideceu, de tal modo que se podia notá-lo nitidamente quase no escuro. Os lábios se contraíram, o olhar cravou-se em Aliócha.

— Aliócha, fala-me toda a verdade como se estivesses diante de Deus: acreditas que eu tenha matado, ou não acreditas? Tu, tu mesmo acreditas ou não? A pura verdade, sem mentira! — bradou-lhe em tom desvairado.

Foi como se algo sacudisse Aliócha inteiramente, uma coisa aguda pareceu lhe trespassar o coração, e ele o sentiu.

— Basta, o que tu... — balbuciou desnorteado.

— Toda a verdade, toda, não mintas! — repetiu Mítia.

— Em nenhum momento acreditei que fosses o assassino — escapou de súbito com uma voz trêmula do peito de Aliócha, e este levantou para o alto a mão direita como se chamasse Deus como testemunha de suas palavras. Uma expressão de beatitude iluminou por um instante todo o rosto de Mítia.

— Eu te agradeço! — pronunciou com voz arrastada, como quem dá um suspiro depois de um desmaio. — Agora me fizeste renascer... Acredita: até hoje temi te fazer essa pergunta, a ti mesmo, a ti! Bem, vai, vai. Tu me fortaleceste para o dia de amanhã, Deus te abençoe! Bem, anda, e ama Ivan! — Mítia deixou escapar estas últimas palavras.

Aliócha saiu banhado em lágrimas. Tamanha cisma de Mítia, tamanha desconfiança até dele, Aliócha — tudo isso revelou subitamente a Aliócha uma voragem de pesar e desespero irremediáveis na alma de seu pobre irmão, da qual ele antes sequer suspeitara. Uma compaixão profunda e infinita o envolveu e afligiu por um instante. Seu coração traspassado sentia uma dor pungente. "Ama Ivan!" — vieram-lhe de chofre à lembrança as palavras que Mítia acabara de proferir. Sim, caminhava para a casa de Ivan. Desde a manhã que precisava muito vê-lo. Ivan não o atormentava menos que Mítia, e agora, depois do encontro com Mítia, mais do que nunca.

V. NÃO FOSTE TU, NÃO FOSTE TU!

A caminho da casa de Ivan, Aliócha teve de passar ao lado da casa em que morava Catierina Ivánovna. As janelas estavam iluminadas. Parou de súbito e resolveu entrar. Já não via Catierina Ivánovna havia mais de uma semana. Mas agora lhe passou pela cabeça que Ivan poderia estar nesse momento com ela, sobretudo na véspera de um dia como aquele. Depois de tocar a sineta e tomar a escada, iluminada pela luz baça de uma lanterna chinesa, viu um homem descendo no qual reconheceu o irmão quando emparelhou com ele. Por conseguinte, ele já estava saindo da casa de Catierina Ivánovna.

— Ah, só podias ser tu — disse secamente Ivan Fiódorovitch. — Bem, adeus. Vais visitá-la?

— Sim.

— Não te aconselho, está "inquieta", e vais deixá-la ainda mais perturbada.

— Não, não! — gritou de repente uma voz saída de uma porta que lá no alto se abria de relance. — Alieksiêi Fiódorovitch, está vindo da parte dele?

— Sim, eu estive com ele.

— Mandou-me algum recado? Entre, Aliócha, e o senhor, Ivan Fiódorovitch, volte obrigatoriamente, obrigatoriamente. Está ou-vin-do?

Na voz de Cátia ouvia-se um tom de tal modo imperioso que Ivan Fiódorovitch, mesmo tardando um instante, resolveu tornar a subir com Aliócha.

— Ela estava escutando! — murmurou consigo em tom irritado, mas Aliócha não ouviu.

— Permita-me permanecer de sobretudo — disse Ivan Fiódorovitch ao entrar na sala. — Não vou me sentar. Mais de um minuto eu não fico.

— Sente-se, Alieksiêi Fiódorovitch — disse Catierina Ivánovna, permanecendo em pé. Mudara pouco durante esse tempo, mas seus olhos escuros irradiavam uma chama funesta. Mais tarde Aliócha se lembraria de que nesse instante ela lhe parecera de uma beleza extraordinária.

— O que ele mandou me dizer?

— Só uma coisa — disse Aliócha encarando-a —: que a senhora se poupe e no depoimento não diga nada sobre aquilo... — vacilou um pouco — aquilo que aconteceu entre vocês dois... no primeiro encontro... naquela cidade.

— Ah, está falando da reverência profunda por causa daquele dinheiro — secundou Cátia com uma risada amarga. — Então, ele teme por si ou por mim, hein? Ele pediu para eu poupar — mas quem? A ele ou a mim? Diga, Alieksiêi Fiódorovitch.

Aliócha a observava fixamente, tentando compreendê-la.

— A senhora e ele — proferiu baixinho.

— Pois é — disse com nitidez e raiva, e corou de chofre. — O senhor ainda não me conhece, Alieksiêi Fiódorovitch — disse em tom ameaçador —, aliás eu também não me conheço. O senhor talvez vá querer me pisotear depois do interrogatório de amanhã.

— Dê um depoimento honesto — disse Aliócha —, é só do que se precisa.

— A mulher é frequentemente desonesta — rangeu os dentes. — Ainda uma hora antes eu estava pensando que me seria terrível tocar nesse monstro... como num réptil... mas vejo que não, ele ainda continua sendo gente para mim! Quem matou terá sido ele? Terá sido ele quem matou? — bradou de súbito em tom histérico, voltando-se rapidamente para Ivan Fiódorovitch. Num piscar de olhos Aliócha compreendeu que ela já fizera essa mesma pergunta a Ivan Fiódorovitch talvez a apenas um minuto da saída dele, e não a fizera pela primeira, mas pela centésima vez, e que os dois acabaram brigando.

— Eu estive com Smierdiakóv... Foste tu, tu que me persuadiste de que ele é o parricida. Só em ti eu acreditei! — continuou ela, sempre voltada para Ivan Fiódorovitch. Este deu um riso como que forçado. Aliócha estremeceu ao ouvir esse *tu*. Nem podia suspeitar de semelhantes relações.

— Bem, mas basta — cortou Ivan. — Vou indo. Amanhã eu volto. — Deu uma imediata meia-volta, deixando a sala a caminho direto da escada. Súbito Catierina Ivánovna agarrou ambas as mãos de Aliócha com um gesto imperioso.

— Vá atrás dele! Alcance-o! Não o deixe nem um minuto sozinho — murmurou rapidamente. — Ele está louco. O senhor não sabe que ele enlouqueceu? Está com febre, febre nervosa! O doutor me disse, vá, corra atrás dele...

Aliócha deu um salto e correu atrás de Ivan Fiódorovitch. Este não conseguiu nem se afastar cinquenta passos.

— O que queres? — voltou-se subitamente para Aliócha, ao ver que este o alcançava. — Ela te mandou correr atrás de mim porque estou louco. Sei isso de cor — acrescentou ele com voz irritada.

— É claro que ela está enganada, mas tem razão quando diz que estás doente — disse Aliócha. — Acabei de observar teu rosto em casa dela; estás com uma expressão muito doentia no rosto, muito, Ivan.

Ivan caminhava sem parar. Aliócha o seguia.

— E tu sabes, Alieksiêi Fiódorovitch, como se perde o juízo? — perguntou Ivan com uma voz súbita e inteiramente baixa, já sem nenhuma irritação, na qual se ouvia inesperadamente a mais ingênua curiosidade.

— Não, não sei; suponho que haja muitas variedades de loucura.

— E dá para alguém observar em si mesmo que está enlouquecendo?

— Acho que uma pessoa não pode se observar com clareza num caso como esse — respondeu Aliócha com surpresa. Ivan calou-se por meio minuto.

— Se queres conversar alguma coisa comigo, faz o favor de mudar de tema — disse de repente.

— Pois bem, antes que eu me esqueça, tenho uma carta para ti — disse Aliócha, tirando do bolso e entregando-lhe a carta de Liza. Haviam justamente se aproximado do lampião. Ivan reconheceu de imediato a letra.

— Ah, é daquela diabinha! — deu uma risada maldosa, rasgou subitamente o envelope em vários pedaços, sem abri-lo, e os atirou ao vento. Os pedacinhos voaram.

— Ainda não tem dezesseis anos, parece, e já se oferecendo! — proferiu com ar de desdém, tornando a andar pela rua.

— Como se oferecendo? — exclamou Aliócha.

— É sabido como as mulheres depravadas se oferecem.

— O que é isso, Ivan, o que é isso? — defendeu-a Aliócha com amargura e fervor. — Ela é uma criança, estás ofendendo uma criança! É doente, ela mesma é muito doente, é possível que também esteja enlouquecendo... Eu não podia deixar de te entregar a carta dela... Eu, ao contrário, gostaria de ouvir alguma coisa de tua parte... para salvá-la.

— De mim não tens nada a ouvir. Se ela é uma criança, eu não sou babá. Cala-te, Alieksiêi, não continues. Nem penso nisso.

Tornaram a calar por cerca de um minuto.

— Agora ela vai passar a noite inteira rezando a Nossa Senhora para que lhe indique como agir amanhã durante o julgamento — retomou de súbito a conversa com rispidez e raiva.

— Tu... tu estás falando de Catierina Ivánovna.

— Sim. Ela aparecerá como salvadora ou destruidora de Mítia. Por isso vai orar para que sua alma se ilumine. Como podes ver, ela mesma ainda não sabe, ainda não conseguiu se preparar. Também me toma por babá, quer que eu a nine!

— Catierina Ivánovna te ama, irmão — proferiu Aliócha com um sentimento triste.

— É possível. Só que eu não tenho nenhuma queda por ela.

— Ela está sofrendo. Por que lhe dizes... às vezes... palavras que lhe dão esperança? — continuou Aliócha com uma tímida censura. — Pois sei que lhe deste esperanças, e desculpa por eu te falar assim — acrescentou ele.

— Neste momento não posso agir como devia, romper e lhe dizer as coisas com franqueza! — disse Ivan em tom irritado. — É preciso esperar que o assassino seja sentenciado. Se eu romper com ela agora, amanhã ela destruirá aquele patife no tribunal para se vingar de mim, porque o odeia e sabe que odeia. Aí tudo é mentira, mentira em cima de mentira! Agora, enquanto não rompo com ela, ela continua com esperança e não vai destruir aquele monstro, sabendo como quero arrancá-lo da desgraça. E quando será que sai essa maldita sentença?!

As palavras "assassino" e "monstro" se refletiram dolorosamente no coração de Aliócha.

— Sim, que coisa é essa com que ela pode destruir meu irmão? — perguntou ele, meditando nas palavras de Ivan. — O que ela pode dizer de especial no depoimento capaz de destruir Mítia?

— Tu ainda não sabes. Ela tem em mãos um documento, escrito de próprio punho por Mítienka, que prova matematicamente que ele matou Fiódor Pávlovitch.

— Isso não pode ser! — exclamou Aliócha.

— Como não pode? Eu mesmo o li.

— Semelhante documento não pode existir! — repetiu Aliócha com ardor. — Não pode existir porque o assassino não é ele. Não foi ele que matou o nosso pai, não foi ele!

Ivan Fiódorovitch parou de supetão.

— Então quem é a teu ver o assassino? — perguntou de um modo aparentemente frio, e no tom da pergunta ouviu-se até uma nota de presunção.

— Tu mesmo sabes quem é — proferiu Aliócha em tom baixo e convicto.

— Quem? É a fábula sobre o idiota do epiléptico maluco? Sobre Smierdiakóv?

Súbito Aliócha sentiu que tremia todo.

— Tu mesmo sabes quem foi — deixou escapar sem forças. Arquejava.

— Mas quem, quem? — gritou Ivan já quase furioso. Todo o seu comedimento sumiu num piscar de olhos.

— Só uma coisa eu sei — disse Aliócha quase sussurrando como antes. — Quem matou nosso pai *não foste tu.*

— "Não foste tu"! Que "não foste tu" é esse? — Ivan estava petrificado.

— Não foste tu quem matou nosso pai, não foste tu! — repetiu Aliócha com firmeza.

Fez-se uma pausa de meio minuto.

— Ora, eu mesmo sei que não fui eu; estás delirando? — disse Ivan com um riso pálido e contraído. Tinha o olhar cravado em Aliócha. Mais uma vez estavam parados diante do lampião.

— Não, Ivan, tu mesmo disseste várias vezes a ti mesmo que eras o assassino.

— Quando foi que eu disse?... Eu estava em Moscou... Quando foi que eu disse? — balbuciou Ivan totalmente desconcertado.

— Tu o disseste a ti mesmo muitas vezes quando ficaste só nesses dois terríveis meses — continuou Aliócha com voz baixa e nítida. Mas já falava como tomado de extrema excitação, como movido não por sua vontade, obedecendo a alguma ordem indefinida. — Tu te acusaste e confessaste a ti mesmo que o assassino não era outro senão tu. Mas quem matou não foste tu, estás enganado, não és tu o assassino, ouve-me, não és tu! Foi Deus quem me enviou para te dizer isto.

Ambos calavam. Um longo minuto durou esse silêncio. Os dois estavam postados, fitando-se nos olhos. Estavam pálidos. Súbito Ivan tremeu todo e agarrou com força um ombro de Aliócha.

— Tu estavas em minha casa! — murmurou, rangendo os dentes. — Tu estavas em minha casa na noite em que ele veio... Confessa... tu o viste, viste?

— De quem estás falando... de Mítia? — perguntou Aliócha perplexo.

— Não é dele, o diabo que carregue o monstro! — berrou desvairadamente Ivan. — Por acaso sabes que ele me visitou? Como o soubeste? Fala!

— *Ele* quem? Não sei de quem estás falando — murmurou Aliócha já assustado.

— Não, tu sabes... senão, como é que tu... é impossível que não saibas...

Mas súbito pareceu conter-se. Estava em pé e parecia ponderar alguma coisa. Um riso estranho crispou-lhe os lábios.

— Irmão — recomeçou Aliócha com voz trêmula —, eu te disse isso porque acreditarás em minha palavra, sei disso. Eu te disse para o resto da vida estas palavras: *não foste tu*! Ouve, para o resto da vida. E foi Deus que me encarregou de te dizer isso, ainda que a partir deste momento fiques me odiando para sempre...

Mas pelo visto Ivan Fiódorovitch já conseguira dominar-se.

— Alieksiêi Fiódorovitch — disse com um riso frio —, não suporto profetas e epilépticos, particularmente enviados de Deus, o senhor sabe muito bem disso. A partir deste momento rompo com o senhor e, parece, para sempre. Peço que me deixe agora mesmo, neste cruzamento. Ademais, o caminho de sua casa é por esta rua. Evite particularmente me visitar hoje! Está ouvindo?

Deu meia-volta e seguiu em frente a passos firmes sem olhar para trás.

— Irmão — gritou-lhe às costas Aliócha —, se alguma coisa te acontecer hoje, pensa antes de tudo em mim!...

Mas Ivan não respondeu. Aliócha permaneceu no cruzamento ao pé do lampião até que Ivan desapareceu completamente na escuridão. Então ele deu meia-volta e caminhou lentamente pelo beco em direção à sua casa. Tanto ele quanto Ivan Fiódorovitch estavam morando sozinhos, em diferentes casas: nenhum quis morar na casa deserta de Fiódor Pávlovitch. Aliócha alugava um quarto mobiliado em casa de uma família de pequenos-burgueses; Ivan Fiódorovitch morava bem longe dele e alugava um quarto espaçoso e bastante confortável no anexo de uma boa casa, que pertencia a uma remediada viúva de um funcionário público. Mas ele era servido em todo o anexo por apenas uma velha decrépita e completamente surda, tomada de reumatismo, que se deitava às seis da tarde e se levantava às seis da manhã. Nesses dois meses Ivan Fiódorovitch se tornara pouco exigente, o que era estranho, e gostava muito de ficar completamente só. Ele mesmo arrumava o seu próprio quarto. E até entrava raramente nos outros cômodos de sua residência. Tendo chegado ao portão de sua casa e já com a mão na alça da sineta, parou. Sentiu que um tremor raivoso ainda lhe sacudia o corpo inteiro. Súbito largou a sineta, cuspiu, deu meia-volta e retomou a caminhada, para o extremo totalmente oposto da cidade, a umas duas verstas de sua casa, rumo a uma casinha minúscula, torta, de toras de madeira, onde morava Mária Kondrátievna, ex-vizinha de Fiódor Pávlovitch, cuja cozinha frequentava à procura de sopa e para quem, naquele tempo, Smierdiakóv cantava suas canções e tocava violão. Ela vendera sua antiga casinha e agora morava com a mãe num arremedo de isbá, e o doente e quase moribundo Smierdiakóv se instalara em casa delas desde a morte de Fiódor Pávlovitch. Pois era para vê-lo que Ivan Fiódorovitch agora caminhava, impelido por uma razão súbita e invencível.

VI. O primeiro encontro com Smierdiakóv

Já era a terceira vez que Ivan Fiódorovitch ia conversar com Smierdiakóv depois que regressara de Moscou. Na primeira vez, após a catástrofe, visitara-o e conversara com ele logo no primeiro dia de seu retorno, e duas semanas depois lhe fizera uma nova visita. Contudo, depois dessa segunda vez, interrompera suas visitas a Smierdiakóv, de sorte que agora já fazia pouco mais de um mês que não o via e quase nada ouvia a seu respeito. Ivan Fiódorovitch voltara então de Moscou só quando caminhava para o quinto dia após a morte do pai, de sorte que não assistira ao enterro: este se realizara justamente na véspera de sua chegada. O retardamento do retorno de Ivan Fiódorovitch deveu-se ao fato de que Aliócha, por não saber com precisão seu endereço moscovita, recorrera a Catierina Ivánovna para enviar o telegrama, e esta, também por desconhecer o atual endereço dele, telegrafara para a irmã e a tia, contando com que Ivan Fiódorovitch as tivesse visitado logo ao chegar a Moscou. Mas ele só as visitaria no quarto dia após a chegada e, ao ler o telegrama, tomou, é claro, o rumo de nossa cidade em desabalada carreira. Entre nós Ivan visitou primeiro Aliócha, mas, depois de conversar com ele, ficou surpreso com o fato de que ele sequer quis suspeitar de Mítia e apontou diretamente Smierdiakóv como o assassino, contrariando todas as outras opiniões em nossa cidade. Depois de visitar o comissário e o promotor, de inteirar-se dos detalhes da acusação e da prisão, ficou ainda mais surpreso com Aliócha e atribuiu sua opinião apenas ao sentimento fraterno excitado ao extremo e a sua compaixão por Mítia, que Aliócha amava muito, como Ivan sabia. Aliás, digamos de uma vez por todas apenas duas palavras sobre os sentimentos de Ivan pelo irmão Dmitri Fiódorovitch: terminantemente não o amava e às vezes sentia muita, muita compaixão por ele, mas até esta era mesclada de um grande desprezo, que beirava o nojo. Nutria uma extrema antipatia por Mítia, por ele todo, por toda a sua figura. Ivan via com indignação o amor de Catierina Ivánovna por ele. Contudo, encontrara-se com o réu Mítia também no primeiro dia de sua chegada, e esse encontro não só não diminuíra nele a convicção da culpa do outro como até a reforçara. Na ocasião encontrara o irmão intranquilo, numa agitação doentia. Mítia estava loquaz, mas distraído e estonteado, falando de modo desconexo, com gestos bruscos, acusava Smierdiakóv e se confundia terrivelmente. Do que mais falava era dos tais três mil rublos que o falecido lhe "roubara". "O dinheiro é meu, ele era meu", afirmava Mítia, "mesmo que eu o tivesse roubado, estaria com a razão." Quase não questionava as provas todas que havia contra ele, e se interpretava os fatos em seu proveito, fazia-o também de modo muito confuso e absurdo — em linhas gerais, era como se inclusive nem desejasse se justificar absolutamente perante Ivan ou quem quer que fosse; ao contrário, zangava-se, desprezava orgulhosamente as acusações, dizia desaforos e se exaltava. Diante do testemunho de Grigori sobre a porta aberta, limitou-se a rir desdenhosamente e assegurar que "o diabo a abriu". Mas não conseguia apresentar quaisquer explicações coerentes para esse fato. Nesse primeiro encontro, chegou até a ofender Ivan Fiódorovitch, dizendo-lhe rispidamente que quem afirmava pessoalmente que "tudo é permitido" não podia suspeitar dele nem interrogá-lo. De modo geral, nessa ocasião foi muito hostil com Ivan Fiódorovitch. Logo após esse encontro com Mítia, Ivan Fiódorovitch rumou para a casa de Smierdiakóv.

Ainda no trem, de volta de Moscou, esteve o tempo todo pensando em Smierdiakóv e em sua última conversa com ele na noite da véspera de sua partida. Muita coisa o perturbava, muito lhe parecia suspeito. Mas, ao depor perante o juiz de instrução, Ivan Fiódorovitch por ora silenciava sobre essa conversa. Adiava tudo até o encontro com Smierdiakóv. Este, na ocasião, estava internado no hospital da cidade. Às insistentes perguntas de Ivan Fiódorovitch, o doutor Herzenstube e o médico Varvinski, que o recebeu no hospital, responderam que a epilepsia de Smierdiakóv não deixava dúvida e ficaram até surpresos com a pergunta: "Não teria ele fingido no dia da catástrofe?". Fizeram-no entender que esse ataque fora até excepcional, continuara e se repetira por vários dias, e agora, depois das providências adotadas, já era possível dizer, de maneira afirmativa, que o doente sobreviveria, embora fosse muito possível (acrescentou o doutor Herzenstube) que seu juízo ficasse em parte perturbado "se não pelo resto da vida, ao menos por um período bastante longo". Quando Ivan Fiódorovitch perguntou com impaciência: "Então ele agora está louco?", responderam-lhe que "no pleno sentido, ainda não, mas se observam algumas anormalidades". Ivan Fiódorovitch resolveu descobrir pessoalmente que anormalidades eram essas. No hospital permitiram-lhe imediatamente a visita. Smierdiakóv estava num recinto isolado, deitado numa maca. Ali mesmo, a seu lado, havia outra maca ocupada por um paciente da cidade, bastante debilitado, todo inchado de hidropisia, pelo visto a caminho da morte dali a um ou dois dias; não podia atrapalhar a conversa. Smierdiakóv sorriu com desconfiança ao ver Ivan Fiódorovitch, e no primeiro instante até pareceu assustar-se. Pelo menos foi o que passou de relance pela cabeça de Ivan Fiódorovitch. Mas isso foi apenas um instante, porque, ao contrário, em todo o resto do tempo Smierdiakóv quase o impressionou com sua tranquilidade. Só de olhar para ele, Ivan Fiódorovitch não teve dúvida da gravidade de seu estado de saúde: muito fraco, falava devagar e mexia a língua com aparente dificuldade; estava muito magro e amarelo. Durante todos os cerca de vinte minutos da conversa, queixou-se de dor de cabeça e pontadas em todos os membros. Seu ressequido rosto de eunuco parecia miúdo, tinha os cabelos sobre as têmporas eriçados e apenas uma mecha fina de cabelo no alto, no lugar do topete. Mas o olhinho esquerdo apertado, que parecia insinuar algo, denunciava o antigo Smierdiakóv. "É até curioso conversar com um homem inteligente" — passou imediatamente pela lembrança de Ivan Fiódorovitch. Ivan sentou-se aos pés dele em um banquinho. Smierdiakóv mexeu todo o corpo na cama com ar sofrido, mas não foi o primeiro a falar, calava e já não parecia lá muito curioso.

— Podes conversar comigo? — perguntou Ivan Fiódorovitch. — Não vou te cansar muito.

— Posso, certamente — mastigou em resposta Smierdiakóv com uma voz fraca. — Faz tempo que o senhor chegou? — acrescentou em tom condescendente, como se estimulasse o confuso visitante.

— Pois é, só hoje consegui... Vim desfazer a embrulhada que fizeste por aqui.

Smierdiakóv suspirou.

— Por que esse suspiro, não sabias? — disparou Ivan Fiódorovitch à queima-roupa. Smierdiakóv calou-se com ar grave.

— Como não haveria de saber? Já estava claro de antemão. Só que como haveria de saber que a coisa iria acontecer daquele jeito?

— Aconteceria o quê? Deixa de rodeios. Porque tu mesmo previste que terias um ataque epiléptico assim que descesses à adega, hein? Mencionaste diretamente a adega.

— O senhor já declarou isso no interrogatório? — quis saber com tranquilidade Smierdiakóv.

De repente Ivan Fiódorovitch zangou-se.

— Não, ainda não declarei, mas vou declará-lo impreterivelmente. Eh, meu amigo, agora deves me esclarecer muita coisa, e fica sabendo, meu caro, que não permito brincadeira comigo.

— Por que eu haveria de brincar, quando é no senhor que nutro toda a minha esperança? unicamente no senhor, como no Senhor Deus! — pronunciou Smierdiakóv com a mesma tranquilidade e só por um instante fechando os olhos miúdos.

— Em primeiro lugar — investiu Ivan Fiódorovitch —, sei muito bem que é impossível prever de antemão um ataque de epilepsia. Eu me informei, não me venhas com rodeios. É impossível prever o dia e a hora. Então, como naquele momento pudeste me prognosticar o dia e a hora, e ainda por cima mencionando a adega? Como poderias saber de antemão que irias desabar acometido por um ataque epiléptico justamente naquela adega, se é que não fingistes deliberadamente esse ataque?

— De qualquer maneira, eu teria mesmo de ir à adega, e até várias vezes ao dia — arrastou sem pressa Smierdiakóv. — Ora, exatamente um ano atrás eu despenquei do sótão. É verdade que não se pode prever de antemão o dia e a hora de um ataque epiléptico, mas sempre se pode ter o pressentimento.

— Mas tu me prognosticaste o dia e a hora.

— Quanto à minha epilepsia, o melhor é que o senhor se informe com os médicos daqui: se tive um ataque verdadeiro ou não; nada mais tenho a conversar com o senhor sobre esse assunto.

— E a adega? Como sabias de antemão que seria na adega?

— O senhor não fala senão dessa adega! Quando, naquela ocasião, entrei nessa adega, estava apavorado e em dúvida; e estava mais apavorado porque havia ficado sem o senhor e já não esperava proteção de mais ninguém no mundo inteiro. Descia eu então para a adega e pensava: "O ataque vai vir agora, vai me bater, será que vou despencar ou não?", e por causa dessa mesma dúvida aquele espasmo fatal me atacou a garganta... E então despenquei. Toda aquela conversa que tive com o senhor na véspera daquele dia, à tarde, no portão, quando lhe falei do meu pavor e também da adega — tudo isso revelei minuciosamente ao senhor doutor Herzenstube e ao juiz Nikolai Parfiénovitch, e eles anotaram tudo nos autos. Já o senhor Varvinski, o doutor daqui, insistiu perante eles todos sobretudo em que o ataque se deu justamente porque eu pensava nele, ou seja, por causa daquela minha cisma: "então, será que vou ou não vou cair?". E então fui acometido do ataque. Pois foi isso que eles anotaram, ou seja, que só pelo meu medo aquilo tinha mesmo que acontecer infalivelmente.

Tendo dito isso, Smierdiakóv respirou fundo como que atormentado pelo esgotamento.

— Quer dizer então que declaraste isto no depoimento? — perguntou Ivan Fiódorovitch meio boquiaberto. Tentara justamente assustá-lo, dizendo que contaria aquela conversa que haviam tido, mas resultava que o próprio já contara tudo.

— O que eu haveria de temer? Que anotem toda a verdade verdadeira — pronunciou com firmeza Smierdiakóv.

— E contaste palavra por palavra toda a nossa conversa no portão?

— Não, não foi propriamente palavra por palavra.

— E também contaste que sabes simular um ataque epiléptico, como te gabaste comigo naquela ocasião?

— Não, isso eu também não disse.

— Dize-me agora, para que me mandaste a Tchermachniá naquela ocasião?

— Temi que o senhor fosse para Moscou, porque, seja como for, Tchermachniá é mais perto.

— Estás mentindo, tu mesmo me sugeriste partir: parta, disseste, quanto mais longe, melhor!

— Eu disse isso na ocasião unicamente por minha amizade e sincera fidelidade ao senhor, pressentindo uma desgraça em casa e procurando poupá-lo. Só que poupei mais a mim que ao senhor. Eu disse: parta, para quanto mais longe, melhor, para que o senhor compreendesse que a coisa em casa ia se agravar e ficasse para defender o pai.

— Então poderias ter sido mais direto, imbecil — inflamou-se de súbito Ivan Fiódorovitch.

— Como eu poderia ser mais direto naquela ocasião? Em mim só o medo falava, e além disso o amo poderia zangar-se. Eu, é claro, podia temer que Dmitri Fiódorovitch viesse a armar algum escândalo e levasse o tal dinheiro, já que de qualquer maneira o considerava seu, no entanto, quem haveria de saber que aquilo terminaria nesse assassinato? Eu achava que ele apenas roubaria aqueles três mil rublos, que estavam guardados num pacote debaixo do colchão do amo, mas ele pegou e matou. Como é que o senhor ia adivinhar?

— Pois se tu mesmo dizes que era impossível adivinhar, como eu iria adivinhar e ficar? Que embrulhada é essa? — proferiu Ivan Fiódorovitch, refletindo.

— Porque o senhor podia adivinhar que eu o enviava a Tchermachniá em vez de Moscou.

— Sim, mas como adivinhar isso?

Smierdiakóv parecia muito exausto e mais uma vez calou por cerca de um minuto.

— Assim poderia adivinhar que, se eu o estava desviando de Moscou para Tchermachniá, é porque queria tê-lo mais perto daqui, pois Moscou fica longe e Dmitri Fiódorovitch, sabendo que o senhor estava por perto, não se sentiria tão estimulado. E ademais o senhor poderia chegar mais rápido e, em alguma eventualidade, me defender, pois, além disso, eu mesmo lhe havia mencionado a doença de Grigori Vassílievitch e também que temia um ataque epiléptico. Ao explicar ao senhor os sinais pelos quais era possível entrar no quarto do falecido, e que Dmitri Fiódorovitch conhecia todos eles por meu intermédio, eu pensava que o senhor mesmo adivinharia que ele sem dúvida iria fazer alguma coisa e que não só deixaria de ir a Tchermachniá como inclusive não arredaria de casa.

"Ele fala com muita coerência", pensou Ivan Fiódorovitch, "ainda que mastigue as palavras; que perturbação das faculdades mentais será essa a que Herzenstube se referiu?"

— Estás usando de artimanhas comigo, o diabo que te carregue! — exclamou ele, zangado.

— Mas eu confesso que então pensei que o senhor já tivesse adivinhado tudo — retrucou Smierdiakóv com o ar mais ingênuo.

— Se eu tivesse adivinhado, teria permanecido! — gritou Ivan Fiódorovitch novamente inflamado.

— Bem, só que eu pensei que o senhor, tendo adivinhado tudo, estava partindo o mais rápido possível unicamente para ficar mais longe, só para fugir para algum lugar, salvando-se por medo.

— Pensaste que todos são covardes como tu?

— Perdão, pensei que o senhor também fosse como eu.

— É claro que eu precisaria ter adivinhado — agitava-se Ivan —, mas o que eu procurava era adivinhar alguma coisa torpe de tua parte... Só que mentes, mais uma vez mentes — tornou a gritar ao ter essa súbita lembrança. — Tu te lembras de como te chegaste à *tarantás* e me dissestes: "É até curioso conversar com um homem inteligente"? Quer dizer que estavas contente com minha partida, já que me elogiaste?

Smierdiakóv deu alguns suspiros. Um rubor despontou em seu rosto.

— Se estava contente — disse um pouco sufocado —, era unicamente porque o senhor tinha concordado em ir não para Moscou, mas a Tchermachniá. Porque, apesar de tudo, ficava mais perto; só que eu não pronunciei aquelas palavras como elogio, e sim como recriminação. O senhor é que não entendeu.

— Recriminação por quê?

— Porque, pressentindo semelhante desgraça, o senhor abandonava o próprio pai e se negava a nos proteger, pois sempre me poderiam acusar de ter roubado aqueles três mil.

— Vai para o inferno! — tornou a insultar Ivan. — Espera: os tais sinais, falaste desses sinais ao juiz de instrução e ao promotor?

— Falei de tudo como é.

Ivan Fiódorovitch tornou a surpreender-se.

— Se naquela ocasião eu pensava alguma coisa — tornou ele — era em alguma torpeza unicamente de tua parte. Dmitri poderia matar, mas que ele iria roubar na ocasião eu não acreditava... Já de tua parte eu esperava qualquer torpeza. Tu mesmo me disseste que sabias simular um ataque epiléptico, para que me disseste isto?

— Unicamente por minha ingenuidade. Além disso, nunca na vida representei um ataque de caso pensado, e só disse aquilo para me gabar diante do senhor. Uma bobagem. Àquela altura eu passara a gostar muito do senhor e era totalmente natural com o senhor.

— Meu irmão te acusa abertamente do roubo e do assassinato.

— Ora, o que mais lhe resta? — Smierdiakóv deu um largo sorriso amargo — quem acreditaria nele depois de todas essas provas? Grigori Vassílievitch viu a porta aberta, como é que fica depois disso? Aliás, que Deus o proteja! Na tentativa de se salvar ele treme...

Calou-se com ar sereno e, súbito, como se ponderasse, acrescentou.

— Pois é, ele volta a bater na mesma tecla: quer jogar a culpa em mim, dizendo que isso é obra minha — já ouvi falar disso —, mas vejamos ao menos essa história de que eu sou um mestre em representar ataques epilépticos: se eu realmente estivesse tramando contra o seu pai, eu lhe teria antecipado que sabia simular esse ataque? Se eu tramasse mesmo esse assassinato, teria sido imbecil a ponto de revelar de antemão semelhante prova, e ainda mais ao filho? Francamente! Isso pareceria provável? Ao contrário, nunca poderia ser assim. Veja, por exemplo, essa nossa conversa deste momento, ninguém a está ouvindo a não ser a própria Providência, mas se o senhor a levasse ao conhecimento do promotor e de Nikolai Parfiénovitch, poderia finalmente estar me protegendo: ora, que celerado é esse que de antemão se revela tão ingênuo? Eles podem julgar tudo isso.

— Ouve — Ivan Fiódorovitch levantou-se impressionado com o último argumento de Smierdiakóv e interrompendo a conversa —, não tenho nenhuma suspeita de ti e acho até ridículo acusar... ao contrário, te agradeço por me deixares tranquilo. Agora eu me vou, mas voltarei. Por ora, adeus, procura sarar. Não precisas de alguma coisa?

— Sou grato por tudo. Marfa Ignátievna não me esquece e, por sua antiga bondade, me fornece tudo de que preciso. Recebo visitas diárias de pessoas boas.

— Até logo. A propósito, não vou dizer que sabes simular... e também te aconselho a não dizê-lo em depoimento —, pronunciou de súbito Ivan por alguma razão.

— Compreendo perfeitamente. E se o senhor não vai dizer isso em depoimento, eu também não vou falar nada de nossa conversa no portão...

Então Ivan Fiódorovitch saiu de súbito e, mal dera uns dez passos pelo corredor, ocorreu-lhe que na última frase de Smierdiakóv havia algo de ofensivo. Já esboçava voltar, mas isso apenas lhe passou de lampejo pela cabeça e ele, depois de dizer: "Tolices!", deixou apressadamente o hospital. O principal é que ele percebia que realmente estava tranquilo, e justo pelo fato de que o culpado não era Smierdiakóv, mas seu irmão Mítia, embora se pudesse achar que devesse ser o contrário. Ele não quis especular a razão de tudo isso e até sentiu asco de remexer em suas sensações. Era como se quisesse esquecer depressa alguma coisa. Poucos dias depois estava totalmente convencido da culpa de Mítia, depois de ter conhecido mais de perto e com mais fundamento todas as provas desalentadoras do caso. Havia depoimentos das pessoas mais insignificantes, mas que eram quase assombrosos, como, por exemplo, os de Fiênia e de sua mãe. Quanto a Pierkhótin, à taverna, à venda dos Plótnikov, às testemunhas de Mókroie, nem havia o que dizer. O pior é que os detalhes eram desalentadores. A notícia dos "sinais" secretos impressionara o juiz de instrução e o procurador quase tanto quanto o depoimento de Grigori sobre a porta aberta. Interrogada por Ivan Fiódorovitch, Marfa Ignátievna, mulher de Grigori, respondera com franqueza que Smierdiakóv passara a noite inteira acamado atrás do tabique, "a menos de três passos da nossa cama", e que, mesmo dormindo profundamente, ela acordara muitas vezes ao ouvir os gemidos dele: "Gemia o tempo todo, gemia sem parar". Ao conversar com Herzenstube e lhe dizer que duvidava que Smierdiakóv tivesse qualquer aparência de louco e que achava que ele só estava fraco, apenas provocou um sorrisinho sutil no velho. "E o senhor sabe do que ele está se ocupando particularmente agora?", perguntou ele a Ivan Fiódorovitch. "Está decorando vocábulos franceses; tem debaixo do travesseiro um caderno com palavras francesas em letras russas, que alguém escreveu, eh! eh! eh!" Ivan Fiódorovitch finalmente deixou todas as dúvidas de lado. Já não conseguia pensar mais no irmão Dmitri sem repugnância. Mesmo assim, havia uma coisa estranha: Aliócha continuava sustentando obstinadamente que quem matara não fora Dmitri, mas Smierdiakóv, "como tudo indicava". Ivan sempre sentira que a opinião de Aliócha pesava muito para ele, e por isso estava muito perplexo com ele agora. Também estranhava que Aliócha não procurasse conversar com ele sobre Mítia, nunca puxava ele mesmo o assunto e limitava-se a responder às perguntas de Ivan. Isso também foi muito observado por Ivan Fiódorovitch. Aliás, nesse tempo ele andava muito envolvido com uma circunstância totalmente estranha ao caso: nos primeiros dias após sua volta de Moscou, estava inteira e definitivamente entregue à sua paixão ardente e louca por Catierina Ivánovna. Aqui não cabe falar dessa nova paixão de Ivan Fiódorovitch, que depois se refletirá em toda a sua vida: tudo isso já poderia servir de trama para outra história, outro romance, que não sei se ainda escreverei algum dia. Contudo, tampouco posso deixar de dizer que, quando Ivan Fiódorovitch saía naquela noite da casa de Catierina Ivánovna acompanhado de Aliócha, como já descrevi, e lhe disse: "Não tenho nenhuma queda por ela", estava dizendo uma tremenda mentira: ele a amava perdidamente, embora também fosse verdade que às vezes a odiasse a ponto de até ser capaz de matá-la. Nisso havia a convergência de muitas causas: totalmente abalada com o que acontecera com Mítia, ela se lançou para Ivan Fiódorovitch, que tornava a voltar para ela, como quem se lança para seu salvador. Estava ofendida, ultrajada, humilhada em seus sentimentos. E eis que reaparecia o homem que antes a amara muito — oh, isso ela sabia perfeitamente — e cuja inteligência e coração ela sempre colocara tão acima de si mesma. Mas essa moça austera não se sacrificou por inteiro, apesar de toda impetuosidade karamazoviana dos desejos de seu amado e de todo o encanto que ele exercia sobre ela. Ao mesmo tempo, sentia-se constantemente atormentada pelo arrependimento de haver traído Mítia, e nos terríveis momentos de rusgas com Ivan (e eram muitos) ela lhe dizia isso com franqueza. Era isso que ele chamara de "mentira em cima de mentira" em sua conversa com Aliócha. Nisto, é claro, havia realmente muita mentira, e era o que mais irritava Ivan Fiódorovitch... mas tudo isso fica para depois. Em suma, ele quase esquecera Smierdiakóv por algum tempo. Não obstante, duas semanas depois daquela primeira visita, voltaram a atormentá-lo os mesmos pensamentos estranhos de antes. Basta dizer que ele começara a se perguntar constantemente: por que naquela ocasião, naquela última noite que passara em casa de Fiódor Pávlovitch na véspera de sua partida, ele saíra sorrateiramente à escada, como um ladrão, e ali ficara escutando o que o pai fazia embaixo? Por que mais tarde se lembraria disso com nojo? por que na manhã seguinte, já na estrada, entristecera de repente e, ao entrar em Moscou, dissera a si mesmo: "Sou um canalha!"? E eis que agora lhe ocorrera mais de uma vez que, devido a todos esses pensamentos angustiantes, talvez estivesse disposto a esquecer até Catierina Ivánovna, tão grande era a força com que num átimo eles tornavam a se apoderar dele! E no exato momento em que acabava de pensar nisso, encontrou Aliócha na rua. Parou-o no mesmo instante e lhe fez essa pergunta:

— Tu te lembras daquela vez em que, depois do almoço, Dmitri irrompeu em casa, espancou nosso pai, e depois eu te disse no pátio que me reservava "o direito dos desejos"? Diz, na ocasião tu pensaste que eu desejava a morte de nosso pai, ou não?

— Pensei — respondeu baixinho Aliócha.

— Aliás, foi isso mesmo que aconteceu, aí não havia o que adivinhar. Mas naquela ocasião também não pensaste que eu desejava justamente que "um réptil devorasse outro réptil", ou seja, que justamente Dmitri matasse o pai, e ainda que o fizesse logo... e que eu mesmo nem me oporia a contribuir para isso?

Aliócha empalideceu levemente e fitou o irmão nos olhos, em silêncio.

— Fala! — exclamou Ivan. — Quero saber a qualquer custo o que pensaste naquele momento. Eu preciso da verdade, da verdade! — Tomou fôlego com dificuldade, já olhando com certa raiva para Aliócha.

— Desculpa-me, na ocasião eu também pensei isso — murmurou Aliócha e calou-se, sem acrescentar nenhuma "circunstância atenuante".

— Obrigado! — interrompeu Ivan e, largando Aliócha, seguiu rapidamente seu caminho. Desde então Aliócha notou que o irmão Ivan começara a afastar-se meio bruscamente, e até parecia tomado de aversão por ele, de modo que depois ele mesmo deixou de procurá-lo. Mas naquele instante, logo após o encontro, Ivan Fiódorovitch não seguiu para casa e foi novamente procurar Smierdiakóv.

VII. A SEGUNDA VISITA A SMIERDIAKÓV

A essa altura, Smierdiakóv já havia recebido alta do hospital. Ivan Fiódorovitch foi informado de sua nova residência: era justamente aquela casinhola torta, pequena, de troncos de madeira e dois cômodos separados por vestíbulos. Num dos cômodos instalara-se Mária Kondrátievna com a mãe, no outro, Smierdiakóv sozinho. Sabe Deus sob que condições se instalara na casa dela: de graça ou por dinheiro? Mais tarde se supôs que se instalara em casa delas na condição de noivo de Mária Kondrátievna e que morava momentaneamente de graça. Tanto a mãe como a filha o estimavam muito e o consideravam superior a si mesmas. Depois de bater à porta, Ivan Fiódorovitch entrou no vestíbulo e, por indicação de Mária Kondrátievna, foi direto para a esquerda, no sentido da "isbá branca"[42] ocupada por Smierdiakóv. Esse cômodo tinha um forno azulejado que estava fortemente aquecido. Sobre as paredes destacava-se o papel de parede azul, verdade que roto, e nas fendas por baixo dele fervilhava uma enormidade de baratas, de tal forma que se ouvia um ruído constante. A mobília era mínima: dois bancos ao pé de duas paredes e duas cadeiras em volta da mesa. A mesa, ainda que de madeira simples, estava coberta por uma toalha de listras róseas. Em cada uma das duas janelinhas havia um vaso com gerânios. Num canto, uma moldura com imagens. Sobre a mesa viam-se um pequeno samovar de cobre muito amassado e uma bandeja com duas xícaras. Mas Smierdiakóv já havia tomado chá, e o samovar estava apagado... Ele mesmo estava sentado em um banco junto à mesa, olhando para um caderno e desenhando algo com a pena. Ao lado havia um tinteiro, além de um castiçalzinho baixo de ferro fundido, aliás, com uma vela de estearina. Pela cara de Smierdiakóv, Ivan Fiódorovitch logo concluiu que ele já estava plenamente restabelecido. Tinha o rosto fresco, mais gordo, o topete armado, as têmporas besuntadas de brilhantina. Vestia seu roupão de algodão multicolorido, mas batido e bem gasto. Usava uns óculos que Ivan Fiódorovitch nunca vira antes em seu rosto. Esse fato ultrainsignificante chegou até a dobrar de repente a raiva de Ivan

[42] Cômodo com forno e fumeiro com saída pelo telhado. (N. do T.)

Fiódorovitch: "Uma besta como essa, e ainda por cima de óculos!". Smierdiakóv levantou lentamente a cabeça e olhou fixo para o recém-chegado através dos óculos. Em seguida tirou-os suavemente e soergueu-se no banco, mas de um jeito não inteiramente respeitoso, até mesmo indolente, só para observar a mais indispensável cortesia, sem a qual quase não se poderia passar. Tudo isso veio de relance à mente de Ivan, que no ato captou e notou tudo, principalmente o olhar de Smierdiakóv, que se mostrava tomado de decidida fúria, intratável e até arrogante, como quem diz: "por que ficas por aqui rodeando, se já conversamos sobre tudo? então por que tornas a aparecer?". Ivan Fiódorovitch se conteve a custo:

— Faz calor em teu quarto — disse ainda em pé e desabotoou o sobretudo.

— Tire-o — permitiu Smierdiakóv.

Ivan Fiódorovitch tirou o sobretudo e o atirou sobre um banco, com as mãos trêmulas pegou uma cadeira, puxou-a rapidamente para a mesa e sentou-se. Antes dele, Smierdiakóv já arriara sobre seu banco.

— Em primeiro lugar, estás só? — perguntou com ímpeto e em tom severo Ivan Fiódorovitch. — Não nos ouvirão de lá?

— Ninguém ouvirá nada. O senhor mesmo viu: existem os vestíbulos.

— Escuta aqui, meu caro: que absurdo foi aquele que disseste quando eu estava te deixando no hospital, que, se eu silenciasse que és um mestre em simular um ataque epiléptico, tu não revelarias tudo ao juiz de instrução, ou seja, a respeito daquela nossa conversa ao portão? Que quer dizer *tudo*? O que poderias dar por subentendido naquele momento? Estarias me ameaçando, é isso? Insinuando que eu teria feito alguma aliança contigo, que estaria com medo de ti, é isso?

Ivan Fiódorovitch pronunciou essas palavras completamente enfurecido, fazendo saber, de forma visível e deliberada, que desprezava qualquer subterfúgio e qualquer rodeio e jogava aberto. Os olhos de Smierdiakóv faiscaram de raiva, o esquerdo piscou e ele, embora por hábito discreto e comedido, deu imediatamente sua resposta: "Estás querendo jogar às claras", pensou, "pois então vai ser às claras mesmo".

— O que eu então subentendi, e por isso disse aquilo, foi que o senhor, sabendo de antemão do assassinato do próprio pai, o largou à mercê do sacrifício para que depois as pessoas não concluíssem alguma coisa ruim sobre seus sentimentos, e talvez até mais alguma outra coisa —, eis o que eu então prometi não comunicar às autoridades.

Ainda que Smierdiakóv pronunciasse essas palavras sem pressa e pelo visto dominando-se, mesmo assim ouviu-se em sua voz algo firme e obstinado, raivoso e descaradamente provocante. Com um jeito atrevido, olhava fixo para Ivan Fiódorovitch, e este, no primeiro instante, ficou até com a vista turvada:

— Como? O quê? Será que estás regulando bem?

— Estou regulando perfeitamente bem.

— Ora, por acaso eu *sabia* do assassinato naquela ocasião? — bradou finalmente Ivan Fiódorovitch e deu um forte murro na mesa. — O que quer dizer com "mais alguma outra coisa"? fala, patife!

Smierdiakóv continuou examinando Ivan Fiódorovitch em silêncio e com o mesmo olhar descarado.

— Fala, tratante fedorento, que "mais alguma outra coisa"? — berrou Ivan.

— A "outra coisa" que eu subentendi significava que o senhor mesmo talvez desejasse muito a morte de seu pai naquele momento.

Ivan Fiódorovitch levantou-se de um salto e deu-lhe um soco com toda a força no ombro, de modo que ele foi arremessado contra a parede. Num piscar de olhos, o rosto de Smierdiakóv ficou todo banhado em lágrimas, e ele proferiu: "É uma vergonha bater num homem fraco, senhor!", e súbito cobriu o rosto com seu lenço xadrez de tecido azul e todo encatarrado e mergulhou num pranto baixo e lamuriento. Transcorreu cerca de um minuto.

— Basta! Para! — disse finalmente Ivan Fiódorovitch em tom imperioso e tornando a sentar-se. — Minha paciência tem limite.

Smierdiakóv tirou seu trapo dos olhos. Cada traço de seu rosto enrugado exprimia a ofensa que acabara de receber.

— Então, patife, pensaste naquele momento que eu queria matar meu pai de comum acordo com Dmitri?

— Naquele momento eu não conhecia os seus pensamentos — pronunciou Smierdiakóv com ar melindrado —, e por isso parei no portão, para pôr o senhor à prova nesse assunto.

— Pôr à prova? De quê?

— Justamente desse assunto: se o senhor queria ou não que seu pai fosse logo morto.

O que mais indignava Ivan Fiódorovitch era o tom obstinado e insolente no qual Smierdiakóv teimava em persistir.

— Foste tu que o mataste! — exclamou ele de súbito.

Smierdiakóv deu um risinho de desdém.

— O senhor sabe perfeitamente que não fui eu que o matei. Eu pensava que um homem inteligente não teria mais nada a falar sobre isso.

— Mas por quê, por que tiveste essa suspeita de mim naquela ocasião?

— Como o senhor mesmo já sabe, unicamente por medo. Porque eu estava numa situação em que tremia de medo, suspeitava de todo mundo. Também resolvi experimentá-lo porque, pensava eu, se até o senhor desejava a mesma coisa que seu irmãozinho, então todo esse caso estava liquidado e eu mesmo me danaria junto feito uma mosca.

— Escuta, não era isso o que dizias duas semanas atrás.

— Eu falei a mesma coisa também no hospital, e ao falar com o senhor subentendia ou apenas supunha que me compreenderia sem circunlóquios e, sendo um homem inteligentíssimo, não desejaria uma conversa direta.

— Ora, vejam só! Mas responde, responde, eu insisto: por quê, por que justamente eu poderia infundir em tua alma torpe uma suspeita que considero tão vil?

— Matar, o senhor mesmo não conseguiria de maneira nenhuma, e nem iria querer, mas querer que algum outro matasse, isso o senhor queria.

— E com que tranquilidade ele diz isso! Ora, por que eu haveria de querer, a troco de que eu haveria de querer?

— Como a troco de quê? E a herança? — secundou Smierdiakóv em tom venenoso e de um jeito até vingativo. — Porque depois da morte de seu pai poderia caber, por baixo, quarenta mil rublos, e talvez até mais, a cada um dos três irmãos, porém, casasse Fiódor Pávlovitch com aquela senhora, Agrafiena Alieksándrovna, e imediatamente após o casamento ela transferiria todo o capital para o seu nome, porque de boba ela não tem nada, de maneira que todos os três irmãos não receberiam nem dois rublos depois da morte do pai. E faltaria muito para o casamento naquele momento? Estava por um fio: bastava aquela senhorita lhe fazer um sinal assim com um mindinho que no ato ele correria com ela para a igreja, com a língua de fora.

Ivan Fiódorovitch se conteve a duras penas.

— Está bem — disse finalmente —, como vês, não me levantei de um salto, não te espanquei, não te matei. Continua: quer dizer então que, a teu ver, eu designara de antemão Dmitri para isso e contava com ele?

— Como o senhor não haveria de contar com ele? ora, se ele matasse, seria privado de todos os direitos à herança, da patente e dos bens, e seria degredado. Então, com a morte do pai, a parte dele ficaria para o senhor e Alieksiêi Fiódorovitch, meio a meio, não mais quarenta, e sim sessenta mil rublos para cada um. Sem dúvida, o senhor contava com Dmitri Fiódorovitch naquela oportunidade!

— Ai, como estou sendo paciente contigo! Escuta aqui, patife: se naquele momento eu contava com alguém, esse alguém evidentemente eras tu, e não

Dmitri. E, juro, até pressenti alguma torpeza de tua parte... naquele momento... Lembro-me de todas as minhas impressões!

— Naquela ocasião, por um minuto também pensei que o senhor contava comigo — Smierdiakóv escancarou um riso sarcástico —, com isso se desmascarou ainda mais aos meus olhos, pois se pressentia que eu seria capaz de tal coisa e mesmo assim viajou, então era como se estivesse me dizendo: és tu que podes matar meu pai, e eu não vou impedi-lo.

— Patife! Foi assim que entendeste!

— E tudo usando a mesma Tchermachniá como pretexto. Tenha dó! Preparava sua viagem a Moscou e recusava todos os pedidos do pai para ir a Tchermachniá! E só por uma tola palavra minha, de repente concordou! E a troco de que concordaria em ir à tal Tchermachniá? Se não foi a Moscou, mas a Tchermachniá sem motivo, atendendo a uma palavra minha, quer dizer que esperava algo de mim.

— Não, juro que não! — bradou Ivan rangendo os dentes.

— Ora, como é que não? Ao contrário, o senhor, como filho do seu pai, a primeira coisa que deveria ter feito diante daquelas minhas palavras era ter me levado à delegacia de polícia e me surrado... ou pelo menos me dar uns tapas na cara ali mesmo e me espancar, mas, tenha dó, o senhor, ao contrário, não ficou nem um pouco zangado e imediatamente cumpriu de forma amigável e exata o que eu disse com minhas tolas palavras e partiu, o que foi um absurdo total, porque o senhor devia era ter ficado para proteger a vida do pai... Como eu não haveria de tirar as minhas conclusões?

Ivan estava carrancudo, com ambos os cotovelos apoiados nos joelhos.

— É uma pena eu não ter te dado uns tapas na cara — riu amargamente ele. — Arrastá-lo para a delegacia naquele momento era impossível: quem iria acreditar em mim e o que eu iria denunciar? Já uns bons tapas na cara... Ah, é uma pena não ter me ocorrido; mesmo que uns tapas na cara fossem proibidos, eu devia ter feito mingau de tuas fuças.

Smierdiakóv o olhava quase com prazer.

— Nos casos comuns da vida — proferiu com o mesmo tom pretensioso e doutrinário com que outrora discutia com Grigori Vassílievitch sobre fé e o provocava em pé em torno da mesa de Fiódor Pávlovitch —, nos casos comuns da vida, de fato esses tapas na cara estão hoje proibidos por lei, e todo mundo deixou de bater, mas, nos casos excepcionais da vida, não só em nosso país como no resto do mundo, até mesmo na mais plena República francesa, todo mundo continua batendo como nos tempos de Adão e Eva, e além do mais nunca deixarão de bater, mas o senhor não se atreveu nem num caso excepcional como aquele.

— O que é isso, estás estudando vocábulos franceses? — Ivan fez um sinal de cabeça para o caderno que estava na mesa.

— E por que não haveria de estudá-los para garantir a minha educação, pensando que um dia eu talvez venha a visitar esses lugares felizes da Europa?

— Ouve, monstro — os olhos de Ivan cintilaram, e ele tremeu todo —, não tenho medo de tuas acusações, faz contra mim a denúncia que quiseres, e se agora não te dou uma surra de matar é unicamente porque suspeito de ti nesse crime e vou te levar a julgamento. Ainda hei de te desmascarar.

— Mas eu acho que o melhor é o senhor ficar de boca calada. Pois, de que o senhor pode me denunciar tendo em vista a minha absoluta inocência, quem acreditaria no senhor? Agora, é só o senhor começar, que eu contarei tudo, pois como eu não haveria de me defender?

— Achas que estou com medo de ti?

— Vamos que no julgamento não acreditem em nenhuma dessas palavras que acabo de lhe dizer, em compensação o público todo há de acreditar, e será uma desonra para o senhor.

— Mais uma vez isto quer dizer: "É até curioso conversar com um homem inteligente", não? — Ivan rangeu os dentes.

— O senhor acertou na mosca. E trate de ser inteligente.

Ivan Fiódorovitch levantou-se todo trêmulo de indignação, vestiu o sobretudo e saiu rapidamente do quarto sem responder mais a Smierdiakóv e sequer olhar para ele. A brisa da noite o refrescou. A lua clareava o céu. Um horror de pensamentos e sensações fervia em sua alma. "Ir agora mesmo e denunciar Smierdiakóv? Mas denunciar o quê? Seja como for, ele é inocente. Ao contrário, ele é que me denunciaria. De fato, para que fui a Tchermachniá naquela ocasião? Para quê, para quê?", perguntava-se Ivan Fiódorovitch. "Sim, é claro, eu esperava alguma coisa, e ele tem razão..." E tornou a recordar, pela centésima vez, como na última noite em casa do pai ele o escutara do alto da escada, mas agora recordava aquilo com tamanho sofrimento que até parou onde estava como traspassado por algo: "É, naquele momento eu esperava por aquilo, isso é verdade! Eu desejava, eu desejava precisamente o assassinato! Será que desejaria o assassinato, desejaria?... É preciso matar Smierdiakóv!... Se agora eu não for capaz de matar Smierdiakóv, então não valerá a pena viver!...". Sem entrar em casa, Ivan Fiódorovitch foi direto à casa de Catierina Ivánovna e a assustou com seu aparecimento: estava como louco. Contou-lhe toda a sua conversa com Smierdiakóv, ponto por ponto. Não conseguia tranquilizar-se por mais que ela tentasse persuadi-lo, andava sem parar pela sala e falava de maneira descontínua, estranha.

Por fim sentou-se, apoiou os cotovelos na mesa, a cabeça nas mãos e proferiu um estranho aforismo:

— Se não foi Dmitri, mas Smierdiakóv quem matou, então é claro que na oportunidade fui solidário com ele porque o incitei. Se o incitei, ainda não sei. Mas se só ele matou e não Dmitri, então é claro, eu também matei.

Ao ouvir isso, Catierina Ivánovna levantou-se calada, foi até a escrivaninha, abriu um cofre que estava sobre ela, tirou dele um papel e o pôs diante de Ivan. Tratava-se daquele documento que Ivan Fiódorovitch anunciaria a Aliócha como "prova matemática" de que o irmão Dmitri matara o pai. Era uma carta escrita a Catierina Ivánovna por um Mítia embriagado, naquela mesma noite em que se encontrara no campo com Aliócha, na saída do mosteiro, depois da cena em casa de Catierina Ivánovna em que Grúchenka a ofendera. Depois de separar-se de Aliócha naquela ocasião, Mítia se precipitou para a casa de Grúchenka; não se sabe se a encontrou, mas apareceu à noite na taverna A Capital, onde se embriagou a valer. Bêbado, pediu pena e papel e rascunhou o importante documento contra si mesmo. Era uma carta desvairada, prolixa e desconexa, justamente uma "carta de bêbado". Parecia aquelas histórias em que um bêbado, ao chegar em casa, começa a contar com um fervor fora do comum, à mulher ou a alguém de casa, como acabou de ser ofendido, como era canalha seu ofensor, e como ele mesmo, ao contrário, era um homem magnífico e como daria o troco àquele canalha — e tudo isso numa história comprida, comprida, desconexa e excitada, com murros na mesa, com lágrimas de bêbado. O papel que lhe haviam dado na taverna para a carta era um pedacinho sujo de papel de carta comum, de má qualidade e com uma conta rabiscada no verso. Via-se que, faltando espaço para a prolixidade de bêbado, Mítia preenchera não só todas as margens como ainda escrevera as últimas linhas cruzadas sobre o que já estava escrito. A carta dizia o seguinte:

"*Cátia fatídica! Amanhã conseguirei o dinheiro e te devolverei os teus três mil, e adeus — mulher de grande ira, mas adeus também ao meu amor! Terminemos! Amanhã vou tentar conseguir aquele dinheiro pedindo a todo mundo e, se não conseguir, te dou a palavra de honra que vou à casa de meu pai, quebro a cabeça dele e pego o dinheiro que está debaixo do travesseiro, assim que Ivan partir. Vou para um campo de trabalho forçados, mas os três mil eu te devolvo. A ti mesma adeus. Curvo-me até o chão, porque sou um patife perante ti. Perdoa-me. Não, é melhor que não me perdoes: é melhor para mim e para ti! Para mim os tra-*

balhos forçados são melhores do que teu amor, porque amo outra, e a outra tu conheceste bem demais hoje, então como poderias perdoar? Matarei meu ladrão! Fujo de todos vocês indo para o Oriente, para não saber de ninguém. Nem dela, *porque não és minha única torturadora, ela também é. Adeus!*

P.S. Escrevo uma maldição, mas eu te adoro! Ouço isso dentro do meu peito. Ali sobrou uma corda, e esta soa. É melhor ficar de coração partido! Vou me matar, mas, mesmo assim, matarei primeiro o cachorro. Vou arrancar dele os três mil e jogá-los para ti. Posso até ser um patife perante ti, mas não um ladrão! Espera os três mil. Estão debaixo do colchão do cachorro, amarrados por uma fita cor-de-rosa. Não sou ladrão, mas vou matar o meu ladrão. Cátia, não me faças esse ar de desdém: Dmitri não é ladrão, mas assassino! Matou o pai e destruiu-se para permanecer de pé e não aturar o teu orgulho. Nem te amar.

PP.S. Beijo os teus pés, adeus!

PP.SS. Cátia, roga a Deus para que as pessoas me emprestem o dinheiro. Então não derramarei sangue, mas se não derem — derramarei! Mata-me!

Escravo e inimigo

D. Karamázov"

Quando Ivan leu o "documento", levantou-se convencido. Queria dizer que seu irmão matara, e não Smierdiakóv. Não fora Smierdiakóv, logo, ele, Ivan, também não. Súbito essa carta ganhou a seus olhos um sentido matemático. Para ele, já não podia haver mais nenhuma dúvida quanto à culpa de Mítia. Aliás, nunca suspeitara de que Mítia pudesse ter matado junto com Smierdiakóv, e ademais isso não correspondia aos fatos. Ivan estava plenamente tranquilo. Na manhã seguinte lembrava-se apenas com desprezo de Smierdiakóv e de seus sarcasmos. Alguns dias depois até se surpreendeu de ter podido se ofender tanto com as suposições dele. Decidiu desprezá-lo e esquecê-lo. Assim transcorrera um mês. Não perguntava mais a ninguém por Smierdiakóv, mas ouvira de passagem, umas duas vezes, que ele andava muito doente e perturbado do juízo. "Vai acabar louco", dissera-lhe certa vez o jovem médico Varvinski, referindo-se a ele, e Ivan gravou isso na memória. Na última semana daquele mês o próprio Ivan começara a se sentir muito mal. Já consultara o médico que Catierina Ivánovna mandara vir de Moscou para o julgamento. E justo nesse momento suas relações com Catierina Ivánovna agravaram-se ao máximo. Eram dois inimigos apaixonados um pelo outro. As voltas de Catierina Ivánovna a Mítia, momentâneas mas significativas, já haviam deixado Ivan completamente enfurecido. Era estranho que antes da última cena em casa dela — que já descrevemos —, quando Aliócha a visitava depois de estar com Mítia, ele, Ivan, nunca tivesse ouvido naquele mês Catierina Ivánovna mencionar uma única vez suas dúvidas quanto à culpa de Mítia, não obstante estar sempre voltando para ele, o que Ivan tanto odiava. É ainda digno de nota que ele, sentindo seu ódio a Mítia crescer cada vez mais dia após dia, compreendia ao mesmo tempo que não odiava o irmão por causa das voltas de Cátia, mas precisamente porque *ele matara o pai*! Ele mesmo sentia e tinha plena consciência disso. Mesmo assim, uns dez dias antes do julgamento visitara Mítia e lhe propusera o plano de fuga —, plano que, ao que tudo indicava, fora pensado ainda muito antes. Aí, além da causa principal que o motivara a dar semelhante passo, ainda havia a culpa de um certo arranhão ainda não cicatrizado em seu coração, provocado por uma palavrinha de Smierdiakóv, segundo quem seria vantajoso para ele, Ivan, que acusassem o irmão, porque neste caso a parte da herança do pai que ficaria para ele e Aliócha aumentaria de quarenta para sessenta mil rublos. Resolvera doar trinta mil de sua parte para organizar a fuga de Mítia. Ao retornar da visita que lhe fizera naquele momento, ele estava sobremaneira triste e embaraçado: de repente começara a perceber que desejava a fuga não só para sacrificar trinta mil rublos com ela e fazer cicatrizar o arranhão, mas por algum outro motivo. "Será porque, no fundo da alma, eu também sou tão assassino quanto ele?" — esboçou perguntar a si mesmo. Algo indefinido porém abrasador feria-lhe a alma. O pior é que durante todo esse mês seu orgulho sofrera terrivelmente, mas disto falaremos mais tarde... Ao segurar a sineta de sua casa após conversar com Aliócha e resolver subitamente procurar Smierdiakóv, Ivan Fiódorovitch obedecia a uma indignação especial que de repente lhe fervera no peito. Vieram-lhe à lembrança as palavras que Catierina Ivánovna acabara de lhe gritar na presença de Aliócha: "Foste tu, só e unicamente tu que me asseguraste que ele (isto é, Mítia) é o assassino!". Ao recordar isto, Ivan ficou até petrificado: nunca na vida lhe assegurara que o assassino era Mítia, ao contrário, ainda suspeitara de si mesmo na presença dela quando voltara da casa de Smierdiakóv. Ao contrário, fora *ela*, ela que na ocasião lhe mostrara o "documento" e provara a culpabilidade do irmão. Agora ela própria exclama de repente: "Eu mesma estive com Smierdiakóv!". Esteve quando? Ivan não sabia nada a respeito. Então, ela não está lá tão convencida da culpabilidade de Mítia! E o que Smierdiakóv poderia lhe ter dito? O que, o que de fato lhe disse? Uma ira terrível ardeu no coração de Ivan. Ele não compreendia como meia hora antes podia ter deixado escapar para ela aquelas palavras e não ter gritado no mesmo instante. Largou a sineta e precipitou-se para a casa de Smierdiakóv. "Desta vez sou capaz de matá-lo", pensou a caminho.

VIII. A terceira e última conversa com Smierdiakóv

Quando ele ainda estava a meio caminho, levantou-se um vento cortante, seco, igual ao da tenra manhã daquele mesmo dia, e espalhou uma neve miúda, densa e seca. Ela caía no chão sem grudar nele, rodopiando ao vento, e logo se desencadeou uma verdadeira nevasca. Na parte da cidade em que morava Smierdiakóv quase não havia lampiões. Ivan Fiódorovitch caminhava no escuro, insensível à tempestade, sondando instintivamente o caminho. Sentia dor de cabeça e um angustiante latejar nas têmporas. Os dedos das mãos, isso ele sentia, estavam com câimbras. Um pouco antes de chegar à casinhola de Mária Kondrátievna, Ivan Fiódorovitch encontrou subitamente um mujiquezinho solitário, bêbado e de baixa estatura, que vestia um gabão remendado, caminhava em zigue-zague, resmungava, proferia insultos, parava de repente de insultar e começava uma canção com voz roufenha de bêbado:

Ah, foi-se Vanka para Píter,[43]
Não vou esperar por ele!

Mas ele sempre interrompia essa segunda estrofe e começava a insultar alguém, depois retomava num átimo a mesma canção. Ivan Fiódorovitch já estava sentindo um terrível ódio dele, ainda não havia pensado direito nisso e de repente se apercebeu. Imediatamente sentiu uma invencível vontade de dar uns murros no mujiquezinho. Justo nesse momento, os dois emparelharam, e o mujiquezinho, cambaleando fortemente, esbarrou de repente e com toda força em Ivan. Este o empurrou furiosamente. O mujiquezinho voou e esparramou-se como um baralho no chão gelado, dando apenas um gemido doentio: Oh-oh! E calou-se. Ivan caminhou até ele. O outro estava caído de costas totalmente imóvel, sem sentidos. "Vai congelar!", pensou Ivan, e retomou o caminho da casa de Smierdiakóv.

Ainda no vestíbulo, Mária Kondrátievna, que correra com uma vela na

[43] Forma carinhosa de Petersburgo. (N. do T.)

mão para abrir a porta, cochichou-lhe que Pável Fiódorovitch (ou seja, Smierdiakóv) estava muito doente, não propriamente acamado, mas era como se tivesse perdido o juízo, e mandara até levar de volta o chá, recusando-se a tomá-lo.

— O que está fazendo, cometendo algum desatino? — perguntou Ivan Fiódorovitch de modo grosseiro.

— Qual, ao contrário, está completamente sereno, só que não converse muito tempo com ele... — pediu Mária Kondrátievna.

Ivan Fiódorovitch abriu a porta e entrou no quarto.

O quarto estava tão aquecido quanto na última visita, mas algumas mudanças eram visíveis no recinto: um dos bancos laterais havia sido retirado e em seu lugar aparecera um velho sofá de mogno forrado de couro. Nele havia sido feita a cama com travesseiros brancos bastante limpos. Na cama estava Smierdiakóv, metido em seu mesmo roupão. A mesa fora colocada defronte ao sofá, de sorte que o cômodo ficara muito apertado. Havia sobre a mesa um livro grosso de capa amarela, mas Smierdiakóv não o lia, parece que estava ali sentado sem fazer nada. Recebeu Ivan Fiódorovitch com um olhar longo e calado e, pelo visto, não ficou nem um pouco surpreso com sua chegada. Estava com o rosto muito mudado, muito magro e amarelo. Tinha os olhos fundos, as pálpebras inferiores azuladas.

— Estás mesmo doente? — Ivan Fiódorovitch parou. — Não vou te reter por muito tempo, não vou nem tirar o sobretudo. Onde posso me sentar?

Contornou a mesa, puxou uma cadeira e sentou-se.

— Por que me olhas sem dizer nada? Trago apenas uma pergunta, e juro que não sairei daqui sem a resposta: a senhora Catierina Ivánovna esteve aqui?

Smierdiakóv fez um demorado silêncio, olhando calado como antes para Ivan, mas súbito deu de ombros e virou o rosto.

— O que é isso? — exclamou Ivan.

— Não é nada.

— Nada o quê?

— Ora, esteve, mas para o senhor dá no mesmo. Pare de me importunar.

— Não, não paro! Fala, quando ela esteve?

— Ora, até me esqueci de me lembrar dela — Smierdiakóv riu desdenhosamente e súbito, tornando a virar o rosto para Ivan, fixou um olhar nele com um misto de fúria e ódio, aquele mesmo olhar com que o encarara naquele encontro de um mês atrás.

— O senhor mesmo parece doente, veja só como está esquálido, lívido — disse ele a Ivan.

— Deixa minha saúde para lá e responde o que te perguntei.

— Por que seus olhos estão amarelos? O branco dos seus olhos está completamente amarelo. Será que anda muito angustiado?

Deu um sorriso de desdém e disparou uma risada.

— Escuta, eu disse que não saio daqui sem uma resposta! — gritou Ivan em terrível irritação.

— Por que me importuna? Por que me atormenta? — disse Smierdiakóv com ar sofrido.

— Arre, diabo! Não tenho nada a ver contigo. Responde ao que te pergunto e me vou imediatamente.

— Não tenho nada a lhe responder! — Smierdiakóv tornou a baixar a cabeça.

— Eu te asseguro que vou te obrigar a responder!

— Por que o senhor está sempre preocupado? — Smierdiakóv fixou de chofre o olhar nele, não propriamente com desprezo, mas já com certo nojo. — É porque o julgamento começa amanhã? Ora, não vai lhe acontecer nada, convença-se enfim disso! Vá para casa, deite-se tranquilamente para dormir e não tema nada.

— Eu não te entendo... o que eu haveria de temer amanhã? — proferiu Ivan surpreso, e realmente um susto lhe invadiu a alma como uma baforada fria. Smierdiakóv o mediu com os olhos.

— Não en-ten-de? — escandiu com tom de censura. — A troco de que um homem inteligente representa semelhante comédia?!

Ivan o fitava em silêncio. Só esse tom inesperado, arrogante e totalmente inusitado com que esse seu ex-criado agora o tratava já era incomum. Pelo menos ele não usara esse tom na última visita.

— Eu lhe digo que o senhor nada tem a temer. Não vou lhe fazer nenhuma acusação, não há provas. Veja só, suas mãos estão tremendo. Por que seus dedos estão trêmulos? Vá para casa, *não foi o senhor quem matou*.

Ivan estremeceu, lembrou-se de Aliócha.

— Sei que não fui eu... — balbuciou.

— Sa-be? — tornou a secundar Smierdiakóv.

Ivan deu um salto e o agarrou pelos ombros:

— Fala tudo, réptil! Fala tudo!

Smierdiakóv não esboçou o mínimo temor. Apenas cravou os olhos nele com um ódio louco.

— Pois foi o senhor quem matou, já que age assim — murmurou furiosamente.

Ivan arriou na cadeira como se refletisse. Deu um riso de fúria.

— Estás insistindo naquela conversa? Naquilo que falamos também da última vez?

— Sim, da última vez o senhor também estava à minha frente e compreendia tudo, agora também compreende.

— Compreendo apenas que és louco!

— O homem não se cansa! Estamos aqui falando olho no olho, porque, parece, temos de engambelar um ao outro, representar uma comédia? Ou ainda continua querendo jogar toda culpa em mim, diante de meus próprios olhos? O senhor o matou, o senhor é o principal assassino, enquanto eu fui apenas o seu cúmplice, o fiel criado Lichard que, seguindo suas palavras, executou isso.

— Executou? Ora, por acaso foste tu que mataste? — Ivan gelou.

Houve uma espécie de abalo em seu cérebro, e todo ele foi sacudido por um calafrio. Aí foi o próprio Smierdiakóv quem olhou surpreso para ele: provavelmente o susto de Ivan finalmente o impressionara com sua sinceridade.

— Ora, será mesmo que o senhor não sabia de nada? — balbuciou com ar desconfiado, lançando-lhe na cara um sorriso amarelo.

Ivan continuava olhando para ele como se tivesse perdido a língua.

Ah, foi-se Vanka para Píter,
Não vou esperar por ele!

ecoou de repente em sua cabeça.

— Queres saber? temo que sejas um sonho, que sejas um fantasma sentado à minha frente — balbuciou ele.

— Aqui não há nenhum fantasma a não ser nós dois, além de um certo terceiro. Não há dúvida de que ele está aqui, esse terceiro encontra-se entre nós dois.

— Quem é ele? Quem se encontra? Quem é o terceiro? — disse Ivan Fiódorovitch assustado, olhando ao redor e procurando apressadamente com os olhos alguém pelos cantos.

— Esse terceiro é Deus, a própria Providência, ela está agora a nosso lado, só que não a procure, não vai encontrá-la.

— Mentiste dizendo que mataste! — berrou furiosamente Ivan. — És um louco ou estás me provocando como da última vez!

Sem nenhum medo, como na última visita, Smierdiakóv continuava a observá-lo com ar escrutador. Continuava sem encontrar nenhum meio de vencer sua desconfiança, sempre achando que Ivan "sabia de tudo" e apenas representava a fim de "pôr a culpa só nele e jogá-la na sua cara".

— Espere —, disse finalmente com uma voz fraca e, puxando o pé esquerdo de debaixo da mesa, começou a arregaçar a calça. O pé estava metido numa longa meia branca e calçado. Sem pressa, Smierdiakóv tirou as ligas e enfiou os dedos lá no fundo da meia. Ivan Fiódorovitch o observava e súbito tremeu todo tomado de um susto convulsivo.

— Louco! — bradou e, levantando-se de um salto, recuou de tal modo que deu com as costas na parede e pareceu colar-se a ela, todo esticado como uma linha. Olhava para Smierdiakóv tomado de um horror louco. Este, sem demonstrar a mínima perturbação com o susto do outro, continuava remexendo na meia, como se insistisse em agarrar e puxar alguma de dentro com os dedos. Por fim agarrou e começou a puxar. Ivan Fiódorovitch viu que eram uns papéis ou um embrulho de papéis. Smierdiakóv o puxou e o pôs na mesa.

— Aqui está! — disse baixinho.

— O quê? — respondeu Ivan, tremendo.

— Faça o favor de olhar — proferiu Smierdiakóv no mesmo tom baixo.

Ivan caminhou para a mesa, pegou o embrulho, fez menção de desfazê-lo, mas de repente retirou os dedos como se houvesse tocado em algum réptil repugnante, horrendo.

— Seus dedos não param de tremer, estão com cãibra — observou Smierdiakóv e desfez o embrulho sem pressa. Dentro do embrulho apareceram três maços de irisadas notas de cem rublos.

— Está tudo aqui, todos os três mil, nem precisa contá-los. Receba-os — ele convidou Ivan, indicando o dinheiro com um sinal de cabeça. Ivan arriou na cadeira. Estava pálido como um lenço.

— Tu me assustaste... com essa meia... — disse com um sorriso meio estranho.

— Será possível, será possível que até agora o senhor não soubesse? — tornou a perguntar Smierdiakóv.

— Não, não sabia. Sempre achei que tinha sido Dmitri. Meu irmão! Meu irmão! Ai! — súbito pôs as duas mãos na cabeça. — Ouve: tu o mataste sozinho? Sem o meu irmão ou junto com ele?

— Só junto com o senhor; só junto com o senhor eu matei. Dmitri Fiódorovitch é de fato inocente.

— Está bem, está bem... De mim falaremos depois. Por que não paro de tremer?... Não consigo pronunciar uma palavra.

— Antes era todo ousado, "tudo é permitido", dizia, mas agora está aí todo assustado! — balbuciava Smierdiakóv admirado. — Não quer uma limonada? mando trazer agora mesmo. Pode refrescá-lo muito. Só que antes precisamos esconder isto.

E tornou a mover a cabeça apontando para os maços. Ia levantar-se e gritar da porta para que Mária Kondrátievna fizesse e trouxesse uma limonada, mas, ao procurar com que cobrir o dinheiro para que ela não o visse, primeiro fez menção de puxar o lenço, mas como este estava de novo totalmente encatarrado, pegou na mesa o grosso livro amarelo, o único que ali estava e que Ivan havia notado ao entrar, e com ele cobriu o dinheiro. O título do livro era: *Palavras de nosso santo padre Isaac, o Sírio*. Ivan Fiódorovitch conseguiu ler maquinalmente o título.

— Não quero limonada — disse ele. — De mim falaremos depois. Senta-te e conta: como fizeste isso? Conta tudo...

— O senhor podia ao menos tirar o sobretudo, senão vai ficar banhado de suor.

Como se só agora tivesse se dado conta, Ivan Fiódorovitch arrancou o sobretudo e o lançou no banco sem sair da cadeira.

— Fala, por favor, fala!

Pareceu sossegar. Aguardava, seguro de que Smierdiakóv agora lhe contaria *tudo*.

— Sobre como aquilo foi feito? — suspirou Smierdiakóv. — Foi feito da maneira mais natural, seguindo suas próprias palavras...

— Sobre minhas palavras, depois — tornou a interromper Ivan, mas já sem gritar, como antes, pronunciando as palavras com firmeza e aparentando pleno domínio de si. — Conta como o fizeste, mas em detalhes. Tudo por ordem. Não esqueças nada. Detalhes, o principal são os detalhes.[44] Por favor.

— O senhor partiu, e então caí na adega...

— Com o ataque ou simulando?

— Claro que simulando. Simulava tudo. Desci tranquilamente pela escada, até o fundo, deitei-me tranquilamente, e assim que me deitei comecei a berrar. E me debatia enquanto me carregavam.

— Espera! Estiveste sempre simulando? o tempo todo, e depois, e até no hospital?

— De jeito nenhum. No dia seguinte, pela manhã, ainda antes de ser levado para o hospital, bateu-me o verdadeiro ataque, e tão forte que já fazia muitos anos que eu não tinha um igual. Passei dois dias totalmente sem sentidos.

— Está bem, está bem. Continua.

[44] Uma das expressões preferidas de Dostoiévski quando interessado por alguma coisa, segundo sua mulher Anna Grigórievna. (N. da E.)

— Puseram-me naquela maca, eu bem sabia que me haviam levado para trás do tabique, porque sempre que eu adoecia Mária Ignátievna me punha para passar a noite em seu quarto atrás daquele tabique. Eles sempre foram carinhosos comigo desde que nasci. Passei a noite gemendo, só que baixinho. O tempo todo esperando por Dmitri Fiódorovitch.

— Esperando o quê, que ele viesse ao teu quarto?

— Por que ao meu quarto? Eu o esperava em casa, porque para mim já não havia nenhuma dúvida de que ele apareceria naquela mesma noite, porque, sem minha colaboração e sem ter quaisquer informações, viria infalivelmente em pessoa pular o muro da casa, como sabia fazer, e fazer alguma coisa.

— E se ele não viesse?

— Então nada teria acontecido. Sem ele, eu não me atreveria.

— Está bem, está bem... Fala de maneira mais compreensível, sem pressa, e o principal: não omitas nada!

— Eu esperava que ele matasse Fiódor Pávlovitch... Dava como certo, porque eu o havia preparado tanto... nos últimos dias... e o principal é que ele já estava a par dos sinais. Pela cisma e a fúria que ele havia acumulado nos últimos dias, devia fatalmente penetrar na própria casa por meio dos sinais. Era infalível. Era isso que eu esperava.

— Espera! — interrompeu Ivan —, ora, se ele o tivesse matado, teria apanhado e levado o dinheiro; por que era exatamente o que tinhas em mente, não? Então o que te sobraria depois dele? Não percebo.

— Pois bem, ele nunca encontraria o dinheiro. Porque eu apenas o induzi a crer que o dinheiro estava debaixo do colchão. Só que não era verdade. Primeiro estava no cofre, eis onde estava. Depois, como eu era a única pessoa em toda a sociedade humana em quem Fiódor Pávlovitch confiava, eu o induzi a transferir aquele mesmo pacote com o dinheiro para o canto atrás do ícone, porque ali ninguém o descobriria, sobretudo se estivesse com pressa. E assim ele, o pacote, estava escondido ali, no canto atrás do ícone. Debaixo do colchão até seria inteiramente ridículo guardá-lo, no cofre pelo menos estava debaixo de chave. Agora todo mundo aqui acredita que ele estava debaixo do colchão. Um raciocínio tolo. Pois bem, se Dmitri Fiódorovitch cometesse esse assassinato, então, não encontrando nada, ou fugiria às pressas com medo do mais leve ruído, como sempre acontece com os assassinos, ou seria preso. Como então eu sempre poderia, no dia seguinte ou até na mesma noite, subir e pegar aquele mesmo dinheiro de trás dos ícones, tudo acabaria recaindo sobre Dmitri Fiódorovitch. Eu sempre poderia contar com isso.

— E se ele não o matasse, mas apenas o espancasse?

— Se ele não o matasse, eu, é claro, não me atreveria a apanhar o dinheiro, e nada aconteceria. Mas eu ainda contava com que ele o espancasse até deixá-lo sem sentidos, e nesse ínterim eu teria tempo de apanhar o dinheiro e depois informar a Fiódor Pávlovitch que ninguém poderia ter roubado o dinheiro a não ser Dmitri Fiódorovitch, que o havia espancado.

— Espera... estou confuso. Quer dizer então que mesmo assim Dmitri o matou e tu apenas pegaste o dinheiro?

— Não, não foi ele quem matou. Pois bem, mesmo agora eu poderia lhe dizer que ele é o assassino... mas neste momento não quero mentir para o senhor porque... porque, se o senhor realmente não havia entendido nada até este momento, como estou vendo, e não fingiu a fim de jogar em cima de mim, na minha cara, toda a sua culpa evidente, ainda assim o senhor tem toda a culpa, porque sabia do assassinato e me incumbiu de matar e, sabendo de tudo, partiu. Por isso nesta noite quero provar na sua cara que o senhor é o principal e único assassino em toda essa história, enquanto eu não passo de um colaborador secundário, mesmo tendo sido eu quem o matou. Já o senhor é o mais legítimo assassino!

— Por que, por que eu sou o assassino? Oh, Deus! — Ivan finalmente não se conteve, esquecendo que adiara tudo a seu respeito para o fim da conversa. — Continuas batendo na mesma tecla de Tchermachniá? Espera, diz, por que precisavas da minha anuência se já havias tomado o pretexto de Tchermachniá por essa anuência? Como vais me explicar isso agora?

— Seguro de sua anuência, eu já saberia que, ao voltar, o senhor não levantaria nenhum clamor pela perda desses três mil se por algum motivo as autoridades começassem a suspeitar de mim em vez de Dmitri Fiódorovitch, ou se estivesse de bem com Dmitri Fiódorovitch; ao contrário, o senhor sairia em minha defesa... E, tendo recebido a herança, até mais tarde o senhor poderia me recompensar pelo resto da vida, porque, quando mais não fosse, teria recebido a herança por meu intermédio, ao passo que, se seu pai se casasse com Agrafiena Alieksándrovna, o senhor ficaria a ver navios.

— Ah! Então tinhas a intenção de passar o resto da vida me azucrinando! — Ivan rangeu os dentes. — E se então eu não tivesse partido, mas te denunciado?

— E de que o senhor poderia me denunciar naquele momento? De que eu o incitei a ir a Tchermachniá? Só que isso é uma bobagem. Além do mais, depois de nossa conversa, o senhor partiria ou ficaria. Se ficasse, nada aconteceria, eu saberia que o senhor não desejava aquilo e não faria nada. Mas, se partisse, então estaria me assegurando que não se atreveria a me denunciar durante o julgamento e me perdoaria esses três mil. Além disso, mais tarde não poderia mover nenhuma perseguição contra mim, porque então eu contaria tudo no julgamento, ou seja, não que eu havia roubado ou matado — isso eu não diria —, mas que o senhor mesmo me havia instigado a fazê-lo, a roubar e matar, e eu apenas não havia concordado. Era por isso que eu precisava de sua anuência, para que o senhor não pudesse me encurralar com nada, porque, onde iria arranjar provas contra mim? Ao passo que eu sempre poderia encurralá-lo, revelando o quanto o senhor ansiava pela morte de seu pai; e eis o que lhe digo: todos os presentes acreditariam nisso, e o senhor iria carregar a desonra pelo resto da vida.

— Então eu ansiava por isso, ansiava? — Ivan tornou a ranger os dentes.

— Sem dúvida; e então, com sua anuência, deu-me permissão tácita para agir. — Smierdiakóv olhou com firmeza para Ivan. Estava muito fraco e falava com voz baixa e cansada, mas havia em seu interior qualquer coisa oculta que o incendiava, era evidente que tinha alguma intenção. Ivan pressentiu isto.

— Prossegue — disse-lhe —, continua falando daquela noite.

— Prossigo, então! Pois bem, estou deitado e escuto algo, como se Fiódor Pávlovitch tivesse gritado. Antes disso, Grigori Vassílievitch tinha se levantado de repente e saído às pressas, e súbito deu um berro, mas depois tudo se fez silêncio, trevas. Eu estou ali deitado, esperando, com o coração em disparada, está insuportável. Levanto-me e saio — vejo aberta à esquerda a janela que dá do quarto dele para o jardim, e ainda dou um passo à esquerda para sondar se ele está ou não vivo em seu quarto, e o ouço agitando-se e soltando ais; logo, está vivo. Sim senhor, penso! Vou à janela e grito para ele: "Sou eu". E ele para mim: "Ele esteve aqui, esteve, fugiu!". Quer dizer, era Dmitri Fiódorovitch, então tinha estado lá. "Matou Grigori!" — "Onde?", pergunto num cochicho. "Lá, no canto", indica, e também cochichando. "Espere", digo eu. Vou até o canto procurá-lo e junto ao muro encontro Grigori Vassílievitch estirado, todo ensanguentado, desmaiado. Portanto, era verdade que Dmitri Fiódorovitch estivera ali, foi o que me veio imediatamente à cabeça, e imediatamente decidi acabar logo e de uma vez com tudo aquilo, já que Grigori Vassílievitch, se ainda estivesse vivo, estava desacordado e por enquanto não veria nada. O único risco era que Marfa Ignátievna acordasse de repente. Percebi isso naquele instante, mas aquela sofreguidão me dominava por completo, até fiquei sem fôlego. Volto à janela de Fiódor Pávlovitch e digo: "Ela está aqui, ela veio, Agrafiena Alieksándrovna veio, está pedindo para entrar". E então ele estremeceu todo, como um bebê: "Aqui onde? Onde?", suspira, mas ainda não acredita. "Bem ali", digo eu, "abra!"

Olha da janela para mim, acredita e não acredita, mas tem medo de abrir, isso já é medo de mim, penso eu. E chega a ser engraçado: de repente, resolvi fazer aqueles mesmos sinais batendo no caixilho, para anunciar que Grúchenka teria chegado, e estava diante dos olhos dele: era como se não tivesse acreditado nas palavras, mas foi só eu bater fazendo aqueles sinais, que ele correu imediatamente para abrir a porta. Abriu. Eu ia entrar, mas ele estava ali, postado, barrando-me a entrada com o corpo. "Onde está ela, onde está ela?", olha para mim e treme. Bem, pensei: se tem tanto medo de mim, então a coisa vai mal! E aí me deu até uma fraqueza nas pernas de medo de que ele não me deixasse entrar no quarto, ou gritasse, ou que Marfa Ignátievna chegasse correndo, ou que ele saísse mesmo, eu já não me lembro do momento, eu mesmo devia estar pálido ali postado diante dele. Sussurro: "Sim, ela está lá, lá ao pé da sua janela, como é que o senhor não viu?" — "Então traze-a, traze-a!" — "É que ela está com medo, digo eu, assustou-se com o grito, escondeu-se num arbusto, vá e grite, grite de dentro do gabinete". Ele corre, corre até a janela, põe a vela na janela: "Grúchenka, grita, Grúchenka, estás aqui?". Ele grita, mas não quer se debruçar sobre a janela, não quer se afastar de mim, por causa desse mesmo medo, porque está com muito medo de mim e por isso não se atreve a se afastar de mim. "Mas olhe ela ali, digo eu (fui até a janela, debrucei-me por inteiro), olhe ela ali no meio dos arbustos, sorrindo para o senhor, está vendo?" De repente acreditou, começou a tremer todo, estava muito apaixonado por ela, e debruçou-se todo à janela. Então agarrei aquele pesa-papéis de ferro fundido que ele tinha na mesa, está lembrado?, que deve pesar umas três libras, levantei o braço e por trás bati com a ponta em plena têmpora. Nem chegou a gritar. Apenas arriou de repente, enquanto eu lhe dava uma segunda e uma terceira pancada. Na terceira percebi que havia fraturado o crânio. Súbito ele desabou de costas, com o rosto para cima, todo ensanguentado. Examinei: não havia sangue em mim, não tinha salpicado, limpei o pesa-papéis, coloquei-o no lugar, fui até o ícone, tirei o dinheiro de trás dele e joguei o pacote no chão com a fita cor-de-rosa ao lado. Saí para o jardim, todo trêmulo. Fui direto àquela macieira que tem um oco no tronco — o senhor sabe desse oco, havia muito tempo que eu estava de olho nele, nele havia um trapo e um papel que eu tinha preparado fazia tempo; embrulhei toda a quantia no papel, depois a coloquei no trapo e a enfiei lá no fundo. Ali a quantia permaneceu por duas semanas e uns quebrados, e eu a tirei de lá depois que voltei do hospital. Voltei à minha cama, deitei-me e fiquei pensando, apavorado: "Pois bem, se Grigori Vassílievitch estiver completamente morto, isso pode acabar muito mal, mas se estiver vivo e voltar a si, será ótimo, porque então ele testemunhará que Dmitri Fiódorovitch esteve aqui, logo, foi ele quem matou e levou o dinheiro". Então, levado pela dúvida e pela impaciência, começo a gemer para acordar depressa Marfa Ignátievna. Por fim ela se levanta, faz menção de correr para mim, mas quando nota subitamente que Grigori Vassílievitch não está, corre para fora e, ouço, começa a berrar no jardim. Bem, aí tudo avançou pelo resto da noite, agora eu estava inteiramente tranquilo.

O narrador parou. Ivan o ouviu o tempo todo num silêncio de morte, sem se mexer, sem desviar dele o olhar. Já Smierdiakóv só de quando em quando olhava para ele enquanto narrava, olhando a maior parte do tempo para outro lado. Concluída a narração, ele mesmo ficou visivelmente inquieto e a custo retomou o fôlego. O suor lhe apareceu no rosto. Contudo, era impossível adivinhar se sentia ou não arrependimento.

— Espera — secundou Ivan, refletindo. — E a porta? Se ele abriu a porta só para ti, então como Grigori a poderia ter visto aberta antes de ti? Por que Grigori a viu antes de ti?

É digno de nota que Ivan perguntava com a voz mais tranquila, até como se usasse um tom de todo diferente, cheio de benevolência, de tal forma que, se alguém abrisse a porta e da entrada olhasse para os dois, concluiria forçosamente que estavam numa conversa pacífica sobre algum assunto corriqueiro, ainda que interessante.

— Quanto a essa porta que Grigori Vassílievitch teria visto aberta, foi só impressão dele — Smierdiakóv deu um riso torto. — Ora, eu lhe digo que aquilo não é um homem, é o mesmo que uma mula teimosa: ele não viu, mas teve a impressão de ter visto, e aí ninguém o faz voltar atrás. Sorte de nós dois ele ter inventado essa história, porque depois disso não há dúvida de que vão acabar provando a culpa de Dmitri Fiódorovitch.

— Escuta — pronunciou Ivan Fiódorovitch, como se voltasse a desnortear-se e fizesse esforço para atinar em alguma coisa —, escuta... eu ainda queria te perguntar muita coisa, mas esqueci... Esqueço e confundo tudo... Ah! Dize ao menos uma coisa: por que deslacraste o pacote e o largaste ali mesmo no chão? Por que simplesmente não levaste o pacote com tudo dentro... Quando narravas, tive a impressão de que estarias falando sobre esse pacote porque tinhas de agir assim — agora, o porquê disso é o que não consigo entender...

— Eu tinha minhas razões para agir assim. Porque, se fosse alguém que conhecia o ambiente e era familiarizado com ele, como eu, por exemplo, que antes tivesse visto esse dinheiro e talvez o tivesse colocado no pacote e visto com os próprios olhos como o lacraram e sobrescreveram, se esse homem, por exemplo, houvesse matado, a troco de que iria deslacrar esse pacote depois do assassinato e ainda por cima com tanta precipitação, já sabendo com absoluta certeza que o dinheiro estaria infalivelmente ali? Ao contrário, fosse ele um ladrão, suponhamos que como eu, por exemplo, ele simplesmente enfiaria esse pacote no bolso, não tocaria no lacre e trataria de logo sumir com ele. Com Dmitri Fiódorovitch seria totalmente o contrário: ele sabia desse pacote só de ouvir dizer, nunca o tinha visto pessoalmente, e se o tirasse de debaixo do colchão, por exemplo, ele o deslacraria depressa, ali mesmo, para conferir: o dinheiro estaria realmente ali? E largaria o pacote ali mesmo, já sem tempo de julgar que depois disso ele serviria de prova contra ele, porque é um ladrão novato, que antes nunca havia roubado nada, porque é um nobre de berço, e se agora tivesse resolvido roubar, seria justamente como se não estivesse roubando, mas apenas pegando de volta o que lhe pertencia, pois havia anunciado para toda a cidade e até se gabara de antemão e de viva voz, diante de todo mundo, que iria à casa de Fiódor Pávlovitch e lhe tomaria o que era seu. Não é que eu tenha exposto essa ideia com clareza em meu depoimento ao promotor; ao contrário, fiz uma espécie de insinuação, como se sugerisse que eu mesmo não estava entendendo e desse a impressão de que ele é que tinha pensado tudo, e não eu que lhe havia sugerido — pois essa minha insinuação deixou o senhor promotor até com água na boca...

— Mas será, será possível que tenhas pensado tudo isso assim, ali, no calor da hora? — exclamou Ivan Fiódorovitch extremamente excitado com a surpresa. Tornou a fitar Smierdiakóv com ar assustado.

— Tenha dó, seria possível pensar tudo isso naquela correria? Tudo foi pensado de antemão.

— Oh... Oh, quer dizer que o próprio diabo te ajudou! — tornou a exclamar Ivan Fiódorovitch! — Não, não és tolo, és bem mais inteligente do que eu pensava...

Levantou-se com a evidente intenção de caminhar pelo quarto. Estava profundamente desgostoso. Mas como a mesa bloqueava o caminho e ele quase teria de enfiar-se entre a mesa e a parede, apenas deu meia-volta e tornou a sentar-se. Talvez tivesse se irritado por não ter conseguido caminhar, de maneira que deu um berro repentino, quase tomado do mesmo furor de antes:

— Escuta, homem infeliz, desprezível! Será que não compreendes que se ainda não te matei foi unicamente porque estou te conservando para que amanhã deponhas no julgamento? Deus está vendo — Ivan ergueu as mãos —, talvez eu também tenha culpa, talvez eu realmente tivesse um desejo secreto de que... meu pai morresse, mas te juro, não tinha tanta culpa quanto pensas e possivelmente não te incitei em hipótese nenhuma. Não, não, não te incitei! Mas tanto faz, eu mesmo me acusarei amanhã durante o julgamento, já decidi! Direi tudo, tudo, mas nós dois vamos aparecer juntos! E o que quer que tu digas contra mim no julgamento, o que quer que tu venhas a testemunhar eu o aceitarei, tu não me metes medo; eu mesmo confirmarei tudo! Mas tu também deves confessar em juízo! Deves, deves, iremos juntos! É assim que vai ser!

Ivan proferiu essas palavras de modo solene e enérgico, e só pelo brilho de seu olhar já se via que assim iria agir.

— O senhor está doente, estou vendo, de todo enfermo. Os olhos totalmente amarelos — disse Smierdiakóv, mas sem nenhuma zombaria, até como que condoído.

— Iremos juntos! — repetiu Ivan — E se não fores, dará no mesmo, confessarei sozinho.

Smierdiakóv calou-se como se meditasse.

— Nada disso vai acontecer, e o senhor não comparecerá — determinou por fim, em tom categórico.

— Não estás me entendendo! — exclamou Ivan com ar de censura.

— Será uma desonra grande demais para o senhor assumir a culpa de tudo. Além do mais, será inútil, totalmente, porque afirmarei sem rodeios que nunca lhe disse nada disso, e que o senhor ou está com alguma doença (é o que parece), ou já se condoeu tanto de seu irmãozinho que se sacrificou e inventou tudo contra mim, porque a vida inteira me considerou um mosquito, e não gente. Além disso, quem vai acreditar no senhor? e que prova, uma que seja, o senhor tem?

— Escuta, acabaste de me mostrar esse dinheiro, claro que para me convencer.

Smierdiakóv tirou *Isaac, o Sírio*, de cima dos maços e o pôs de lado.

— Pegue esse dinheiro e leve-o consigo — suspirou Smierdiakóv.

— Claro que vou levá-lo! Mas por que o entregas, se mataste por ele? — Ivan olhou para ele com grande surpresa.

— Não tenho nenhuma necessidade dele — pronunciou Smierdiakóv com voz trêmula e sacudindo os ombros. — Antes eu alimentava a ideia de começar uma nova vida com esse dinheiro, em Moscou ou, melhor ainda, no exterior, eu acalentava esse sonho, ainda mais porque "tudo é permitido". Isso o senhor me ensinou de verdade, porque naquela época o senhor me dizia muitas coisas como essa: pois se Deus definitivamente não existe, então não existe nenhuma virtude, e neste caso ela é totalmente desnecessária. Isso o senhor realmente me disse. E foi assim que julguei.

— Chegaste a esta conclusão por tua própria cabeça? — Ivan deu um riso amarelo.

— Orientado pelo senhor.

— Quer dizer que passaste a crer definitivamente em Deus, já que entregas o dinheiro?

— Não, não passei a crer — murmurou Smierdiakóv.

— Então por que o entregas?

— Basta... Chega! — Smierdiakóv tornou a dar de ombros. — Naquela época, o senhor mesmo dizia que tudo é permitido, mas agora, por que anda tão preocupado, o senhor mesmo? Está querendo até se denunciar... Só que nada disso vai acontecer! Não vai depor! — tornou a decidir Smierdiakóv de modo firme e convicto.

— É o que veremos! — pronunciou Ivan.

— Isso não pode acontecer. O senhor é muito inteligente. Gosta de dinheiro, sei disso, também gosta de homenagens, porque é muito orgulhoso, gosta excessivamente da beleza feminina e mais ainda de viver em tranquila abastança e sem baixar a cabeça para ninguém — é disso que o senhor mais gosta. Não vai querer estragar a vida para sempre assumindo em juízo tamanha desonra. O senhor é como Fiódor Pávlovitch, de todos os filhos é quem mais saiu a ele, com a mesma alma dele.

— Não és tolo — disse Ivan como que pasmado; o sangue lhe tingiu o rosto —, antes eu pensava que eras tolo. Agora és uma pessoa séria! — observou, fitando Smierdiakóv como se de repente o enxergasse com novos olhos.

— Era por orgulho que o senhor me achava tolo. Fique com o dinheiro.

Ivan pegou todos os três maços de notas e os meteu no bolso sem os embrulhar.

— Amanhã mostrarei esse dinheiro durante o julgamento — disse.

— Lá ninguém lhe dará crédito, ainda mais porque agora o senhor já tem bastante dinheiro próprio e poderia muito bem ter tirado essa quantia do cofre.

Ivan levantou-se.

— Repito que, se não te matei, foi unicamente porque amanhã precisarei de ti. Lembra-te disso, não te esqueças!

— Não seja por isso: mate-me! Mate-me agora! — proferiu estranhamente Smierdiakóv e estranhamente olhando para Ivan. — Nem a isso se atreve — acrescentou com um sorriso amargo —, não se atreve a nada esse homem antes corajoso!

— Até amanhã! — bradou Ivan e fez menção de sair.

— Espere... mostre-me o dinheiro mais uma vez.

Ivan retirou as notas e mostrou-as a ele. Smierdiakóv observou-as por uns dez segundos.

— Bem, vá andando — disse, dando de ombros. — Ivan Fiódorovitch! — tornou a gritar às costas dele.

— Que queres? — voltou-se Ivan já andando.

— Adeus!

A nevasca ainda continuava. Deu seus primeiros passos com ânimo, mas de repente pareceu cambalear. "Isso é algum problema físico" — pensou, rindo. Algo assim como uma alegria agora lhe invadia a alma. Sentiu em si uma firmeza infinita: era o fim de suas vacilações, que ultimamente não cessavam de torturá-lo de modo tão terrível! A decisão estava tomada "e já não mudará" — pensou feliz. Nesse instante, tropeçou em algo e por pouco não caiu. Parando, distinguiu a seus pés o mujiquezinho que havia derrubado, ainda estirado no mesmo lugar, sem sentidos e imóvel. A nevasca já lhe cobrira quase todo o rosto. Ivan o agarrou de chofre e o carregou nos ombros. Ao avistar luz numa casinhola à direita, aproximou-se, bateu às janelas, e ao homem que lhe respondeu, o dono da casinhola, pediu que o ajudasse a levar o mujiquezinho ao posto policial, prometendo-lhe no ato lhe dar três rublos. O homem arrumou-se e saiu. Não vou descrever em detalhes como naquele momento Ivan Fiódorovitch conseguiu atingir seu objetivo e acomodar o mujiquezinho no posto policial com o fim de providenciar imediatamente um médico para examiná-lo, arcando generosamente com "os gastos". Digo apenas que a coisa durou quase uma hora inteira. Mas Ivan Fiódorovitch ficou muito satisfeito. Seus pensamentos se desdobravam e agiam. "Se eu não tivesse tomado a decisão para amanhã com tanta firmeza — pensou subitamente com prazer — não teria parado uma hora inteira para acomodar o mujiquezinho, teria feito vista grossa e apenas dado de ombros para o fato de que ele iria congelar... Ora, estou em condições de me observar! — pensou no mesmo instante com um prazer ainda maior — embora andem dizendo que vou enlouquecer!" Ao chegar à sua casa, estacou diante de uma pergunta inesperada: "Não seria o caso de ir agora mesmo procurar o promotor e declarar tudo?". Resolveu essa questão tornando a guinar para casa: "Amanhã farei tudo ao mesmo tempo!" — murmurou de si para si e, estranho, quase toda a alegria, quase toda a satisfação consigo mesmo que vinha sentindo se desfez num piscar de olhos. Quando entrou em seu quarto, alguma coisa gelada tocou-lhe subitamente o coração, como uma lembrança, ou melhor, uma menção a algo angustiante e asqueroso que agora se encontrava exatamente ali, no quarto, e que também já estivera antes. Deixou-se cair lentamente em seu sofá com ar cansado. A velha lhe trouxe o samovar, ele fez chá, mas não tocou nele; dispensou a velha até o dia seguinte. Sentado no sofá, sentia tontura. Sentia-se doente e sem forças. Ia pegando no sono, mas, como estava intranquilo, levantou-se e caminhou pelo quarto para espantar o sono. Por instantes teve a impressão de que estava delirando. Mas não era a doença o que mais o envolvia; tornando a sentar-se, começou a olhar de quando em quando ao redor, como se procurasse alguma coisa. Assim aconteceu várias vezes. Por fim seu olhar fixou-se em um ponto. Ivan sorriu, mas o rubor da ira banhou-lhe o rosto. Levou muito tempo sentado em seu lugar, com a cabeça fortemente apoiada em ambas as mãos e mesmo assim olhando de esguelha para aquele mesmo ponto, na direção do sofá situado na parede oposta. É de crer que algo ali, algum objeto, o irritava, intranquilizava, torturava.

IX. O DIABO. O PESADELO DE IVAN FIÓDOROVITCH

Não sou médico, entretanto sinto que chegou o momento em que me é absolutamente indispensável dar ao menos alguma explicação sobre a natureza da doença de Ivan Fiódorovitch. Antecipando-me, digo apenas uma coisa: naquela tarde, ele estava justamente na véspera de ser acometido de uma perturbação mental[45] que acabaria se apossando inteiramente de seu organismo já de longe abalado, mas dotado de uma tenaz resistência a doenças. Sem saber nada de medicina, arrisco-me a ventilar a hipótese de que ele talvez houvesse de fato afastado provisoriamente a doença graças à sua extraordinária força de vontade, que ele levou ao extremo, na certa sonhando superá-la de vez. Sabia que não andava bem, mas lhe repugnava estar doente nesse momento, nesses instantes fatais de sua vida, quando precisava estar presente, dizer sua palavra de modo ousado e categórico e "justificar-se diante de si mesmo". Aliás, já estivera uma vez com o novo médico que Catierina Ivánovna, movida por uma fantasia a que já me referi, mandara vir de Moscou. Depois de auscultá-lo e examiná-lo, o doutor concluiu que ele estaria até com uma espécie de perturbação no cérebro e não ficou nada sur-

[45] Dostoiévski usa o termo *biélaia goriátchka*, que literalmente significa *delirium tremens*. Embora os sintomas sejam semelhantes aos do *delirium tremens*, este decorre da ingestão de bebida alcoólica ou alguma droga, o que não ocorre com Ivan nem com outras personagens acometidas de *biélaia goriátchka* em outras obras de Dostoiévski. Daí minha opção pela expressão "perturbação mental". (N. do T.)

preso com certa confissão que ele lhe fez, apesar da aversão que manifestou. "Alucinações em seu estado são muito possíveis — declarou o doutor —, embora precisem ser verificadas... Em suma, é necessário começar o tratamento a sério, sem perder um minuto, senão acabará mal." Mas, depois de deixá-lo, Ivan Fiódorovitch não cumpriu seu prudente conselho e negou-se a ficar acamado para tratamento: "Puxa, estou andando, por enquanto tenho forças, se cair, será outra coisa, quem quiser que cuide de mim", decidiu ele, sacudindo os ombros. Pois bem, agora ele estava ali sentado, como se compreendesse que delirava e, como eu já disse, fixava obstinadamente o olhar em alguma coisa no sofá da parede oposta. Ali apareceu de repente alguém sentado, sabe Deus como havia entrado, porque ainda não estava no quarto quando Ivan entrara ao voltar da casa de Smierdiakóv. Era um senhor qualquer ou, melhor dizendo, um tipo conhecido de *gentleman* russo, de idade avançada, *qui frisait la cinquantaine*,[46] como dizem os franceses, com um tom grisalho não muito pronunciado no cabelo escuro, bastante longo e ainda basto e no cavanhaque aparado. Vestia um paletó marrom, evidentemente feito pelo melhor alfaiate, porém já gasto, com um corte de mais ou menos dois anos antes e já totalmente fora da moda, de sorte que as pessoas bem-postas na sociedade não usavam semelhante vestuário fazia já dois anos. A camisa, a gravata comprida em forma de cachecol, tudo era como usavam todos os *gentlemen* elegantes, mas a camisa, caso se reparasse de mais perto, estava meio suja e o cachecol largo muito surrado. As calças xadrez do visitante lhe caíam magnificamente, mas também eram claras demais e decerto muito justas, como já não se usam hoje em dia, o mesmo acontecendo com o macio chapéu de feltro que o visitante trazia e que estava totalmente fora da estação. Em suma, tinha boa aparência e minguados recursos nos bolsos. Parecia que o *gentleman* pertencia à categoria dos antigos latifundiários boas-vidas, que prosperaram ainda nos tempos da servidão; provavelmente correra mundos, frequentara a boa sociedade, outrora tivera relações e talvez ainda as mantivesse até agora, mas, com o empobrecimento gradual depois de uma vida alegre na juventude e da recente abolição da servidão, havia se transformado numa espécie de parasita de bom-tom, que vivia errando pelas casas dos antigos e bons conhecidos, onde era recebido por seu caráter sociável e reto e ainda por ser, apesar de tudo, um homem decente, que poderia sentar-se à mesa de qualquer boa família, se bem que em um lugar modesto, é claro. Esses parasitas, *gentlemen* de bom caráter, que sabem contar casos, jogar uma partida de baralho e têm absoluta aversão a

[46] "Beirando os cinquenta", em francês. (N. do T.)

qualquer incumbência que porventura lhe imponham, costumam ser solitários, ou solteirões ou viúvos, talvez com filhos, mas seus filhos são sempre educados em algum lugar distante, em casa de certas tias que o *gentleman* quase nunca menciona na boa sociedade, como se sentisse um pouco de vergonha de semelhante parentesco. Pouco a pouco se desabituam definitivamente dos filhos, e de quando em quando recebem deles cartas de congratulações no aniversário e no Natal e vez por outra até as respondem. A fisionomia do inesperado visitante não era propriamente afável, mas bem proporcional e disposta a qualquer manifestação de amabilidade segundo as circunstâncias. Ele não usava relógio, mas estava com um lornhão de tartaruga preso a uma fita preta. No dedo médio da mão direita brilhava um anel de ouro maciço com opala barata. Ivan Fiódorovitch calava com raiva e não queria iniciar a conversa. O visitante aguardava ali sentado, exatamente como um parasita que acabara de descer do quarto que lhe haviam destinado para fazer companhia ao anfitrião na hora do chá, mas calava com ar cordato, visto que o anfitrião estava ocupado e pensando em algo com ar carrancudo; contudo, estava disposto a qualquer conversa amável, contanto que o anfitrião a iniciasse. Súbito seu rosto exprimiu uma preocupação instantânea.

— Escuta — começou ele, dirigindo-se a Ivan Fiódorovitch —, desculpa, só estou querendo lembrar: é que foste à casa de Smierdiakóv querendo saber a respeito de Catierina Ivánovna, mas saíste de lá sem nada saber, na certa esqueceste...

— Ah, sim! — deixou escapar subitamente Ivan, e seu rosto ficou sombrio de preocupação —, sim, esqueci... Se bem que agora é indiferente, e o será até amanhã — murmurou de si para si. — Quanto ao que disseste — dirigiu-se com irritação ao visitante —, eu é que deveria ter me lembrado agora, pois era isso mesmo que vinha me angustiando. O fato de teres aparecido aqui deveria me fazer crer que foste tu quem me sugeriu aquilo e não eu mesmo que me lembrei?

— Pois não creias — disse o *gentleman* com um sorriso afável. — Que fé é essa que se faz por coação? Além disso, em matéria de fé, nenhuma prova ajuda, sobretudo provas materiais. Tomé não acreditou porque assistiu à ressurreição de Cristo, mas porque antes já desejava crer. Vê, por exemplo, os espíritas... gosto muito deles... imagina, eles supõem que são úteis à fé porque do outro mundo os diabos lhes mostram os chifres. "Isso, alegam, já é uma prova, por assim dizer, material de que o outro mundo existe". O outro mundo e as provas materiais, ô gente![47] E, por fim, se está provada a

[47] Em textos a respeito do espiritismo, Dostoiévski desenvolveu ideias semelhantes em

existência do diabo, ainda não se sabe se está provada a existência de Deus. Quero me filiar a uma sociedade idealista, aí vou lhes fazer oposição: "realista", diria, "e não materialista, he, he!".

— Escuta — disse Ivan Fiódorov levantando-se. — Sinto-me neste momento como em um delírio... e, é claro, estou delirando... mente à vontade, para mim é indiferente! Não me farás perder as estribeiras como da outra vez. Só que tenho vergonha de alguma coisa... Quero caminhar pelo quarto... Às vezes não te vejo nem te escuto, como da outra vez, mas sempre adivinho como andas te amesquinhando, porque sou eu, eu mesmo que falo, e não tu! Só não sei se estava dormindo da última vez ou se te vi em realidade. Agora vou molhar uma toalha e aplicá-la sobre a fronte, quem sabe não evaporas.

Ivan Fiódorovitch foi a um canto, pegou uma toalha, fez como dissera, e começou a caminhar pelo quarto com a toalha molhada na cabeça.

— Agrada-me que tenhamos começado logo a nos tratar por tu — esboçou o visitante.

— Imbecil — Ivan deu uma risada —, por acaso eu teria de tratar-te por senhor? Agora estou alegre, só sinto uma dor nas têmporas... e na nuca... só que não me venhas com filosofias como da última vez, por favor. Senão, podes dar o fora, ou então conta alguma mentira alegre. Fofoca, já que és um parasita, então fofoca. Tinha de me aparecer justo esse pesadelo! Mas não tenho medo de ti. Eu te vencerei. Não me levarão para o manicômio!

— *C'est charmant*,[48] parasita! Sim, essa é justamente a minha condição. Que sou na Terra senão um parasita? Aliás, eu te escuto e fico um pouco surpreso: juro, parece que pouco a pouco já começas a me tomar por algo real e não só como uma fantasia tua, como insististe da última vez.

— Nem por um minuto eu te tomo por uma verdade real — gritou Ivan até com certa fúria. — És uma mentira, és minha doença, és um fantasma. Só não sei como te exterminar, e vejo que preciso sofrer por algum tempo. És minha alucinação. És a encarnação de mim mesmo, mas, pensando bem, somente de uma parte de mim... de minhas ideias e sentimentos, e só os mais abjetos e tolos. Sob esse aspecto eu até poderia te achar curioso, desde que tivesse tempo para te acompanhar nas tuas folias...

— Com licença, com licença, vou te surpreender: ainda há pouco, ao pé do lampião, quando investiste contra Aliócha, gritando: "Soubeste-o por

seu próprio nome: "[...] nas ideias místicas, nem as próprias provas matemáticas significam coisa nenhuma [...] A fé e as provas matemáticas são duas coisas incompatíveis. Isso não é impedimento a quem deseja crer" (*Diário de um escritor*, março de 1876). (N. da E.)

[48] "Isso é encantador", em francês. (N. do T.)

intermédio dele! Como soubeste que ele me visita?" Ora, tu te referias a mim. Logo, por um breve instante creste, pois, creste que eu realmente existo — o *gentleman* deu um risada branda.

— Sim, foi uma fraqueza da natureza... mas eu não podia crer em ti. Não sei se da última vez eu estava dormindo ou caminhando. Talvez eu te tenha visto apenas em sonho, e não na realidade...

— E por que ainda há pouco foste tão severo com ele, Aliócha? É um rapaz encantador, e me sinto culpado diante dele por causa do *stárietz* Zossima.

— Para de falar sobre Aliócha! Como te atreves, lacaio?! — Ivan tornou a rir.

— Tu me insultas e ris; bom sinal. Aliás, hoje estás bem mais amável comigo do que da última vez, e compreendo por quê: é a grande decisão...

— Boca calada sobre a decisão! — gritou furioso Ivan.

— Compreendo, compreendo, *c'est noble, c'est charmant*,[49] amanhã vais defender teu irmão e te sacrificarás... *c'est chevaleresque*.[50]

— Cala-te, senão te encho de pontapés!

— Em parte eu ficaria contente, porque teria atingido meu objetivo: se recorres a pontapés, quer dizer que crês no meu realismo, porque não se dá pontapés em fantasma. Mas deixemos as brincadeiras de lado: por mim podes dizer os desaforos que quiseres, no entanto seria melhor um tiquinho de cortesia, até mesmo comigo. Porque só me chamas de imbecil, de lacaio: que linguajar!

— Ao te insultar, insulto a mim mesmo! — Ivan tornou a rir —, tu és eu, eu mesmo, apenas com outra cara. Tu falas justamente o que eu já estou pensando... e não és capaz de me dizer nada de novo.

— Se nossos pensamentos se afinam, isso só me honra — disse o *gentleman* com delicadeza e dignidade.

— Acontece que escolhes os meus pensamentos mais abjetos e, pior, os tolos. És tolo e vulgar. Horrivelmente tolo. Não, não te posso suportar! Que devo fazer? que devo fazer?! — Ivan rangeu os dentes.

— Meu amigo, apesar de tudo, quero ser um *gentleman* e que assim me tratem —, começou o visitante num acesso de um amor-próprio típico de parasita e já antecipadamente conciliador e cheio de bonomia. — Sou pobre, mas... não digo que seja muito honesto, no entanto... na sociedade costuma-se considerar como um axioma que sou o anjo caído... Juro que não consi-

[49] "Isso é nobre, é encantador", em francês. (N. do T.)

[50] "É cavalheiresco", em francês. (N. do T.)

go imaginar como algum dia eu possa ter sido anjo. Se o fui alguma vez, isso faz tanto tempo que nem é pecado esquecê-lo. Hoje só dou valor à reputação de homem decente e vivo como posso, procurando ser agradável. Amo sinceramente os homens — oh, tenho sido alvo de muita calúnia! Quando vez por outra me transfiro para a Terra, aqui minha vida transcorre como se fosse algo de verdade, e é isso o que mais me agrada. É que eu mesmo, assim como tu, sofro com o fantástico, e é por isso que gosto do vosso realismo terreno. Aqui entre vós, tudo é especificado, aqui há fórmula, aqui há geometria, ao passo que entre nós tudo são equações indefinidas! Aqui eu vago e sonho. Gosto de sonhar. Além do mais, na Terra fico supersticioso — não rias, por favor: e é justamente isso que me agrada; tornar-me supersticioso. Aqui adoto todos os vossos costumes: passei a gostar dos banhos públicos pagos, podes imaginar isso?, e gosto de tomar banho de vapor na companhia de padres e comerciantes. Meu sonho é encarnar — mas que seja definitivamente, irreversivelmente — em alguma mulher de comerciante, gorda, que pese umas sete arrobas, e acreditar em tudo que ela acredita. Meu ideal é entrar na igreja e acender uma vela de todo coração, juro! Então seria o fim de meus sofrimentos. Também tomei gosto pelos vossos tratamentos de saúde: na primavera, houve uma epidemia de varíola, e eu fui a uma escola me vacinar — se soubesses como isso me deixou contente! Doei dez rublos para os nossos irmãos eslavos!... Mas não estás me ouvindo. Sabes, hoje não pareces lá muito bem — o *gentleman* fez uma pequena pausa. — Sei que ontem consultaste aquele médico... então, como estás de saúde? O que o médico te disse?

— Imbecil! — interrompeu Ivan.

— Mas tu, em compensação, como és inteligente! De novo me insultas. Puxa, não te perguntei aquilo para mostrar simpatia, mas só por perguntar... Vá, não precisas responder. Vê só, novamente estou às voltas com o meu reumatismo...

— Imbecil! — repetiu Ivan.

— Bates sempre na mesma tecla, mas eu peguei tamanho reumatismo no ano passado que até agora não me sai da lembrança.

— O diabo com reumatismo?

— Por que não, se às vezes encarno? Encarno, e então assumo as consequências. *Satanas sum et nihil humani a me alienum puto.*[51]

— Como, como? *Satanas sum et nihil humani*... nada tolo para um diabo!

— Estou contente porque finalmente te agradei.

[51] "Satanás sou, e nada do que é humano me é estranho", em latim. (N. do T.)

— Só que isso não é meu — Ivan parou de súbito como que estupefato —, isso nunca me passou pela cabeça, é estranho...

— *C'est du nouveau, n'est-ce pas?*[52] Desta vez serei honesto e te explicarei. Escuta: nos sonhos, e sobretudo nos pesadelos, quando há desarranjos intestinais ou alguma coisa assim, às vezes o homem vê coisas tão artísticas, uma realidade tão complexa e efetiva, acontecimentos ou até um mundo inteiro de acontecimentos, amarrados por tal intriga, com tais detalhes inesperados, desde manifestações superiores até o último botão do peitilho, que te juro que nem Lev Tolstói conseguiria criá-lo, e no entanto quem tem esses sonhos às vezes não tem nada de escritor, mas são as pessoas mais comuns; funcionários, folhetinistas, padres... Existe até um objetivo relacionado com isso: certa vez um ministro até me confessou que suas melhores ideias lhe ocorriam enquanto ele dormia. Pois é o mesmo que está acontecendo agora. Embora eu até seja tua alucinação, contudo, como num pesadelo, digo coisas originais que até hoje não te ocorreram, de modo que já não repito, em absoluto, os teus pensamentos, e no entanto sou apenas o teu pesadelo e nada mais.

— Mentira. Teu objetivo é justamente demonstrar que ages por conta própria e que não és meu pesadelo, e agora tu mesmo vens me dizer que és um sonho.

— Meu amigo, hoje escolhi um método particular, depois te explicarei. Espera, onde foi que eu parei? Ah, sim, daquela vez apanhei um resfriado, mas não aqui e sim ainda lá...

— Lá onde? Dize-me: ficarás aqui em casa por muito tempo? não podes ir embora? — exclamou Ivan quase desesperado. Parou de andar, sentou-se no sofá, tornou a apoiar os cotovelos sobre a mesa e apertou a cabeça com ambas as mãos. Tirou da cabeça a toalha molhada e atirou-a com irritação: pelo visto ela não tinha ajudado.

— Estás com os nervos abalados — observou o *gentleman* com uma desdenhosa sem-cerimônia, mas de todo amigável —, ficas zangado comigo até porque pego um resfriado, mas isso ocorreu da maneira mais natural. Na ocasião eu tinha pressa de chegar a uma reunião diplomática em casa de uma senhora da alta sociedade de São Petersburgo, que aspirava a ser ministra. Bem, eu estava de fraque, gravata branca, luvas e, não obstante, ainda me encontrava Deus sabe onde, e para chegar à Terra ainda me faltava atravessar o espaço... apenas um instante, é claro, mas acontece que um raio da luz que parte do sol faz o percurso em oito minutos certinhos, e imagina que eu estava de fraque e de colete aberto. Os espíritos não congelam, é certo, mas

[52] "Isso é novo, não é verdade?", em francês. (N. do T.)

depois que encarnei... foi como se tivesse me tornado leviano, e me lancei, mas nesses espaços, no éter, naquela água, sobre o firmamento[53] — porque faz um frio... qual frio! — já nem se pode chamar aquilo de frio, podes imaginar: cento e cinquenta graus abaixo de zero! É famoso o gracejo das moças do campo: num frio de trinta graus, propõem a algum novato lamber um machado; no ato a língua adere ao metal, e o bobalhão, para soltá-la, deixa nele um pedaço da pele ensanguentado; e isso a apenas trinta graus negativos, porque a cento e cinquenta bastaria, acho eu, tocar o machado com o dedo e deste não ficaria nem sinal... se é que pode aparecer um machado por lá...

— Mas pode aparecer um machado por lá? — interrompeu Ivan Fiódorovitch com ar distraído e enojado. Resistia com unhas e dentes a acreditar no delírio ou a cair definitivamente na loucura.

— Um machado? — perguntou surpreso o visitante.

— Sim, o que aconteceria com o machado lá? — bradou subitamente Ivan Fiódorovitch com uma obstinação furiosa e tenaz.

— O que aconteceria com um machado no espaço? *Quelle idée!*[54] Se o machado chegasse ao ponto mais distante, creio que passaria a girar ao redor da Terra sem saber para quê, como um satélite. Os astrônomos calculariam o nascer e o pôr do machado, Gatzuk o registraria em seu calendário,[55] eis tudo.

— És um tolo, és horrivelmente tolo! — disse Ivan em tom rebelde —, procura mentir com mais inteligência, do contrário, não te escutarei. Queres me vencer pelo realismo, me assegurar que existes, mas não desejo crer que existes! Não creio!

— Mas não estou mentindo, é tudo verdade; infelizmente, a verdade quase nunca é espirituosa. Vejo que evidentemente esperas de minha parte algo grandioso, talvez até belo.[56] É uma grande pena, porque só dou o que posso...

— Não me venhas com filosofia, seu asno.

— Que filosofia, se estou com todo o lado direito paralisado, gemendo

[53] "Fez, pois, Deus o firmamento, e separação entre as águas debaixo do firmamento e as águas sobre o firmamento. E assim se fez". Gênesis, 1, 7. (N. da E.)

[54] "Que ideia!", em francês. (N. do T.)

[55] A. A. Gatzuk (1832-1891). Entre 1870 e 1880, Gatzuk editou em Moscou um jornal de variedades político-literárias e artísticas e a *Folhinha do batismo*. (N. da E.)

[56] Em *Os bandoleiros*, de Schiller, Franz Moor diz ao pai a respeito de Karl: "O espírito ardente que habita o menino [...] impele-o a simpatizar com tudo o que é grande e belo". (N. da E.)

e mugindo? Fui a todos os médicos: fazem excelente diagnóstico, explicam toda a doença na ponta dos dedos, mas curar que é bom, ninguém sabe. Apareceu um estudante cheio de entusiasmo: se o senhor vier mesmo a morrer, diz ele, saberá perfeitamente do que morreu. E sempre essa mania de nos encaminhar a especialistas, como quem diz: nós apenas diagnosticamos, agora vá consultar o especialista fulano de tal, que ele o curará. Uma coisa eu te digo: não há nem mais sinal daquele médico de antigamente que tratava de todas as doenças, hoje só há especialistas que só fazem propaganda nos jornais. Estás com dor no nariz, te mandam a Paris: lá, dizem, um especialista europeu cura narizes. Uma vez lá, ele te examina e diz: "só posso curar a narina direita, porque não curo narinas esquerdas, não é minha especialidade,[57] mas vá a Viena, lá um especialista específico curará sua narina esquerda". O que fazer? Apelei para os remédios populares; um médico alemão me aconselhou a esfregar o corpo com mel e sal durante o banho. Lá fui eu, só para voltar à casa de banhos: lambuzei-me dos pés à cabeça, e tudo em vão. Desesperado, escrevi ao conde Mattei, de Milão; enviou-me um livro e umas gotas; que fique com Deus. Imagina: o extrato de malte de Hoff resolveu! Comprei-o por acaso, tomei um frasco e meio, e tudo desapareceu como por encanto. Decidi publicar de qualquer jeito um "obrigado" nos jornais, o sentimento de gratidão falou mais alto, e imagina que aí começou outra história: nenhuma redação queria aceitá-lo. "É uma coisa muito retrógrada", diziam, "e ninguém acreditará; *le diable n'éxiste point*.[58] Escreva como anônimo", sugerem. Que "obrigado" seria aquele, se fosse anônimo? Brinco com os empregados do escritório: "Retrógrado é crer em Deus em nossa época", digo eu, "mas no diabo, em mim, pode-se". "Compreendemos", respondem, "quem não crê no diabo? Mas mesmo assim é impossível publicá-lo; pode prejudicar nossa orientação. Não será o caso de publicá-lo como piada?" Oh, pensei, como piada não vai ter graça. E acabou não sendo publicado. Acredita, até me ficou um peso no coração. Sou proibido formalmente de externar meus melhores sentimentos, como a gratidão, por exemplo, unicamente por minha posição social.

— Filosofando outra vez? — Ivan rangeu os dentes com ódio.

— Deus me livre! mas vez por outra a gente não pode evitar umas queixinhas. Sou um homem caluniado. Tu mesmo estás me chamando de estúpido a três por dois. Logo se vê que és um jovem. Meu amigo, não se trata

[57] Variação do motivo da novela filosófica de Voltaire, *Zadig ou o destino*, publicada em 1747. (N. da E.)

[58] "O diabo não existe", em francês. (N. do T.)

apenas de inteligência! Tenho por natureza um coração bondoso e alegre, "porque eu também escrevi diversos *vaudevilles*".[59] Parece que me tomas terminantemente por um Khliestakóv grisalho, e, não obstante, meu destino é bem mais sério. Por uma missão primordial, que nunca consegui entender, fui destinado a "negar", ao passo que sou sinceramente bom e totalmente incapaz de negar. Não, sai por aí negando, sem negação não haveria crítica, e que revista poderia passar sem um "departamento de crítica"? Sem crítica, só haveria Hosana. Mas, para viver, só o Hosana não basta, é preciso que esse Hosana passe pelo crisol da dúvida, e assim sucessivamente. Aliás, não me intrometo em nada disso, não fui eu que o criei, logo, não respondo por isso. Mas ainda assim pegaram alguém para bode expiatório, obrigaram-no a escrever no departamento de crítica, e a vida começou. Nós compreendemos essa comédia: eu, por exemplo, exijo simples e francamente a minha destruição. Não, vive, dizem, porque sem ti não haverá nada. Se tudo no mundo fosse sensato, nada aconteceria. Sem ti não haveria quaisquer acontecimentos, e é preciso que haja acontecimentos. E então trabalho a contragosto para que haja acontecimentos e crio o insensato cumprindo ordem. Os homens, a despeito de toda a sua indiscutível inteligência, tomam toda essa comédia por alguma coisa séria. Nisto reside sua tragédia. E então sofrem, é claro, mas... em compensação, vivem apesar de tudo, vivem na realidade, não na fantasia; porque o sofrimento é que é vida. Sem sofrimento, que prazer poderia haver em viver? — tudo se transformaria num infinito *Te Deum*: é uma coisa sagrada, porém meio chata. Bem, e eu? Sofro, e no entanto não vivo. Sou o x de uma equação indefinida. Sou uma espécie de espectro da vida, que perdeu todos os fins e princípios e acabou esquecendo até como se chama. Estás rindo... não, não estás rindo, estás novamente zangado. Vives eternamente zangado, gostarias que houvesse apenas inteligência, mas torno a repetir que daria toda essa vida sob as estrelas, todos os títulos e honrarias unicamente para encarnar na alma de uma comerciante de sete arrobas e acender uma vela a Deus.

— E tu também não crês em Deus? — riu Ivan com ódio.

— Bem, como te dizer?, se é que estás falando sério...

— Deus existe ou não? — tornou a gritar Ivan com uma insistência furiosa.

— Ah, estás perguntando a sério? Meu caro, juro que não sei, eis que pronunciaste a palavra grandiosa.

[59] Palavras de Khlestakóv, personagem central da comédia *O inspetor geral* (1836), de Gógol. (N. do T.)

— Não sabes, mas vês Deus? Não, tu não existes por ti próprio, tu és eu, tu és eu e nada mais! És uma porcaria, és uma fantasia minha!

— Bem, se quiseres, nós dois temos a mesma filosofia, isso é que é certo. *Je pense donc je suis*,[60] isto eu sei ao certo, tudo mais à minha volta, todos esses mundos, Deus e até o próprio Satanás — nada disso está provado para mim, se existirá por si só ou é apenas uma emanação de mim, um desenvolvimento coerente de meu eu, que existe antes dos tempos e individualmente... numa palavra, vou ficando por aqui, porque pelo visto estás a ponto de partir para a briga.

— Seria melhor que me contasses uma anedota — disse Ivan com ar doentio.

— Pois eu tenho uma e justamente sobre o nosso tema, quer dizer, não é uma anedota, mas algo assim, uma espécie de lenda. Estás me precipitando na descrença: "vês", dizes, "mas não crês". Ora, meu amigo, acontece que não sou o único assim. Lá entre nós, todo mundo anda perturbado atualmente, e tudo por causa das vossas ciências. Enquanto só havia os átomos, os cinco sentidos, os quatro elementos, bem, naquele tempo tudo ainda fazia algum sentido. Os átomos já existiam no mundo antigo. Mas, lá entre nós, foi só chegar ao nosso conhecimento que aqui havíeis descoberto a "molécula química", e o "protoplasma", e o diabo sabe o que mais, para que metessem o rabo entre as pernas. Simplesmente começou a bagunça; o mais grave foram a superstição, as fofocas; porque entre nós há tantos fofoqueiros quanto aqui na Terra, até um tiquinho mais, e, por fim, também as delações, porque entre nós também existe um departamento onde se recebem certas "informações". Pois bem, vê aquela lenda, selvagem, que ainda remonta à nossa Idade Média — não à vossa, mas à nossa —, entre nós ninguém acredita nela, a não ser as comerciantes de sete arrobas, ou seja, outra vez não as vossas, mas as nossas comerciantes. Tudo que existe aqui na Terra existe também lá entre nós, e pela amizade que te tenho vou te revelar um segredo nosso, ainda que seja proibido. Trata-se daquela lenda sobre o Paraíso. Houve, diz-se, aqui na vossa Terra, um pensador e filósofo que "negava tudo, as leis, a consciência, a fé", e principalmente — a vida futura. Morreu pensando que iria direto para as trevas e a morte, mas se deparou com a vida futura. Admirou-se e ficou indignado: "Isso, diz ele, contraria as minhas convicções". Pois foi por isso que o condenaram... quer dizer, como estás vendo, desculpa-me, só estou transmitindo o que ouvi, apenas uma lenda... foi condenado — que coisa! — a percorrer nas trevas um quatrilhão de quilôme-

[60] "Penso, logo existo", em francês; célebre frase de Descartes. (N. do T.)

tros (hoje em dia, tudo entre nós se mede em quilômetros), e quando chegasse ao fim desse quatrilhão lhe abririam as portas do paraíso e tudo lhe seria perdoado...

— E que outros tormentos há entre vós no outro mundo além desse quatrilhão? — interrompeu Ivan com uma estranha animação.

— Que tormentos? Ah, nem me perguntes: antigamente eram tormentos assim e assado, mas o que temos hoje são mais tormentos morais, "consciência pesada" e todos esses absurdos. Isso também foi herdado de vós, do "abrandamento dos vossos costumes". Mas quem ganhou com isso? só ganharam os sem consciência, que falam de consciência pesada quando não têm consciência nenhuma. Por outro lado, sofreram pessoas decentes, que ainda tinham consciência e honra... Aí está no que deram reformas feitas em solo despreparado, e ainda copiadas de instituições estranhas — só danos! Aquela chaminha antiga seria melhor. Pois bem, o tal condenado a percorrer o quatrilhão parou, olhou e deitou-se de través no caminho: "Não quero ir, por princípio não vou!". Pega a alma de um ateu russo ilustrado e mistura com a alma do profeta Jonas, que passou três dias e três noites no ventre da baleia — e terás o caráter desse pensador que se deitou no caminho.

— Sobre o que ele se deitou?

— Bem, na certa havia algo sobre o que se deitar. Não estás rindo, estás?

— Bravo! — bradou Ivan, sempre na mesma animação estranha. Agora ele ouvia com uma curiosidade inesperada. — Então, ele continua lá deitado?

— Acontece que não. Permaneceu lá deitado por quase mil anos, mas depois se levantou e se foi.

— Mas que as-no! — exclamou Ivan com uma gargalhada nervosa, sempre procurando a duras penas atinar alguma coisa. — Que diferença faz passar a eternidade deitado ou percorrer um quatrilhão de verstas? Pois não é um bilhão de anos de caminhada?

— Até bem mais, só que não tenho lápis nem papel, senão poderia calcular. Mas ele já chegou faz muito tempo, é aí que começa a anedota.

— E como chegou ao fim? E de onde ele tirou esse bilhão de anos?

— Ora, estás sempre pensando na nossa Terra de hoje! Só que a própria Terra de hoje talvez já se tenha repetido um bilhão de vezes; renasceu, congelou, rachou, fez-se em pedaços, desintegrou-se em seus componentes iniciais, voltou a água, que ficou sobre a terra, depois voltaram os cometas, voltou o sol, outra vez a Terra se formou do sol — ora, esse desenvolvimento possivelmente vem se repetindo infinitamente, e tudo sob o mesmo aspecto até os mínimos detalhes. O mais indecente dos tédios.

— Pois bem, e o que aconteceu quando ele concluiu a caminhada?

— Mal lhe abriram as portas do Paraíso e ele entrou, antes que se passassem dois segundos — e isso marcado no relógio, no relógio (embora, a meu ver, durante a caminhada seu relógio já devesse há muito tempo ter se desintegrado no bolso dele) —, antes que se passassem dois segundos, ele exclamou que por esses dois segundos seria capaz de percorrer não só um quatrilhão, mas um quatrilhão de quatrilhões, e ainda elevado a uma potência de quatrilhão. Em suma, cantou seu Hosana, mas forçou tanto a nota que, num primeiro momento, alguns de lá, que pensavam com mais nobreza, até se negaram a lhe dar a mão: ele se empenhou demais em sua adesão aos conservadores. É a natureza russa. Repito: uma lenda. Limito-me a passar adiante o que ouvi. Vê só que noções de todos esses assuntos ainda temos por lá.

— Eu te apanhei! — bradou Ivan com uma alegria quase infantil, como se algo já definitivo acabasse de lhe ocorrer — essa anedota sobre o quatrilhão de anos eu mesmo inventei! Eu tinha na ocasião dezessete anos, estava no colégio... inventei essa anedota e a contei a um colega, seu sobrenome é Koróvkin, e isso foi em Moscou... Essa anedota é tão peculiar que eu não poderia tirá-la de lugar nenhum. Eu ia esquecê-la... mas ela me veio à lembrança agora de forma inconsciente — a mim mesmo, e não foste tu que a contaste. Como às vezes acontece de nos lembrarmos inconscientemente de milhares de coisas, até a caminho do cadafalso... lembrei-me em sonhos. Pois tu és esse sonho! És um sonho, e não existes!

— Pelo arroubo com que me renegas — sorriu o *gentleman* —, vou me convencendo de que, apesar de tudo, crês em mim.

— Nem um pouco! Não creio um centésimo!

— Mas um milésimo crês. Confessa que crês, vai, em um décimo de milésimo...

— Nem um minuto! — bradou furiosamente Ivan. — Aliás, eu gostaria de crer em ti! — acrescentou de súbito e estranhamente.

— Ah-ah! Enfim confessaste! Mas sou bom, também neste ponto vou te ajudar. Escuta: fui eu que te apanhei, e não tu a mim! Eu te contei de propósito tua própria anedota, que havias esquecido, para que descresses definitivamente de mim.

— Mentes! O objetivo de tua aparição é me convencer que existes.

— Isso mesmo. Mas e as vacilações, e a inquietação, e o embate entre a crença e a descrença — tudo isso por vezes é tamanho tormento para uma pessoa conscienciosa como tu, que é melhor enforcar-se. Pois foi justamente por saber que crês um tiquinho em mim que te acrescentei, de forma já definitiva, um pouco de descrença contando-te essa anedota. Eu te conduzo alternadamente entre a crença e a descrença, e nisto tenho o meu objetivo. Um novo método: quando deixares definitivamente de crer em mim, começarás imediatamente a assegurar na minha cara que não sou um sonho, mas existo de fato, pois eu te conheço; e então terei atingido meu objetivo. E meu objetivo é nobre. Lanço em ti apenas uma minúscula semente de fé, e dela germinará um carvalho — e ainda por cima um tipo de carvalho que, sentado nele, desejarás estar entre os "padres do deserto e esposas imaculadas";[61] porque no fundo do coração queres muito, muito isso, comerás gafanhotos, te arrastarás para o deserto a fim de salvar a tua alma.

— Quer dizer que tu, patife, estás empenhado em salvar minha alma?

— Ao menos alguma vez precisarei praticar uma boa ação. Pelo que vejo, estás furioso, estás furioso.

— Palhaço! Alguma vez tentaste ao menos um desses que comem gafanhotos, que passam dezessete anos a fio orando no deserto nu, mofando?

— Meu caro, foi só isso o que fiz. Haverás de esquecer o mundo inteiro e os mundos, mas aderirás a um deles porque o brilhante é muito precioso; uma alma como essa às vezes vale uma constelação inteira — é que nós temos nossa aritmética. A vitória é preciosa! Alguns deles, juro, não são inferiores a ti em matéria de cultura, ainda que não acredites nisso: eles podem contemplar tais abismos da fé e da descrença num só instante, que, palavra, às vezes parecem estar a um triz de despencar "de pernas para o ar", como diz o ator Gorbunov.[62]

— E então, sairias de nariz comprido?

— Meu amigo — observou o visitante em tom sentencioso —, apesar de tudo, às vezes é melhor ficar de nariz comprido que sem nariz nenhum, como ainda recentemente declarou o marquês doente (pelo visto, andou se tratando com um especialista) ao se confessar com um padre jesuíta, seu pai espiritual. Eu assisti à cena, foi simplesmente uma beleza! "Devolva meu nariz!", diz ele, e batendo no peito. "Filho meu", tergiversa o padre, "por inconfessáveis desígnios da Providência, tudo se completa, e uma desgraça aparente às vezes traz uma vantagem extraordinária, ainda que invisível. Se o duro fado vos privou do nariz, tendes agora a vantagem de que, pelo resto da vida, ninguém se atreverá a vos dizer que ficastes de nariz comprido!" — "Santo Padre, isso não é consolo! — exclama o desesperado. — Eu, ao contrário, ficaria eufórico passando cada santo dia de minha vida de nariz comprido, contanto que ele estivesse no devido lugar!" — "Filho meu — suspira

[61] Título de um poema de Púchkin. (N. da E.)

[62] I. F. Gorbunov (1831-1896), ator, escritor e talentoso narrador de improviso, com quem Dostoiévski participou de leituras públicas de literatura. (N. da E.)

o padre —, não se pode exigir todos os bens de uma vez, e isso já é queixa contra a Providência, que nem neste caso vos esqueceu; porque, se berrardes, como acabastes de berrar, dizendo que vos disporíeis de bom grado a passar o resto da vida de nariz comprido, então até neste caso foi cumprido indiretamente o vosso desejo: porque, tendo perdido o nariz, é como se com isto tivésseis ficado de nariz comprido...”

— Arre, que idiotice! — gritou Ivan.

— Meu amigo, eu quis apenas te fazer rir, mas, juro, isso é uma verdadeira casuística de jesuíta e, juro, tudo isso aconteceu letra por letra como te expus. Esse caso me deu muito trabalho. O pobre rapaz, ao voltar para casa, na mesma noite se matou com um tiro. Não arredei pé de junto dele até o último instante... Quanto a esses confessionários de jesuítas, são na verdade minha mais encantadora distração nos momentos tristes da vida. Vou te contar mais um caso, que aconteceu por esses dias. Uma lourinha, uma normanda de uns vinte anos, procura um velho padre. Beleza, corpo, natureza — de dar água na boca. Inclina-se, cochicha seus pecados para o padre pelo buraquinho do confessionário. “O quê, filha minha, não me digas que tornaste a cair!”, exclamou o padre. “Oh, Santa Maria, o que estou ouvindo: já não foi com o mesmo? Mas até quando isso vai continuar? E como não te envergonhas!” — “*Ah, mon père*,[63] responde a pecadora, toda banhada em lágrimas de arrependimento, “*ça lui fait tant de plaisir et à moi si peu de peine!*”.[64] Vê só que resposta! E aí perdi o interesse: aquilo era o clamor da própria natureza; se quiseres, era melhor do que a própria inocência! No mesmo instante liberei o pecado para ela e já ia dando as costas para sair, mas fui imediatamente forçado a voltar: ouço pelo buraquinho do confessionário o padre marcar um encontro com ela para a noite, e o velho era uma rocha, mas caiu num piscar de olhos! A natureza, a verdade da natureza se sobrepôs! Por que novamente torces o nariz, outra vez zangado? Não sei mesmo como te agradar!

— Deixa-me, tu me martelas no cérebro como um pesadelo obsessivo — gemeu com ar doentio Ivan, impotente diante de sua visão —, contigo sinto tédio, é insuportável e angustiante! Daria qualquer coisa para te escorraçar!

[63] “Ah, meu padre”, em francês. (N. do T.)

[64] “Isso lhe dá tanto prazer e a mim tão pouco trabalho!”, em francês. Esse gracejo remonta a um epigrama sobre a atriz francesa Jeanne-Catherine Gaussin (1711-1767): “Doce Gaussin! tão jovem e tão bela/ E teu coração cede ao primeiro aventureiro!/ — O que querias, diz ela, aquilo lhe deu,/ Tanto prazer e me custou tão pouco”. (N. da E.)

— Repito, modera tuas exigências, não exijas de mim "o grande e o belo em sua totalidade", e verás como nos daremos magnificamente — pronunciou o *gentleman* com ar imponente. — Em verdade, estás furioso comigo porque não te apareci assim numa auréola rubra, "entre ribombos e brilhos", de asas chamuscadas, mas nestes trajes tão modestos. Estás ofendido, em primeiro lugar, em teus sentimentos estéticos e, em segundo, no orgulho: como, dirias, um diabo tão vulgar poderia aparecer a um homem tão grande? Não, existe em ti esse fiozinho romântico tão ridicularizado por Bielínski. Que fazer, meu jovem?! Ainda há pouco, quando vinha para cá, pensei por brincadeira em me apresentar como um conselheiro de Estado aposentado, que servira no Cáucaso, com a estrela do Leão e do Sol no fraque,[65] mas me deu muito medo de que me espancasses só pela ousadia de ter posto no fraque o Leão e o Sol, e não ter posto pelo menos a Estrela Polar[66] ou Sirius. E tu não páras de repetir que sou um estúpido. Mas, meu Deus, não tenho a pretensão de ombrear contigo em inteligência. Mefistófeles, ao aparecer a Fausto, disse de si mesmo que desejava o mal, mas fazia apenas o bem. Ora, faça ele lá como quiser, mas eu sou o oposto total. Eu talvez seja a única pessoa em toda a natureza que ama a verdade e deseja sinceramente o bem. Eu estava presente quando o Verbo que morreu na cruz ascendeu aos céus, levando nos braços a alma do bom ladrão crucificado à sua direita, ouvi os ganidos de alegria dos querubins, que cantavam e berravam: "hosana", e o berro tonitruante de êxtase dos serafins abalando o céu e todo o universo. Pois bem, juro por tudo o que é sagrado que quis me juntar ao coro e gritar com todos: "hosana!". Já irrompia, já escapava do meu peito... Ora, sabes que sou muito sensível e esteticamente suscetível. Mas o bom senso — oh, a qualidade mais infeliz de minha natureza — me conteve até nesse momento nos devidos limites, e eu perdi a ocasião. Porque — pensei naquele instante —, o que teria resultado de meu Hosana? Imediatamente, tudo se teria apagado no mundo e não aconteceria mais nada. E então, unicamente pelos deveres do ofício e por minha posição social, fui forçado a reprimir o bom que havia em mim e ater-me à sordidez. Alguém fica com toda a honra do bem para toda a vida, ao passo que a mim só me foi deixada a sordidez como sina. Mas não invejo a honra de viver à custa de alguém, não sou ambicioso. Por que, entre todas as criaturas do mundo, só eu fui condenado à maldição por parte de todos os homens decentes, e até a botinadas, já que, ao encarnar,

[65] O conselheiro de Estado, um dos cargos civis mais elevados da Rússia anterior a 1917, recebia de fato tais condecorações quando servia no Cáucaso. (N. da E.)

[66] Estrela Polar: condecoração sueca. (N. do T.)

eu tinha de aceitar de quando em quando essas consequências? Ora, sei que aí existe um segredo, mas por nada desse mundo querem me revelar esse segredo, porque, se eu adivinhasse em que consistia a coisa, talvez urrasse "hosana!" e então desapareceria aquele *minus*[67] necessário e em todo o mundo começaria o bom senso e, com ele, claro, também o fim de tudo, até dos jornais e revistas, pois, quem haveria então de assiná-los? Ora, eu sei que, no fim das contas, acabarei me resignando, também percorrendo meu quatrilhão e descobrindo o segredo. Mas, enquanto isso não acontece, vou externando meu descontentamento e cumprindo a contragosto minha missão: arruinar milhares para salvar um. Por exemplo, quantas almas precisei arruinar e quantas reputações honestas desonrar para conseguir apenas um justo, Jó, por cuja causa fui outrora tão furiosamente espicaçado! Não, enquanto não me for revelado o segredo, para mim existirão duas verdades: uma de lá, a deles, que por ora ignoro totalmente, e a outra, a minha. E ainda não se sabe qual delas será a mais pura... Dormiste?

— Também, pudera! — disse Ivan num gemido. — Tudo o que em minha natureza há de estúpido, que há muito tempo já experimentei, triturei em minha mente e lancei fora como carniça, tu me apresentas como se fosse alguma novidade!

— Nem nisso fiz tuas vontades! E eu pensando que ia te deixar lisonjeado com minha maneira literária de expor: esse meu "Hosana nas alturas", palavra, não saiu nada mal, não é? E agora me vens com esse teu tom sarcástico *à la* Heine,[68] hein, não é verdade?

— Não, nunca fui semelhante lacaio! Como foi que minha alma pôde gerar um lacaio como tu?

— Meu amigo, conheço um fidalguinho russo magnificentíssimo e amabilíssimo: pensador jovem e grande apreciador de literatura e de coisas belas, autor de um poema promissor intitulado "O Grande Inquisidor"... Era só ele que eu tinha em vista!

— Eu te proíbo falar de "O Grande Inquisidor" — exclamou Ivan todo vermelho de vergonha.

— Mas, e de "A Revolução Geológica"? Estás lembrado? Esse sim é um poema!

— Cala-te, ou te mato!

— É a mim que vais matar? Não, vais me desculpar, pois vou falar. Vim para cá justo com o fim de me dar esse prazer. Oh, amo os sonhos dos meus

[67] Na forma latina transcrita no original. (N. do T.)

[68] Segundo V. Komoróvitch, alusão ao poema de Heine "O mundo". (N. da E.)

amigos ardentes, jovens, que a sofreguidão de viver deixa trêmulos! "Novos homens virão", proclamaste ainda na primavera passada, quando te preparavas para vir para cá, "eles tencionam destruir tudo e começar pela antropofagia. Tolos, não me consultaram! A meu ver, nem é preciso destruir nada, mas só e unicamente destruir na humanidade a ideia de Deus, eis de onde é preciso começar! É daí, é daí que se precisa começar — oh, cegos, que nada compreendem! Quando a humanidade, sem exceção, tiver renegado Deus (e creio que essa era — um paralelo aos períodos geológicos — virá), então cairá por si só, sem antropofagia, toda a velha concepção de mundo e, principalmente, toda a velha moral, e começará o inteiramente novo. Os homens se juntarão para tomar da vida tudo o que ela pode dar, mas visando unicamente à felicidade e à alegria neste mundo.[69] O homem alcançará sua grandeza imbuindo-se do espírito de uma divina e titânica altivez, e surgirá o homem-deus. Vencendo, a cada hora, com sua vontade e ciência, uma natureza já sem limites, o homem sentirá assim e a cada hora um gozo tão elevado que este lhe substituirá todas as antigas esperanças no gozo celestial. Cada um saberá que é plenamente mortal, não tem ressurreição, e aceitará a morte com altivez e tranquilidade, como um deus. Por altivez compreenderá que não há razão para reclamar de que a vida é um instante, e amará seu irmão já sem esperar qualquer recompensa. O amor satisfará apenas um instante da vida, mas a simples consciência de sua fugacidade reforçará a chama desse amor tanto quanto ela antes se dissipava na esperança de um amor além-túmulo e infinito"... e assim por diante, tudo coisas desse gênero. Um primor!

Sentado, Ivan tapava ambos os ouvidos com as mãos e olhava para o chão, mas começou a tremer de corpo inteiro. A voz prosseguiu:

— A questão agora, refletia meu jovem pensador, é saber: será mesmo possível que essa era comece algum dia ou não? Se começar, tudo estará resolvido e a humanidade se organizará definitivamente. Mas como, devido à arraigada estupidez humana,[70] isso talvez não se organize nem em mil anos, então a qualquer um que já hoje tenha consciência da verdade é permitido organizar-se sobre novos princípios a seu absoluto critério. Neste sentido, a ele "tudo é permitido". E mais: até na hipótese de que essa era nunca comece, mesmo assim, como Deus e a imortalidade todavia não existem, ao novo

[69] A imagem da felicidade dos homens na Terra sem Deus se manifesta reiteradas vezes na consciência dos personagens de Dostoiévski. Em *O adolescente*, com o personagem Viersílov; em *Os demônios*, nas confissões de Stavróguin. (N. da E.)

[70] Zombaria das teorias racionalistas, segundo as quais toda a infelicidade dos homens reside em sua ignorância e na incompreensão do verdadeiro proveito. (N. da E.)

homem, ainda que seja a um só no mundo inteiro, será permitido tornar-se homem-deus e, claro que já na nova função, passar tranquilamente por cima de qualquer obstáculo moral imposto ao antigo homem-escravo, se isso for necessário. Para um deus não existe lei! Onde o deus estiver, estará no lugar do deus! Onde eu estiver, aí já será o primeiro lugar... "tudo é permitido", e basta! Tudo isso é muito encantador; mas se alguém quiser usar de vigarice, então, parece, para que ainda servirá a sanção da verdade? Ora, bolas, assim é o nosso homem russo de hoje: sem sanção, não se atreve nem a cometer uma vigarice, tamanho é seu amor à verdade...

O visitante falava evidentemente arrebatado por sua eloquência, elevando cada vez mais a voz e olhando com ar zombeteiro para o anfitrião; mas não conseguiu concluir: súbito Ivan pegou um copo sobre a mesa e o arremessou com força contra o orador.

— *Ah, mais c'est bête enfin*[71] — exclamou este, pulando do sofá e sacudindo com os dedos os respingos do chá em sua roupa —, lembrei-me do tinteiro de Lutero![72] Tu mesmo me consideras um sonho e atiras copos contra um sonho! Isso é coisa de mulher! Eu bem que desconfiei que estavas apenas fingindo tapar os ouvidos, mas estavas ouvindo.

Súbito se ouviu lá de fora uma batida firme e insistente no caixilho da janela. Ivan Fiódorovitch pulou do sofá.

— Estás ouvindo, é melhor abrir — bradou o visitante —, é teu irmão Aliócha trazendo a notícia mais inesperada e curiosa, estou te dizendo!

— Cala a boca, embusteiro! antes que o dissesses eu já sabia que era Aliócha, eu o pressenti, e, é claro, não é à toa que ele vem com uma "notícia"!... — exclamou desvairado Ivan.

— Abre, abre-lhe a porta. Há nevasca lá fora, e ele é teu irmão. *Monsieur, sait-il le temps qu'il fait? C'est à ne pas mettre un chien dehors...*[73]

As batidas continuavam. Ivan quis lançar-se para a janela, mas era como se alguma coisa de repente lhe atasse os pés e as mãos. Fez todos os esforços para romper suas peias, mas em vão. As batidas na janela eram cada vez mais fortes. Por fim as peias se romperam subitamente e Ivan Fiódorovitch levantou-se de um salto do sofá. Olhou ao redor com ar feroz. Ambas as velas estavam quase extintas, o copo que ele acabara de arremessar con-

[71] "Ah, mas isso é uma estupidez!", em francês. (N. do T.)

[72] Conta-se, entre as muitas histórias da relação de Lutero com o diabo, que quando o líder protestante traduzia a Bíblia, o diabo o tentou, e ele lhe atirou um tinteiro. (N. da E.)

[73] "Sabe, senhor, o tempo que está fazendo? Num tempo como esse não se põe para fora nem um cachorro...", em francês. (N. do T.)

tra seu visitante continuava na mesa à sua frente, e no sofá defronte não havia ninguém. As batidas no caixilho da janela, embora continuassem insistentemente, não eram tão altas como lhe acabara de parecer no sonho, mas, ao contrário, muito contidas.

— Isso não foi um sonho! Não, juro, isso não foi um sonho, isso tudo acabou de acontecer! — bradou Ivan Fiódorovitch, precipitou-se para a janela e abriu o postigo.

— Ora, Aliócha, não mandei que viesses! — gritou furiosamente para o irmão. — Em duas palavras: o que queres? Em duas palavras, estás ouvindo?

— Uma hora atrás Smierdiakóv enforcou-se — respondeu do pátio Aliócha.

— Sobe ao alpendre, vou te abrir agora mesmo — disse Ivan e foi abrir a porta para Aliócha.

X. "Foi ele quem disse!"

Ao entrar, Aliócha informou a Ivan Fiódorovitch que, pouco mais de uma hora antes, Mária Kondrátievna chegara correndo ao seu apartamento e anunciara que Smierdiakóv havia se suicidado. "Entro no quarto dele para arrumar o samovar, e lá está ele pendurado num prego na parede." À pergunta de Aliócha: "Ela comunicou a quem devia?", respondeu que não comunicara a ninguém, mas "me precipitei diretamente primeiro para a casa do senhor, correndo até aqui". Ela parecia louca ao transmitir a Aliócha o ocorrido e tremia toda como vara verde. Quando Aliócha a acompanhou à casa dela, encontrou Smierdiakóv ainda pendurado. Na mesa havia um bilhete: "Extermino minha vida por livre-arbítrio e vontade para não acusar ninguém". Foi assim que Aliócha encontrou esse bilhete na mesa e o levou diretamente ao comissário de polícia, a quem contou tudo, e "de lá vim direto para cá" — concluiu Aliócha, olhando fixamente para o rosto de Ivan. Durante todo o tempo em que narrou o episódio, não desviou os olhos do irmão, como se estivesse muito impressionado com alguma coisa na expressão de seu rosto.

— Irmão — bradou de súbito —, é verdade que estás doente demais! Tu me olhas e é como se não entendesses o que falo.

— Foi bom que vieste — disse Ivan com ar meditativo, como se não tivesse ouvido a exclamação de Aliócha. — Olha, eu já sabia que ele havia se enforcado.

— Mas por intermédio de quem?

— Não sei de quem. Mas sabia. Será que sabia? Sim, ele me disse. Ainda agora ele estava me dizendo...

Ivan estava postado no meio do quarto e falava com o mesmo ar meditativo e fitando o chão.

— *Ele* quem? — perguntou Aliócha, olhando involuntariamente ao redor.

— Deu o fora.

Ivan levantou a cabeça e sorriu baixinho:

— Ficou com medo de ti, meu pombo. És um "querubim puro". Dmitri te chama de querubim. Querubim... O berro tonitruante de êxtase dos serafins! O que é um serafim? Pode ser uma constelação inteira. Ou talvez toda a constelação seja apenas alguma molécula química... Existe a constelação do Leão e do Sol, não sabias?

— Irmão, senta-te! — disse Aliócha assustado —, senta-te no sofá, pelo amor de Deus. Estás delirando, deita-te no travesseiro, assim. Queres uma toalha molhada na cabeça? Talvez melhores.

— Dá-me a toalha, está ali na cadeira, ainda há pouco eu a joguei lá.

— Aqui ela não está. Não te preocupes, sei onde está; aqui está — disse Aliócha, depois de encontrar em outro canto do quarto, na penteadeira de Ivan, uma toalha limpa, ainda dobrada e não usada. Ivan olhou estranhamente para a toalha; a memória lhe voltou como que num piscar de olhos.

— Espera — soergueu-se no sofá —, ainda há pouco, uma hora atrás, peguei essa mesma toalha de lá e a molhei. Não havia outra.

— Aplicaste esta toalha à cabeça? — perguntou Aliócha.

— Sim, fiquei andando pelo quarto, uma hora atrás... Por que as velas se extinguiram assim? Que horas são?

— Logo será meia-noite.

— Não, não, não! — bradou subitamente Ivan —, não, aquilo não era um sonho! Ele esteve, estava sentado ali, ali naquele sofá. Quando bateste à janela, atirei o copo nele... Este aqui... Espera, antes eu também dormia, mas esse sonho não foi sonho. Já o tive antes. Aliócha, ando tendo sonhos... mas não são sonhos, são reais: eu ando, falo e vejo... mas não durmo. Só que ele estava sentado aqui, estava aqui neste sofá... Ele é tremendamente estúpido, Aliócha, tremendamente estúpido — riu subitamente Ivan e pôs-se a andar pelo quarto.

— Quem é estúpido? De quem estás falando, irmão? — tornou a lhe perguntar Aliócha com tristeza.

— Do diabo! Ele pegou a mania de me aparecer. Esteve duas vezes aqui, até quase três. Ficou me provocando, dizendo que eu estaria zangado por ele ser simplesmente um diabo e não Satanás de asas chamuscadas, entre ribombos e clarões. Mas ele não é Satanás, ou está mentindo. É um impostor. É apenas um diabo, um diabo reles, insignificante. Frequenta casas de banho. Tira-lhe a roupa e certamente encontrarás o rabo, comprido, liso como o de um cão dinamarquês, tem um *archin* de altura, é pardo... Aliócha, estás gelado, estavas no meio da neve, queres chá? O quê, está frio? Queres que eu mande servir? *C'est à ne pas mettre un chien dehors...*

Aliócha correu rapidamente ao lavatório, molhou a toalha, convenceu Ivan a tornar a se sentar e lhe envolveu a cabeça com a toalha molhada. E sentou-se a seu lado.

— O que tu me dizias ainda há pouco sobre Liza? — recomeçou Ivan. (Estava ficando muito loquaz.) — Gosto de Liza. Eu te disse alguma coisa abominável sobre ela. Menti, gosto dela... Temo por Cátia amanhã, é o que me dá mais medo. Do futuro. Amanhã ela me largará e me pisoteará. Pensa que estou destruindo Mítia por ciúme dela! Sim, ela pensa isso! Só que não é verdade! Amanhã será a cruz, mas não a forca. Não, não vou me enforcar. Tu sabes, Aliócha, que nunca poderei me privar da vida! Será por torpeza? Não sou covarde. É por sede de viver! Como eu sabia que Smierdiakóv havia se enforcado? Sim, ele me contou!

— E tens a firme convicção de que alguém estava sentado ali? — perguntou Aliócha.

— Ali naquele sofá, no canto. Tu o terias expulsado. Aliás, tu o expulsaste mesmo: ele sumiu assim que apareceste. Gosto do teu rosto, Aliócha. Sabias que gosto do teu rosto? Mas *ele* é eu, Aliócha, eu mesmo. Tudo o que há de baixo em mim, tudo o que há de torpe e desprezível em mim! Sim, sou um "romântico", ele reparou... embora isso seja uma calúnia. Ele é tremendamente estúpido, mas por isso vence. É ladino, animalescamente ladino, sabe como me deixar furioso. Só fez me provocar, dizendo que eu creio nele, e com isso me obrigou a ouvi-lo. Ele me engazopou como a um menininho. De resto, me disse muitas verdades a meu respeito. Coisas que eu nunca diria a mim mesmo. Sabes, Aliócha, sabes? — acrescentou Ivan com ar extremamente sério e num tom meio confidencial. — Eu gostaria muito de que ele fosse realmente *ele*, e não eu!

— Ele te exauriu — disse Aliócha, olhando compadecido para o irmão.

— Estava me provocando! Sabes, e com astúcia, com astúcia: "Consciência! O que é a consciência? Eu mesmo a faço. Por que me martirizo? Por hábito. Pelo hábito universal humano adquirido em sete mil anos. Pois abandonemos esse hábito, e seremos deuses". Foi ele quem disse isso, ele quem disse!

— Será que não foste tu, que não foste tu? — bradou Aliócha num gesto incontido, olhando serenamente para o irmão. — Ah, deixa-o para lá, larga-o e esquece-o! Que ele leve consigo tudo o que agora amaldiçoas, e nunca mais volte!

— Mas ele, ele é malvado. Zombou de mim. Foi insolente, Aliócha — disse Ivan estremecido com a ofensa. — Mas ele me caluniou, caluniou muito. Mentiu contra mim mesmo na minha cara. "Oh, irás cometer a proeza da virtude, declararás que mataste teu pai, que o criado matou teu pai incitado por ti..."

— Irmão — interrompeu Aliócha —, procura te conter: não foste tu quem o matou. Isso não é verdade.

— É ele quem diz, ele, e disso ele sabe: "Irás cometer a proeza da virtude, mas não acreditas na virtude — eis o que te enfurece e atormenta, eis o que te faz tão vingativo". Foi ele quem me disse isso sobre mim mesmo, e ele sabe o que diz...

— És tu quem diz isso, e não ele! — exclamou Aliócha com amargura —, e o dizes doente, delirando, atormentando-te!

— Não, ele sabe o que diz. Tu, diz ele, irás lá por altivez, te prostrarás e dirás: "Fui eu que matei, e não há por que vos contorcerdes de horror! Desprezo vossa opinião, desprezo vosso horror". Estava falando de mim, e de repente disse: "Sabes, queres que eles te elogiem, dizendo: é criminoso, um assassino, mas que sentimentos magnânimos ele tem, quis salvar o irmão e confessou!". Isso já é mentira mesmo, Aliócha! — bradou subitamente Ivan com os olhos cintilando. — Não quero ser elogiado por *smierds*! Isso é mentira dele, Aliócha, mentira, eu te juro! Por isso atirei um copo nele, que se quebrou nas fuças dele.

— Irmão, acalma-te, para! — implorava Aliócha.

— Não, ele sabe atormentar, ele é cruel — continuou Ivan sem ouvir. — Sempre pressenti com que fim ele aparecia. "Vá, diz ele, que compareças por altivez, mas mesmo assim havia a esperança de que desmascarem Smierdiakóv e o mandem para os trabalhos forçados e absolvam Mítia, e, quanto a ti, só te condenarão *moralmente* (ouve, nesse ponto ele ria!), mas outros acabarão mesmo elogiando. Pois bem, Smierdiakóv morreu, enforcou-se — e agora, quem vai acreditar em ti sozinho lá no julgamento? Sim, porque comparecerás, comparecerás, apesar de tudo comparecerás, decidiste que comparecerás. Para que comparecerás depois disso?" Aliócha, isso é terrível, não consigo suportar essas perguntas. Quem se atreve a me fazer semelhantes perguntas?!

— Irmão — interrompeu Aliócha gélido de medo, mas ainda assim como se esperasse chamar Ivan à razão —, como é que ele poderia te falar da morte de Smierdiakóv antes de minha chegada, quando ninguém ainda sabia dela, e além do mais não havia tempo para que ninguém soubesse?

— Ele falou — pronunciou Ivan com firmeza, sem admitir dúvida. — Se queres saber, foi só sobre isso que ele falou. "Se ao menos acreditasses na virtude, diz ele: pouco se me dá que não acreditem em mim, vou comparecer por princípio. Mas acontece que és um porco como Fiódor Pávlovitch, que te importa a virtude? A troco de que te arrastarás para lá se teu sacrifício já não servirá para nada? É por isso que tu mesmo não sabes para que comparecerás! Oh, darias tudo para saber tu mesmo por que irás comparecer! Será que já terias decidido? Ainda não te decidiste. Passarás a noite inteira sentado e tentando decidir: comparecer ou não? Mas mesmo assim comparecerás, sabes que comparecerás, tu mesmo sabes que, por mais que tentes decidir, a decisão já não depende de ti. Comparecerás porque não te atreverás a não comparecer. Por que não ris? — bem procura tu mesmo adivinhar, eis um enigma!" Levantou-se e foi embora. Tu chegaste, mas ele havia saído. Chamou-me de covarde, Aliócha. *Le mot de l'énigme*[74] é que sou um covarde! "Não são águias desse tipo que planam sobre a terra!" Foi ele que acrescentou, foi ele que acrescentou! E Smierdiakóv disse a mesma coisa. É preciso matá-lo. Cátia me despreza, há um mês venho notando isso, e Liza também começará a me desprezar! "Comparecerás para que te elogiem", isso é uma mentira brutal! E tu também me desprezas, Aliócha. Agora mais uma vez voltarei a te odiar. E odeio o monstro, e odeio o monstro! Não quero salvar o monstro, que apodreça nos trabalhos forçados! Já entoou o hino! Oh, amanhã vou comparecer, parar diante deles e cuspir na cara de todos!

Levantou-se em desvario, arrancou a toalha da cabeça e voltou a andar pelo quarto. Aliócha lembrou-se de suas recentes palavras: "Como se eu dormisse de olhos abertos... Caminho, falo e vejo, mas não durmo". É justamente como se isso acontecesse agora. Aliócha não arredava de junto dele. Ia-lhe passando pela cabeça a ideia de correr ao médico e trazê-lo, mas temeu deixar o irmão sozinho: não havia absolutamente a quem confiá-lo. Por fim Ivan começou pouco a pouco a perder inteiramente a consciência. Continuava a falar, falava sem parar, mas de modo já completamente desarticulado. Inclusive pronunciava mal as palavras, e súbito cambaleou violentamente. Mas Aliócha conseguiu segurá-lo. Ivan deixou-se levar até a cama, a custo Aliócha lhe tirou a roupa e o deitou. E ainda passou umas duas horas velando por ele. O doente dormia fundo, imóvel, respirando baixo e de

[74] "A resposta do enigma", em francês. (N. do T.)

forma regular. Aliócha pegou um travesseiro e deitou-se no sofá sem tirar a roupa. Ao adormecer, rezou por Mítia e por Ivan. Passara a compreender a doença de Ivan: "Os tormentos de uma decisão altiva, a consciência profunda!". Deus, em quem ele não acreditava, e Sua verdade lhe venciam o coração, que ainda se negava a subordinar-se. "Sim!", passava pela cabeça de Aliócha, já pousada no travesseiro, "sim, já que Smierdiakóv morreu, ninguém acreditará mesmo no depoimento de Ivan; mas ele comparecerá e deporá!". Aliócha sorriu baixinho: Deus há de vencer!, pensou. "Ou Ivan se erguerá à luz da verdade, ou... sucumbirá no ódio, vingando-se de si mesmo e de todo mundo por ter servido àquilo em que não acredita", acrescentou Aliócha amargamente e tornou a rezar por Ivan.

Livro XII
UM ERRO JUDICIÁRIO

I. O DIA FATAL

No dia seguinte aos acontecimentos que descrevi, às dez horas da manhã, abriu-se a sessão do nosso tribunal distrital e começou o julgamento de Dmitri Karamázov.

Antecipo-me e insisto: nem de longe me considero em condições de transmitir, não só com a devida plenitude, mas nem sequer na devida ordem, tudo o que aconteceu durante o julgamento. Continuo achando que se for para rememorar tudo e explicar tudo a contento, será necessário mais um livro inteiro, e imenso. Por isso, espero que ninguém se queixe por eu transmitir apenas o que me impressionou pessoalmente e o que memorizei em especial. Posso ter tomado o secundário pelo principal, até ter omitido a totalidade dos detalhes mais patentes e relevantes... Pensando bem, percebo que é melhor não me explicar. Farei como sei, e os próprios leitores compreenderão que só fiz como sabia fazer.

Em primeiro lugar, antes de entrarmos na sala do tribunal, mencionarei o que nesse dia me deixou particularmente impressionado. Aliás, não só a mim mas a todos, como se verificou posteriormente. Para ser mais preciso: todos sabiam que havia gente demais interessada no caso, que todos ardiam de impaciência na expectativa do início do julgamento, que em nossa sociedade abundavam comentários, conjeturas, exclamações e fantasias havia já dois meses inteiros. Todos sabiam igualmente que esse caso já ganhara notoriedade em toda a Rússia, mas ainda assim não imaginavam que ele já houvesse provocado em todos e cada um uma comoção tão pungente, tão irritante, e não só em nossa cidade mas por toda parte, como naquele dia se verificou em pleno julgamento. Então chegaram os convidados tanto da principal cidade de nossa província como de algumas outras cidades da Rússia e, por fim, de Moscou e Petersburgo. Vieram juristas, vieram até algumas celebridades e também senhoras. Todos os convites se esgotaram rapidamente. Para os convidados masculinos particularmente honoráveis e ilustres, reservaram-se lugares — coisa totalmente inédita — atrás da mesa destinada aos membros do tribunal: ali apareceu uma série inteira de poltronas ocupadas por personalidades diversas, o que antes nunca se admitira em nossa cidade. Era particularmente grande o número de senhoras — nossas e de fora, acho até que não constituíam menos da metade de todo o público. Só os juristas vindos de todas as partes eram tantos que até já nem se sabia onde acomodá-los, pois todos os convites haviam sido distribuídos com muita antecedência, cedidos à custa de solicitações e súplicas. Eu mesmo vi colocarem provisoriamente e às pressas atrás do tablado, no final da sala, um cercado especial, atrás do qual foram acomodados todos os juristas presentes, e estes se consideraram até felizes por terem conseguido ao menos ficar ali em pé, porque, para liberar espaço, todas as cadeiras haviam sido retiradas de trás desse cercado, e toda a multidão ali aglomerada assistiu ao "processo" inteiro em pé, amontoada, apertada, ombro a ombro. Algumas das senhoras, sobretudo as de fora, apareceram nas galerias excessivamente engalanadas, mas a maioria até se esqueceu de arrumar-se. Lia-se em seu rosto uma curiosidade histérica, ávida, quase doentia. Um dos traços mais característicos de toda essa sociedade ali reunida, e que precisa ser ressaltado, consistia em que quase todas as senhoras, ao menos sua maioria esmagadora, eram favoráveis a Mítia e à sua absolvição, como mais tarde foi confirmado por muitas observações. Talvez isso fosse o principal, porque já se formara sobre ele a noção de um conquistador dos corações femininos. Sabia-se que iriam aparecer duas mulheres rivais. Todas as presentes já estavam particularmente interessadas numa delas, isto é, em Catierina Ivánovna; a seu respeito contava-se um número extraordinário de histórias fora do comum, contavam-se anedotas surpreendentes sobre sua paixão por Mítia, mesmo apesar de seu crime. Mencionava-se em particular seu orgulho (ela não fizera visitas a quase ninguém em nossa sociedade), suas "relações aristocráticas". Dizia-se que tencionava pedir permissão ao governo para acompanhar o criminoso aos trabalhos forçados e casar-se com ele em alguma mina subterrânea. Não era menor a agitação com que elas esperavam também o aparecimento de Grúchenka no tribunal, como rival de Catierina Ivánovna. Torturadas de curiosidade, esperavam o encontro das duas rivais diante da Corte — a orgulhosa moça aristocrata e a "hetera" — antes do início do julgamento. Aliás, Grúchenka era mais conhecida das nossas damas do que Catierina Ivánovna. Ela, a "destruidora de Fiódor Pávlovitch e seu filho infeliz", já havia sido vista antes por nossas damas, e todas, quase até a última, se admiravam de como o pai e o filho puderam se apaixonar a tal ponto pela "pequeno-burguesa russa mais comum, até sem graça". Numa palavra, os boatos eram muitos. Sei ao certo que, precisamente em nossa cidade, houve até algumas brigas sérias em famílias por causa de Mítia. Muitas senhoras brigaram acaloradamente com seus esposos por causa da diferença de pontos de vista acerca de todo esse horrível caso, e naturalmente depois disso todos os maridos dessas senhoras apareceram na sala do tribunal já tomados não só de antipatia, mas até de fúria contra o réu. Em linhas gerais, pode-se afirmar que, ao contrário do elemento feminino, todo o elemento masculino era hostil ao réu. Viam-se rostos severos, carrancudos, alguns até completamente raivosos, e isso em grande número. Também é verdade que Mítia conseguira ofender pessoalmente muitos desses homens durante sua permanência em nossa cidade. É claro que outros presentes estavam quase inteiramente alegres e bastante alheios ao destino propriamente dito de Mítia, mas outra vez, não ao seu caso; todos estavam interessados em seu desfecho, e a maioria dos homens desejava terminantemente a punição do criminoso, com a única exceção dos juristas, a quem não era caro o aspecto moral do caso, mas apenas o seu aspecto, por assim dizer, jurídico moderno. Todos estavam inquietos com a presença do famoso Fietiukóvitch. Seu talento era conhecido em toda parte, e esta já não era a primeira vez que ele aparecia numa província para defender rumorosos processos criminais. Depois de sua defesa, esses processos sempre ganhavam notoriedade em toda a Rússia e eram lembrados por muito tempo. Circulavam algumas anedotas sobre o nosso promotor e o presidente do tribunal. Contava-se que o nosso promotor tremia na expectativa do encontro com Fietiukóvitch, que os dois eram antigos inimigos desde os tempos de Petersburgo, desde o início de suas carreiras; que o nosso ambicioso Hippolit Kiríllovitch, que ainda se considerava permanentemente ofendido, desde sua passagem por Petersburgo, por alguém que não havia apreciado devidamente seu talento, recobrara a antiga disposição com o caso Karamázov e sonhava fazer renascer com esse processo sua murcha carreira, mas só Fietiukóvitch o amedrontava. Contudo, no tocante ao tremor perante Fietiukóvitch, as opiniões não eram inteiramente justas. Nosso promotor não era desse tipo de índole que se deixa abater diante do perigo, mas, ao contrário, daqueles cujo amor-próprio cresce e se enche de entusiasmo justamente na medida em que o perigo aumenta. Em linhas gerais, cabe observar que o nosso promotor era exaltado demais e patologicamente suscetível. Em alguns casos empenhava toda a sua alma e os conduzia como se de sua decisão dependessem todo o seu destino e toda a sua dignidade. No mundo jurídico riam um pouco disso, pois por essa sua qualidade o nosso promotor se fizera até merecedor de certa notoriedade, se não em toda parte (longe disso), pelo menos bem maior do que se poderia supor em virtude de seu modesto posto em nosso tribunal. Riam particularmente de sua paixão pela psicologia.

A meu ver, todos estavam equivocados: como homem e caráter, nosso promotor, é o que me parece, era bem mais sério do que muitos pensavam a seu respeito. Mas esse homem doentio fora muito inábil ao dar os primeiros passos ainda no início de sua carreira e, posteriormente, em toda a sua vida.

Quanto ao presidente do nosso tribunal, a seu respeito pode-se dizer apenas que era um homem instruído, humano, que conhecia o assunto na prática e tinha as ideias mais modernas. Era bastante ambicioso, mas não se preocupava muito com sua carreira. O principal objetivo de sua vida era ser um homem avançado. Ademais, tinha relações e fortuna. Como se verificou posteriormente, encarava o caso dos Karamázov com bastante fervor, mas apenas num sentido geral. Interessavam-no o fenômeno, sua classificação, a concepção que se tinha dele como produto dos alicerces da nossa vida social, como característica do elemento russo, etc., etc. Dava ao caráter pessoal do caso, à sua sua tragédia, assim como à personalidade dos participantes, a começar pelo réu, um tratamento bastante indiferente e abstrato, como, aliás, talvez conviesse.

Muito antes do aparecimento dos membros da Corte a sala já estava repleta. A sala do nosso tribunal, ampla, alta, sonora, é a melhor da cidade. À direita dos membros da Corte, instalados num tablado, foram colocadas uma mesa e duas fileiras de poltronas para o júri. À esquerda ficavam os assentos do réu e de seu defensor. No meio da sala, próximo à mesa dos membros da Corte, havia uma mesa com as "provas materiais". Aí estavam o roupão de seda branca de Fiódor Pávlovitch, ensanguentado, a fatídica mãozinha do pilão de cobre, com a qual fora cometido o suposto crime, a camisa de Mítia com a manga manchada de sangue, a sobrecasaca toda manchada de sangue na parte de trás, onde ficava o bolso em que ele metera o lenço encharcado de sangue, o próprio lenço endurecido pelo sangue, agora totalmente amarelado, a pistola que Mítia carregara em casa de Pierkhótin para se suicidar mais tarde e que lhe fora tirada furtivamente por Trifón Boríssovitch em Mókroie, o envelope dos três mil rublos destinados a Grúchenhka, a fitinha cor-de-rosa que o atava e muitos outros objetos, que aqui omito. No fundo da sala, a certa distância, ficavam os lugares destinados ao público, e em frente à balaustrada algumas poltronas reservadas às testemunhas que já haviam prestado depoimento e permaneceriam na sala. Às dez horas chegaram os membros da Corte, composta pelo presidente, um secretário e um honorífico juiz de paz. É claro que no mesmo instante também chegou o promotor. O presidente era corpulento, atarracado, de estatura abaixo da mediana, rosto de tom hemorroidal, de uns cinquenta anos, cabelos grisalhos e curtos, e usava uma fita vermelha — já não me lembro de que tipo de condecoração. A mim, e não só a mim, mas a todos os presentes, o promotor pareceu muito pálido, o rosto quase verde, como se tivesse emagrecido de repente, talvez em uma noite, porque fazia apenas dois dias que eu o vira ainda em plena forma. O presidente começou perguntando ao oficial de justiça: todos os jurados estarão presentes?...Vejo, no entanto, que não posso continuar a narrar assim, até porque muita coisa não consegui ouvir, numas não penetrei fundo, outras me esqueci de mencionar, mas principalmente porque, como já disse antes, se fosse mencionar tudo o que foi dito e o que ocorreu, literalmente me faltariam tempo e espaço. Sei apenas que as duas partes, isto é, a defesa e a acusação, só rejeitaram um reduzido número de jurados. O júri foi formado por quatro funcionários públicos, dois comerciantes e seis camponeses e pequeno-burgueses de nossa cidade. Lembro-me de que, bem antes do julgamento, muita gente de nossa sociedade se perguntava com surpresa, principalmente as senhoras: "Será que um caso tão delicado, complexo e de cunho psicológico pode ficar à mercê da decisão fatal de certos funcionários e, enfim, de mujiques?"; e "o que um funcionário qualquer, e ainda mais um mujique, vai compreender nesse caso?". Com efeito, todos esses quatro funcionários que compunham o corpo de jurados eram gente miúda, da baixa burocracia, grisalhos — só um deles levemente mais jovem —, pouco conhecidos em nossa sociedade, que vinham vegetando com parcos vencimentos, tinham, quiçá, esposas velhas inapresentáveis onde quer que fosse, uma penca de filhos, talvez até descalços, encontravam num joguinho de baralho em algum lugar o máximo com que distrair seu ócio e, naturalmente, nunca haviam lido um único livro. Os dois comerciantes, ainda que de aspecto grave, eram estranhamente calados e tardos; um deles estava barbeado e vestido à moda alemã; o outro, de barbicha grisalha, usava não sei que medalha numa fita vermelha pendurada no pescoço. Dos pequeno-burgueses e dos mujiques é escusado falar. Os pequeno-burgueses de Skotoprigónievsk são quase idênticos aos camponeses: até lavram a terra. Dois deles usavam trajes alemães e talvez por isso tivessem uma aparência mais suja e mais sem graça que os outros quatro. De sorte que realmente poderia ocorrer a alguém, como ocorreu a mim, por exemplo, mal pus os olhos neles: "O que essa gente pode compreender num caso como esse?". Entretanto, seus rostos produziam uma estranha impressão de imponência e quase ameaça, estavam severos, carrancudos.

Por fim, o presidente declarou aberta a audiência de julgamento do processo de assassinato do conselheiro titular aposentado Fiódor Pávlovitch Karamázov — não me lembra exatamente como ele se exprimiu. Deu ordens para que o oficial de justiça fizesse entrar o réu, e eis que Mítia apareceu. Na sala tudo ficou em silêncio, dava para ouvir o voo de uma mosca. Nos outros eu não sei, mas Mítia deixou em mim a impressão mais desagradável. Note-se que se apresentou como um almofadinha, de sobrecasaca novinha em folha. Depois eu soube que a encomendara especialmente para aquele dia a seu antigo alfaiate de Moscou, que ainda guardava as suas medidas. Estava ele de novíssimas luvas de pelica preta e uma elegante camisa branca. Avançou com seus passos longos, olhando teso à frente, e sentou-se em seu lugar com o aspecto mais imperturbável. No mesmo instante apareceu seu advogado, o célebre Fietiukóvitch, e uma espécie de sussurro como que abafado espalhou-se pela sala. Era um homem comprido, seco, de longas pernas finas, dedos pálidos, afilados, rosto escanhoado, cabelo bastante curto e modestamente penteado, lábios finos, que de raro em raro se contraíam não se sabe se numa caçoada ou se num sorriso. Aparentava uns quarenta anos. Seu rosto seria até agradável não fossem os olhos, por si sós miúdos e inexpressivos, colados um no outro de forma rara, de tal modo que só o osso fino de seu longo e delgado nariz os separava. Numa palavra, sua fisionomia tinha um jeito acentuado de ave, o que impressionava. Usava fraque e gravata branca. Lembro-me das primeiras perguntas formuladas ao acusado pelo presidente, sobre seu nome, estado civil, etc. Mítia respondeu com rispidez, mas num tom inesperadamente um tanto alto, de tal modo que o presidente chegou a menear a cabeça e o olhou quase espantado. Em seguida, leu-se uma longa lista dos convocados para o inquérito, isto é, as testemunhas e os peritos. Faltavam quatro testemunhas: Miússov, que havia regressado a Paris mas prestara depoimento durante a instrução criminal, a senhora Khokhlakova, o fazendeiro Maksímov, este por motivo de doença, e Smierdiakóv, falecido subitamente, ao que se ajuntou um atestado da polícia. A notícia de sua morte causou forte agitação e um zunzum na sala. É claro, muitos dos presentes ainda não sabiam nada acerca desse suicídio. Mas o que impressionou particularmente a todos foi uma inesperada extravagância de Mítia: mal se transmitiu a notícia, exclamou subitamente de seu lugar para toda a sala:

— Para cachorro, morte de cachorro!

Lembro-me de que seu defensor correu para ele e o presidente o ameaçou com medidas severas se semelhante extravagância se repetisse. Com fala entrecortada e meneando a cabeça, mas sem parecer esboçar nenhum arrependimento, Mítia repetiu várias vezes em voz baixa ao seu defensor:

— Não repetirei, não repetirei! Foi sem querer! Não direi mais!

E esse curto episódio evidentemente não o favoreceu na opinião dos jurados e do público. Sua índole se revelava e ele mostrava quem era. Foi sob essa impressão que o secretário do tribunal leu a peça de acusação.

Esta era bastante concisa, mas circunstanciada. Expunha apenas os principais motivos que levavam fulano às barras do tribunal, por que devia ser julgado, etc. Mesmo assim ela me causou forte impressão. O secretário leu com voz nítida, sonora, precisa. Era como se essa tragédia reaparecesse inteiramente diante de todos com muito relevo, iluminada por uma luz fatídica, implacável. Lembro-me de como, imediatamente após a leitura, o presidente perguntou a Mítia em voz alta e imponente:

— Réu, o senhor se reconhece culpado?

Mítia levantou-se de supetão.

— Eu me reconheço culpado por bebedeira e devassidão — exclamou com uma voz novamente inesperada, quase desvairada —, por indolência e arruaça. Quis me tornar um homem para sempre honrado precisamente no instante em que o destino me fisgou! Mas não sou culpado pela morte do velho, meu pai e inimigo! Tampouco o roubei; não, não, não sou culpado, e além disso não posso ser culpado: Dmitri Karamázov é um patife, mas não um ladrão!

Depois desse brado tornou a sentar-se, visivelmente trêmulo. O presidente tornou a lhe fazer uma admoestação breve, porém edificante, para que respondesse unicamente às perguntas e evitasse exclamações impróprias e desvairadas. Em seguida ordenou que se procedesse ao sumário de culpa. Chamaram todas as testemunhas para prestar juramento. Então vi todas de uma só vez. Aliás, os irmãos do réu foram admitidos como testemunhas sem prestar juramento. Depois das exortações do sacerdote e do presidente, as testemunhas foram conduzidas para tomar assento, na medida do possível em separado. Em seguida começaram a ser chamadas uma de cada vez.

II. Testemunhas perigosas

Não sei se, de alguma forma, o presidente determinou a divisão das testemunhas da acusação e da defesa em grupos e a ordem exata em que deveriam ser chamadas. É provável que tudo tenha sido assim. Sei apenas que as testemunhas da acusação foram as primeiras a ser chamadas. Repito que não pretendo descrever passo a passo todas as inquirições. Ademais, minha descrição resultaria, em parte, até supérflua, porque, uma vez iniciados os debates, o curso e o sentido de todos os depoimentos dados e tomados foram resumidos nos discursos do defensor e do promotor com uma interpretação clara e precisa, e ao menos algumas passagens desses dois magníficos discursos eu anotei integralmente e as transmitirei a seu tempo, como o farei com um episódio extraordinário e totalmente inesperado do processo, que se deu subitamente ainda antes dos debates e, sem dúvida, influenciou seu desfecho temível e fatal. Observo apenas que, desde os primeiros minutos do julgamento, manifestou-se uma peculiaridade especial desse "caso", que todos perceberam, a saber: a força extraordinária da acusação comparada aos recursos de que dispunha a defesa. Isto todos compreenderam desde o primeiro instante, quando nessa temível sala do tribunal os fatos[75] começaram a agrupar-se, concentrar-se, e todo aquele horror e aquele sangue derramado começaram pouco a pouco a vir à tona. Já nos primeiros passos do julgamento todos possivelmente compreenderam que esse caso não era nem sequer discutível, que não havia dúvida de que, no fundo, nenhum debate seria necessário, que os debates eram mera questão formal, e que o criminoso era culpado, evidentemente culpado, definitivamente culpado. Creio até que todas as senhoras, da primeira à última, que ansiavam com tanta impaciência pela absolvição do interessante réu, ao mesmo tempo estavam inteiramente convictas de sua plena culpa. Parece-me, além disso, que ficariam até amarguradas se sua culpa não tivesse a devida confirmação, pois não haveria um efeito notório no desfecho quando absolvessem o criminoso. E quanto à absolvição, disso — coisa estranha — todas elas estiveram plenamente convencidas quase até o último minuto: "é culpado, mas o absolverão por uma questão de humanidade, movidos pelas novas ideias, pelos novos sentimentos em voga", etc., etc. Por isso acorreram ao tribunal com tanta impaciência. Já os homens estavam mais interessados no embate entre o promotor e o famoso Fietiukóvitch. Todos se admiravam e se perguntavam: o que até mesmo um talento como Fietiukóvitch poderia fazer de uma causa tão perdida, de um ovo goro? — daí a tensão com que acompanhavam passo a passo a proeza do advogado. Contudo, Fietiukóvitch permaneceu um enigma para eles até o fim, até fazer seu discurso. As pessoas experientes pressentiam que ele tinha um sistema, que já estava com algo definido, que tinha pela frente um objetivo, mas que objetivo era esse — impossível adivinhar. Entretanto, sua segurança e sua autossuficiência saltavam à vista. Além disso, todos logo notaram com satisfação que ele, tão recém-chegado à nossa cidade, em coisa de apenas três dias, talvez, tivesse conseguido colocar-se surpreendentemente a par do caso e estudá-lo "nos mínimos detalhes". Mais tarde, deliciavam-se contando, por exemplo, como ele conseguira oportunamente "pôr em maus lençóis" todas as testemunhas da acusação e, na medida do possí-

[75] O promotor e o advogado de defesa empregam o termo fato (*fakt*) como semelhante a prova (*ulika*, *dokazátiélstvo*), e assim foi mantido na tradução. (N. do T.)

vel, desnorteá-las e — o principal — manchar sua reputação moral e então comprometer naturalmente seus depoimentos. De resto, supunham que ele agia assim muito por uma questão de jogo, por assim dizer, de certo brilho jurídico, para não deixar de lançar mão de nenhum dos procedimentos de praxe da advocacia, porquanto todos estavam convencidos de que esses "comprometimentos" não lhe trariam nenhuma vantagem grande e definitiva, e provavelmente ele mesmo compreendia isso melhor do que ninguém, pois tinha uma ideia guardada, alguma arma de defesa ainda escondida, que mostraria de repente quando chegasse o momento. Mas por enquanto parecia brincar e divertir-se, consciente que estava de sua força. Assim, por exemplo, quando interrogavam Grigori Vassílievitch, o antigo criado de Fiódor Pávlovitch, que dera o depoimento mais importante a respeito da "porta aberta para o jardim", o advogado de defesa aferrou-se a ele quando chegou sua vez de perguntar. Cabe observar que Grigori Vassílievitch apresentou-se na sala sem se perturbar minimamente com a majestade do tribunal, nem com a presença do imenso público que o ouvia, e tinha um ar tranquilo e quase imponente. Depunha com tamanha segurança que era como se palestrasse a sós com sua Marfa Ignátievna, apenas com maior deferência. Era impossível desconcertá-lo. O promotor começou por interrogá-lo longamente sobre todos os pormenores da família Karamázov. O quadro da família ficou nitidamente exposto. Ouvia-se, notava-se que a testemunha era ingênua e imparcial. Em que pese todo o mais profundo respeito à memória de seu antigo amo, ainda assim declarou, por exemplo, que este fora injusto com Mítia e que "não educou os filhos como devia. Se não fosse eu, seu filho pequeno teria sido devorado pelos piolhos — acrescentou, falando da infância de Mítia. — Também não estava direito o pai deserdar o filho da fazenda, herança materna, familiar." Quando o promotor lhe perguntou que fundamentos ele tinha para afirmar que Fiódor Pávlovitch prejudicara o filho nos cálculos da herança, Grigori Vassílievitch, para surpresa geral, não apresentou quaisquer provas fundamentadas, mas mesmo assim insistiu em que as "contas estavam erradas" e que ele "deveria ter pago alguns milhares de rublos a mais". Observo, a propósito, que depois o promotor fez essa mesma pergunta — Fiódor Pávlovitch realmente deixara de pagar algo a Mítia? — com particular insistência a todas as testemunhas a quem lhe cabia perguntar, sem excluir Aliócha nem Ivan Fiódorovitch, mas não recebeu de nenhuma das testemunhas qualquer informação precisa; todas afirmaram o fato, mas nenhuma apresentou uma prova minimamente clara. Quando Grigori descreveu a cena à mesa, em que Dmitri Fiódorovitch irrompeu em casa do pai e o espancou, ameaçando-o de voltar para matá-lo, causou uma impressão sombria, tanto mais que o velho criado falava com calma, concisão, numa linguagem original, e o resultado foi muitíssimo eloquente. Declarou que já perdoara Mítia havia muito tempo pelo golpe que lhe dera, deixando-o desmaiado. Quanto ao falecido Smierdiakóv, disse, benzendo-se, que era um moço com muitas aptidões, mas tolo e deprimido pela doença e ainda herege, e que aprendera a ser herege com Fiódor Pávlovitch e seu filho mais velho.[76] No entanto, confirmou quase com veemência a honestidade de Smierdiakóv e ato contínuo narrou como certa vez, tendo Smierdiakóv encontrado certa quantia perdida pelo amo, não a escondeu mas a devolveu ao amo, e por isso ele lhe "deu uma moeda de ouro" e desde então passou a confiar totalmente nele. Grigori insistiu com obstinação que vira aberta a porta do jardim. Aliás, fizeram-lhe ainda tantas perguntas que não posso me lembrar de todas. Por fim chegou a vez do advogado de defesa, que, em primeiro lugar, começou inteirando-se sobre o envelope em que Fiódor Pávlovitch "teria" guardado três mil rublos "para certa pessoa". "O senhor mesmo os viu, o senhor, que foi pessoa próxima de seu amo durante tantos anos?" Grigori respondeu que não vira nem ouvira literalmente ninguém falar daquele dinheiro "até o momento em que todos começaram a falar nele". Fietiukóvitch, por sua vez, também fez essa pergunta sobre o pacote a todas as testemunhas que pôde, com a mesma insistência com que o promotor fez sua pergunta sobre a partilha da fazenda, e também recebeu de todos a única resposta de que ninguém jamais havia visto o pacote, embora muitos tivessem ouvido falar a seu respeito. Desde o início todos notaram essa insistência do advogado com essa pergunta.

— Agora, posso lhe perguntar, se me permite — perguntou súbita e inesperadamente Fietiukóvitch —, de que se compunha aquele bálsamo, ou melhor, aquela infusão com que o senhor esfregou sua sofrida região renal antes de deitar-se, na noite do crime, na esperança de curar-se, conforme consta dos autos da instrução criminal?

Grigori olhou-o com ar abobalhado e, depois de um silêncio, murmurou:

— Era de extrato de sálvia.

— Apenas sálvia? Não se lembra de mais nada?

— Também havia tanchagem.

— E pimenta, talvez? — interessou-se Fietiukóvitch.

— Sim, pimenta também.

— E outras coisas mais. E tudo isso com vodca?

[76] Confusão do depoente: o filho mais velho é Mítia, e não Ivan. (N. do T.)

— Não, com álcool.

Um riso abafado percorreu a sala.

— Estão vendo, havia até álcool. Depois de esfregar as espáduas e a região renal, o senhor bebeu o resto do conteúdo da garrafa, enquanto sua esposa rezava com devoção uma oração que somente ela conhece, não é verdade?

— Sim.

— Bebeu muito? Por exemplo: um cálice, dois?

— Coisa de um copo.

— Coisa de um copo? Talvez um copo e meio?

Grigori não respondeu. Parecia ter compreendido algo.

— Um copinho e meio de álcool purinho... não está mal, não acham? Dá para ver até "as portas do paraíso abertas" e não só a porta do jardim?

Grigori continuava calado. Ouviu-se outra vez pela sala um rumor de risos abafados. O presidente agitou-se.

— Saberia com certeza — aferroava-o Fietiukóvitch — se estava acordado no instante em que viu aberta a porta do jardim?

— Estava de pé.

— Isso não prova que não estivesse dormindo (novos risos na sala). Poderia, por exemplo, responder naquele instante, se alguém lhe perguntasse, bem, por exemplo, em que ano estamos?

— Não sei.

— Pois bem: em que ano da era cristã estamos nós? Sabe dizê-lo?

Em pé, com ar abatido, Grigori olhava fixo para o seu algoz. Coisa estranha! Era como se ele realmente ignorasse em que ano estavam.

— Não obstante, sabe, talvez, quantos dedos há em cada mão?

— Sou um homem dependente — pronunciou subitamente Grigori em voz alta e clara —, se as autoridades desejam zombar de mim, devo suportá-lo.

Fietiukóvitch ficou um pouco sem jeito. O presidente interveio e lembrou ao advogado de defesa que devia fazer perguntas mais adequadas ao caso. Fietiukóvitch ouviu, fez uma reverência com dignidade e declarou que suas perguntas estavam encerradas. É claro que o depoimento de um homem que, sob o efeito de certo tratamento, podia "ver as portas do paraíso abertas" e, além disso, ignorava o ano da era cristã em que estava, podia deixar o vermezinho da dúvida tanto no público como nos jurados; por conseguinte, o advogado de defesa havia alcançado seu objetivo, apesar de tudo. No entanto, antes da saída de Grigori houve um novo episódio. Dirigindo-se ao acusado, o presidente perguntou-lhe se tinha alguma observação a fazer.

— Com exceção da porta, em tudo ele disse a verdade — exclamou Mítia. — Por ter catado piolhos em mim, agradeço; por me perdoar pelo espancamento, agradeço; em toda a sua vida, esse velho foi honesto e fiel ao meu pai como setecentos poodles.

— Réu, escolha suas expressões — disse com severidade o presidente.

— Não sou um poodle — grunhiu Grigori.

— Pois então o poodle sou eu! — gritou Mítia. — Se é uma ofensa, tomo-a para mim e lhe peço desculpas: fui um animal com ele, e cruel! Com Esopo também fui cruel.

— Com que Esopo? — interrompeu severamente o presidente.

— Ora... com Pierrô... com meu pai, com Fiódor Pávlovitch.

O presidente fez nova e severa exortação a Mítia para que escolhesse os seus termos com mais prudência.

— Assim o senhor mesmo se prejudica na opinião de seus juízes.

O advogado de defesa foi igualmente muito habilidoso ao interrogar Rakítin. Observo que Rakítin era uma das testemunhas mais importantes e por quem o promotor tinha evidentemente grande apreço. Verificou-se que Rakítin estava a par de tudo, tinha conhecimento de um número surpreendentemente grande de coisas, estivera com todo mundo, vira tudo, conversara com todos, conhecia nos mínimos detalhes a biografia de Fiódor Pávlovitch e de todos os Karamázov. É verdade que também só ouvira do próprio Mítia a história do pacote com os três mil. Em compensação, descreveu as façanhas de Mítia na taverna A Capital, todas as suas palavras e gestos que o comprometiam, e contou a história do "esfregão", o capitão Snieguirióv. Quanto ao ponto especial — se Fiódor Pávlovitch ficara devendo alguma coisa a Mítia no ajuste de contas da fazenda —, nem o próprio Rakítin pôde indicar nada e limitou-se a desprezíveis lugares-comuns: "quem", alegou, "poderia entender qual dos dois tinha culpa e calcular quem ficara devendo a quem nessa barafunda karamazoviana, onde ninguém conseguia entender a si mesmo nem se definir?". Apresentou toda a tragédia do crime em julgamento como produto dos costumes caducos do regime de servidão e de uma Rússia submersa na desordem e vítima da ausência de instituições adequadas. Em suma, deixaram-no dizer alguma coisa. A partir desse processo o senhor Rakítin revelou-se pela primeira vez e se fez notar; o promotor sabia que a testemunha preparava para uma revista um artigo sobre esse crime e, mais tarde, até citou em seu discurso (como veremos adiante) algumas ideias tiradas desse artigo, o que significa que já o conhecia. O quadro pintado pela testemunha resultou sombrio e fatídico e reforçou intensamente a "acusação". Em linhas gerais, a exposição de Rakítin cativou o público pela independência do pensamento e a nobreza incomum de seu voo. Ouviram-se até uns dois ou três aplausos escaparem de repente, justo nas passagens em que ele falou do regime de servidão e da Rússia vítima da desordem. Mas mesmo assim Rakítin, por ser jovem, cometeu uma pequena falha, da qual a defesa conseguiu imediatamente tirar extraordinário proveito. Ao responder a certas perguntas a respeito de Grúchenka, ele, entusiasmado com seu sucesso, do qual, é claro, já estava consciente, e com o auge da grandeza em que então pairava, permitiu-se uma referência um tanto desdenhosa a Agrafiena Alieksándrovna, chamando-a "manteúda do comerciante Samsónov". Depois teria pago qualquer preço para retratar-se, pois foi justo aí que Fietiukóvitch o pegou no ato. E tudo porque Rakítin não considerou minimamente que o advogado poderia ter conhecido o caso em detalhes tão íntimos num prazo tão curto.

— Permita-me saber — começou o advogado de defesa com o sorriso mais amável e até respeitoso quando foi sua vez de perguntar —, o senhor, evidentemente, é aquele mesmo senhor Rakítin de quem li recentemente com tanto prazer a brochura *A vida do padre stárietz Zossima, morto na graça de Deus*, editada pelas autoridades eclesiásticas, cheia de pensamentos profundos e religiosos, com uma dedicatória devota e nobilíssima ao reverendíssimo?

— Não a escrevi para ser publicada... foi depois que publicaram — balbuciou Rakítin como que subitamente apanhado e quase envergonhado.

— Oh, isto é maravilhoso! Um pensador como o senhor pode e até deve tratar com muita amplitude de qualquer fenômeno social. Graças à proteção do reverendíssimo, vossa utilíssima brochura esgotou-se e lhe trouxe um relativo proveito... Mas veja uma questão, essencial, sobre a qual eu gostaria de satisfazer minha curiosidade com o senhor: o senhor não acabou de dizer que era um conhecido muito íntimo da senhora Svietlova? (*Nota bene*. O sobrenome de Grúchenka era "Svietlova": fiquei sabendo disto pela primeira vez só neste dia, no curso do processo.)

— Não posso responder por todos os meus conhecidos... Sou jovem... e quem pode responder por todos aqueles que vai encontrando? — Rakítin ficou todo exaltado.

— Compreendo, compreendo demais! — exclamou Fietiukóvitch como se ele mesmo estivesse embaraçado e se precipitasse em pedir desculpas. — O senhor, como qualquer outro, poderia, por sua vez, estar interessado em conhecer uma mulher jovem e bonita, que recebia de bom grado em sua casa a nata da juventude local, entretanto... eu queria apenas saber: estamos informados de que uns dois meses atrás Svietlova desejava extraordinariamente conhecer o caçula dos Karamázov, Alieksiêi Fiódorovitch, e só para que o senhor o levasse então à casa dela, e precisamente em hábito de monge, ela prometia lhe dar vinte e cinco rublos assim que o senhor o levasse. Isto, como se sabe, aconteceu justamente na tarde do mesmo dia que terminou com a trágica catástrofe que deu fundamento ao presente processo. O senhor levou Alieksiêi Karamázov à casa da senhora Svietlova e na ocasião recebeu aqueles vinte e cinco rublos de Svietlova como recompensa? Eis o que eu desejaria ouvir do senhor.

— Aquilo foi uma brincadeira... Não vejo por que isso possa interessá-lo. Aceitei o dinheiro por brincadeira... para devolvê-lo depois...

— Quer dizer então que aceitou. Mas acontece que não o devolveu até hoje... ou devolveu?

— Isso é uma futililidade... — balbuciou Rakítin — não posso responder a perguntas desse tipo... É claro que vou devolver.

O presidente interferiu, mas o advogado informou que suas perguntas a Rakítin estavam encerradas. O senhor Rakítin desceu do estrado um tanto enxovalhado. A impressão de suprema nobreza de sua fala ficava assim prejudicada e Fietiukóvitch, ao acompanhá-lo com o olhar, era como se dissesse, apontando para o público: "Vejam como são os vossos nobres acusadores!". Lembro-me de que nem esse ponto passou sem uma cena da parte de Mítia: enfurecido com o tom com que Rakítin se referiu a Grúchenka, ele gritou de repente de seu lugar: "Bernard!". Quando o presidente, ao término de todo o interrogatório de Rakítin, se dirigiu ao réu, perguntando se este não gostaria de fazer alguma observação pessoal, Mítia gritou com voz retumbante:

— Quando eu já era réu ele me arrancou dinheiro a título de empréstimo! É um Bernard desprezível e carreirista, não crê em Deus e engazopou o reverendíssimo!

Mais uma vez, é claro, chamaram Mítia à razão pelo desvario de suas expressões, mas o senhor Rakítin estava liquidado. Também não deu certo o testemunho do capitão Snieguirióv, mas já por motivo totalmente diverso. Ele se apresentou todo em farrapos, de roupa suja, de botas sujas, e apesar de todas as precauções e da "perícia" preliminar, estava caindo de bêbado. Perguntado sobre a ofensa que Mítia lhe havia causado, recusou-se subitamente a responder.

— Que fique com Deus. Iliúchetchka me mandou não falar. Deus me recompensará.

— Quem lhe mandou não falar? Quem o senhor está mencionando?

— Iliúchetchka, meu filhinho: "Papaizinho, papaizinho, como ele te humilhou!" — disse isso junto à pedra. Agora, está morrendo...

Súbito o capitão caiu em prantos e desabou aos pés do presidente. Foi retirado às pressas sob os risos do público. A impressão que o promotor planejara causar não deu em nada.

Já o advogado de defesa continuou usando de todos os recursos e surpreendendo cada vez mais e mais com seu conhecimento da causa nos mínimos detalhes. Assim, por exemplo, o depoimento de Trifón Boríssovitch produziria uma impressão muito forte e, é claro, seria extremamente desfavorável a Mítia. Ele calculara com precisão, quase na ponta dos dedos, que Mítia, em sua primeira vinda a Mókroie quase um mês antes da catástrofe, não poderia ter gasto menos de três mil ou "talvez um tiquinho menos que isso. Só com aquelas ciganas, quanto dinheiro torrou! O que ele andou distribuindo pelas ruas aos nossos mujiques piolhentos não foram bem 'moedas de cinquenta copeques', mas no mínimo notas de vinte e cinco rublos; menos não deu. E quanto simplesmente não roubaram dele na ocasião! Sim, porque quem roubou não deixou a mão no lugar; então, como pegar o ladrão, quando ele mesmo jogou dinheiro fora, gratuitamente!? Porque nosso povo é bandido, não cuida da alma. E com nossas moças, quanto gastou com nossas camponesas! Depois daquilo ficaram ricas, vejam só, antes eram pobres". Em suma, mencionou toda sorte de gastos e calculou tudo com precisão. Desse modo, a suposição de que haviam sido gastos apenas mil e quinhentos e o restante tinha ficado no saquinho tornava-se inconcebível. "Eu mesmo vi, vi três mil nas mãos dele como se fossem um copeque, contemplei com estes olhos, logo eu não iria entender de conta!" — exclamou Trifón Boríssovitch, fazendo todos os esforços para agradar as "autoridades". Mas quando o interrogatório coube ao advogado de defesa, este, quase sem sequer tentar uma refutação do depoimento, entrou subitamente a dizer que o cocheiro Timofiêi e outro mujique, Akin, acharam naquele mesmo rega-bofe de Mókroie, ainda um mês antes da prisão, uma nota de cem rublos no chão do vestíbulo, largada por Mítia em estado de embriaguez, e a entregaram a Trifón Boríssovitch, que por isso deu um rublo a cada um deles. "Então, naquela ocasião o senhor devolveu aqueles cem rublos ao senhor Karamázov, ou não?" Por mais que Trifón Boríssovitch tergiversasse, depois do depoimento dos mujiques confessou, porém, ter achado a nota de cem rublos, acrescentando apenas que devolvera religiosamente a quantia a Dmitri Fiódorovitch "por sua própria honra, só que ele, como estava totalmente bêbado na ocasião, era pouco provável que pudesse se lembrar". Mas como, antes do depoimento dos mujiques, ele negara o achado dos cem rublos, então sua afirmação de que devolvera a quantia a um Mítia bêbado naturalmente ficou sujeita a uma grande dúvida. Assim, uma das testemunhas mais perigosas apresentadas pelo promotor novamente saía sob suspeição e com sua reputação fortemente manchada. O mesmo aconteceu com os polacos: estes se apresentaram de forma altiva e independente. Testemunharam em voz alta, dizendo que, em primeiro lugar, ambos "haviam servido à Coroa", e que "*pan* Mítia" lhes havia proposto três mil para lhes comprar a honra, e que eles mesmos haviam visto muito dinheiro nas mãos dele. *Pan* Mussialovitch inseriu uma infinidade de vocábulos poloneses em suas frases e, percebendo que isto apenas o promovia aos olhos do presidente e do promotor, levou finalmente seu ânimo ao apogeu e passou a falar só em polonês. Mas Fietiukóvitch também os fez cair em sua cilada: por mais que Trifón Boríssovitch, novamente chamado, se saísse com rodeios, teve, não obstante, de confessar que *pan* Wrublevsk substituíra o baralho que recebera dele por seu próprio e que *pan* Mussialovitch, ao bancar o jogo, trapaceara. Isso foi confirmado por Kalgánov em seu depoimento, e ambos os *pans* saíram um tanto desonrados e até debaixo do riso do público.

Depois aconteceu exatamente o mesmo com quase todas as testemunhas mais perigosas. Fietiukóvitch conseguiu manchar a reputação moral de cada uma delas e fazê-las sair até certo ponto de nariz comprido. Os diletantes e os juristas se limitavam a observar, admirados, e sua única dúvida era saber se aquilo tudo poderia levar a alguma coisa sumamente importante e definitiva, pois, repito, todos percebiam a inquestionabilidade da acusação, que crescia de modo cada vez mais intenso e mais trágico. Contudo, pela convicção do "grande mago" percebiam que ele estava tranquilo, e aguardavam: não era à toa que viera de Petersburgo "um homem como aquele", o qual não era do tipo que volta de mãos abanando.

III. A PERÍCIA MÉDICA E UMA LIBRA DE NOZES

A perícia médica também não ajudou muito o réu. Aliás, nem o próprio Fietiukóvitch, ao que parece, contava muito com ela, o que se verificou posteriormente. Em sua essência, ela foi realizada unicamente por insistência de Catierina Ivánovna, que deliberadamente mandara vir de Moscou o célebre médico. A defesa, é claro, não tinha nada a perder com a perícia, e no melhor dos casos até podia ganhar alguma coisa. De resto, em parte acabou dando em algo até meio cômico, justamente em virtude de certa divergência entre os médicos. Os peritos eram: o médico célebre, depois o nosso doutor Herzenstube e, por fim, o jovem médico Varvinski. Os dois últimos também só figuravam como testemunhas, intimadas pelo promotor. O doutor Herzenstube foi o primeiro a ser interrogado na qualidade de perito. Era um velho de setenta anos, calvo e grisalho, estatura mediana, compleição forte. Em nossa cidade todos o apreciavam e estimavam muito. Era um médico consciencioso, homem magnífico e decente, uma espécie de Hernhuterista ou "Irmão Morávio"[77] — disto já não tenho certeza. Morava havia muito tempo em nossa cidade e se portava com extraordinária dignidade. Era bondoso e gostava das pessoas, tratava de graça os pobres e os camponeses doentes, ia pessoalmente aos seus cubículos e isbás e deixava dinheiro para remédio, e de mais a mais também era teimoso como uma mula. Era impossível demovê-lo de sua ideia, se esta lhe houvesse encalhado na cabeça. A propósito, quase todo mundo na cidade já sabia que, nos minguados dois ou três dias de sua permanência entre nós, o célebre médico de fora permitira-se algumas opiniões sumamente ofensivas sobre os dons do doutor Herzenstube. Acontece que, embora o médico moscovita não cobrasse menos de vinte e cinco rublos por visita, ainda assim algumas pessoas de nossa cidade ficaram contentes com sua vinda, não pouparam dinheiro e se precipitaram para se consultar com ele. Antes dele, quem tratava de todos esses doentes era, evidentemente, o doutor Herzenstube, e eis que o célebre médico criticava seu tratamento em toda parte com excessiva rispidez. Ao fim e ao cabo, quando visitava um doente, chegava a perguntar sem rodeios: "Bem, quem o andou lambuzando aqui, Herzenstube? He-he!". É claro que o doutor Herzenstube foi posto a par de tudo isso. E eis que todos os três médicos compareceram um após o outro ao interrogatório. O doutor Herzenstube foi direto ao declarar que "detectava-se naturalmente a anormalidade das faculdades mentais do réu". Em seguida, depois de apresentar suas considerações, que aqui omito, acrescentou que essa anormalidade se detectava não só em muitas atitudes anteriores do réu, como também agora, ali naquele momento, e quando lhe pediram para explicar em que isso se verificava ali, naquele instante, o velho doutor, com toda a franqueza de sua simplicidade, assinalou que o réu, ao entrar na sala, "tinha um ar incomum e esquisito para as circunstâncias, caminhava para a frente como um soldado e fixava o olhar adiante, quando lhe seria mais certo olhar para a esquerda, onde as senhoras estavam sentadas, pois era grande apreciador do belo sexo e devia pensar muito no que agora as senhoras pensavam a seu respeito" — concluiu o velhote em sua língua peculiar. Cabe acrescentar que ele falava o russo com loquacidade e

[77] Hernhuterismo: movimento sociorreligioso que surgiu no vilarejo de Hernhute, na Saxônia, no século XVIII, e estendeu-se também à Rússia nos séculos XVIII-XIX. Irmãos Morávios: seita religiosa tcheca, surgida em meados do século XV. (N. da E.)

de bom grado, mas de um jeito que toda frase sua saía à maneira alemã, o que, aliás, nunca lhe causava embaraço, pois em toda a sua vida tivera a fraqueza de considerar sua fala russa como um modelo, "melhor inclusive que a dos próprios russos", e até gostava muito de recorrer a provérbios russos, sempre assegurando que os provérbios russos eram os melhores e os mais expressivos de todos os provérbios do mundo. Observo ainda que, quando conversava, talvez por alguma distração, esquecia amiúde as palavras mais comuns, que conhecia perfeitamente mas que, por alguma razão, de uma hora para outra lhe escapavam da mente. Aliás, o mesmo acontecia quando ele falava alemão, e neste caso sempre abanava a mão diante do rosto, como se procurasse agarrar a palavrinha perdida, e aí ninguém conseguiria forçá-lo a continuar a conversa iniciada enquanto ele não achasse a palavra perdida. Sua observação a respeito de que o réu, ao entrar, deveria ter olhado para as damas provocou um murmúrio brejeiro no público. Todas as senhoras gostavam muito do nosso velhote, sabiam ainda que ele, tendo sido solteiro a vida inteira, devoto e casto, olhava para as mulheres como quem olha para seres superiores e ideais. Foi por isso que sua inesperada observação pareceu estranhíssima a todo mundo.

O médico moscovita, por sua vez interrogado, confirmou de forma ríspida e categórica que considerava o estado mental do réu anormal, "até no máximo grau". Falou muito e com inteligência sobre "distúrbio" e "mania" e concluiu que, a julgar por todos os dados reunidos, alguns dias antes de sua prisão o réu estava com um distúrbio indiscutivelmente patológico, e se havia cometido o crime, mesmo que consciente dele, tinha sido quase involuntariamente, sem nenhuma força para lutar contra a mórbida propensão moral que dele se apoderara. Contudo, além do distúrbio o doutor via também a mania, que, segundo suas palavras, já havia antecipado o caminho direto para a loucura já completa. (*Nota bene.* Transmito com minhas palavras, pois o doutor se exprimiu em sua linguagem muito sábia e especial.) "Todos os seus atos contrariam o bom senso e a lógica — continuou ele. — Já não falo do que não vi, ou seja, do próprio crime e de toda essa catástrofe, e anteontem mesmo, durante sua conversa comigo, ele estava com um inexplicável olhar fixo. Com um riso inesperado, quando era totalmente dispensável. Com uma irritação permanente e incompreensível, palavras estranhas: 'Bernard', 'ética' e outras desnecessárias". Mas o médico destacava em particular essa mania do réu de não poder nem falar daqueles três mil rublos, com os quais achava que o haviam enganado, sem uma irritação fora do comum, ao passo que comentava e rememorava com bastante facilidade todos os seus outros fracassos e ofensas. Por fim, segundo consta, ele caía quase no desvario, exatamente como antes, sempre que se fazia referência àqueles três mil, e entretanto afirmavam a seu respeito que era desinteressado e isento de cobiça. "Quanto ao parecer de meu sábio confrade — disse ironicamente o doutor moscovita concluindo sua fala —, de que o réu, ao entrar na sala, deveria ter olhado para as damas e não direto à sua frente, digo apenas que, afora a jocosidade de semelhante conclusão, ela é, ainda por cima, radicalmente equivocada; porque, embora eu concorde plenamente que o réu, ao entrar na sala do tribunal em que se decide o seu destino, não devesse ter o olhar tão fixo à sua frente e que isto poderia de fato ser considerado um indício de seu estado mental anormal naquele momento, contudo, ao mesmo tempo eu afirmo que ele deveria ter olhado não para as damas à esquerda mas, ao contrário, justamente para a direita, procurando com os olhos o seu defensor, em cuja ajuda está toda a sua esperança e de cuja defesa depende agora todo o seu destino". O doutor externou sua opinião de forma terminante e categórica. Mas a inesperada conclusão do médico Varvinski, o último a ser interrogado, deu certa comicidade à divergência entre os dois sábios peritos. A seu ver, tanto antes quanto agora o réu se encontrava em estado absolutamente normal, e embora antes da prisão ele devesse estar nervoso e sumamente excitado, isto poderia decorrer de muitas outras causas evidentes: do ciúme, da ira, do estado de embriaguez permanente, etc. Mas esse estado nervoso não podia encerrar nenhum "distúrbio" especial, como acabava de ser mencionado. Quanto a saber se o réu deveria ter olhado para a direita ou para a esquerda ao entrar na sala, "segundo sua modesta opinião" o réu, ao entrar na sala, deveria olhar justamente à sua frente, como de fato olhara, pois era à sua frente que estavam sentados o presidente e os membros da Corte, de quem agora dependia toda a sua sorte, "de maneira que, olhando à sua frente, justo com esse gesto ele demonstrava o estado absolutamente normal de suas faculdades mentais naquele momento" — concluiu o jovem médico com ardor o seu "modesto" depoimento.

— Bravo, seu médico! — bradou Mítia de seu lugar —, é isso mesmo!

É claro que calaram Mítia, mas a opinião do jovem médico teve o efeito mais decisivo tanto sobre o julgamento quanto sobre o público, pois, como se verificou mais tarde, todos concordaram com ele. Aliás, o doutor Herzenstube, interrogado já como testemunha, acabou favorecendo Mítia de maneira totalmente inesperada. Como homem do lugar, que conhecia a família Karamázov havia muito tempo, deu algumas informações muito interessantes para a "acusação" e súbito, como quem pondera algo, acrescentou:

— E, não obstante, o pobre jovem poderia ter tido uma sorte incomparavelmente melhor, pois foi de bom coração na infância e depois da infância, e isto é de meu conhecimento. Mas diz o provérbio russo: "Se alguém tem uma inteligência, isso é bom, mas se de repente recebe a visita de mais um homem inteligente, será ainda melhor, pois neste caso haverá duas inteligências e não uma só...".

— Uma inteligência é bom, já duas, é melhor — disse com impaciência o promotor, que já conhecia de longe o hábito do velhote de falar lentamente, arrastado, sem se perturbar com a impressão que produzia nem por se fazer esperar, mas, ao contrário, ainda revelando um grande apreço por seu humor germânico, pesado, de vendedor de batatas, e sempre carregado de uma presunção alegre. O velhote gostava de fazer gracejos.

— Oh, s-sim, é o que eu também digo — secundou teimosamente —, uma inteligência é bom, duas, é bem melhor. Mas ele não recebeu a visita de outro dotado de inteligência e então liberou a sua... Como assim, para onde ele a liberou? Essa expressão — para onde ele liberou sua inteligência, eu esqueci — continuou ele, girando a mão diante dos olhos —, ah, sim, *spazieren.*[78]

— Foi passear?

— Sim, foi passear, é isso mesmo que estou dizendo. Pois foi a inteligência dele que saiu para passear e chegou àquele lugar profundo em que ele se perdeu. Entretanto, era um jovem decente e sensível, oh, eu me lembro muito dele ainda pequenininho, largado pelo pai no pátio dos fundos da casa, dc quando corria sem botas e com as calças presas só por um botão.

Uma nota afetiva, saída do fundo da alma, fez-se ouvir subitamente na voz do honesto velhote. Fietiukóvitch literalmente estremeceu, como se pressentisse algo, e num piscar de olhos se pôs atento.

— Oh, sim, naquela época eu mesmo era um jovem... Eu... pois é, na ocasião eu tinha quarenta e cinco anos e acabara de chegar aqui. E então senti pena do menino e perguntei a mim mesmo: por que não posso comprar para ele uma libra... Sim, mas uma libra de quê? Esqueci como aquilo se chama... uma libra daquilo de que as crianças gostam muito, como é que se chama?... ora, como é que aquilo... — o doutor tornou a abanar as mãos — aquilo dá em árvores, colhe-se e se distribui de graça a todo mundo...

— Maçãs?

— Oh, n-nããão! Uma libra, uma libra! Maçãs se vendem em dezenas e não em libras... Não, são muitas e todas pequenas, bota-se na boca e cr-r--crac.

[78] Em alemão no original. Expressão usada mais habitualmente na locução verbal *spazieren gehen*, que significa "passear a pé". (N. do T.)

— Nozes?

— Isso mesmo, nozes, é isso mesmo que estou dizendo — confirmou o doutor com a maior tranquilidade do mundo, como se não estivesse absolutamente procurando a palavra —, pois é, levei para ele uma libra de nozes, pois o menino nunca tinha ganhado de ninguém uma libra de nozes, e então eu levantei o dedo e lhe disse: "Menino. *Gott der Vater*"[79] — ele deu uma risada e disse: "*Gott der Vater — Gott der Sohn*".[80] Ele riu de novo e balbuciou: "*Gott der Sohn — Gott der heilige Geist*".[81] Então eu fui embora. Dois dias depois estou passando por ali e ele mesmo me grita: "Tio, *Gott der Vater, Gott der Sohn*", e esqueceu apenas o *Gott der heilige Geist*, mas eu lhe lembrei e tornei a sentir muita pena dele. Só que o levaram daqui e não o vi mais. Pois bem, passaram-se vinte e três anos, estou numa manhã em meu gabinete, já de cabeça branca, e de repente me entra um jovem na flor da idade, que não consigo reconhecer de maneira nenhuma, mas ele levanta o dedo e diz sorrindo: "*Gott der Vater, Gott der Sohn und Gott der heilige Geist!* Acabei de chegar e vim aqui lhe agradecer por aquela libra de nozes; porque até então nunca ninguém me havia comprado uma libra de nozes, e o senhor comprou uma libra de nozes para mim". E então me lembrei de minha mocidade feliz e do pobre menino descalço no pátio, e meu coração deu uma cambalhota e eu disse: "És um jovem agradecido, porque durante a vida inteira te lembraste daquela libra de nozes que te levei quando eras criança". Então, eu o abracei e o abençoei. E comecei a chorar. Ele riu, mas ele também chorou... porque é muito frequente o russo rir quando devia chorar. No entanto ele chorou, e eu vi. Mas agora, ai!...

— Ainda hoje choro, alemão, ainda hoje choro, tu és um homem de Deus! — bradou subitamente Dmitri de seu lugar.

Seja como for, a anedotazinha deixou no público uma impressão agradável. Contudo, o principal efeito a favor de Mítia veio do depoimento de Catierina Ivánovna, que vou relatar agora. Sim, em linhas gerais, quando começaram a falar as testemunhas *à décharge*,[82] isto é, convocadas pelo advogado de defesa, foi como se de uma hora para outra o destino até tivesse sorrido de fato para Mítia. E — o mais notável — inesperadamente para a própria defesa. Mas ainda antes de Catierina Ivánovna interrogaram Aliócha,

[79] "Deus pai", em alemão. (N. do T.)

[80] "Deus filho", em alemão. (N. do T.)

[81] "Deus filho — Deus Espírito Santo", em alemão. (N. do T.)

[82] Termo jurídico francês, que designa as testemunhas convocadas pela defesa para produzir a "descarga", isto é, atenuar as conclusões da acusação. (N. da E.)

que de estalo lembrou-se de um fato que chegou a parecer um testemunho positivo contra um ponto importantíssimo da acusação.

IV. A SORTE SORRI PARA MÍTIA

A coisa aconteceu inteiramente por acaso até para o próprio Aliócha. Ele foi chamado a depor sem prestar juramento, e lembro-me de que todas as partes o trataram com extraordinária brandura e simpatia desde as primeiras palavras de seu interrogatório. Via-se que o antecedia uma boa fama. Aliócha depôs com modéstia e moderação, mas em seu depoimento irrompeu com nitidez uma calorosa simpatia pelo irmão infeliz. Respondendo a uma pergunta, esboçou o caráter do irmão como o de um homem talvez desvairado e movido por paixões, mas também decente, altivo e magnânimo, disposto até ao sacrifício se dele o exigissem. Reconheceu, não obstante, que nos últimos dias o irmão estivera numa situação insuportável devido à paixão por Grúchenka e à rivalidade com o pai. Contudo, refutou com indignação até a hipótese de que o irmão pudesse ter cometido o assassinato para roubar, embora reconhecesse que aqueles três mil rublos se haviam convertido numa quase mania na cabeça de Mítia, que os considerava dívida não quitada, uma trapaça do pai, que eram uma herança sua e, mesmo não sendo absolutamente ambicioso, não podia sequer falar daqueles três mil sem cair em desvario e fúria. Quanto à rivalidade entre as duas "criaturas", isto é, Grúchenka e Cátia, como se exprimira o promotor, respondeu com evasivas e até evitou responder a uma ou duas perguntas a respeito.

— Seu irmão lhe teria ao menos dito que tinha intenção de matar o pai? — perguntou o promotor. — O senhor pode não responder se o achar necessário — acrescentou ele.

— Diretamente não falou — respondeu Aliócha.

— Como assim? E indiretamente?

— Uma vez ele me falou de seu ódio pessoal por nosso pai e que temia que... num momento extremo... num momento de asco... talvez até pudesse matá-lo.

— E ao ouvi-lo, o senhor acreditou nisso?

— Temo dizer que acreditei. Mas sempre estive convicto de que algum sentimento superior sempre o salvaria no instante fatal, como realmente o salvou, porque *não foi ele* quem matou nosso pai — concluiu Aliócha com firmeza e em voz alta para que todos ouvissem. O promotor estremeceu como um cavalo de combate ao ouvir o sinal de ataque.

— Fique certo de que acredito plenamente na mais completa sinceridade de sua convicção, sem condicioná-la nem equipará-la minimamente a seu amor por seu infeliz irmão. Sua visão original de todo esse episódio trágico ocorrido em sua família nós já conhecemos pela instrução criminal. Não lhe escondo que ela é sumamente particular e contraria todos os outros depoimentos recebidos pela promotoria. Por essa razão, considero necessário lhe perguntar, já insistindo: quais foram precisamente os dados que nortearam o seu pensamento e o orientaram para a convicção definitiva da inocência de seu irmão e, ao contrário, da culpa de outra pessoa, que o senhor já mencionou sem rodeios na instrução criminal?

— Na instrução criminal respondi apenas às perguntas — pronunciou Aliócha com voz baixa e tranquila —, e não compareci com acusação pessoal contra Smierdiakóv.

— E mesmo assim o mencionou.

— Mencionei com base nas palavras de meu irmão Dmitri. Ainda antes do interrogatório me contaram o que havia acontecido durante sua prisão, e que ele apontara pessoalmente Smierdiakóv. Tenho a plena convicção de que meu irmão é inocente. E se não foi ele quem matou, então...

— Então foi Smierdiakóv? Mas por que precisamente Smierdiakóv? E por que logo o senhor se convenceu de maneira tão definitiva da inocência de seu irmão?

— Eu não podia deixar de acreditar em meu irmão. Sei que ele não mentiria para mim. Pela expressão de seu rosto vi que não estava mentindo.

— Só pela expressão do rosto? Nisso estão todas as suas provas?

— Não tenho outras provas.

— E no tocante à culpa de Smierdiakóv, o senhor também não se baseia em nenhuma outra prova mínima a não ser nas palavras de seu irmão e na expressão de seu rosto?

— Sim, não tenho nenhuma outra prova.

Nesse ponto o promotor interrompeu o interrogatório. As respostas de Aliócha causaram no público a impressão mais decepcionante. Quanto a Smierdiakóv, já antes do julgamento dizia-se em nossa cidade que alguém teria ouvido alguma coisa, que alguém teria mencionado alguma coisa, dizia-se que Aliócha teria reunido umas provas extraordinárias em favor do irmão e da culpa do criado, e eis que tudo dava em nada, nenhuma prova, exceto certas convicções morais, muito naturais em sua condição de irmão consanguíneo do réu.

Mas Fietiukóvitch também começou com suas perguntas. Ao responder à pergunta: quando precisamente o réu falara a ele, Aliócha, de seu ódio ao pai e que poderia matá-lo, e se isto ele teria ouvido do réu, por exemplo, no último encontro antes da catástrofe, Aliócha pareceu estremecer de repente, como se só agora, ao recordar os fatos, atinasse em alguma coisa.

— Agora me lembro de uma circunstância que quase havia esquecido inteiramente, só que naquele momento ela era muito obscura para mim, mas agora...

E o próprio Aliócha, que, como era visível, acabara de aperceber-se inesperadamente da ideia, lembrou com entusiasmo como no último encontro com Mítia, à noite, ao pé da árvore, no caminho do mosteiro, Mítia batera no peito, "na parte superior do peito", e lhe repetira várias vezes que tinha um meio de restaurar sua honra, e que esse meio estava ali, ali mesmo, no peito dele... "Na ocasião pensei que, ao bater no peito, ele falasse do próprio coração — continuou Aliócha —, de que em seu coração poderia encontrar forças para escapar a uma horrível desonra que teria de enfrentar e que nem a mim ele se atrevia a confessar. Reconheço que na ocasião pensei que ele falasse precisamente de nosso pai, e estremecesse como que de vergonha só de pensar em ir ao nosso pai e cometer alguma violência contra ele; entretanto, precisamente naquele instante ele pareceu apontar para alguma coisa em seu peito, de sorte que, estou lembrado, justo naquele momento ocorreu-me de relance a ideia de que o coração não ficava absolutamente naquele lado do peito e sim mais abaixo, mas ele batia bem mais acima, nesta parte aqui, veja, abaixo do pescoço, e apontava sempre para este lugar. Na ocasião minha ideia me pareceu tola, mas talvez ele indicasse precisamente aquele saquinho em que estavam costurados aqueles mil e quinhentos rublos!..."

— Foi isso mesmo! — gritou subitamente Mítia de seu lugar. — Foi isso mesmo, Aliócha, isso, foi nele que bati com o punho naquele momento!

Fietiukóvitch precipitou-se para ele implorando que se acalmasse, e no mesmo instante aferrou-se literalmente a Aliócha. Entusiasmado com sua lembrança, o próprio Aliócha expôs sua hipótese de que o mais provável era que aquela desonra decorresse justamente do fato de que Mítia, tendo pendurados em seu pescoço aqueles mil e quinhentos rublos, que poderia devolver a Catierina Ivánovna como metade de sua dívida, mesmo assim resolvera não lhe devolver essa metade e empregá-la em outra coisa, isto é, para levar Grúchenka da cidade se ela concordasse...

— É isso, é isso mesmo — exclamou Aliócha tomado de uma repentina excitação —, naquele momento meu irmão me exclamou justamente que metade, metade da desonra (ele pronunciou várias vezes: *metade*!) ele poderia afastar imediatamente de si, mas que pela fraqueza de seu caráter era tão infeliz que não faria tal coisa... sabia de antemão que não poderia nem estava em condições de fazê-lo.

— E o senhor se lembra com clareza, com precisão de que ele bateu justamente nesse lugar do peito? — inquiria avidamente Fietiukóvitch.

— Com clareza e precisão, porque no momento eu pensei justamente o seguinte: por que ele estará batendo tão alto, quando o coração fica mais embaixo, e então minha ideia me pareceu tola... estou lembrado, me pareceu tola... isso me ocorreu num lampejo. Por isso acabou de me vir à lembrança. E como é que eu pude esquecer isso até agora?! Foi justamente para aquele saquinho que ele apontou como a sugerir que tinha recursos, mas que não devolveria aqueles mil e quinhentos. E foi isso mesmo que gritou — eu sei disso, me contaram — quando o prenderam em Mókroie: que considerava o ato mais desonroso de toda a sua vida o fato de, tendo meios para devolver a metade (justamente a metade!) da dívida a Catierina Ivánovna e não figurar diante dela como um ladrão, ainda assim não ter se decidido a devolver, preferindo permanecer como ladrão aos olhos dela a separar-se do dinheiro! Mas como andava atormentado, como andava atormentado com essa dívida! — concluiu Aliócha com uma exclamação.

O promotor naturalmente também interveio. Ele pediu que Aliócha tornasse a descrever como tudo aquilo havia acontecido, e insistiu várias vezes na pergunta: ao bater no peito, o réu estaria apontando exatamente para alguma coisa? Talvez estivesse simplesmente batendo com o punho no peito?

— Só que não batia com o punho! — exclamou Aliócha —, e sim apontava, mais precisamente com os dedos, apontava para esse ponto aqui, bem no alto... Mas como é que até este momento eu pude esquecer completamente aquilo!

O presidente perguntou a Mítia o que ele poderia dizer a respeito desse depoimento. Mítia confirmou que fora exatamente assim, que ele apontara justamente para os seus mil e quinhentos rublos que tinha sobre o peito, abaixo do pescoço, e que, é claro, aquilo fora uma desonra, "desonra que não renego, o ato mais desonroso de toda a minha vida! — bradou Mítia. — Eu podia ter devolvido e não devolvi. Achei melhor permanecer como um ladrão aos olhos dela, mas não devolvi, e a desonra maior era eu saber de antemão que não devolveria! Aliócha está certo! Obrigado, Aliócha!".

Nesse ponto terminou o interrogatório de Aliócha. Era importante e característica precisamente a circunstância de que se descobrira ao menos um fato, mesmo que fosse um único fato, admitamos que o mais ínfimo, quase uma leve alusão à circunstância, mas que atestava, ainda que minimamente, que realmente existira aquele saquinho, que nele havia mil e quinhentos rublos e que o réu não mentira na instrução criminal, quando declarara em Mókroie que aqueles mil e quinhentos "são meus". Aliócha estava feliz; todo rubro, sentou-se no lugar que lhe indicaram. Durante muito tempo ainda repetiu para si mesmo: "Como pude esquecer isso! Como pude esquecer isso! E como só agora me lembrei!".

Começou o interrogatório de Catierina Ivánovna. Mal ela apareceu, algo inusitado espalhou-se pela sala. As damas agarraram os lornhões e binóculos, os homens se agitaram, outros se levantaram para ver melhor. Mais tarde, todos afirmaram que Mítia ficara subitamente pálido "como um lenço" assim que ela entrou. Toda de preto, com ar modesto e quase tímido, ela se aproximou do lugar indicado. Pelo rosto não dava para adivinhar se estava nervosa, mas a firmeza resplandecia em seu olhar escuro, soturno. Cabe observar, e mais tarde muitos afirmaram, que ela estava surpreendentemente bonita naquele momento. Começou falando baixo, porém com clareza, para que toda a plateia ouvisse. Exprimia-se com extrema tranquilidade ou ao menos se esforçando para se manter tranquila. O presidente começou seu interrogatório com cautela, com extrema reverência, como se temesse tocar "certas cordas" e respeitando sua grande infelicidade. Mas desde as primeiras palavras, respondendo a uma das perguntas, a própria Catierina Ivánovna declarou com firmeza que havia sido noiva oficial do réu "enquanto ele mesmo não me abandonou..." — acrescentou com voz baixa. Quando lhe perguntaram sobre os três mil que confiara a Mítia para serem enviados pelo correio às suas parentas, ela declarou com firmeza: "Eu não lhe dei o dinheiro para que fosse direto ao correio; na ocasião pressenti que ele andava muito necessitado de dinheiro... naquele momento... Dei-lhe aquele dinheiro sob a condição de que ele o enviasse, se quisesse, dentro de um mês. Em vão ele andou depois tão atormentado por causa daquela dívida...".

Não vou entrar nos detalhes de todas as perguntas e todas as respostas, transmitirei apenas a essência dos depoimentos.

— Eu tinha a firme convicção de que ele sempre conseguiria enviar aqueles três mil tão logo recebesse do pai — continuou ela, respondendo às perguntas. — Sempre estive certa do desprendimento e da honestidade dele... de sua elevada honestidade... em se tratando de dinheiro. Ele tinha a firme convicção de que receberia três mil rublos do pai, e várias vezes me falou disso. Eu sabia que ele tinha desavenças com o pai, e sempre estive certa, como até agora, de que o pai o lograva. Não me lembro de nenhuma ameaça da parte dele ao pai. Pelo menos na minha presença ele nunca disse nada, não fez nenhuma ameaça. Se na ocasião ele houvesse me procurado, eu teria acalmado imediatamente sua inquietação por causa daqueles nefastos três mil que me devia, mas ele não voltou a me procurar... E eu mesma... eu mesma havia sido colocada numa situação... em que não podia chamá-lo à minha casa... Ademais, eu não tinha nenhum direito a ser exigente com ele por conta daquela dívida — acrescentou subitamente, e algo decidido ressoou em sua voz —, uma vez, eu mesma recebi dele um empréstimo em dinheiro ainda superior a três mil, e o aceitei, ainda que na ocasião não pudesse sequer prever que ao menos algum dia estaria em condições de lhe pagar minha dívida...

Era como se uma espécie de desafio se fizesse ouvir no tom de sua voz. Foi justo nesse instante que a vez de perguntar coube a Fietiukóvitch.

— Isso ainda não aconteceu aqui, mas logo que vocês se conheceram? — secundou Fietiukóvitch, abordando cautelosamente a questão e num piscar de olhos começando a pressentir algo favorável. (Observo, entre parênteses, que ele, apesar de ter sido chamado de Petersburgo em parte pela própria Catierina Ivánovna, ainda assim não sabia nada sobre o episódio dos cinco mil rublos dados a ela por Mítia ainda na outra cidade nem da "reverência até o chão". Ela não lho contara e ocultava! E isto era surpreendente. Pode-se supor com segurança que, até o último minuto, ela mesma estava indecisa: contaria ou não esse episódio durante o julgamento, e esperava alguma inspiração.)

Não, nunca poderei esquecer esses momentos! Ela começou a contar, contou *tudo*, todo o episódio narrado por Mítia a Aliócha, e a "reverência até o chão", as suas causas, falou de seu pai, de sua ida à casa de Mítia, e não disse nenhuma palavra, não fez nenhuma alusão ao fato de que o próprio Mítia, através da irmã dela, propusera que "enviassem Catierina Ivánovna à sua presença para apanhar o dinheiro". Isto ela ocultou generosamente e não se envergonhou de tornar público que fora ela, ela mesma que na ocasião correra por seu próprio impulso à casa do jovem oficial nutrindo alguma esperança... a fim de lhe pedinchar dinheiro. Foi algo impressionante. Gelei e tremi ao ouvir, a sala gelou ao captar cada palavra. Aquilo era algo sem precedentes, pois de uma moça tão despótica e desdenhosamente orgulhosa era quase impossível esperar um depoimento tão elevadamente franco, tamanho sacrifício, tamanha autoimolação. E para quê, por quem? Para salvar seu traidor e ofensor, prestar-se ao menos a fazer alguma coisa, pequena que fosse, para salvá-lo, produzindo a seu favor uma boa impressão! E de fato: a imagem do oficial que dava seus últimos cinco mil rublos — tudo o que lhe restava na vida — e se curvava respeitosamente diante de uma moça virgem era exposta de modo muito simpático e atraente, porém... senti um aperto dorido no coração! Senti que depois aquilo poderia redundar (e depois redundou, redundou mesmo!) em calúnia! Mais tarde falou-se por toda a cidade, entre risos maldosos, que a narração talvez não tivesse sido de todo precisa, justamente naquela passagem em que o oficial deixara uma moça sair de sua casa "apenas com uma reverência respeitosa". Insinuava-se que aí houvera alguma "omissão". "Sim, e mesmo que não tenha havido omissão, que tudo seja mesmo verdade — diziam inclusive nossas damas mais respeitosas —, mesmo neste caso ainda não se sabe: seria muito decente uma moça agir assim, mesmo que fosse para salvar o pai?" E seria possível que Catierina Ivánovna, com sua inteligência, com sua perspicácia mórbida, não tivesse pressentido que haveriam de falar essas coisas? Pressentira infalivelmente, e não obstante resolvera contar tudo! É claro que todas essas dúvidas sórdidas em relação à veracidade da narração só começaram mais tarde, pois no primeiro instante tudo e todos estavam estupefatos. Quanto aos membros da Corte, estes ouviram Catierina Ivánovna com um silêncio reverente, por assim dizer até recatado. O promotor não se permitiu mais nenhuma pergunta sobre esse tema. Fietiukóvitch lhe fez uma reverência profunda. Oh, ele estava quase triunfante! O ganho havia sido grande: um homem que, num ímpeto de nobreza, dá seus últimos cinco mil rublos e depois esse mesmo homem mata o próprio pai à noite com o fito de roubar-lhe três mil rublos — isso era algo até certo ponto incoerente. Ao menos o roubo Fietiukóvitch podia agora afastar. O "caso" banhava-se de repente de uma nova luz. Qualquer coisa de simpático se espalhou em favor de Mítia. Quanto a ele... contava-se depois que, durante o depoimento de Catierina Ivánovna, uma ou duas vezes fizera menção de levantar-se de seu lugar, depois tornara a se deixar cair no banco e cobrira o rosto com ambas as mãos. Mas, quando ela terminou, ele exclamou subitamente, com voz de pranto, estendendo as mãos para ela:

— Cátia, por que me arruinaste?

E ameaçou romper em lágrimas diante de todos. Mas conteve-se num piscar de olhos e tornou a bradar:

— Agora estou condenado!

Em seguida ficou como que petrificado em seu lugar, rangendo os dentes e com as mãos cruzadas no peito. Catierina Ivánovna permaneceu na sala e sentou-se na cadeira que lhe indicaram. Estava pálida e olhava para o chão. Pessoas que estavam perto contavam que ela passou muito tempo tremendo, como se estivesse com febre. Foi a vez de Grúchenka depor.

Abordo de perto a catástrofe que, desencadeada inesperadamente, talvez tenha de fato arruinado Mítia. Porque estou convicto, como de resto todos estão — e mais tarde todos os juristas disseram o mesmo —, de que se não fosse esse episódio o criminoso teria ganhado ao menos a indulgência.

Mas vamos ao assunto. Antes precisamos dizer apenas duas palavras sobre Grúchenka.

Ela entrou na sala também toda de preto, com o seu maravilhoso xale negro nos ombros. Em passos suaves, com seu andar silencioso e gingando um pouco como às vezes fazem as mulheres gordas, ela se aproximou da balaustrada, olhando fixamente para o presidente e sem lançar um único olhar à direita ou à esquerda. A meu ver estava muito bonita naquele instante e sem nenhuma palidez, como mais tarde afirmavam as damas. Asseguravam ainda que ela estava com uma expressão algo concentrada e má no rosto. Penso apenas que estava irritada e sentia de modo angustiante sobre si os olhares desdenhosamente curiosos de nosso público sequioso de escândalo. Era de uma índole altiva, que não suportava o desdém, do tipo que, à mínima desconfiança de que alguém desdenha dela, fica logo inflamada de ira e sede de revidar. Mas aí, é claro, havia também timidez e uma vergonha interior por essa timidez, de sorte que não era de admirar que sua conversa fosse instável — ora irada, ora desdenhosa e intensamente grosseira, ora marcada de repente por um tom sincero e afetuoso de autocondenação, autoacusação. Vez por outra falava como se estivesse despencando de algum abismo: "Não importa em que isso venha a dar, mesmo assim vou dizer tudo...". Falando de seu conhecimento com Fiódor Pávlovitch, ela observou rispidamente: "Tudo isso é bobagem, por acaso eu tenho culpa de que ele me importunava?". E um minuto depois acrescentou: "A culpa é toda minha, eu zombava de um e de outro — tanto do velho como daquele ali — e levei os dois a esse ponto. Tudo aconteceu por minha causa". De certo modo o assunto chegou a Samsónov: "Isso não é da conta de ninguém — rosnou num átimo com um desafio impertinente —, ele era meu benfeitor, ele me pegou descalça quando meus pais me tocaram para fora da isbá". O presidente, aliás de um modo muito cortês, lembrou-lhe que ela devia responder diretamente às perguntas, sem entrar em detalhes desnecessários. Grúchenka enrubesceu e seus olhos brilharam.

Não vira o pacote com o dinheiro, apenas ouvira o "facínora" falar nele, isto é, que Fiódor Pávlovitch tinha um pacote qualquer com três mil. "Só que tudo isso eram tolices, eu estava rindo e por nada nesse mundo iria lá..."

— A quem a senhora acabou de se referir com esse "facínora"? — quis saber o promotor.

— Ao criado, Smierdiakóv, o que matou o seu amo e ontem se enforcou.

É claro que num piscar de olhos lhe perguntaram que fundamentos tinha para fazer uma acusação tão categórica, mas se verificou que ela também não tinha quaisquer fundamentos.

— Foi assim que o próprio Dmitri Fiódorovitch me falou, e os senhores devem acreditar nele. A intrigante o destruiu, eis a questão, ela é a causa de tudo, eis a questão — acrescentou Grúchenka parecendo tremer toda de ódio, e em sua voz ecoou um tom raivoso.

Quiseram saber novamente a quem ela aludia.

— À senhorita, àquela que estão vendo ali, Catierina Ivánovna. Ela me chamou à sua casa, me serviu chocolate, queria me cativar. Nela há pouco pudor autêntico, eis a questão...

Nesse ponto o presidente a interrompeu já de modo severo, pedindo-lhe que moderasse suas expressões, mas o coração da mulher ciumenta já se incendiara, ela estava disposta a se atirar nem que fosse num abismo.

— No ato da prisão no povoado de Mókroie — perguntou o promotor para lhe avivar a memória — todos viram e ouviram a senhora chegar correndo do outro cômodo e gritar: "A culpa é toda minha, eu o acompanho até para os trabalhos forçados!". Portanto, naquele momento a senhora estava certa de que ele era um parricida?

— Não me lembro do que eu sentia naquele momento — respondeu Grúchenka —, todos gritaram que ele havia matado o pai, então senti que a culpa era minha e que ele havia matado por minha causa, mas como ele disse que não tinha culpa acreditei imediatamente nele, e acredito até agora, e sempre haverei de acreditar: ele não é do tipo de pessoa que mente.

Foi a vez de Fietiukóvitch fazer as perguntas. Lembro-me, entre outras coisas, de que ele perguntou sobre Rakítin e os vinte e cinco rublos que ele recebera "por ter trazido à sua presença Alieksiêi Fiódorovitch Karamázov".

— O que há de surpreendente no fato de ele ter recebido o dinheiro? — riu Grúchenka com uma raiva desdenhosa —, ele sempre vinha à minha casa implorar por dinheiro, chegava a pegar trinta rublos em um mês, mais por uma questão de mimo: mesmo sem minha ajuda ele tinha dinheiro para comer e beber.

— Que motivos a senhora tinha para ser tão generosa com o senhor Rakítin? — secundou Fietiukóvtich, apesar da intensa agitação demonstrada pelo presidente.

— Ora, ele é meu primo legítimo. Minha mãe e a mãe dele são irmãs. Só que ele sempre me implorava para não contar isso a ninguém daqui, tinha muita vergonha de mim.

Esse novo fato revelou-se totalmente inesperado para todos, ninguém em toda a cidade sabia disso, nem no mosteiro, e nem mesmo Mítia sabia. Contava-se que Rakítin, sentado ali, ficou vermelho de vergonha. Ainda antes de entrar na sala Grúchenka conseguira inteirar-se de que ele depusera contra Mítia, e por isso ficou furiosa. Todo o discurso que o senhor Rakítin acabara de pronunciar, toda a sua nobreza, todas as extravagâncias ditas sobre a servidão, a desordem civil da Rússia — tudo isso ficava agora definitivamente destruído e sepultado na opinião geral. Fietiukóvitch estava satisfeito: mais uma vez Deus lhe dava uma mãozinha. O depoimento de Grúchenka não durou muito, e ela, é claro, não podia comunicar nada de particularmente novo. Deixou no público uma impressão muito desagradável. Centenas de olhares desdenhosos se fixaram nela quando, ao término do depoimento, ela se sentou num ponto da sala bastante distante de Catierina Ivánovna. Durante todo o seu interrogatório Mítia esteve calado, como que petrificado e com a vista baixa.

Ivan Fiódorovitch se apresenta como testemunha.

V. A catástrofe repentina

Observo que ele ia ser chamado ainda antes de Aliócha. Mas na ocasião o oficial de justiça informou ao presidente que, por causa de uma doença repentina ou algum ataque, a testemunha não podia se apresentar imediatamente, mas tão logo se recuperasse estaria pronta para depor quando achassem necessário. Aliás, não se sabe como foi que ninguém ouviu nada sobre isso e só se soube depois. Seu aparecimento quase não foi notado no primeiro instante: as principais testemunhas, particularmente as duas rivais, já haviam sido interrogadas; por enquanto a curiosidade estava satisfeita. Até certa fadiga se percebia no público. Ainda restava ouvir algumas testemunhas que, provavelmente, não poderiam comunicar nada de especial tendo em vista tudo o que já havia sido informado. O tempo ia passando. Ivan Fiódorovitch aproximou-se de um modo surpreendentemente vagaroso, sem olhar para ninguém e até de cabeça baixa, com um ar carrancudo, como se ponderasse alguma coisa. Estava impecavelmente vestido, mas seu rosto causou uma impressão dolorosa, pelo menos em mim: havia naquele rosto um quê de terroso, algo similar ao rosto de um moribundo. Tinha os olhos turvos; ergueu-os lentamente e correu o olhar pela sala. Aliócha fez menção de saltar de sua cadeira e gemeu: ah! Lembro-me disto. Mas pouca gente o percebeu.

O presidente começou dizendo que a testemunha estava dispensada do juramento, que podia testemunhar ou permanecer calada, mas que, evidentemente, todo o depoimento deveria ser dado de acordo com a consciência, etc., etc. Ivan Fiódorovitch ouvia e o olhava com os olhos turvos; de repente, porém, seu rosto foi se abrindo lentamente num sorriso, e mal o presidente, que o fitava surpreso, concluiu, ele desatou a rir.

— Pois bem, e o que mais? — perguntou em voz alta. Tudo ficou em silêncio, como se houvessem percebido algo de estranho naquela sala. O presidente ficou preocupado.

— O senhor... talvez ainda não esteja bem de saúde!? — proferiu, procurando com os olhos o oficial de justiça.

— Não se preocupe, Excelência, estou bastante bem, e posso lhe contar algo curioso — respondeu de chofre Ivan Fiódorovitch, de modo totalmente tranquilo e respeitoso.

— O senhor tem alguma informação especial a nos comunicar? — continuou o presidente ainda desconfiado.

Ivan Fiódorovitch olhou para o chão, demorou alguns segundos e, erguendo novamente a cabeça, respondeu como que gaguejando:

— Não... Não tenho. Não tenho nada de especial.

Começaram a lhe fazer perguntas. Ele respondia como que totalmente a contragosto, de um jeito tensamente sucinto, até com certa repulsa, que aumentava cada vez mais e mais, embora, por outro lado, suas respostas fossem sensatas. Pretextava desconhecer muita coisa. Disse nada saber a respeito do acerto de contas do pai com Dmitri Fiódorovitch. "Não me envolvi com isso" — proferiu. Quanto às ameaças de matar o pai, ele as ouvira do próprio réu. A respeito do dinheiro que estava no pacote, ouvira de Smierdiakóv...

— Tudo isso é bater na mesma tecla — interrompeu de súbito com ar de fadiga —, não posso informar nada de particular ao tribunal.

— Vejo que o senhor não está bem e compreendo os seus sentimentos... — esboçou o presidente.

Ele ia dirigir-se às partes, ao promotor e à defesa, convidando-os a continuar com as perguntas se achassem necessário, quando de repente Ivan Fiódorovitch pediu com voz exaurida:

— Deixe-me ir embora, Excelência, estou me sentindo muito mal.

Dito isto e sem esperar a permissão, ele mesmo deu súbita meia-volta e foi saindo da sala. Contudo, uns quatro passos adiante parou, como quem num átimo repensa algo, riu baixinho e voltou ao seu lugar.

— Excelência, sou como aquela moçoila camponesa... o senhor conhece a história: "Se quiser, me levanto e vou já; se não quiser, não vou". Andam atrás dela com o *sarafan*[83] ou com a *panióva*[84] para que ela se levante

[83] Vestido longo, folgado e afivelado, sem mangas, usado por camponesas. (N. do T.)

[84] Tipo de saia de lã listrada ou xadrez. (N. do T.)

e vá, para amarrá-la e levá-la ao altar, mas ela responde: "Se quiser, vou já; se não quiser, não vou"...[85] Isso acontece em alguma de nossas etnias...

— O que o senhor está querendo dizer com isto? — perguntou severamente o presidente.

— Eis o quê — Ivan Fiódorovitch tirou subitamente do bolso um maço de dinheiro —, aqui está o dinheiro... o mesmo que estava naquele pacote — ele o lançou sobre a mesa em que se encontravam as provas materiais — e pelo qual mataram meu pai. Onde eu o ponho? Senhor oficial de justiça, passe-o adiante.

O oficial de justiça pegou o maço todo e o entregou ao presidente.

— De que maneira esse dinheiro foi parar em suas mãos... se de fato é o mesmo dinheiro? — proferiu surpreso o presidente.

— Eu o recebi de Smierdiakóv, o assassino, ontem. Eu o visitei antes que ele se enforcasse. Foi ele quem matou meu pai, e não meu irmão. Ele matou, e eu o ensinei a matar... Quem não deseja a morte do pai?...

— O senhor estará em seu perfeito juízo? — deixou escapar involuntariamente o presidente.

— O problema é que estou em meu perfeito juízo... e em meu torpe juízo, assim como o senhor, assim como todas essas... carrancas! — voltou-se de chofre para o público. — Mataram meu pai, mas ficam aí fingindo que estão assustados — rangeu os dentes com um desdém furioso. Cheios de nove-horas. Loroteiros! Todos desejam a morte do pai. Um réptil devora outro réptil... Não houvesse o parricídio, e todos ficariam zangados e sairiam por aí furiosos... Um circo! "Pão e circo!" Aliás, eu também sou uma boa bisca! Será que existe água aqui? deem-me um copo, por Cristo! — subitamente pôs as mãos na cabeça.

O oficial de justiça chegou-se imediatamente a ele. Aliócha se levantou de supetão e gritou: "Ele está doente, não acreditem nele, está com distúrbio mental!". Catierina Ivánovna levantou-se de um impulso e pôs-se a olhar para Ivan Fiódorovitch, imobilizada de horror. Mítia levantou-se e, com um sorriso absurdo e torto, ficou olhando e ouvindo avidamente o irmão.

— Fiquem tranquilos, não estou louco, apenas sou o assassino! — recomeçou Ivan. — Não se pode cobrar eloquência de um assassino... — acrescentou de súbito sabe-se lá para quê e deu um riso torto.

Visivelmente perturbado, o promotor inclinou-se para o presidente. Os

[85] Ivan repete um motivo de cantigas de casamentos russos. Aí, instada pelo noivo a obsequiá-lo antes do casamento, a noiva se mostra rebelde e voluntariosa e lhe responde que ainda não é dele, ainda é do pai. (N. da E.)

membros da Corte cochichavam agitadamente entre si. Fietiukóvitch era todo ouvidos. A sala gelou de expectativa. O presidente como que se recobrou de repente.

— Testemunha, suas palavras são incompreensíveis e intoleráveis neste recinto. Acalme-se, se puder, e nos conte... se realmente tem o que contar. Como pode confirmar essa confissão... se é que não está delirando?

— O problema é que não tenho testemunhas. O cachorro do Smierdiakóv não vai enviar aos senhores um testemunho lá do outro mundo... num pacote. Para os senhores tudo se resume a pacotes, um já basta. Não tenho testemunhas... a não ser um — riu com ar meditativo.

— Quem é essa testemunha?

— O de rabo, Excelência, fora do figurino! *Le diable n'existe point!*[86] Não liguem para ele, é um diabo pequeno, reles — acrescentou, parando subitamente de rir e como se fizesse uma confidência —, na certa ele está por aqui, ali debaixo da mesa das provas materiais, onde ele poderia estar senão lá? Vejam, ouçam-me; eu disse a ele: não quero calar, mas ele ficou falando da reviravolta geológica... bobagens! Vamos, ponham o monstro em liberdade... ele cantou seu hino, age assim porque para ele é fácil! É o mesmo que um patife bêbado berrando "Foi-se Vanka para Píter", enquanto eu daria um quatrilhão de quatrilhões por um segundo de alegria. Os senhores não me conhecem! Oh, como tudo isso aqui é estúpido! Vamos, prendam-me no lugar dele! Para alguma coisa estou aqui... Por que, por que tudo o que existe é tão estúpido?!...

E voltou a correr lentamente os olhos pela sala, como se meditasse. Mas todos já estavam inquietos. Aliócha esboçou precipitar-se em sua direção, mas o oficial de justiça já havia agarrado Ivan Fiódorovitch pelo braço.

— O que significa mais isso? — gritou ele, encarando o oficial de justiça e, agarrando-o subitamente pelos ombros, deu furiosamente com ele no chão. Mas os guardas já haviam acorrido, agarraram-no, e então ele deu um berro cheio de fúria. E continuou berrando e bradando coisas sem nexo enquanto o retiravam.

Foi um deus nos acuda. Não mencionarei tudo pela ordem, eu mesmo estava inquieto e não consegui acompanhar. Sei apenas que, mais tarde, quando tudo já estava calmo e todos compreenderam de que se tratava, o oficial de justiça acabou sofrendo as consequências, mesmo tendo dado aos superiores uma explicação fundamentada de que a testemunha estivera o tempo todo sã, que o médico a examinara uma hora antes, quando ela sen-

[86] "O diabo não existe", em francês. (N. do T.)

tira uma leve tontura, mas que antes de entrar na sala falara tudo de maneira articulada, de sorte que não fora possível prever nada; que ela própria, ao contrário, insistira e quisera forçosamente depor. Contudo, antes que os presentes recuperassem um mínimo de calma e se recobrassem, essa cena foi imediatamente seguida de outra: Catierina Ivánovna teve um ataque de histeria. Gania alto, soluçava, mas não queria sair, esperneava, implorava que não a retirassem, e súbito gritou para o presidente:

— Eu devo dar mais um testemunho, imediatamente... imediatamente!... Veja esse papel, é uma carta... Tome-a, leia depressa, depressa! É uma carta deste monstro, deste monstro aqui, deste! — apontava para Mítia. — Foi ele quem matou o pai, os senhores verão agora, ele me escreveu dizendo que iria matar o pai! Já o outro está doente, doente, com distúrbio mental! Desde anteontem venho notando que está com distúrbio mental!

Era assim que ela gritava, fora de si. O oficial de justiça pegou o papel que ela estendia ao presidente, enquanto ela, caída em sua cadeira e cobrindo o rosto, começava a soluçar convulsivamente e em silêncio, tremendo toda e reprimindo o mais ínfimo gemido por temer que a pusessem para fora da sala. O papel entregue por ela era aquela mesma carta que Mítia escrevera na taverna A Capital e que Ivan Fiódorovitch chamava de documento de importância "matemática". Ai! Foi justamente por ela que reconheceram essa importância matemática e, não fosse essa carta, talvez Mítia não tivesse se desgraçado, ou ao menos não se desgraçado de forma tão terrível! Repito, era difícil acompanhar os detalhes. Até hoje tudo ainda me parece uma barafunda. O presidente deve ter comunicado o novo documento aos membros da Corte, ao promotor, ao advogado de defesa e aos jurados. Lembro-me apenas de como começaram a interrogar a testemunha. Respondendo à pergunta sobre se teria se acalmado, que o presidente lhe fez com brandura, Catierina Ivánovna exclamou com ímpeto:

— Estou pronta, pronta! Estou em perfeitas condições de lhes responder — acrescentou, parecendo ainda muito receosa de que por alguma razão não lhe dessem ouvidos. Pediram-lhe que explicasse com mais detalhes: que carta era aquela e em que circunstâncias ela a havia recebido.

— Eu a recebi na véspera do próprio crime, e ele a escreveu da taverna ainda um dia antes, portanto, dois dias antes de seu crime. Veja, ela foi escrita em cima de uma conta! — gritava ofegante. — Na ocasião ele estava com ódio de mim porque ele mesmo tinha cometido um ato vil indo atrás desse réptil... e ainda porque me devia aqueles três mil... Oh, estava injuriado por causa dos três mil, que aceitou por sua própria baixeza! Eis como se deu o caso desses três mil — eu peço, eu imploro que me escutem: ainda três semanas antes de matar o pai, ele me procurou uma manhã. Eu sabia que ele precisava de dinheiro e sabia para quê — ora, ora, era justamente para seduzir esse réptil e levá-la consigo. Na ocasião eu sabia que ele estava me traindo e queria me deixar, e eu, eu mesma lhe entreguei esse dinheiro, eu mesma o ofereci como se fosse para enviar à minha irmã em Moscou, e no momento em que lhe entregava olhei-o na cara e disse que ele poderia enviá-lo quando quisesse, "mesmo que fosse dentro de um mês". Mas como, como é que ele não compreendeu que eu lhe dizia na cara: "Precisas de dinheiro para me trair com teu réptil, então aqui está o dinheiro, eu mesma te dou, toma-o, se és tão desonesto, toma-o!...". Eu queria desmascará-lo, e o que aconteceu? Ele o aceitou, ele o aceitou e o levou, e o gastou lá com esse réptil, em uma noite... Mas ele compreendeu, ele compreendeu que eu sabia de tudo, eu lhe asseguro que na ocasião ele compreendeu também que, ao lhe entregar esse dinheiro, eu só o estava testando: seria tão desonesto a ponto de aceitar o dinheiro ou não? Eu o olhava nos olhos e ele me olhava nos olhos compreendendo tudo, compreendendo tudo, e pegou, pegou meu dinheiro e o levou consigo.

— É verdade, Cátia! — berrou de repente Mítia —, eu te olhava nos olhos e compreendia que me desonravas e mesmo assim aceitei teu dinheiro! Desprezem o patife, desprezem, todos desprezem, eu fiz por merecer!

— Réu — bradou o presidente —, mais uma palavra e mando retirá-lo do recinto.

— Esse dinheiro o atormentava — continuava Cátia numa pressa convulsa —, ele queria me devolvê-lo, queria, isso é verdade, mas também precisava de dinheiro para esse réptil, então matou o pai, e mesmo assim não me devolveu o dinheiro, mas partiu com ela para aquele vilarejo onde foi agarrado. Lá tornou a esbanjar esse dinheiro que roubou do pai assassinado. E um dia antes de assassinar o pai me escreveu essa carta, escreveu bêbado, eu o notei imediatamente, escreveu com raiva e sabendo, sabendo na certa que eu não mostraria essa carta a ninguém, mesmo que ele cometesse o assassinato, do contrário não a teria escrito. Ele sabia que eu não haveria de querer me vingar e levá-lo à perdição! Mas leiam, leiam com atenção, por favor, com mais atenção, e verão que nessa carta ele descreveu tudo, tudo de antemão: como mataria o pai e onde este guardava o dinheiro. Reparem, não deixem de reparar, nela há uma frase: "Matarei assim que Ivan partir". Quer dizer que ele ponderou de antemão como mataria — sugeriu Catierina Ivánovna com maldade e escárnio à Corte. Oh, via-se que havia lido atenta e minuciosamente essa carta fatídica e estudado cada uma de suas linhas. — Se não estivesse bêbado não me escreveria; e vejam que aí está tudo descrito de antemão, tudo, ponto por ponto, do jeito que depois cometeria o assassinato, todo o programa!

Assim exclamava ela, fora de si e, é claro, desprezando mesmo todas as consequências que isto lhe acarretaria, embora naturalmente já as tivesse previsto talvez um mês antes, porque é possível que ainda naquele momento tivesse divagado, trêmula de raiva: "Não seria o caso de ler isto durante o julgamento?". Agora era como se houvesse despencado montanha abaixo. Lembro-me, parece que foi justo nesse momento que o secretário leu a carta em voz alta, produzindo uma impressão de pasmo. Perguntaram a Mítia: "Reconheceria esta carta?".

— É minha, minha! — exclamou Mítia. — Não a teria escrito se não estivesse bêbado. Nós nos odiávamos por muita coisa, Cátia, mas juro, juro que mesmo te odiando eu te amava, ao passo que tu não me amavas!

Ele se deixou cair em sua cadeira, torcendo as mãos de desespero. O promotor e o advogado de defesa passaram a fazer perguntas cruzadas, centradas num sentido: "o que a teria levado a esconder até agora esse documento e dar aquele depoimento anterior com um espírito e um tom completamente opostos?".

— Sim, sim, ainda há pouco eu menti, menti em tudo, contra a honra e a consciência, mas ainda há pouco eu queria salvá-lo, porque ele me odiava tanto e me desprezava tanto — exclamou Cátia feito louca. — Oh, ele me desprezava terrivelmente, sempre desprezou, e sabe, sabe, ele me desprezou desde o primeiro instante em que eu me inclinei a seus pés por aquele dinheiro. Eu notei isso... No mesmo instante eu o senti, mas durante muito tempo não acreditei em mim mesma. Quantas vezes li em seus olhos: "Apesar de tudo, tu mesma vieste à minha casa naquela ocasião!". Oh, ele não compreendeu, não compreendeu nada do que me levava a correr para lá naquele momento, ele só é capaz de suspeitar de baixeza! Julgava todos por si, achava que todos eram iguais a ele — Cátia rangia os dentes em fúria, já em total desvario. — E só queria se casar comigo porque eu tinha recebido uma herança, por isso, por isso! Eu sempre desconfiei de que era por isso! Oh, é um animal. Sempre esteve certo de que eu passaria o resto da vida tremendo de vergonha diante dele porque o havia procurado em sua casa naquela ocasião, e por isso podia me desprezar eternamente e assim ter a primazia — eis por que quis se casar comigo! Isto é verdade, tudo isto é verdade. Tentei vencê-lo com meu amor, um amor infinito, quis até suportar sua traição, mas ele não compreendeu nada, nada. Ora, por acaso ele pode compreender alguma coisa?! É um monstro! Recebi essa carta só na tarde do dia seguinte, ela me foi trazida da taverna, mas ainda na manhã, na manhã daquele mesmo dia eu estava com vontade de perdoá-lo, perdoar tudo, até a traição dele!

Terminada a fala, o presidente e o promotor procuraram acalmá-la. Estou certo de que eles mesmos talvez até tenham sentido vergonha por se aproveitarem daquela maneira do desvario dela e ouvir semelhantes confissões. Lembro-me de que ouvi os dois lhe dizendo: "Compreendemos como é duro para a senhora, acredite que somos capazes de sentir, etc., etc." — e mesmo assim arrancaram as confissões de uma mulher enlouquecida num ataque histérico. Por fim, ela descreveu com aquela clareza excepcional — que se esboça tão amiúde, ainda que por um instante, até em momentos de tamanha tensão — como Ivan Fiódorovitch quase enlouquecera durante todos aqueles dois meses tentando salvar seu irmão, "o monstro e assassino".

— Ele se atormentava — exclamou —, estava sempre tentando atenuar a culpa dele, confessando-me que ele mesmo não gostava do pai e talvez também até desejasse a sua morte. Oh, ele é uma consciência profunda, profunda! A consciência o deixava atormentado! Ele me revelava tudo, tudo, vinha todo dia à minha casa e conversava comigo como sua única amiga. Tenho a honra de ser sua única amiga! — exclamou de súbito, com os olhos brilhando, como se lançasse algum desafio. — Ele procurou Smierdiakóv duas vezes. Uma vez veio à minha casa e disse: se quem matou não foi meu irmão, mas Smierdiakóv (porque todo mundo aqui andou espalhando essa fábula de que foi Smierdiakóv que cometeu o assassinato), então é possível que eu também tenha culpa, porque Smierdiakóv sabia que eu não gostava de meu pai e talvez até pensasse que eu desejava a morte dele. Foi então que peguei essa carta e lhe mostrei, e ele ficou totalmente convencido de que o irmão havia cometido o assassinato, e isso já o deixou inteiramente transtornado. Não podia suportar que seu irmão de sangue fosse o parricida! Ainda uma semana antes eu já notara que isto o fizera adoecer. Nos últimos dias delirava em minha casa. Eu notava que ele estava com a mente perturbada. Andava por aí delirando, e assim foi visto pelas ruas. O médico recém-chegado o examinou anteontem a meu pedido e me disse que ele estava próximo do distúrbio mental — e tudo por culpa dele, tudo por culpa do monstro! E ontem ele soube que Smierdiakóv havia morrido — isto o deixou tão estupefato que ele enlouqueceu... e tudo por causa do monstro, tudo porque queria salvar o monstro!

Oh, falar dessa maneira e fazer esse tipo de confissão certamente só é possível uma vez na vida — na hora da morte, por exemplo, ao subir ao patíbulo. Mas Cátia estava mesmo obstinada em seu momento. Era aquela mesma Cátia impetuosa que antes se precipitara para a casa de um devasso com o intuito de salvar o pai; a mesma Cátia que pouco antes, diante de todo aquele público, altiva e casta, sacrificara a si mesma e a seu pudor de moça ao falar da "atitude nobre de Mítia" com o único fim de atenuar ao menos um pouquinho a sua sorte. E eis que agora ela se sacrificava exatamente da mesma maneira, mas já por outro, e talvez só agora, só neste instante, tivesse, pela primeira vez, percebido e tomado plena consciência de como essa outra pessoa lhe era cara! Ela se sacrificava temendo por ele, apercebendo-se subitamente de que ele se desgraçara ao declarar em seu depoimento que o assassino era ele e não o irmão, sacrificava-se para salvar a ele, a sua fama, a sua reputação! E, não obstante, ocorreu-lhe de relance uma coisa terrível: teria mentido contra Mítia ao descrever suas antigas relações com ele? — eis a questão. Não, não, ela não caluniara deliberadamente ao gritar que Mítia a desprezava por causa daquela reverência até o chão! Ela mesma acreditava nisso, estava profundamente convicta, talvez desde o momento em que fizera aquela reverência, de que o ingênuo Mítia, que naquele tempo ainda a adorava, zombava dela e a desprezava. E só por altivez ela mesma se prendera então a ele com seu amor, histérico e dorido, movida pelo orgulho ferido, e esse amor não se parecia com amor, mas com vingança. Oh, era possível que esse amor dorido tivesse se convertido em amor verdadeiro, é possível que Cátia não desejasse outra coisa, mas Mítia a ofendera com sua traição até o fundo da alma, e a alma não perdoou. O momento da vingança chegou de forma inesperada, e tudo o que longa e dolorosamente se acumulara no peito dessa mulher ofendida irrompeu de supetão e outra vez de modo inesperado. Ela traíra Mítia, mas traíra também a si mesma! E, evidentemente, assim que desabafou a tensão cedeu e a vergonha a esmagou. A histeria recomeçou, ela desabou entre gritos e soluços. Levaram-na do recinto. No instante em que a carregavam, Grúchenka precipitou-se aos berros de seu lugar para Mítia, de tal modo que não tiveram tempo de segurá-la.

— Mítia! — bradou —, tua serpente te arruinou! Eis que ela se revelou para os senhores! — gritou trêmula de raiva para os membros da Corte. Por ordem do presidente, agarraram-na e começaram a retirá-la da sala. Ela não se entregava, esperneava e tentava precipitar-se para Mítia. Mítia deu um berro e também se precipitou para ela. Foi dominado.

É, suponho que nossas damas espectadoras ficaram satisfeitas: o espetáculo havia sido rico. Lembro-me de que em seguida apareceu o médico moscovita. Parece que ainda antes o presidente mandara o comissário tomar providências para prestar auxílio a Ivan Fiódorovitch. O médico informou à Corte que o doente estava com um perigosíssimo distúrbio mental e que era necessário retirá-lo imediatamente dali. Respondendo às perguntas do promotor e do advogado de defesa, ele confirmou que o próprio paciente o procurara na antevéspera e que ele previra que ele logo teria uma crise de febre, mas o outro se negara a tratar-se. "Ele estava terminantemente fora do juízo, ele mesmo me confessou que andava tendo visões de olhos abertos, encontrando pela rua várias pessoas que já haviam morrido e que toda tarde satanás o visitava" — concluiu o doutor. Depois de dar seu depoimento, o célebre médico se foi. A carta apresentada por Catierina Ivánovna foi anexada às provas materiais. A Corte deliberou: continuar o inquérito e ajuntar aos autos os depoimentos inesperados — de Catierina Ivánovna e Ivan Fiódorovitch.

Contudo, já não vou descrever o sumário de culpa que se seguiu. Ademais, os depoimentos das outras testemunhas apenas repetiram e confirmaram os anteriores, ainda que cada um com suas peculiaridades. Repito, porém, que tudo será resumido a um ponto no discurso do promotor, ao qual passo neste momento. Todos estavam excitados, todos estavam eletrizados com a última catástrofe e, com uma impaciência cruciante, aguardavam apenas que não tardassem o desfecho, os discursos das partes e a sentença. Fietiukóvitch estava visivelmente abalado com os depoimentos de Catierina Ivánovna. Em compensação, o promotor estava triunfante. Quando terminou o sumário de culpa, foi anunciado o intervalo, que durou quase uma hora. Por fim o presidente abriu os debates. Creio que eram oito da noite em ponto quando Hipollit Kiríllovitch, nosso promotor, começou seu discurso de acusação.

VI. O discurso do promotor. Tópicos

Hippolit Kiríllovitch começou seu discurso de acusação todo sacudido por um tremor nervoso, com um suor frio e doentio na testa e nas têmporas, sentindo alternadamente calafrio e calor por todo o corpo. Ele mesmo contou isto mais tarde. Considerava esse discurso a sua *chef-d'oeuvre*,[87] a *chef-d'oeuvre* de toda a sua vida, o seu canto do cisne. Na verdade, nove meses depois ele acabou morrendo de tuberculose, de sorte que, se já pressentia o seu fim, acertou ao se comparar ao cisne que canta seu último canto. Nesse discurso ele empenhou todo o coração e tudo o que nele havia de inteligência, e demonstrou inesperadamente que trazia em si um sentimento cívico e aquelas questões "malditas",[88] ao menos na medida em que o nos-

[87] "Obra-prima", em francês. (N. do T.)

[88] Questões difíceis, de solução impossível, muito presentes nos debates político-ideológicos do tempo da escrita dos grandes romances de Dostoiévski. (N. do T.)

so pobre Hippolit Kiríllovitch era capaz de trazê-los em si. O importante é que seu discurso cativou porque era sincero: acreditava sinceramente na culpa do réu; não o acusava só por encomenda nem por dever do ofício e, ao conclamar pela "punição", ele realmente fremia de desejo de "salvar a sociedade". Até o nosso público feminino, ao fim e ao cabo hostil a Hippolit Kiríllovitch, confessou, não obstante, que ficara com uma impressão extraordinária. Ele começou falando com uma voz de cana rachada, entrecortada, mas logo em seguida sua voz ganhou força e ecoou por toda a sala, e foi assim até o final do discurso. Contudo, mal o concluiu por pouco não desmaiou.

"Senhores jurados — começou o acusador —, este caso repercutiu em toda a Rússia. Entretanto, o que nos deveria surpreender, nos deixar particularmente horrorizados? Justo nós, particularmente nós? Ora, somos gente muito habituada a tudo isso! Nosso horror está justamente no fato de que esses casos sombrios quase já não nos horrorizam mais! Porquanto o que deve nos horrorizar é o nosso hábito e não um delito isolado desse ou daquele indivíduo. Onde estão as causas de nossa indiferença, de nossa atitude quase morna diante de semelhantes casos, de semelhantes bandeiras da época, que nos profetizam um futuro nada invejável? Estariam no nosso cinismo, na exaustão precoce da inteligência e da imaginação de nossa sociedade ainda tão jovem mas tão precocemente caduca? Estariam em nossos princípios morais abalados até os fundamentos ou, enfim, talvez no fato de até carecermos totalmente desses princípios morais? Eu não tenho a solução para esses problemas, e todavia eles são angustiantes, e todo e qualquer cidadão não só deve, como é obrigado a sofrer por eles. Nossa imprensa incipiente e ainda tímida já prestou, não obstante, alguns serviços à sociedade, pois sem ela nunca teríamos um conhecimento minimamente pleno daqueles horrores, frutos de uma vontade dissoluta e da decadência moral, que ela transmite incessantemente em suas páginas já para todos, e não apenas para aqueles que assistem aos julgamentos públicos do novo tribunal, que nos foi presenteado no atual governo.[89] E o que lemos quase diariamente? Oh, a cada minuto lemos coisas diante das quais até este caso atual empalidece e parece algo já quase corriqueiro. O mais grave, porém, é que uma infinidade de nossos processos criminais russos, nacionais, são precisamente uma prova de algo universal, de alguma desgraça geral, que pegou em nosso país e já nos cria dificuldades para combatê-la como um mal universal. Veja-se o caso daque-

[89] Pela reforma jurídica de 1864, instituiu-se na Rússia o tribunal de júri com julgamentos a portas abertas. As revistas e jornais da época publicavam discursos e atas dos processos que alcançavam certa notoriedade. (N. da E.)

le jovem e brilhante oficial da alta sociedade,[90] que mal iniciava a vida e a carreira, degolou torpemente, às caladas e sem qualquer remorso, um pequeno funcionário, em parte seu ex-benfeitor, e a criada dele, para lhe surrupiar uma promissória sua e, com ela, o dinheirinho restante do funcionário: 'haverão de servir para os meus prazeres mundanos e minha carreira futura'. Tendo degolado os dois ele se retira, depois de pôr travesseiros debaixo da cabeça de cada um dos mortos. Então o jovem herói, coberto de condecorações por bravura, como um salteador, tira a vida da mãe de seu chefe numa estrada real e, incitando seus companheiros, assegura que 'ela o ama como a um filho legítimo e por isso seguirá todos os seus conselhos e não tomará precauções'. Vá que seja um monstro, mas hoje, em nossos dias, não me atrevo a dizer que seja apenas um monstro isolado. Outro não degolará, mas pensará e sentirá exatamente como ele, em sua alma é tão desprovido de honra quanto ele. Às caladas, a sós com sua consciência, talvez se pergunte: 'Mas o que é a honra, e o horror ao sangue não será um preconceito?'. Talvez gritem contra mim e digam que sou um homem doente, histérico, que estou caluniando monstruosamente, delirando, exagerando. Vá lá, vá lá, mas Deus, como eu ficaria feliz se fosse assim! Oh, não me deem crédito, considerem-me doente, mas apesar de tudo guardem na memória minhas palavras: porque se apenas um décimo, apenas um vigésimo de minhas palavras forem verdade, ainda assim tudo será um horror. Reparem, senhores, reparem como os jovens se matam em nosso país: oh, sem nenhuma daquelas perguntas hamletianas do tipo: 'O que haverá *além*?', sem qualquer indício de tais perguntas, como se tudo o que diz respeito ao nosso espírito e ao que nos espera no além-túmulo estivesse sepultado há muito tempo na natureza desses jovens, sepultado e coberto de areia. Observem, por fim, a nossa devassidão, os nossos lascivos. Fiódor Pávlovitch, vítima infeliz do presente processo, é quase um bebê inocente diante deles. Acontece, porém, que todos nós o conhecíamos, 'ele viveu entre nós'... Sim, é possível que algum dia as inteligên-

[90] Tem-se em vista o processo de Karl Khristóforov von Landsberg, sargento-mor reformado do batalhão de sapadores da Guarda Imperial, acusado pelo assassinato do conselheiro de corte Vlássov e da pequeno-burguesa Siemídova. Durante o julgamento, realizado em 5 de julho de 1879 em Petersburgo, Lansberg confessou ter assassinado Vlássov e Siemídova pela seguinte razão: necessitado de dinheiro para satisfazer a todas as necessidades ditadas por sua posição social, fez um empréstimo de 5 mil rublos, sem juros, ao seu conhecido Vlássov, e assinou recibo. Sem condições de saldar a dívida no devido prazo e temendo que Vlássov não aceitasse prorrogá-lo e ainda levasse o fato ao conhecimento do comandante do batalhão de sapadores, decidiu assassiná-lo e subtrair seu recibo. O fato foi publicado pelo jornal *Gólos* (A Voz) de 6 de julho de 1879. (N. da E.)

cias mais avançadas, nossas e europeias, tratem de estudar a psicologia do criminoso russo, pois o tema o merece. Mas esse estudo acontecerá algum dia mais tarde, já em momento de ócio, e quando toda a trágica barafunda deste momento nosso estiver afastada para um plano mais distante, de sorte que já poderá ser examinada de forma mais inteligente e mais imparcial do que pessoas como eu, por exemplo, podem fazê-lo. Hoje, ou nos horrorizamos ou fingimos que nos horrorizamos, mas, ao contrário, nós mesmos saboreamos o espetáculo como adeptos de sensações fortes, excêntricas, que mexem com nossa futilidade cínica e indolente ou, enfim, como criancinhas, afastamos de nós mesmos com as mãos os terríveis fantasmas e escondemos a cabeça no travesseiro até que passe a terrível visão para imediatamente esquecê-la em nossos divertimentos e jogos. Mas algum dia também nós teremos de começar nossa vida com sensatez e ponderação, também nós precisaremos olhar para nós mesmos como para a sociedade, também nós precisaremos compreender ao menos alguma coisa em nosso papel social ou quando mais não seja começar a compreender. Um grande escritor, que antecedeu esta época, no final de uma de suas mais grandiosas obras, personificou toda a Rússia sob a forma de uma troica russa galopando rumo a um objetivo desconhecido, e exclamou: 'Ah, troica, pássaro troica, quem te inventou?'[91] — e acrescenta com um êxtase altivo que, diante da troica que corre desabaladamente, todos os povos abrem caminho de forma respeitosa. Pois bem, senhores, oxalá, oxalá abram caminho, respeitosamente ou não, mas, em minha visão de pecador, o genial artista concluiu a sua obra assim ou num arroubo de pensamento sublime, próprio de uma criança ingênua, ou simplesmente por temor à censura do momento. Porque se à sua troica se atrelassem apenas os seus heróis, os Sobakiévitch, Nosdriov e Tchítchikov,[92] com semelhantes cavalos não se chegaria a lugar algum, independentemente de quem se pusesse ali como cocheiro! Mas eles ainda são apenas cavalos daqueles tempos, que não chegam perto dos de hoje; os nossos são bem mais puros..."

Nesse ponto, o discurso de Hippolit Kiríllovitch foi interrompido por uma salva de palmas. Agradou o liberalismo da imagem da troica russa. É verdade que apenas duas ou três claques se manifestaram, de sorte que o presidente não chegou sequer a se dirigir ao público com a ameaça de "evacuar a sala" e limitou-se a olhar severamente na direção das claques. Mas Hippolit Kiríllovitch estava animado: até então nunca havia sido aplaudido!

[91] Trata-se de Gógol e do final de seu romance *Almas mortas*. (N. do T.)

[92] Malandros e vigaristas de *Almas mortas*. (N. do T.)

Um homem que se negaram a ouvir durante tantos anos e de repente tinha a possibilidade de manifestar-se para toda a Rússia!

"De fato — continuou ele —, o que é a família Karamázov, que subitamente ganhou tão triste fama em toda a Rússia? Talvez eu esteja exagerando demais, no entanto me parece que no quadro dessa familiazinha como que se vislumbram alguns elementos fundamentais e gerais de nossos círculos intelectuais de hoje — oh, não todos os elementos, e eles ainda se vislumbram apenas em forma microscópica, 'como o sol numa minúscula gota d'água', mas ainda assim algo se refletiu, mesmo assim algo se manifestou. Olhem para aquele infeliz, para aquele velhote desenfreado e devasso, aquele 'pai de família' que terminou de maneira tão triste sua existência. Um nobre de linhagem, que começou sua carreira como um parasita pobre, que recebeu, mediante um casamento acidental e inesperado, um pequeno capital como dote; era no início um pequeno malandro e palhaço bajulador, dotado de um embrião de faculdades mentais — se bem que nada fracas —, mas acima de tudo um agiota. Com o passar do tempo, isto é, com o crescimento de seu capitalzinho, ele vai ganhando ânimo. A humildade e a bajulação desaparecem, restando apenas o cínico galhofeiro e malvado, e o lascivo. Todo o lado espiritual murchou, mas a sede de viver é extraordinária. Chegou a um ponto em que não via nada mais na vida senão os prazeres lascivos, e assim ensinou aos filhos. Obrigação espiritual de pai — nenhuma. Zomba dos seus filhos, educa suas criancinhas na casa dos fundos e fica feliz quando as levam de sua presença. Até as esquece completamente. Todas as normas morais do velho são: *après moi le déluge*.[93] É tudo o que há de oposto ao conceito de cidadão, é a separação mais plena e até hostil da sociedade: 'Que o fogo consuma o mundo inteiro contanto que só eu fique bem'. E ele se sente bem, está plenamente satisfeito, deseja viver mais uns vinte ou trinta anos. Rouba o próprio filho e com o dinheiro deste, herança de sua mãe, que ele se nega a lhe entregar, tenta tomar a amante de seu próprio filho. Não, não estou querendo ceder a defesa do réu ao seu talentosíssimo advogado que veio de Petersburgo. Eu mesmo direi a verdade, eu mesmo compreendo o volume de indignação que ele fez acumular-se no coração do filho. Mas chega, chega de falar desse velho infeliz, ele recebeu a sua paga. Lembremos, não obstante, que se trata de um pai, de um dos pais de nossos dias. Estarei ofendendo a sociedade dizendo que ele é até um dos muitos pais de nossos dias? Ai, muitíssimos dos pais de nossos dias só não se revelam tão cinicamente

[93] "Depois de mim, o dilúvio", em francês. Expressão atribuída a Luís XV ou a Mme. Pompadour. (N. da E.)

como esse porque são mais bem-educados, mais bem instruídos, mas no fundo professam quase a mesma filosofia que ele! Vá lá que eu seja um pessimista, vá lá. Já combinamos que me perdoareis. Combinemos de antemão: não acrediteis em mim, não acrediteis, continuarei falando, mas não acrediteis. E não obstante permiti que me manifeste, apesar de tudo não vos esquecereis de alguma coisa que eu disser. Vede, entretanto, os filhos desse velho, desse pai de família: um deles está à nossa frente no banco dos réus, e mais adiante direi tudo o que tenho a dizer a seu respeito; sobre os outros falarei apenas de passagem. Um deles, o mais velho, é um dos jovens atuais que tiveram uma formação brilhante, de inteligência bastante forte, que, não obstante, não acredita em nada, que em sua vida já renegou e refutou muita coisa, coisas demais, tal qual seu pai. Todos o ouvimos, foi recebido amigavelmente em nossa sociedade. Não escondeu suas opiniões, fez até o contrário, totalmente o contrário, o que me permite a ousadia de falar dele agora com certa franqueza, é claro que não como alguém isolado, mas como membro da família Karamázov. Aqui morreu ontem Smierdiakóv, suicidou-se num arrabalde da cidade, um idiota doente, fortemente envolvido neste caso, ex-criado e talvez até filho bastardo de Fiódor Pávlovitch. Durante a investigação criminal, ele me contou, entre lágrimas histéricas, como esse jovem Karamázov, Ivan Fiódorovitch, o deixara horrorizado com o seu descomedimento espiritual. 'Tudo, segundo ele, é permitido, tudo o que existe no mundo, e doravante nada deve ser proibido — eis o que ele sempre me ensinou.' Parece que com essa tese que lhe ensinaram o idiota enlouqueceu definitivamente, embora, é claro, sua perturbação mental tenha sido influenciada também pela epilepsia e por toda essa terrível catástrofe que desabou sobre cada um deles. Mas esse idiota deixou transparecer uma observação muito, muito curiosa, que seria meritória até vinda de um observador mais inteligente do que ele, e é por isso que estou tocando nesse assunto: 'Se entre os filhos — disse-me ele — existe um que mais se parece com Fiódor Pávlovitch pelo caráter, esse é Ivan Fiódorovitch!'. Com essa observação interrompo a caracterização que iniciei, por considerar indelicado continuá-la. Oh, não quero tirar novas conclusões e ficar feito gralha agourando só a morte para um destino jovem. Hoje mesmo, aqui nesta sala, vimos que a força natural da verdade ainda vive em seu jovem coração, que nele os sentimentos do apego familiar ainda não foram abafados pela descrença e pelo cinismo moral adquirido mais por herança do que por ter verdadeiramente sofrido por suas ideias. O outro filho — oh, ainda jovenzinho, honrado e sereno, contrariando a visão de mundo sombria e desintegradora do irmão, procura aderir, por assim dizer, aos 'princípios populares', ou ao que alguns círculos teóricos da nossa intelectualidade pensante definem com essa expressãozinha complicada. Ele, observai, aderiu ao mosteiro; esteve a ponto de tomar hábito. Parece-me que nele se manifestou, de modo meio inconsciente e muito precoce, aquele desespero tímido com que hoje em dia muitos em nossa pobre sociedade, por temer seu cinismo e sua devassidão e atribuindo equivocadamente todo o mal à ilustração europeia, lançam-se, como dizem eles, ao 'solo natal', por assim dizer, aos braços maternos da terra natal como crianças assustadas por fantasmas, e anseiam ao menos adormecer tranquilamente no peito ressecado da mãe debilitada e até passar o resto da vida dormindo, contanto que não vejam os horrores que os assustam. De minha parte, desejo a este bom e talentoso jovem tudo o que há de melhor, desejo que mais tarde sua bela alma juvenil e sua aspiração aos princípios populares não se transformem — como acontece com tanta frequência —, em seu aspecto moral, num misticismo sombrio e, em seu aspecto cívico, num chauvinismo obtuso — dois atributos que talvez ameacem a nação com um mal ainda maior do que até mesmo a depravação precoce, provinda de uma ilustração europeia falsamente interpretada e gratuitamente assimilada, que vitimou seu irmão mais velho."

Pelo chauvinismo e o misticismo manifestaram-se duas ou três claques. Hippolit Kiríllovitch, é claro, deixara-se arrebatar, e ademais tudo aquilo pouco tinha a ver com o presente caso, sem falar que ele havia sido bastante vago, mas é que o homem tísico e exacerbado sentira uma excessiva vontade de manifestar-se ao menos uma vez em sua vida. Mais tarde falou-se em nossa cidade que, ao caracterizar Ivan Fiódorovitch, ele foi levado por um sentimento até indelicado, porque o outro umas duas vezes o fizera calar-se publicamente em discussões e, lembrando-se disto, Hippolit Kiríllovitch agora quisera dar o troco. Mas não sei se seria possível tirar essa conclusão. Em todo caso, tratava-se apenas de uma introdução, porque o discurso que se seguiu foi mais franco e direto ao assunto.

"Mas eis o terceiro filho do pai de uma família moderna — continuou Hippolit Kiríllovitch —, está ali no banco dos réus, à nossa frente; temos diante de nós suas proezas, sua vida e suas atividades: chegou a hora e tudo se revelou, tudo veio à tona. Contrariando o 'europeísmo' e os 'princípios populares' de seus irmãos, ele como que encarna a Rússia natural — oh, não toda, não toda, e Deus nos livre que seja toda! E, não obstante, aí está ela, a nossa Russiazinha, nossa mãe, com seu cheiro, fazendo ouvir sua voz. Oh, somos uns medíocres, somos o bem e o mal numa mistura surpreendente, somos adeptos da ilustração e de Schiller, e ao mesmo tempo andamos pelas tavernas fazendo arruaças e arrancando o cavanhaque de tipinhos bêbados, nossos companheiros de copo. Oh, também somos bons e magníficos, mas só quando nós mesmos nos sentimos bem e magnificamente. Ao contrário, somos até dominados — precisamente dominados — pelos mais nobres ideais, mas só sob a condição de que eles sejam atingidos por acaso, que nos caiam do céu sobre a mesa e, principalmente, que sejam gratuitos, gratuitos, que nada paguemos por eles. Abominamos pagar, mas em compensação gostamos muito de receber, e isso em todos os sentidos. Oh, dai-nos, dai-nos todos os bens possíveis da vida (precisamente todos os possíveis, menos não aceitamos) e sobretudo não imponhais obstáculo ao nosso direito ao que quer que seja, e então demonstraremos que também podemos ser bons e magníficos. Não somos cobiçosos, não, mas, não obstante, dai-nos dinheiro, mais, mais, e quanto mais for possível, e vereis com que magnanimidade, com que desdém pelo vil metal nós o esbanjaremos em uma noite num regabofe desenfreado. E se o negardes, nós mostraremos como somos capazes de consegui-lo quando o queremos muito. Mas deixemos isso para depois, sigamos as coisas pela ordem. Antes de tudo temos diante de nós um pobre menino abandonado, 'descalço nos fundos da casa', como acabou de exprimir-se nosso respeitável concidadão, ai, de procedência estrangeira! Torno a repetir — não cedo a ninguém a defesa do réu. Sou o acusador, e sou também o defensor. Sim, nós também somos gente, nós também somos seres humanos, e sabemos ponderar como as primeiras impressões da infância e do ninhozinho familiar podem influenciar o caráter. Mas eis que o menino já é um adolescente, já é um rapaz, um oficial; por atos violentos e por um desafio para duelo é confinado numa das cidades fronteiriças de nossa bendita Rússia. Ali ele serve, ali ele farreia e, é claro — para um grande navio uma grande navegação. Precisamos de recursos, antes de mais nada de recursos, e eis que depois de longas disputas ele e o pai chegam a um acordo sobre os últimos seis mil rublos a que ele tem direito e a quantia lhe é enviada. Observai, ele assina um documento, e existe uma carta em que ele quase renuncia à parte restante e com esses seis mil encerra o litígio com o pai por causa da herança. Nesse ponto nasce o seu encontro com uma jovem muito evoluída e de caráter elevado. Oh, não me atrevo a repetir os pormenores, acabastes de ouvi-los: isto é uma questão de honra, de abnegação, e eu me calo. A imagem do jovem leviano e devasso que, não obstante, curvou-se diante da verdadeira nobreza, diante de uma ideia superior, passou de relance diante de nós com extraordinária simpatia. Mas em seguida, nesta mesma sala do tribunal, apresentou-se de modo totalmente inesperado o reverso da medalha. Aqui também não me atrevo a entrar em conjeturas e me abstenho de analisar as causas disso. Mas, não obstante, elas existem. Essa mesma criatura, toda banhada em lágrimas de uma indignação que escondera durante muito tempo, nos declara que ele, ele mesmo foi o primeiro a desprezá-la por aquele seu impulso descuidado, incontido, talvez, mas ainda assim sublime, ainda assim magnânimo. Ele mesmo, o noivo dessa moça, foi quem esboçou, antes dos demais, aquele sorriso de zombaria que só dele ela não podia suportar. Sabendo que ele já a havia traído (traído por estar convicto de que doravante ela devia mesmo suportar tudo de sua parte, inclusive sua traição), sabendo disso ela lhe oferece de propósito três mil rublos e no ato lhe dá a entender com clareza, com excessiva clareza, que está lhe oferecendo aquele dinheiro para que ele a recompense com traição: 'Então, aceitarás ou não, serás ou não tão cínico?' — ela lhe diz em silêncio com um olhar que julga e testa. Ele a fita, compreende inteiramente seus pensamentos (sim, porque o próprio confessou aqui mesmo, perante vós, que compreendia tudo) e se apropria incondicionalmente daqueles três mil e os esbanja em dois dias com sua nova amante! Em que acreditar? Na primeira lenda — no primeiro arroubo de alta dignidade, que entregava os últimos recursos de que dispunha para viver e se curvava diante da virtude, ou no reverso tão repugnante da medalha? Na vida costuma acontecer que, diante de dois opostos, deve-se procurar a verdade no meio; no presente caso é exatamente o oposto. O mais provável é que, no primeiro caso, ele tenha sido sinceramente nobre, e tão sinceramente vil no segundo. Por quê? Justamente porque somos naturezas amplas, karamazovianas — pois é nesse sentido que conduzo a questão —, capazes de encerrar todas as oposições possíveis e contemplar de uma vez ambos os abismos, um abismo que está acima de nós, o abismo dos altos ideais, e o abismo que está abaixo de nós, o abismo da queda mais vil e funesta. Lembremos uma ideia brilhante que acabou de ser expressa por um jovem observador, que contemplou a fundo e de perto toda a família Karamázov, o senhor Rakítin: 'A sensação de baixeza da queda é tão necessária a essas naturezas descomedidas, incontidas, como a sensação de suprema nobreza' — e isso é verdade: são eles mesmos que necessitam dessa mistura artificial constante e contínua. Dois abismos, dois abismos, senhores, em um só instante — sem isso somos infelizes e insatisfeitos, nossa existência não está completa. Somos amplos, amplos como toda a nossa mãe Rússia, comportamos tudo e a tudo nos habituamos! Aliás, senhores jurados, acabamos de nos referir àqueles três mil rublos e me permito antecipar-me um pouco. Imaginai só que ele, esse caráter, tendo recebido aquele dinheiro, e ainda por cima daquela maneira, passando por cima de tamanha desonra, de tamanha vergonha, do último grau da humilhação — imaginai se no mesmo dia ele seria capaz de separar uma metade da quantia, costurá-la num saquinho e depois ter a firmeza de passar um mês inteiro com ele no pescoço, a despeito de todas as tentações e das extraordinárias necessidades! Nem em suas farras de bêbado de taverna em taverna, nem quando saiu voando da cidade para conseguir, sabe Deus com quem, o dinheiro que lhe era mais que necessário para levar sua amada para longe das tentações do rival, seu próprio pai, ele se atreve a tocar nesse saquinho! Ao menos para não deixar sua amada à mercê da sedução do velho, de quem ele tinha tanto ciúme, ele devia abrir seu saquinho e não arredar pé de casa na guarda de sua amada, esperando pelo momento em que ela finalmente lhe dissesse: 'Sou tua', para voar com ela para algum lugar distante da situação fatídica daquele momento. Mas não, ele não toca em seu talismã, e sob que pretexto? O pretexto inicial, já dissemos, viria justamente quando ela lhe dissesse: 'Sou tua, leva-me para onde quiseres', e então ele teria com que levá-la. Mas, pelas próprias palavras do réu, esse primeiro pretexto empalideceu diante do segundo. Enquanto eu tiver esse dinheiro comigo, diz ele, 'serei um patife, mas não ladrão', porque sempre poderei procurar minha noiva ofendida e, pondo diante dela essa metade de toda a quantia da qual me apropriei traiçoeiramente, sempre poderei lhe dizer: 'Estás vendo, esbanjei metade do teu dinheiro e assim demonstrei que sou um homem fraco e amoral e, se quiseres, um patife (eu me exprimo na linguagem do próprio réu), no entanto, mesmo sendo patife, não sou ladrão, porque se fosse ladrão não te teria trazido essa metade restante e teria me apropriado dela também, como da primeira metade'. É uma explicação surpreendente do fato! Esse mesmo homem raivoso porém fraco, que não foi capaz de fugir à tentação de aceitar três mil rublos com tamanha desonra — esse mesmo homem experimenta de chofre uma firmeza tão estoica e conduz no peito milhares de rublos sem se atrever a tocá-los. Será que isto está minimamente em conformidade com o caráter que aqui examinamos? Não, eu até me atrevo a vos dizer como o verdadeiro Dmitri Karamázov agiria em semelhante caso, se de fato tivesse resolvido costurar seu dinheiro em um saquinho. Já na primeira tentação — bem, ao menos para distrair mais uma vez a mesma nova amada com quem já esbanjara a primeira metade desse dinheiro — ele descosturaria seu saquinho e dele retiraria, é de supor, ao menos cem rublos para começar, pois por que iria reservar forçosamente a metade, ou seja, mil e quinhentos, quando mil e quatrocentos rublos já bastariam? porque daria no mesmo: 'sou um patife, mas não ladrão, porque, apesar de tudo, trouxe de volta mil e quatrocentos rublos, ao passo que um ladrão não traria nada'. Algum tempo depois tornaria a abrir o saquinho e então retiraria uma segunda nota de cem, depois uma terceira, depois uma quarta, e ainda antes do fim do mês já haveria tirado a penúltima nota de cem: uma nota de cem, diria, eu devolvo, seja como for é dinheiro: 'patife, mas não ladrão. Esbanjei vinte e nove notas de cem, mas, apesar de tudo, devolvo uma: um ladrão nem isso devolveria'. E, por último, já depois de esbanjar essa penúltima nota de cem, olharia para a última e diria a si mesmo: 'Pensando bem, não vale a pena devolver uma centena — ah, vou gastar essa também!'. Assim agiria o verdadeiro Dmitri Karamázov que conhecemos! A lenda do saquinho é uma contradição tão flagrante com a realidade que seria inconcebível outra maior. Pode-se supor tudo, menos isso. Mas ainda voltaremos a este assunto."

Depois de destacar pela ordem tudo o que já constava no sumário de culpa sobre as disputas dos bens e as relações familiares de pai e filho, e concluir mais uma e outra vez que, segundo os dados conhecidos, não havia a mínima possibilidade de definir quem nessa questão da divisão da herança havia roubado quem, ou quem teria logrado quem, Hippolit Kiríllovitch mencionou o que a perícia médica disse sobre os três mil rublos, que haviam se tornado ideia fixa na mente de Mítia.

VII. Um apanhado histórico

"A perícia médica procurou nos provar que o réu não está em seu perfeito juízo e que é um maníaco. Eu afirmo que ele está de fato em seu perfeito juízo, e que isso é que é o pior de tudo: se não estivesse em seu perfeito juízo, possivelmente teria sido bem mais inteligente. Quanto à afirmação de que é um maníaco, eu até concordaria com isso, e todavia em apenas um ponto — naquele indicado pela perícia, isto é, na visão que o réu tem desses três mil que o pai teria deixado de quitar. Contudo, talvez se possa encontrar um enfoque que chegue incomparavelmente mais perto da questão para explicar esse eterno desvario do réu com esse dinheiro do que sua inclinação para a loucura. De minha parte, concordo plenamente com a opinião do jovem médico, para quem o réu estava e está no gozo pleno e normal de suas faculdades mentais, e estava apenas irritado e enfurecido. Pois é nisto que reside a questão: não era nos três mil, na quantia, que consistia propriamente o objeto dessa fúria permanente e desvairada do réu, mas no fato de que havia aí uma causa especial que despertava a sua ira. Essa causa é o ciúme!"

Aqui Hippolit Kiríllovitch desenvolveu amplamente todo o quadro da fatídica paixão do réu por Grúchenka. Começou daquele mesmo instante em que o réu foi à casa da "jovem criatura" com a finalidade de "espancá-la", para usar as próprias palavras dele, explicou Hippolit Kiríllovitch, "mas em vez de espancá-la ficou caído a seus pés — eis o começo desse amor. Ao mesmo tempo, o velho, pai do réu, também anda de olho na mesma criatura — uma coincidência surpreendente e fatídica, porque ambos os corações se incendiaram de repente, ao mesmo tempo, embora tanto um quanto outro já conhecessem antes essa criatura —, e ambos os corações arderam da paixão mais impetuosa, mais karamazoviana. Neste ponto temos a própria confissão dela: 'Sim — diz ela —, eu zombava de um e de outro'. Pois é, deu-lhe uma súbita vontade de zombar de um e do outro; antes não tivera essa vontade, mas de repente isso lhe deu na telha e a história terminou com os dois caídos diante dela, vencidos. O velho, que cultuava o dinheiro como a um deus, preparou imediatamente três mil rublos com o único fim de fazê-la visitar sua morada, mas logo foi levado a tal ponto que, para alcançar a felicidade, poria aos pés dela toda a sua fortuna contanto que ela aceitasse tornar-se sua legítima esposa. Disto temos provas seguras. Quanto ao réu, sua tragédia é evidente, está diante dos nossos olhos. Mas esse era o 'jogo' da jovem criatura. A sedutora não dava sequer esperança ao infeliz jovem, pois a esperança, a verdadeira esperança só lhe foi dada bem no último instante, quando ele, prostrado de joelhos diante de sua algoz, estendeu-lhe as mãos já manchadas pelo sangue de seu pai e rival: foi justamente nessa posição que o prenderam. 'Mandem a mim, mandem a mim junto com ele para os trabalhos forçados, fui eu que o levei a isto, tenho mais culpa do que ninguém!' — exclamou essa mesma mulher no momento em que ele foi preso, já sinceramente arrependida. Um jovem de talento, que assumiu a tarefa de descrever o presente caso — o mesmo senhor Rakítin que já mencionei —, define em algumas frases lacônicas e peculiares o caráter dessa heroína: 'A frustração precoce, a sedução precoce e a queda, a traição do noivo sedutor, que a abandonou, e depois a pobreza, a maldição de uma família honesta e, por fim, a proteção de um velho rico a quem ela mesma, aliás, ainda hoje considera seu protetor. No coração jovem, que talvez contivesse muita coisa boa, a ira fez morada desde tempos ainda excessivamente precoces. Formou-se um caráter calculista, amealhador de capital. Formou-se uma natureza zombeteira, vingativa em relação à sociedade'. Depois de semelhante caracterização é compreensível que ela seja capaz de zombar ao mesmo tempo de um e de outro por uma questão de jogo, de um jogo maldoso. E eis que em um mês de amor desesperado, de degradações morais, de traição à sua noiva, de apropriação do dinheiro alheio confiado à sua honra — o réu, além de tudo o mais, chega quase ao desvario, à fúria, movido por um ciúme constante, e de quem? do próprio pai. E o pior: o velho louco atrai e seduz o objeto de sua paixão — com aqueles mesmos três mil que o filho considera seus por herança familiar da mãe, e pelos quais censura o pai. Sim, concordo, seria duro suportar isto! Aí poderia surgir até uma obsessão. A questão não estava no dinheiro, mas no fato de que com esse mesmo dinheiro e um cinismo abominável frustrava-se a felicidade dele!"

Em seguida, Hippolit Kiríllovitch passou a abordar como a ideia do parricídio medrara paulatinamente na cabeça do réu, e o fez de acordo com os fatos.

"A princípio apenas gritamos pelas tavernas — passamos esse mês inteiro gritando. Oh, gostamos de frequentar a sociedade e comunicar imediatamente às pessoas todas as nossas ideias, até as mais infernais e perigosas, gostamos de dividi-las com as pessoas e, sabe-se-lá por quê, no mesmo instante exigimos que essas pessoas logo nos respondam com a mais plena simpatia, compartilhem de todas as nossas preocupações e inquietações, façam coro conosco e não criem obstáculos à nossa verdade. Senão entramos em fúria e destroçamos a taverna inteira. (Seguiu-se a história do capitão Snieguirióv.) Quem viu e ouviu o réu no decorrer desse mês, percebeu finalmente que ali já poderia haver não só gritos e ameaças ao pai, mas sob semelhante desvario as ameaças talvez desembocassem até em ação. (Nesse ponto o promotor descreveu o encontro da família no mosteiro, as conversas com Aliócha e a cena deplorável de violência em casa do pai, quando o réu irrompeu naquela casa depois do almoço.) Não penso em insistir na afirmação — continuou Hippolit Kiríllovitch — de que antes dessa cena o réu já houvesse decidido de caso pensado e premeditadamente acabar com o pai, matando-o. Entretanto essa ideia já se lhe havia apresentado várias vezes, e ele a contemplava com ponderação — a esse respeito temos os fatos, os testemunhos e a própria confissão do réu. Confesso, senhores jurados — ajuntou Hippolit Kiríllovitch —, que até hoje hesitei em reservar ao réu também a premeditação plena e consciente do crime que lhe vinha à cabeça. Eu tinha a firme convicção de que sua alma já contemplara reiterada e antecipadamente o momento fatal, mas apenas contemplara, imaginara-o apenas como possibilidade, mas ainda não havia definido o momento nem as circunstâncias da execução. Contudo, eu só vacilei até hoje, até conhecer esse documento fatídico, apresentado hoje a este tribunal pela senhora Vierkhóvtzeva. Senhores, vós mesmos a ouvistes exclamar: 'Era o plano, era o programa do assassinato!' — foi assim que ela definiu essa infeliz carta 'de bêbado' do infeliz réu. E de fato, por trás dessa carta está todo o significado do programa e da premeditação. Ela foi escrita dois dias antes do crime e, desse modo, agora temos a sólida informação de que, dois dias antes da execução de seu terrível plano, o réu jurou que se não conseguisse o dinheiro no dia seguinte mataria o pai para lhe tirar o dinheiro que estava debaixo do travesseiro, 'no pacote com a fitinha vermelha,[94] assim que Ivan partir'. Ouvi: 'Assim que Ivan partir' — logo, tudo aí já fora pensado, minuciosamente ponderado, e o que se viu: tudo depois foi executado como fora escrito! A premeditação e o ato de caso pensado são indiscutíveis, o crime deveria ser cometido com a finalidade de roubar, isto foi francamente declarado, escrito e assinado. O réu não nega sua assinatura. Dirão talvez: isso foi escrito por um bêbado. Mas isso não atenua nada e é ainda mais grave: ele escreveu bêbado o que arquitetou sóbrio. Se não o tivesse arquitetado sóbrio não o teria escrito em estado de embriaguez. Talvez alguém diga: então por que ele saiu bradando sua intenção pelas tavernas? Quem decide *premeditadamente* cometer um ato como esse, cala e o esconde para si. É verdade, mas ele bradava quando ainda não tinha os planos nem a premeditação, só o desejo, o intento apenas amadurecia. Depois já bradava menos. Naquela noite em que escreveu a carta, bêbado na taverna A Capital, ele esteve calado, contrariando o hábito, não jogou bilhar, manteve-se à parte, não conversou com ninguém e apenas pôs para fora do lugar o caixeiro de um comerciante daqui, mas isso já foi um ato quase inconsciente, movido pelo hábito de brigar, sem o qual ele não podia passar quando entrava na taverna. É verdade que, ao conceber a decisão definitiva, o réu deve ter ficado receoso porque antes a havia proclamado à exaustão pela cidade, e isto poderia perfeitamente ensejar o seu desmascaramento e a sua condenação depois que executasse o plano. Mas o que fazer, o fato ganhara publicidade, já não podia mais voltar atrás e, por fim, safara-se antes, agora também se safaria. Confiávamos em nossa estrela, senhores! Devo, além disso, reconhecer que ele fez muito tentando contornar o momento fatal, que fez muitíssimos esforços para evitar o desfecho sangrento. 'Amanhã pedirei três mil a todas as pessoas — como escreve ele em sua linguagem original — e, se elas não me derem, o sangue vai correr'. Mais uma vez escrito em estado de embriaguez, e mais uma vez executado em estado sóbrio, conforme o escrito!"

Nesse ponto Hippolit Kiríllovitch passou a descrever minuciosamente todos os esforços de Mítia para conseguir dinheiro com o fim de evitar o crime. Descreveu suas peripécias em casa de Samsónov, a viagem à procura de Liágavi, tudo documentado.

"Exaurido, ridicularizado, faminto, vendendo o relógio para custear essa viagem (mas tendo mil e quinhentos rublos consigo — como se fosse possível, oh, como se fosse possível!), atormentado pelo ciúme do objeto do amor

[94] Confusão do promotor: a fita é cor-de-rosa. (N. do T.)

deixado na cidade, suspeitando de que em sua ausência ela iria à casa de Fiódor Pávlovitch, ele finalmente retorna à cidade. Graças a Deus! Ela não esteve em casa de Fiódor Pávlovitch. Ele mesmo a acompanha à casa de Samsónov, protetor dela. (Coisa estranha, de Samsónov não temos ciúmes, e esta é uma peculiaridade psicológica muito característica deste caso!) Em seguida se precipita para o posto de observação 'nos fundos da casa' e lá, lá fica sabendo que Smierdiakóv está tendo um ataque epiléptico, que o outro criado está doente — o campo está livre, os 'sinais' estão em suas mãos — que tentação! Ainda assim ele resiste, apesar de tudo; procura a senhora Khokhlakova, que reside aqui e por quem todos nós nutrimos alta estima. Simpática há muito tempo ao destino dele, esta senhora lhe faz a mais sensata das sugestões: abandonar toda essa pândega, esse amor deplorável, essa vagabundagem de taverna em taverna, o esbanjamento estéril de energias juvenis, e tomar o caminho das lavras de ouro na Sibéria: 'Lá encontrará a vazão para suas energias impetuosas, para sua natureza romântica, sequiosa de aventuras'." Depois de descrever o desfecho da conversa e o momento em que o réu recebeu subitamente a notícia de que Grúchenka não estivera absolutamente com Samsónov, depois de descrever minuciosamente a fúria do infeliz, atormentado por seus nervos de homem ciumento diante da ideia de que ela o havia mesmo enganado e agora estava com ele, Fiódor Pávlovitch, Hippolit Kiríllovitch concluiu chamando a atenção para o significado fatal do caso: "Tivesse a criada conseguido lhe dizer que sua amada estava em Mókroie, com o 'primeiro' e 'indiscutível' — e nada teria acontecido. Mas a criada pasmava de pavor, jurava por Deus, e se o réu não a matou naquele instante foi porque se precipitou em desabalada carreira atrás de sua traidora. Mas observai: por mais desnorteado que estivesse, ainda assim ele levou consigo a mãozinha do pilão de cobre. Por que precisamente a mãozinha, por que não outra arma? Ora, se já estivéssemos o mês inteiro contemplando esse quadro e nos preparando para ele, tão logo vislumbrássemos algo em forma de arma nós o agarraríamos como arma. E quanto ao fato de que algum objeto desse tipo pudesse nos servir de arma — isso já vínhamos imaginando havia um mês inteiro. Foi por isso que o reconhecemos como arma tão instantaneamente e sem discussão! E por isso ele agarrou essa fatídica mãozinha de pilão de modo todavia não inconsciente, todavia não involuntário. Eis que ele está no jardim da casa do pai — o campo está livre, não há testemunhas, é noite avançada, há trevas e ciúmes. A suspeita de que ela está ali, com ele, com seu rival, em seus braços, e talvez até zombando dele nesse momento, arrebata-lhe o espírito. Aliás, não há só suspeitas — de que suspeitas falar agora? —, a traição é notória, evidente: ela está ali, ali naquele quarto de onde vem a luz, ela está lá no quarto dele, atrás do biombo — e então o infeliz se aproxima da janela às furtadelas, olha respeitosamente por ela, resigna-se educadamente e se afasta por sensatez, depressa, para longe da desgraça, para que não aconteça algo perigoso e imoral — e querem nos convencer disso, a nós que conhecemos o caráter do réu, compreendemos o estado de espírito em que ele se encontrava, que se depreende dos fatos e, o principal, sabemos que ele conhecia os sinais com que podia abrir imediatamente a porta da casa e entrar!"

Nesse ponto referente aos "sinais", Hippolit Kiríllovitch deixou temporariamente de lado sua acusação e achou por bem falar de Smierdiakóv, com o intuito de esgotar de uma vez todo esse episódio secundário referente à suspeita de sua participação no assassinato e eliminar definitivamente essa ideia. Fez isto de maneira muito detalhada, e todos compreenderam que, apesar de todo o desprezo que manifestava por essa hipótese, ainda assim ele a considerava muito importante.

VIII. O TRATADO SOBRE SMIERDIAKÓV

"Em primeiro lugar, de onde surgiu a possibilidade de semelhante suspeita? — começou perguntando Hippolit Kiríllovitch. — O primeiro a gritar que Smierdiakóv era o assassino foi o próprio réu no momento de sua prisão, todavia, entre este primeiro grito e este momento do julgamento não apresentou qualquer prova que confirmasse sua acusação — e não só prova mas nem sequer uma alusão a alguma prova minimamente conforme com a razão humana. Em seguida, só três pessoas confirmaram essa acusação: os dois irmãos do réu e a senhora Svietlova. Contudo, o irmão mais velho do réu[95] só levantou sua suspeita hoje, doente, num acesso de indiscutível distúrbio mental e febre, mas antes, durante todos esses meses, partilhava inteiramente da convicção da culpa de seu irmão e inclusive não procurava fazer objeção a essa ideia. Mas disto ainda trataremos especialmente. Em seguida, o irmão caçula do réu nos declarou, ainda há pouco, que não dispunha de quaisquer provas, nem as mais insignificantes, que confirmassem sua ideia da culpa de Smierdiakóv, e que chegava a essa conclusão baseando-se apenas nas palavras do próprio réu e 'na expressão de seu rosto' — sim, essa

[95] Nessa e em outras passagens, o promotor refere-se a Ivan Fiódorovitch como "o mais velho", tendo em mente, porém, apenas os dois irmãos de Dmitri: o próprio Ivan e Alieksiêi. (N. do T.)

prova colossal foi duas vezes mencionada ainda há pouco por seu irmão. Já a senhora Svietlova se exprimiu de uma forma talvez até mais colossal: 'Podem acreditar no que o réu lhes disser, ele não é do tipo que mente'. Eis todas as provas materiais apresentadas contra Smierdiakóv por essas três pessoas excessivamente interessadas no destino do réu. Entretanto, a acusação contra Smierdiakóv andava de boca em boca e persistia, e ainda persiste — é possível acreditar nisso, é possível imaginar isso?"

A essa altura Hippolit Kiríllovitch achou por bem esboçar levemente o caráter do falecido Smierdiakóv, "que encerrou sua vida num acesso patológico de distúrbio mental e loucura". O promotor o apresentou como um débil mental, dotado de rudimentos de alguma vaga ilustração, desorientado por ideias filosóficas acima da capacidade de sua inteligência e assustado com algumas doutrinas atuais sobre o dever e a obrigação, que lhe foram amplamente incutidas, na prática, pela vida desregrada de seu falecido amo, e talvez até pai, Fiódor Pávlovitch e, de forma teórica, por diversas e estranhas palestras filosóficas com seu filho Ivan Fiódorovitch, que de bom grado se permitia essa distração, provavelmente levado pelo tédio e por uma necessidade de zombar que não encontrou melhor aplicação. "Ele mesmo me falou de seu estado de espírito nos últimos dias de sua permanência em casa de seu amo — esclareceu Hippolit Kiríllovitch —, mas outras pessoas testemunham a mesma coisa: o próprio réu, seu irmão e até o criado Grigori, isto é, todos aqueles que deviam conhecê-lo de muito perto. Além de desalentado pela epilepsia, Smierdiakóv era 'covarde como uma galinha'. 'Ele caiu aos meus pés e beijou meus pés — disse-nos o próprio réu quando ainda não tinha consciência de certa desvantagem que tal declaração lhe trazia —, aquilo é uma galinha doente de epilepsia' — referiu-se a ele com sua linguagem característica. Pois o réu (está em seu próprio depoimento) o escolhe como confidente e o deixa tão assustado que o outro finalmente concorda em lhe servir de espião e leva e traz. É nessa condição de informante doméstico que ele trai seu amo, informa o réu da existência do pacote com o dinheiro e dos sinais que permitiriam penetrar na casa do amo — ora, como poderia não comunicar? 'Ele me mataria, eu realmente via que me mataria' — declarou Smierdiakóv durante o inquérito, sacudindo-se e até tremendo diante de nós, ainda que o algoz que o assustava já estivesse preso naquele momento e não pudesse aparecer para castigá-lo. 'Suspeitava de mim a cada instante, eu mesmo vivia tomado de pavor e tremor, só para acalmar a sua cólera eu me apressei em lhe contar todo e qualquer segredo com o fim de que assim ele conseguisse perceber que eu era inocente perante ele e me deixasse sair vivo e em paz.' Eis suas próprias palavras, que anotei e gravei na memória: 'Às vezes era só ele gritar comigo que eu caía de joelhos a seus pés'. Sendo por natureza um jovem altamente honesto e tendo por isso ganhado a confiança de seu amo, que distinguiu nele essa honestidade quando ele lhe devolveu o dinheiro perdido, é de pensar que o infeliz do Smierdiakóv tenha se atormentado terrivelmente por reconhecer a traição ao seu amo, a quem amava como seu benfeitor. Os que sofrem intensamente de epilepsia, segundo testemunho dos psiquiatras mais profundos, sempre pendem para uma autoacusação permanente e, é claro, patológica. Essas pessoas ficam atormentadas com sua 'culpa' por alguma coisa e perante alguém, atormentam-se com remorsos, amiúde até sem nenhum fundamento, exageram e chegam até a inventar contra si culpas e crimes vários. E eis que um sujeito assim se torna efetivamente culpado e criminoso, por temor e intimidação. Além disso, ele pressentiu intensamente que as circunstâncias que se formavam diante de seus olhos podiam redundar em algo ruim. Quando Ivan Fiódorovitch, o filho mais velho de Fiódor Pávlovitch, preparava-se para viajar a Moscou às vésperas da própria catástrofe, Smierdiakóv implorou que ele permanecesse, mas sem se atrever, por sua covardia habitual, a lhe expressar todos os seus temores de forma nítida e categórica. Contentou-se apenas com insinuações, mas as insinuações não foram compreendidas. Cabe observar que ele via em Ivan Fiódorovitch uma espécie de defensor, uma espécie de garantia de que, enquanto ele estivesse em casa, não aconteceria a desgraça. Lembrai-vos da carta 'bêbada' de Dmitri Karamázov: 'Mato o velho assim que Ivan partir'; portanto, a presença de Ivan Fiódorovitch parecia a todos uma espécie de garantia da tranquilidade e da ordem naquela casa. Pois bem, ele parte e imediatamente, quase uma hora depois da partida do jovem senhor, Smierdiakóv desmaia acometido de um ataque de epilepsia. Mas isso é perfeitamente compreensível. Neste ponto cabe lembrar que, desalentado por seus temores e por uma espécie de desespero, Smierdiakóv sentiu, particularmente nos últimos dias, a possibilidade da aproximação dos ataques de epilepsia, que antes lhe aconteciam sempre nos momentos de tensão moral e comoção. É claro que é impossível adivinhar o dia e a hora desses ataques, entretanto todo epiléptico pode sentir antecipadamente a disposição para semelhantes ataques. É o que diz a medicina. Pois bem, mal Ivan Fiódorovitch deixa a casa e Smierdiakóv, sob a impressão, por assim dizer, de sua orfandade e desamparo, vai à adega por algum afazer doméstico, desce pela escada e pensa: 'Terei ou não um ataque, e o que acontecerá se ele vier agora?'. Pois justamente por causa desse estado de espírito, dessa cisma, dessas questões ele é acometido do espasmo na garganta, que sempre antecede o ataque epiléptico, e despenca inconsciente no fundo da adega. Pois bem, nesse naturalíssimo acaso maquina-se alguma suspeita, alguma sugestão, alguma insinuação de que ele se fingiu *deliberadamente* de enfermo! Mas se o fez deliberadamente, surge de imediato a pergunta: para quê? Com que intenção, com que fim? Já nem falo da medicina; a ciência, dir-se-ia, mente, engana-se, os médicos não souberam distinguir a verdade do fingimento — vá lá, vá lá, mas, não obstante, respondei-me uma pergunta: para que ele teria de fingir? Não seria, tendo tramado o assassinato, para chamar sobre si, de antemão e depressa, a atenção da casa usando tal ataque? Vede, senhores jurados, na noite do crime estiveram e passaram pela casa de Fiódor Pávlovitch cinco pessoas: a primeira, o próprio Fiódor Pávlovitch, mas não foi ele que se matou, isto é claro; a segunda, seu criado Grigori, mas este mesmo por pouco não foi morto; a terceira, a mulher de Grigori, Marfa Ignátievna, mas imaginá-la assassina de seu amo seria simplesmente uma vergonha. Portanto, sobram duas pessoas: o réu e Smierdiakóv. Contudo, uma vez que o réu afirma que não foi ele quem matou, então deveria ter sido Smierdiakóv, não há outra saída, pois não se pode encontrar nenhum outro, não se arranjará nenhum outro assassino. Eis, por conseguinte, de onde veio essa 'astuciosa' e colossal acusação contra o infeliz do idiota que ontem se matou! Única e precisamente porque não há nenhum outro que se possa arranjar! Houvesse ainda que fosse uma sombra, ao menos uma suspeita de um outro, de alguma sexta pessoa, estou certo de que até mesmo o réu se envergonharia de acusar Smierdiakóv e acusaria essa sexta pessoa, pois acusar Smierdiakóv desse assassinato é um absurdo total.

"Senhores, deixemos de lado a psicologia, deixemos de lado a medicina, deixemos de lado até a própria lógica e recorramos apenas aos fatos, exclusivamente aos fatos, e veremos o que os fatos nos dizem. Smierdiakóv matou, mas como? Sozinho ou em cumplicidade com o réu? Comecemos pelo exame do primeiro caso, ou seja, de que Smierdiakóv matou sozinho. É claro que, se matou, foi com algum fim, visando a alguma vantagem. Mas sem ter nem sombra daqueles motivos que teve o réu para matar, isto é, por ódio, ciúme, etc., etc., Smierdiakóv, sem dúvida, só poderia matar por dinheiro, para se apropriar precisamente daqueles três mil que ele mesmo tinha visto o amo pôr no pacote. Pois bem, tendo tramado o assassinato, ele informa de antemão a outra pessoa — e ainda por cima a outra pessoa com o máximo interesse na questão, precisamente o réu — todas as circunstâncias referentes ao dinheiro e aos sinais: onde estava o pacote, o que precisamente estava escrito sobre ele, com que estava envolto e, o mais importante, comunica-lhe aqueles "sinais" que dariam acesso à casa do amo. Então, ele faz isso abertamente, para se denunciar? Ou para encontrar um concorrente, que talvez deseje entrar ele mesmo e apossar-se do pacote? Sim, responderá alguém, só que ele comunicou por medo. Mas como é possível? Um homem que não pestaneja em tramar uma coisa tão destemida e cruel e depois executá-la, informa tais detalhes que só ele conhece no mundo inteiro, e sobre os quais, se ele calasse, ninguém no mundo inteiro jamais adivinharia. Não, por mais covarde que fosse o homem, se tivesse mesmo tramado uma coisa como essa, já não diria a ninguém por nada neste mundo, ao menos sobre o pacote e os sinais, porque isto significaria denunciar-se inteiramente de antemão. Teria inventado alguma coisa de propósito, alguma outra mentira, se o forçassem a dar informações, mas sobre isso não diria nada! Ao contrário, repito, se não mencionou sequer o dinheiro mas depois matou e se apossou desse dinheiro, ninguém no mundo inteiro jamais poderá acusá-lo, pelo menos de ter matado para roubar, uma vez que, além dele, ninguém havia visto esse dinheiro, ninguém na casa sabia de sua existência. E mesmo que o acusassem, considerariam forçosamente que matara movido por algum outro motivo. Entretanto, como ninguém notou previamente nele tais motivos e todos viram, ao contrário, que era amado pelo amo, agraciado com a confiança do amo, é claro que ele seria o último de quem se poderia suspeitar, e se suspeitaria, antes de tudo, de quem tivesse tais motivos, de quem andara gritando pessoalmente que tinha tais motivos, de quem não os escondia, mas os revelava perante todos, em suma, suspeitariam do filho do morto, Dmitri Fiódorovitch. Smierdiakóv mataria e roubaria, mas acusariam o filho — ora, para Smierdiakóv-assassino, isso seria claramente vantajoso, não? Acontece, porém, que é a esse mesmo filho Dmitri que Smierdiakóv, tendo tramado o assassinato, comunica de antemão a respeito do dinheiro, do pacote e dos sinais — como isso é lógico, como é claro!

"Chega o dia do assassinato tramado por Smierdiakóv, e eis que ele desaba *fingindo* um ataque de epilepsia — para quê? Ora, é claro que, em primeiro lugar, para que o criado Grigori, que planejara seu tratamento, vendo que não havia viva alma para proteger a casa, talvez adiasse o tratamento e ficasse de guarda. Em segundo, evidentemente para que o próprio amo, vendo que ninguém o protegia e temendo terrivelmente a chegada do filho, o que não escondia, redobrasse sua desconfiança e sua precaução. Por último, e o mais importante, evidentemente para que Smierdiakóv, abatido pelo ataque de epilepsia, fosse imediatamente transferido da cozinha, onde sempre pernoitava separado dos outros e tinha seus próprios acessos ao outro extremo do anexo, para trás do tabique no quarto de Grigori, no quarto dos dois, a três passos da cama deles, como sempre faziam desde tempos imemoriais por ordem do amo e da compassiva Marfa Ignátievna, mal a epilepsia o atacava. Ali, deitado atrás do tabique, o mais provável é que ele, querendo fazer-se de doente da maneira mais verossímil, evidentemente começasse a gemer, isto é, mantendo todos acordados a noite inteira (como acontecia, segundo o depoimento de Grigori e de sua mulher). E tudo isso, tudo isso para se levantar subitamente no momento mais propício e depois matar o amo!

"No entanto, talvez me digam que ele fingiu justamente para que não desconfiassem dele, doente, mas informou o réu do dinheiro e dos sinais precisamente para que o outro se sentisse tentado, fosse lá pessoalmente e cometesse o assassinato, e quando o outro, senhores, depois de haver matado, saísse e levasse o dinheiro, e ao fugir talvez fizesse barulho, alarido, despertasse testemunhas, então, vede, Smierdiakóv também se levantaria e iria — sim, iria fazer o quê? Pois bem, iria precisamente matar o amo outra vez e outra vez levar consigo o dinheiro já levado. Estais rindo, senhores? Eu mesmo sinto vergonha de levantar semelhantes hipóteses, e no entanto imaginai isto, porquanto é isto mesmo que o réu afirma: depois de minha saída, diz ele, quando eu já havia deixado a casa, prostrado Grigori e levantado o alarme, ele se levantou, foi lá, matou e roubou. Já nem digo como Smierdiakóv poderia calcular isso tudo de antemão e saber previamente de tudo na ponta dos dedos, isto é, que o filho irritado e enfurecido apareceria com o único fim de olhar respeitosamente pela janela e, de posse dos sinais, retirar-se e deixar a presa toda para ele, Smierdiakóv! Senhores, faço uma pergunta a sério: onde está o momento em que Smierdiakóv cometeu o seu crime? Apontai esse momento, pois sem isto não se pode acusar.

"'Mas é possível que o ataque epiléptico tenha sido verdadeiro. O doente despertou de repente, ouviu um grito, saiu' — E então? Olhou em volta e disse consigo: bem, vou lá e mato o amo. Mas como ele iria saber como andavam as coisas ali, o que estava acontecendo ali, já que até então estivera acamado sem sentidos? A propósito, senhores, a fantasia também tem limites.

"'Pois bem — dirão pessoas sutis —, e se os dois estavam mancomunados, e se os dois mataram juntos e dividiram o dinheiro, então como é que fica isso?'

"Sim, a suspeita é efetivamente grave e, em primeiro lugar, aparecem de imediato provas colossais que a respaldam: um mata e assume todo o trabalho, enquanto o outro comparsa, deitado de lado, finge um ataque epiléptico — justo para despertar previamente suspeita em todos, inquietação no amo, inquietação em Grigori. É curioso: por que motivo os dois cúmplices haveriam de tramar logo um plano tão louco? Bem, é possível que não tenha havido aí nenhuma cumplicidade ativa por parte de Smierdiakóv, mas, por assim dizer, uma cumplicidade passiva e sofrida: é possível que o assustado Smierdiakóv tenha concordado apenas com não resistir ao assassinato e, pressentido que mesmo assim acabaria sendo acusado de ter deixado que matassem o amo sem dar um grito nem resistir, conseguiu antecipadamente de Dmitri Karamázov a permissão para, enquanto isso, permanecer deitado como que acometido de um ataque epiléptico: 'mata como quiseres, não sei de nada'. Se, porém, tivesse sido assim, mais e mais uma vez esse ataque epiléptico deveria provocar um deus nos acuda na casa e, prevendo isso, Dmitri Karamázov não poderia concordar de maneira nenhuma com semelhante acordo. Mas faço uma concessão, e vá lá que ele concordasse; ora, mesmo assim resultaria que Dmitri Karamázov seria o assassino, o assassino notório e o cabeça, ao passo que Smierdiakóv seria apenas um participante passivo, aliás, nem bem participante mas tão só um conivente levado pelo medo e a contragosto, e isto de forma alguma poderia ser ignorado por esta Corte. No entanto, o que estamos vendo? Foi só prenderem o réu, e num piscar de olhos ele despejou tudo exclusivamente em Smierdiakóv e acusou *só* a ele. Não o acusa de cumplicidade consigo, acusa só a ele: ele, alega, fez isso sozinho, matou e roubou, isso é obra sua! Mas que cúmplices são esses que vão logo acusando um ao outro? — isso nunca acontece. Reparai que risco para o Karamázov: ele é o principal assassino, mas o outro não é o principal, o outro é apenas conivente, ficou lá acamado atrás do tabique, e ele acusa o acamado. Pois bem, esse acamado poderia zangar-se e por mera autopreservação declarar depressa a verdade verdadeira: os dois, diria, participaram, só que eu não matei, apenas permiti e fiz vista grossa por medo. Porque ele mesmo, Smierdiakóv, podia compreender que o tribunal reconheceria imediatamente o grau de sua culpabilidade, logo, podia considerar que, se o condenassem, seria uma condenação incomparavelmente mais insignificante que a do assassino principal, que desejava descarregar toda a culpa nele. Então ele acabaria mesmo confessando, a contragosto. Contudo, não foi o que vimos. Smierdiakóv sequer aludiu à cumplicidade, apesar de ter sido firmemente acusado pelo assassino, que sempre o apontou como o único matador. E mais: o próprio Smierdiakóv revelou durante o inquérito que *ele mesmo* havia informado o réu a respeito do pacote com o dinheiro e dos sinais, e que sem ele o outro não saberia de nada. Se ele fosse realmente cúmplice e culpado, teria comunicado isso tão facilmente durante o inquérito, ou seja, que ele mesmo havia informado tudo isso ao réu? Ao contrário, teria denegado a culpa e forçosamente deturpado e atenuado os fatos. Mas ele não os deturpou nem atenuou. Assim só pode agir um inocente que não teme ser acusado de cumplicidade. E eis que ele, num acesso de melancolia patológica e levado por sua epilepsia e por toda essa catástrofe desencadeada, enforcou-se ontem. Então deixou um bilhete escrito num estilo original: 'Extermino minha vida por livre-arbítrio e vontade para não acusar ninguém'. Que faltaria acrescentar ao seu bilhete: 'o assassino sou eu, e não Karamázov'? Mas ele não fez esse acréscimo: teve consciência para uma coisa e não para outra?

"Pois bem: ainda há pouco trouxeram o dinheiro para cá, aqueles três mil rublos — 'o mesmo, disseram, que estava naquele pacote sobre a mesa em que se encontram as provas materiais, recebi ontem de Smierdiakóv'. Mas, senhores jurados, vós mesmos estais lembrados do triste quadro de ainda agora. Não vou repetir os detalhes, contudo me permito tecer apenas duas ou três considerações escolhidas entre as mais insignificantes — que justamente por serem insignificantes, podem não ocorrer a qualquer um e cair no esquecimento. Em primeiro lugar, e mais uma vez levado pelo remorso, Smierdiakóv entregou o dinheiro ontem e suicidou-se. (Porque sem remorsos ele não entregaria o dinheiro.) E, é claro, só ontem à tarde confessou pela primeira vez seu crime a Ivan Karamázov, como o próprio Ivan Karamázov informou, senão, por que este teria silenciado até agora? Pois bem, ele confessou, e torno a repetir, sem nos declarar toda a verdade no bilhete escrito antes da morte, sabendo que o dia seguinte seria o do juízo final para o réu inocente. Ora, o dinheiro sozinho não é prova. Ainda na semana passada, por exemplo, eu e mais duas pessoas nesta sala ficamos sabendo totalmente por acaso de um fato, isto é, que Ivan Fiódorovitch Karamázov mandou trocar na capital da província dois títulos bancários de cinco mil rubos, a cinco por cento, portanto, um total de dez mil rublos. Estou dizendo apenas que qualquer um pode aparecer com dinheiro num prazo como esse, e que, apresentando três mil rublos, não pode provar forçosamente que se trate daquele mesmo dinheiro, tirado daquela mesma caixa ou pacote. Por fim, tendo recebido ontem uma informação tão importante do verdadeiro assassino, Ivan Fiódorovitch permaneceu tranquilo. Por que não informou sobre isso imediatamente? Por que adiou tudo até esta manhã? Suponho que tenho o direito de conjeturar sobre o porquê: com a saúde abalada havia já uma semana, tendo confessado pessoalmente ao médico e às pessoas íntimas que andava tendo visões, encontrando pessoas já mortas, na véspera de um distúrbio mental, que justo hoje o atingiu, de repente ele fica sabendo da morte de Smierdiakóv e forja o seguinte raciocínio: 'O homem está morto, posso acusá-lo e salvar o meu irmão. Dinheiro eu tenho: pego um pacote e digo que Smierdiakóv o entregou a mim antes de morrer'. Direis que isso é desonesto, mesmo contra um morto; mas é desonesto mentir, ainda que seja para salvar o irmão? Sim, mas e se ele mentiu inconscientemente, se ele mesmo imaginou que foi assim que aconteceu por estar de fato com o juízo definitivamente afetado pela notícia dessa morte inesperada do criado? Vós mesmos assististes à cena de ainda há pouco, vistes em que condição se encontrava esse homem. Estava em pé e falava, mas onde andava seu juízo? O depoimento dado ainda há pouco pela testemunha febricitante foi seguido da carta dirigida pelo réu à senhora Vierkhóvtzeva, escrita por ele dois dias antes do crime e contendo antecipadamente o minucioso programa do delito. Então, por que temos de procurar o programa e seus formuladores? O crime foi cometido ponto por ponto segundo esse programa, e não foi cometido senão por quem o formulou. Sim, senhores jurados, 'foi cometido conforme o escrito!', e em hipótese nenhuma, em hipótese nenhuma fugimos da janela do pai por respeito e temor, e ainda com a firme convicção de que naquele momento nossa amada estava com ele. Não, isto é absurdo e inverossímil. Ele entrou e encerrou a questão. Provavelmente matou irritado, inflamado pela raiva que sentiu mal olhou para o seu inimigo e rival, mas depois de matar — o que possivelmente fez de uma só vez, com um único movimento do braço armado pela mãozinha do pilão de cobre —, e após ter feito uma revista minuciosa e se convencido de que ela não estava ali, todavia não se esqueceu de meter a mão debaixo do travesseiro e tirar dali o envelope[96] com o dinheiro, o qual se encontra agora rasgado ali na mesa, junto com as provas materiais. Estou dizendo isto para que repareis numa circunstância a meu ver sumamente característica. Se fosse um assassino experiente, e precisamente um que tivesse matado visando ao roubo — pois bem, teria ele largado o envelope no chão do jeito que foi encontrado, ao lado do cadáver? Bem, se fosse, por exemplo, Smierdiakóv que tivesse matado para roubar, teria simplesmente levado consigo o pacote inteiro, sem a mínima preocupação de abri-lo em cima de sua vítima; uma vez que sabia ao certo que no pacote havia o dinheiro — porque ele fora colocado ali e lacrado em sua presença —, era só ele levá-lo inteiro e nunca ficaríamos sabendo que houvera um roubo? Eu vos pergunto, senhores jurados, se Smierdiakóv teria agido assim; teria deixado o envelope no chão? Não, só agiria dessa maneira um assassino desvairado, que já raciocinasse com dificuldade, um assassino que não fosse ladrão e até então nunca houvesse roubado nada, e mesmo agora, ao tirar o dinheiro de debaixo da cama, não o roubasse como um ladrão mas agisse como alguém que recupera seu próprio objeto do ladrão que o roubara — pois eram justamente essas as ideias de Dmitri Karamázov sobre esses três

[96] No original, o narrador usa ora a palavra *paket* (pacote), ora a palavra *konvert* (envelope). (N. do T.)

mil, que na cabeça dele haviam se transformado em obsessão. Pois bem, agarrando o pacote que antes nunca tinha visto, ele rasga o invólucro para se certificar da existência do dinheiro, em seguida foge com o dinheiro no bolso e nem sequer lhe passa pela cabeça que deixa no chão a mais colossal prova contra si mesmo, sob a forma do invólucro rasgado. Tudo porque sendo Karamázov e não Smierdiakóv, ele não pensou, não ponderou — aliás, como haveria de ponderar? Sai correndo, ouve o berro do criado em seu encalço, o criado o agarra, o detém e cai atingido pela mãozinha do pilão de cobre. O réu pula do muro de volta para examiná-lo, por pena. Imaginai, de repente ele nos assegura que pulou do muro para examiná-lo por pena, por compaixão, para ver se não poderia ajudá-lo de alguma maneira. Mas isso lá é hora de manifestar semelhante compaixão? Não, ele desceu justamente para se certificar: estaria ou não viva a única testemunha de seu crime? Qualquer outro sentimento, qualquer outro motivo seria contranatural! Observai, senhores, que ele se preocupa com Grigori, limpa a sua cabeça com o lenço e, convencido de que ele está morto, torna a correr feito um desatinado, todo ensanguentado, para a casa de sua amada — como não pensou que estava todo ensanguentado e seria imediatamente denunciado? Mas o próprio réu nos assegura que sequer prestou atenção no fato de que estava todo ensanguentado; pode-se admitir isto, isto é muito possível, isto sempre acontece nesses momentos com os criminosos. Para algumas coisas são diabolicamente calculistas, para outras lhes falta entendimento. Mas nesse instante ele só pensava em onde *ela* poderia estar. Precisava saber depressa onde ela estava, e então corre à sua casa e recebe uma notícia inesperada e colossal: ela partira para Mókroie com o seu 'primeiro', o 'indiscutível'!"

IX. A psicologia a todo vapor. A troica a galope. Final do discurso do promotor

Ao chegar a esse ponto de seu discurso, Hippolit Kiríllovitch, que, era evidente, escolhera o método de exposição rigorosamente histórico — ao qual gostam muito de recorrer todos os oradores nervosos que visam a limites traçados de modo deliberadamente rigoroso para conter seu próprio fervor impaciente —, estendeu-se em particular a respeito do "primeiro" e "indiscutível" e externou sobre esse tema algumas ideias interessantes de certo ponto de vista.

"Karamázov, que sentia um ciúme louco de todo mundo, de repente como que esmorece e se eclipsa de vez diante do 'primeiro' e 'indiscutível' e some. Isso é ainda mais estranho porque antes ele quase nem dava atenção a esse novo perigo, que lhe chegava na pessoa do rival inesperado. Mas ele sempre imaginava que isso ainda estivesse muito distante, e um Karamázov sempre vive apenas o presente. Provavelmente ele o considerava até uma ficção. Todavia, tendo compreendido num piscar de olhos, com seu coração mórbido, que essa mulher escondera esse novo rival possivelmente porque até bem pouco o enganava e porque esse novo rival, que se precipitara para cá, não era absolutamente uma fantasia nem uma ficção para ela, mas representava toda, toda a sólida esperança de sua vida — tendo compreendido isso, num piscar de olhos ele se conformou. Pois bem, senhores jurados, não posso omitir esse traço inesperado da alma do réu, que ele parecia absolutamente incapaz de revelar: de uma hora para outra manifestou-se nele uma necessidade inexorável de verdade, de respeito à mulher, de reconhecimento dos direitos de seu coração, e em que momento isso se deu? — no mesmo instante em que ele manchava as mãos com o sangue do pai por ela! É ainda verdade que nesse instante o sangue derramado também já clamava por vingança, pois ele, tendo destruído sua alma e todo o seu destino na Terra, devia involuntariamente sentir e perguntar a si mesmo: o que ele significava e o que podia significar *agora* para ela, para aquela criatura que ele amava mais do que a sua própria alma, se comparado com aquele 'primeiro' e 'indiscutível', que se arrependera e agora voltava com um novo amor, propostas honestas, a promessa de uma vida renascida e agora feliz para aquela mulher que ele outrora arruinara? Já ele, infeliz, o que poderia lhe dar *agora*, o que poderia lhe oferecer? Karamázov compreendeu tudo isso, compreendeu que seu crime lhe fechara todos os caminhos e que era apenas um criminoso condenado ao suplício, e não um homem que precisava viver! Esse pensamento o esmagou e aniquilou. E eis que por um instante ele se fixa em um plano desvairado que, considerando seu caráter de Karamázov, não podia deixar de lhe parecer a saída única e fatal de sua terrível situação. Essa saída é o suicídio. Ele corre atrás de suas pistolas hipotecadas a Pierkhótin e ao mesmo tempo, pelo caminho, enquanto corre, tira do bolso todo o dinheiro pelo qual acabara de sujar as mãos com o sangue do pai. Oh, é de dinheiro que ele agora mais necessita: Karamázov morre, Karamázov se suicida, e hão de se lembrar disso! Não é à toa que somos poetas, não é à toa que consumimos nossa vida como uma vela de alto a baixo. 'Para junto dela, para junto dela — e lá, oh, lá ofereço um rega-bofe, um como nunca houve, para que se lembrem dele e por muito tempo contem coisas a seu respeito. Em meio aos gritos selvagens, às canções e danças loucas dos ciganos, levantaremos um brinde e parabenizaremos a mulher adorada por sua nova felicidade e em seguida — ali mesmo, aos pés dela, estouraremos nossos miolos e daremos cabo de nossa vida! Algum dia ela se lembrará de Dmitri Karamázov, verá como Mítia a amou, lamentará por Mítia!' Há nisso muito de pitoresco, de desvario romântico, do descomedimento louco e da susceptibilidade dos Karamázov, e de algo mais, senhores jurados, de algo que clama dentro da alma, que martela incansavelmente na cabeça e envenena seu coração até a morte; esse algo é a consciência, senhores jurados, é o seu julgamento, são os seus terríveis remorsos! Mas a pistola reconciliará tudo, a pistola é a única saída, não há outra, e depois — não sei se nesse instante Karamázov pensava '*o que haverá além*', se Karamázov poderia, como Hamlet, pensar no que haverá além. Não, senhores jurados, eles têm os seus Hamlets, já nós temos por enquanto os Karamázov!"

Nesse ponto Hippolit Kiríllovitch desenhou o quadro mais completo dos atos de Mítia, a cena na casa de Pierkhótin, na venda e com os cocheiros. Citou uma enormidade de palavras, sentenças, gestos, tudo confirmado pelas testemunhas — e o quadro exerceu uma influência terrível sobre a convicção dos ouvintes. Mas a influência maior veio do conjunto de fatos. A culpabilidade desse homem desvairadamente ávido e que já não se preservava apareceu de forma avassaladora.

"Ele já não tinha por que se proteger — dizia Hippolit Kiríllovitch —, umas duas ou três vezes só por um triz não reconheceu plenamente a culpa, quase a insinuou e esteve à beira de confessá-la (nesse ponto seguiram-se os depoimentos das testemunhas). Chegou até a gritar para o cocheiro, a caminho de Mókroie: 'Sabes que estás transportando um assassino?'. Mas mesmo assim não podia concluir: precisava primeiro chegar ao povoado Mókroie e, uma vez lá, terminar seu poema. No entanto, o que estava à espera do infeliz? Acontece que, quase desde os primeiros minutos em Mókroie, ele percebeu, e enfim compreendeu perfeitamente, que o rival 'indiscutível' talvez já não fosse tão indiscutível', e que não queriam nem aceitavam seus parabéns e seu brinde pela nova felicidade. Mas, senhores jurados, já conheceis os fatos pela investigação criminal. O triunfo do Karamázov contra o rival foi indiscutível, e então — oh, então começou uma fase já inteiramente nova em sua alma, inclusive a mais terrível de todas as fases que essa alma algum dia experimentara e ainda experimentaria! Pode-se reconhecer positivamente, senhores jurados — exclamou Hippolit Kiríllovitch —, que a natureza profanada e o coração criminoso punem a si mesmos de maneira muito mais completa que qualquer justiça terrena! E mais: a justiça e o castigo terrenos até atenuam o castigo da natureza e são, nesses momentos, até indispensáveis à alma do criminoso como sua salvação do desespero, pois não consigo imaginar o horror e os sofrimentos morais que Karamázov experimentou quando soube que ela o amava, que por ele rejeitava o seu 'primeiro' e 'indiscutível' e que convidava a ele, a ele, 'Mítia', para acompanhá-la numa vida renovada, prometia-lhe felicidade, e quando? Quando tudo já estava acabado para ele e nada mais era possível! A propósito, faço de passagem uma observação muito importante para nós, a fim de esclarecer a verdadeira essência da situação do réu naquele momento: até o último minuto, até o instante mesmo da prisão, essa mulher, esse seu amor fora para ele um ser inacessível, apaixonadamente desejado, porém inacessível. Mas por que, por que ele não se suicidou naquela mesma ocasião, por que deixou de lado a intenção anterior e até esqueceu onde estava sua pistola? Pois foi precisamente essa sede apaixonada de amor e a esperança de tê-lo naquele mesmo instante, de saciá-lo ali mesmo, que o contiveram. No calor do festim ele se prendeu à sua amada, que também se banqueteava com ele e para ele estava mais encantadora e sedutora do que nunca — ele não se afasta dela, delicia-se com ela, eclipsa-se diante dela. Essa sede apaixonada conseguiu até reprimir por um instante não só o medo da prisão como também os próprios remorsos! Por um instante, oh, só por um instante! Imagino o estado d'alma do criminoso naquele momento, naquela sujeição indiscutivelmente servil a três elementos que o esmagavam inteiramente: em primeiro lugar o estado de embriaguez, o inebriamento e o alarido, o sapateado da dança, o ganido dos cantos, e ela, ela toda enrubescida pelo vinho, cantando e dançando, embriagada e sorrindo-lhe! Em segundo, o sonho vago e estimulante de que o desfecho fatal ainda estava distante, ao menos não estava próximo — talvez só no dia seguinte, só na manhã seguinte viessem prendê-lo. Portanto, algumas horas representavam muito, representavam muitíssimo! Em algumas horas pode-se pensar muita coisa: imagino que com ele acontecia algo parecido ao que acontece quando um criminoso é levado para a execução, para a forca: ainda é necessário percorrer uma rua longa, longa, e ainda marchando, com milhares de pessoas aos lados, em seguida dobra-se uma esquina para a outra rua, e só no final dessa outra rua está a praça terrível! A mim me parece precisamente que no início do cortejo o condenado, em sua carruagem da desonra, deve sentir justamente que diante dele ainda existe uma vida infinita. Mas eis que, não obstante, os prédios vão passando, a carruagem se aproxima cada vez mais — oh, isso não é nada, a esquina que dobra para a segunda rua ainda está muito longe, e ele ainda continua olhando cheio de ânimo à direita e à esquerda e para esses milhares de curiosos impassíveis, de olhos cravados nele, e ele ainda continua com a impressão de que é uma pessoa igual a todas aquelas outras. Contudo, a esquina que dobra para a outra rua já está ali — oh, isso não é nada, não é nada, ainda falta uma rua inteira. E por mais que os prédios passem, ele continua pensando: 'Ainda faltam muitos prédios'. E assim até o fim, até chegar à praça. Assim, imagino eu, aconteceu com Karamázov naquele momento. 'Lá eles ainda não tiveram tempo — pensa ele —, ainda posso arranjar alguma coisa, oh, ainda há tempo para arquitetar um plano de defesa, pesar a reação, mas agora, agora — agora ela está tão encantadora!' Há confusão e pavor em sua alma, mas, não obstante, ele consegue separar metade de seu dinheiro e escondê-la em algum lugar — de outro modo não consigo explicar a mim mesmo onde poderia ter ido parar integralmente a metade daqueles três mil que ele acabara de tirar de debaixo do travesseiro do pai. Já não era a primeira vez que estava em Mókroie, já passara dois dias e duas noites farreando ali. Conhecia aquela velha casa de madeira, grande, com todos os seus galpões, anexos. Suponho mesmo que parte daquele dinheiro foi escondida naquela ocasião e precisamente naquela casa, um pouco antes da prisão, em alguma brecha, numa fenda, debaixo de alguma tábua, em algum canto, debaixo da cama — para quê? Como para quê? A catástrofe pode acontecer a qualquer momento, é claro que ainda não meditamos como encará-la e ademais não temos tempo para isso, e algo nos martela a cabeça, e me sinto atraído *por ela*, mas, e o dinheiro? — dinheiro é necessário em qualquer situação! Com dinheiro o homem é homem em qualquer parte. Será que tal capacidade de cálculo em semelhante momento vos pareceria contranatural? Ora, ele mesmo assegura que ainda um mês antes, em um momento igualmente inquietante e fatídico para ele, separou metade dos três mil e a costurou em um saquinho que pendurou no pescoço, e se, é claro, isto for mentira, o que provaremos agora, mesmo assim Karamázov conhecia essa ideia, e a acalentava. Ademais, quando, mais tarde, ele assegurou ao juiz de instrução que havia separado e costurado num saquinho (que nunca existiu) mil e quinhentos rublos, talvez tenha inventado esse saquinho naquele mesmo instante, justamente porque duas horas antes separara metade daquele dinheiro e o escondera em algum lugar em Mókroie para alguma eventualidade, esperando o amanhecer, unicamente para não mantê-lo consigo, o que fez levado por uma inspiração instantânea. Dois abismos, senhores jurados, lembrai-vos de que Karamázov pode contemplar os dois abismos, e ambos de uma só vez! Nós o procuramos naquela casa, mas não o encontramos. Talvez o dinheiro ainda continue lá, mas pode ser que tenha sumido no dia seguinte e agora esteja com o réu, em todo caso ele foi preso ao lado dela, ajoelhado diante dela, ela deitada na cama, ele de braços estirados para ela e tão esquecido de tudo naquele momento que sequer ouviu a aproximação daqueles que o prenderiam. Ainda não conseguira pensar em nada para a responder. E tanto ele quanto sua mente foram apanhados de surpresa.

"E ei-lo diante de seus juízes, diante daqueles que decidirão seu destino. Senhores jurados, há momentos em que, no exercício de nossa obrigação, nós mesmos sentimos quase pavor perante um homem, e pavor também pelo homem! São momentos em que contemplamos aquele pavor animalesco, quando o criminoso já percebe que tudo está perdido, mas ainda luta, ainda tenciona lutar conosco. São momentos em que todos os instintos de autopreservação nele se insurgem de uma vez e ele, procurando salvar-se, olha para os senhores com um olhar penetrante, interrogativo e sofrido, tenta surpreendê-los e vos estuda, estuda os vossos rostos, os vossos pensamentos, espera de que lado os senhores atacarão e cria instantaneamente em sua mente abalada milhares de planos, mas apesar de tudo teme falar, teme denunciar-se. Esses momentos humilhantes da alma humana, esse seu calvário, essa sede animalesca de autossalvação são terríveis e às vezes provocam tremor e compaixão pelo criminoso até mesmo no juiz de instrução! Pois bem, fomos testemunhas de tudo isso naquela ocasião. A princípio ele ficou estupefato e, tomado de pavor, deixou escapar algumas palavras que o comprometeram fortemente: 'O sangue! Fiz por merecer!'. Mas rapidamente se conteve. O que dizer, como responder — nada disso estava pronto em sua cabeça, e ele tinha pronta apenas uma negação gratuita: 'Não sou culpado pela morte do meu pai!'. Eis por enquanto o nosso muro, mas lá fora, do outro lado do muro, pode ser que ainda armemos alguma coisa, alguma barricada. Antecipando-se a nossas perguntas, precipita-se em explicar suas primeiras exclamações comprometedoras, alegando que se considera culpado apenas pela morte do criado Grigori. 'Por esse sangue sou culpado, mas quem matou meu pai, senhores, quem matou? Quem poderia matá-lo *senão eu*?' Ouvi, senhores: ele pergunta a nós, a nós, que havíamos procurado por ele com essa mesma pergunta! Ouvi, senhores, essa expressãozinha antecipadora: 'Senão eu', essa astúcia animalesca, essa ingenuidade e essa impaciência karamazoviana. Não fui eu que matei, e não podem pensar que fui eu: 'Quis matar, senhores, quis matar — confessa depressa (está apressado, oh, terrivelmente apressado!) —, mas mesmo assim não tenho culpa, não fui eu que matei!'. Ele nos concede que quis matar: estais vendo como sou sincero, pois então acreditai logo que não fui eu quem matou. Oh, às vezes o criminoso se torna incrivelmente leviano e crédulo em casos como esse. E eis que nesse instante, quase que totalmente por descuido, o juiz de instrução lhe faz de repente a pergunta mais ingênua: 'Não teria sido Smierdiakóv quem matou?'. Pois aconteceu justamente o que esperávamos: ele ficou terrivelmente zangado porque se anteciparam a ele e o pegaram de surpresa sem que ele tivesse tempo de preparar, escolher e apanhar o momento em que o mais verossímil seria concluir pela culpa de Smierdiakóv. Por sua natureza, caiu imediatamente no extremo e começou ele mesmo a nos assegurar com unhas e dentes que Smierdiakóv não poderia ter matado, não seria capaz de matar. Mas não creiais nele, isso é apenas um ardil: ele ainda não desistiu de maneira nenhuma de Smierdiakóv, de maneira nenhuma; ao contrário, ainda o acusará, pois quem iria acusar senão a ele? Mas ele o fará em outro momento, porque por ora essa questão está descartada. Ele o acusará talvez só amanhã ou até dentro de alguns dias, depois de escolher o momento em que poderá gritar: 'Vede, eu mesmo neguei mais do que os senhores que fora Smierdiakóv, os senhores estão lembrados, mas agora até eu estou convencido: foi ele quem matou, pois como não haveria de ter sido ele!'. Mas por enquanto ele nos apresenta uma negação sombria e irritante, porém a intolerância e a ira lhe ditam a explicação mais inábil e inverossímil a respeito de como olhou o pai pela janela e se afastou dali respeitosamente. Note-se que ele ainda não conhece as circunstâncias, o teor dos depoimentos de Grigori. Passamos à vistoria e ao exame das suas coisas. A vistoria o deixa irado, mas ele também se anima: não achamos os três mil integrais, achamos apenas mil e quinhentos. E, evidentemente, só nesse momento de negação e silêncio irados trepa-lhe à cabeça pela primeira vez na vida a ideia do saquinho. Sem dúvida, ele percebe todo o inverossímil de sua invenção e aflige-se, aflige-se terrivelmente, tentando um meio de torná-la mais verossímil, de inventar a coisa de tal maneira que disso resulte um romance verossímil, pleno. Nesses casos, a questão primordial, a tarefa mais importante do inquérito é não dar ao criminoso a chance de preparar-se, surpreendê-lo, para que ele externe suas ideias secretas em toda a sua notável simplicidade, em sua inverossimilhança e contradição. Só se pode fazer o criminoso falar comunicando-lhe de modo inesperado e como que por descuido alguma prova nova, alguma circunstância nova do caso, de importância colossal, mas que até então ele não presumia por nada neste mundo nem tinha nenhum meio de discernir. Nós já tínhamos essa prova pronta, e pronta desde muito tempo: era o depoimento que o criado Grigori prestara após voltar a si, a respeito da porta aberta por onde o réu havia fugido. Ele já havia esquecido completamente essa porta, e sequer supunha que Grigori a pudesse ter visto. O efeito foi colossal. Ele se levantou de um salto e gritou de chofre: 'Foi Smierdiakóv quem matou, Smierdiakóv!' — e então entregou sua ideia secreta, fundamental, em sua forma mais inverossímil, porque Smierdiakóv só poderia ter matado depois que ele havia derrubado Grigori e fugido. Quando, porém, lhe informamos que Grigori tinha visto a porta aberta antes de ser derrubado e, ao deixar seu quarto, ouvira Smierdiakóv gemendo atrás do tabique, Karamázov ficou verdadeiramente arrasado. Meu colega, nosso respeitável e espirituoso Nikolai Parfiénovitch, me disse mais tarde que naquele momento até chorou de pena dele. E eis que nesse instante, no afã de reparar as coisas, ele se apressa a nos informar sobre o famoso saquinho: pois que seja, pensa ele, ouçam essa novela! Senhores jurados, já vos externei meus pensamentos, por isso considero toda essa invencionice em torno do dinheiro costurado um mês antes num saquinho não só um absurdo, como a ficção mais inverossímil que se poderia buscar no presente caso. Mesmo que fizéssemos uma aposta: o que se pode dizer de mais inverossímil? — nem assim seria possível inventar coisa pior. Neste caso, o mais importante é que se poderia calar e reduzir a pó o romancista triunfante usando os detalhes, aqueles mesmos detalhes de que a realidade é sempre tão rica e que esses inventores infelizes e involuntários sempre desprezam como pormenores insignificantes e inúteis, ou nem sequer lhes passam pela cabeça. Oh, eles não estão para pormenores num momento como esse, suas mentes criam apenas um todo grandioso — e eis que alguém se atreve a lhes propor semelhante pormenor! E é nesse pormenor que são apanhados! Pergunta-se ao réu: 'Pois bem, e onde o senhor encontrou o material para o seu saquinho, quem o costurou para o senhor?' — 'Eu mesmo o costurei.' — 'E onde arranjou o pano?' O réu já está zangado, considera isto quase um pormenor ofensivo para si e, acreditai, está sendo sincero, sincero! Mas assim são todos eles. 'Tirei de uma camisa minha.' — 'Magnífico. Quer dizer que amanhã mesmo encontraremos entre suas roupas essa camisa sem a tira.' E refleti, senhores jurados, que se nós realmente encontrássemos essa camisa (e como não iríamos encontrá-la, em sua mala ou cômoda, se essa camisa efetivamente existisse?), isso já seria uma prova, uma prova palpável da justeza de seus depoimentos! Mas ele não consegue refletir sobre isso. — 'Não me lembro, talvez não tenha tirado de uma camisa, mas costurado na touca da senhoria.' — 'E que touca foi essa?' — 'Peguei na casa dela, estava jogada por lá, um trapo velho de percal.' 'E o senhor se lembra disso com certeza?' — 'Não, não me lembro com certeza...' E irrita-se, irrita-se, no entanto, imaginai: como não haveria de se lembrar disso? Quando o ser humano passa pelos momentos mais terríveis, quando, digamos, está sendo conduzido para ser executado, são precisamente esses pormenores que ele guarda na memória. Ele esquece tudo, mas algum telhado verde que vislumbra no caminho ou uma gralha pousada em uma cruz — isso ele grava na memória. Pois bem, ao costurar seu saquinho ele se escondeu das pessoas da casa, então deveria estar lembrado de quão humilhantemente sofreu, de agulha na mão, temendo que alguém entrasse em seu quarto e o surpreendesse; de como à primeira batida na porta ele se levantou de um salto e correu para trás do tabique (em seu quarto há um tabique)... Contudo, senhores jurados, por que vos comunico tudo isso, todas essas minúcias, esses pormenores? — exclamou de repente Hippolit Kiríllovitch. — Pois é justo porque o réu vem insistindo tenazmente em todo esse absurdo até este momento! Ao longo de todos esses dois meses, desde aquela noite fatídica, ele nada esclareceu, não acrescentou nenhuma real circunstância elucidativa aos seus antigos depoimentos fantásticos; tudo isso são ninharias, mas os senhores podem acreditar em minha honradez! Oh, ficaremos felizes em acreditar, estamos sequiosos até por acreditar, ainda que seja na honradez! Quem somos nós, uns chacais sedentos de sangue humano? Apresentem-nos, indiquem-nos ao menos uma prova em favor do réu e ficaremos contentes — mas uma prova palpável, real, e não uma conclusão tirada da expressão do rosto do réu por seu irmão consanguíneo ou a sugestão de que ele, ao bater no peito, deveria estar forçosamente apontando para o saquinho e ainda por cima no escuro. Ficaremos felizes com a nova prova, seremos os primeiros a retirar nossa acusação, nos apressaremos a retirá-la. Mas agora é a justiça que clama, e nós insistimos, nós não podemos desistir de nada."

Nesse ponto Hippolit Kiríllovitch passou ao final do discurso. Parecia febricitante, clamava pelo sangue derramado, pelo sangue do pai morto pelo filho "com o vil objetivo de roubar". Apontava com firmeza para o conjunto trágico e gritante dos fatos.

"E o que quer que venhais a ouvir do defensor do réu, famoso por seu talento — não se conteve Hippolit Kiríllovitch —, por mais que ouçam aqui palavras eloquentes e tocantes que mexam com a vossa sensibilidade, ainda assim lembrai-vos de que neste instante vos encontrais no santuário de nossa justiça. Lembrai-vos de que sois os defensores de nossa verdade, defensores de nossa sagrada Rússia, de seus fundamentos, de sua família, de tudo o que ela tem de sagrado! Sim, aqui neste momento representais a Rússia, e não só nesta sala ressoará vossa sentença mas em toda a Rússia, e toda a Rússia vos ouvirá como seus defensores e juízes e ficará alentada ou desalentada com vossa sentença. Não sejais, pois, um obstáculo à Rússia e sua expectativa, nossa fatídica troica voa precipitadamente e, talvez, para a morte. E já faz muito tempo que em toda a Rússia estendem-se os braços e conclama-se a que se detenha a corrida louca e desregrada. E se por ora outros povos dão passagem à troica em desabalada carreira, talvez não o façam por nenhum respeito a ela, como queria o poeta, mas simplesmente por horror — observai isto. Por horror, e talvez até por repugnância a ela, e ainda é até bom que lhe deem passagem, mas é possível que peguem e deixem de lhe dar passagem, e que se postem como uma muralha sólida diante da visão impetuosa e detenham, eles mesmos, a arremetida louca de nossa libertinagem como uma forma de salvar a si mesmos, a ilustração e a civilização! Já nos chegaram aos ouvidos essas vozes alarmadas vindas da Europa. Elas já começam a se fazer ouvir. Não as tenteis, não alimenteis seu ódio sempre crescente com uma sentença que absolva o assassinato de um pai pelo próprio filho!...”

Em suma, embora levado por grande arrebatamento, Hippolit Kiríllovitch todavia concluiu seu discurso de forma patética — e a impressão que deixou foi realmente extraordinária. Concluído o discurso, ele mesmo saiu apressadamente e, repito, quase desmaiou no outro cômodo. A sala não aplaudiu, mas as pessoas sérias estavam satisfeitas. Só as senhoras não estavam tão satisfeitas, mas mesmo assim também gostaram da eloquência, ainda mais porque não temiam absolutamente as consequências e esperavam tudo de Fietiukóvitch: “Finalmente ele vai falar e, evidentemente, vencerá a todos!”. Todos olhavam para Mítia; ele permanecera sentado e calado durante todo o discurso do promotor, apertando as mãos, rangendo os dentes, com a vista baixa. Só de raro em raro levantava a cabeça e aguçava o ouvido. Sobretudo quando começaram a falar de Grúchenka. Quando o promotor expunha a opinião de Rakítin sobre ela, estampou-se no rosto de Mítia um sorriso de desdém e ódio e ele pronunciou para que se ouvisse bem: “Bernard!”. Quando Hippolit Kiríllovitch informava como o havia interrogado e atormentado em Mókroie, Mítia levantou a cabeça e escutou com uma imensa curiosidade. Numa passagem do discurso fez até menção de levantar-se de um salto e gritar alguma coisa, mas, não obstante, dominou-se e apenas sacudiu desdenhosamente os ombros. Esse final de discurso, precisamente no tocante às proezas do promotor em Mókroie durante o interrogatório do criminoso, foram mais tarde comentadas na sociedade, e riram de Hippolit Kiríllovitch: “O homem não se conteve, disseram, de se gabar de sua capacidade”. A sessão foi suspensa, mas por um período muito breve, quinze minutos, quando muito vinte. Entre o público ouviram-se conversas e exclamações. Guardei algumas na memória:

— Um discurso sério! — observou em um grupo um senhor de cenho franzido.

— Exagerou na psicologia — ouviu-se outra voz.

— Mas é tudo verdade, verdade irrefutável!

— Sim, ele é um mestre.

— Fez um resumo.

— E a nós, a nós também resumiu — anuiu uma terceira voz. — No início do discurso; estão lembrados que disse que somos todos como Fiódor Pávlovitch?

— E no final também. Só que nisso ele falhou.

— E também foi vago em algumas passagens.

— Deixou-se levar um pouco pelo arrebatamento.

— Foi injusto, injusto.

— Oh, não, mesmo assim foi habilidoso. O homem esperou muito tempo e eis que finalmente falou, eh-eh!

— Que dirá a defesa?

Em outro grupo:

— Mas fez mal em mexer com o petersburguense: "Mexem com a vossa sensibilidade", estão lembrados?

— É, aí ele foi inábil.

— Precipitado.

— É um homem nervoso.

— Nós estamos rindo, mas como ficou o réu?

— É, como ficou Mítia?

— Pois bem, o que será que o defensor vai dizer?

Em um terceiro grupo:

— Quem é aquela senhora gorda, de lornhão, que está sentada na ponta?

— É divorciada de um general, eu a conheço.

— Isso mesmo, a de lornhão.

— É um traste.

— Ah, não, é um bocadinho picante.

— Ao lado dela, duas cadeiras depois, tem uma lourinha sentada, essa é mais bonita.

— Mas eles foram habilidosos ao surpreendê-lo em Mókroie, hein?

— Que foi habilidoso, foi. Repetiu a história. Quantas vezes ele contou essa história aqui de casa em casa!

— E agora não se conteve. É o amor-próprio.

— É um homem ofendido, eh-eh.

— E ofensor. E abusa da retórica, frases longas.

— Mas intimida, reparem, ele está sempre intimidando. Lembram-se do que disse sobre a troica? "Eles lá têm os seus Hamlets; já nós temos por enquanto os Karamázov!" Nisso ele foi habilidoso.

— Estava era incensando o liberalismo. Tem medo!

— E do advogado também.

— É, o que dirá o senhor Fietiukóvitch?

— Bem, o que quer que venha a dizer, não vai abater nossos mujiques.

— O senhor acha?

Em um quarto grupo:

— Mas quanto à troica, ele falou mesmo bem, também sobre aqueles povos.

— E é mesmo verdade, estás lembrado daquela passagem em que ele disse que os povos não vão esperar?

— E daí?

— É que um membro do parlamento inglês se levantou na semana passada e fez ao ministério uma pergunta a respeito dos niilistas: se não estaria na hora de nos metermos numa nação bárbara para nos educarmos. Hippolit se referiu a ele, sei que se referiu a ele. Andou falando disso na semana passada.

— Esperando o Dia de São Nunca.

— Dia de quê? Por que nunca?

— Mas nós fecharemos Kronstadt e não lhes forneceremos trigo. Onde eles vão arranjá-lo?

— E na América? Agora é na América que compram..

— Estás mentindo.

Mas o sinal tocou e todos correram aos seus lugares. Fietiukóvitch subiu no púlpito.

X. O discurso da defesa. Uma faca de dois gumes

Tudo ficou em silêncio quando ecoaram as primeiras palavras do famoso orador. Toda a sala cravou os olhos nele. Ele começou de forma excepcionalmente direta, simples e convincente, mas sem a mínima arrogância. Sem a mínima tentativa de eloquência, de notas patéticas, de expressão arrebatada. Era como se falasse[97] num círculo íntimo de simpatizantes de seu pensamento. Tinha uma voz bela, sonora e simpática, e era como se nessa voz já se distinguisse algo simples e sincero. Mas todos compreenderam imediatamente que, num átimo, o orador poderia elevar-se ao verdadeiramente patético e "atingir os corações com uma força ignota". Falava, talvez, de forma menos correta que Hippolit Kiríllovitch, mas sem frases longas e até com

[97] A tradução literal seria "era um homem que começava a falar num círculo...". Tomamos essa pequena liberdade com relação ao original para evitar estranheza, pois a plateia era totalmente desconhecida do advogado. (N. do T.)

mais precisão. Uma coisa pareceu não agradar às damas: não parava de curvar-se, sobretudo no início do discurso, e não só se curvava, mas era como se se precipitasse e voasse na direção de seus ouvintes, e ademais parecia curvar justamente como que metade de sua longa espinha, como se no centro dessa espinha longa e fina houvesse uma dobradiça, de sorte que ela podia curvar-se quase formando um ângulo reto. Começou o discurso falando de modo meio desarticulado, como se não tivesse um sistema, agarrando os fatos a esmo, mas acabou atingindo o todo. Seu discurso poderia ser dividido em duas metades: a primeira metade era a crítica, a refutação da acusação, de quando em quando malévola e sarcástica. Mas na segunda metade do discurso foi como se mudasse subitamente de tom e até de procedimento e atingiu de uma vez o patético, e a sala parecia esperar por isto e toda ela começou a se agitar em êxtase. Ele foi direto ao assunto e começou dizendo que, embora seu campo de atividade ficasse em Petersburgo, já não era a primeira vez que visitava cidades da Rússia para defender réus, mas aqueles de cuja inocência ele já estava convencido ou pressentia de antemão. "O mesmo me aconteceu também no presente caso — explicou. — Mesmo pelas primeiras notícias dos correspondentes dos jornais já vislumbrei algo que me impressionou extraordinariamente em favor do réu. Numa palavra, interessou-me antes de tudo certo fato jurídico que, embora frequentemente repetido na prática forense, nunca o foi, ao que me parece, com tamanha plenitude e tais características como no presente caso. Eu deveria formular esse fato apenas no final do meu discurso, quando da conclusão de minhas palavras, mas, não obstante, vou expor meu pensamento no início mesmo, pois tenho a fraqueza de ir direto ao assunto, sem esconder efeitos nem economizar impressões. Isso talvez seja imprevidente de minha parte, mas em compensação é sincero. Esse meu pensamento, essa minha fórmula é a seguinte: a maioria esmagadora dos fatos é contra o réu, e, ao mesmo tempo, não há uma única prova que resista à crítica se a considerarmos isoladamente, em si mesma! Continuando a acompanhar os fatos por rumores e pelos jornais, eu ia me firmando cada vez mais em meu pensamento e súbito recebi dos familiares do réu o convite para defendê-lo. Precipitei-me imediatamente para cá, e aqui já firmei minha convicção definitiva. Pois foi com o intuito de desfazer esse terrível conjunto de fatos e mostrar a improbabilidade e o fantástico de cada prova acusatória, em particular, que assumi a defesa deste caso."

Assim começou o advogado de defesa, que de repente proclamou:

"Senhores jurados, sou um recém-chegado neste lugar. Recebi todas as impressões sem prevenção. O réu, natureza impetuosa e dissoluta, não me ofendeu previamente como a uma centena, talvez, de pessoas desta cidade, razão por que muitos estão prevenidos contra ele por antecipação. É claro que também estou consciente de que o sentimento moral da sociedade local está justamente excitado: o réu é impetuoso e descomedido. Não obstante, era recebido na sociedade daqui, sendo acarinhado inclusive na família de seu altamente talentoso acusador. (*Nota bene*. Pronunciadas essas palavras, ouviram-se entre o público uns dois ou três risinhos que, embora rapidamente coibidos, todos notaram. Todo mundo sabia na cidade que o promotor recebia Mítia a contragosto, unicamente porque sua mulher — dama sumamente virtuosa e respeitável, porém fantasista e caprichosa, que, em certos casos, preferivelmente em ninharias, gostava de contradizer seu marido — por alguma razão o achava curioso. Aliás, Mítia visitava sua casa com bastante raridade.) Entretanto, atrevo-me a admitir — continuou a defesa — que até numa inteligência tão independente e num caráter tão justo como o de meu oponente poderia formar-se algum preconceito equivocado contra meu infeliz constituinte. Oh, isso é tão natural: o infeliz mereceu demais que o tratassem até com preconceito. O sentimento moral ofendido, e ainda mais o estético, às vezes é implacável. É claro que, no discurso altamente talentoso da acusação, todos nós ouvimos uma análise rigorosa do caráter e dos atos do réu, um tratamento rigoroso e crítico do caso e, principalmente, a exposição de tamanhas profundezas psicológicas para nos explicar a essência da questão, que seria totalmente impossível penetrar nessas profundezas com um tratamento minimamente deliberado e aleivosamente preconcebido da personalidade do réu. Acontece, porém, que em semelhantes casos há coisas até piores, até mais devastadoras do que o tratamento mais aleivoso e premeditado da questão. Mais precisamente, se, por exemplo, nos domina, por assim dizer, certo jogo artístico, certa necessidade de criação artística, por assim dizer, de criar um romance, sobretudo se fomos aquinhoados de uma riqueza de dons psicológicos com que Deus brindou nossas faculdades. Ainda em Petersburgo, ainda quando apenas preparava minha vinda para cá, eu mesmo já estava prevenido — sim, eu mesmo sabia, sem que me prevenissem, que aqui encontraria como oponente um psicólogo profundo e sutilíssimo, que, por essa qualidade, havia muito se fizera merecedor de uma fama singular em nosso ainda jovem mundo jurídico. Acontece, porém, que a psicologia, senhores, embora seja uma coisa profunda, ainda assim parece uma faca de dois gumes (ouve-se um risinho entre o público). Oh, é claro que me perdoareis esta minha comparação trivial; não sou mestre no exagero da eloquência. Mas eis, entretanto, um exemplo: pego o primeiro que me ocorre do discurso do acusador. À noite, no jardim, o réu trepa no muro ao fugir e abate com a mãozinha do pilão de cobre o criado que se agarrara à sua perna. Em seguida pula imediatamente de volta ao jardim e durante inteiros cinco minutos se ocupa do ferido, procurando adivinhar: matou-o ou não? Pois bem, o acusador se nega terminantemente a acreditar na legitimidade do depoimento do réu de que desceu para examinar o velho Grigori por compaixão. 'Não, diz ele, pode haver semelhante sensibilidade em um momento como esse? isto seria contranatural; ele desceu justamente para se certificar se estaria viva ou morta a única testemunha de seu crime, portanto, já testemunhou com isso que cometeu esse crime, uma vez que não poderia pular para o jardim por outro motivo, arrebatamento ou sentimento'. Eis a psicologia; contudo, tomemos a mesma psicologia e apliquemo-la ao mesmo caso, só que do lado oposto, e o resultado não será absolutamente menos inverossímil. O assassino pula do muro movido pela precaução de certificar-se se a testemunha estaria viva ou não, e enquanto isso acaba de deixar no gabinete do pai morto, segundo o testemunho de seu próprio acusador, uma prova colossal contra si mesmo sob a forma de um pacote rasgado, sobre o qual estava escrito que nele havia três mil. 'Ora, levasse ele consigo esse pacote e ninguém no mundo inteiro saberia que houvera e existira o pacote e o dinheiro nele e que, consequentemente, o dinheiro foi roubado pelo réu.' É a sentença do próprio acusador. Bem, como podeis ver, para uma coisa faltou precaução, o homem se desnorteou, assustou-se e fugiu, deixando no chão a prova, mas uns dois minutos depois golpeou e matou outro homem, e aí aparece imediatamente a nosso dispor o senso mais desalmado e calculista de precaução. Mas vá lá, vá lá que tenha sido assim: a sutileza da psicologia consistiria justamente em que, em tais circunstâncias, sou imediatamente sanguinário e perspicaz como uma águia do Cáucaso, mas no minuto seguinte sou cego e tímido como uma reles topeira. Mas se sou mesmo tão sanguinário e cruelmente calculista que, depois de matar, desci do muro unicamente para verificar se a testemunha contra mim estaria ou não viva, então por que acharia de ficar me ocupando dessa minha nova vítima por inteiros cinco minutos e ainda acumular, talvez, novas testemunhas? Por que iria ensopar o lenço limpando o sangue da cabeça do ferido para que esse lenço viesse a servir de prova contra mim? Não, se fôssemos mesmo tão calculistas e de coração duro, não seria melhor que, ao descermos, simplesmente tivéssemos batido mais vezes na cabeça do criado ferido com a mesma mãozinha do pilão, para matá-lo em definitivo e, eliminando a testemunha, tirar do coração qualquer preocupação? E, por fim, desço do muro para verificar se a testemunha contra mim estará viva ou morta e no mesmo instante deixo no caminho outra prova, justamente essa mesma mãozinha de pilão que levei da casa das duas mulheres, que depois podem ambas reconhecer essa mesma mãozinha de pilão como sua e testemunhar que fui eu que a levei de sua casa. E não é que o tenhamos esquecido numa senda, deixado cair por distração, por desnorteamento: não, nós jogamos mesmo fora nossa arma, porque a encontraram a uns quinze passos do lugar em que Grigori foi abatido. Pergunta-se: por que agimos assim? Pois bem, agimos assim justamente porque nos sentimos amargurados por havermos matado um homem, o velho criado, e por isso, tomados de desalento e dizendo maldições, jogamos fora a mãozinha de pilão como a arma do crime; não poderia ter sido por outra coisa, senão por que iríamos jogá-la fora com tanta força? Se conseguimos sentir dor e pena por havermos matado um homem, então, evidentemente, foi porque não matamos nosso pai: se tivéssemos matado nosso pai, não teríamos pulado do muro para examinar por compaixão outro ferido, neste caso o sentimento já seria outro, não estaríamos para compaixão mas preocupados com a própria salvação, e, é claro, foi assim que aconteceu. Caso contrário, repito, teríamos lhe esmagado definitivamente o crânio em vez de ficarmos uns cinco minutos cuidando dele. Houve lugar para compaixão e bom sentimento justamente porque antes disso a consciência estava limpa. Eis, por conseguinte, a outra psicologia. Senhores jurados, eu mesmo recorri deliberadamente à psicologia para evidenciar que a partir dela podemos concluir o que quisermos. Tudo depende das mãos em que ela esteja. A psicologia convida ao romance até os homens mais sérios, e isso de modo inteiramente involuntário. Estou falando de excesso de psicologia, senhores jurados, de certo abuso dela."

Neste ponto ouviram-se novamente risinhos de aprovação do público, e tudo direcionado ao promotor. Não citarei em minúcias todo o discurso da defesa, me limitarei a algumas de suas passagens, alguns de seus pontos essenciais.

XI. Não houve dinheiro. Não houve roubo

No discurso da defesa houve um ponto que até deixou todos perplexos, que foi justamente a negação total da existência daqueles fatídicos três mil rublos e, por conseguinte, também da possibilidade do roubo.

"Senhores jurados — recomeçou o advogado de defesa —, no presente caso qualquer um que seja novato no assunto e imparcial fica estupefato com uma peculiaridade sumamente característica, qual seja: a acusação de roubo e, simultaneamente, a absoluta impossibilidade de apontar de fato o que exatamente foi roubado. Foi roubado dinheiro, alega-se, precisamente três mil: mas se esse dinheiro de fato existiu, ninguém sabe. Refleti, senhores: em primeiro lugar, como soubemos que havia os três mil e quem os viu? Só o criado Smierdiakóv os viu e indicou que estavam em um pacote sobre o qual havia uma inscrição. Ele mesmo deu essa informação ao réu e ao seu irmão Ivan Fiódorovitch ainda antes da catástrofe. Fez saber também à senhora Svietlova. Entretanto, nenhuma dessas pessoas viu o dinheiro, e mais uma vez só Smierdiakóv o viu, e neste ponto se impõe por si mesma a pergunta: se é verdade que esse dinheiro existiu e Smierdiakóv o viu, então, quando o terá visto pela última vez? E se o amo houvesse tirado esse dinheiro de debaixo do colchão e o tivesse devolvido ao cofre sem lhe dizer? Reparai que, segundo as palavras de Smierdiakóv, o dinheiro estava na cama, debaixo do colchão; o réu deveria tê-lo tirado de debaixo do colchão, e, não obstante, a cama não estava minimamente amarrotada, e isso foi cuidadosamente anotado nos autos. Como poderia o réu não ter amarrotado minimamente a cama, e ainda por cima sem manchar com as mãos ainda ensanguentadas a roupa de cama fina e novíssima, posta especialmente para aquele momento? Contudo, nos dirão: mas o pacote não estava no chão? Pois é sobre esse pacote que vale a pena conversar. Ainda há pouco, fiquei até um tanto surpreso: ao começar sua fala a respeito desse pacote, o hipertalentoso acusador declarou, ele próprio — ouvi, senhores, ele próprio —, precisamente na passagem de seu discurso em que apontou o absurdo da hipótese de que Smierdiakóv tivesse matado: 'Se não houvesse esse pacote, se ele não tivesse ficado no chão como prova, se o ladrão o houvesse levado consigo, ninguém no mundo inteiro saberia que o pacote existira, que nele havia dinheiro e que, portanto, o dinheiro foi roubado pelo réu'. Pois bem, foi só e unicamente esse pedaço de papel rasgado com a inscrição, como inclusive o próprio acusador reconheceu, que serviu para acusar o réu de roubo, 'senão ninguém saberia que houvera o roubo e, talvez, que houvera o dinheiro'. Mas será que só o fato de que esse pedaço de papel estava jogado no chão é prova de que nele havia dinheiro e de que esse dinheiro foi roubado? 'Porém, respondem, acontece que Smierdiakóv o viu no pacote': mas quando, quando ele o teria visto pela última vez? eis o que eu pergunto. Conversei com Smierdiakóv e ele me disse que tinha visto o dinheiro dois dias antes da catástrofe! Então, por que não posso supor, por exemplo, ao menos a circunstância de que o velho Fiódor Pávlovitch, trancado em casa e numa espera impaciente e histérica de sua amada, por falta do que fazer, tenha de repente achado de tirar o pacote e deslacrá-lo: 'Ora, talvez ela ainda não acredite no pacote, mas é só eu lhe mostrar um maço de trinta notas irisadas que isso na certa terá um efeito maior, ela vai salivar' — e eis que ele rasga o envelope, retira o dinheiro e atira o envelope no chão com a mão imperiosa do dono e, é claro, já sem receio de deixar qualquer prova. Ouvi, senhores jurados, existe algo mais provável que essa hipótese e esse fato? Por que isso seria impossível? Ora, se ao menos algo semelhante puder ter ocorrido, então a acusação de roubo estará destruída por si mesma: não havia dinheiro, logo, também não houve roubo. Se o pacote estava no chão como prova de que nele havia dinheiro, então por que não posso afirmar o contrário, ou seja, que o pacote rolava pelo chão justamente porque não continha dinheiro, o qual fora retirado pelo próprio dono? 'Sim, mas neste caso onde se meteu o dinheiro, se foi retirado do pacote pelo próprio Fiódor Pávlovitch e não o encontraram em sua casa durante a revista?' Em primeiro lugar, encontraram uma parte do dinheiro no cofre dele e, em segundo, ele poderia tê-lo tirado ainda pela manhã, até mesmo na véspera, ter disposto dele de outra forma, ter dado, enviado, enfim, ter mudado de ideia, mudado a essência do seu plano de ação e sem sequer ver nisso nenhuma necessidade de comunicá-lo previamente a Smierdiakóv. Ora, se existe ao menos a simples possibilidade de semelhante hipótese, então como se pode acusar com tanta insistência e com tanta firmeza o réu de haver cometido o assassinato para roubar e afirmar que realmente houve roubo? Ora, dessa maneira ingressamos no campo dos romances. Pois se afirmamos que uma coisa foi roubada precisamos mostrar essa coisa ou ao menos provar de modo incontestável que ela existiu. Mas no presente caso ninguém sequer a viu. Recentemente, em Petersburgo, um rapaz de dezoito anos, quase um menino, pequeno mascate, entrou de machado em punho em uma loja de câmbio em plena luz do dia e com um atrevimento singular e típico matou o dono da loja e levou consigo mil e quinhentos rublos. Umas cinco horas depois foi preso, e com ele encontraram todos esses mil e quinhentos rublos, menos quinze rublos que ele já conseguira gastar.[98] Além disso, depois de retornar do assassinato para a venda informou à polícia não só a quantia roubada, mas inclusive o tipo de dinheiro que a constituía, isto é, quantas notas irisadas, azuis, vermelhas, quantas moedas de ouro e seu valor, e foi precisamente esse mesmo dinheiro o encontrado com o assassino preso. É isso, senhores jurados, o que eu chamo de prova! Neste caso eu sei, vejo, apalpo o dinheiro e não posso dizer que ele não existe ou não existiu. Será o que acontece no presente caso? Entretanto, aqui se trata da vida e da morte, do destino de um homem. 'Pois bem, dirão, só que naquela

[98] Alusão a um fato real, ocorrido em Petersburgo no dia 24 de janeiro de 1878 e publicado pelo jornal *Gólos*. (N. do T.)

noite ele farreou, esbanjou dinheiro, com ele foram encontrados mil e quinhentos rublos — de onde ele os tirou?' Mas é precisamente porque só encontraram mil e quinhentos, e não conseguiram encontrar de maneira nenhuma a outra metade da quantia, que se prova que esse dinheiro podia perfeitamente ser outro, que nunca estivera absolutamente em nenhum pacote. Pelo cálculo (e o mais rigoroso) do tempo, a investigação criminal verificou e provou que o réu, depois de correr da casa das criadas para a do funcionário Pierkhótin, não esteve em sua casa como, aliás, não foi a lugar nenhum, e depois esteve sempre na presença de gente, portanto não poderia ter separado metade daqueles três mil e a escondido em algum ponto da cidade. Pois foi justamente essa consideração a causa da suposição do promotor de que o dinheiro havia sido escondido em alguma fenda no povoado de Mókroie. Será que não teria sido no subsolo do castelo de Udolfo,[99] senhores? Não seria fantástica, não seria romanesca essa hipótese? E reparai que é só destruir essa hipótese, isto é, a do dinheiro escondido em Mókroie, que toda a acusação de roubo irá pelos ares, pois onde se teriam metido então esses mil e quinhentos? Por obra de que milagre eles poderiam ter sumido se está provado que o réu não foi a lugar nenhum? Pois é com romances desse tipo que nos dispomos a arruinar a vida de um homem! Dirão: 'Seja como for, ele não conseguiu explicar onde conseguiu esses mil e quinhentos encontrados com ele, e, além disso, todo mundo sabia que até naquela noite ele não tinha dinheiro'. Mas quem sabia disto? No entanto o réu deu um depoimento claro e firme a respeito de onde arranjara o dinheiro e, se quiserdes, senhores jurados, se quiserdes, nada jamais poderia nem pode ser mais provável do que esse depoimento e, além disso, mais compatível com o caráter e a alma do réu. A acusação gostou do seu próprio romance: um homem de índole fraca, que resolvera aceitar os três mil que sua noiva lhe oferecera de modo tão desonroso, não poderia, diz ela, separar metade da quantia e costurá-la num saquinho; ao contrário, se tivesse mesmo costurado, ele o descosturaria a cada dois dias e tiraria devagarinho de cem em cem rublos e assim torraria a quantia toda em um mês. Lembrai-vos de que isso foi exposto em um tom que não tolera quaisquer objeções. Mas e se não foi nada disso que aconteceu, então, como foi que os senhores inventaram um romance com um personagem de todo diferente? E o problema é que criaram mesmo outro personagem! Talvez objetem: 'Há testemunhas de que ele esbanjou no povoado de Mókroie todos os três mil recebidos da senhora Vierkhóvtzeva um mês

[99] Referência a *The Mysteries of Udolpho*, romance da escritora inglesa Ann Radcliffe (1764-1823), popular na Rússia na primeira metade do século XIX. (N. da E.)

antes da catástrofe, e o fez de uma só vez, como se gasta um copeque, portanto, não poderia ter separado metade da quantia'. Mas quem são essas testemunhas? O grau de fidedignidade dessas testemunhas já foi revelado neste julgamento. Além disso, a fatia do vizinho sempre parece maior. Por último, nenhuma dessas testemunhas contou esse dinheiro, apenas o julgou pelo olhar. Ora, a testemunha Maksímov disse em depoimento que o réu tinha vinte mil em mãos. Vede, senhores jurados, como temos uma psicologia de dois gumes, então permiti que eu acrescente aí um outro gume e vejamos em que isso dará.

"Um mês antes da catástrofe a senhora Vierkhóvtzeva confiou ao réu três mil rublos para que ele os enviasse pelo correio, mas fica uma pergunta: será justo dizer, como acabou de ser proclamado aqui, que a quantia lhe foi confiada com tamanha desonra e tamanha humilhação? Não foi isso, nada disso que resultou do primeiro depoimento da senhora Vierkhóvtzeva sobre o mesmo assunto; no segundo depoimento ouvimos apenas gritos de exasperação, vingança, gritos de um ódio escondido durante muito tempo. Ora, o simples fato de que a testemunha deu falso testemunho em seu primeiro depoimento nos dá o direito de concluir que pode ter dado também falso testemunho no segundo. O acusador 'não quer, não se atreve' (palavras dele) a tocar nesse romance. Bem, vá lá, eu também não tocarei, mas, não obstante, permito-me apenas observar que se uma pessoa pura e de moral elevada, como é indiscutivelmente a respeitabilíssima senhora Vierkhóvtzeva, se uma pessoa como esta, digo eu, se permite de chofre, de estalo, mudar seu primeiro depoimento no julgamento com o franco objetivo de destruir o réu, fica claro também que seu depoimento não foi imparcial, não foi dado a sangue-frio. Será que nos privariam do direito de concluir que uma mulher vingativa pode exagerar muito? Sim, exagerar precisamente a vergonha e a desonra com que ela ofereceu o dinheiro. Ao contrário, ele foi oferecido justamente de uma forma que ainda podia ser aceito, sobretudo por um homem tão leviano como nosso réu. O digno de nota é que naquela ocasião ele contava receber do pai os três mil que este lhe devia como ajuste de contas. Isso era leviano, mas era justamente por sua leviandade que ele estava firmemente convicto de que o pai lhe entregaria o dinheiro, de que o receberia e, portanto, sempre poderia enviar pelo correio o dinheiro que a senhora Vierkhóvtzeva lhe confiara, e assim saldar a dívida. Contudo, o acusador não quer admitir, de maneira nenhuma, que naquele mesmo dia, no dia da acusação, ele possa ter separado metade do dinheiro recebido e costurado no saquinho: 'ele não é desse tipo de caráter, não poderia ter tais sentimentos'. Mas o senhor mesmo bradou que um Karamázov é vasto, o senhor mesmo bradou a respeito dos dois abismos extremos que um Karamázov pode contemplar. Um Karamázov é justamente essa natureza de duas faces, de dois abismos, que, diante da mais descomedida necessidade de farrear, pode se deter se algo oriundo da outra face o impressiona. Mas esta outra face é o amor, precisamente aquele novo amor que então começava a arder como pólvora, e para esse amor ele necessitava de dinheiro, e necessitava mais, oh! necessitava bem mais até do que para a farra com essa mesma amada. Era só ela lhe dizer: 'Sou tua, não quero Fiódor Pávlovitch', e ele a pegaria e levaria embora, pois teria com que levá-la. Ora, isso é mais importante do que a farra. Como um Karamázov não iria entender isto? Pois era justamente disto que ele estava doente, dessa preocupação — o que há de inverossímil no fato de ter ele separado e escondido esse dinheiro para alguma eventualidade? Eis, porém, que o tempo passa e Fiódor Pávlovitch não lhe entrega os três mil, mas, ao contrário, ouve-se dizer que ele os destinara justamente para atrair a amada do réu. 'Se Fiódor Pávlovitch não me der o dinheiro — pensava ele —, então eu serei um ladrão para Catierina Ivánovna.' E eis que lhe surge na cabeça a ideia de pegar esse dinheiro que levava consigo no saquinho, ir à casa da senhora Vierkhóvtzeva e colocá-lo diante dela, dizendo: 'Sou um patife, mas não um ladrão'. Eis, por conseguinte, já um duplo motivo para conservar esses mil e quinhentos rublos como a menina dos olhos, não descosturar de maneira nenhuma o saquinho nem tirar dali nota por nota de cem rublos. Por que razão negais ao réu o sentimento de honra? Não, nele existe sentimento de honra, admitamos que incorreto, admitamos que frequentemente equivocado, mas ele existe, existe a ponto de beirar a paixão, e ele demonstrou isto. Mas eis que, não obstante, a questão se complica, as aflições do ciúme chegam ao auge e as mesmas, as mesmas duas perguntas de antes se desenham de modo cada vez mais angustiante no cérebro inflamado do réu: 'Devolvo o dinheiro a Catierina Ivánovna: então com que recursos levo Grúchenka embora?'. Se ele andou fazendo loucuras, bebendo e armando arruaças pelas tavernas durante todo esse mês, talvez tenha sido justamente porque para ele mesmo estivesse sendo amargo, impossível suportar. Essas duas perguntas por fim se agravaram tanto que acabaram por levá-lo ao desespero. Ele enviou seu irmão caçula ao pai para lhe pedir esses três mil pela última vez, mas, sem esperar a resposta, irrompeu ele mesmo na casa do pai e acabou espancando o velho diante de testemunhas. Portanto, depois disso já não tinha de quem receber o dinheiro, o pai espancado não o daria. No mesmo dia, à noite, ele bate no peito, justamente na parte de cima, onde estava o saquinho, e jura ao irmão que tem um meio para não ser um patife mas que, mesmo assim, permanecerá um patife, pois prevê que não usará esse meio, que lhe falta ânimo, lhe falta caráter para isso. Por que a acusação não acredita no depoimento de Alieksiêi Karamázov, dado de maneira tão pura, tão sincera, natural e verossímil? Por que, ao contrário, quer me fazer acreditar em dinheiro escondido em alguma fenda, no subsolo do castelo de Udolfo? Na mesma noite, depois da conversa com o irmão, o réu escreve essa carta fatídica, e eis que essa carta é a prova mais importante, mais colossal da culpa do réu no roubo! 'Vou pedir emprestado a todo mundo, se não me derem mato meu pai e pego debaixo do colchão, no pacote com a fita cor-de-rosa, assim que Ivan partir' — um programa completo do assassinato, como não terá sido ele? 'Aconteceu como estava escrito!' — exclama a acusação. Contudo, em primeiro lugar é uma carta de bêbado e escrita em estado de terrível irritação; em segundo, mais uma vez ele escreve sobre o pacote a partir das palavras de Smierdiakóv, porque ele mesmo não viu o pacote, e, em terceiro, que a carta foi escrita, foi, mas a coisa terá acontecido como estava escrito? como prová-lo? Terá o réu retirado o pacote de debaixo do travesseiro,[100] terá encontrado dinheiro, o próprio dinheiro terá existido? Ademais, terá o réu corrido até lá para pegar o dinheiro? Lembrai-vos disso, lembrai--vos! Ele foi para lá em desabalada carreira não para roubar, mas tão somente para se inteirar de onde estava ela, essa mulher que o destruiu — portanto, não correu para lá conforme um programa, conforme estava escrito, isto é, não para cometer um roubo premeditado, mas de repente, acidentalmente, levado pela loucura do ciúme! 'Sim, dirão, mas mesmo assim, depois de ter corrido para lá e matado, agarrou também o dinheiro'. Enfim, será que ele matou ou não? Refuto com indignação a acusação de roubo: não se pode acusar de roubo sem que se possa indicar com exatidão o que precisamente foi roubado, isto é um axioma! E será que matou mesmo, será que matou sem ter roubado? Isto foi provado? Isto já não será um romance?"

XII. E tampouco houve assassinato

"Admiti, senhores jurados, que aqui se trata da vida de um homem e que precisamos ser mais cautelosos. Ouvimos como a própria acusação reconheceu que até o último dia, até hoje, dia do julgamento, vacilava em acusar o réu de plena e total premeditação do assassinato, vacilou até que essa fatídica carta 'de bêbado' fosse apresentada hoje neste julgamento. 'Aconteceu

[100] O pacote aparece ora debaixo da cama, ora debaixo do colchão, e agora debaixo do travesseiro. Mantenho como está no original. (N. do T.)

como estava escrito!' Mas torno a repetir: ele correu para ela, atrás dela, unicamente para saber onde ela estava. Porque este é um fato inquestionável. Estivesse ela em casa, e ele não teria corrido para lugar nenhum, mas teria permanecido com ela e deixado de cumprir o que prometera na carta. Correu para lá por acaso e repentinamente, talvez sem sequer se lembrar absolutamente de sua carta 'bêbada'. 'Agarrou a mãozinha de pilão' — e lembrai-vos de como apenas dessa história da mãozinha de pilão inferiram para nós toda uma psicologia: por que ele iria tomar essa mãozinha de pilão por arma, agarrá-la como arma, etc., etc. Nesse ponto me ocorre o pensamento mais trivial: o que teria acontecido se essa mãozinha de pilão não estivesse à vista, na prateleira de onde o réu a apanhou, mas recolhida a um armário? — ora, o réu não a teria lobrigado e teria ido embora sem arma, de mãos vazias, e então talvez não tivesse matado ninguém. De que maneira posso deduzir que a mãozinha de pilão prova que o réu a tomou por arma e que houve premeditação? Sim, mas ele andou bradando de taverna em taverna que mataria o pai, e isso dois dias antes, na noite em que escreveu sua carta de bêbado, estava sereno e brigou na taverna só com um caixeiro de um comerciante, 'porque Karamázov não podia deixar de brigar'. Mas a isto eu respondo que se ele tivesse tramado esse assassinato, e ainda segundo um plano, segundo o que estava escrito, certamente não teria brigado com o caixeiro e talvez nem mesmo tivesse entrado na taverna, porque uma alma que houvesse tramado tal coisa estaria procurando o silêncio e a sombra, procurando sumir para que ninguém o visse, ninguém o ouvisse: 'Esqueçam-me, se puderem', e isso não só por cálculo mas por instinto. Senhores jurados, a psicologia tem dois gumes e nós também sabemos interpretar a psicologia. Que importância têm esses gritos de taverna em taverna durante um mês inteiro? O que não gritam as crianças ou os farristas bêbados quando saem dos botequins brigando entre si: 'Eu te mato!', mas acontece que não matam? E a própria carta fatídica — ora, não seria também uma irritação de bêbado, não seria um grito de alguém saindo do botequim: 'mato, mato vocês todos!'? Por que não, por que não poderia ter sido assim? Por que essa carta é fatídica? Por que, ao contrário, não é ridícula? Justo porque foi encontrado o cadáver do pai, porque uma testemunha viu o réu no jardim, armado e fugindo, e ela mesma foi atingida por ele; portanto, acabou acontecendo tudo como estava escrito, e por isso a carta não é ridícula, mas fatídica. Graças a Deus chegamos ao ponto: 'se estava no jardim, significa que foi ele quem matou'. Com essas palavrinhas: *se estava*, então forçosamente *significa*, esgota-se tudo, toda a acusação — 'estava, então significa'. Mas e se não *significar*, embora ele tenha estado? Ora, concordo que o conjunto de fatos, a coincidência dos fatos, são na realidade bastante eloquentes. Contudo, examinai todos esses fatos separadamente, sem que vos deixeis sugestionar pelo conjunto: por que, por exemplo, a acusação não quer admitir de maneira nenhuma a veracidade do depoimento do réu, segundo o qual ele fugiu da janela do pai? Lembrai-vos inclusive dos sarcasmos a que recorre a acusação no tocante aos sentimentos de respeito e 'piedade' que subitamente teriam dominado o assassino. E se neste caso tiver realmente ocorrido algo semelhante, isto é, senão o sentimento de respeito, pelo menos a manifestação de sentimentos de piedade? 'Minha mãe deve ter implorado por mim naquele instante' — declarou o réu no inquérito, e eis que ele fugiu tão logo se certificou de que Svietlova não estava na casa do pai. 'Mas ele não podia certificar-se pela janela' — objeta-nos a acusação. E por que não poderia? Ora, a janela se abriu aos sinais dados pelo réu. Então Fiódor Pávlovitch poderia ter dito algo especial, deixado escapar algum grito — e no mesmo instante o réu se certificaria de que Svietlova não estava ali. Por que tomar forçosamente como hipótese algo que está em nossa imaginação, como fazíamos? Em realidade, podem nos passar de relance pela cabeça milhares de coisas que escapam à observação do romancista mais sutil. 'Sim, mas Grigori viu a porta aberta, portanto o réu estava certamente na casa, portanto, cometeu o assassinato'. Quanto a essa porta, senhores jurados... Observai que sobre essa porta aberta existe testemunho de apenas uma pessoa que, não obstante, estava na ocasião em um estado tal que... Vamos, vamos que a porta estivesse aberta, vamos que o réu tenha negado isso, que haja mentido por um sentimento de autodefesa tão compreensível em sua situação, vamos, vamos que tenha penetrado na casa, estado na casa — mas e daí? por que se esteve lá forçosamente matou? Ele poderia ter irrompido, corrido de cômodo em cômodo, dado um empurrão no pai, poderia até ter dado um soco no pai, contudo, uma vez certo de que Svietlova não estava ali, fugiu contente por ela não estar ali e por fugir sem haver matado o pai. Talvez tenha descido do muro um minuto depois para examinar Grigori, que atingira num arroubo, porque estava em condições de experimentar um sentimento puro, um sentimento de compaixão e pena, porque fugira à tentação de matar o pai, porque sentia em si um coração puro e a alegria de não haver matado o pai. Beira o horror a eloquência com que a acusação nos descreveu o terrível estado do réu no povoado de Mókroie, quando o amor novamente se revelou a ele, chamando-o para uma nova vida, e quando ele já não podia amar porque deixara para trás o cadáver ensanguentado de seu pai e, para além do cadáver, o suplício. E, não obstante, a acusação admitiu o amor, que explicou com base em sua psicologia: 'O estado de embriaguez', diz ele, 'o criminoso é conduzido para ser executado, ainda há muito que esperar, etc., etc.'. Mas, torno a perguntar, não teriam criado outro personagem, senhores jurados? Será, será o réu tão grosseiro e desalmado que, naquele momento, ainda conseguiu pensar no amor e nos subterfúgios de que usaria perante a Corte, se de fato pesava sobre ele o sangue do pai? Não, não e não! Acabara de revelar-se que ela o amava, chamava-o consigo, prometia-lhe uma nova felicidade — oh, juro, ele deve ter sentido na ocasião uma necessidade dupla, tríplice de matar-se, e infalivelmente se mataria se tivesse deixado para trás o cadáver do pai! Oh, não, não teria esquecido onde estavam suas pistolas. Conheço o réu: a crueldade feroz, fria que a acusação lhe imputa é incompatível com sua índole. Ele se mataria, isto é certo; ele não se matou justamente porque a 'mãe implorou por ele' e seu coração não tinha culpa pelo sangue do pai. Naquela noite em Mókroie ele estava aflito, estava angustiado unicamente por ter ferido o velho Grigori, e orava consigo a Deus para que o velho se levantasse e se recobrasse, para que seu golpe não tivesse sido mortal e ele escapasse da execução. Por que não aceitar essa interpretação dos acontecimentos? Qual é a prova inabalável que temos de que o réu está mentindo? Eis aí o cadáver do pai, tornarão a nos apontar imediatamente: ele fugiu, ele não matou, mas então quem matou o velho?

"Repito, nisto reside toda a lógica da acusação: quem matou, senão ele? Não há ninguém para pôr em seu lugar. Não é o que dizem, senhores jurados? Será, realmente, que de fato não há mesmo ninguém para pôr no lugar dele? Vimos como a acusação contou na ponta dos dedos todos os que estiveram e todos os que passaram por aquela casa naquela noite. Foram constatadas cinco pessoas. Três delas, concordo, são totalmente inimputáveis: o próprio morto, o velho Grigori e sua mulher. Restam, portanto, o réu e Smierdiakóv, e eis que a acusação exclama enfaticamente que o réu aponta Smierdiakóv por não ter mais a quem apontar, que se houvesse aí uma sexta pessoa, até mesmo o fantasma de alguma sexta pessoa, o próprio réu desistiria imediatamente de acusar Smierdiakóv, por vergonha, e apontaria essa sexta pessoa. Entretanto, senhores jurados, por que eu não poderia concluir exatamente o oposto? Temos os dois à nossa frente, o réu e Smierdiakóv: por que eu não poderia dizer que acusais meu constituinte unicamente porque não tendes a quem acusar? E não tendes ninguém unicamente porque, de modo absolutamente preconcebido, afastastes de antemão toda e qualquer suspeita de Smierdiakóv. Sim, é verdade, Smierdiakóv é acusado apenas pelo próprio réu, por seus dois irmãos, por Svietlova, e só. Acontece, porém, que existe mais alguém entre os depoentes: é a fermentação, ainda que obscura, de uma certa questão na sociedade, de uma certa suspeita, ouve-se um rumor vago, sente-se que existe certa expectativa. Enfim, evidencia-se também certa confrontação dos fatos, muito característica, embora também indefinida, confesso: primeiro, esse ataque de epilepsia justo no dia da catástrofe, ataque esse que a acusação se viu forçada, sabe-se lá por quê, a defender e salvaguardar com tanto empenho. Em seguida, veio esse suicídio repentino de Smierdiakóv na véspera do julgamento. Depois este depoimento não menos repentino dado hoje, neste julgamento, pelo irmão mais velho do réu, que até hoje acreditara na culpa do irmão e de repente traz o dinheiro e também proclama mais uma vez o nome de Smierdiakóv como assassino! Oh, estou plenamente convicto, com a Corte e a promotoria, de que Ivan Karamázov está doente e febricitante, que seu depoimento poderia ser realmente uma tentativa desesperada, e ademais tramada em delírio, de salvar o irmão jogando a culpa no morto. Mas, não obstante, ainda assim foi pronunciado o nome de Smierdiakóv, e mais uma vez parece ouvir-se algo enigmático. Algo que não parece ter sido dito integralmente, senhores jurados, e não ter sido concluído. E pode ser que ainda venha a ser concluído. Mas por ora deixemos isto de lado, isto virá depois. Ainda há pouco a Corte decidiu continuar a sessão, mas enquanto isso, eu poderia fazer alguma observação, por exemplo, a respeito da caracterização do falecido Smierdiakóv, traçada com tanta sutileza e tanto talento pela acusação. Entretanto, mesmo admirado de seu talento não posso, porém, concordar plenamente com a essência da caracterização. Estive com Smierdiakóv, vi-o e conversei com ele, ele me deixou uma impressão inteiramente outra. Estava com a saúde debilitada, é verdade, mas não o caráter, não o coração — oh, não era, absolutamente, um homem tão fraco como a acusação concluiu a seu respeito. Em particular, nele não encontrei timidez, aquela timidez que a acusação nos descreveu de modo tão característico. Não notei sobretudo nenhuma ingenuidade, ao contrário, notei uma terrível desconfiança disfarçada de ingenuidade, e uma inteligência com muita capacidade de observação. Oh! a acusação foi excessivamente ingênua ao considerá-lo demente. Em mim ele deixou uma impressão totalmente definida: saí de lá convicto de que se tratava de uma criatura terminantemente má, desmedidamente ambiciosa, vingativa e ardentemente invejosa. Reuni certas informações: ele odiava sua origem, sentia vergonha dela e lembrou, rangendo os dentes, que 'descendia de Smierdiáschaia'. Era desrespeitoso com o criado Grigori e sua mulher, antigos benfeitores de sua infância. Amaldiçoava a Rússia e zombava dela. Sonhava ir embora para a França para transformar-se num francês. No passado falara muito e com frequência que não tinha recursos para isto. Parece-me que não gostava de ninguém a não ser de si mesmo, nutria por si mesmo um respeito elevado que chegava a ser estranho. Para ele a ilustração era uma boa roupa, peitilhos e botas escovadas. Ele mesmo se considerava (existem provas disto) filho bastardo de Fiódor Pávlovitch, podia odiar sua situação comparando-se aos filhos legítimos de seu amo: eles tinham tudo, já ele nada; para eles todos os direitos, para eles herança, já ele era apenas o cozinheiro. Confidenciou-me que ele mesmo colocara o dinheiro no pacote junto com Fiódor Pávlovitch. Odiava, é claro, o destino dessa quantia — quantia com que poderia fazer sua carreira. Para completar, vira três mil rublos em notas irisadas clarinhas (isto eu lhe perguntei de propósito). Oh, nunca mostreis a um homem invejoso e egoísta grandes quantias de dinheiro de uma vez, e ele via semelhante quantia pela primeira vez nas mãos de um único dono. A impressão causada pelo maço irisado pode ter se refletido morbidamente em sua imaginação, mas ainda sem nenhuma consequência da primeira vez. O hipertalentoso acusador nos traçou com uma sutileza incomum todos os prós e contras da hipótese de uma eventual acusação contra Smierdiakóv pelo assassinato e perguntou em particular: com que fim ele iria fingir um ataque epiléptico? Sim, só que ele pode não ter fingido absolutamente, o ataque pode ter acontecido de modo inteiramente natural, assim como também pode ter passado de modo totalmente natural e o doente pode ter se recobrado. Admitamos que não se curasse, mas que mesmo assim algum dia voltasse a si e se recobrasse, como acontece com a epilepsia. A acusação pergunta: onde está o momento em que Smierdiakóv cometeu o assassinato? Mas é extremamente fácil apontar esse momento. Ele pode ter se recobrado e despertado do sono profundo (porque estava apenas dormindo: depois de um ataque epiléptico, a vítima sempre é atacada de um sono profundo) justo no momento em que o velho Grigori, agarrado à perna do réu que estava trepado no muro, em fuga, berrou para todos ao redor: 'Parricida!'. Foi um grito incomum, no silêncio e na escuridão, e pode ter despertado Smierdiakóv, cujo sono poderia não ser tão pesado nesse instante: já uma hora antes ele poderia naturalmente ter começado a despertar. Levantando-se da cama, toma quase inconscientemente e sem qualquer intenção a direção do grito para ver o que está acontecendo. Ainda está com a cabeça atordoada pelo ataque, o raciocínio ainda está embotado, mas eis que se encontra no jardim, aproxima-se das janelas iluminadas e ouve a terrível notícia do amo, que, é claro, fica contente com sua presença. Num instante o raciocínio começa a funcionar. Do amo assustado fica sabendo de todos os detalhes. E eis que em seu cérebro perturbado e mórbido cria-se paulatinamente uma ideia — terrível, porém sedutora e irresistivelmente lógica: matá-lo, pegar os três mil rublos e depois jogar toda a culpa no fidalgote; de quem haverão de suspeitar agora a não ser do fidalgote, quem poderão acusar a não ser o fidalgote? Há todas as provas, ele não esteve aqui? Uma terrível sede de dinheiro, de adquirir coisas, pode ter se apoderado de seu espírito juntamente com a suposição da impunidade. Oh, esses ímpetos instantâneos e irresistíveis acontecem com muita frequência quando há oportunidade, e acontecem principalmente de modo inesperado com assassinos que um minuto antes não sabiam que queriam matar! Pois bem, Smierdiakóv pode ter entrado no quarto do amo e executado seu plano, mas com quê, com que arma? — com a primeira pedra que apanhou no jardim. Mas para quê, com que fim? E os três mil, ora, isso representa uma carreira! Oh! não estou me contradizendo: pode ter havido, existido o dinheiro. E talvez Smierdiakóv até fosse o único a saber onde achá-lo, onde precisamente se encontrava no quarto do amo. 'Bem, e o envelope do dinheiro, e o pacote rasgado no chão?' Quando, ao falar ainda há pouco sobre esse pacote, o acusador expôs seu sutilíssimo juízo de que só poderia deixá-lo no chão um ladrão inabilidoso, justamente alguém como Karamázov e nunca Smierdiakóv, que em hipótese alguma deixaria atrás de si semelhante prova — ao ouvir isso ainda há pouco, senhores jurados, senti de chofre que estava ouvindo algo sumamente conhecido. E imaginai, foi precisamente esse mesmo juízo, essa mesma conjetura de como Karamázov teria agido com o pacote que eu já tinha ouvido há exatos dois dias da boca do próprio Smierdiakóv; e mais, ele até me impressionou com isso: pareceu-me mesmo que ele bancava falsamente o ingênuo, antecipando-se, tentando me impor essa ideia, para que eu próprio inferisse essa reflexão sem perceber que ele é que a havia sugerido a mim. Não teria ele sugerido essa mesma reflexão ao juiz de instrução? Não a terá imposto também ao hipertalentoso acusador? Dirão: e a velha, a mulher de Grigori? Ora, ela ouviu o doente gemendo a noite inteira ali ao lado. Bem, ouviu, mas esse argumento é sumamente precário. Conheço uma senhora que se queixava amargamente de que um cãozinho passara a noite inteira latindo no pátio e não a deixara dormir. Entretanto, como se soube depois, o pobre cãozinho latira apenas umas duas ou três vezes durante toda a noite. E isso é natural; a pessoa está dormindo e de repente ouve um gemido, desperta agastada porque a acordaram, mas torna a adormecer num piscar de olhos. Umas duas horas depois o gemido volta, ela torna a acordar e torna a adormecer, e por fim o gemido volta, repete-se novamente duas horas depois, ao todo umas três vezes durante a noite inteira. Ao amanhecer ela se levanta e se queixa de que alguém passou a noite toda gemendo e a acordou continuamente. Mas isso deve ter sido forçosamente impressão sua; ela dormia nos intervalos, cada um de duas horas, e não se lembra, lembra-se apenas dos instantes em que está desperta e é por isso que lhe parece que passaram a noite inteira a acordá-la. Mas por que, por que, exclama a acusação, Smierdiakóv não confessou no bilhete escrito antes da morte? 'Teve consciência para uma coisa, mas não para a outra.' Contudo, permiti: consciência já é arrependimento, e o suicida pode não ter tido arrependimento mas tão somente desespero. Desespero e arrependimento são duas coisas completamente diversas. O desespero pode ser raivoso e inconciliável, e o suicida, ao atentar contra a própria vida, nesse instante pode ter odiado duplamente aqueles por quem nutrira inveja a vida inteira. Senhores jurados, precavei-vos de um erro judiciário! Em que, em que é inverossímil tudo o que vos acabei de expor e representar? Encontrais erro em minha exposição, encontrais impossibilidade, absurdo? Contudo, se existe ao menos uma sombra de possibilidade, ao menos uma sombra de verossimilhança em minhas hipóteses, abstende-vos da condenação. Mas será possível que aí só exista sombra? Juro por tudo o que é sagrado que acredito plenamente em minha interpretação do assassinato que vos acabei de expor. Mas o grave, o grave, o que me perturba e me desconcerta, é o mesmo pensamento de que, de todo o acervo de fatos amontoados pela acusação contra o réu, não haja um só minimamente preciso e irrefutável, e que o infeliz venha a ser destruído unicamente com base no conjunto de tais fatos. Sim, esse conjunto é horrível; esse sangue, esse sangue escorrendo dos dedos, a camisa ensanguentada, a noite escura sacudida pelo berro de 'Parricida!', uma pessoa gritando, caindo com a cabeça rachada, e depois essa massa de sentenças, de testemunhos, de gestos, de gritos — oh, isso influencia tanto, isso pode aliciar muito a convicção, mas a vossa, senhores jurados, a vossa convicção pode ser aliciada? Lembrai-vos de que vos foi concedido um poder ilimitado, um poder de ligar[101] e decidir. Contudo, quanto mais forte é o poder, mais terrível é sua aplicação! Não recuo uma vírgula do que acabo de dizer, mas vá lá, que seja, vá que por um instante eu concorde com a acusação de que meu infeliz constituinte manchou suas mãos com o sangue do pai. Isto é apenas uma hipótese, repito, não duvido nem por um instante da inocência dele, mas que seja assim, suponho que meu réu seja culpado do parricídio, contudo ouvi minhas palavras, caso eu admita semelhante hipótese. Tenho vontade de vos dizer mais alguma coisa, pois pressinto em vossos corações e mentes uma grande luta... Desculpai-me por falar assim, senhores jurados, a respeito dos vossos corações e mentes. Mas quero ser verdadeiro e sincero até o fim, sejamos todos sinceros!..."

[101] "Dar-te-ei as chaves do reino dos céus: o que ligares na terra, terá sido ligado nos céus [...]". Mateus, 16, 19. (N. do T.)

Nesse ponto o advogado de defesa foi interrompido por aplausos bastante fortes. De fato, pronunciou suas últimas palavras com um tom que soou tão sincero que todos sentiram que ele efetivamente teria algo a dizer, e que o que diria nesse instante seria o mais importante. Ao ouvir os aplausos, porém, o presidente ameaçou em voz alta "evacuar" a sala do tribunal se "semelhante incidente" tornasse a se repetir. Tudo ficou em silêncio, e Fietiukóvitch começou com uma voz nova e emocionada, inteiramente diversa daquela com que falara até então.

XIII. ADÚLTERO DO PENSAMENTO

"Não é só o conjunto de fatos que arruína meu constituinte, senhores jurados — proclamou ele —, não, é só um fato que arruína verdadeiramente meu constituinte: o cadáver do velho pai! Fosse um simples assassinato, e diante da insignificância, diante da falta de provas, diante da natureza fantástica dos fatos, se examinássemos cada um em separado e não no conjunto, os senhores rejeitariam a acusação, ao menos hesitariam em arruinar o destino de um homem por um simples preconceito contra ele, que, infelizmente, ele tanto fez por merecer! Mas aqui não se trata de um simples assassinato e sim de um parricídio! Isto infunde respeito, e a tal ponto que a própria insignificância e a inconsistência dos fatos acusatórios já não se tornam tão insignificantes e tão inconsistentes, e até mesmo na mente mais imparcial. Contudo, como absolver semelhante réu? Quer dizer então que ele cometeu um assassinato e vai sair impune? — eis o que cada um sente quase involuntariamente, instintivamente em seu coração. Sim, é uma coisa horrorosa derramar o sangue do pai — o sangue de quem me deu a vida, sangue de quem me amou, sangue da própria vida de quem não a poupou por mim, de quem desde minha infância adoeceu de minhas doenças, de quem sofreu a vida inteira para me fazer feliz e só viveu de minhas alegrias, de meus êxitos! Oh, matar semelhante pai — mas isto é até impossível conceber! Senhores jurados, o que é um pai, um de verdade, que palavra tão grandiosa, que ideia tão formidável há nesse nome?! Acabamos de sugerir só em parte o que é e o que deve ser um verdadeiro pai. No presente caso, que ora nos ocupa a todos, que deixa nossas almas doridas — no presente caso o pai, o falecido Fiódor Pávlovitch Karamázov, não se enquadrava minimamente no conceito de pai que acabou de falar ao nosso coração. Esta é a desgraça. Sim, realmente certo tipo de pai parece uma desgraça. Examinemos essa desgraça mais de perto — porque nada devemos temer, senhores jurados, em face da importância da iminente decisão. E não devemos mesmo temer sobretudo agora e, por assim dizer, descartar a ideia oposta como crianças ou mulheres assustadiças, segundo a feliz expressão do hipertalentoso acusador. Contudo, em seu ardente discurso meu respeitável adversário (e adversário ainda antes que eu pronunciasse minha primeira palavra), meu adversário exclamou várias vezes: 'Não, não permitirei a ninguém defender o réu, não cederei sua defesa ao defensor que veio de Petersburgo, eu sou o acusador e sou também o defensor!'. Eis o que ele exclamou várias vezes, e não obstante esqueceu-se de mencionar que, se o terrível réu passou inteiros vinte e três anos tão agradecido por apenas uma libra de nozes recebida da única pessoa que o havia acarinhado em criança na casa do pai, então, em sentido inverso, esse homem não poderia deixar de ter passado todos esses vinte e três anos lembrando-se de como correra descalço na casa do pai, 'no pátio dos fundos, sem botas e com as calças seguras por apenas um botão', segundo a expressão do humanitário doutor Herzenstube. Oh, senhores jurados, por que haveríamos de examinar mais de perto essa 'desgraça', repetir o que todos já sabem! O que encontrou meu cliente ao vir para cá procurar o pai? E por que, por que representar o meu cliente como um insensível, um egoísta, um monstro? Ele é descomedido, selvagem, impetuoso, eis-nos agora a julgá-lo por isso, mas quem é o culpado por seu destino, quem é o culpado pelo fato de, tendo ele boas inclinações, um coração nobre e sensível, ter recebido uma educação tão absurda? Alguém o ensinou a agir direito, foi ele instruído em saberes, alguém lhe devotou um mínimo sequer de amor em sua infância? Meu constituinte cresceu sob a proteção de Deus, isto é, como um animal selvagem. Talvez ansiasse por ver o pai depois de uma longa separação, talvez mil vezes antes disso, ao recordar sua infância, tivesse afugentado os repugnantes fantasmas com que sonhara na infância e ansiado com toda a força de sua alma absolver e abraçar seu pai! E o que acontece? É recebido só com zombarias cínicas, com desconfiança e subterfúgios por causa do dinheiro litigioso; ouve apenas conversas e normas de vida que revoltam o coração, e isso dia a dia, 'à roda de um conhaquezinho' e, por último, vê o pai tentando tomar a amante dele, do filho, com o próprio dinheiro dele, do filho — oh, senhores jurados, isto é repugnante e cruel! E esse mesmo velho se queixa com todo mundo do desrespeito e da crueldade do filho, denigre-o na sociedade, prejudica-o, calunia-o, resgata suas promissórias com a finalidade de metê-lo na prisão! Senhores jurados, essas almas, essas pessoas duras de coração, que parecem violentas e intempestivas, como meu constituinte, são por vezes — e até muito amiúde — extremamente ternas de coração, só que não o manifestam. Não riais, não riais de minha ideia! Ainda há pouco o talentoso acusador zombou impiedosamente de meu constituinte ressaltando que ele gosta de Schiller, gosta do 'belo e elevado'. No lugar dele, no lugar de acusador eu não me permitiria zombar disto! Sim, esses corações — oh, deixai-me defender esses corações tão rara e injustamente compreendidos —, esses corações anseiam muito amiúde pelo terno, pelo belo e pelo justo, precisamente como uma espécie de contraste consigo mesmos, com sua violência, com sua crueldade — anseiam de forma inconsciente, e anseiam de fato. Apaixonados e cruéis na aparência, são capazes de amar martirizando-se, por exemplo uma mulher, e devotando-lhe obrigatoriamente um amor espiritual e supremo. Mais uma vez não riais de mim: é justamente o que acontece com maior frequência com essas naturezas! Elas apenas não conseguem esconder sua paixão — às vezes muito grosseira — e é isso que impressiona, é isso que se percebe, mas não se vê dentro do homem. Ao contrário, todas as suas paixões se suavizam rapidamente, mas ao lado de um ser nobre e belo essa pessoa aparentemente grosseira e cruel procura a renovação, procura a possibilidade de corrigir-se, de tornar-se melhor, de fazer-se elevada e honesta — 'elevada e bela', por mais que se ridicularize esta expressão. Ainda há pouco eu disse que não me permitiria tocar no romance do meu constituinte com a senhora Vierkhóvtzeva. Mas, não obstante, posso dizer uma meia palavra: o que ouvimos ainda há pouco não foi um depoimento, mas tão somente o grito de uma mulher enfurecida e vingativa, e não é ela que pode censurar por traição, porque ela mesma traiu! Se tivesse ao menos o mínimo de tempo para refletir, ela não teria dado semelhante testemunho! Oh, não acrediteis nela, não, meu constituinte não é um 'monstro' como foi chamado por ela! O amante crucificado dos homens disse, antes de subir à cruz: 'Eu sou o bom pastor, o bom pastor dá a vida pelas ovelhas, e nenhuma morrerá...'.[102] Não destruamos nós também a alma de um homem! Ainda há pouco perguntei: o que é um pai? e exclamei que esta é uma palavra grandiosa, um nome precioso. Contudo, senhores jurados, é necessário tratar a palavra com honestidade, e eu me permito chamar o objeto pela própria palavra que o designa, por seu próprio nome: um pai como o velho falecido Karamázov não pode e nem é digno de ser chamado de pai. O amor a um pai que não se justificou como pai é um absurdo, é algo intolerável. Não se pode criar o amor do nada, só Deus cria do nada: 'Pais, não amargureis os vossos filhos',[103] escreve seu apóstolo imbuído de amor ardente no coração. Não estou citando

[102] João, 10, 11. (N. da E.)

[103] Citação imprecisa da Epístola de Paulo aos Colossenses, 3, 21: "Vós, pais, não irriteis a vossos filhos, para que não percam o ânimo". (N. da E.)

essas santas palavras em benefício do meu constituinte, mas faço lembrá-las a todos os pais. Quem me deu esse poder de ensinar aos pais? Ninguém. Contudo, como homem e cidadão eu conclamo — *vivos voco*![104] Nossa passagem pela Terra é breve, fazemos muitas coisas más e pronunciamos palavras más. Por isso aproveitemos o momento oportuno de nosso convívio para dizermos palavras agradáveis uns aos outros. Assim faço eu: enquanto estou aqui, aproveito o meu momento. Não foi por acaso que esta tribuna nos foi dada por uma vontade suprema — dela toda a Rússia nos ouve. Não estou falando só para os pais daqui, mas exclamo para todos os pais: 'Pais, não amargureis os seus filhos!'. Sim, primeiro cumpramos nós mesmos o legado de Cristo, e só então nos permitamos cobrar também de nossos filhos. Do contrário não seremos pais mas inimigos de nossos filhos, e eles não serão nossos filhos mas nossos inimigos, e nós mesmos os teremos feito nossos inimigos! 'Com a medida com que tiverdes medido vos medirão também'[105] — não sou eu que digo isto, é o Evangelho que prescreve: medi com a mesma medida com que depois sereis medidos. Como acusar os filhos se eles nos medem com a nossa própria medida? Recentemente, na Finlândia, caiu sobre uma moça, uma criada, a suspeita de ter dado secretamente à luz uma criança. Passaram a segui-la e no sótão da casa, em um cantinho atrás de tijolos, encontraram seu baú, que ninguém conhecia, abriram-no e tiraram de lá um cadaverzinho do recém-nascido morto por ela. No mesmo baú encontraram dois esqueletos de recém-nascidos que ela dera à luz e também matara na hora do nascimento, o que ela mesma confessou. Senhores jurados, seria ela a mãe de seus filhos? Sim, ela lhes deu à luz, mas seria a mãe deles? Algum de nós se atreveria a pronunciar em relação a ela o sagrado nome de mãe? Sejamos ousados, senhores jurados, sejamos até atrevidos, somos até obrigados a sê-lo neste instante e a não temermos certas palavras e ideias, à semelhança daquelas comerciantes moscovitas que temiam o 'metal' e 'bicho-papão'. Não, demonstremos, ao contrário, que o progresso dos últimos anos atingiu também o nosso desenvolvimento e digamos francamente: aquele que gerou ainda não é pai, pai é aquele que gerou e foi digno disto. Oh, existe também, é claro, outro significado, outra interpretação da palavra 'pai', que exige que meu pai, ainda que seja um monstro, ainda que seja um malvado para seus filhos, mesmo assim continue sendo meu pai, só porque me gerou. Mas esse significado já é, por assim dizer, místico, que eu não entendo por meio da inteligência, mas só posso aceitar pela fé ou, melhor dizendo, *por*

[104] "Conclamo os vivos!", em latim. (N. do T.)

[105] Mateus, 7, 2. (N. da E.)

fé, como muita coisa que não compreendo mas em que, não obstante, a religião me ordena que creia. Neste caso, porém, deixemos que isso fique fora da esfera da vida real. Na esfera da vida real, que não só tem seus direitos, mas também impõe ela mesma grandes obrigações — nessa esfera, se quisermos ser humanos, enfim, cristãos, devemos e somos obrigados a aplicar convicções unicamente justificadas pela razão e pela experiência, que tenham passado pelo crisol da análise, em suma, devemos agir sensata e não loucamente, como em sonho ou em delírio, para não causarmos dano ao homem, para não atribular nem destruir o homem. Pois bem, só então isto será uma verdadeira causa cristã, não uma causa só mística, mas racional e já verdadeiramente imbuída de amor ao homem..."

Nesse ponto prorromperam fortes aplausos de muitos pontos da sala, mas Fietiukóvitch até agitou os braços como que implorando para que não o interrompessem e o deixassem concluir. Tudo ficou imediatamente em silêncio. O orador prosseguiu:

"Pensais vós, senhores jurados, que semelhantes questões poderão poupar nossos filhos que, suponhamos, já são adolescentes, suponhamos, já começam a julgar? Não, não podem, e não cobremos deles uma moderação impossível! A imagem de um pai indigno, sobretudo se comparado com outros pais, dignos, de seus coetâneos, sugere involuntariamente ao jovem perguntas angustiantes. Ele recebe respostas estereotipadas a essas perguntas: 'Ele te gerou e tu és sangue dele, por isto deves amá-lo'. O jovem cai involuntariamente em meditação: 'Ora, por acaso ele me amava quando me gerou? — pergunta-se cada vez mais e mais surpreso —, por acaso ele me gerou para mim mesmo? não conhecia nem a mim, nem mesmo o meu sexo naquele momento, no momento de paixão, talvez acalorado pelo vinho, e talvez só me tenha transmitido a inclinação pela embriaguez — eis todos os benefícios que me trouxe... Por que devo amá-lo só porque me gerou, se passou o resto da vida sem me amar?' Oh, talvez essas perguntas vos pareçam grosseiras, cruéis, mas não exijais de uma mente jovem uma moderação impossível: 'mete a natureza porta afora, ela voará de volta pela janela'[106] — o principal, o principal é que não temamos o 'metal' nem o 'bicho-papão' e resolvamos o problema como prescrevem a razão e o amor ao homem, e não como prescrevem os conceitos místicos. Como resolvê-lo? Ah, eis como: deixemos que o filho se coloque diante de seu pai e lhe pergunte com conhecimento de causa: 'Pai, dize-me: por que devo te amar? Pai, prova-me que devo

[106] "Qu'on lui ferme la porte au nez,/ Il reviendra par les fenêtres". Versos finais da fábula *A gata metamorfoseada em mulher*, de La Fontaine. (N. do T.)

te amar!' — e se esse pai for capaz e estiver em condições, responderá e lhe provará — e esta será uma verdadeira família normal, que se afirmou não sobre um preconceito místico, mas sobre fundamentos racionais, responsáveis e rigorosamente humanos. Caso contrário, se o pai não provar, será o fim imediato dessa família: ele não será seu pai e o filho ganhará a liberdade e o direito de, a partir daí, considerar o pai um estranho e até seu inimigo. Nossa tribuna, senhores jurados, deve ser uma escola da verdade e de conceitos racionais!"

Nesse ponto o orador foi interrompido por aplausos incontidos, quase frenéticos. É claro que nem toda a sala o aplaudiu, mas mesmo assim metade o aplaudiu. Pais e mães aplaudiram. Do alto, onde estavam as senhoras, ouviram-se ganidos e gritos. Elas agitavam lenços. O presidente começou a tocar a campainha com toda a força. Era visível sua irritação com o comportamento da sala, mas ele terminantemente não se atreveu a mandar "evacuar", como ameaçara pouco antes: até dignatários e uns velhinhos com estrelas no peito, que estavam sentados atrás em cadeiras especiais, aplaudiam e agitavam lenços para o orador, de sorte que, quando cessaram os ruídos, o presidente se contentou apenas com a severíssima ameaça anterior de "evacuar" a sala, e o triunfal e agitado Fietiukóvitch retomou seu discurso.

"Senhores jurados, estais lembrados daquela terrível noite, muito mencionada hoje aqui, quando o filho pulou o muro, penetrou na casa do pai e ficou cara a cara com seu inimigo e ofensor, que o havia gerado. Insisto com todas as forças que não foi por dinheiro que correu para lá naquele instante: a acusação de roubo é um absurdo, como já expus antes. E nem irrompeu lá para matar, oh, não; se tivesse premeditado esse plano, teria se preocupado ao menos em pegar antecipadamente uma arma, já que pegou a mãozinha do pilão instintivamente, sem saber para quê. Vá que tenha enganado o pai com os sinais, vá que tenha penetrado em seu quarto — eu já disse que não acredito um minuto sequer nessa lenda, mas, vá lá, que seja, suponhamo-la por um minuto! Senhores jurados, juro aos senhores, por tudo o que é sagrado, que se não fosse o pai dele mas um ofensor estranho, ele, depois de correr pelos cômodos e certificar-se de que aquela mulher não estava na casa, teria corrido de lá a toda pressa sem causar nenhum dano ao seu rival, talvez lhe desse um soco, um empurrão, e só, porque não estava para isso, não tinha tempo, precisava saber onde estava ela. Mas o pai, o pai — oh, o simples fato de ver o pai, seu desafeto desde a infância, seu inimigo, seu ofensor e agora um monstruoso rival, foi o bastante! Um sentimento de ódio o dominou de forma involuntária, incontida, era impossível refletir: tudo se precipitou em um minuto. Foi um acesso de loucura e de insânia, mas o arrebatamento também da natureza, que se vingava por suas leis eternas de modo incontido e inconsciente, como tudo na natureza. Mas nem aí o matador matou — isto eu afirmo, isto eu vocifero —, não, ele apenas agitou a mão de pilão com uma indignação cheia de repulsa, sem querer matar, sem saber que mataria. Não estivesse com essa fatídica mão de pilão nas mãos, e teria apenas espancado o pai, talvez, mas não o teria matado. Ao fugir, ele não sabia se o velho atingido estava morto. Semelhante assassinato não é assassinato. Semelhante assassinato não é tampouco parricídio. Não, o matador de semelhante pai não pode ser chamado de parricida. Semelhante assassinato só pode ser qualificado de parricídio por preconceito! Contudo, terá havido, terá havido de fato tal assassinato?, torno e torno a apelar para os senhores do fundo de minha alma! Senhores jurados, nós o condenaremos e ele dirá para si mesmo: 'Essa gente nada fez por meu destino, por minha educação, por minha formação, para me fazer melhor, para fazer de mim um homem. Essa gente não me deu de comer nem de beber, não me visitou no calabouço vazio, e eis que agora me manda para os trabalhos forçados. Estamos quites, agora não lhe devo nada nem devo nada a ninguém para todo o sempre. Ela é má, e eu serei mau, ela é cruel, e eu serei cruel'. Eis o que ele dirá, senhores jurados! E juro: com vossa acusação só o deixareis aliviado, aliviareis sua consciência, ele há de amaldiçoar o sangue que derramou e não lamentá-lo. Ao mesmo tempo, destruireis nele o homem ainda possível, porque ele permanecerá mau e cego pelo resto da vida. Mas quereis castigá-lo de maneira terrível, temível, com o mais terrível dos castigos que se pode imaginar, porém com a finalidade de salvá-lo e fazer renascer sua alma para sempre? Se é assim, concedei-lhe vossa clemência! Vereis, ouvireis como sua alma estremecerá e ficará horrorizada: 'Sou eu que vou arcar com essa piedade, receber tanto amor, serei eu digno dele?' — eis o que exclamará. Oh, eu conheço, eu conheço esse coração, esse coração violento porém nobre, senhores jurados. Ele reverenciará o vosso feito, ele está sequioso de um grande ato de amor, ele arderá e renascerá para todo o sempre. Existem almas que, em sua estreiteza, acusam o mundo inteiro. Contudo, esmagai essa alma com vossa clemência, concedei-lhe amor e ela amaldiçoará seu próprio ato, porque há nela muitos germes de bondade. A alma se alargará e verá como Deus é misericordioso e como os homens são maravilhosos e justos. Ele ficará horrorizado, ficará esmagado pelo arrependimento e pelo dever infinito que doravante tem pela frente. E então não dirá: 'Estou quite', mas dirá: 'Sou culpado perante todos e de todos o mais indigno'. Entre lágrimas de arrependimento e de um enternecimento sofrido e pungente, ele exclamará: 'As pessoas são melhores do que eu, porque não desejaram me destruir, mas me salvar!'. Oh, para os senhores é tão fácil fazer isto, cometer este ato de clemência, porque na ausência de quaisquer provas com a mínima aparência de verdade será difícil demais aos senhores pronunciar: 'Sim, é culpado'. É preferível deixar escapar dezenas de culpados a punir um inocente[107] — ouvis, ouvis essa voz majestosa do século passado de nossa gloriosa história? Seria a mim, um insignificante, que caberia vos lembrar que o tribunal russo não é apenas castigo, mas também salvação de um homem perdido? Que imperem entre outros povos a letra e o castigo, mas entre nós imperam o espírito e o sentido, a salvação e o renascimento dos perdidos. E se é assim, se assim são a Rússia e o seu tribunal — avante, Rússia, e não nos assusteis, oh, não nos assusteis com vossas troicas loucas, das quais todos os povos se afastam com asco! Não será a troica louca, mas a majestosa carruagem russa que chegará solene e tranquilamente ao objetivo. Em vossas mãos está o destino de meu constituinte, em vossas mãos está também o destino de nossa verdade russa. Vós a salvareis, vós a defendereis, vós demonstrareis que existe alguém para protegê-la, que ela está em boas mãos!"

XIV. Os mujiques se mantiveram firmes

Assim concluiu Fietiukóvitch, e o entusiasmo dos ouvintes, que desta feita veio numa erupção, foi incontido como uma tempestade. Contê-lo já seria até inconcebível: as mulheres choravam, muitos dos homens também choravam, até dois dignatários derramaram lágrimas. O presidente resignou-se e até demorou a tocar o sininho: "Atentar contra semelhante entusiasmo significaria atentar contra o sagrado" — como bradaram depois as nossas senhoras. O próprio orador estava sinceramente emocionado. Pois foi justo nesse instante que o nosso Hippolit Kiríllovitch levantou-se mais uma vez para "trocar objeções". Olharam-no com ódio: "Como? O que é isso? Logo ele ainda ousa replicar?" — murmuravam as senhoras. Mas ainda que murmurassem as senhoras do mundo inteiro e a própria mulher do promotor Hippolit Kiríllovitch as liderasse, nem assim seria possível detê-lo nesse instante. Ele estava pálido, tremia de inquietação; as primeiras palavras, as primeiras frases que pronunciou foram até incompreensíveis; ele arfava, pronunciava mal, atrapalhava-se. Aliás, logo se recompôs. Contudo, citarei apenas algumas frases desse seu segundo discurso.

[107] Palavras de Pedro, o Grande, um pouco modificadas: "É preferível libertar dez culpados a condenar um inocente à pena de morte". (N. da E.)

"... Acusam-nos de termos inventado romances. Mas o que produziu a defesa senão um romance no romance? Só faltaram versos. Esperando pela amante, Fiódor Pávlovitch rasga o envelope e o atira ao chão. Cita-se inclusive o que ele disse nesse caso surpreendente. Por acaso isso não é um poema? E onde está a prova de que ele retirou o dinheiro, quem ouviu o que ele disse? O débil mental do Smierdiakóv transformado numa espécie de herói byroniano, que se vinga da sociedade por sua origem bastarda — por acaso isso não é um poema ao gosto de Byron? E o filho, que irrompe no quarto do pai, que o matou, mas ao mesmo tempo não matou, isso já não é mais nem um romance, nem um poema, é uma esfinge que lança enigmas que ela mesma, é claro, não consegue decifrar. Se matou, matou mesmo, que história mais esquisita — se matou, não matou, quem vai entender isso? Depois se proclama que nossa tribuna é a tribuna da verdade e dos conceitos racionais, e dessa mesma tribuna de 'conceitos racionais' faz-se ouvir, e sob juramento, o axioma de que chamar de parricídio o assassinato de um pai é apenas um preconceito! Mas se o parricídio é um preconceito e toda criança interrogará seu pai: 'Pai, por que devo te amar?' — então, o que será de nós, o que será dos fundamentos da sociedade, para onde irá a família? Vê-se, pois, que o parricídio é apenas o 'bicho-papão' de uma comerciante moscovita. Os preceitos mais preciosos, mais sagrados da missão e do futuro do tribunal russo são apresentados de forma deturpada e leviana com a única finalidade de atingir um objetivo, de conseguir absolver aquele que não se pode absolver. 'Oh, esmagai-o com a clemência' — exclama a defesa, mas é só isso que o criminoso quer, amanhã mesmo todos verão como ele estará esmagado! Pensando bem, não estará a defesa sendo excessivamente modesta ao pedir apenas a absolvição do réu? Por que não reivindicar a instituição de um estipêndio em nome do parricida para perpetuar sua façanha entre os pósteros e na nova geração? Corrigem-se o Evangelho e a religião: isso, alega-se, é tudo mística, ao passo que só entre nós existe o verdadeiro Cristianismo, já provado pela análise da razão e dos conceitos racionais. E eis que nos apresentam um simulacro de Cristo! *Com a medida com que tiverdes medido, vos medirão também*, exclama o advogado de defesa e no mesmo instante conclui que Cristo deixou como legado medir com a mesma medida com que depois sereis medidos — e isto da tribuna da verdade e dos conceitos racionais! Corremos a vista sobre o Evangelho apenas na véspera de nossos discursos com a finalidade de brilhar pelo conhecimento, se bem que usando de um artifício bastante original que pode calhar e prestar-se à obtenção de certo efeito na medida da necessidade, sempre na medida da necessidade! Mas Cristo ordena justamente que não ajamos assim, que evitemos agir assim, porque o mundo mau age assim, ao passo que nós devemos perdoar e oferecer a outra face, e não medir pela mesma medida com que nos medirão os nossos ofensores. Eis o que o nosso Deus nos ensinou, e não que proibir os filhos de matar os pais é um preconceito. E não haveremos de corrigir da tribuna da verdade e dos conceitos racionais o Evangelho do nosso Deus, que a defesa se digna chamar apenas de 'o amante crucificado dos homens', contrariando toda a Rússia ortodoxa que clama por ele: 'Tu és o nosso Deus...'"

Nesse ponto o presidente interveio e chamou à ordem o entusiasmado orador, pedindo-lhe que não exagerasse, que se mantivesse nos devidos limites, etc., etc., como os presidentes costumam dizer em casos semelhantes. Aliás, a sala também estava intranquila. O público se agitava, até emitia exclamações indignadas. Fietiukóvitch nem sequer replicou, apenas subiu à tribuna para, com a mão no coração e com voz de ofendido, dizer algumas palavras cheias de dignidade. Limitou-se a mencionar só de passagem e em tom de zombaria os "romances" e a "psicologia" e, a propósito, inseriu esta passagem: "Júpiter, estais zangado, então não tens razão", o que provocou um risinho de aprovação em muitos presentes, pois Hippolit Kiríllovitch não tinha nenhuma aparência de Júpiter. Respondendo, em seguida, à acusação de que permitia à nova geração matar os pais, Fietiukóvitch observou, com profunda dignidade, que nem iria replicar. Quanto ao "simulacro de Cristo" e à afirmação de que não se dignara chamar Cristo de Deus mas tão somente de "o amante crucificado dos homens", e que "não se poderia pronunciar da tribuna da verdade e dos conceitos racionais nada que contrariasse a ortodoxia", Fietiukóvitch aludiu a uma "insinuação" e disse que, ao vir para o tribunal, esperava ao menos que na tribuna local estivesse a salvo de acusações "perigosas para minha pessoa como cidadão e súdito fiel". Ao ouvir essas palavras, porém, o presidente o chamou à ordem, e Fietiukóvitch, fazendo uma reverência, concluiu sua resposta, acompanhada do murmúrio geral de aprovação da sala. Já Hippolit Kiríllovitch, segundo a opinião de nossas senhoras, estava "esmagado para sempre".

Em seguida a palavra foi concedida ao próprio réu. Mítia levantou-se, mas falou pouco. Estava terrivelmente exausto, física e espiritualmente. Aquela aparência de independência e força com que entrara pela manhã na sala quase havia desaparecido. Era como se nesse dia tivesse vivenciado para o resto da vida alguma coisa que o ensinara e o levara a compreender algo muito importante, que antes não compreendia. Estava com a voz fraca, já não gritava como poucas horas antes. Em suas palavras ouviu-se um tom novo, resignado, vencido e abatido.

"O que tenho a dizer, senhores jurados? Chegou a hora do meu julgamento, sinto a mão de Deus cair sobre mim. É o fim de um homem devasso! Mas, como se me confessasse a Deus, eu vos digo: 'Pelo sangue derramado de meu pai, não, não sou culpado!'. Repito pela última vez: 'Não fui eu quem matou'. Fui um devasso, mas amava o bem. A cada instante procurava me corrigir, mas vivi à semelhança de um animal selvagem. Obrigado, promotor, o senhor disse a meu respeito muita coisa que nem eu sabia, mas não é verdade que matei meu pai, o promotor se equivocou! Agradeço também ao advogado de defesa, chorei ao ouvi-lo, mas não é verdade que matei meu pai, e ele não precisava supor! Quanto aos médicos, não acreditai neles, estou em meu perfeito juízo, apenas com um peso na alma. Se me concederdes a clemência, se me deixardes livre, rezarei pelos senhores. Me tornarei melhor, dou minha palavra, dou-a perante Deus. Mas se me condenardes eu mesmo quebrarei a minha espada sobre minha própria cabeça e, depois de quebrá-la, beijarei os restos! Mas concedei-me a clemência, não me priveis de meu Deus, eu me conheço: hei de me queixar! Tenho um peso na alma, senhores... sede clementes!"

Quase caiu em seu assento, estava com a voz embargada, a custo pronunciou a última frase. Em seguida os membros da Corte passaram à formulação das perguntas e solicitaram as conclusões das partes. Contudo, não vou entrar em detalhes. Por fim os jurados se levantaram a fim de se retirarem para conferenciar. O presidente estava exausto, e por isso só lhes deu um conselho muito leve: "Sede imparciais, não vos deixeis levar pelas palavras eloquentes da defesa, mas, não obstante, ponderai, lembrai-vos de que sobre vós recai uma grande responsabilidade", etc., etc. Os jurados se retiraram e a sessão foi suspensa. As pessoas podiam se levantar, caminhar, trocar as impressões acumuladas, comer alguma coisa no bufê. Era muito tarde, cerca de uma da manhã, mas ninguém saía. Estavam todos tão tensos e em tal estado de espírito que era impossível ficar tranquilo. Todos aguardavam com o coração na mão, se bem que nem todos estivessem com o coração na mão. As senhoras estavam apenas tomadas de uma impaciência histérica, mas com os corações tranquilos: "A absolvição é inevitável". Todas se preparavam para o espetacular momento de entusiasmo geral. Confesso, na metade masculina da sala também havia um número extraordinário de convictos da absolvição inevitável. Uns estavam alegres, outros carrancudos, outros com cara de enterro: não queriam a absolvição! O próprio Fietiukóvitch estava firmemente convicto do êxito. Estava assediado, recebia parabéns, era alvo de adulação.

— Há — disse ele em um grupo, como contaram mais tarde —, há aqueles fios invisíveis que ligam o advogado de defesa aos jurados. Eles se ligam e se fazem sentir ainda quando discursamos. Eu os senti, eles existem. A causa é nossa, podem estar tranquilos.

— Bem, o que os nossos mujiques dirão agora? — disse um senhor carrancudo, gordo e bexiguento, fazendeiro dos arredores, chegando-se a um grupo de senhores que conversavam.

— Sim, mas não há só mujiques. Há também quatro funcionários.

— Ah, sim, há os funcionários — disse um membro da administração do *Ziemstvo*[108] aproximando-se do grupo.

— Mas os senhores conhecem Nazáriev, Prókhor Ivánovitch, aquele comerciante que usa uma medalha, não é jurado?

— E daí?

— É um poço de sabedoria.

— Só que está sempre calado.

— Calar ele cala, mas isso é até melhor. Não é um petersburguense que vai ensiná-lo, ele é que pode ensinar a Petersburgo inteira. Tem doze filhos, pensem só!

— Ora, mas o que é isso, será possível que não o absolvam? — gritou em outro grupo um de nossos jovens funcionários.

— Vão absolver na certa — ouviu-se uma voz decidida.

— Seria uma vergonha, uma desonra se não o absolvessem! — exclamou o funcionário. — Vamos que ele tenha matado, mas há pais e pais! E, por fim, ele estava tão desvairado... Realmente era só ele agitar a mãozinha de pilão que o outro desabaria. O único mal aí foi terem incluído o criado. Esse episódio é simplesmente ridículo. No lugar do advogado de defesa eu diria francamente: ele matou, mas não é culpado, e os senhores vão para o inferno!

— Sim, mas foi o que ele fez, apenas não disse "vão para o inferno".

— Não, Mikhail Semiónitch, ele disse quase isso — secundou uma terceira vozinha.

— Ora, senhores; durante a Quaresma absolveram aqui uma atriz que degolou a legítima esposa de seu amante.[109]

— Sim, mas não degolou completamente.

— Dá no mesmo, dá no mesmo, começou a degolar!

[108] Administração de autogestão local que vigorou na Rússia entre o século XIX e 1917. (N. do T.)

[109] Referência a um crime semelhante cometido pela atriz Alieksandra V. Kairova e comentado em 1876 pelo próprio Dostoiévski em seu *Diário de um escritor*. (N. da E.)

— E como ele falou sobre os filhos, hein? Magnífico!

— Magnífico.

— E sobre a mística, sobre a mística, hein?

— Ora, senhores, basta de mística — bradou mais alguém —, examinem a fundo Hippolit, o destino dele a partir deste dia! Porque amanhã a mulher dele vai arrancar seus olhos por causa de Mítienka.

— Mas ela está aqui?

— Qual aqui? Se estivesse aqui iria arrancá-los aqui mesmo. Está em casa, com dor de dente, eh! eh! eh!

— Eh! eh! eh!

Em um terceiro grupo:

— Ora, talvez acabem absolvendo Mítienka.

— Pode ser, amanhã ele arrasará A Capital, vai passar dez dias enchendo a cara.

— Arre, é o diabo!

— Sim, que é o diabo, é, o diabo não poderia estar fora dessa, onde ele haveria de estar senão aqui?

— Convenhamos, senhores, foi eloquente. Mas não se pode sair quebrando a cabeça dos pais com pesos. Senão, a que ponto chegaremos?

— A carruagem, a carruagem, estão lembrados?

— Sim, fez de uma carroça uma carruagem.

— Mas amanhã fará da carruagem uma carroça, "na medida da necessidade, tudo na medida da necessidade".

— É uma gente esperta. Será que existe a verdade em nossa Rússia, senhores, ou ela não existe mesmo?

Mas o sininho tocou. Os jurados conferenciaram exatamente por uma hora, nem mais nem menos. Reinou um silêncio profundo, mal o público tornou a sentar-se. Lembro-me de como os jurados entraram na sala. Até que enfim! Não vou citar as perguntas ponto por ponto, aliás eu as esqueci. Lembro-me apenas da resposta à primeira e principal pergunta do presidente, isto é: "ele matou premeditadamente para roubar?" (não me lembro do texto). O silêncio foi total. O presidente do júri, aquele mesmo funcionário mais jovem que os outros, pronunciou em voz alta e clara em meio ao silêncio mortal da sala:

— Sim, é culpado!

E depois a mesma coisa se repetiu sobre todos os pontos: culpado e mais culpado, e sem a mínima condescendência! Por essa ninguém esperava, ao menos da condescendência quase todos estavam convictos. O silêncio mortal da sala não se quebrava, era como se todos estivessem literalmente petrificados — tanto os que ansiavam pela condenação quanto os que ansiavam pela absolvição. Mas isso foi apenas nos primeiros minutos. Em seguida fez-se um terrível caos. Muitos entre o público masculino estavam muito contentes. Alguns até esfregavam as mãos, sem esconder sua alegria. Os descontentes estavam como que esmagados, davam de ombros, cochichavam, mas era como se ainda não tivessem se apercebido. Mas, meu Deus, o que aconteceu com nossas senhoras! Pensei que fossem levantar um motim. A princípio foi como se não tivessem acreditado nos próprios ouvidos. E de repente ouviu-se em toda a sala uma exclamação: "Mas o que é isso? E essa agora?". Elas correram de seus lugares. Na certa realmente acharam que tudo podia ser modificado e refeito imediatamente. Nesse instante Mítia levantou-se de repente e com um clamor lancinante estendeu os braços à sua frente:

— Juro por Deus e por seu Juízo Final que não tenho culpa pelo sangue de meu pai! Cátia, eu te perdoo! Irmãos, amigos, tenham piedade da outra!

Não concluiu e caiu no pranto, ouvido por toda a sala, com uma voz terrivelmente estranha à dele, nova, uma voz nova, inesperada, vinda subitamente sabe Deus de onde. Nas galerias, lá no alto, vindo de um canto bem no fundo ouviu-se um clamor lancinante de mulher: era Grúchenka. Pouco antes ela implorara a alguém e tornaram a lhe permitir que entrasse na sala ainda antes do início dos debates. Mítia foi levado. A promulgação da sentença foi adiada para o dia seguinte. Toda a sala se levantou num rebuliço, mas já não esperei nem ouvi. Lembro-me apenas de algumas exclamações ouvidas já no alpendre, à saída.

— Vai pegar vinte anos nas minas.

— Não menos.

— É, os nossos mujiques se mantiveram firmes.

— E deram cabo do nosso Mítienka.

EPÍLOGO

I. Projetos para salvar Mítia

No quinto dia após o julgamento de Mítia, de manhã muito cedo, ainda antes das nove, Aliócha chegou à casa de Catierina Ivánovna para combinarem em definitivo uma coisa importante para ambos e, além disso, trazendo-lhe uma incumbência. Ela estava sentada e conversava com ele no mesmo cômodo em que outrora recebera Grúchenka; ao lado, no quarto contíguo, estava Ivan Fiódorovitch, acamado, com febre e inconsciente. Imediatamente após aquela cena no tribunal, Catierina Ivánovna mandara transferir Ivan Fiódorovitch, doente e inconsciente, para sua casa, desprezando quaisquer boatos e censuras que no futuro pudessem partir da sociedade. Uma de suas parentas, que morava com ela, partiu imediatamente para Moscou após a cena do tribunal, a outra permaneceu. E mesmo que ambas tivessem partido, Catierina Ivánovna não mudaria sua decisão e ficaria para cuidar do doente e passar dia e noite a seu lado. Tratavam dele Varvinski e Herzenstube; o doutor moscovita retornara para Moscou depois de recusar-se a adiantar sua opinião acerca de um eventual desfecho da doença. Via-se que os outros médicos, mesmo que animassem Catierina Ivánovna e Aliócha, ainda não podiam dar uma esperança segura. Aliócha visitava o irmão doente duas vezes ao dia. Mas desta feita tinha um assunto especial, complicadíssimo, e pressentia como lhe seria difícil tocar nele, entretanto estava com muita pressa: tinha mais um assunto inadiável em outro lugar nessa mesma manhã e precisava aviar-se. Já conversavam fazia quinze minutos. Catierina Ivánovna estava pálida, muito exausta e ao mesmo tempo numa excitação extremamente mórbida: pressentia por que, entre outras coisas, Aliócha estava agora em sua casa.

— Não se preocupe com a decisão dele — disse com obstinação a Aliócha. — Seja como for, ele acabará mesmo concluindo por essa saída: deve fugir! Esse infeliz, esse herói da honra e da consciência (não ele, não Dmitri Fiódorovitch, mas este que está acamado atrás daquela porta e que se sacrificou pelo irmão) — acrescentou Cátia com um brilho nos olhos —, há muito tempo ele me informou sobre esse plano de fuga. Sabe, ele já fez contatos... Eu já lhe disse alguma coisa a respeito. Veja, isso acontecerá, ao que tudo indica, na terceira etapa[1] depois daqui, quando o grupo de prisioneiros estiver sendo conduzido à Sibéria. Oh, isso ainda está longe. Ivan Fiódorovitch já esteve com o encarregado da terceira etapa. Só que não se sabe quem será o chefe do grupo, e além do mais não se consegue descobrir de antemão. Amanhã, talvez, eu lhe mostro em detalhes todo o plano que Ivan Fiódorovitch deixou comigo na véspera do julgamento, para alguma eventualidade... Isso aconteceu naquela mesma vez em que o senhor nos encontrou à noite brigando, está lembrado? ele já descia a escada, mas eu o fiz voltar ao avistar o senhor — está lembrado? Sabe por que brigamos naquela ocasião?

— Não, não sei — disse Aliócha.

— É claro, ele escondeu do senhor: pois era justamente sobre esse plano de fuga. Ele me revelara toda a sua essência ainda três dias antes — pois foi justo aí que começamos a brigar, e desde então brigamos todos os três dias. Brigamos porque na ocasião ele me declarou que, em caso de condenação, Dmitri Fiódorovitch fugiria para o estrangeiro com aquele réptil, e eu fiquei imediatamente uma fúria — não lhe digo por quê, eu mesma não sei o porquê... Oh, é claro que foi por causa do réptil, por causa daquele réptil que na ocasião fiquei furiosa, justamente porque ela também fugiria junto com Dmitri para o estrangeiro! — exclamou de chofre Catierina Ivánovna com os lábios tremendo de cólera. — Na ocasião, mal notou minha fúria por causa daquele réptil, foi logo pensando que eu estivesse com ciúme de Dmitri com ela e que, por conseguinte, continuava amando Dmitri. Foi por isso que então se deu a primeira briga. Eu não quis dar explicações, não pude pedir desculpas; para mim era difícil que esse homem pudesse desconfiar de mim por meu antigo amor pelo outro... e isso quando, muito tempo antes, eu já lhe havia dito sem rodeios que não amava Dmitri mas amava unicamente a ele! Foi só por raiva daquele réptil que fiquei furiosa! Três dias depois, justo naquela noite em que o senhor entrou, ele me trouxe um envelope lacrado para que eu o deslacrasse imediatamente se acontecesse alguma coisa com ele. Oh! ele previu sua doença! Revelou-me que no envelope estavam os detalhes da fuga e disse-me que, caso ele viesse a morrer ou adoecesse gravemente, eu salvasse Mítia sozinha. E então me deixou dinheiro, quase dez mil rublos — o mesmo que o promotor mencionou em seu discurso depois de saber não

[1] Assim se chamavam, na Rússia anterior a 1917, tanto o local de pernoite e partida dos prisioneiros a caminho do degredo, como todo o percurso até o local do degredo. (N. do T.)

sei por quem que ele mandara trocá-lo. Súbito fiquei impressionadíssima com o fato de que Ivan Fiódorovitch, mesmo que ainda nutrisse ciúmes de mim e continuasse convencido de que eu amava Mítia, ainda assim não abandonara a ideia de salvar o irmão e confiava a mim, a mim mesma, essa causa do salvamento! Oh, aquilo era um sacrifício! Não, o senhor não vai entender esse autossacrifício em toda a sua plenitude, Alieksiêi Fiódorovitch! Eu quis cair aos seus pés numa atitude de veneração, mas como de repente pensei que ele poderia achar que eu estava contente apenas por salvar Mítia (e ele o teria pensado forçosamente!), fiquei tão irritada com a simples possibilidade dessa ideia injusta da parte dele, que novamente me exasperei, e em vez de lhe beijar os pés armei uma nova cena! Oh, sou uma infeliz! Essa é minha índole — uma índole horrível, infeliz! Oh, o senhor ainda verá: eu farei, eu levarei a coisa a tal ponto que ele me deixará por outra com quem lhe seja mais fácil viver, como Dmitri, só que então... não, então já não suportarei, eu me matarei! Mas quando o senhor entrou naquela ocasião e eu gritei e o mandei voltar, então, quando ele entrou com o senhor, fui tomada de tal cólera por causa do olhar de ódio e desdém que ele subitamente me lançou que — o senhor se lembra — gritei de chofre para o senhor que tinha sido *ele*, *só ele*, que me havia assegurado que o irmão Dmitri era o assassino! Eu o caluniei de propósito para mais uma vez deixá-lo melindrado; nunca, nunca ele me assegurou que o irmão era o assassino; ao contrário, fui eu, eu mesma que lhe assegurei isso! Oh, a causa de tudo, de tudo, foi a minha loucura! Fui eu, eu que preparei aquela maldita cena no tribunal! Ele queria me provar que era nobre, e que mesmo que eu amasse o seu irmão, ainda assim ele não o destruiria por vingança e ciúmes. Foi por isso que ele compareceu ao julgamento... Sou a causa de tudo, a única culpada!

Antes Cátia nunca fizera tais confissões a Aliócha, e ele percebeu que neste momento ela estava justo naquele grau de sofrimento insuportável em que até o mais orgulhoso coração destrói dolorosamente seu orgulho e cai vencido pela mágoa. Oh, Aliócha conhecia mais uma terrível causa daquela angústia de Cátia, por mais que ela viesse lhe escondendo durante todos esses dias posteriores à condenação de Mítia; por alguma razão, porém, seria doloroso demais para ele se ela estivesse decidida a ponto de prosternar-se diante dele e começar agora, de imediato, a falar ela mesma dessa causa. Ela sofria por sua "traição" no julgamento, e Aliócha pressentia que a consciência a impelia a confessar sua culpa precisamente diante dele, diante de Aliócha, entre lágrimas, ganidos e ataque histérico, batendo com a cabeça no chão. Mas ele temia esse instante e desejava ser clemente com a sofredora. Isto tornava mais difícil a missão que o trazia ali. Ele retomou a conversa sobre Mítia.

— Não tema nada, nada por ele! — recomeçou Cátia de modo franco e brusco —, tudo isso ele resolve em um minuto, eu conheço, eu conheço demais aquele coração. Fique certo de que ele concordará com a fuga. Sobretudo porque não será agora; ainda haverá tempo para ele decidir. Até então Ivan Fiódorovitch estará recuperado e conduzirá tudo, de sorte que não terei de fazer nada. Não se preocupe, ele concordará com a fuga. Aliás, já concordou: por acaso ele pode deixar o seu réptil? Quanto a ir para os trabalhos forçados, isto não lhe permitirão; pois então, como ele não iria fugir? Ele teme seriamente o senhor, teme que o senhor não aprove a fuga no aspecto moral, mas o senhor deve lhe *permitir* generosamente isto, se é que sua sanção é tão necessária — acrescentou Cátia com ar venenoso. Calou-se e deu um risinho.

— Ele fala de certos hinos, de uma certa cruz que deve suportar, de algum dever, estou lembrada, Ivan Fiódorovitch me falou muito a esse respeito na ocasião, e se o senhor soubesse como ele falou! — exclamou subitamente Cátia com um sentimento incontido —, se o senhor soubesse como ele gostava desse infeliz naquele momento em que me falava dele, e como talvez o odiasse ao mesmo tempo. Mas eu, oh, eu ouvi seu relato e vi suas lágrimas com um sorriso altivo. Oh, réptil! O réptil sou eu, eu! Fui eu que lhe causei a febre! Mas o outro, o condenado, por acaso ele está pronto para o sofrimento? — concluiu Cátia com irritação. — Gente assim é lá capaz de sofrer? Gente como ele nunca sofre.

Nessas palavras soou um sentimento já de ódio e de um desprezo misturado com repugnância. Entretanto, fora ela mesma que o traíra. "Pois é, talvez ela o odeie por instantes porque se sente tão culpada perante ele" — pensou consigo Aliócha. Ele queria que isso fosse apenas "por instantes". Ouviu um desafio nas últimas palavras de Cátia, mas não o fomentou.

— Mandei chamá-lo hoje para que o senhor mesmo me prometesse convencê-lo. Ou, a seu ver, fugir também é desonesto, inglório, ou sei lá o quê... será que não é coisa de cristão? — acrescentou Cátia em tom ainda mais desafiante.

— Não, não é nada disso. Vou dizer tudo a ele — murmurou Aliócha. — Ele a convida a visitá-lo hoje — deixou escapar subitamente, olhando-a com firmeza nos olhos. Ela estremeceu toda e recuou levemente no sofá.

— A mim... será possível? — balbuciou pálida.

— É possível e necessário — começou Aliócha com firmeza e cheio de ânimo. — Ele está precisando muito da senhora, justamente agora. Eu não tocaria nesse assunto nem a atormentaria de antemão se não fosse necessário. Ele está doente, como louco, sempre pedindo sua presença. Não quer vê-la para fazer as pazes com a senhora, basta apenas que a senhora vá lá e apareça no umbral. Muita coisa aconteceu com ele desde aquele dia. Ele compreende como é infinitamente culpado diante da senhora. Não é o seu perdão que ele está querendo: "Eu não posso ser perdoado" — foi ele mesmo quem disse, basta que a senhora apareça no umbral...

— De repente o senhor me... — balbuciou Cátia — e todos esses dias eu pressenti que o senhor viria aqui com essa incumbência... Eu bem que sabia que ele me mandaria chamar!... Isto é impossível!

— Que seja impossível, mas vá. Lembre-se de que pela primeira vez ele está perplexo por tê-la ofendido, pela primeira vez na vida, nunca antes ele percebera isso tão plenamente! Ele diz: se ela se recusar a vir, "doravante serei infeliz pelo resto da vida". Ouça: condenado a vinte anos de trabalhos forçados e ainda pretende ser feliz — por acaso isso não dá pena? Pense: a senhora vai visitar um inocente destruído — exprimiu-se Aliócha em tom desafiador —, as mãos dele estão limpas, nelas não há sangue! Visite-o agora em nome de seu infinito sofrimento no futuro! Vá, permaneça um pouco no escuro... apareça no umbral, é só... Porque a senhora deve, *deve* fazer isto — concluiu Aliócha ressaltando com uma força extraordinária a palavra "deve".

— Devo, mas... não posso — Cátia deu uma espécie de gemido —, ele vai ficar me fitando... não posso.

— Seus olhos devem encontrar-se. Como a senhora viverá o resto da vida se não se decidir agora?

— É melhor sofrer pelo resto da vida.

— A senhora deve ir, *deve* ir — tornou a salientar Aliócha em tom implacável.

— Mas por que hoje, por que agora?... Não posso deixar o doente...

— Por um minuto pode, é apenas um minuto. Se a senhora não for, ao cair da noite ele estará com a mente perturbada. Não vou mentir, tenha piedade!

— É de mim que deve ter piedade — censurou-o amargamente Cátia, que começava a chorar.

— Quer dizer então que irá! — proferiu Aliócha com firmeza, vendo-lhe as lágrimas. — Vou lá e lhe direi que a senhora irá agora.

— Não, não diga, de maneira nenhuma! — bradou Cátia assustada. — Eu vou, mas não lhe adiante nada, porque eu vou, mas pode ser que não entre... Ainda não sei...

Ela estava com a voz embargada. Respirava com dificuldade. Aliócha levantou-se para sair.

— E se eu encontrar alguém? — disse de repente em voz baixa, de novo inteiramente pálida.

— É por isso que precisa ir agora, para que não cruze com ninguém lá. Não haverá ninguém, estou lhe dizendo a verdade. Ficaremos esperando — concluiu Aliócha com tenacidade e saiu do cômodo.

II. Por um minuto a mentira se fez verdade

Ele correu para o hospital onde agora Mítia estava internado. Dois dias após o julgamento, ele adoecera de uma febre nervosa e fora enviado ao nosso hospital da cidade, ao setor de prisioneiros. Mas o médico Varvinski, atendendo a pedido de Aliócha e de muitas outras pessoas (Khokhlakova, Liza e outros), não internou Mítia no setor dos prisioneiros, mas em um quarto particular, no mesmo cubículo onde antes Smierdiakóv estivera internado. É verdade que no final do corredor havia um guarda e a janela tinha grade, e Varvinski podia estar tranquilo por sua condescendência não inteiramente permitida por lei, mas ele era um jovem bom e compassivo. Compreendia o quanto era duro para uma pessoa como Mítia entrar súbita e diretamente para a comunidade dos assassinos e vigaristas, e que primeiro era necessário habituar-se a isso. As visitas de familiares e conhecidos foram permitidas indiretamente tanto pelo médico quanto pelo chefe dos guardas e até pelo comissário. Entretanto, durante esses dias só Aliócha e Grúchenka visitaram Mítia. Por duas vezes Rakítin já tentara forçar uma visita; mas Mítia insistira com Varvinski para que não o deixasse entrar.

Aliócha o encontrou sentado no leito, metido num roupão de hospital, com um pouco de febre e uma toalha umedecida com vinagre e água enrolada na cabeça. Com um olhar vago fitou Aliócha que entrava, mas mesmo assim esboçou algo como um susto.

Em linhas gerais, desde o julgamento ele se tornara terrivelmente meditativo. Vez por outra ficava meia hora calado, parecendo ponderar a custo e sofregamente alguma coisa, esquecendo quem estava presente. Se saía da meditação e punha-se a falar, sempre começava a fazê-lo de modo um tanto repentino nunca do assunto de que realmente precisava falar. Às vezes olhava para o irmão com ar sofrido. Com Grúchenka parecia ficar mais à vontade do que com Aliócha. É verdade que com ela quase não falava, contudo, mal ela entrava, todo o seu rosto se iluminava de alegria. Aliócha sentou-se no leito ao lado dele, calado. Desta vez ele esperava inquieto por Aliócha, mas não ousou lhe perguntar nada. Achava inconcebível que Cátia concordasse em vir, e ao mesmo tempo sentia que se ela não viesse seria algo totalmente insuportável. Aliócha compreendia esse seu sentimento.

— Trifón — começou Mítia de forma agitada — Boríssitch, segundo dizem, devastou toda a sua estalagem: está levantando o assoalho, arrancando tábua por tábua, desmontando toda a "galeria", espalhando cavacos por todos os lados — sempre procurando um tesouro, o tal dinheiro, os mil e quinhentos que o promotor disse que eu havia escondido lá. Segundo dizem, mal chegou em casa foi logo armando barulho. Bem feito para o vigarista! Ontem o guarda daqui me contou; ele é de lá.

— Ouve — proferiu Aliócha —, ela virá, só não sei quando; pode ser hoje, pode ser por esses dias, isso eu não sei, mas virá, virá, isso é certo.

Mítia estremeceu, quis deixar escapar alguma coisa, mas calou. A notícia produziu um efeito terrível sobre ele. Via-se que queria angustiosamente saber os detalhes da conversa, porém mais uma vez temia perguntar: para ele seria uma punhalada ouvir alguma coisa cruel e desdenhosa da parte de Cátia.

— A propósito, ouve o que ela disse: que eu tranquilizasse sem falta a tua consciência a respeito da fuga. Se até então Ivan não estiver recuperado, ela mesma assumirá isso.

— Tu já me disseste isso — observou Mítia com ar pensativo.

— E tu já o contaste a Grúchenka — observou Aliócha.

— Sim — confessou Mítia. — Ela não vai aparecer aqui esta manhã — olhou timidamente para o irmão —. Só vai aparecer à tarde. Foi só eu lhe dizer ontem que Cátia estava participando disso, que ela se calou; seus lábios ficaram crispados. Apenas murmurou: "Que participe!". Compreendeu que era importante. Não me atrevi a atormentá-la mais. Bem, parece que agora ela compreende que a outra ama Ivan, e não a mim.

— Será? — deixou escapar Aliócha.

— Talvez não seja assim. Só que ele não vai aparecer nesta manhã — apressou-se Mítia em reafirmar —, eu lhe dei uma incumbência... Ouve, nosso irmão Ivan vai sobreviver a todos nós. Viver é para ele, não para nós. Vai recuperar-se.

— Imagina, embora Cátia ande cheia de tremores por causa dele, quase não tem dúvida de que ele vai se recuperar — disse Aliócha.

— Então está convencida de que ele vai morrer. É o medo que a deixa segura de que ele vai se recuperar.

— Nosso irmão é de compleição forte. Eu também tenho muita esperança em que se recupere — observou inquieto Aliócha.

— É, ele vai se recuperar. Mas ela está certa de que ele vai morrer. Ela está cheia de mágoa...

Fez-se silêncio. Algo muito importante atormentava Mítia.

— Aliócha, amo muitíssimo Grucha — proferiu subitamente com a voz trêmula, cheia de lágrimas.

— Não permitirão que ela vá contigo *para lá* — secundou imediatamente Aliócha.

— Ouve o que eu ainda queria te dizer — continuou Mítia com uma voz sonora —; se começarem a me espancar no caminho ou *lá*, não vou deixar, mato alguém e serei fuzilado. Ora, são vinte anos! Aqui já começam a me tratar por *tu*. Os guardas me tratam por *tu*. Deitado, passei a noite inteira me julgando: não estou pronto! Não estou em condições de aceitar! Queria cantar o "hino", mas não posso suportar que os guardas me tratem por tu! Eu suportaria tudo por Grucha, tudo... exceto espancamento... Mas não vão deixar que ela vá para *lá*.

Aliócha riu baixinho.

— Ouve, irmão, de uma vez por todas — disse ele —, ouve o que penso sobre isso. Tu sabes que eu não mentiria para ti. Ouve, pois: não estás preparado e nem essa cruz é para ti. E ademais não precisas dessa cruz de mártir, pois não estás preparado. Se tivesses matado nosso pai, eu lamentaria que rejeitasses essa cruz. No entanto tu és inocente, e essa cruz é excessiva para ti. Querias com o suplício fazer renascer em ti outro homem; a meu ver, deves lembrar-te disto sempre, por toda a vida e para onde quer que fujas, lembra-te desse outro homem — e basta para ti. O fato de não haveres aceitado a grande cruz do suplício só servirá para que experimentes a sensação de um dever ainda maior, e com essa sensação permanente contribuirás, doravante e por toda a vida, para o teu renascimento, talvez mais do que se fosses *para lá*. Porque lá não suportarás a cruz e te queixarás, e talvez realmente acabes dizendo: "Estou quite". Nisto o advogado disse a verdade. Nem todos sentem o peso dos fardos; alguns não o suportam.[2] Eis o que penso, se precisas tanto saber. Se por tua fuga respondessem outros — oficiais, soldados —, eu não te "permitiria" fugir — sorriu Aliócha. Mas dizem e asseguram (o próprio chefe da etapa o disse a Ivan) que não haverá maiores sanções se a coisa foi tratada com habilidade, e que dá para se safar com ninharias. É claro que subornar é desonesto até num caso como esse, mas aí não vou me meter a julgar de maneira nenhuma porque, propriamente falando, se, por exemplo, Ivan e Cátia me dessem a incumbência de arranjar as coisas para ti, sei que eu também subornaria; devo te dizer toda a verdade. É por isso que não sou o juiz dos atos que venhas a cometer. Mas fica sabendo que nunca hei

[2] Ver Mateus, 23, 4, e Lucas, 11, 46. (N. da E.)

de condenar-te. E seria até estranho: como eu poderia ser teu juiz neste caso? Bem, parece que analisei tudo.

— Mas em compensação hei de me condenar! — exclamou Mítia. — Vou fugir, isso já estava decidido mesmo sem tua participação: por acaso Mitka Karamázov pode deixar de fugir? Mas em compensação hei de me condenar e lá expiarei para sempre os meus pecados! É assim que os jesuítas dizem, não é? E é o que agora nós dois estamos dizendo, não?

— Ah, sim — riu baixinho Aliócha.

— Gosto de ti porque sempre dizes a plena verdade e nada escondes! — exclamou Mítia com um sorriso alegre. — Quer dizer que peguei meu Aliócha agindo como um jesuíta! Eu devia era te cobrir de beijos por isso, devia, sim! Bem, agora ouve o restante, vou te abrir a outra metade de minha alma. Ouve o que pensei e decidi: se eu fugir, mesmo com dinheiro e passaporte e inclusive para a América, ainda me anima a ideia de que não estou fugindo para curtir a alegria, a felicidade, mas em verdade para outros trabalhos forçados, que talvez sejam piores que os daqui! São piores, Alieksiêi, em verdade eu digo que são piores! Desde já estou odiando essa América, o diabo que a carregue. Oxalá Grucha me faça companhia, mas olha para ela: ela lá é americana? É russa, russa até a medula, vai sentir saudade da mãe terra natal e verei a cada hora que ela sente saudade por minha causa, que assumiu essa cruz por mim, mas que culpa ela tem? Por acaso vou suportar os *smierds* de lá, ainda que, talvez, sejam todos, um por um, melhores do que eu? Já estou com ódio dessa América! E mesmo que todos lá, sem exceção, sejam maquinistas formidáveis ou coisa parecida, que fiquem com o diabo, não são a minha gente, nem estão em minha alma! É a Rússia que eu amo, Alieksiêi, amo o Deus russo, ainda que eu mesmo seja um patife! E lá eu vou esticar! — exclamou de chofre com os olhos brilhando. Sua voz começou a tremer por causa das lágrimas.

— Pois bem, vê o que decidi, Alieksiêi, ouve! — recomeçou ele contendo a agitação. — Eu e Grucha chegaremos lá e imediatamente começaremos a lavrar a terra, a trabalhar, com os ursos selvagens, na solidão, em algum lugar distante. Sim, porque lá também deve haver algum lugar distante! Dizem que lá ainda existem peles-vermelhas, em algum lugar perdido, nos confins do horizonte, por aquelas bandas, aquelas paragens dos últimos moicanos.[3] Então nos agarremos imediatamente à gramática, eu e Grucha. Trabalho e gramática, e que seja por três anos. Nesses três anos aprenderemos a

[3] Referência ao romance *O último dos moicanos* (1826), do escritor norte-americano James Fenimore Cooper. (N. do T.)

língua inglesa como os mais autênticos ingleses. E assim que terminarmos — adeus, América! Fugiremos para cá, para a Rússia, como cidadãos americanos. Não te preocupes, aqui em nossa cidadezinha não apareceremos. Nós nos esconderemos em algum lugar distante, no Norte ou no Sul. A essa altura estarei mudado, ela também. Lá, na América, algum médico me porá alguma verruga falsa, não é à toa que todos eles são mecânicos. Ah, não, vou vazar um olho, deixar a barba crescer até chegar a quase um metro, uma barba grisalha, a saudade da Rússia me deixará grisalho. Talvez não me reconheçam. E se reconhecerem, que me exilem, tanto faz, significará que não era o meu destino! Aqui também haveremos de lavrar a terra em algum fim de mundo, passarei a vida inteira me fazendo de americano. Depois morreremos na terra natal. Eis o meu plano, e ele é inalterável. Aprovas?

— Aprovo — disse Aliócha sem vontade de contradizê-lo.

Mítia calou por um minuto e de repente disse:

— Mas que golpe me aplicaram no julgamento! Que golpe!

— Mesmo sem esse golpe acabariam te condenando — disse Aliócha com um suspiro.

— É, o público daqui está saturado de mim! E fiquem com Deus, mas é duro! — gemeu Mítia com ar sofrido.

Tornaram a calar-se por um minuto.

— Aliócha, mata-me agora! — exclamou de repente. — Ela virá agora ou não? Fala! O que disse? Como disse?

— Disse que virá, mas não sei se será hoje. É que é difícil para ela! — Aliócha olhou timidamente para o irmão.

— Pudera não ser, pudera não ser difícil! Aliócha, vou enlouquecer com isso. Grucha está sempre de olho em mim. Ela entende. Deus, meu senhor, serena-me: o que é que eu desejo? É Cátia que desejo! Terei consciência do que desejo? É o descomedimento karamazoviano, ímpio! Não, não sou capaz de sofrer! Sou um patife, e tudo está dito!

— Ei-la — exclamou Aliócha.

Nesse instante Cátia apareceu no umbral. Parou por um momento, olhando para Mítia com um olhar perdido. Num ímpeto ele se pôs em pé, o espanto estampou-se em seu rosto, ele empalideceu, mas no mesmo instante um sorriso tímido e suplicante se esboçou em seus lábios e súbito, sem se conter, ele estendeu ambas as mãos para Cátia. Vendo isto, ela se precitou para ele. Agarrou-lhe as mãos e o fez sentar-se quase à força na cama, ela mesma sentou-se ao lado e continuou a segurar-lhe as mãos, apertando-as convulsivamente. Várias vezes ambos fizeram um esforço para dizer alguma coisa, mas pararam e ficaram olhando um para o outro mais uma vez em silêncio, fixamente, como que imobilizados e com um estranho sorriso nos lábios; assim se passaram uns dois minutos.

— Tu me perdoaste? — balbuciou finalmente Mítia e no mesmo instante voltou-se para Aliócha, gritando para ele com o rosto desfigurado pela alegria.

— Estás ouvindo o que pergunto, estás ouvindo?

— Eu te amei porque és magnânimo de coração! — deixou escapar subitamente Cátia. — E ademais não precisas do meu perdão, nem eu do teu; quer me perdoes, quer não, ficarás por toda a minha vida como uma chaga em minha alma, e eu na tua; é assim que deve ser... — ela parou para tomar fôlego.

— O que vim fazer aqui? — recomeçou ela em tom frenético e às pressas — vim te abraçar os pés, apertar as mãos, assim, até doer — estás lembrado de como eu as apertei em Moscou? —, para tornar a te dizer que és meu deus, minha alegria, para te dizer que te amo loucamente — ela pareceu gemer atormentada e de repente pressionou avidamente os lábios contra a mão dele. As lágrimas rolaram dos seus olhos.

Aliócha assistia em pé, calado e embaraçado; não esperava de maneira nenhuma o que estava vendo.

— O amor passou, Mítia! — recomeçou Cátia —, mas o que passou me saiu caro, chegou a doer. Fica sabendo para todo o sempre. Mas agora, por um minutinho, oxalá aconteça tudo o que poderia ter acontecido — balbuciou ela com um sorriso torcido, mais uma vez olhando-o alegremente nos olhos. — Agora amas outra e eu amo outro, mas mesmo assim te amarei eternamente, e tu a mim, sabias? Ouve: ama-me, por toda a tua vida, ama-me! — exclamou com um tremor quase de ameaça na voz.

— Hei de te amar e... Sabes, Cátia — Mítia também falou tomando fôlego a cada palavra —, sabes, cinco dias atrás, naquela noite, eu te amei... Quando desmaiaste e te levaram... Por toda a vida! Assim será, eternamente será...

Assim os dois balbuciavam um para o outro umas palavras quase sem sentido e desvairadas, talvez até inverídicas, mas nesse instante tudo era verdade, e ambos acreditavam sem reservas em si mesmos.

— Cátia — exclamou subitamente Mítia —, acreditas que eu matei? Sei que agora não acreditas, mas naquele momento... quando depuseste... será, será que acreditavas?

— Nem naquele momento eu acreditava! Nunca acreditei! Estava com ódio de ti e de repente convenci a mim mesma, naquele mesmo instante... quando estava depondo... convenci a mim mesma e acreditei... Mas quando terminei de depor, imediatamente deixei de acreditar. Fica sabendo de tudo isto. Esqueci-me de que tinha vindo aqui para me supliciar! — proferiu com uma expressão totalmente nova, em nada semelhante ao balbucio amoroso de pouco antes.

— É duro para ti, mulher! — de repente Mítia deixou escapar de um modo inteiramente incontido.

— Deixa-me ir — murmurou ela —, ainda voltarei, agora está difícil!...

Ela ia se levantando, mas deu subitamente um grito alto e recuou. De chofre, embora em total silêncio, Grúchenka entrou no quarto. Ninguém a esperava. Cátia caminhou com ímpeto em direção à porta, mas, emparelhando com Grúchenka, parou num átimo, toda branca como giz e, em voz baixa, quase murmurando, gemeu para ela:

— Perdoa-me!

A outra a encarou e, após um instante, respondeu com uma voz cheia de veneno e contagiada pela raiva:

— Nós duas somos más, minha cara! Ambas somos más! Por que iríamos nos perdoar, eu a ti e tu a mim? Salva-o, e rezarei por ti pelo resto da vida.

— Mas perdoar não queres! — bradou Mítia para Grúchenka com uma censura de louco.

— Fica tranquila, eu o salvarei para ti! — murmurou rapidamente Cátia e saiu correndo do quarto.

— E tu serias capaz de não perdoá-la depois que ela mesma te disse: "Perdoa-me"? — tornou a exclamar Mítia amargamente.

— Mítia, não te atrevas a censurá-la, não tens o direito! — Aliócha gritou exaltado para o irmão.

— Eram os lábios orgulhosos dela que falavam, e não o coração — pronunciou Grúchenka com certa aversão. — Ela te livra e perdoarei tudo...

Calou-se, como se reprimisse algo na alma. Ainda não conseguia recobrar-se. Entrara ali, como se verificou depois, totalmente por acaso, sem desconfiar de coisa nenhuma nem esperar o que encontrou.

— Aliócha, corre atrás dela! — Mítia voltou-se impetuosamente para o irmão. — Dize-lhe... não sei o quê... Não deixes que ela se vá assim!

— Virei te ver ao anoitecer! — gritou Aliócha e correu atrás de Cátia. Alcançou-a já fora do muro do hospital. Ela caminhava rápido, apressada, mas assim que Aliócha a alcançou ela lhe disse rapidamente:

— Não, não posso me supliciar diante daquela! Eu lhe disse "Perdoa-me!", porque queria me supliciar até o fim. Ela não perdoou... Gosto dela por isso! — acrescentou Cátia com uma voz alterada e em seus olhos brilhou uma raiva feroz.

— Meu irmão não a esperava de maneira nenhuma — murmurou Aliócha —, estava certo de que ela não apareceria...

— Sem dúvida. Deixemos isto de lado — interrompeu Cátia. — Ouve: neste momento não posso ir com o senhor ao enterro. Mandei flores para o caixãozinho. Eles ainda têm dinheiro, parece. Se vierem a precisar, diga-lhes que nunca hei de abandoná-los no futuro... Bem, agora me deixe, me deixe, por favor. O senhor já está atrasado, os sinos já estão chamando para a última missa... Deixe-me, por favor!

III. Os funerais de Iliúchetchka. O discurso junto à pedra

De fato, ele estava atrasado. Esperavam-no e até já haviam decidido levar para a igreja o caixãozinho bonitinho, coberto de flores. Era o caixão de Iliúchetchka, pobre menino. Morrera dois dias depois da condenação de Mítia. Ainda à entrada da casa, Aliócha foi recebido pelos gritos dos meninos, colegas de Iliúcha. Todos o esperavam com impaciência e ficaram contentes porque ele finalmente chegava. Eram ao todo uns doze, todos tinham trazido suas lancheiras e suas mochilas nas costas. "Papai vai chorar, fiquem com papai" — fora o legado que Iliúcha lhes deixara ao morrer, e os meninos o guardaram na memória. Kólia Krassótkin estava à frente deles.

— Como estou contente com sua chegada, Karamázov! — exclamou ele, estendendo a mão a Aliócha. — Isto aqui está um horror. Palavra, é difícil ficar olhando. Snieguiriòv não está bêbado, temos certeza de que hoje não bebeu nada, mas é como se estivesse bêbado... Sempre sou firme, mas isso é um horror. Karamázov, se não o retardo, posso lhe fazer só uma pergunta antes de sua entrada?

— O que é, Kólia? — Aliócha deteve-se.

— Seu irmão é inocente ou culpado? Foi ele ou o criado quem matou seu pai? Acredito no que o senhor disser. Faz quatro noites que não durmo por causa dessa ideia.

— Quem matou foi o criado, meu irmão é inocente — respondeu Aliócha.

— Eu também venho dizendo a mesma coisa! — bradou de súbito o menino Smúrov.

— Pois então ele vai sucumbir pela verdade como uma vítima inocente! — exclamou Kólia. — Mesmo que ele esteja liquidado, está feliz! Estou a ponto de invejá-lo.

— O que é isso, como é possível, e por quê? — exclamou Aliócha surpreso.

— Oh, ah se um dia eu pudesse me sacrificar pela verdade! — proferiu Kólia com entusiasmo.

— Mas não num caso como esse, com essa mesma desonra, não com esse mesmo horror! — disse Aliócha.

— É claro... Eu gostaria de morrer por toda a humanidade,[4] e quanto à desonra, tudo dá no mesmo: que se finem nossos nomes. Respeito o seu irmão!

— E eu também! — súbito, do meio do grupo, gritou de modo já inteiramente inesperado o mesmo menino que outrora declarara saber quem havia fundado Troia e, tal como daquela vez, ficou vermelho até as orelhas, como uma peônia.

Aliócha entrou no quarto. No caixão azul, forrado de fofos brancos, Iliúcha estava estirado de mãos cruzadas e olhos fechados. Os traços de seu rosto emagrecido quase não haviam sofrido nenhuma alteração e, coisa estranha, o corpo quase não exalava cheiro algum. Tinha no rosto uma expressão séria e como que pensativa. As mãos, cruzadas, eram particularmente bonitas, como se fossem esculpidas em mármore. Haviam colocado flores em suas mãos, aliás, todo o caixão já estava rodeado e coberto de flores, que Liza Khokhlakova enviara assim que amanhecera o dia. Mas ainda chegaram flores da parte de Catierina Ivánovna, e quando Aliócha abriu a porta o capitão tinha um molho de flores nas mãos trêmulas e as espalhava mais uma vez sobre o seu querido menino. Mal olhou para Aliócha, e aliás não queria mesmo olhar para ninguém, nem para sua louca mulher chorosa, sua "mãezinha", que a todo instante tentava erguer-se sobre suas pernas doentes e olhar mais de perto seu menino morto. Os meninos haviam soerguido Nínotchka em sua cadeira e a colocado junto ao caixão. Ela estava sentada com a cabeça apoiada no caixão e parecia chorar baixinho. O rosto de Snieguirióv tinha um aspecto vivo, mas como que desnorteado e ao mesmo tempo ensandecido. Em seus gestos, nas palavras que lhe escapavam, havia qualquer coisa de demente. "*Bátiuchka*, meu amado *bátiuchka*!" — exclamava a todo instante, olhando para Iliúcha. Quando Iliúcha ainda estava vivo, ele tinha o hábito de tratá-lo carinhosamente: "*Bátiuchka*, meu amado *bátiuchka*!".

— Paizinho, dá-me também umas florezinhas, tira da mãozinha dele,

[4] Kólia cita as palavras do político e famoso orador francês Pierre Vergniaud (1753-1793), pronunciadas em 1792 na Convenção. (N. da E.)

aquela branquinha ali, e me dá! — pediu a "mãezinha" louca, entre soluços. Ou ela havia gostado muito da pequena rosa branca nas mãos de Iliúcha, ou queria tirar-lhe a florzinha das mãos como lembrança, mas se agitava toda, estendendo as mãos para pegar a florzinha.

— Não dou a ninguém, não dou nada! — exclamou Snieguirióv de coração duro. — As florezinhas são dele e não tuas. Tudo é dele, nada é teu!

— Papai, dá uma florzinha a mamãe! — Nínotchka levantou de súbito seu rosto molhado pelas lágrimas.

— Não dou nada, e a ela menos ainda! Ela não o amava. Tomou o canhãozinho dele aquela vez, mas ele lhe deu de pre-sen-te — o capitão caiu subitamente no pranto ao se lembrar de que naquele momento Iliúcha cedera o canhãozinho à mãe. A pobre da louca pôs-se a choramingar, cobrindo o rosto com as mãos. Vendo, finalmente, que o pai não largava o caixão e que já era hora de levá-lo, os meninos cercaram o caixão como um grupo compacto e começaram a levantá-lo.

— Não quero enterrá-lo no cemitério! — berrou de chofre Snieguirióv —, vou enterrá-lo junto à pedra, à nossa pedrinha! Foi assim que Ilíucha ordenou. Não vou deixar que o levem!

Já antes, nesses últimos três dias, ele vinha dizendo que ia enterrá-lo junto à pedra; mas intercederam Aliócha, Krassótkin, a senhoria e sua irmã, todos os meninos.

— Vejam só o que ele inventou, enterrá-lo junto a uma porcaria de pedra, como se ele tivesse se enforcado — falava severamente a velha senhoria. — Lá no cemitério tem cruz no chão. Lá vão rezar por ele. Dá para ouvir o canto vindo da igreja, e o diácono lê com uma voz tão pura e viva que sempre chegará até ele, como se estivessem lendo sobre o túmulo.

Por fim o capitão deu de ombros, como que diz: "Levem para onde quiserem!". Os meninos levantaram o caixão mas, ao passarem ao lado da mãe, pararam e baixaram-no por um minuto para que ela pudesse se despedir de Iliúcha. Súbito, vendo de perto aquele rostinho querido, para o qual só olhara de certa distância durante todos esses três dias, ela tremeu toda e começou a mover para a frente e para trás sua cabeça grisalha sobre o caixão.

— Mamãe, benze-o, dá-lhe sua bênção, um beijo — clamou Nínotchka. Mas ela, como um autômato, não parava de sacudir a cabeça e, com o rosto contraído por uma dor pungente, súbito começou a bater em silêncio com o punho no peito. Seguiram adiante com o caixão. Pela última vez Nínotchka chegou os lábios aos lábios do falecido irmão, quando passavam com ele ao seu lado. Ao sair da casa, Aliócha pediu à senhoria que olhasse pelas que ficavam, mas ela não o deixou concluir:

— Sei o que fazer, vou ficar com elas, também sou cristã. — A velha chorava ao dizer isso.

A igreja não ficava longe, uns trezentos passos, não mais. O dia estava claro, tranquilo; fazia frio, mas não muito. Ainda se ouvia o repicar do sino. Agitado e desnorteado, Snieguirióv corria atrás do caixão em seu surrado casaquinho de verão, curtinho, com a cabeça descoberta e o velho chapéu macio e de abas largas na mão. Estava tomado de uma preocupação esquisita, ora estendendo as mãos para segurar a cabeceira do caixão, e só atrapalhando os que o conduziam, ora correndo ao lado e procurando ao menos se acomodar por ali. Uma florzinha caiu na neve e ele se precipitou a apanhá-la, como se da perda dessa florzinha dependesse sabe Deus o quê.

— As cascas de pão, esqueceram as cascas de pão — exclamou de repente, assustadíssimo. Mas os meninos lhe lembraram imediatamente que ele já havia apanhado as cascas de pão ainda há pouco e que estavam em seu bolso. Ele as arrancou do bolso num piscar de olhos e, uma vez certificado, acalmou-se.

— Foi Iliúchetchka que ordenou, Iliúchetchka! — explicou no mesmo instante a Aliócha. — Ele estava deitado à noite, eu sentado a seu lado, e de repente ele ordenou: "Papaizinho, quando cobrirem minha cova de terra, espalhe em cima dela cascas de pão para que os pardais pousem, eu vou ouvir que eles pousaram e ficarei alegre porque não estarei só".

— Isso é muito bom — disse Aliócha —, será preciso levá-las com mais frequência.

— Todo dia, todo dia! — balbuciou o capitão como que todo animado.

Enfim chegaram à igreja e puseram o caixão no centro. Todos os meninos fizeram um círculo em volta dele e assim permaneceram durante toda a missa. Era uma igreja antiga e bastante pobre, com muitos ícones sem nenhuma guarnição, mas de certo modo é melhor rezar em igrejas assim. Durante a missa, Snieguirióv pareceu aquietar-se um pouco, embora de quando em quando se manifestasse nele a mesma preocupação inconsciente e como que desnorteada: ia ao caixão ajeitar o véu, o *viéntchik*,[5] ou, quando caía uma velinha do castiçal, precipitava-se para devolvê-la ao lugar e demorava demais com isso. Em seguida já estava calmo, tranquilo, à cabeceira do caixão, com uma preocupação obtusa estampada no rosto e como que atônito. Depois da leitura da epístola ele murmurou de chofre para Aliócha, que estava em pé a seu lado, que a epístola não tinha sido lida *devidamente*, mas, ape-

[5] Fita com imagens e inscrições religiosas que se coloca na testa do morto durante a missa de corpo presente. (N. do T.)

sar disto, não explicou por quê. Começou a acompanhar o Hino Querubínico, mas parou e, ajoelhando-se, encostou a testa ao chão de pedra da igreja e assim permaneceu bastante tempo. Enfim começou a missa de corpo presente e distribuíram-se os círios. O enlouquecido pai pareceu agitar-se de novo, mas o comovente e impressionante canto fúnebre despertou-lhe a alma, sacudindo-a. Ele se contraiu todo e foi caindo num pranto entrecortado, compassado, abafando a voz, e por fim prorrompeu num soluço alto. Quando começaram os adeuses a Iliúcha e iam tampar o caixão, ele o envolveu com os braços como se tentasse impedir que cobrissem Iliúchetchka e começou a dar beijos frequentes, sequiosos e contínuos nos lábios do seu menino morto. Por fim o acalmaram, e já iam retirando o caixão da igreja quando, de repente, ele estendeu impetuosamente a mão e arrancou do caixão algumas florezinhas. Ficou olhando para elas, e foi como se alguma ideia nova lhe viesse à cabeça, de sorte que por um instante pareceu ter esquecido o principal. Pouco a pouco foi como que caindo em meditação e já não resistiu quando levantaram o caixão e o conduziram para o pequeno túmulo. Este ficava perto, no cemitério junto à própria igreja, e era um túmulo caro; Catierina Ivánovna pagara por ele. Depois do ritual de costume, os coveiros baixaram o caixão. Snieguirióv inclinou-se tanto sobre o túmulo aberto, com suas florezinhas nas mãos, que os meninos, assustados, agarraram-lhe o casaco e começaram a puxá-lo para trás. Mas era como se ele já não atinasse direito no que estava acontecendo. Quando começaram a cobrir o túmulo de terra, de repente ele apontou para a terra que caía e começou até a dizer alguma coisa, só que ninguém conseguiu entender nada e ele mesmo se aquietou. Então lhe lembraram que era preciso esfarelar as cascas de pão e ele ficou muitíssimo agitado, arrancou uma casca do bolso e começou a picá-la, espalhando os fragmentos sobre o túmulo: "Agora pousem, passarinhos, agora pousem, pardaizinhos!" — murmurava preocupado. Algum dos meninos lhe observou que lhe seria difícil picar o pão com as flores nas mãos e pediu que ele as desse para alguém segurar. Mas ele não deu, até temeu de repente por suas flores, como se quisessem tomá-las e, olhando para o túmulo e como que se certificando de que tudo já havia sido feito, que os fragmentos tinham sido espalhados, deu uma meia-volta súbita, totalmente inesperada e, até com certa calma, tomou o caminho de casa. Seus passos, porém, foram se tornando cada vez mais rápidos, ele estava com pressa, quase chegava a correr. Os meninos e Aliócha não lhe saíam do encalço.

— As florezinhas são para a mãezinha, as florezinhas são para a mãezinha! Ofenderam a mãezinha — começou a exclamar. Alguém lhe gritou que pusesse o chapéu porque estava frio, mas ao ouvi-lo ele atirou o chapéu na neve como se estivesse com raiva e disse: "Não quero chapéu, não quero chapéu!". O menino Smúrov o apanhou e o levou atrás dele. Todos os meninos, sem exceção, choravam, e mais que todos Kólia e o menino que descobrira Troia, e embora Smúrov, que segurava o chapéu do capitão, também chorasse horrivelmente, mesmo assim conseguiu apanhar, quase correndo, um pedaço de tijolo que vermelhava na neve sobre o caminho para atirá-lo num bando de pardais que passava em revoada. É claro que não acertou e continuou a correr, chorando. Na metade do caminho Snieguiriόv parou de chofre, ficou cerca de meio minuto em pé como que pasmado, e súbito, dando meia-volta no sentido da igreja, saiu correndo na direção do túmulo abandonado. Mas os meninos o alcançaram num piscar de olhos e o cercaram de todos os lados. Nesse ponto ele caiu na neve como que sem forças, como alguém vencido e, debatendo-se, berrando e aos prantos, começou a gritar: "*Bátiuchka*, *bátiuchka* Iliúchetchka, meu amado *bátiuchka*!". Aliócha e Kólia puseram-se a levantá-lo, suplicando-lhe e procurando acalmá-lo.

— Capitão, basta, um homem valente tem a obrigação de suportar — murmurou Kólia.

— O senhor vai estragar as flores — disse também Aliócha —, e a "mãezinha" está à espera delas, sentada e chorando porque ainda há pouco o senhor não lhe deu as flores do caixão de Iliúchetchka. A caminha de Iliúcha ainda está ali...

— Sim, sim, corramos para a mãezinha! — tornou a lembrar-se de súbito Snieguiriόv. — Vão recolher a caminha, vão recolher! — acrescentou como temendo que realmente a recolhessem, levantou-se de um salto e tornou a correr para casa. Mas já faltava pouco e todos chegaram juntos. Snieguiriόv abriu a porta impetuosamente e gritou para a mulher, com quem ralhara tão cruelmente ainda há pouco.

— Mãezinha, querida, Iliúchetchka mandou essas florezinhas para ti, tens os pezinhos doentes! — bradou, estendendo-lhe o molho de flores, que tinham ficado geladas e amassadas quando pouco antes ele se debatia na neve. Mas nesse exato momento ele viu diante da caminha de Iliúcha, em um canto, suas botinhas lado a lado, que acabavam de ser arrumadas pela senhoria — umas botinhas velhinhas, desbotadas, duras, remendadas. Ao vê-las, ele levantou os braços e precipitou-se para elas, caiu de joelhos, agarrou uma e encostou os lábios nela, começou a beijá-la sofregamente, bradando: "*Bátiuchka* Iliúchetchka, meu amado *bátiuchka*, onde estão teus pezinhos?".

— Para onde o levaste? Para onde o levaste? — berrou a louca com uma voz lancinante. Nisso Nínotchka também caiu em prantos. Kólia correu do quarto, os meninos também começaram a sair atrás dele. Por fim Aliócha também os acompanhou. "Deixemos que chorem à vontade — disse a Kólia —, agora já não é possível consolar. Esperemos um minuto e voltemos."

— Sim, não é possível, é terrível — corroborou Kólia. — Sabe, Karamázov — baixou de repente a voz para que ninguém ouvisse —, estou muito triste, e se fosse possível ressuscitá-lo, eu daria tudo no mundo por isto!

— Ah, e eu também — disse Aliócha.

— O que acha, Karamázov, de a gente vir aqui hoje à noitinha? Porque ele vai se embebedar.

— Talvez se embebede. Viremos só nós dois, e basta, para passar uma horinha com eles, com a mãe e Nínotchka, mas se viermos todos de uma vez eles tornarão a recordar tudo — aconselhou Aliócha.

— Agora a senhoria está pondo a mesa lá, vai haver exéquias ou algo assim. O pope vai comparecer; é o caso de voltarmos lá agora ou não, Karamázov?

— Sem falta — disse Aliócha.

— Tudo isso é estranho, Karamázov, um infortúnio como esse e de repente panquecas, como tudo isso é antinatural em nossa religião.

— Eles vão comer até salmão — observou de súbito e em voz alta o menino que descobrira Troia.

— Kartachov, eu lhe peço seriamente que não interfira mais com suas tolices, sobrctudo quando ninguém está falando com você nem quer saber se você existe no mundo — atalhou irritado Kólia, dirigindo-se a ele. O menino inflamou-se, mas não se atreveu a responder nada. Enquanto isso, todos caminhavam por uma senda, e de repente Smúrov exclamou: — Ali está a pedra de Iliúcha, junto à qual queriam enterrá-lo!

Todos pararam em silêncio junto à grande pedra. Aliócha a observou furtivamente e de chofre veio-lhe à lembrança todo o quadro que Snieguiriów desenhara certa vez sobre Iliúchetchka, quando este exclamara, chorando e abraçando o pai: "Papaizinho, papaizinho, como te humilharam!". Foi como se algo fremisse em sua alma. Com ar sério e grave, correu os olhos por todos aqueles rostos amáveis e radiantes dos colegiais, colegas de Iliúcha, e súbito lhes disse:

— Senhores, gostaria de lhes dizer uma palavra aqui, neste mesmo lugar.

Os meninos o rodearam e imediatamente cravaram nele seus olhares perscrutadores, cheios de expectativa.

— Senhores, brevemente nos separaremos. Por enquanto vou ficar algum tempo com meus dois irmãos, um dos quais irá para o degredo e o outro está à beira da morte. Mas logo deixarei esta cidade, talvez por muito tempo. E então nos separaremos, senhores. Combinemos aqui, junto à pedra de Iliúcha, que nunca esqueceremos, em primeiro lugar, Iliúchetchka, e em segundo, uns aos outros. E que, independentemente do que mais tarde venha a acontecer em nossas vidas, mesmo que passemos vinte anos sem nos vermos, ainda assim haveremos de recordar como sepultamos o pobre menino, no qual antes atiraram pedras perto da ponte — estais lembrados? — e a quem depois todos passamos a amar. Era um menino excelente, bondoso e valente, que compreendia a honradez e a amarga ofensa infligida a seu pai, contra a qual se rebelou. Portanto, senhores, em primeiro lugar haveremos de nos lembrar dele por toda a nossa vida. E ainda que venhamos a nos dedicar aos mais importantes assuntos, a conquistar honrarias ou a cair na maior desgraça — apesar de tudo nunca esqueçais como certa vez nos sentimos bem aqui, todos comungando, unidos por aquele sentimento tão bom e bonito, que durante aquele momento de nosso amor pelo infeliz menino nos fez, talvez, melhores do que em realidade somos. Meus pombinhos — permiti que vos chame assim, pombinhos, pois todos vos pareceis muito com elas, com essas lindas avezinhas plúmbeas —, agora, neste instante em que olho para os vossos rostos bondosos, amáveis, meus queridos meninos, talvez não possais compreender o que vos tenho a dizer, porque falo frequentemente de maneira muito incompreensível, porém mesmo assim vos lembrareis depois e algum dia concordareis com minhas palavras. Sabei que não há nada mais elevado, nem mais forte, nem mais saudável, nem doravante mais útil para a vida que uma boa lembrança, sobretudo aquela trazida ainda da infância, da casa paterna. Muito vos falam de vossa educação, mas uma lembrança maravilhosa, sagrada, conservada desde a infância, pode ser a melhor educação. Se o homem traz consigo muitas dessas lembranças para sua vida, está salvo pelo resto da existência. Mesmo que guardemos apenas uma boa lembrança no coração, algum dia só isto já nos poderá servir como salvação. Talvez mais tarde até nos tornemos perversos, até sejamos incapazes de resistir a um ato mau, talvez venhamos a rir das lágrimas humanas e das pessoas que dizem, como Kólia ainda há pouco: "Quero sofrer por todos", e a zombar talvez maldosamente dessas pessoas. E mesmo assim, por mais malvados que nos tornemos, que Deus não o permita, tão logo nos lembremos de como sepultamos Iliúcha, de como o amamos em seus últimos dias, e de como conversamos agora com tanta harmonia e tão juntos aqui ao pé desta pedra, nem o mais cruel e o mais zombeteiro de nós — se assim nos tornarmos — se atreverá a zombar intimamente de como foi bom, de como foi belo neste nosso momento! Além disso, talvez justamente essa única lembrança o impeça de cometer um grande mal, e ele caia em si e diga: "Sim, naquele momento eu fui bom, valente e honrado". Vá que se ria lá com seus botões, não importa, frequentemente o homem ri do bom e belo; faz isto apenas por leviandade; mas eu vos asseguro, senhores, que tão logo ele acabe de rir, dirá em seu coração: "Não, eu fiz mal por ter rido, porque não se deve rir dessas coisas!".

— Será inevitavelmente assim, eu o compreendo, Karamázov! — exclamou Kólia com um brilho nos olhos. Os meninos se agitaram e também quiseram dizer algo, mas se contiveram, olhando fixa e enternecidamente para o orador.

— Digo isso por receio de que nos tornemos maus — prosseguiu Aliócha —, mas por que teríamos de nos tornar maus, não é verdade? Sejamos primeiro e antes de tudo bons, depois honestos e já depois — não nos esqueçamos nunca uns dos outros. Torno a repetir. Eu vos dou minha palavra, senhores, de que não me esquecerei de nenhum de vós; haverei de me lembrar de cada rosto que vejo agora, mesmo que seja daqui a trinta anos. Ainda agora Kólia disse a Kartachov que "nós não estaríamos querendo saber se ele existe no mundo". Ora, poderia eu esquecer que Kartachov existe neste mundo e que agora já não cora como quando descobriu Troia, mas me fita com seus olhinhos simpáticos, bondosos e alegres? Senhores, meus amáveis senhores, sejamos todos generosos e valentes como Iliúcha, inteligentes, valentes e generosos como Kólia (que ainda será muito mais inteligente depois de crescido), e sejamos tão recatados, mas inteligentes e amáveis como Kartachov. Ora, por que estou falando só desses dois? Todos me sois caros, senhores, e doravante porei todos em meu coração e peço-vos que também me ponhais no vosso! Pois bem, quem nos uniu nesse belo e bom sentimento, que tencionamos de hoje em diante ter sempre e por toda a vida na lembrança, senão Iliúchetchka, aquele menino bom, menino amável, que nos será caro para todo o sempre? Nunca o esqueçamos, guardemos dele uma lembrança eterna e boa em nossos corações de hoje em diante e para todo o sempre!

— Sim, sim, eterna, eterna! — gritaram todos os meninos com suas vozes sonoras, com os rostos comovidos.

— Guardemos na lembrança o seu rosto, sua roupa, suas botinhas pobres, seu caixãozinho, e seu pai infeliz e pecador, e como ele valentemente se levantou sozinho em sua defesa contra a turma inteira!

— Guardaremos, guardaremos! — tornaram a gritar os meninos. — Ele era valente, ele era bom!

— Oh! como eu o amava! — exclamou Kólia.

— Ah! meus meninos, meus amáveis amigos, não temais a vida. Como a vida é bela quando se faz algo bom e sincero!

— Sim, sim — repetiram entusiasmados os meninos.

— Karamázov, nós gostamos do senhor! — não se conteve e exclamou um deles, parece que Kartachov.

— Gostamos do senhor, gostamos do senhor! — secundaram todos. Muitos tinham lágrimas miúdas nos olhos.

— Hurra, Karamázov! — gritou extasiado Kólia.

— E que descanse em paz o falecido menino! — acrescentou Aliócha com emoção.

— Que descanse em paz! — tornaram a secundar os meninos.

— Karamázov! — exclamou Kólia —, será mesmo verdade o que diz a religião, que todos ressuscitaremos dos mortos, e tornaremos a viver, e tornaremos a ver uns aos outros, todos, até Iliúchetchka?

— Inevitavelmente ressuscitaremos, inevitavelmente tornaremos a nos ver e contaremos alegremente uns aos outros tudo o que se passou — respondeu Aliócha meio sorridente, meio extasiado.

— Ah! como isso vai ser bom! — disse Kólia.

— Bem, agora encerremos os discursos e vamos às exéquias dele. Não vos perturbeis porque comeremos panquecas. Porque é uma tradição antiga, eterna, e nisso há algo de bom — riu Aliócha. — Então, a caminho! E agora lá vamos nós de mãos dadas!

— E sempre assim, de mãos dadas para o resto da vida! Hurra, Karamázov! — gritou Kólia mais uma vez entusiasmado, e mais uma vez todos os meninos secundaram sua exclamação.

LISTA DAS PRINCIPAIS PERSONAGENS

FIÓDOR PÁVLOVITCH KARAMÁZOV — pai de Dmitri, Ivan e Aliócha

DMITRI FIÓDOROVITCH KARAMÁZOV (Mítia, Mitka, Mítienka) — irmão mais velho, filho da primeira esposa de Fiódor

IVAN FIÓDOROVITCH KARAMÁZOV (Vânia, Vanka, Vánietchka) — irmão do meio, filho da segunda esposa de Fiódor

ALIEKSIÊI FIÓDOROVITCH KARAMÁZOV (Aliócha, Alióchka, Alióchenka, Alióchetchka) — irmão menor, filho da segunda esposa de Fiódor

ADELAÍDA IVÁNOVNA MIÚSSOVA — primeira esposa de Fiódor, mãe de Dmitri, abandonou o marido

SÓFIA IVÁNOVNA — segunda esposa de Fiódor, mãe de Ivan e Aliócha, falecida precocemente

PIOTR ALIEKSÁNDROVITCH MIÚSSOV — primo de Adelaída Ivánovna, tutor de Dmitri após o abandono da mãe

IEFIM PIETRÓVITCH POLIÓNOV — tutor de Ivan e Aliócha

GRIGORI VASSÍLIEVITCH KUTÚZOV — criado e ex-servo de Fiódor Pávlovitch

MARFA IGNÁTIEVNA — esposa de Grigori, criada de Fiódor Pávlovitch

PÁVEL FIÓDOROVITCH SMIERDIAKÓV — filho de Lizavieta Smierdiáschaia adotado por Grigori e Marfa Ignátievna

LIZAVIETA SMIERDIÁSCHAIA — louca da cidade, mãe de Smierdiakóv

STÁRIETZ ZOSSIMA — hieromonge, guia espiritual de Aliócha

PADRE FIERAPONT — monge adversário do *stárietz* Zossima

PADRE PAISSI — monge amigo do *stárietz* Zossima

PADRE IÓSSIF — monge bibliotecário

MIKHAIL IVÁNOVITCH RAKÍTIN (Micha, Rakitka) — seminarista, colega de Aliócha

PORFIRI — noviço do mosteiro

MAKSÍMOV — fazendeiro de Tula que visita o *stárietz* Zossima

CATIERINA ÓSSIPOVNA KHOKHLAKOVA — rica viúva, amiga de Catierina Ivánovna e da família Karamázov

IELIZAVIETA (Liza, Lise) — filha da senhora Khokhlakova

HERZENSTUBE — velho médico da cidade

CATIERINA IVÁNOVNA VIERKHÓVTZEVA (Cátia, Catka, Cátienka) — noiva de Dmitri

AGRAFIENA ALIEKSÁNDROVNA SVIETLOVA (Grúchenka, Grucha) — jovem disputada por Fiódor Pávlovitch e Dmitri Karamázov

FIEDÓSSIA MARKOVNA (Fiênia) — criada de Grúchenka

KUZMÁ KUZMITCH SAMSÓNOV — velho comerciante, ex-protetor e segundo amante de Grúchenka

MÁRIA KONDRÁTIEVNA — filha da senhoria de Dmitri, amiga de Smierdiakóv

NIKOLAI ILITCH SNIEGUIRIÓV — capitão reformado e miserável, que empresta dinheiro de Fiódor Pávlovitch

ARINA PIETROVNA SNIEGUIRIÓVA — esposa de Snieguiriόv

VARVARA e NINA NIKOLÁIEVNA — filhas de Snieguiriόv

ILIÚCHA (Iliúchka, Iliúchetchka) — filho menor de Snieguiriόv

KÓLIA KRASSÓTKIN — líder do grupo de meninos, amigo e admirador de Aliócha

MATVIÊI SMÚROV — aluno do curso preparatório, amigo de Kólia

ANNA FIÓDOROVNA KRASSÓTKINA — viúva, mãe de Kólia

LIÁGAVI — camponês que negocia a compra de uma propriedade rural com os Karamázov

PIOTR FOMITCH KALGÁNOV — sobrinho de Miússov, amigo de Dmitri

PIOTR ILITCH PIERKHÓTIN — funcionário público, amigo de Dmitri

TRIFÓN BORÍSSOVITCH — taverneiro da hospedaria em Mókroie

MUSSIALOVITCH — polonês, primeiro amante de Grúchenka

WRUBLEVSK — polonês, amigo de Mussialovitch

MAVRIKII MAVRÍKIEVITCH CHMIERTZOV — comissário de polícia rural

MIKHAIL MAKÁROVITCH MAKÁROV — comissário de polícia

HIPPOLIT KIRÍLLOVITCH — promotor de justiça

NIKOLAI PARFIÉNOVITCH NIELIÚDOV — juiz de instrução

FIETIUKÓVITCH — advogado de defesa

VARVINSKI — médico distrital

[illegible] — [illegible], amiga de Grúchenka

[illegible] da família Karamázov

[illegible] — filha da senhora Khokhlakova

[illegible] — velho [illegible] da cidade

[illegible] — [illegible]

[illegible] — [illegible]; Dmitri Karamázov

[illegible] — [illegible] de Grúchenka

[illegible] — velho comerciante, ex-protetor [illegible] de Grúchenka

[illegible] — [illegible] da senhora, [illegible]

[illegible] — [illegible] de Fiódor Pávlovitch

[illegible] — [illegible]

[illegible] — filhas de [illegible]

[illegible] — [illegible]

[illegible] — [illegible]

[illegible] — [illegible] de Karamázov

[illegible] — [illegible]

[illegible] — [illegible] de Moscou

[illegible] — [illegible]

[illegible] — [illegible]

[illegible] — [illegible]

[illegible] — [illegible]

[illegible] — advogado de defesa

[illegible] — médico distrital

UM ROMANCE-SÍNTESE

Paulo Bezerra

Esta edição de *Os irmãos Karamázov* pode ser considerada a única efetivamente integral em língua portuguesa. Vítima constante da censura tsarista, a obra de Dostoiévski não teve destino diferente durante o longo período do stalinismo, quando pouquíssimas vezes foi publicada em edição completa e seus livros sofreram cortes de dimensões várias. Todas as edições anteriores de *Os irmãos Karamázov* no Brasil, mesmo as mais bem cuidadas, traziam uma ou outra lacuna, resultado de cortes anteriores. Graças ao trabalho de um grupo de filólogos e estudiosos da obra dostoievskiana, formado por A. N. Batiuto, V. E. Vietlóvskaia, A. A. Dolínin, E. I. Kiiko, G. V. Stiepánova e G. M. Fridlénder, o texto de *Os irmãos Karamázov* foi plenamente restabelecido a partir dos manuscritos do autor, da comparação entre as diferentes edições, ganhou sua forma definitiva e assim foi publicado na edição das obras completas de Dostoiévski em trinta tomos (1972-1990), a partir da qual fizemos a presente tradução.

No início da década de 1860, a obra de Dostoiévski começa a apresentar uma grande variação formal, alternando contos e novelas de pequeno e médio porte com vastos painéis narrativos como *Escritos da casa morta* (1862), *Crime e castigo* (1866), *O idiota* (1869) e, entrando na década seguinte, com *Os demônios* (1872) e *O adolescente* (1875). Embora se trate de romances volumosos, o autor acalenta a ideia, exposta em 1862 num prefácio à tradução de *Notre Dame de Paris*, de Victor Hugo, de criar uma grande obra de arte capaz de revelar as peculiaridades e tendências de sua época de forma tão plena e perene como, por exemplo, *A divina comédia* de Dante. E ele realmente consegue realizar essa ideia em 1880 com *Os irmãos Karamázov*, romance-panorama que engloba vastos aspectos históricos, sociais, ideológicos, psicológicos, religiosos, jurídicos, etc., que, transfigurados no amplo espectro de caracteres e atitudes das muitas personagens que o povoam, personificam a vida na Rússia da segunda metade do século XIX.

O romance *Os irmãos Karamázov* é a síntese de toda a obra de Dostoiévski, que começa em 1846 com a publicação de *Gente pobre* e *O duplo*, cujos temas e formas de representação vão se ampliando a cada novo livro até desembocarem num vasto calidoscópio narrativo, no qual interagem todos os gêneros literários, desde as formas mítico-folclóricas e hagiográficas mais remotas até as modalidades literárias mais modernas, tudo congregado pela batuta da velha forma épica. Disto resulta um mosaico de temas, que fazem da história da família Karamázov uma metonímia da Rússia e de sua história presente e passada.

Da vida real para o romance

Para Mikhail Bakhtin, as personagens literárias são criaturas do mundo real, onde o escritor as pré-encontra antes de transformá-las em figuras de ficção. Na vasta gama de personagens que povoam as obras de Dostoiévski, particularmente os romances, muitas delas foram figuras reais com as quais o autor conviveu, manteve algum tipo de contato ou, ainda, teve amigos ou conhecidos que com elas conviveram. Dmitri e Ivan Karamázov integram essa galeria de criaturas que "migraram" diretamente da vida real para o romance.

Em *Escritos da casa morta*, Dostoiévski conta a história de um parricida com quem conviveu pessoalmente na prisão siberiana. Era um nobre, ex-militar, considerado pelo pai uma espécie de filho pródigo. Tipo devasso, vivia mergulhado em dívidas. O pai tinha uma casa, uma granja, dinheiro. O velho desapareceu. O filho comunicou seu desaparecimento à polícia, que um mês depois descobriu o crime e o prendeu. Mas ele não confessou o assassinato. Dostoiévski o descreve como um tipo estabanado, leviano, extremamente insensato, sempre bem-humorado, mas não tolo. Afirma que nunca presenciou nenhum gesto dele que sugerisse uma índole violenta, que não acreditava que ele tivesse cometido o crime que lhe atribuíam, mas que as pessoas de sua cidade, que deviam conhecer todos os detalhes de sua história, faziam um relato pleno do caso e imprimiam tamanha clareza aos fatos que era impossível não acreditar na história.[1]

O condenado por parricídio chamava-se Dmitri Ilinski, sargento-mor, servia num batalhão de linha na Sibéria, era filho de Nikolai F. Ilinski e tinha um irmão mais velho, Alieksandr Ilinski, que era alferes. No depoimen-

[1] F. M. Dostoiévski, *Zapiski iz miórtvogo doma* (Escritos da casa morta), in *Pólnoie sobránie sotchnienii v tridtzatí tomákh — Khudójestviennie proizviedeniya* (Obras completas em 30 tomos — Obras de ficção), Leningrado, Ed. Naúka, 1972-1990, t. IV, pp. 15-6.

to prestado durante a instrução do processo contra Dmitri Ilinski, seu ordenança declarou que o pai do acusado não suportava o filho, não desejava vê-lo em sua casa e nunca o convidava a partilhar a mesa com ele. Pavlina Niekrássova, cozinheira de Nikolai Ilinski, declarou em seu depoimento que Dmitri era um grosseirão, vivia metido em bebedeiras e patuscadas, esbanjava dinheiro seu e do pai, a quem desrespeitava, e que o pai temia ficar a sós com ele e o chamava de facínora. Alieksandr Ilinski depôs contra o irmão, declarou que Dmitri tratava a cozinheira Pavlina Niekrássova com grande animosidade e teria pedido ao ordenança que matasse seu pai. A esses dados negativos somou-se o depoimento do chefe militar imediato de Dmitri, que o acusou de má reputação, de perdulário e de ter sido censurado por sua conduta incompatível com a condição de oficial. Segundo I. D. Yakubóvitch, o processo contra Dmitri Ilinski se caracterizou por notória parcialidade, as autoridades jurídicas que o conduziram aceitaram como provas irrefutáveis os depoimentos contra ele sem se preocuparem minimamente em verificar se tinham respaldo nos fatos, ao passo que consideraram duvidosos todos os depoimentos do réu.[2] Contudo, catorze anos depois da condenação de Ilinski, o verdadeiro assassino foi descoberto e confessou o crime, fato que Dostoiévski registra na p. 195 de *Escritos da casa morta*.

Em 1874, três décadas depois de seu convívio com Dmitri Ilinski, tempo suficiente para recolher e amadurecer novos dados sobre o caso, Dostoiévski esboça uma primeira tentativa de aproveitá-lo como tema de uma obra à qual dá um curioso título inicial: *Um drama. Em Tobolsk*. Este título mostra que se trata de um simples esboço, no qual a história do parricídio é tomada como *leitmotiv*. Em seu enredo, o parricida é o irmão mais velho, cuja noiva se casa com o irmão caçula, secretamente apaixonado por ela. Muitos anos depois, o caçula confessa o crime, e o irmão mais velho é libertado.[3]

Dois aspectos desse "drama" chamam a atenção, pois integram o plano de construção de *Os irmãos Karamázov*, que Dostoiévski começaria a formular pouco mais de dois anos depois. Primeiro: Dmitri Karamázov, o irmão mais velho, é chamado de Ilinski, o que se pode constatar em frases como "Ilinski ainda esperava receber mais alguma coisa da herança... precisava urgentemente de três mil",[4] e "Ilinski brigou com o capitão e o arras-

[2] I. D. Yakubóvitch, "*Os irmãos Karamázov* e o processo contra D. N. Ilinski". *Dostoievski. Materiali i issliédovaniya*, in *Obras completas...*, *cit.*, t. II, p. 120.

[3] E. I. Kiiko, "Acerca da história da criação de *Os irmãos Karamázov* — Ivan e Smierdiakóv", in *Obras completas...*, *cit.*, t. XV, p. 125.

[4] F. M. Dostoiévski, "Plano da primeira parte", in *Obras completas...*, t. XV, p. 203.

tou, puxando-o pela barba" (p. 204), famoso episódio da redação final do romance em que Dmitri Karamázov espanca o capitão Snieguirióv e o arrasta pela barbicha. Segundo: Ivan Karamázov é apaixonado por Catierina Ivánovna, ex-noiva de seu irmão Dmitri, o que o associa ao caçula dos Ilinski, e é também chamado de "assassino", como se lê nas seguintes frases do plano: "Tudo é permitido. À noite com o assassino" (p. 203), "Ele (o assassino) afirma que não existe lei e o amor só existe por causa da fé na imortalidade" (p. 207). Tudo isso está presente nas falas de Ivan no romance e mostra que, no plano inicial, Dostoiévski lhe reservava claramente o papel de parricida. Isto, porém, seria excessivamente pobre para uma personagem de dimensões humanas, filosóficas e psicológicas tão amplas e profundas como Ivan, o que certamente o fez mudar seu plano inicial.

Dostoiévski aproveitou muitos elementos do processo contra Dmitri Ilinski na redação final de *Os irmãos Karamázov*. A relação de Nikolai Ilinski com seu filho Dmitri Ilinski foi tomada como protótipo da relação de Fiódor Pávlovitch com Dmitri Karamázov. Mas o romancista não reproduz os dados do real: ele os recria em amplo e profundo e os supera graças ao poder de transcendência próprio da arte da representação literária. Assim, ao pouco que se sabe sobre Nikolai Ilinski, Dostoiévski acrescenta dois elementos que se revelam essenciais à construção da imagem do velho Fiódor Pávlovitch Karamázov e determinantes de todo o conflito familiar que embasa o romance: a lascívia desvairada do velho, que o leva a disputar Grúchenka com Dmitri, e sua avidez igualmente desvairada, que também o põe em conflito direto com o filho. A essas características do patriarca dos Karamázov, Dostoiévski acrescenta outras, que já estão presentes em suas obras anteriores e formam o acorde final do conto "Bobók", de 1873: a degradação da nobreza no processo de avanço do capitalismo na Rússia. Assim o particular, que na década de 1840 caracteriza a história dos Ilinski, universaliza-se na história dos Karamázov e simboliza, em forma ampla e profunda, o período de transição histórica vivido pela Rússia a partir de 1861.

Muitos dos traços do caráter de Dmitri Ilinski — esbanjador incontrolável, beberrão, pândego, desrespeitoso com o pai, assim como a elevada autoestima, a honestidade e certa ingenuidade —, coincidem com aspectos do comportamento de Dmitri Karamázov. Mas o protótipo, uma vez transformado em personagem, deixa de ser um caso particular e amplia-se como representação de uma categoria social. Assim, aquela condição de esbanjador incontrolável e pândego de Dmitri Ilinski caracteriza, em Dmitri Karamázov, um hábito típico de uma classe social: a nobreza. Ao caos que caracteriza o comportamento dessa classe na fase de transição histórica representada no romance, corresponde um epíteto de desvairado que define o comportamento de Dmitri do início ao fim do romance. Dmitri se entrega a farras desvairadas e esbanjamentos desvairados, nutre uma paixão desvairada por Grúchenka e luta desvairadamente contra o pai pelo ressarcimento da herança deixada pela mãe. Aliás, sob o signo do desvario transcorre toda a ação do romance. Mas Dmitri Karamázov combina o desvario com um sentido de dignidade tão arraigado que chega a prejudicar a si mesmo durante os depoimentos prestados ao promotor e ao juiz de instrução em seu julgamento.

A construção da imagem de Ivan exigiu de Dostoiévski uma excepcional capacidade de realizar numa única personagem a síntese de toda a sua erudição nos campos da literatura, da história, da filosofia e da religião, e de caracteres humanos que já se encontravam em personagens de suas obras anteriores, como Raskólnikov, de *Crime e castigo*, Hippolit, de *O idiota*, e Kiríllov e Stavróguin, de *Os demônios*, criaturas que pensam em profundidade e com seu pensamento questionam a ordem social e cósmica. Raskólnikov e Kiríllov revelam um profundo sentido ético em seus pensamentos e em seus atos. Raskólnikov e Ivan têm em comum, entre outras coisas, um enorme apego às crianças. Raskólnikov arrisca a própria vida para salvar crianças de um incêndio, sente-se indignado com a prostituição infantil, sacrifica seus últimos centavos para ajudar os filhos de Marmieládov e acaba formulando uma filosofia do crime como resposta às iniquidades cometidas contra os humilhados e ofendidos, sobretudo contra as crianças. No capítulo de *Os irmãos Karamázov* "A revolta", Ivan narra a história real de uma criança supliciada por um general, rebela-se contra Deus, declara que rejeita seu mundo, que lhe devolve o bilhete de entrada nesse mundo, nega-se a aceitar uma harmonia universal à custa de vítimas humanas, da anulação do ser humano como agente de sua própria vontade e da responsabilidade por seus atos, ou de sua redução a simples marionetes que assistem passivamente ao desenrolar do processo histórico e estão sujeitas aos caprichos de potências estranhas à vida e aos interesses dos homens: ele não quer "estrumar com suas lágrimas a futura harmonia de não sei quem". Mas Ivan tem dois duplos: o diabo e Smierdiakóv. O diabo é o duplo que mescla um cinismo cáustico com uma erudição profunda, o que só dá mais amplitude ao perfil intelectual de Ivan. Sua imagem foi construída em diálogo com Goethe, Voltaire, Descartes, Dante, a Bíblia, Milton, Byron, enfim, com uma gama de personagens, autores e obras que faz dele uma personagem-síntese dos vários campos do saber e ao mesmo tempo uma das criações mais geniais de toda a história da literatura. Entre todas as personagens dostoievskianas, Ivan é certamente a que mais se aproxima de um *alter ego* de seu criador.

Dostoiévski toma como um dos protótipos de Smierdiakóv a personagem Javert de *Os miseráveis*, de Victor Hugo, que o próprio autor descreve como "*stoïque, sérieux, austère; rêveur triste; humble et hautain comme les fanatiques*" (isto é, "estoico, sério, austero; visionário triste; submisso e arrogante como todos os fanáticos") e Dostoiévski considera um tipo "negativo" e "excepcionalmente profundo".[5] Essas observações datam de 1876. No mesmo ano, Dostoiévski visita um orfanato para filhos bastardos enjeitados, o que o faz pensar no destino dos enjeitados e na peculiaridade de seu perfil psicológico. E escreve em seu diário: "Às vezes a poesia se refere a esses tipos, mas raramente. Aliás, lembra-me o enjeitado Javert do romance de Victor Hugo *Les misérables*: ele nasceu de uma mãe que vive na rua, em recantos meio escondidos... e passou a vida odiando essas mulheres".[6] Esta observação é de suma importância: Dostoiévski a toma como fonte literária e a combina com um dado de sua própria experiência para construir sua personagem. Andriêi Mikháilovitch, irmão de Dostoiévski, conta em suas memórias que na fazenda de seu pai morava uma demente chamada Agrafiena, que fora violentada e dera à luz um filho. Em *Os irmãos Karamázov*, Lizavieta Smierdiáschaia, grávida de Fiódor Pávlovitch (como a narrativa sugere), pula o muro de sua casa, entra no banheiro, dá à luz uma criança e morre do parto. Dostoiévski transforma a demente real, mãe de um enjeitado, em protótipo de Lizavieta, mãe de Smierdiakóv. Ao nome de Lizavieta acrescentou Smierdiáschaia, sobrenome derivado do substantivo *smierd*, que na Rússia antiga significava camponês servo, e também do particípio ativo do verbo *smierdet*, que significa exalar mau cheiro, feder. De Smierdiáschaia, Smierdiakóv recebe o sobrenome que lhe determina a essência de enjeitado como uma espécie de maldição e, como rebento do clã dos Karamázov, é reduzido à condição mais baixa na escala social da casa, crescendo como mais um criado em casa do pai, como o fedorento da cozinha (várias vezes é alcunhado de *buliônschik*, termo que, além de simples "fazedor de caldo", pode conotar "borra-panelas" ou alguém que fede a caldo), e assim o seu "eu..., sua mesmidade e personalidade estão indissoluvelmente unidas com seu nome". Isto o libera de qualquer relação afetiva com o pai ou com seus irmãos e o deixa de mãos livres para desempenhar seu papel no romance. Apesar de seu aspecto grosseiro e primitivo, é dotado de uma inteligência agudíssima, de uma excepcional capacidade de observação e de uma sutile-

[5] E. I. Kiiko, *op. cit.*, p. 126-7.

[6] *Literatúrnoe nasliédstvo* (A herança literária), *apud* Kiiko, *op. cit.*, p. 127.

za diabólica; ele entende a seu modo o pensamento das outras personagens, engazopa a todas elas, interpreta em sentido literal o pensamento de Ivan, com quem acaba estabelecendo uma relação de duplicidade. E só Ivan, consciência profunda, consegue entendê-lo. Assim, ao combinar, na construção da personagem Smierdiakóv, elementos da história e da cultura russa com um tipo de personagem então específico da literária europeia — o *enfant trouvé* ou enjeitado de *Os miseráveis* —, Dostoiévski universaliza Smierdiakóv como personagem e destaca uma condição essencial da literatura: o diálogo entre culturas.

O MEDIADOR ENTRE OS HOMENS

A figura de Alieksiêi (Aliócha) Karamázov é seguramente a de raízes mais remotas entre todas as personagens do romance. Ela tem origem na imagem de Alieksiêi, homem de Deus, da hagiografia russa do século XVI conhecida como *Tcheti-Minei*, que converteu-se numa espécie de símbolo da cultura religiosa e popular e tem ampla presença no imaginário russo.

Na abertura do romance, Dostoiévski define seu "herói" Alieksiêi Fiódorovitch como a "medula do todo", o que lhe atribui a condição de mediador entre as demais criaturas do romance, que procuram encontrar "algum sentido comum na balbúrdia geral". A capacidade de mediar está na própria natureza de Aliócha, que, segundo o narrador, amava os homens, sempre acreditara neles, ninguém o considerava simplório ou ingênuo, não queria ser juiz de ninguém, jamais condenaria alguém, até parecia admitir tudo. Essas peculiaridades da natureza de Aliócha lhe permitem compreender todas as idiossincrasias da alma humana, dos motivos mais torpes aos mais sublimes que pautam o comportamento dos homens, porque a ele se pode aplicar plenamente a velha máxima filosófica: nada do que é humano me é estranho. E não porque Aliócha seja um santo, como alguns canonizadores antigos e atuais de Dostoiévski querem incutir, mas porque ele reúne em si todos os abismos da alma humana, que são produto da história e da cultura, e do convívio entre os homens no contexto da história e da cultura. O narrador afirma que ele nada tinha de fanático ou de místico, era "simplesmente imbuído de um precoce amor ao ser humano", e não optou pelo mosteiro movido por algum fervor religioso, mas porque as relações humanas estavam envoltas pelas trevas da maldade e ele desejava encontrar uma luz que lhe abrisse o caminho do amor. Mas a vida monacal não extirpou de sua alma as contradições e os abismos próprios da condição humana, nem mesmo a sensualidade dos Karamázov e sua paixão por viver intensamente a vida em todas as suas manifestações, e isto não só é dito por ele em seus diálogos com as outras personagens, como observado por seu irmão Dmitri, por Liza Khokhlakova e por Rakítin. Isto faz de Aliócha aquilo que Nikolai Tchirkóv, crítico e estudioso de Dostoiévski, chamou na obra dostoievskiana de "homem-universo", isto é, aquele que sempre está sob o risco do fracasso ou da queda, da indiferença por tudo, como o homem do subsolo e Stavróguin, ou é movido por um ativo amor ao ser humano, como Míchkin e Aliócha.[7] Portanto, o que faz de Aliócha Karamázov o mediador das tensões no romance são as peculiaridades humanas e terrenas de sua personalidade. É isto que faz o capitão Snieguiriòv, o humilhado e ofendido do romance, entendê-lo e aceitá-lo, mesmo ele sendo um Karamázov.

Aliócha reúne em si um amor ativo pelo ser humano e a capacidade de não apenas compreender, mas de compenetrar-se dos problemas dos outros, de vivenciá-los com eles. Graças à grande elasticidade de sua natureza e, como o príncipe Míchkin de *O idiota*, à extraordinária capacidade de penetrar nos desvãos da alma humana, todos acreditam em Aliócha e assim ele exerce a condição de mediador entre todas as personagens do romance, que, em momentos de crise, sempre encontram nele a pessoa que sabe ouvir com atenção e paciência e emitir opiniões ponderadas, como se temesse ferir o outro com sua palavra.

Um desdobramento do amor de Aliócha pelo ser humano é sua relação com as crianças e os adolescentes, particularmente com os meninos Iliúcha Snieguiriòv e Kólia Krassótkin. O epílogo do romance revela a intenção ideológica que Dostoiévski imprimiu à imagem de Aliócha Karamázov. Depois de superar as hostilidades dos colegiais por Iliúcha e torná-los amigos do pequeno moribundo, Aliócha os reúne após seu enterro, ocasião em que faz um discurso enaltecendo os verdadeiros valores humanos, destacando a amizade e a fidelidade aos amigos como um bem maior e justificativa maior para a vida na Terra. Isto ele apresenta como um contraponto à "desintegração química" da sociedade fundada no egoísmo e no deboche dos ricos e fortes contra os pobres e indefesos. Embasado num sentimento de fraternidade ético-religiosa, o discurso que encerra o romance traduz, de fato, uma concepção de socialismo cristão, que foi uma marca ideológica do próprio Dostoiévski.

[7] N. M. Tchirkóv, *O stide Dostoevskogo* (O estilo de Dostoiévski), Moscou, Ed. Naúka, 1966, p. 293.

A questão religiosa

"Não há virtude se não há imortalidade."

"Se não existe Deus nem a imortalidade da alma, tudo é permitido." Esta é a frase mais comum, usada como uma espécie de axioma por praticamente todos os que discutem a religiosidade em Dostoiévski. Se é axioma, dispensa questionamento. Atribuída a Ivan Karamázov, a frase seria a prova inequívoca da angústia religiosa que caracterizaria o próprio escritor. Mas este diz que quem fala é Ivan, e não ele, Dostoiévski. No manuscrito de *Os irmãos Karamázov*, encontramos esta passagem: "Tudo é permitido. À noite com o assassino: — Vê, meu amigo [...] Cristo foi pura e simplesmente um homem comum, como qualquer outro, só que virtuoso". A dinâmica da construção do romance e da personagem Ivan leva Dostoiévski a enfatizar o tema da virtude. E este acaba ganhando uma importância essencial no pensamento de Ivan. A frase "Se não existe Deus nem a imortalidade da alma, tudo é permitido" não foi pronunciada por Ivan, mas deduzida de seu pensamento por outras personagens do romance. A dedução decorre do processo de interação dialógica, apontado em Dostoiévski por Mikhail Bakhtin, no qual a palavra pronunciada por uma das personagens abre uma fissura na consciência de seu interlocutor e vai-se ampliando à medida que passa de um falante a outro.

Em resposta às palavras de Aliócha, segundo quem Ivan "não precisa de milhões, mas apenas resolver uma ideia", Rakítin atribui a seguinte frase a Ivan: "não existe a imortalidade da alma, então não existe tampouco a virtude, logo, tudo é permitido". Afirmação semelhante é feita pelo diabo em seu diálogo com Ivan. O que Ivan afirma é "não há virtude se não há imortalidade", e reitera essa afirmação em todos os diálogos que tratam do tema religioso. Mas que virtude? Apenas religiosa? Como esquecer que o conceito de virtude está ligado às qualidades morais positivas de um indivíduo? Por que não entendê-lo como Helvécio, para quem a virtude está ligada à ideia da felicidade universal e do bem comum? Ou como os iluministas, que consideravam a virtude um elemento essencial na formação do indivíduo em uma sociedade justa? Ou como Hegel, para quem a superação do individual em prol do universal é condição essencial do comportamento do indivíduo numa sociedade moderna? Ora, essas noções de virtude estão presentes no pensamento de Ivan. Mas também a encontramos nas reflexões do *stárietz* Zossima e principalmente nas de Aliócha. Portanto, reduzir tudo à religião deforma o sentido amplo e profundo da obra de Dostoiévski, especialmente de *Os irmãos Karamázov*.

Quem tem algum conhecimento da biografia de Dostoiévski sabe que ele foi um homem religioso, ou melhor, conflituosamente religioso. No entanto, antes de discutir a religiosidade em Dostoiévski, é de bom alvitre levar em conta sua concepção de independência das personagens, pois assim se evita o reducionismo e tudo o que ele tem de nefasto.

A TRADUÇÃO

O leitor habituado a traduções indiretas de *Os irmãos Karamázov* vai encontrar muitas diferenças nesta tradução. Não fizemos nenhum malabarismo, apenas procuramos recriar o texto na sua feitura original. No campo da forma, procuramos recriar na língua de chegada o estilo dostoievskiano, às vezes meio tosco, com seus períodos longos, seus volteios sintáticos bruscos, sua pontuação pouco usual para mentes educadas pela chamada "boa escrita", enfim, procuramos manter o tom da forma artística e toda a tensão que ele cria para a leitura. Assim procedemos por sabermos que as tensões da forma são desdobramentos naturais das tensões da ação dramática do romance e do jogo de sentidos que as enfeixa. No campo semântico, procuramos manter a máxima fidelidade ao original, sempre examinando com paciência e o máximo de profundidade a relação mais íntima possível entre o sentido da palavra original e sua tradução, desprezando qualquer tentação de "embelezar" ou amaneirar a palavra ou expressão traduzida. O leitor encontrará a palavra "hieromonge" como tradução do termo russo *ieromonákh*. Ao contrário do monge comum, que constitui família, tem vida social fora do mosteiro, o hieromonge vive recolhido no mosteiro, não tem vida social nem familiar, apenas se limita a orar e a receber visitas esporádicas. Chegamos a pensar em traduzi-lo por "monge recoleto", mas desistimos por falta de coincidência plena entre os dois termos.

Alguns estudiosos consideram que existiram dois Dostoiévski: um, antes de sua prisão em 1849; outro, após a prisão. Em termos de linguagem, de estilo, não vemos tal diferença. A linguagem de *Os irmãos Karamázov* é a mesma do Dostoiévski de suas duas primeiras novelas, *Gente pobre* e *O duplo*. Os diálogos de Ivan Karamázov e Smierdiakóv têm uma estrutura praticamente idêntica à dos diálogos de Goliádkin e seu duplo. Em muitas passagens de *Os irmãos Karamázov*, o discurso do narrador é muito semelhante ao do narrador de *O duplo*, *A senhoria*, *O senhor Prokhartchin* e outras obras da fase inicial de Dostoiévski, o que nos permite afirmar que só existiu um autor, que podemos identificar por seu modo peculiar de narrar, de construir personagens e deixar que cada uma fale a linguagem de seu universo sociocultural. Nesse sentido, podemos afirmar que o Dostoiévski de *Gente pobre* é o mesmo Dostoiévski de *Os irmãos Karamázov*.

Em *Os irmãos Karamázov*, a propriedade da linguagem é um traço identificador de cada personagem, de seu nível cultural e social, das peculiaridades de sua personalidade e até do seu temperamento, o que representa um desafio gigantesco para o tradutor. Os irmãos Karamázov falam linguagens diferentes. Aliócha equilibra formas do linguajar religioso com a linguagem culta da comunicação humana, Ivan usa uma linguagem erudita que engloba as diversas esferas da cultura e o caracteriza como um erudito e pensador, ao passo que Dmitri fala uma linguagem mais popular e amiúde grosseira, que o caracteriza como homem de pouca cultura, dado a rompantes e atitudes desvairadas, perfeitamente marcadas pelo fluxo às vezes abrupto do seu linguajar. A linguagem de Smierdiakóv é a que mais destoa entre as linguagens usadas pelos irmãos. Falando constantemente por enigmas, o que corresponde perfeitamente às peculiaridades de sua personalidade de filho bastardo, que procura ocupar espaço próprio no seio de uma família a que pertence por laços consanguíneos, mas na qual está socialmente segregado na condição inferior de criado e cozinheiro eventual, Smierdiakóv equilibra aspectos eruditos da linguagem de Ivan, de quem é sombra e duplo, com seu modo pouco culto de falar, e disto resulta uma linguagem amalgamada que traduz a profunda tensão que marca sua personalidade e todo o seu comportamento. Essa linguagem muito peculiar, aliada a uma inteligência aguda e a uma grande sagacidade, permite a Smierdiakóv enganar a todos: das pessoas mais comuns ao promotor e ao juiz de instrução. Só Ivan consegue decifrar sua linguagem enigmática. A Smierdiakóv se aplica com perfeição um velho lugar-comum: o estilo é o homem.

O modo de ser e falar dessas personagens é produto imediato da concepção dostoievskiana de romance, na qual as personagens são independentes do autor, tese desenvolvida por Bakhtin em *Problemas da poética de Dostoiévski*. Afirmando essa independência das suas personagens em relação a ele, autor, e respondendo ao crítico S. Dolínin, que o acusava, entre outras coisas, de carregar nas tintas ao construir os diálogos de Ivan, Dostoiévski escreveu: "Ora, não sou eu quem fala carregando nas tintas, exagerando e usando de hipérboles (embora contra a realidade não haja exageros), mas Ivan Karamázov, personagem de meu romance. *A linguagem é dele, o estilo é dele,* o páthos *é dele, e não meu...* Além disso, ele ainda é muito jovem. Como haveria de falar [...] sem estourar, sem revelar uma paixão extraordinária, sem espuma nos cantos da boca? Minha intenção foi exatamente fazer a personagem se revelar e o leitor perceber justamente essa paixão [...] esse tratamento literário descosido".[8]

Esse reconhecimento da independência da personagem Ivan Karamázov pelo próprio Dostoiévski é de suma importância para se tentar entender a complexidade das criaturas que povoam sua obra.

Esperamos que este posfácio contribua para que o leitor brasileiro, raramente versado em coisas do mundo russo, possa acompanhar o processo de construção da história dos Karamázov e verificar como em Dostoiévski não existe nenhuma muralha entre realidade e ficção. Ao mesmo tempo, o texto de Dostoiévski não repete o real — Dmitri Karamázov não é Dmitri Ilinski —, porque o procedimento estético aplicado à recriação do original faz com que a personagem literária transcenda o seu protótipo e municia o leitor com uma percepção mais sensível e refinada do real. Isto lhe permite perceber que o real, tomado como objeto de representação, cresce em amplo e profundo, e é superado na obra assim como as personagens superam seus protótipos reais.

[8] *Apud* G. M. Fridlénder, "Dialóg u Dostoievskogo" (O diálogo em Dostoiévski), in *Almanakh*, nº 1, parte 1, São Petersburgo, 1993, p. 84.

SOBRE O AUTOR

Fiódor Mikháilovitch Dostoiévski nasceu em Moscou a 30 de outubro de 1821, num hospital para indigentes onde seu pai trabalhava como médico. Em 1838, um ano depois da morte da mãe por tuberculose, ingressa na Escola de Engenharia Militar de São Petersburgo. Ali aprofunda seu conhecimento das literaturas russa, francesa e outras. No ano seguinte, o pai é assassinado pelos servos de sua pequena propriedade rural.

Só e sem recursos, em 1844 Dostoiévski decide dar livre curso à sua vocação de escritor: abandona a carreira militar e escreve seu primeiro romance, *Gente pobre*, publicado dois anos mais tarde, com calorosa recepção da crítica. Passa a frequentar círculos revolucionários de Petersburgo e em 1849 é preso e condenado à morte. No derradeiro minuto, tem a pena comutada para quatro anos de trabalhos forçados, seguidos por prestação de serviços como soldado na Sibéria — experiência que será retratada em *Escritos da casa morta*, livro que começou a ser publicado em 1860, um ano antes de *Humilhados e ofendidos*.

Em 1857 casa-se com Maria Dmitrievna e, três anos depois, volta a Petersburgo, onde funda, com o irmão Mikhail, a revista literária *O Tempo*, fechada pela censura em 1863. Em 1864 lança outra revista, *A Época*, onde imprime a primeira parte de *Memórias do subsolo*. Nesse ano, perde a mulher e o irmão. Em 1866, publica *Crime e castigo* e conhece Anna Grigórievna, estenógrafa que o ajuda a terminar o livro *Um jogador*, e será sua companheira até o fim da vida. Em 1867, o casal, acossado por dívidas, embarca para a Europa, fugindo dos credores. Nesse período, ele escreve *O idiota* (1869) e *O eterno marido* (1870). De volta a Petersburgo, publica *Os demônios* (1872), *O adolescente* (1875) e inicia a edição do *Diário de um escritor* (1873-1881).

Em 1878, após a morte do filho Aleksiêi, de três anos, começa a escrever *Os irmãos Karamázov*, que será publicado em fins de 1880. Reconhecido pela crítica e por milhares de leitores como um dos maiores autores russos de todos os tempos, Dostoiévski morre em 28 de janeiro de 1881, deixando vários projetos inconclusos, entre eles a continuação de *Os irmãos Karamázov*, talvez sua obra mais ambiciosa.

SOBRE O TRADUTOR

Paulo Bezerra estudou língua e literatura russa na Universidade Lomonóssov, em Moscou, especializando-se em tradução de obras técnico-científicas e literárias. Após retornar ao Brasil em 1971, fez graduação em Letras na Universidade Gama Filho, no Rio de Janeiro; mestrado (com a dissertação "Carnavalização e história em *Incidente em Antares*") e doutorado (com a tese "A gênese do romance na teoria de Mikhail Bakhtin", sob orientação de Afonso Romano de Sant'Anna) na PUC-RJ; e defendeu tese de livre-docência na FFLCH-USP, "*Bobók*: polêmica e dialogismo", para a qual traduziu e analisou esse conto e sua interação temática com várias obras do universo dostoievskiano. Foi professor de teoria da literatura na Universidade do Estado do Rio de Janeiro, de língua e literatura russa na USP e, posteriormente, de literatura brasileira na Universidade Federal Fluminense, pela qual se aposentou. Recontratado pela UFF, é hoje professor de teoria literária nessa instituição. Exerce também atividade de crítica, tendo publicado diversos artigos em coletâneas, jornais e revistas, sobre literatura e cultura russas, literatura brasileira e ciências sociais.

Na atividade de tradutor, já verteu do russo mais de quarenta obras nos campos da filosofia, da psicologia, da teoria literária e da ficção, destacando-se: *Fundamentos lógicos da ciência* e *A dialética como lógica e teoria do conhecimento*, de P. V. Kopnin; *A filosofia americana no século XX*, de A. S. Bogomólov; *Curso de psicologia geral* (4 volumes), de R. Luria; *Problemas da poética de Dostoiévski*, *O freudismo*, *Estética da criação verbal*, *Teoria do romance I, II e III*, *Os gêneros do discurso*, *Notas sobre literatura, cultura e ciências humanas* e *O autor e a personagem na atividade estética*, de M. Bakhtin; *A poética do mito*, de E. Melietinski; *As raízes históricas do conto maravilhoso*, de V. Propp; *Psicologia da arte*, *A tragédia de Hamlet, príncipe da Dinamarca* e *A construção do pensamento e da linguagem*, de L. S. Vigotski; *Memórias*, de A. Sákharov; e *O estilo de Dostoiévski*, de N. Tchirkóv; no campo da ficção traduziu *Agosto de 1914*, de A. Soljenítsin; cinco contos de N. Gógol reunidos no livro *O capote e outras histórias*; *O herói do nosso tempo*, de M. Liérmontov; *O navio branco*, de T. Aitmátov; *Os filhos da rua Arbat*, de A. Ribakov; *A casa de Púchkin*, de A. Bítov; *O rumor do tempo*, de O. Mandelstam; *Em ritmo de concerto*, de N. Dejniov; *Lady Macbeth do distrito de Mtzensk*, de N. Leskov; além de *O sonho do titio* e *Sonhos de Petersburgo em verso e prosa* (reunidos no volume *Dois sonhos*), *O duplo*, *Escritos da casa morta*, *Bobók*, *Crime e castigo*, *O idiota*, *Os demônios*, *O adolescente* e *Os irmãos Karamázov*, de F. Dostoiévski.

Em 2012 recebeu do governo da Rússia a Medalha Púchkin, por sua contribuição à divulgação da cultura russa no exterior.

Este livro foi composto em Sabon,
pela Bracher & Malta, com CTP e
impressão da Edições Loyola em papel Pólen Natural 70 g/m² da Cia.
Suzano de Papel e Celulose para a
Editora 34, em abril de 2025.